IDELFONSO FALCONES

Barcelonais de naissance, Ildefonso Falcones vit toujours dans la capitale catalane, où il exerce la profession d'avocat. Grand lecteur et fin connaisseur de l'Espagne médiévale, il a consacré dix années à l'écriture de *La cathédrale de la mer* (Robert Laffont, 2008), son premier roman, qui lui vaut une renommée internationale et plus de deux millions de lecteurs dans le monde. Il publie ensuite, chez le même éditeur, *Les révoltés de Cordoue* (2011), avec, pour toile de fond, l'Inquisition espagnole.

D0586995

LES RÉVOLTÉS DE CORDOUE

DU MÊME AUTEUR
CHEZ POCKET

LA CATHÉDRALE DE LA MER
LES RÉVOLTÉS DE CORDOUE

ILDEFONSO FALCONES

LES RÉVOLTÉS
DE CORDOUE

Traduit de l'espagnol par Anne Plantagenet

ROBERT LAFFONT

Titre original :
LA MANO DE FÁTIMA

ISBN 978-2-266-22143-6

À mes fils :
Ildefonso, Alejandro, José María et Guillermo

« Quand un musulman combat ou se trouve en zone païenne, il n'est pas tenu d'apparaître sous un aspect différent de ceux qui l'entourent. Dans ces circonstances, le musulman peut préférer leur ressembler ou être contraint de le faire, si c'est dans un but religieux : prêcher, apprendre des secrets et les communiquer à des musulmans, éviter un dommage ; ou à toute autre fin utile. »

Ahmad ibn Taymiya
(1263-1328), célèbre juriste arabe

AU NOM D'ALLAH

« … Enfin, après avoir combattu chaque jour contre l'ennemi, après avoir souffert du froid, de la chaleur, de la faim, du manque de munitions et d'équipement de toute part, de nouveaux dommages, de morts incessantes, nous avons vu l'ennemi, nation belliqueuse, entière, armée et confiante, soutenue par les Barbares et les Turcs, vaincue, soumise, chassée de sa terre, dépossédée de ses maisons et de ses biens ; des prisonniers, des hommes et des femmes enchaînés ; des enfants captifs vendus aux enchères ou emmenés loin de leur terre… Douteuse victoire, et des succès si dangereux que parfois nous nous sommes demandé si c'était nous ou l'ennemi que Dieu voulait punir. »

Diego Hurtado de Mendoza,
Guerra de Granada, Livre premier

1.

Le carillon appelant à la grand-messe de dix heures du matin fendit l'atmosphère glaciale qui enveloppait le petit village, situé sur un des nombreux contreforts de la Sierra Nevada ; son écho métallique se perdit dans les profondeurs des ravins, comme s'il voulait s'écraser contre le flanc de la Contraviesa, la chaîne montagneuse qui, au sud, entoure la vallée fertile traversée par le Guadalfeo, l'Adra et l'Andarax, trois rivières arrosées par d'innombrables affluents qui descendent des sommets enneigés. Au-delà de la Contraviesa, les terres des Alpujarras s'étendent jusqu'à la Méditerranée. Sous un timide soleil d'hiver, près de deux cents hommes, femmes et enfants – la plupart traînant des pieds, presque tous silencieux – se dirigeaient vers l'église et se rassemblèrent à ses portes.

Le temple, en pierre ocre dépourvu de tout ornement extérieur, se composait d'un corps rectangulaire unique et simple, sur un des côtés duquel s'élevait la tour massive qui abritait la cloche. Près de l'édifice s'étendait une place avec vue sur les gorges touffues qui descendaient de la Sierra Nevada vers la vallée. Depuis la place, en direction de la montagne, partaient d'étroites ruelles bordées d'une multitude de maisons blanchies à la chaux avec de l'ardoise pulvérisée : des habitations à un ou deux étages, avec de toutes petites portes et fenêtres, des toits plats et des cheminées rondes couronnées de protections en forme de champignon. Disposés sur les toits, poivrons, figues et raisin séchaient au soleil. Les rues escaladaient le flanc de la montagne, de sorte que les toits des maisons du bas atteignaient les fondations de celles du haut, comme si elles grimpaient les unes sur les autres.

Sur la place, devant les portes de l'église, un groupe formé de quelques enfants et de plusieurs vieux-chrétiens parmi la vingtaine qui vivaient dans le village observait une vieille femme juchée tout en haut d'une échelle posée contre la façade principale du temple. La femme grelottait et claquait des quelques dents qui lui restaient. Les Maures pénétrèrent dans l'église sans regarder leur sœur de foi, hissée là depuis le lever du jour, agrippée au dernier échelon, supportant sans manteau le froid de l'hiver. La cloche sonnait, et un enfant montra la femme, qui tremblait au son du carillon, s'efforçant de garder l'équilibre. Des rires déchirèrent le silence.

— Sorcière ! entendit-on parmi les ricanements.

Deux jets de pierres atteignirent le corps de la vieille femme tandis qu'au bas de l'échelle les crachats s'amoncelaient.

Le carillon s'arrêta ; les chrétiens encore dehors se hâtèrent d'entrer dans l'église. À l'intérieur, à deux pas de l'autel et face aux fidèles, un gros homme brun, tanné par le soleil, était à genoux, sans cape ni manteau, une corde autour du cou et les bras en croix : il tenait un cierge allumé dans chaque main.

Quelques jours plus tôt, ce même homme avait remis à la vieille de l'échelle la chemise de son épouse malade afin qu'elle la lave dans une source dont les eaux avaient, disait-on, des pouvoirs curatifs. Dans cette petite source naturelle, cachée parmi les rochers et l'épaisse végétation de la montagne escarpée, on ne lavait jamais de linge. Don Martín, le curé du village, surprit la femme en train de laver cette unique chemise et ne douta pas qu'il s'agissait d'un sortilège. Le châtiment arriva sans tarder : la vieille femme devait passer la matinée du dimanche juchée sur l'échelle, exposée à l'humiliation publique. Quant au Maure ingénu qui avait sollicité l'enchantement, il fut condamné à faire pénitence en écoutant la messe à genoux. Et c'est dans cette posture que pouvaient le contempler les personnes alors présentes.

Dès qu'ils furent entrés dans le temple, les hommes se séparèrent de leurs femmes, et celles-ci, avec leurs filles, occupèrent les rangées de devant. Le pénitent agenouillé avait le regard perdu. Tout le monde le connaissait : c'était un homme bon, qui veillait sur ses terres et s'occupait des deux vaches qu'il possédait. Il voulait juste aider sa femme malade ! Peu à peu les hommes se placèrent, en ordre, derrière les femmes. Quand tous furent installés, le curé, don Martín, le bénéficier, don Salvador, et Andrés, le sacristain, accédèrent au chœur. Don Martín, ventripotent, teint blafard et joues rougies, vêtu d'une chasuble en soie brodée d'or, se cala dans un fauteuil de cérémonie face aux fidèles. Debout, de chaque côté, se postèrent le bénéficier et le sacristain. Quelqu'un ferma les portes de l'église ; tout s'immobilisa et les flammes des lampes cessèrent de scintiller. Le plafond coloré mudéjar à caissons de l'église étincela alors, rivalisant avec les retables sobres et tragiques du chœur et du transept.

Le sacristain, un homme jeune et grand, tout de noir vêtu, sec, à la peau mate, comme la plupart des fidèles, ouvrit un livre et se racla la gorge.

— Francisco Alguacil, lut-il.

— Présent.

Après avoir vérifié d'où provenait la réponse, le sacristain inscrivit quelque chose dans le livre.

— José Almer.

— Présent.

Nouvelle annotation. « Milagros García, María Ambroz… » Au fur et à mesure de l'appel, les réponses ressemblaient de plus en plus à des grognements. Le sacristain continuait de contrôler les visages et de prendre des notes.

— Marcos Núñez.

— Présent.

— Tu n'étais pas à la messe dimanche dernier, accusa soudain le sacristain.

— J'étais…

L'homme tenta de s'expliquer, mais les mots peinaient à venir. Il termina sa phrase en arabe tandis qu'il présentait un document.

— Approche, lui ordonna Andrés.

Marcos Núñez se faufila parmi les présents jusqu'au pied de l'autel.

— J'étais à Ugíjar, parvint-il à dire cette fois, en remettant le document au sacristain.

Andrés le feuilleta et le passa au curé, qui le lut attentivement avant de vérifier la signature et d'acquiescer d'une grimace : le supérieur de la collégiale d'Ugíjar certifiait que le 5 décembre 1568 le nouveau-chrétien dénommé Marcos Núñez, voisin de Juviles, avait assisté à la grand-messe célébrée dans cette localité.

Le sacristain esquissa un sourire imperceptible et inscrivit quelque chose dans le livre avant de poursuivre l'interminable liste de nouveaux-chrétiens – les musulmans contraints au baptême et au christianisme par le roi –, dont l'assistance aux saints-offices devait être contrôlée tous les dimanches et les jours d'obligation. Certains des interpellés ne répondirent pas et leur absence fut soigneusement consignée. Deux femmes, à la différence de Marcos Núñez avec son certificat d'Ugíjar, ne purent justifier pourquoi elles n'avaient pas assisté à la messe célébrée le dimanche précédent. Toutes deux essayèrent confusément de fournir des excuses. Andrés les laissa s'épancher et jeta un coup d'œil en direction du curé. Dès que don Martín, d'un geste autoritaire de la main, la pria de se taire, la première femme renonça à sa tentative ; la seconde, cependant, continuait de prétendre qu'elle avait été malade ce dimanche-là.

— Demandez à mon mari ! glapit-elle en cherchant son époux d'un regard nerveux dans les rangées du fond. Il vous…

— Silence, adoratrice du diable !

Le cri de don Martín fit taire la Mauresque, qui préféra baisser la tête. Le sacristain releva son nom : les deux femmes paieraient une amende d'un demi-réal.

Après un long moment consacré à la vérification des comptes, don Martín ouvrit la messe, non sans indiquer auparavant au sacristain d'obliger le pénitent à lever davantage les mains, qui tenaient les cierges.

— Au nom du Père, du Fils et du Saint-Esprit…

La cérémonie continua, même si ceux qui comprenaient les lectures sacrées ou pouvaient suivre le rythme frénétique malgré les cris constants avec lesquels le prêtre les réprimanda durant l'homélie étaient peu nombreux.

— Vous croyez peut-être que l'eau d'une source vous guérira d'une maladie ?

Don Martín désigna l'homme agenouillé ; son index tremblait et les traits de son visage apparaissaient crispés.

— C'est votre pénitence. Seul le Christ peut vous délivrer des misères et des privations par lesquelles il punit votre vie dissolue, vos blasphèmes et votre attitude sacrilège !

Mais la majorité d'entre eux ne parlait pas l'espagnol ; certains communiquaient avec les Espagnols en *aljamiado*, mélange d'arabe et de castillan. Néanmoins, ils étaient tous forcés de connaître le Notre-Père, l'Ave Maria, le Credo, le Salve et les Commandements en espagnol : les enfants maures, grâce aux leçons qu'ils recevaient du sacristain ; les hommes et les femmes, à travers les cours de religion qu'on leur donnait le vendredi et le samedi, et auxquels ils devaient assister sous peine de se voir frappés d'une amende et d'une interdiction de mariage. Lorsqu'ils prouvaient qu'ils connaissaient par cœur les prières, alors seulement ils étaient exemptés de venir en classe.

Pendant la messe, certains priaient. Les enfants, attentifs au sacristain, le faisaient à voix haute, presque en criant, ainsi que le leur avaient appris leurs parents qui, de cette manière, pouvaient tromper la présence agitée du bénéficier et prononcer en cachette : *Allahu Akbar*. Beaucoup le murmuraient les yeux fermés, en soupirant.

— Au nom de Dieu, le Tout-Clément ! Délivre-moi de mes défauts, de mes vices…, entendait-on dans les rangées des hommes dès que don Salvador s'éloignait un peu.

Mais il ne s'écartait pas beaucoup, comme s'il redoutait qu'on le défie en invoquant le Dieu des musulmans dans le temple chrétien, au cours de la grand-messe.

— Au nom de Dieu, Souverain ! Guide-moi par ton pouvoir…, s'exclama un jeune Maure plusieurs rangs derrière, couvert par le tumulte du Notre-Père crié par les enfants.

Don Salvador se retourna vivement.

— Ô Miséricordieux ! Emmène-moi dans ta gloire…, en profita pour implorer un autre homme depuis le côté opposé.

Le bénéficier rougit de colère.

— Au nom de Dieu, Miséricordieux ! insista un troisième homme.

Soudain, une fois la prière chrétienne terminée, l'âpre voix du prêtre s'imposa de nouveau.

— Loué soit Ton nom, put-on entendre ce jour-là depuis un rang au fond.

La plupart des Maures restèrent immobiles, droits et impénétrables ; certains soutenaient le regard de don Salvador, la majorité s'y dérobait ; qui avait osé louer le nom d'Allah ? Le bénéficier passa brutalement entre les rangs, mais il ne put désigner le sacrilège.

En milieu de messe, sous l'œil vigilant de don Martín toujours assis, le sacristain et le bénéficier, l'un avec le livre, l'autre avec une corbeille, recueillirent les oboles des paroissiens : pièces de maille, pain, œufs, lin… Seuls les pauvres étaient dispensés de faire des dons ; si un riche ne donnait rien pendant trois dimanches, il recevait une amende. Andrés consignait en détail qui donnait quoi.

Lorsque retentit la « clochette de mort », comme on appelait celle qui annonçait la consécration, les Maures s'agenouillèrent de mauvaise grâce au milieu des démonstrations de piété des vieux-chrétiens. La clochette de mort carillonna au moment où le prêtre, le dos tourné aux paroissiens, levait l'hostie ; on l'entendit de nouveau quand, toujours de dos, il leva le calice. Le prêtre s'apprêtait à dire les paroles sacramentelles quand, tout à coup, courroucé par le bourdonnement qui agitait l'église, il se retourna vers les fidèles, le visage furieux.

— Chiens ! cria-t-il.

L'imprécation éclaboussa de salive le verre sacré.

— Que signifient ces murmures ? Taisez-vous, hérétiques ! Agenouillez-vous comme il se doit pour recevoir le Christ, le seul Dieu ! Toi ! – Son index désigna un vieil homme au troisième rang. – Redresse-toi ! N'essaie pas d'idolâtrer ton faux dieu. Regardez ! Levez les yeux lorsqu'on vous offre le saint sacrement !

Son regard foudroya deux Maures de plus avant de continuer. Puis, hommes et femmes vinrent en silence manger « le pain ». Beaucoup s'efforçaient de conserver la pâte de blé humectée dans leur bouche afin de pouvoir la recracher chez eux ; tous les Maures, sans exception, faisaient ensuite des gargarismes pour se débarrasser des restes.

Les gens quittèrent l'église après la bénédiction de paix ; les chrétiens la reçurent avec dévotion ; les autres, plus nombreux, se signèrent à l'envers pour abuser le prêtre, affirmant en silence l'unicité de Dieu et raillant la Sainte-Trinité, qu'ils devaient invoquer en faisant le signe de croix. Les Maures se dépêchèrent de rentrer chez eux recracher l'hostie. Les quelques chrétiens du village s'entassèrent aux portes de l'église pour discuter, indifférents aux insultes proférées par leurs enfants à la vieille femme qui, ayant fini par tomber de l'échelle, était à terre, recroquevillée et tuméfiée, les lèvres bleuies, respirant avec difficulté. À l'intérieur du temple, le curé et ses adjoints prolongèrent le châtiment du pénitent, à qui ils ne cessèrent de reprocher ses fautes, tandis qu'ils transportaient les objets du culte de l'autel à la sacristie.

2.

> « Les Maures se sont révoltés, c'est vrai,
> mais ce sont les vieux-chrétiens qui les pous-
> sent au désespoir, avec leur arrogance, leurs
> larcins et l'impudence avec laquelle ils
> s'approprient leurs femmes. Même les
> prêtres se comportent ainsi. Comme un vil-
> lage entier s'était plaint de son curé auprès
> de l'archevêque, celui-ci donna l'ordre de
> vérifier le motif de la plainte. Emmenez-le
> loin d'ici, demandaient les paroissiens… ou,
> sinon, mariez-le, car tous nos enfants nais-
> sent avec des yeux aussi bleus que les
> siens. »

Francés de Álava, ambassadeur d'Espagne
en France, à Philippe II, 1568

Juviles était la localité principale d'une *taa*[1] composée
d'une vingtaine de villages répartis sur les contreforts accidentés de la Sierra Nevada. Un quart des *marjales*[2] de
toutes ses terres était irrigable, et le reste de culture sèche.
On y cultivait du blé et de l'orge ; elle comptait plus de
quatre mille marjales de vigne, oliviers, figuiers, châtai-
gniers et noyers, mais surtout de mûriers, l'aliment des
vers à soie, la plus importante source de richesse de la
région, même si la soie de Juviles ne bénéficiait pas du

1. Les *taas* étaient des divisions territoriales administratives musulmanes. *(N.d.T.)*
2. Mesure équivalente à 441,75 m². *(N.d.T.)*

21

prestige dont jouissaient celles venues d'autres taas des Alpujarras.

À ces sommets, à plus de mille aunes au-dessus du niveau de la mer, les Maures, patients et travailleurs, cultivaient jusqu'au plus abrupt bout de terrain susceptible de leur fournir quelque moisson. Les flancs de la montagne, là où la roche n'apparaissait pas, étaient échelonnés en petites terrasses enclavées aux endroits les plus cachés. Ce jour-là, alors que le soleil était déjà au plus haut dans le ciel, le jeune Hernando Ruiz rentrait à Juviles. C'était un garçon de quatorze ans aux cheveux brun foncé mais à la peau bien plus claire que celle, brun olive, de ses congénères. Ses traits, néanmoins, étaient semblables à ceux des autres Maures aux sourcils fournis, à la différence notable de ses grands yeux bleus qui contrastaient. Il était de taille moyenne, mince, vif et énergique.

Il venait de ramasser sur une terrasse les dernières olives d'un vieil olivier qui résistait au froid de la montagne, à l'abri, tordu, juste à côté d'une autre terrasse où l'on avait planté du blé. Il l'avait fait à la main. Il avait rampé sous l'arbre, sans le gauler, et il avait même recueilli les olives qui présentaient une teinte brune. Le soleil tempérait l'air froid qui venait de la Sierra Nevada. Hernando aurait aimé rester là à éliminer les mauvaises herbes, puis aller sur une autre terrasse où il supposait que l'humble Hamid était en train de travailler le peu de terres qu'il possédait. Sur les terrasses, lorsqu'ils se trouvaient seuls, travaillant ou sillonnant la montagne à la recherche des précieuses herbes avec lesquelles le vieil homme préparait ses remèdes, Hernando l'appelait Hamid au lieu de Francisco, le nom chrétien sous lequel il avait été baptisé. La plupart des Maures utilisaient deux noms : le chrétien, et le musulman au sein de leur communauté. Hernando, toutefois, était simplement Hernando, même si dans le village on se moquait souvent de lui ou on l'insultait en l'appelant « le nazaréen ».

Instinctivement, au souvenir de son surnom, le jeune garçon ralentit sa marche. Il n'était en rien nazaréen ! Il balança un coup de pied dans une pierre imaginaire et poursuivit sa route jusqu'à sa maison, située à l'extérieur du village, là où on avait trouvé suffisamment de place pour construire une étable afin d'abriter les six mules avec lesquelles son beau-père allait et venait sur les chemins des Alpujarras, ainsi qu'une septième : la Vieille, sa préférée.

Cela faisait près d'un an que sa mère s'était vue obligée de lui expliquer la raison d'un tel sobriquet. Un matin, à l'aube, il avait aidé son beau-père, Brahim – José pour les chrétiens –, à harnacher les mules. Une fois son travail accompli, alors qu'il disait au revoir à la Vieille en lui tapotant affectueusement le cou, une forte gifle sur l'oreille droite l'avait projeté à terre, à quelques pas de là.

— Chien nazaréen ! avait crié Brahim debout, en colère.

Le garçon avait secoué la tête pour recouvrer ses esprits et porté la main à son oreille. Derrière son beau-père, il lui avait semblé voir sa mère disparaître tête basse et rentrer à la maison.

— Tu as mal sanglé cet animal ! avait beuglé Brahim en lui montrant une des mules. Tu veux peut-être qu'elle s'érafle tout au long du chemin et qu'elle ne puisse plus travailler ? Tu n'es qu'un nazaréen inutile, avait-il craché, un bâtard chrétien !

Hernando avait fui à quatre pattes et s'était caché dans un coin de l'étable, sous la paille, la tête entre les genoux. Dès que le tintement des sabots du troupeau avait annoncé le départ de Brahim, Aisha, la mère d'Hernando, était revenue dans l'étable et s'était dirigée vers lui, une citronnade à la main.

— Tu as mal ? lui avait-elle demandé, s'accroupissant pour lui caresser les cheveux.

— Pourquoi tout le monde m'appelle nazaréen, mère ? avait-il sangloté, levant la tête d'entre ses genoux.

Aisha avait fermé les yeux devant les larmes de son fils. Elle avait voulu les essuyer d'une caresse, mais Hernando avait détourné le visage.

— Pourquoi ? avait-il insisté.

Aisha avait soupiré profondément ; puis elle avait hoché la tête et s'était accroupie sur la paille.

— D'accord, tu es assez grand désormais, avait-elle cédé avec tristesse, comme si ce qu'elle allait dire lui coûtait un grand effort. Il faut que tu saches qu'il doit y avoir quatorze ans, neuf mois avant ta naissance, le curé du village où je vivais quand j'étais petite, dans l'Ajerquía d'Almería, m'a violée…

Hernando avait sursauté et arrêté de sangloter.

— Oui, mon fils. J'ai crié et résisté, comme l'exige notre loi, mais je n'ai pas pu faire grand-chose alors contre la force de ce dépravé. Il m'a accostée loin du village, dans les champs, en milieu de matinée. C'était un jour ensoleillé, s'était-elle souvenue tristement. Je n'étais qu'une enfant ! avait-elle crié soudain. Il a arraché ma tunique d'un seul coup. Il m'a allongée par terre et…

Avant de continuer, la femme était revenue à la réalité, face aux yeux de son fils, immensément ouverts et fixés sur elle.

— Tu es le fruit de cet outrage, avait-elle chuchoté. C'est pour cela… qu'on t'appelle le nazaréen. Parce que ton père était un curé chrétien. C'est ma faute…

Mère et fils s'étaient regardés pendant un long moment. Les larmes avaient de nouveau coulé sur le visage du jeune garçon, mais cette fois la douleur était différente ; Aisha avait lutté contre ses propres larmes avant de comprendre qu'il lui serait impossible de les retenir. Alors elle avait laissé tomber le verre de citronnade et avait tendu les bras vers lui pour qu'il s'y réfugie.

La jeune Aisha avait eu beau sauver son honneur par

ses cris, dès que sa grossesse avait été notoire, son père, modeste muletier maure, conscient qu'il ne pourrait échapper à la honte, avait cherché le moyen, au moins, de ne plus en être le témoin. Il avait trouvé la solution en Brahim, un jeune et beau muletier de Juviles qu'il rencontrait souvent sur la route et à qui il avait proposé d'épouser sa fille contre une dot de deux mules : une pour sa fille et une autre pour le petit être qu'elle portait dans son ventre. Brahim avait hésité, mais il était jeune, pauvre, et il avait besoin de bêtes. De plus, qui savait si la petite créature irait même jusqu'à naître ? Peut-être ne dépasserait-elle pas les premiers mois... Sur ces terres inhospitalières, nombreux étaient les enfants qui mouraient en bas âge.

Même si le fait qu'elle avait été violée par un prêtre chrétien le répugnait, Brahim avait accepté le marché et emmené Aisha avec lui à Juviles.

Mais, à l'encontre des désirs de Brahim, Hernando était né fort, et avec les yeux bleus du curé qui avait violé sa mère. Il avait également survécu à la petite enfance. Les circonstances de ses origines avaient couru sur toutes les bouches et, si le village avait eu pitié de la fillette violée, il n'avait pas montré la même clémence à l'égard du fruit illégitime du crime ; ce mépris avait grandi face aux attentions que don Martín et don Andrés accordaient au garçon, plus importantes même que celles concédées aux enfants chrétiens, comme s'ils avaient voulu sauver des influences des partisans de Mahomet le bâtard d'un prêtre.

Le demi-sourire avec lequel Hernando remit les olives à sa mère ne réussit pas à abuser celle-ci. Elle lui caressa les cheveux avec douceur, comme elle le faisait chaque fois qu'elle devinait sa tristesse et Hernando, bien qu'en présence de ses quatre demi-frères, la laissa faire : rares étaient les occasions où sa mère pouvait lui exprimer sa tendresse et toutes, sans exception, se produisaient en l'absence de son beau-père. Brahim partageait sans hésitation le rejet de la communauté maure ; sa haine envers le nazaréen aux yeux bleus, le préféré des prêtres chrétiens, avait redoublé au fur et à mesure qu'Aisha, sa femme, mettait au monde ses enfants légitimes. À neuf ans Hernando avait été exilé dans l'étable, avec les mules, et il mangeait à l'intérieur de la maison seulement lorsque son père n'était pas là. Aisha avait dû céder aux exigences de son époux, et la relation entre mère et fils se développait à travers des gestes subtils chargés de signification.

Ce jour-là le repas était prêt et ses quatre demi-frères et sœurs attendaient son arrivée. Même le plus jeune d'entre eux, Musa, âgé de quatre ans, affichait un visage sévère en sa présence.

— Au nom de Dieu, le Clément et le Miséricordieux, pria Hernando avant de s'asseoir par terre.

Le petit Musa et son frère Aquil, qui avait trois ans de plus, l'imitèrent et tous trois saisirent avec les doigts, directement dans la marmite, des morceaux du repas préparé par leur mère : de l'agneau aux cardons marinés dans de l'huile, de la menthe et de la coriandre, du safran et du vinaigre.

Hernando jeta un coup d'œil en direction de sa mère, qui les observait, appuyée contre un des murs de la petite pièce, propre, qui servait de cuisine, de salle à manger et de chambre à ses demi-frères. Raissa et Zahara, ses deux demi-sœurs, se tenaient debout à ses côtés, attendant que les hommes finissent de manger pour pouvoir le faire à leur tour. Il mâcha un morceau d'agneau et sourit à sa mère.

Après l'agneau aux cardons, Zahara, sa petite sœur de onze ans, lui servit un plateau avec des raisins secs, mais le garçon n'eut pas le temps d'en porter, ne fût-ce que deux, à sa bouche : le bruit d'un galop étouffé, lointain, l'obligea à redresser la tête. Ses frères perçurent son geste et cessèrent de manger, attentifs à son attitude ; aucun des deux n'avait la capacité de prévoir avec tant d'anticipation le retour des mules.

— La Vieille ! s'écria le petit Musa lorsque le pas de la mule fut perceptible de tous.

Hernando se pinça les lèvres avant de se tourner vers sa mère. Il s'agissait bien des sabots de la Vieille, paraissait-elle confirmer du regard. Il tâcha de sourire, mais n'obtint qu'une moue triste, pareille à celle qu'esquissait Aisha : Brahim rentrait à la maison.

— Loué soit Dieu, pria-t-il afin de mettre fin au repas et de se lever péniblement.

Dehors, la Vieille, maigre et sèche, couverte de plaies à cause du bât, et libre de tout harnais, l'attendait patiemment.

— Viens, la Vieille, lui ordonna Hernando, et il prit avec elle la direction de l'étable.

Le son irrégulier des petits sabots de l'animal le suivit tandis qu'il contournait la maison. Une fois à l'intérieur de l'étable, il lui jeta un peu de paille et caressa son cou avec affection.

— Comment s'est passé le voyage ? murmura-t-il en examinant une nouvelle plaie que la bête n'avait pas avant de partir.

Il la regarda manger pendant quelques instants, puis il partit en courant vers le sommet de la montagne. Son beau-père devait l'attendre, caché, loin du chemin qui venait d'Ugíjar. Il courut un long moment à travers champs, veillant à ne croiser aucun chrétien. Il évita les terrasses cultivées ou tout autre lieu où quelqu'un pourrait être en train de travailler, même à cette heure. Presque hors d'haleine, il atteignit un endroit rocheux et difficile d'accès, ouvert sur un précipice, où il distingua la silhouette de Brahim. C'était un homme grand, fort, barbu, vêtu d'une casquette verte à la visière très large et d'une cape bleue jusqu'à mi-corps, sous laquelle apparaissait une petite jupe plissée qui lui couvrait la moitié des cuisses ;

il avait les jambes nues et des chaussures en cuir nouées par des lanières. Au début de l'année suivante, quand les nouvelles lois entreraient en vigueur, Brahim, comme tous les Maures du royaume de Grenade, devrait troquer ses vêtements contre une tenue chrétienne. À sa ceinture, malgré l'interdiction, brillait un poignard courbe.

Derrière le Maure, à l'arrêt, en file indienne – puisqu'elles ne tenaient pas deux par deux sur cet étroit relief de la roche –, se trouvaient les six mules chargées. Dans la paroi du ravin, on pouvait observer l'entrée de petites grottes.

Lorsqu'il aperçut son beau-père, Hernando arrêta de courir. La peur qu'il éprouvait toujours en sa présence s'accentua. Comment le recevrait-il ? La dernière fois, alors qu'Hernando avait couru à sa rencontre sans perdre de temps, il l'avait giflé pour son retard.

— Pourquoi t'arrêtes-tu ? vociféra le Maure.

Hernando accéléra pour couvrir les quelques pas qui les séparaient, faisant instinctivement le dos rond lorsqu'il passa près de lui, sans pourtant éviter un gros coup sur la nuque. Il tituba jusqu'à la première mule et se posta à l'entrée d'une grotte après s'être glissé, de profil, entre la roche et les mules ; en silence, il se mit à y introduire les marchandises dont son beau-père avait chargé les bêtes.

— Cette huile est pour Juan, le prévint-il en lui donnant une jarre. Aisar ! cria-t-il devant l'hésitation qu'il perçut chez son beau-fils.

C'était le nom musulman de Juan.

— Celle-là pour Faris.

Hernando rangeait les marchandises à l'intérieur de la grotte tout en s'efforçant de garder en mémoire les noms de leurs propriétaires.

Quand les mules furent à moitié déchargées, Brahim prit le chemin de Juviles et le garçon resta à l'entrée de la grotte, parcourant du regard la vaste plaine qui s'étendait à ses pieds, jusqu'à la montagne de la Contraviesa. Il n'y demeura pas longtemps : il connaissait ce paysage par cœur. Il entra dans la grotte et s'amusa à fouiner parmi les marchandises qu'ils venaient de cacher et les nombreuses autres qui étaient emmagasinées. Des centaines de grottes des Alpujarras s'étaient transformées en entrepôts où les Maures dissimulaient leurs biens. Avant qu'il ne fasse nuit, les propriétaires de ces produits passeraient par là récupérer ce qui les intéressait. Chaque voyage était identique. À proximité de Juviles, quel que fût l'endroit d'où il venait, son beau-père lâchait la Vieille et lui ordonnait de rentrer à la maison. « Elle connaît les Alpujarras mieux que personne. J'ai passé toute ma vie sur ces chemins et, malgré cela elle m'a sauvé parfois de situations difficiles », avait l'habitude de commenter le muletier. C'était le signal : la Vieille arrivait seule à Juviles et Hernando courait immédiatement jusqu'aux grottes retrouver son beau-père. Ils laissaient là la moitié des gains obtenus par Brahim et, de cette manière, les impôts élevés que son beau-père devait payer pour les bénéfices de son travail diminuaient de moitié. De leur côté, les acheteurs faisaient la même chose dans cette grotte ou dans d'autres semblables avec une bonne partie des marchandises qu'ils récupéraient des mains d'Hernando avant qu'elles n'arrivent à Juviles. Les innombrables précepteurs de dîmes et prémices, ou les alguazils qui touchaient les amendes et sanctions, avaient l'habitude d'entrer dans les maisons des Maures pour encaisser et saisir tout ce qu'ils y trouvaient, y compris de valeur supérieure à la dette. Ensuite ils ne rendaient pas compte du résultat des adjudications et les Maures perdaient ainsi leurs biens. À de nombreuses reprises, la communauté avait porté plainte auprès du juge de paix d'Ugíjar, de l'évêque et même du corregidor de Grenade, mais chaque fois en vain, et les receveurs chrétiens continuaient de voler impunément les Maures. Pour cette raison, tous appliquaient le système instauré par Brahim.

Assis, le dos appuyé à la paroi de la grotte, Hernando cassa une petite branche sèche en plusieurs bouts et s'amusa distraitement avec ; il allait devoir attendre un bon moment. Il examina les marchandises entassées et reconnut la nécessité de cette fraude ; sans elle, les chrétiens les auraient plongés dans la pauvreté la plus absolue. Il collaborait également à la dissimulation pour la dîme du bétail, des chèvres et des brebis. Bien que rejeté par la communauté, il avait été choisi comme complice. « Le nazaréen, avait allégué un vieux Maure, sait écrire, lire et compter. » C'était vrai : Andrés, le sacristain, s'était chargé de son éducation depuis l'enfance, et Hernando avait démontré qu'il était bon élève. Il se révélait indispensable de bien tenir les comptes pour abuser le percepteur de la dîme du bétail qui revenait à chaque printemps.

Le receveur exigeait que les bêtes soient rassemblées dans une plaine et contraintes de passer en file indienne sur un étroit chemin constitué de troncs. Un animal sur dix revenait à l'Église. Mais les Maures invoquaient le fait que les troupeaux de moins de trente bêtes n'avaient pas à être asujettis à la dîme, et que la somme correspondante devait se limiter à quelques maravédis. De cette manière, le moment venu, ils constituaient d'un commun accord des troupeaux de moins de trente bêtes, ruse qui supposait ensuite de nombreux calculs pour pouvoir recomposer les manades.

Cependant, le prix de tous ces stratagèmes était très élevé pour Hernando. Le garçon lança violemment contre le mur les petits bouts de branche qu'il avait dans la main. Aucun d'eux n'atteignit la paroi et ils retombèrent sur le sol… Il se souvint de l'après-midi où il avait été désigné pour mener la fraude à bien.

— Beaucoup d'entre nous savent compter, s'était opposé l'un des Maures lorsqu'on avait proposé Hernando pour flouer le percepteur de la dîme du bétail. Peut-être pas aussi bien que le nazaréen, mais…

— Mais vous tous, y compris toi, possédez des chèvres ou des brebis, ce qui peut susciter de la méfiance, avait insisté le vieil homme qui avait proposé le nom du garçon. Brahim, et le nazaréen moins encore, n'ont d'intérêt pour le bétail.

— Et s'il nous dénonce ? avait lancé un troisième homme. Il passe beaucoup de temps avec les curés.

Le silence s'était fait parmi les présents.

— Ne vous inquiétez pas. Je m'en occupe, avait assuré Brahim.

Le soir même, dans l'étable, Brahim était allé trouver son beau-fils, qui finissait de s'occuper des mules.

— Femme ! avait hurlé le muletier.

Hernando avait été surpris. Son père se trouvait à deux pas de lui. Qu'avait-il pu faire de mal ? Pourquoi appelait-il sa mère ? Aisha était apparue à la porte de l'étable et s'était rapidement dirigée vers l'endroit où tous deux se tenaient, s'essuyant les mains dans un torchon qu'elle portait en guise de tablier. Avant même qu'elle puisse poser une question, Brahim avait fait un tour sur lui-même et, le bras tendu, lui avait administré une terrible gifle. Elle avait chancelé. Un filet de sang avait coulé à la commissure de ses lèvres.

— Tu as vu ? avait grogné le muletier à l'intention d'Hernando. Ta mère en recevra cent comme ça si tu t'avises de raconter quoi que ce soit aux curés à propos du manège des grottes ou du bétail.

Hernando demeura tout l'après-midi dans la grotte, jusqu'à l'arrivée, un peu avant la nuit, du dernier Maure. Alors il put enfin redescendre au village pour s'occuper des mules ; il devait soigner leurs éraflures et contrôler leur état. À l'endroit où il dormait, dans un coin caché des écuries, il trouva une casserole contenant de la bouillie et une citronnade dont il se rassasia. Il termina avec les animaux et quitta rapidement l'étable.

31

Lorsqu'il passa devant la petite porte en bois de sa maison, il cracha. À l'intérieur, ses demi-frères riaient. Dominant le tumulte, la grosse voix de son beau-père se détachait. Raissa le vit par la fenêtre et lui adressa un sourire fugace : c'était la seule qui parfois avait pitié de lui, même si ces rares signes d'affection, comme ceux d'Aisha, se manifestaient forcément dans le dos de Brahim. Hernando pressa le pas avant de se mettre à courir en direction de la maison d'Hamid.

Le Maure, veuf, maigre et flétri, tanné par le soleil, boiteux de la jambe gauche, vivait dans une cabane qui avait subi mille réparations sans grand succès. Bien qu'ignorant son âge, Hernando avait l'impression qu'il comptait parmi les plus vieux hommes du village. La porte était ouverte, mais Hernando frappa trois coups du revers de la main.

— La paix, répondit Hamid au troisième coup. J'ai vu Brahim rentrer au village, ajouta-t-il dès que le garçon eut franchi le seuil.

Une lampe à huile fumante éclairait la pièce, qui constituait tout le foyer d'Hamid et, malgré l'écaillement des murs et les fuites provenant du plafond, elle apparaissait propre et nette, comme toutes les maisons maures. La cheminée était éteinte. L'unique petite fenêtre de la cabane avait été condamnée afin d'empêcher le linteau de tomber.

Le garçon hocha la tête et s'assit par terre à côté de lui, sur un coussin râpé.

— Tu as déjà prié ?

Hernando savait qu'il lui poserait cette question. Il savait aussi quelles seraient les paroles suivantes : « La prière du soir… »

— … est la seule que nous pouvons pratiquer en toute sécurité, répétait toujours Hamid, car les chrétiens dorment.

Si Andrés s'efforçait de lui apprendre les prières chrétiennes, ainsi qu'à compter, lire et écrire, l'humble Hamid, respecté comme uléma dans le village, faisait de même pour ce qui était des croyances et de l'enseignement musulmans ; il s'était imposé cette tâche depuis que les Maures avaient rejeté le bâtard d'un prêtre, comme s'il rivalisait avec le sacristain chrétien et toute la communauté. Il le faisait aussi prier sur les terrasses, à l'abri des regards indiscrets, ou bien ils récitaient ensemble les sourates pendant leurs déambulations dans la montagne à la recherche d'herbes curatives.

Avant qu'il réponde à la question d'Hamid, celui-ci se leva. Il ferma la porte et la barricada. Alors tous deux se déshabillèrent en silence. L'eau était déjà préparée dans des récipients propres. Ils se positionnèrent en direction de La Mecque, de la *qibla*.

— Ô Dieu, mon Seigneur ! implora Hamid au moment où il introduisait les mains dans le récipient pour les laver trois fois.

Hernando se joignit à lui pour les prières et fit la même chose de son côté.

— Avec Ton aide, je me préserve de la saleté et de la méchanceté de Satan maudit...

Puis ils procédèrent, selon les règles, aux ablutions du corps selon les règles : parties honteuses, mains, nez et visage, le bras droit puis le gauche depuis le bout des doigts jusqu'au coude, la tête, les oreilles et les pieds jusqu'aux chevilles. Ils accompagnèrent chaque ablution des prières correspondantes, même si parfois la voix d'Hamid se transformait en un murmure presque inaudible. C'était le signal de l'uléma pour laisser le garçon diriger les prières ; Hernando souriait, et tous deux poursuivaient le rituel, le regard perdu en direction de la qibla.

— ... que le jour du Jugement Tu me remettes..., priait à voix haute le jeune garçon.

Hamid plissait les yeux, acquiesçait avec satisfaction et reprenait la litanie :

— … ma lettre à la main droite et que Tu en prennes bonne note…

Après les ablutions, ils commencèrent la prière du soir en s'inclinant à deux reprises, s'accroupissant afin de toucher leurs genoux avec les mains.

— Loué soit Dieu…, se mirent-ils à prier en chœur.

Au moment de la prosternation, alors qu'ils se tenaient à genoux sur l'unique couverture dont disposait Hamid, le front et le nez effleurant le tissu et les bras tendus vers l'avant, on frappa à la porte.

Tous deux se turent, immobiles sur la couverture.

Les coups se répétèrent. Cette fois plus fortement.

Hamid tourna un visage effrayé vers le jeune garçon, cherchant ses yeux bleus qui brillaient à la lueur de la bougie. « Je suis désolé », semblait-il lui dire. Lui, il était déjà vieux, alors qu'Hernando…

— Hamid, ouvre ! entendit-on dans la nuit.

Hamid ? En dépit de sa jambe impotente, le Maure bondit et se planta devant la porte. Hamid ! Aucun chrétien ne l'aurait appelé ainsi.

— La paix.

Le visiteur fixa Hernando, encore agenouillé sur la couverture, les orteils appuyés dessus.

— La paix, le salua l'inconnu, un petit homme, brun de peau, tanné par le soleil et bien plus jeune qu'Hamid.

— C'est Hernando, lui présenta Hamid. Hernando, voici Ali, d'Órgiva, le mari de ma sœur. Qu'est-ce qui t'amène ici à cette heure ? Tu es loin de chez toi.

Pour toute réponse, Ali désigna Hernando du menton.

— Ce garçon est de toute confiance, assura Hamid : tu pourras toi-même le vérifier.

Ali observa Hernando, qui se levait, et hocha la tête. Hamid fit signe à son beau-frère de s'asseoir puis il s'assit à son tour : Ali sur la couverture, Hamid sur son coussin râpé.

— Apporte de l'eau fraîche et des raisins secs, demanda celui-ci à Hernando.

— À la fin de l'année il y aura un monde nouveau, annonça solennellement Ali sans attendre que le garçon ait rempli sa tâche.

La terrine avec la pauvre vingtaine de raisins qu'Hernando posa entre les deux hommes ne pouvait être que le produit des offrandes du village à l'égard de l'uléma ; certaines fois, lui-même avait apporté des présents de la part de son beau-père, qui ne passait pas précisément pour un homme généreux.

Hamid approuvait les paroles de son beau-frère quand Hernando prit place sur un coin de la couverture.

— Je l'ai entendu dire, ajouta-t-il.

Hernando les observa avec curiosité. Il ignorait qu'Hamid avait de la famille, mais ce n'était pas la première fois qu'il entendait ces mots : son beau-père ne cessait de répéter cette phrase, surtout au retour de ses voyages à Grenade. Andrés, le sacristain, lui avait expliqué que cela faisait référence à l'entrée en vigueur de la nouvelle pragmatique royale, qui obligerait les Maures à s'habiller comme des chrétiens et à abandonner l'usage de la langue arabe.

— Il y a déjà eu une tentative ratée le Jeudi saint de cette année, reprit Hamid, pourquoi serait-ce différent cette fois ?

Hernando secoua la tête. Que disait Hamid ? À quelle tentative ratée faisait-il référence ?

— Ce coup-ci, ça marchera, assura Ali. La dernière fois, toutes les Alpujarras connaissaient les plans de l'insurrection. C'est pour cette raison que le marquis de Mondéjar les a découverts, et les hommes de l'Albaicín ont fait marche arrière.

Hamid le pressa de continuer. Hernando se redressa dès qu'il entendit le mot « insurrection ».

— Désormais on a décidé que les hommes des Alpujarras ignoreront tout jusqu'au moment où on prendra Grenade. On a donné des instructions précises aux Maures de l'Albaicín et les hommes de la *vega*[1], de la vallée de Lecrín et d'Órgiva, se sont réunis en secret. Les hommes mariés se sont employés à recruter des hommes mariés, les célibataires des célibataires et les veufs des veufs. Plus de huit mille frères sont prêts à prendre l'Albaicín d'assaut. Alors seulement on préviendra ceux des Alpujarras. On calcule que la région pourrait armer cent mille hommes.

— Qui se trouve derrière l'insurrection cette fois ?

— Les réunions ont lieu dans la maison d'un cirier de l'Albaicín dénommé Adelet. Y assistent ceux que les chrétiens appellent Hernando El Zaguer, alguazil de Cádiar, Diego López, de Mecina de Bombarón, Miguel de Rojas, d'Ugíjar, et aussi Farax ibn Farax, El Tagari, Mofarrix, Alatar… Avec eux il y a pas mal de *monfíes*[2]…, poursuivit Ali.

— Je ne fais pas confiance à ces bandits, l'interrompit Hamid.

Ali haussa les épaules.

— Tu sais bien, argumenta-t-il, que beaucoup d'entre eux ont été contraints de vivre dans les montagnes. À nous, ils ne nous font pas de mal ! Toi-même tu les aurais rejoints si…

Ali ne put s'empêcher de regarder la jambe handicapée d'Hamid.

— La plupart d'entre eux se sont lancés dans le brigandage pour des injustices pareilles à celles commises à ton encontre.

La phrase d'Ali resta en suspens, dans l'attente de la réaction de son beau-frère. Hamid laissa ses souvenirs voler pendant quelques secondes et se pinça les lèvres en signe d'assentiment.

---

1. Plaine cultivée. *(N.d.T.)*
2. Brigands maures d'Andalousie. *(N.d.T.)*

— Quelle injust… ? lança Hernando.

Mais il se tut devant le geste brusque de la main par lequel Hamid accueillit son intervention.

— Quels monfíes se joindront à nous ? demanda alors l'uléma.

— El Partal de Narila, El Nacoz de Nigüeles, El Seniz de Bérchul.

Hamid écoutait, l'air pensif. Ali insista :

— Tout est étudié : les hommes de l'Albaicín de Grenade sont prêts pour le jour de l'An nouveau. Dès qu'ils se soulèveront, les huit mille autres à l'extérieur de Grenade escaladeront…, nous escaladerons les murailles de l'Alhambra du côté du Generalife. Nous utiliserons dix-sept échelles actuellement fabriquées à Ugíjar et Quéntar. Je les ai vues : à base de grosses cordes de chanvre, fortes et résistantes, avec des échelons en bois solide sur lesquels peuvent monter trois hommes à la fois. Nous devrons être vêtus à la mode turque, pour que les chrétiens croient que nous recevons de l'aide des Barbaresques[1] ou du sultan. Les femmes s'emploient à cela. Grenade n'est pas préparée à se défendre. Nous la reconquerrons à la date précise où elle s'est rendue aux Rois catholiques.

— Et une fois que nous aurons pris Grenade ?

— Alger nous aidera. Le Grand Turc nous aidera. Ils l'ont promis. L'Espagne ne peut s'engager dans d'autres guerres ni combattre ailleurs, elle le fait déjà dans les Flandres, les Indes, contre les Arabes[2] et les Turcs.

Cette fois Hamid leva les yeux au plafond. « Loué soit Dieu », murmura-t-il.

1. États barbaresques : nom donné du Moyen Âge au XIXᵉ siècle aux pays d'Afrique du Nord. Les Barbaresques étaient aussi des corsaires barbares qui sévissaient en Méditerranée. *(N.d.T.)*

2. On a choisi de donner le terme générique d'« Arabes » aux habitants des Barbaresques pour les distinguer des « Maures », qui vivaient en Espagne.

— Les prophéties s'accompliront, Hamid ! s'exclama Ali. Elles s'accompliront !

Le silence, brisé seulement par la respiration entrecoupée d'Hernando, envahit la pièce. Le jeune garçon tremblait légèrement et son regard ne cessait de passer d'un homme à l'autre.

— Que voulez-vous que je fasse ? Que puis-je faire ? demanda soudain Hamid. Je boite…

— En tant que descendant direct de la dynastie des Nasrides, tu dois être présent lors de la prise de Grenade, pour représenter le peuple auquel elle a toujours appartenu et auquel elle doit continuer à appartenir. Ta sœur est prête à t'accompagner.

Avant qu'Hernando ne pose une nouvelle question, déjà debout, Hamid se tourna vers lui, fit un signe de la tête et tendit la main jusqu'à son bras, en un geste implorant la patience. Le garçon se laissa retomber sur la couverture, mais ses immenses yeux bleus ne parvenaient pas à se détacher de l'humble uléma. C'était un descendant des Nasrides, des rois de Grenade !

3.

Hamid offrit sa maison à Ali pour la nuit, mais celui-ci déclina l'invitation : il savait qu'il ne disposait que d'un lit et, pour ne pas offenser son hôte, il prétexta qu'il pensait profiter de ce voyage pour régler des affaires avec un voisin de Juviles qui l'attendait. Hamid se montra satisfait et lui dit au revoir sur le seuil. Sur la couverture, Hernando observa comment les deux hommes prenaient formellement congé l'un de l'autre. L'uléma attendit que son beau-frère se perde dans la nuit et barricada de nouveau la porte. Alors il se tourna vers le jeune garçon : les rides qui sillonnaient son visage apparaissaient tendues et ses yeux, habituellement sereins, à présent pétillaient.

Hamid demeura un moment près de la porte, pensif. Puis, très lentement, il boita vers le garçon, lui demandant d'un geste de la main de garder encore le silence. Les quelques instants qu'il fallut à cette main pour s'abaisser semblèrent interminables à Hernando. Enfin, Hamid s'assit et lui sourit ouvertement. Mille interrogations se bousculaient à l'esprit du jeune garçon : Nasrides ? Quelle insurrection ? Que pense faire le Grand Turc ? Et les Algériens ? Pourquoi aurait-il dû être un monfí ? Y avait-il des Arabes dans les Alpujarras ? Mais elles se réduisirent bientôt à une seule :

— Comment peux-tu être si pauvre en étant un descendant… ?

39

Le visage de l'uléma s'assombrit avant qu'Hernando finisse de formuler sa question.

— On m'a tout pris, répondit-il sèchement.

Le garçon détourna les yeux.

— Je suis désolé…, réussit-il à dire.

— Il n'y a pas longtemps, commença à raconter Hamid à sa surprise, tu étais même déjà né, il se produisit un changement important dans l'administration de Grenade. Jusque-là, nous, les Maures, dépendions du général commandant du royaume, le marquis de Mondéjar, en représentation du roi, seigneur de la quasi-totalité de ces terres. Cependant, la légion de fonctionnaires et d'avocaillons de la chancellerie de Grenade exigea le contrôle des Maures, à l'encontre du critère du marquis, et le roi leur donna raison. À partir de là, greffiers et avocats se mirent à déterrer d'anciens procès contre des Maures. Il existait une tradition selon laquelle tout Maure qui se mettait sous la protection de la seigneurie se voyait pardonner les délits qu'il avait pu commettre. Tout le monde y gagnait : les Maures s'établissaient pacifiquement sur les terres des Alpujarras et le roi obtenait des travailleurs payant des impôts beaucoup plus élevés que si les terres s'étaient trouvées aux mains des chrétiens. Mais cet accord n'avantageait en rien la Chancellerie royale.

Hamid prit un raisin de la terrine, toujours posée sur la couverture.

— Tu n'en veux pas ? lui offrit-il.

Hernando s'impatientait. Non, il ne voulait pas de raisin… Il voulait qu'il lui réponde, qu'il continue de parler ! Mais, pour ne pas le contrarier, il tendit la main et mâcha en silence près de lui.

— Bien, reprit Hamid. Les greffiers, sous prétexte de pourchasser les monfíes, formèrent des bandes de soldats qui, en réalité, n'étaient autres que leurs fils ou des membres de leur famille… avec les meilleurs soldes qui aient existé dans l'armée du roi. Ils touchaient plus que les Tudesques des régiments de Flandres ! Aucun de ces protégés prétentieux n'avait la hardiesse d'affronter un seul monfí, c'est pourquoi, au lieu de combattre à l'épée contre les bandits, ils le firent avec des papiers contre les Maures en paix. Tous ceux qui avaient des affaires courantes durent payer pour elles : beaucoup d'entre nous furent obligés de quitter leurs foyers et de rejoindre les monfíes. Mais l'avarice des fonctionnaires ne s'arrêta pas là : ils se mirent à enquêter sur tous les titres de propriété foncière des Maures, et ceux qui ne pouvaient les accréditer par des documents écrits étaient contraints de payer le roi ou d'abandonner leurs terres. Beaucoup d'entre nous n'eurent pas le choix…

— Tu ne possédais pas ces titres ? interrogea Hernando, quand il se rendit compte que l'uléma avait interrompu son explication.

— Non, répondit celui-ci, l'air peiné. Je descends de la dynastie nasride, la dernière qui régna à Grenade. Ma famille, mon clan – Hamid prit un ton orgueilleux qui surprit Hernando –, fut parmi les plus nobles et les plus importants de Grenade, et un misérable greffier chrétien m'a privé de mes terres et de mes richesses.

Hernando tressaillit. Hamid s'arrêta, submergé par tant de douloureux souvenirs. Un moment après, il se ressaisit et reprit son récit, comme s'il voulait raconter à voix haute, pour une fois, l'histoire de sa disgrâce.

— Lors de la capitulation de Bu Abdillah, que les chrétiens appellent Boabdil, devant les Espagnols, ces derniers lui donnèrent en fief les Alpujarras, où il se retira avec sa cour. Parmi les membres de cette cour se trouvait son cousin, mon père, un uléma reconnu. Mais ces rois retors ne respectèrent pas cet accord : sans que Boabdil le sache, dans son dos, ils rachetèrent par l'intermédiaire d'un mandataire les terres qu'ils lui avaient remises peu auparavant et l'en expulsèrent. Presque tous les nobles et grands seigneurs musulmans quittèrent l'Espagne avec le « Petit

41

Roi » ; sauf mon père, qui décida de rester ici avec les siens, avec ceux qui avaient besoin des conseils qu'il leur prodiguait comme uléma. Puis, le cardinal Cisneros, à l'encontre du traité de Grenade qui garantissait aux mudéjars la coexistence pacifique dans leur propre religion, persuada les rois d'expulser tous les mudéjars qui ne se convertiraient pas au christianisme. La plupart durent se convertir. Ils ne voulaient pas abandonner leurs terres, sur lesquelles étaient nés et avaient grandi leurs enfants ! Les Espagnols aspergèrent d'eau bénite des centaines d'entre nous à la fois. Beaucoup sortirent des églises en alléguant que pas une goutte ne les avait touchés et qu'ils continuaient, par conséquent, à être musulmans. Quand je suis né, il y a cinquante ans…

Hernando sursauta.

— Tu me croyais plus vieux ?

Le garçon baissa la tête.

— Il y a des choses qui nous font vieillir davantage que le passage des années… En ce temps-là, nous vivions tranquillement sur des terres cédées verbalement par Boabdil ; personne ne discutait nos propriétés avant que l'armée de fonctionnaires et d'avocaillons ne se mette en marche. Alors…

Hamid se tut.

— Ils t'ont tout pris, conclut Hernando, la voix brisée.

— Presque tout.

L'uléma piocha un autre raisin sec dans la terrine. Hernando se pencha vers lui.

— Presque tout, répéta-t-il, cette fois en mâchant le raisin. Mais ils n'ont pas pu nous dépouiller de notre foi, comme ils le désiraient tant. Et ils ne m'ont pas pris non plus…

Hamid se leva avec difficulté et se dirigea vers l'un des murs de la cabane. Là, il gratta du pied droit le sol en terre de l'habitation jusqu'à ce qu'il rencontre une grosse planche allongée. Il en tira une extrémité et s'accroupit pour saisir un objet enveloppé dans un tissu. Hernando n'eut pas besoin qu'il lui dise ce que c'était : sa forme incurvée et allongée le révélait.

Avec délicatesse, Hamid déballa l'arme et la montra au garçon.

— Ça. Ils ne m'ont pas pris ça. Pendant que les alguazils, les greffiers et les secrétaires emportaient des vêtements de soie, des pierres précieuses, des animaux et des céréales, j'ai réussi à cacher le bien le plus précieux de ma famille. Cette épée a appartenu au Prophète. La paix et les bénédictions de Dieu soient avec Lui ! déclarat-il solennellement. Selon le père de mon père, c'est une des nombreuses épées que reçut Mahomet pour avoir épargné les idolâtres Coraixies qu'il fit prisonniers lors de la prise de La Mecque.

Du fourreau en or pendaient des morceaux de métal portant des inscriptions en arabe. Hernando frémit de nouveau et ses yeux étincelèrent comme ceux d'un enfant. Une épée qui avait appartenu au Prophète ! Hamid dégaina la lame, qui brilla à l'intérieur de la cabane.

— Tu participeras, affirma-t-il en s'adressant à l'épée, à la reconquête de la ville que tu n'aurais jamais dû perdre. Tu seras témoin que nos prophéties s'accompliront et que, dans Al-Andalus, les croyants régneront de nouveau.

4.

Les rumeurs qui couraient dans le village depuis deux jours furent confirmées par une bande de monfíes qui passa par là, en route pour Ugíjar.

— Tous les hommes des Alpujarras aptes à la guerre doivent se réunir à Ugíjar, ordonnèrent-ils, sans descendre de cheval, aux habitants de Juviles. Le soulèvement a commencé. Nous reprendrons nos terres ! Grenade redeviendra musulmane !

En dépit du secret dans lequel les Grenadins de l'Albaicín s'efforçaient de mener la révolte, la consigne affirmant qu'« à la fin de l'année il y aurait un monde nouveau » se propagea dans les montagnes. Les monfíes et les hommes des Alpujarras n'attendirent pas le jour du Nouvel An. Un groupe de monfíes attaqua et mit cruellement à mort plusieurs fonctionnaires qui traversaient les Alpujarras pour se rendre à Grenade où ils allaient fêter Noël et qui, à leur habitude, s'étaient employés au passage à voler sans discrimination et impunément dans les villages et les hameaux. D'autres monfíes défièrent un petit détachement de soldats, et finalement les Maures du village de Cádiar se soulevèrent en masse, pillèrent l'église et les maisons des chrétiens qu'ils tuèrent sauvagement.

Après le passage des monfíes, tandis que les chrétiens s'enfermaient chez eux, le village de Juviles se laissa gagner par l'agitation : les hommes s'armèrent d'une dague, d'un poignard, d'une vieille épée même, ou d'une inutile arquebuse qu'ils avaient réussi à dissimuler jalousement aux alguazils chrétiens ; les femmes remirent leur voile et leurs tenues colorées en soie, lin ou laine, brodées d'or ou d'argent, et sortirent dans la rue mains et pieds tatoués au henné et vêtues de ces habits si différents de ceux des chrétiens. Certaines avec une sorte de saie jusqu'à la taille, d'autres avec de longs haïks en forme de pointe dans le dos ; dessous, des tuniques brodées ; aux jambes, des culottes bouffantes plissées aux mollets et de gros collants fripés sur les cuisses, enroulés des chevilles aux genoux. Elles portaient aux pieds des sabots avec des lanières en cuir ou des chaussons. Le village entier était une explosion de couleurs : vert, bleu, jaune… De toute part il y avait des femmes pomponnées, mais toujours, sans exception, la tête couverte : certaines cachaient seulement leurs cheveux ; la majorité, l'intégralité du visage.

Ce jour-là, Hernando avait passé la matinée, dès la première heure, à assister Andrés dans l'église. Ils préparaient la messe de minuit. Le sacristain examinait une splendide chasuble brodée d'or quand les portes du temple s'ouvrirent violemment. Un groupe de Maures entra en vociférant. Parmi la foule, le prêtre et le bénéficier, traînés depuis chez eux, titubaient, tombaient sur le sol d'où on les relevait à coups de pied.

— Que faites-vous… ? parvint à crier Andrés en se dirigeant vers la porte de la sacristie, avant que les Maures ne le giflent et ne le jettent à terre.

Le sacristain roula aux pieds de don Martín et de don Salvador, frappés et maltraités sans répit.

Hernando, dont la première réaction avait été de suivre Andrés, s'écarta, effrayé devant l'intrusion dans la sacristie de cette foule d'hommes qui hurlaient, criaient et donnaient des coups de pied à tout ce qui se mettait en travers de leur chemin. L'un d'eux balaya du bras les objets qui reposaient sur la table : papier, encrier, plumes… D'autres se dirigèrent vers les armoires et entreprirent d'en sortir le contenu. Tout à coup, une main rude l'attrapa par le cou et l'entraîna hors de la sacristie, vers l'endroit où se trouvaient le prêtre et ses adjoints. Hernando se meurtrit le visage en tombant sur le sol.

Pendant ce temps, d'autres groupes de Maures commençaient à affluer, poussant sans ménagement les familles chrétiennes du village, brutalement conduites devant l'autel, près d'Hernando et des trois ecclésiastiques. Tout Juviles s'était rassemblé dans le temple. Les femmes maures se mirent à danser autour des chrétiens, lançant des youyous aigus obtenus par de brusques mouvements de la langue. Par terre, stupéfait, Hernando observait le spectacle autour de lui : un homme urinait sur l'autel, un autre s'employait à couper la grosse corde de la cloche pour la faire taire, tandis que d'autres encore détruisaient à coups de hache des images et des retables.

Devant le prêtre et les autres chrétiens furent entassés des objets de valeur : calices, patènes, lampes, habits brodés d'or… Tout cela au milieu des cris de guerre assourdissants des hommes et les chants des femmes qui naissaient à l'intérieur de l'église. Hernando tourna le regard vers deux Maures robustes qui tentaient d'arracher la porte en or du tabernacle. Le fracas des cris des Maures cessa de retentir à ses oreilles et tous ses sens se concentrèrent sur la vision des gros seins de sa mère qui oscillaient au rythme d'une danse délirante. Sa longue chevelure noire tombait sur ses épaules ; sa langue apparaissait et disparaissait frénétiquement de sa bouche ouverte.

— Mère…, murmura-t-il.

Que faisait-elle ? C'était une église ! Et par ailleurs… comment pouvait-elle se montrer ainsi devant tous les hommes… ?

Comme si elle avait entendu ce léger chuchotement, elle inclina le visage dans sa direction. Hernando eut l'impression qu'elle agissait lentement, très lentement, mais avant qu'il s'en rendît compte, Aisha était plantée devant lui.

— Lâchez-le, ordonna-t-elle en haletant aux Maures qui le détenaient. C'est mon fils. Il est musulman.

Hernando ne pouvait détacher son attention de la poitrine opulente de sa mère, qui à présent retombait mollement.

— C'est le nazaréen ! dit un des hommes derrière lui.

Le surnom le ramena à la réalité. Toujours le nazaréen ! Hernando se retourna. Il connaissait le Maure qui venait de parler : il s'agissait d'un vulgaire maréchal-ferrant avec qui son beau-père discutait souvent. Aisha saisit son fils par le bras et tenta de l'entraîner avec elle, mais, d'une tape, le Maure l'en empêcha.

— Attends que ton homme revienne avec les mules, dit-il d'un ton goguenard. C'est lui qui décidera.

Mère et fils échangèrent un regard ; elle avait les yeux entrouverts et les lèvres serrées, tremblantes. Soudain Aisha fit demi-tour et se mit à courir. Le sacristain, à côté d'Hernando, essaya de passer son bras autour de ses épaules, mais le garçon, apeuré, se déroba instinctivement et regarda sa mère sortir de l'église. Dès que la chevelure noire d'Aisha disparut derrière la porte, le tumulte éclata de nouveau à ses oreilles.

Tout Juviles était en fête. Les Maures chantaient et dansaient dans les rues au son des tambourins, tambours de Basque, cornemuses, timbales, flûtes ou pipeaux. On avait sorti de leurs gonds les portes des maisons chrétiennes. Lorsqu'il entra dans le village, Brahim se redressa, fier et élégant, sur la monture de son cheval aubère. Il était à la tête d'une bande de Maures armés. À cause de l'agitation qui régnait dans les rues, le cortège avait du mal à avancer : hommes et femmes dansaient autour de lui, célébrant la révolte.

Le muletier s'était joint au soulèvement, qui l'avait surpris à Cádiar où il s'affairait. Là, il avait combattu au coude à coude avec El Partal et ses monfíes contre une troupe de cinquante arquebusiers chrétiens qu'ils avaient anéantie.

Brahim demanda après les chrétiens du village et plusieurs personnes, entre cris et sauts de joie, lui désignèrent l'église. Juché sur son aubère, il s'y dirigea afin d'entrer dans le temple. Il stoppa à la porte, alors que le cheval soufflait, inquiet. Le vacarme cessa juste le temps d'entendre la faible tentative de protestation de don Martín.

— Sacril… !

Le prêtre fut immédiatement réduit au silence à coups de poing et de pied. Brahim fouetta l'aubère pour l'obliger à passer sur les morceaux de retables, de croix et d'images éparpillés par terre, et les cris de la foule éclatèrent de nouveau. Shihab, l'alguazil du village, lui fit signe de l'endroit où avaient été rassemblés les chrétiens, devant l'autel, et Brahim s'avança vers eux.

— Toutes les Alpujarras se sont soulevées, en armes, dit-il en arrivant auprès de Shihab, sans descendre de son cheval couleur pêche. Sur l'ordre d'El Partal, j'ai ramené les femmes, les enfants et les vieux Maures qui ne peuvent pas se battre, pour qu'ils se réfugient dans le château de Juviles, où j'ai également laissé le butin obtenu à Cádiar.

Le château de Juviles était à deux tirs d'arquebuse à l'est du village, sur une plateforme rocheuse haute de presque mille aunes et très difficile d'accès. L'édifice datait du Xe siècle et conservait les murs et plusieurs de ses neuf tours d'origine, à moitié détruites, mais l'intérieur était suffisamment vaste pour accueillir les réfugiés maures de Cádiar, et assez sûr aussi pour y entasser le butin amassé dans cette riche localité.

— À Cádiar, il n'y a plus de chrétiens vivants ! cria Brahim.

— Que doit-on faire de ceux-là ? lui demanda l'alguazil en montrant le groupe devant l'autel.

Brahim s'apprêtait à répondre, mais une question l'arrêta :

— Et avec celui-ci ? Que fait-on avec celui-ci ?

Le maréchal-ferrant se détacha du groupe de chrétiens en tenant Hernando par le bras.

Un sourire cruel se dessina sur le visage de Brahim, qui planta son regard sur son beau-fils. Ces yeux bleus de chrétien ! Il les lui arracherait avec plaisir...

— Tu as toujours dit que c'était un chien chrétien ! lui lança le maréchal-ferrant.

C'était exact, il l'avait répété des milliers de fois... mais à présent il avait besoin du garçon. El Partal s'était montré méfiant à son égard lorsque Brahim lui avait demandé l'épée, l'arquebuse et le cheval aubère du capitaine Herrera, le chef des soldats de Cádiar.

— Ton métier, c'est muletier, lui avait répondu le monfí. Tu peux nous être utile. Il faut transporter tous les biens pris à ces scélérats pour les troquer contre des armes aux Barbaresques. À quoi te servira un cheval si tu dois voyager avec du matériel ?

Mais Brahim voulait cet animal. Brahim brûlait du désir d'utiliser l'épée et l'arquebuse du capitaine contre les chrétiens, qu'il haïssait.

— C'est mon beau-fils, Hernando, qui conduira le troupeau, avait-il répliqué à El Partal presque sans réfléchir. Il est capable de le faire : il sait ferrer et soigner les bêtes, et elles lui obéissent. Je commanderai les hommes que tu me fournis pour défendre l'équipement et le butin que nous transporterons.

El Partal s'était caressé la barbe. Un autre monfí, El Zaguer, qui connaissait bien Brahim et se trouvait présent, était intervenu en sa faveur.

— Il peut être meilleur soldat que muletier, allégua-t-il. Il ne manque ni de courage ni d'adresse. Et je connais son fils : il est habile avec les mules.

— D'accord, avait cédé El Partal après quelques ins-

49

tants de réflexion. Conduis les gens à Juviles et veille sur les biens que nous avons pris. La vie de ton fils et la tienne en répondront.

Et maintenant ce maréchal-ferrant prétendait arrêter Hernando en l'accusant d'être chrétien ! Du haut de l'aubère, Brahim bredouilla des mots inintelligibles.

— Ton beau-fils est chrétien ! cria le maréchal-ferrant, qui insistait. C'est ce que tu affirmais sans arrêt.

— Dis-le, Hernando ! intervint Andrés.

Le sacristain, qui s'était mis debout, avançait vers le garçon. Un gardien allait se jeter sur lui, mais l'alguazil l'en empêcha.

— Reconnais ta foi dans le Christ ! supplia le sacristain une fois libre, les bras tendus.

— Oui, mon fils. Prie le seul Dieu, ajouta don Martín, le visage ensanglanté et la tête penchée. Recommande-toi au véritable…

Un nouveau coup de poing coupa sa phrase.

Hernando balaya du regard les personnes présentes, musulmanes et chrétiennes. Qui était-il, lui ? Andrés s'était investi dans son éducation bien plus que dans celle des autres garçons du village. Le sacristain l'avait mieux traité que son beau-père. « Il sait parler arabe et castillan, lire, écrire et compter », soutenaient de leur côté, avec intérêt, les Maures. Et, cependant, Hamid aussi l'avait pris sous son aile et, que ce fût dans les champs ou dans sa cabane, lui avait appris avec fermeté les prières et la doctrine musulmanes, la foi de son peuple. À Cádiar, il n'y avait plus de chrétiens vivants ! C'est ce qu'affirmait Brahim. Une sueur froide trempa son front : si on le considérait chrétien, on le condamnerait à… Le brouhaha avait cessé et une grande partie des Maures murmurait près du groupe.

Le cheval de Brahim piaffa contre le sol. Hernando était chrétien ! semblait refléter le visage du cavalier. N'était-il pas le fils d'un prêtre ? N'en savait-il pas plus à propos des lois du Christ que n'importe quel musulman ? Et si son second fils, Aquil, pouvait se charger du troupeau ? El Partal ne connaissait pas ses fils. Il pourrait lui dire…

— Décide-toi ! exigea Shihab.

Brahim soupira ; son séduisant visage esquissa un sourire retors.

— Gardez-le…

— Que faut-il décider ? Qui faut-il garder ?

La voix d'Hamid fit taire les murmures. L'uléma était vêtu d'une simple tunique longue d'où ressortait le fourreau en or de la longue épée qui pendait d'une corde en guise de ceinture. Il s'efforçait de marcher aussi droit que sa jambe le lui permettait. On put entendre le cliquetis des pièces de métal de son fourreau à l'intérieur du temple. Certains Maures regardèrent avec attention, essayant de deviner quelles inscriptions étaient gravées dessus.

— Que faut-il décider ? répéta-t-il.

Aisha soufflait derrière lui. Elle avait couru jusqu'à la cabane d'Hamid, consciente de l'affection qu'il portait à son fils et du respect que les villageois lui témoignaient. Lui seul pouvait le sauver ! S'ils attendaient la décision de Brahim comme le prétendait le maréchal-ferrant… L'origine de ce fils n'était jamais mentionnée, mais ce n'était pas nécessaire. Brahim ne cachait pas sa haine à l'égard d'Hernando : il le maltraitait et lui parlait avec mépris. Lorsque quelqu'un du village voulait contrarier le muletier, il n'avait qu'à mentionner le nazaréen. Alors Brahim se mettait en colère et jurait ; puis, la nuit, il le faisait payer à Aisha, en la frappant. La seule solution trouvée par Aisha avait été de lui rappeler régulièrement qu'elle était la mère de ses quatre autres enfants, et de se consacrer à ces derniers de manière inconditionnelle, réussissant à faire naître chez son époux le sentiment atavique du clan familial que tout musulman respectait. Grâce à cela, Brahim cédait à contrecœur… Mais, dans un moment pareil… Dans un moment pareil, ce n'était plus seulement

Brahim, mais tout un peuple échauffé qui réclamait le nazaréen.

Hamid avait baissé les yeux devant la poitrine d'Aisha, qui était apparue ainsi à la porte de sa cabane. « Couvre-toi », lui avait-il demandé, aussi troublé qu'elle quand elle s'était rendue compte de sa nudité. Puis il avait tenté de comprendre ce qu'elle lui disait, la priant avec les mains de se calmer et de parler plus lentement. Aisha avait réussi à lui expliquer, et l'uléma n'avait pas hésité un instant. Ils étaient tous deux partis en direction de l'église. Hamid clopinait derrière la femme, s'efforçant de suivre sa démarche rapide.

— Le garçon est chrétien ! insistait le maréchal-ferrant sans cesser de secouer Hernando.

Hamid fronça les sourcils.

— Toi, Yusuf, dit-il en le désignant, dis la profession de foi.

De nombreux Maures baissèrent aussitôt les yeux ; le maréchal-ferrant chancela.

— Qu'est-ce que ça a à voir… ? commença à se plaindre Brahim du haut de l'aubère.

— Tais-toi, ordonna Hamid, en levant une de ses mains. Prie ! insista-t-il auprès du maréchal-ferrant.

— Il n'y a pas d'autre Dieu que Dieu et Mahomet est l'envoyé de Dieu, entonna Yusuf.

— Continue.

— C'est la profession de foi. C'est suffisant, s'excusa le maréchal-ferrant.

— Non. Ça ne l'est pas. Dans Al-Andalus, non. Récite la prière de tes ancêtres, ceux que tu prétends venger.

Yusuf soutint le regard de l'uléma pendant quelques secondes, puis il baissa les yeux, de même que la plupart des hommes présents.

— Dis la prière que tu aurais dû enseigner à tes enfants, mais que tu as déjà oubliée, lui reprocha Hamid. L'un d'entre vous ici peut-il réciter les attributs de la divinité comme il est coutume de le faire sur notre terre ?

L'uléma balaya du regard le groupe de Maures. Personne ne répondit.

— Fais-le, toi, Hernando, l'invita-t-il alors.

Dégagé des mains menaçantes du maréchal-ferrant, le garçon saisit l'une des chasubles brodées d'or entassées devant l'autel ; il hésita quelques instants, puis il s'orienta vers la qibla et s'agenouilla sur la soie.

— Non ! cria Andrés.

Mais cette fois, les Maures ne lui permirent pas de continuer et le frappèrent. Le sacristain porta les mains à son visage et sanglota devant la trahison de son élève, au moment où Hernando commençait la prière :

— Il n'y a pas d'autre Dieu que Dieu et Mahomet est l'envoyé de Dieu. Il n'ignore pas que toute personne est obligée de savoir que Dieu est unique dans son royaume. Il a créé toutes les choses qui existent dans le monde, le haut et le bas, le trône et l'escabeau, le ciel et la terre, ce qu'il y a en eux et ce qui existe entre eux.

Hernando avait débuté la prière d'une voix tremblante, mais à mesure que surgissaient les paroles, son ton se fit plus assuré.

— Toutes les créatures ont été formées par Sa puissance ; rien ne bouge sans Sa permission…

Même le cheval aubère se tint tranquille pendant la prière. Hamid écoutait, satisfait, les yeux entrouverts ; soucieuse, Aisha serrait les mains, comme si elle avait voulu pousser les mots qui sortaient de la bouche de son fils.

— Il est le premier et le dernier, celui qui se manifeste et celui qui se dissimule. Il connaît tout ce qui existe, termina le garçon.

Personne ne prononça un mot jusqu'au moment où Hamid reprit la parole :

— Qui ose à présent soutenir que ce garçon est chrétien ?

5.

Tous les chrétiens de Juviles furent confinés dans l'église sous la tutelle d'Hamid, qui devait essayer de leur faire renier leur religion et de les convertir à l'islam.

Brahim prit la route du Nord, vers la montagne, où El Partal avait dit qu'il se rendrait afin de poursuivre le soulèvement. Sous ses ordres partit un groupe bariolé constitué d'une demi-douzaine d'hommes, certains pourvus d'armes prises à la compagnie d'arquebusiers de Cádiar, d'autres munis de simples bâtons ou de frondes en sparte. À la fin du cortège se trouvait Hernando, qui veillait sur le troupeau de mules, augmenté de six bons exemplaires choisis par Brahim parmi ceux ramenés de Cádiar.

Hernando avait dû courir derrière l'aubère de son beau-père. Lorsque, dans l'église, personne n'avait osé contester les paroles de l'uléma, Brahim avait éperonné son cheval, fait demi-tour et ordonné au garçon de le suivre. Hernando n'avait même pas pu dire au revoir à Hamid ou à sa mère ; malgré cela, quand il était passé près d'eux, il leur avait souri. Sur la place de l'église hommes et mules l'attendaient.

— Si tu perds un animal ou un chargement, je t'arrache les yeux.

Telles furent les seules paroles que lui adressa son beau-père avant qu'ils se mettent en route.

À partir de ce moment-là, l'unique préoccupation du garçon consista à stimuler les bêtes derrière la monture de son beau-père et les hommes qui le suivaient à pied. Les mules de Juviles obéissaient aux ordres ; les bêtes réquisitionnées étaient moins dociles, plus aléatoires. L'une d'elles, la plus grande, le menaça d'un coup de dents lorsqu'il la fouetta pour qu'elle revienne dans le rang. Hernando bondit avec agilité et évita la morsure, mais lorsqu'il voulut punir l'animal, il se retrouva les mains vides.

« Je t'aurai », maugréa-t-il entre ses dents. La mule continua à en faire à sa guise, tandis qu'Hernando cherchait autour de lui. « Un bâton ferait l'affaire », pensa-t-il. Les mules n'étaient pas idiotes, mais celle-ci avait besoin d'une leçon. Il ne pouvait pas prendre le risque qu'elles lui désobéissent avec son beau-père à proximité. Ce serait lui qui finirait par recevoir le châtiment. C'est pourquoi il saisit une pierre de bonne taille et revint vers l'animal du côté droit, un bras dans le dos. Dès qu'elle sentit la présence du garçon, la mule s'apprêta à le mordre de nouveau mais, avec la pierre, Hernando lui asséna un fort coup à la lèvre. La bête secoua la tête et lança un braiment puissant. Hernando la poussa alors avec douceur et la mule regagna sa place, soumise, dans le troupeau. Lorsqu'il leva le regard, Hernando rencontra celui de son beau-père qui, tourné sur sa monture, l'observait avec vigilance, attentif comme toujours à la moindre erreur que pouvait commettre le jeune garçon pour le punir.

Ils continuèrent leur ascension en direction d'Alcútar. Ils passaient par un étroit sentier en file indienne, et n'avaient pas encore perdu de vue Juviles quand l'écho d'une voix se répercuta dans les défilés, les gorges et les montagnes. Hernando s'arrêta. Un frisson parcourut son dos. Combien de fois Hamid le lui avait-il raconté ! Même au loin, le garçon reconnut le timbre de voix de l'uléma, qu'il sentit fier, joyeux, vif, pétillant ; il sentit la même satisfaction que le jour où il lui avait montré l'épée du Prophète.

— Venez à la prière ! entendirent-ils crier Hamid, probablement du clocher de l'église.

L'appel se faufila au fond des défilés abrupts, cognant contre la roche et s'enroulant dans la végétation, pour remplir finalement toute la vallée des Alpujarras, de la Sierra Nevada à la Contraviesa, et de là jusqu'au ciel. Cela faisait plus de soixante ans que, sur ces terres, l'appel du muezzin n'avait pas retenti.

Le cortège s'arrêta. Hernando chercha le soleil et se redressa afin de s'assurer que son ombre atteignait le double de sa stature : c'était le bon moment.

— Il n'y a de force et de pouvoir qu'en Dieu, le Très-Haut, le Très-Grand, murmura-t-il, en chœur avec les autres.

Telle était la réponse qu'ils récitaient tous les jours depuis leur maison, en pleine nuit ou à midi, dans la plus grande discrétion, veillant à ce qu'aucun chrétien ne pût les entendre de la rue.

— Allah est grand ! cria ensuite Brahim, se dressant de toute sa hauteur sur ses étriers et brandissant l'arquebuse au-dessus de sa tête.

Hernando se recroquevilla, effrayé par la silhouette et le visage impitoyable de son beau-père.

Aussitôt, son cri fut couvert par celui de tous les hommes qui l'accompagnaient. Avec l'arquebuse, Brahim fit signe de continuer. Un homme s'essuya les yeux avant de se remettre à marcher. Hernando l'entendit renifler et se racler la gorge à plusieurs reprises, comme s'il s'efforçait de dissimuler ses larmes, et il excita les mules, le chant d'Hamid vibrant encore à ses oreilles.

La population d'Alcútar, village situé à un peu plus d'une lieue de Juviles, les accueillit avec la même liesse, les mêmes chants, danses et cris de joie qu'à Juviles. Après avoir soulevé en armes les Maures du village, El Partal et ses monfíes étaient partis vers Narila, leur lieu d'origine, non loin de là, sans attendre l'arrivée de Brahim.

Comme tous les villages des hautes Alpujarras, Alcútar était un labyrinthe de ruelles qui montaient, descendaient et serpentaient, abritant de petites maisons au toit plat, recouvertes de chaux. Brahim se dirigea vers l'église.

Un groupe de quinze à vingt chrétiens se trouvait rassemblé devant les portes du temple, étroitement surveillé par des Maures munis de bâtons, qui assiégeaient leurs captifs par des cris et des coups, comme des bergers leurs brebis. Hernando suivit le regard terrifié d'une fillette dont la chevelure blonde se détachait du groupe de chrétiens ; près de la façade de l'église, le cadavre criblé de flèches du bénéficier du village faisait l'objet des outrages d'une partie de ceux qui passaient à ses côtés, lui crachaient dessus ou lui flanquaient des coups de pied. Près du bénéficier, à genoux, un homme jeune, la main droite tranchée, tentait d'endiguer l'hémorragie par laquelle sa vie s'échappait. Le sang se répandait sur la neige fondue et la main était devenue le joujou d'un chien, qui s'amusait à la mordiller sous le regard captivé de quelques enfants maures.

— Commencez à charger le butin !

La voix de Brahim tonna au moment où un enfant, plus culotté que les autres, prenait au chien son jouet macabre et le jetait aux pieds du mutilé. Le chien courut après lui, mais avant qu'il l'atteigne, une femme éclata de rire, cracha sur l'homme lorsque celui-ci lui montra son moignon et donna un coup de pied dans la main pour que l'animal puisse finir de la déchiqueter.

Hernando hocha négativement la tête et suivit les soldats à l'intérieur de l'église. La fillette chrétienne, les cheveux blonds trempés par la pluie mêlée de neige, gardait les yeux rivés sur le cadavre du bénéficier.

Peu après, le garçon sortit du temple avec des habits en soie brodés d'or et deux chandeliers d'argent qui vinrent s'ajouter au tas d'objets de toute sorte qui s'amoncelaient aux portes de l'église. Alors il se chercha un manteau parmi les vêtements provenant du pillage des maisons chrétiennes. Du haut de l'aubère, Brahim fit la grimace.

— Tu veux que je meure de froid ? se défendit Hernando, anticipant la réprimande de son beau-père.

Quand le soleil commença à décliner, les douze mules avaient été chargées de vivres et un orle roux se dessina au-dessus des sommets qui entouraient les Alpujarras. Le cadavre vidé de sang du manchot gisait sur celui du bénéficier et le chien avait cessé de ronger la main. Regroupés devant l'église, les chrétiens demeuraient inquiets. La voix du muezzin retentit avec énergie, les Maures étendirent les habits de soie et de lin dans la boue et se prosternèrent.

Le rouge du ciel devint cendré et, une fois terminée la prière du coucher du soleil, El Partal et ses monfíes revinrent à Alcútar. Au groupe de près de trente hommes durs à cuire – certains à cheval, d'autres à pied, tous bien emmitouflés et armés d'arbalètes, d'épées ou d'arquebuses, en plus de dagues à la taille – s'étaient agrégés les *gandules* de Narila, la milice urbaine, occupés alors à surveiller la file de prisonniers chrétiens qu'ils avaient conduits de Narila à Alcútar. Les monfíes ne semblaient accorder aucune importance ni au froid ni à la neige fondue qui tombait : ils discutaient et riaient. Hernando observa que, derrière le groupe, un troupeau de mules transportait le butin récupéré à Narila.

Devant l'église, les nouveaux captifs vinrent grossir le groupe déjà nombreux des détenus. Les Maures les frappèrent pour les empêcher de communiquer entre eux et, à la fin, le silence régna de nouveau, pendant que les enfants maures couraient dans tous les sens autour des monfíes, pointant du doigt leurs dagues et leurs chevaux, et se gonflant d'orgueil lorsque l'un d'eux leur ébouriffait les cheveux. Brahim et l'alguazil d'Alcútar souhaitèrent la bienvenue à El Partal et se mirent à l'écart pour avoir un entretien avec le monfí. Hernando vit son beau-père faire des signes dans la direction où il se trouvait avec les mules chargées, et El Partal qui acquiesçait. Puis ce dernier désigna les mules qui transportaient le butin de Narila et fit mine d'appeler le muletier qui les commandait, mais Brahim s'y opposa ostensiblement. Malgré la distance et l'obscurité rompue par les torches, Hernando se rendit compte que les deux hommes se disputaient. Brahim gesticulait et secouait la tête : il était évident que le thème de la conversation était le nouveau muletier. El Partal paraissait vouloir apaiser les esprits et convaincre Brahim de quelque chose. À la fin, ils semblèrent se mettre d'accord, et le monfí demanda au nouveau venu d'approcher afin de lui donner des instructions. Le muletier de Narila tendit sa main à Brahim, mais celui-ci ne la serra pas et le regarda avec suspicion.

— Tu as bien compris ce que tu dois faire ? lui lança Brahim, observant du coin de l'œil El Partal.

Le muletier de Narila hocha la tête.

— Ta réputation te précède : je ne veux pas avoir de problèmes avec toi, avec tes mules ou ta façon de travailler. J'espère ne pas avoir à te le rappeler, ajouta-t-il pour finir.

Il s'appelait Cecilio, mais sur les routes on le connaissait sous le nom d'Ubaid de Narila. C'est ainsi qu'il se présenta à Hernando, avec un certain orgueil, une fois que, suivant les indications de Brahim, il eut conduit son troupeau auprès du garçon.

— Je m'appelle Hernando, répondit ce dernier.

Ubaid attendit quelques instants.

— Hernando ? se contenta-t-il de répéter en voyant que le garçon n'ajoutait rien de plus.

— Oui. Hernando tout court, dit-il avec fermeté, défiant Ubaid, de plusieurs années son aîné et muletier de profession.

Ubaid éclata d'un rire sarcastique et lui tourna immédiatement le dos pour s'occuper de ses bêtes.

« S'il apprenait mon nom de famille…, songea Hernando, l'estomac noué. Je devrais peut-être prendre un nom musulman. »

Cette nuit-là, les céréales et les aliments pillés dans les maisons des chrétiens furent dilapidés pour célébrer le soulèvement des Alpujarras. Toutes les taas, tous les lieux maures rejoignaient la rébellion, affirmait El Partal avec enthousiasme. Il ne manquait que Grenade !

Alors que les responsables du village s'occupaient des monfíes, et que les chrétiens étaient enfermés dans l'église sous la surveillance de l'uléma du coin qui, à l'instar d'Hamid à Juviles, devait essayer de leur faire renier leur religion, Hernando et Ubaid restèrent à l'abri d'un arbre, près des mules et du butin. Cependant, ils ne furent pas oubliés par les femmes d'Alcútar, qui les servirent en abondance. Hernando mangea alors à sa faim ; Ubaid aussi, mais une fois son estomac repu, il tenta également de satisfaire d'autres désirs, et Hernando le vit courtiser toutes les femmes qui s'avancèrent vers eux. L'une d'elles s'approcha et s'assit à leurs côtés, cajoleuse, recherchant le contact. Hernando se faisait tout petit, détournait le regard et s'écartait, jusqu'au moment où les femmes cessèrent leur manège.

— Qu'est-ce qui t'arrive, petit ? Elles te font peur ? demanda son compagnon, que la nourriture et la compagnie féminine paraissaient avoir mis de meilleure humeur. Il n'y a rien à craindre, pas vrai ? dit-il en s'adressant à l'une d'elles.

La femme éclata de rire, tandis qu'Hernando rougissait. Le muletier de Narila le regardait avec une expression malicieuse.

— Ou alors tu redoutes ce que peut dire ton beau-père ? insista-t-il. Vous n'avez pas l'air de bien vous entendre…

Hernando ne répondit pas.

— Après tout, ce n'est pas très étonnant…, poursuivit Ubaid.

Ses lèvres esquissèrent un sourire de complicité, qui ne réussit en rien à embellir son visage sale et vulgaire.

— Ne t'inquiète pas, pour l'heure il est occupé à faire l'important… Mais toi et moi, on est tout près de ce qui est vraiment important, tu ne crois pas ?

À cet instant, la femme qui avait jeté son dévolu sur Ubaid réclama ses attentions et celui-ci, après avoir lancé en direction d'Hernando un regard que le garçon ne parvint pas à comprendre, enfouit la tête entre ses seins.

La nuit était bien avancée lorsque Ubaid disparut avec une femme. En les regardant partir, Hernando se souvint des commentaires du sacristain de Juviles :

— Les nouvelles-chrétiennes, les Mauresques, lui avait-il expliqué lors d'une des nombreuses leçons d'endoctrinement dans la sacristie de l'église, s'adonnent aux pratiques amoureuses, se soulageant sans mesure avec leurs maris… Ou avec d'autres qui ne le sont pas ! Bien sûr le mariage maure n'est rien de plus qu'un contrat aussi futile que l'achat d'une vache ou le bail d'un champ…

Le sacristain traitait le garçon comme s'il avait été un vieux-chrétien, descendant d'une lignée sans tache, et non le fils d'une Mauresque.

— Les hommes comme les femmes se livrent au vice de la chair, que répugne le Christ Notre-Seigneur : c'est pourquoi tu verras qu'elles sont toutes grosses et brunes, car tout ce qu'elles veulent c'est procurer du plaisir à leurs hommes, coucher avec eux comme des chiennes en chaleur et, en leur absence, se jeter dans l'adultère, pécher par gourmandise ou par paresse, cancaner toute la journée sans autre but que de se divertir avant que ce soit de nouveau l'heure d'accueillir les hommes à bras ouverts.

« Il y a aussi de grosses chrétiennes, avait failli répliquer Hernando cette fois-là, et certaines sont bien plus brunes que les Maures », mais il s'était tu, comme il le faisait toujours avec le sacristain.

Le jour de Noël se leva, froid et ensoleillé, sur la Sierra Nevada.

— Ils persistent dans leur foi, annonça l'uléma d'Alcútar à El Partal et aux Maures rassemblés devant l'église. Lorsque je leur parle du véritable Dieu et du Prophète, ils entonnent leurs prières, tous en chœur ; lorsque je les menace, ils se recommandent au Christ. Nous les avons frappés, et plus nous le faisons, plus ils invoquent leur Dieu. On leur confisque leurs croix et leurs médailles, mais ils s'en moquent et ne cessent de se signer.

— Ils céderont…, grommela El Partal. Cuxurio de Bérchules s'est soulevé cette nuit. El Seniz et d'autres chefs monfíes nous attendent là-bas. Ramassez le butin, ajouta-t-il en s'adressant à Brahim. Quant aux chrétiens, on va les conduire à Cuxurio. Sortez-les de l'église.

Près de quatre-vingts personnes en furent expulsées, poussées rudement, avec des cris, des coups. Au milieu des pleurs des femmes et des enfants, beaucoup levèrent les yeux au ciel et prièrent en voyant la foule qui les attendait dehors ; d'autres se signèrent.

El Partal attendit qu'ils fussent regroupés et s'avança vers eux avec un regard scrutateur.

— Que le Christ fasse tomber sur toi… !

Le monfí fit taire le chrétien qui l'avait menacé d'un violent coup de crosse d'arquebuse. L'homme, maigre, entre deux âges, tomba à genoux, la bouche en sang. Celle qui était probablement son épouse accourut pour le secourir, mais El Partal, en la frappant au visage, lui fit perdre l'équilibre. Puis il plissa les yeux jusqu'à ce que ses épais sourcils noirs n'en fissent plus qu'un. Tous les Maures d'Alcútar assistaient à la scène. Parmi les chrétiens, le silence régnait.

— Déshabillez-vous ! ordonna-t-il alors. Que tous les hommes et les garçons de plus de dix ans se déshabillent !

Les chrétiens se regardèrent les uns les autres, le visage incrédule. Allaient-ils devoir se déshabiller en présence de leurs femmes, de leurs voisines et de leurs filles ? À l'intérieur du groupe s'élevèrent des protestations.

— Déshabille-toi ! exigea El Partal d'un vieillard à la barbe clairsemée qui se tenait devant lui, une tête au-dessous du monfí.

Pour toute réponse, l'homme se signa. Le monfí dégaina lentement sa longue et lourde épée, et appuya la pointe aiguisée sur le cou du chrétien, sur sa pomme d'Adam. Un petit filet de sang jaillit. Il insista :

— Obéis !

Le vieil homme, défiant, laissa retomber ses bras le long de son corps. Sans hésiter, El Partal enfonça l'épée dans son cou.

— Déshabille-toi ! dit-il au chrétien suivant, en approchant de son cou l'épée ensanglantée.

Le chrétien pâlit et, voyant l'homme qui agonisait à ses côtés, commença à déboutonner sa chemise.

— Tous ! exigea El Partal.

Beaucoup de femmes baissèrent le regard, ou cachèrent les yeux de leurs filles. Les Maures éclatèrent de rire.

Ubaid, qui n'avait pas perdu une miette de la scène, retourna auprès des mules. Hernando le suivit : ils devaient se préparer à partir.

— Les pauvres sont si chargées ! s'exclama le muletier avec ironie. Personne ne sait tout ce qu'elles transportent… C'est une chance : si, par hasard, on perdait quelque chose, personne ne s'en rendrait compte…

Hernando se tourna vers lui, subitement effrayé. Qu'avait-il voulu dire ? Mais Ubaid semblait absorbé par sa tâche, comme si ses paroles n'avaient été qu'un commentaire aléatoire. Toutefois, presque sans réfléchir, Hernando s'entendit répondre, avec une voix plus ferme que d'habitude :

— On ne perdra rien ! C'est le butin de notre peuple.

Aucun des deux n'ajouta un mot.

Ils finirent par quitter Alcútar : Brahim, El Partal et ses monfíes en tête du cortège. Derrière eux marchaient en rangs plus d'une quarantaine de chrétiens, pieds nus et dévêtus, transis de froid, les mains attachées dans le dos. Des femmes, tête baissée, des enfants de moins de dix ans et les vingt mules environ qui transportaient le butin fermaient la procession, sous la surveillance d'Hernando et d'Ubaid. Éparpillés dans la file, les Maures qui avaient décidé de prendre les armes et de rejoindre le combat, les gandules, proféraient des imprécations à l'encontre des chrétiens et les menaçaient de mille tortures épouvantables s'ils ne reniaient pas leur foi et ne se convertissaient pas.

Même si Cuxurio de Bérchules ne se trouvait qu'à un peu plus d'un quart de lieue d'Alcútar, la rudesse du chemin blessa les pieds nus des chrétiens et Hernando distingua plusieurs cailloux tachés de sang. Soudain, quelqu'un tomba par terre : d'après la maigreur de ses jambes et l'absence de pilosité de son entrejambe, il s'agissait d'un petit enfant. Comme les hommes étaient attachés, nul ne put l'aider ; les femmes tentèrent de le faire, mais les gandules les en empêchèrent et assénèrent des coups de pied au petit. Hernando observa comment la fillette aux cheveux blonds se jetait sur lui pour le protéger.

— Laissez-le ! cria-t-elle, à genoux, couvrant sa tête de ses bras.

— Demande à ton Dieu de l'aider à se lever, lui cria un Maure.

— Reniez votre foi, lui lança un autre.

Le petit groupe formé par l'enfant au sol, la fillette et les quatre gandules restés en arrière obligea la mule qui menait le troupeau à s'arrêter.

— Que se passe-t-il ici ?

Hernando entendit la voix d'Ubaid dans son dos.

Le garçon parvint à leur hauteur au moment où un Maure renchérissait aux cris du muletier.

— On va devoir vous tuer si vous n'avancez pas !

Entre les jambes des gandules, Hernando parvint à voir le corps recroquevillé du petit. Il distingua son visage crispé et ses yeux résolument fermés. Les mots surgirent spontanément de sa bouche :

— Si vous les tuez, vous ne pourrez plus…, nous ne pourrons plus, se corrigea-t-il aussitôt, les convertir à la foi véritable.

Les quatre hommes se retournèrent en même temps. Ils étaient tous beaucoup plus âgés que lui.

— Qui es-tu, toi, pour avoir quelque chose à dire ?

— Et vous, qui êtes-vous pour les tuer ? répliqua Hernando.

— Occupe-toi de tes mules, petit…

Hernando le coupa et cracha par terre.

— Pourquoi vous ne lui demandez pas à lui ce que vous devez faire ? ajouta-t-il en montrant du doigt le large dos d'El Partal, qui s'éloignait devant. Vous ne croyez pas qu'il les aurait déjà tués à Alcútar s'il l'avait voulu ?

Les quatre Maures échangèrent des regards et décidèrent finalement de poursuivre leur chemin, non sans avoir auparavant flanqué deux autres coups de pied à l'enfant. Avec l'aide de la fillette, Hernando emmena celui-ci à l'écart du sentier et fit avancer les mules jusqu'à ce qu'arrive la Vieille. Entre Hernando et la fillette blonde qui l'avaient soulevé en le tenant par les aisselles, l'enfant, en quête d'air, hoquetait. Ubaid contemplait la scène sans rien dire. Il paraissait soupeser la situation. Le fils adoptif de Brahim avait plus d'audace que ce qu'il avait imaginé à première vue… À ce moment-là, Hernando aidait la petite à hisser le garçonnet sur la Vieille.

— Pourquoi as-tu fait cela ? lui demanda-t-il. Ils auraient pu te tuer.

— C'est mon frère, répondit-elle, le visage ravagé par les larmes. Mon unique frère. Il est bon, ajouta-t-elle, comme si elle implorait sa clémence.

Elle s'appelait Isabel, lui dit-elle ensuite tandis qu'elle

marchait à côté de la Vieille, soutenant son frère Gonzalico. Ils parlèrent peu, mais assez pour qu'Hernando perçoive l'immense tendresse qu'ils se vouaient.

La situation de Cuxurio de Bérchules était semblable à celle de tous les villages des Alpujarras qui s'étaient soulevés : église pillée et profanée, Maures en fête et chrétiens prisonniers. Une autre bande de monfíes aux ordres de Lope El Seniz les attendait. Les monfíes décidèrent d'accorder une nouvelle chance aux chrétiens, mais cette fois, vu les maigres résultats obtenus à Alcútar, ils donnèrent des instructions à ceux qui faisaient office d'ulémas de les menacer de torturer, d'outrager et de tuer leurs femmes s'ils ne se convertissaient pas à l'islam.

— C'est comme un petit uléma, se vantait Brahim face à El Partal et à El Seniz, lorsqu'ils virent apparaître Hernando et la Vieille avec l'enfant à califourchon et Isabel à ses côtés, formant un étrange tableau. Vous connaissez Hamid de Juviles ?

Tous deux firent oui de la tête. Qui, dans les Alpujarras, ne connaissait pas Hamid le Boiteux ?

— C'est son protégé. Il lui a enseigné la véritable foi.

El Partal plissa les yeux pour observer l'arrivée d'Hernando, de la mule et de l'enfant. « La conversion d'un si petit enfant, pensa-t-il, pourrait miner, bien plus que toute autre menace, la résistance de ces chrétiens obstinés. »

— Approche-toi, ordonna-t-il à Hernando. Si ce qu'affirme ton beau-père est vrai, tu resteras cette nuit avec le petit chrétien et tu obtiendras de lui qu'il renie sa foi.

Mais, pendant que les Maures soulevés s'employaient à convertir les chrétiens de force, la révolte des Alpujarras vivait son premier revers important. Cette même nuit de Noël, ni les Maures de Grenade, ni ceux de sa vega, ne rejoignirent la rébellion. Farax, le riche teinturier qui conduisait le soulèvement, entra dans l'Albaicín à la tête de cent quatre-vingts monfíes qu'il déguisa en Turcs pour faire croire que les troupes de renfort avaient débarqué et sillonna ainsi le quartier maure de Grenade en appelant à grands cris à la révolte. Tandis que Maures et monfíes parcouraient les ruelles sinueuses du quartier musulman, les maigres troupes chrétiennes demeurèrent consignées dans l'Alhambra. Cependant, les portes et les fenêtres des maisons maures demeurèrent closes.

— Combien êtes-vous ? entendit-on demander par l'entrebâillement de l'une d'elles.

— Six mille, mentit Farax.

— Vous n'êtes pas assez nombreux et vous êtes venus trop tôt.

Et la fenêtre se referma.

6.

Dès qu'il fut obligé de rendre les couvertures dans lesquelles il s'était enroulé pendant la nuit, Gonzalico se mit à trembler.

— Il a renié ? demanda à Hernando un monfí de la troupe d'El Seniz, à l'aube du jour suivant.

Hernando et Gonzalico avaient parlé autour d'un feu, dans le champ où se reposaient les mules, et la question du monfí les surprit assis et silencieux, le regard fixé sur les braises du foyer. Renier ? faillit répliquer le jeune Maure. Il avait réaffirmé sa foi avec une voix d'enfant et une fermeté d'homme. Il avait prié son Dieu ! Il avait recommandé son âme au Seigneur des chrétiens !

Il secoua négativement la tête. Le monfí souleva Gonzalico sans ménagement en le saisissant par le bras. Hernando vit seulement tituber ses pieds nus qui s'éloignaient en direction du village.

Devait-il courir derrière eux ? Et si finalement il reniait sa religion ? Il leva le regard des braises qui se consumaient. « Comme la vie de Gonzalico ! » Mais lui n'aurait pas le temps de brûler avec la même force et la même passion que les bûches pendant la nuit. Ce n'était qu'un enfant ! Il vit Gonzalico trotter pour suivre la cadence du monfí, trébuchant ici sur un caillou ou tombant là, pour être finalement traîné par terre. Ses yeux se remplirent de larmes. Il se leva pour les suivre.

— Vos rois nous ont obligés à renoncer à notre foi, lui avait expliqué Hernando à un moment de la nuit. Et nous l'avons fait. On nous a tous baptisés.

Gonzalico ne le quittait pas des yeux, de ses immenses yeux bruns.

— Maintenant que nous allons régner…

— Vous ne régnerez jamais dans les cieux, l'avait interrompu le petit.

— Si c'est le cas, se souvenait-il de lui avoir répondu sans vouloir entrer dans le débat qu'il avait lancé, que t'importe de renier ici sur terre ?

L'enfant avait sursauté.

— Renier le Christ ? avait-il demandé dans un filet de voix.

Étaient-ils stupides, au fond, ces chrétiens ? Alors il lui avait parlé de la fatwa dictée par le mufti d'Oran quand s'était produite la conversion forcée des musulmans espagnols :

— Et si on vous force à boire du vin, buvez-le, pas pour vous adonner au vice, avait-il récité après lui avoir expliqué la signification du dictamen du jurisconsulte à ses frères d'Al-Andalus, auquel tous les Maures s'étaient raccrochés, et si on vous force à manger du porc, mangez-le en niant que c'est du porc et en affirmant que c'est du gibier. Tout cela signifie que si on te contraint par la force, avait-il tenté de le convaincre, en réalité tu ne renies pas… tant que tu satisfais aux préceptes religieux de ta foi.

— Tu reconnais ton hérésie, avait insisté Gonzalico.

Hernando avait soupiré et détourné son attention vers la Vieille, toujours près de lui. La mule sommeillait debout.

— Ils vont te tuer, avait-il conclu au bout d'un moment.

— Je mourrai pour le Christ, s'était écrié l'enfant avec un frisson que ni l'obscurité ni la couverture ne purent dissimuler.

Tous deux avaient gardé le silence. Hernando écoutait les sanglots étouffés de Gonzalico, emmitouflé dans la couverture. « Je mourrai pour le Christ. » Il avait cherché une autre couverture pour le couvrir davantage et, le sachant encore réveillé, s'était rapproché de lui.

— Merci, bredouilla Gonzalico.

Merci ? se répétait-il avec surprise à l'instant où il avait senti, entre les couvertures, que le petit cherchait à agripper sa main. Il lui avait permis de le faire et ses pleurs avaient diminué avant de laisser place à une respiration posée. Pendant le reste de la nuit, il était demeuré près de l'enfant qui dormait, sans oser lui lâcher la main afin de ne pas le tirer du sommeil.

Ils s'étaient réveillés avant l'arrivée du monfí d'El Seniz. Gonzalico lui avait souri. Hernando avait observé son sourire juvénile et avait voulu lui répondre de la même manière, mais il avait grimacé. Comment Gonzalico pouvait-il sourire ? « Ce n'est qu'un enfant innocent », s'était-il dit. La nuit, la discussion, le danger, les différents dieux, tout était derrière eux, et à présent il répondait comme l'enfant qu'il était. Un nouveau jour ne commençait-il pas ? Le soleil ne brillait-il pas comme toujours ? Hernando n'avait pas osé insister sur l'apostasie et, cette fois oui, il lui avait souri ouvertement.

Ils n'avaient rien à manger.

— On mangera après, avait accepté Gonzalico d'une voix enfantine.

Après ! Hernando s'était obligé à acquiescer.

Aucun des chrétiens prisonniers n'avait renié sa foi. « Je mourrai pour le Christ. » L'engagement revint à la mémoire d'Hernando, déjà au centre de Cuxurio, quand il vit le monfí jeter l'enfant contre le groupe important de chrétiens qui s'entassaient près de l'église. Les youyous des Mauresques se mêlaient aux pleurs des chrétiennes, forcées de contempler leurs pères, maris, frères ou fils, à une certaine distance. Si l'une d'entre elles baissait les yeux ou les fermait, elle était immédiatement battue et contrainte de nouveau à regarder les hommes. Tous les chrétiens d'Alcútar, Narila et Cuxurio de Bérchules se trouvaient là ; plus de quatre-vingts hommes et enfants de plus de dix ans. El Seniz et El Partal criaient et gesticulaient face à l'uléma resté avec les chrétiens toute la nuit. El Seniz fut le premier : sans dire un mot, il se dirigea vers les chrétiens. Debout devant eux, il alluma une mèche de sa vieille arquebuse aux incrustations dorées et la fixa sur le serpentin.

Le silence se fit dans le village ; les regards étaient rivés à cette tresse de lin trempée dans le salpêtre, qui crépitait lentement.

El Seniz posa par terre la crosse de son arme, introduisit la poudre dans le canon et enfonça un chiffon pour bourrer l'ensemble à coups de baguette. Le monfí ne regardait rien d'autre que son arquebuse. Puis il introduisit une balle de plomb et bourra encore le canon avec la baguette. Alors il souleva l'arme et visa.

Un hurlement jaillit du groupe de chrétiennes. Une femme tomba à genoux, les doigts entrelacés en un geste de supplication, tandis qu'un Maure lui tirait les cheveux pour l'obliger à lever les yeux. El Seniz ne tourna même pas la tête et amorça le bassinet avec de la poudre fine. Puis, sans autre préambule, il tira dans la poitrine d'un chrétien.

— Allah est grand ! cria-t-il.

L'écho du tir résonnait encore dans l'air.

— Tuez-les ! Tuez-les tous !

Monfíes, gandules et hommes ordinaires s'élancèrent sur les chrétiens avec des arquebuses, des lances, des épées, des dagues ou de simples instruments de labour. Les cris assourdirent de nouveau Cuxurio. Les chrétiennes, retenues par les Mauresques et par un groupe de gandules, furent contraintes d'assister au massacre. Nus, encerclés par une foule devenue folle, leurs hommes ne pouvaient rien faire pour se défendre. Certains s'agenouillèrent en se signant, d'autres tentèrent de protéger leurs fils entre leurs bras. Hernando contemplait la scène à côté des chrétiennes. Une énorme Mauresque lui mit entre les mains une dague et le poussa pour qu'il participe au carnage. La lame étincela dans sa paume et la femme le poussa une nouvelle fois. Hernando s'avança vers les chrétiens. Qu'allait-il faire ? Comment pouvait-il tuer quelqu'un ? À mi-chemin, Isabel, la sœur de Gonzalico, s'échappa du groupe, courut vers lui et lui saisit la main.

— Sauve-le, supplia-t-elle.

Le sauver ? Il devait aller le tuer ! L'énorme Mauresque attendait de le voir à l'œuvre et…

Il attrapa Isabel par le bras, se plaça dans son dos, la dague sur son cou, et l'obligea à assister à la tuerie ainsi que d'autres hommes le faisaient avec le reste des femmes. La Mauresque parut satisfaite.

— Sauve-le, entendit-il répéter Isabel en sanglotant, sans essayer de s'échapper.

Ses supplications lui lacéraient la poitrine.

Il l'obligea à regarder et fit comme elle : Ubaid se dirigeait vers Gonzalico. Un court instant, le muletier se tourna vers l'endroit où se tenaient Hernando et Isabel, puis il empoigna les cheveux de l'enfant et lui inclina la tête afin qu'il lui présente sa gorge. Le petit n'offrit aucune résistance. Le muletier l'égorgea d'un seul coup, faisant taire la prière qui naissait sur ses lèvres. Isabel s'arrêta de supplier, de respirer, tout comme Hernando. Ubaid laissa retomber le cadavre en avant et s'agenouilla pour lui enfoncer la dague dans le dos et atteindre son cœur. Lorsqu'il eut extrait le cœur sanguinolent de Gonzalico, il le souleva avec un hurlement triomphal et, s'avançant vers Isabel et Hernando, le jeta à leurs pieds.

Hernando n'exerçait plus aucune force sur la fillette qui, cependant, restait collée à lui. Aucun des deux ne regarda le cœur. Le massacre continuait, et Ubaid rejoignit les autres : d'un coup de poignard ils crevèrent un œil au bénéficier Montoya avant de s'acharner contre lui avec leurs couteaux ; ils martyrisèrent deux autres prêtres et criblèrent leurs corps de flèches ; d'autres furent lentement dépecés avant de mourir. Un homme s'obstinait avec une houe contre ce qui n'était plus qu'une masse sanglante et méconnaissable, mais il continuait à frapper encore et encore. Un Maure s'avança vers le groupe de chrétiennes avec une tête plantée sur une pique et se mit à danser en approchant la tête de leurs visages. À la fin, les cris se transformèrent en chansons célébrant la mort sauvage des chrétiens. « Je mourrai pour le Christ. » Hernando fixa son regard sur le cadavre déchiqueté de Gonzalico : un de plus parmi tous ceux qui s'entassaient près de l'église dans une immense flaque de sang. Dans un grand effort, le jeune garçon retint ses larmes. Certains monfíes, à la recherche de moribonds à achever, marchaient sur les cadavres ; la plupart d'entre eux riaient et discutaient. Quelqu'un se mit à jouer du pipeau, puis hommes et femmes commencèrent à danser. Plus personne ne surveillait les chrétiennes. L'énorme Mauresque qui lui avait remis la dague lui arracha Isabel des bras et la poussa parmi les autres. Elle exigea ensuite qu'il lui rende son arme.

Hernando garda la dague à la main. Ses yeux bleus paraissaient incapables de se détourner du tas de cadavres.

— Donne-moi la dague, insista la femme.

Le garçon ne bougea pas.

La femme le secoua.

— La dague !

Hernando la lui remit mécaniquement.

— Comment t'appelles-tu ?

Pour toute réponse, la femme n'obtint qu'un balbutiement. Elle le secoua de nouveau.

— Comment t'appelles-tu ?

— Hamid, répondit Hernando, revenant à lui. Ibn Hamid.

Le jour même du massacre de Cuxurio de Bérchules, El Seniz, El Partal et leurs monfíes reçurent l'ordre de Farax, teinturier de l'Albaicín de Grenade et chef de file de la révolte, de se présenter avec le butin et les prisonnières chrétiennes au château de Juviles. Le jour de Noël, à Béznar, un village situé à l'entrée occidentale des Alpujarras, les Maures proclamèrent don Fernando de Válor roi de Grenade et de Cordoue.

Le nouveau roi descendait, comme Hamid, de la noblesse musulmane grenadine ; néanmoins, à la différence de l'uléma de Juviles, sa lignée, prétendait-il, était apparentée aux califes cordouans de la dynastie des Omeyyades. Sa famille, à l'inverse de celle d'Hamid, s'était intégrée aux chrétiens après la prise de Grenade. Son père avait atteint le grade de conseiller municipal – formant partie du groupe de nobles qui dominaient et gouvernaient la ville –, mais il avait été condamné aux galères pour un crime. Son fils, qui avait hérité de la charge, avait été lui aussi mis en accusation pour avoir assassiné celui qui avait dénoncé son père, ainsi que plusieurs témoins du crime. Alors, don Fernando de Válor avait vendu sa charge à un autre Maure qui s'était porté garant pour lui lors de son procès ; mais ce dernier, qui ne faisait pas tellement confiance à la parole de don Fernando et craignait de perdre sa caution, s'était arrangé pour qu'au moment du règlement de l'achat de la charge les autorités saisissent aussi l'argent du prix de la vente. Le 24 décembre 1568, informé de la révolte qui agitait les Alpujarras, don Fernando de Válor et de Cordoue s'enfuit de Grenade sans sa charge et dépourvu d'argent, mais avec une maîtresse et un esclave noir pour seule compagnie, afin de rejoindre ceux qui, selon lui, constituaient son véritable peuple.

Le roi de Grenade et de Cordoue avait vingt-deux ans et une peau brun olive ; c'était un homme aux sourcils épais et aux grands yeux noirs. Gracieux et distingué, il bénéficiait de l'estime et du respect de tous les Maures, tant pour sa charge à Grenade que pour le sang royal qu'accréditait sa personne. Avec l'appui de sa famille, les Valorís, il fut nommé roi à Béznar, sous un olivier et en présence d'une foule de Maures, malgré l'opposition violente de Farax qui réclamait la couronne et qu'on fit taire en nommant grand alguazil. Finalement, le teinturier embrassa la terre que foulait le nouveau roi après que celui-ci, vêtu de pourpre, eut prié sur quatre drapeaux étendus aux points cardinaux et juré de mourir dans son royaume, dans la loi et la foi de Mahomet. Don Fernando reçut son investiture royale avec une couronne en argent volée à l'image d'une Vierge et le nom de Muhammad ibn Umayya, que les chrétiens transformeraient en Abén Humeya, sous les acclamations de toutes les personnes présentes.

7.

La première disposition adoptée par Abén Humeya fut d'envoyer Farax sillonner les Alpujarras à la tête d'une armée composée de trois cents monfíes chevronnés, afin de récupérer l'ensemble du butin et de le troquer contre des armes aux Barbaresques. C'est pourquoi Hernando se retrouvait de nouveau à diriger son troupeau de mules chargées de Cuxurio au château de Juviles. Ses rapports avec Ubaid étaient devenus plus tendus : Hernando ne parvenait pas à effacer de sa mémoire le visage sanguinaire que lui avait montré le muletier, et ne cessait de penser à sa réflexion sur une éventuelle perte accidentelle d'une partie du butin.

— Je dois surveiller la Vieille. Elle est toujours à la traîne, dit-il à Ubaid.

Il préférait être à l'arrière et ne pas avoir l'autre dans son dos.

— Une vieille mule mange autant qu'une jeune, lui lança ce dernier. Tue-la.

Hernando ne répondit pas.

— Tu veux peut-être que je m'en charge aussi ? ajouta le muletier en portant la main à la dague qui pendait de sa ceinture.

— Cette mule connaît les chemins des Alpujarras mieux que toi, laissa échapper Hernando.

Tous deux se mesurèrent du regard ; les yeux d'Ubaid suintaient la haine. Le muletier de Narila murmura quelque chose entre ses dents, mais soudain Brahim cria et ils durent tourner la tête. Le groupe de prisonnières chré-

76

tiennes avançait déjà, alors qu'à sa suite les mules ne bougeaient pas. Ubaid fronça les sourcils, répondit à Brahim par un autre cri et rejoignit le cortège, non sans avoir auparavant transpercé Hernando du regard.

C'est à ce moment-là qu'Ubaid décida qu'il devait se débarrasser de ce garçon : il représentait Brahim, le muletier de Juviles avec qui il avait eu mille problèmes sur les chemins des Alpujarras… comme avec la majorité des autres muletiers. L'or et les richesses que transportaient les troupeaux avaient excité l'ambition d'Ubaid. Qui allait le remarquer s'il manquait quelque chose ? Personne ne contrôlait ce que transportaient les bêtes. Certes, le combat de son peuple était important, mais un jour il s'achèverait et alors… continuerait-il à être un vulgaire muletier condamné à parcourir la Sierra Nevada pour gagner une misère ? Ubaid n'était pas disposé à cela. En quoi porterait-il préjudice à la victoire des siens s'il rognait un peu son trésor ? Il avait essayé d'obtenir l'aide d'Hernando, de gagner son amitié en prenant pour prétexte les mauvaises relations qu'ils entretenaient tous deux avec Brahim, mais cet imbécile n'avait pas joué le jeu. Tant pis pour lui ! C'était le bon moment, le début du soulèvement, les gens désorganisés… Après… qui savait combien de muletiers se joindraient à eux ou quelles dispositions adopterait le nouveau roi ? Par ailleurs, il était certain que personne, pas même son père adoptif, ne regretterait beaucoup ce garçon qu'ils traitaient de nazaréen.

Ubaid connaissait bien cette route. Il choisit de se poster au détour d'un chemin étroit et sinueux qui longeait le flanc de la montagne. L'angle empêchait de voir ceux qui se trouvaient devant ou derrière, même à courte distance ; étant donné l'étroitesse du sentier, personne ne pouvait revenir sur ses pas ; personne ne pouvait le surprendre. Les mules fermaient le cortège et, derrière elles, avec la Vieille, Hernando. Ce serait simple : il se posterait après le virage, égorgerait le garçon dès qu'il passerait, le monterait sur une mule bien chargée et cacherait le cadavre et l'animal dans une grotte, sans interrompre la marche du troupeau. Tout le monde penserait qu'Hernando avait fui avec une partie du butin. La faute retomberait sur Brahim pour avoir fait confiance à un nazaréen bâtard ; Ubaid n'aurait qu'à revenir pendant la nuit et cacher sa part du butin en attendant la fin de la guerre.

Il mit son plan en action, stimulant les bêtes pour qu'elles continuent à avancer toutes seules, ce qu'elles firent sans peine, habituées comme elles l'étaient à ces chemins. Il empoigna son couteau et le leva dès que les premières mules du troupeau d'Hernando s'engagèrent dans le tournant. Il les compta ; elles étaient douze. Les mules le frôlaient et Ubaid les asticotait en silence de sa main libre pour qu'elles poursuivent leur chemin. La onzième passa le virage et Ubaid se dressa, tendu ; après le dernier animal, ce serait au tour du garçon.

Mais la Vieille s'arrêta. Hernando eut beau la stimuler avec la voix, la bête refusa obstinément d'avancer : elle sentait la présence de quelqu'un derrière le tournant.

— Que se passe-t-il, la Vieille ? demanda Hernando.

Il entreprit alors de la doubler pour voir ce qui se passait derrière le virage. Mais la Vieille recula, comme si elle voulait empêcher que son maître la dépasse. Le garçon stoppa net. À peine une seconde plus tard, Ubaid apparut sur le chemin, le menaçant de son couteau ; les mules s'éloignaient et il fallait qu'il aille au bout de son plan. Derrière la Vieille, Hernando commença à s'enfuir mais il changea d'avis et saisit un grand chandelier à cinq branches en argent massif qui sortait d'un sac.

Tous deux se firent face, la Vieille entre eux. Le dos trempé d'une sueur plus froide que la température de la montagne, Hernando tentait de contrôler le tremblement de ses mains, de tout son corps, tandis qu'il pointait le long chandelier en direction du muletier de Narila. Un ravin accidenté, profond, s'ouvrait sur son côté droit. Ubaid regarda l'abîme : un coup avec ce chandelier…

— Vas-y si tu l'oses ! le défia Hernando avec un cri nerveux.

Le muletier de Narila jaugea la situation et remit son poignard à sa ceinture.

— J'ai cru que les chrétiens te poursuivaient, prétendit-il avec cynisme avant de lui tourner le dos.

Hernando ne regarda même pas derrière lui. Il eut du mal à replacer le chandelier dans le sac ; soudain il se rendit compte de son poids. Il tremblait, beaucoup plus que lorsqu'il avait affronté Ubaid, et ne pouvait presque pas contrôler ses mains. Finalement, il s'appuya à la croupe de la Vieille et, reconnaissant, lui tapota l'arrière-train. Il reprit son chemin, veillant à ce que la mule passe chaque virage avant lui.

Acclamés par les enfants qui sortirent les accueillir, ils entreprirent l'ascension de la côte pentue qui menait au château de Juviles, alors que le soir tombait déjà en ce jour de la Saint-Stéphane. Hernando ne perdait pas de vue Ubaid, qui marchait devant lui. À mesure qu'ils approchaient, ils perçurent la musique et les odeurs de nourriture préparée à l'intérieur. Derrière les remparts à moitié démolis du fort, les femmes et les personnes âgées de Cádiar les attendaient, ainsi qu'un grand nombre de gens venus de différents endroits des Alpujarras, principalement des femmes, des enfants et des vieux en quête de refuge, car leurs pères ou époux avaient rejoint le soulèvement. À l'intérieur de la vaste enceinte, jalonnée par neuf tours défensives – certaines détruites, d'autres se dressant encore avec arrogance au-dessus de l'abîme –, se succédaient comme dans un bazar des dizaines d'échoppes et de cabanes faites de branches et de tissus, qui renfermaient les biens de chaque famille. Les feux de bois étincelaient de toute part entre les échoppes ; les animaux se mêlaient aux enfants et aux personnes âgées, pendant que les femmes, vêtues de tenues mauresques bariolées, s'attelaient à la cuisine. Le brouhaha et les odeurs permirent à Hernando de se détendre : il ne s'agissait pas des pot-au-feu ou des marmites avec des légumes verts et du lard que mangeaient les chrétiens ; l'huile brûlait en tout lieu. Ils défilèrent près des échoppes sous l'ovation générale. Une femme offrit à Hernando un gâteau aux amandes et au miel, une autre un beignet et une troisième une délicieuse confiture travaillée, recouverte de glaçage. Ici et là, par groupes, on entendait des tambourins, des cornemuses et des timbales, des pipeaux et des rebecs. Il mordit le glaçage et dans sa bouche se mêlèrent les saveurs du sucre, de l'amidon et du musc, de l'ambre, du corail rouge et des perles, du cœur de cerf et de l'eau de fleur d'oranger ; puis, parmi les foyers et les femmes, les chants et les danses, il respira l'odeur du mouton, du lièvre et du gibier, et des herbes qui accompagnaient les viandes cuisinées : la coriandre, la menthe, le thym et la cannelle, l'anis, l'aneth et mille autres encore. Les troupeaux de mules traversèrent à grand-peine le fort d'un bout à l'autre, où se trouvaient les vestiges de l'ancienne forteresse et où le butin constitué à Cádiar avait été déposé. Les nouvelles prisonnières chrétiennes, à peine arrivées, furent assaillies par les Mauresques qui les dépouillèrent de leurs maigres biens avant de les mettre au travail.

Avec l'aide des hommes à qui Brahim avait ordonné de protéger le butin de Cádiar, Hernando et Ubaid commencèrent à décharger les mules et à entasser les objets de valeur ; tendus tous les deux, ils se surveillaient mutuellement. Ils en étaient là, transportant le fruit du pillage des sacs à l'intérieur de la forteresse, lorsque le tapage et les cris se turent. Tous purent alors entendre la voix d'Hamid qui appelait à la prière depuis le clocher de Juviles, transformé en minaret. Le château disposait de deux grands réservoirs d'eau de source, propre et pure. Ils firent leurs ablutions et leur prière avant de reprendre leur tâche ; à l'intérieur de la forteresse s'amoncelait un trésor considérable, composé d'une grande quantité d'objets précieux, de bijoux et de tout l'argent dérobé aux chrétiens.

Hernando laissa ses yeux balayer l'or et l'argent amassés. Plongé dans la contemplation de cette petite fortune accumulée, il ne sentit pas qu'Ubaid se tenait près de lui. Après la prière du soir, l'obscurité de la forteresse était seulement rompue par deux torches. Le tumulte avait repris. Brahim discutait avec les soldats de garde au-delà de l'entrée de la forteresse.

Ubaid le poussa.

— La prochaine fois tu n'auras pas autant de chance, grogna-t-il.

La prochaine fois ! se répéta Hernando. Cet homme était un voleur et un assassin ! Ils étaient seuls. Il regarda le muletier, réfléchit quelques instants. Et si… ?

— Chien ! l'insulta-t-il alors.

Le muletier se retourna, surpris, juste au moment où Hernando lui sautait dessus. Ubaid le repoussa d'une gifle puissante. Hernando tituba plus que nécessaire et finit par se laisser tomber sur le trésor maure, à l'endroit où se trouvait une petite croix en or avec des perles, qu'il avait remarquée auparavant. Le vacarme attira l'attention de Brahim et des soldats.

— Que… ? balbutia Brahim qui déboula en deux enjambées à l'intérieur de la forteresse. Que fais-tu sur le butin ?

— Je suis tombé. J'ai trébuché, bégaya Hernando en secouant ses vêtements, la croix dissimulée dans la paume de sa main droite.

Ubaid contemplait la scène avec étonnement. Pour quelle raison le garçon l'avait-il subitement attaqué ?

— Maladroit, le tança son beau-père en s'avançant vers le trésor pour vérifier d'un coup d'œil qu'aucun objet n'avait été cassé.

— Je pars à Juviles, lança Hernando.

— Pas question ! Tu restes…, commença à objecter Brahim.

— Comment veux-tu que je reste ? le coupa Hernando en élevant le ton et en gesticulant avec exagération.

Il portait le bijou à sa ceinture, caché par la saie qu'il s'était procurée parmi les habits des chrétiens d'Alcútar.

— Suis-moi ! Regarde !

Sans plus attendre, il sortit de la forteresse et se dirigea vers les troupeaux de mules. Interdit, Brahim le suivit.

— Celle-ci a un fer détaché.

Hernando souleva la patte d'une mule dont il secoua le fer.

— Celle-là commence à avoir une plaie.

Pour atteindre la bête dont il parlait, Hernando se faufila parmi les mules d'Ubaid.

— Non. Ce n'est pas celle-là, ajouta-t-il alors qu'il se tenait derrière une des bêtes du muletier de Narila.

Il se mit sur la pointe des pieds, les bras le long du corps, et feignit de chercher la mule blessée. Dans le même temps, il cacha la croix dans le harnais d'une bête d'Ubaid.

— Celle-là. Oui, celle-là.

Il parvint jusqu'à l'animal et souleva son harnais. Ses mains tremblaient et il transpirait, mais la petite plaie qu'il avait remarquée en chemin apparut à la vue de son beau-père.

— Et celle-là doit avoir quelque chose dans la bouche parce qu'elle n'a pas voulu manger, mentit-il. Tous mes outils et mes remèdes sont au village !

Brahim jeta un coup d'œil aux bêtes.

— D'accord, accepta-t-il après quelques instants de réflexion. Va à Juviles, mais prépare-toi à revenir dès que je te l'ordonnerai.

Hernando sourit à Ubaid, qui contemplait la scène depuis la porte de la forteresse, à côté des soldats. Le muletier fronça les sourcils et plissa les yeux devant son sourire ; puis il le menaça de l'index avant de se perdre entre les échoppes où les femmes commençaient à servir le dîner. Brahim fit mine de le suivre.

— Tu ne vérifies pas ? l'arrêta son fils adoptif.

— Vérifier ? Quoi… ?

— Je ne veux pas de problèmes avec le butin, l'interrompit Hernando avec sérieux. S'il manquait quelque chose…

— Je te tuerais.

Brahim se pencha sur le garçon, les yeux plissés.

— Pour cette raison.

Hernando dut faire un effort pour contenir le tremblement qui menaçait sa voix.

— Il s'agit du butin de notre peuple ; la preuve de sa victoire. Je ne veux pas de problèmes. Inspecte mes mules !

Brahim ne se fit pas prier. Il vérifia que les sacs étaient vides, contrôla les interstices des harnais et exigea même du garçon qu'il retire sa saie afin de le fouiller avant qu'il quitte le château.

Une fois libre, serpentant entre les échoppes avec les mules en file indienne, Hernando tourna le regard : Brahim inspectait à présent les bêtes d'Ubaid.

— Hue ! cria-t-il au troupeau.

Hernando et ses mules arrivèrent à Juviles en pleine nuit. Les fers des montures sur les pierres brisaient le silence du village. Certaines Mauresques se montrèrent aux fenêtres pour prendre des nouvelles de la révolte, mais elles renoncèrent quand elles virent que c'était le jeune nazaréen qui menait le troupeau. Aisha l'attendait à la porte : la Vieille l'avait devancé. Il asticota les autres mules pour qu'elles continuent jusqu'à l'étable et s'arrêta devant sa mère. La lumière scintillante de la bougie qui éclairait l'intérieur de la maison jouait avec la silhouette d'Aisha. À ce moment-là, il se souvint de ses gros seins qui dansaient dans l'église au son des youyous ;

cependant, aussitôt, la vision se transforma en celle d'Aisha, implorante, qui avait obtenu l'aide d'Hamid.

— Et ton beau-père ? lui demanda-t-elle.

— Il est resté au château.

Alors Aisha lui ouvrit grand les bras. Hernando sourit et s'avança pour s'enfouir dans son étreinte.

— Merci, mère, murmura-t-il.

À l'instant même il sentit la fatigue : ses jambes semblèrent céder et tous ses muscles se détendirent. Aisha le serra encore plus fort et se mit à fredonner une berceuse, balançant doucement de gauche à droite son fils debout. Combien de fois, petit, avait-il entendu cette mélodie ! Et puis… les autres enfants de Brahim étaient nés, et lui…

Une lanterne clignota près des dernières maisons du village. Aisha se retourna.

— Tu as dîné ? demanda-t-elle brusquement, nerveuse, s'efforçant de repousser son fils.

Hernando résistait. Il préférait cette étreinte à un repas.

— Allons, allons ! insista-t-elle. Je vais te préparer quelque chose.

D'un pas décidé elle entra dans la maison. Hernando resta un moment immobile, savourant le parfum de ces habits et de ce corps qu'il pouvait si rarement serrer contre le sien.

— Allez ! lui lança sa mère de l'intérieur de la maison. Il y a beaucoup à faire et il est tard.

Il déharnacha les bêtes, mit de l'orge dans les mangeoires et Aisha lui apporta une bonne ration de pain, des œufs et une citronnade. Mules et muletier mangèrent en silence. Assise au côté de son fils, Aisha lui caressait les cheveux avec douceur en écoutant son récit des événements depuis son départ de Juviles. Elle l'embrassa sur la tête lorsqu'elle l'entendit raconter, la voix brisée par les sanglots, la mort de Gonzalico.

— Il a eu sa chance, tenta-t-elle de le consoler. Tu la

lui as offerte. Nous sommes en guerre. En guerre contre les chrétiens : nous souffrirons tous, n'aie aucun doute.

Hernando finit de dîner et sa mère se retira. Il s'employa alors à soigner les mules. Il les inspecta : repues, toutes, même les nouvelles, se reposaient, cou penché et oreilles basses. Pendant un moment, il ferma les yeux, vaincu par la fatigue, mais il s'obligea à se lever ; Brahim pouvait le faire appeler à tout moment. Il ferra la bête qui en avait besoin. Pendant la nuit, le martèlement résonna dans les vallons et les ravins tandis qu'Hernando rectifiait le fer en métal doux sur l'enclume, pour parvenir à lui donner une forme quasi quadrangulaire propre aux Arabes. Brahim insistait pour qu'il conserve la technique arabe, rejetant les fers semi-circulaires des chrétiens. Et Hernando était d'accord avec lui : le rebord saillant qui restait sur les fers à cause des clous caractéristiques utilisés permettait aux montures d'avancer en toute sécurité sur les chemins escarpés. Ensuite, une fois la mule ferrée, et à l'inverse de ce que faisaient les chrétiens, il coupa la partie du sabot qui dépassait du fer. Il termina de ferrer, contrôla les sabots de toutes les autres mules et, à la fin, s'employa à soigner les plaies de la bête désignée par lui au château. Il avait demandé à sa mère d'allumer le feu avant d'aller se coucher. Il entra dans la maison sans se préoccuper de ses quatre demi-frères et sœurs qui dormaient tous ensemble dans la petite pièce servant à la fois de cuisine et de salle à manger. Bientôt ils récupéreraient leurs chambres à l'étage, près de celle de leur mère et de Brahim, une fois que les deux mille et quelques bourres de soie accrochées aux rangées de claies disposées sur les murs seraient déco-connées ; en attendant, les cocons devaient être fabriqués en silence, dans le calme, et ses frères et sœurs devaient leur laisser leurs chambres. Il fit chauffer de l'eau et se mit à cuire du miel et de l'euphorbe, qu'il laissa sur le feu pendant qu'il allait masser avec l'eau chaude l'endroit où la mule était blessée. Il revint vers le feu et ajouta à la décoction du sel enveloppé dans un linge. Quand il considéra que le remède était prêt, il l'appliqua sur l'écorchure. Cette mule ne pourrait pas travailler pendant plusieurs jours, ce qui déplairait à Brahim. Il contempla les animaux avec satisfaction, remplit ses poumons de l'air glacé de la montagne et porta le regard vers les sommets qui entouraient Juviles : tous étaient dans l'ombre, sauf la colline du château, illuminée par l'éclat des foyers. « Qu'en est-il d'Ubaid ? » s'interrogea-t-il en se dirigeant vers l'étable pour dormir quelques heures.

8.

Le lendemain matin, Hernando se leva à l'aube. Il fit ses ablutions et écouta l'appel d'Hamid à la première prière du jour. Il s'inclina deux fois et récita le premier chapitre du Coran et la prière du *conut* avant de s'asseoir par terre, s'appuyant sur le côté droit, pour continuer par la bénédiction et terminer par le chant de la paix. Ses frères et sœurs, également réveillés, essayèrent de l'imiter, balbutiant des prières qu'ils ne maîtrisaient pas. Ensuite, il retourna soigner les plaies de la mule et, après avoir déjeuné, se dirigea vers la maison d'Hamid. Il avait tant de choses à lui raconter ! Tant de questions à lui poser ! Les chrétiens de Juviles étaient toujours enfermés dans l'église au pain et à l'eau ; Hamid insistait pour obtenir leur conversion à l'islam. Cependant, lorsqu'il arriva aux abords de l'église, il tomba sur un groupe de femmes, d'enfants et de vieillards qui semblaient agités. Ils s'étaient rassemblés autour des débris de l'ancienne cloche de l'église. Hernando s'approcha.

— Hamid connaît bien nos lois, soutenait l'un des anciens.

— Cela fait longtemps, marmotta un autre, qu'on n'a pas jugé un musulman selon nos lois. À Ugíjar…

— À Ugíjar on ne nous a jamais rendu justice ! le coupa le premier.

Un murmure d'assentiment parcourut le groupe. Hernando observa les villageois : c'étaient des personnes âgées, femmes et enfants qui n'avaient pas participé à la révolte et qui, à présent, marchaient en direction du château. Aisha se trouvait parmi eux.

— Que se passe-t-il, mère ? lui demanda-t-il lorsqu'il arriva à sa hauteur.

— Ton père a fait appeler Hamid au château, lui répondit Aisha sans s'arrêter. On va juger un muletier de Narila qui a volé un bijou.

— Que va-t-on lui faire ?

— Certains disent qu'il sera fouetté. D'autres qu'on va lui couper la main droite ou même qu'il sera condamné à mort. Je ne sais pas, mon fils. Quoi qu'on lui fasse, il le mérite, lui dit sa mère tout en marchant. Ton père m'a souvent parlé de lui : il dérobait des marchandises qu'il transportait. Il a eu pas mal de problèmes et des procès avec des Maures, mais le maire d'Ugíjar prenait toujours sa défense. Quelle honte ! C'est une chose de voler les chrétiens, c'en est une autre de s'en prendre à ceux de sa propre race ! On raconte qu'il était ami avec…

Hernando cessa d'écouter sa mère et se rappela la discussion entre son beau-père et El Partal, ainsi que l'échange de regards entre les deux muletiers quand Brahim avait refusé de serrer la main d'Ubaid. Brahim était capable de beaucoup de choses, mais il n'aurait jamais volé un musulman ! Aisha continuait à marcher ; elle parlait et gesticulait au côté des autres femmes, qui hochaient la tête avec de semblables simagrées.

Hernando s'arrêta. Il ne voulait pas assister au jugement. Il était certain… que le muletier de Narila l'accuserait en public.

— Je dois soigner les mules, s'excusa-t-il au moment où un groupe d'enfants le dépassa en courant.

Un frisson parcourut la peau du jeune garçon. Le tuer… ! Et pourquoi pas ? N'avait-il pas tenté de le faire, lui ? Sans la Vieille… Ne l'avait-il pas menacé de mort ? Et Gonzalico ? Il s'était cruellement vengé sur le petit… même si son acte n'avait pas été plus atroce que ceux des autres Maures. Hernando chassa ces pensées de sa tête. Hamid déciderait : il énoncerait sans nul doute la bonne sentence.

Le procès débuta après la prière du milieu de journée et se prolongea tout l'après-midi. Ubaid nia avoir dérobé la croix, et remit même en cause la capacité d'Hamid à le juger.

— C'est exact, reconnut l'uléma, qui tenait entre ses mains la croix trouvée entre le harnais de la mule. Je ne suis pas un *alcall* ; je ne peux même pas, après tant d'années, me considérer encore comme un uléma. Tu préfères que ce soit quelqu'un d'autre qui te juge ?

Le muletier observa que certains hommes, regroupés autour du juge, tout en faisant mine d'avancer, portaient la main à leur dague et à leur épée ; alors seulement il reconnut l'autorité d'Hamid. Ubaid n'obtint aucun témoignage en sa faveur : personne ne répondit positivement aux questions par lesquelles Hamid commença son interrogatoire.

— Témoignes-tu que le dénommé Ubaid, muletier de Narila, est un homme de droit et qu'il n'y a rien à lui reprocher, qu'il réalise la profession de foi et ses purifications, qu'il suit la loi de Mahomet, donne et reçoit avec bonté ?

Tous soulignèrent les nombreux problèmes que le muletier avait eus avec ses frères de foi. Deux femmes s'avancèrent même sans avoir été appelées à témoigner et, comme si elles avaient voulu appuyer les déclarations de leurs hommes, affirmèrent l'avoir vu la nuit précédente commettre l'adultère.

Hamid fit la sourde oreille aux accusations qu'un Ubaid désespéré lançait contre Hernando, et il le condamna à avoir la main droite coupée pour vol. Cependant, comme l'accusation d'adultère n'avait pas été confirmée par quatre témoins, il ordonna également que les deux femmes qui avaient témoigné à ce sujet reçoivent quatre-vingts coups de fouet, conformément à la loi musulmane.

Avant de s'occuper du châtiment du muletier, Brahim se disposa à exécuter la peine des deux femmes. Il s'était procuré une fine baguette et interrogea Hamid du regard lorsqu'on lui présenta les condamnées.

L'uléma leur demanda si elles étaient enceintes. Toutes deux firent signe que non. Il s'adressa alors à Brahim :

— Frappe-les doucement, retiens-toi, ordonna-t-il. Ainsi l'ordonne la loi.

Les deux femmes laissèrent échapper un soupir de soulagement.

— Qu'elles ôtent leur saie et leur manteau, sans se dénuder davantage. Inutile de leur attacher les pieds ou les mains… elles n'essaieront pas de fuir.

Brahim s'efforça d'obéir aux ordres d'Hamid. Malgré cela, les quatre-vingts coups de baguette, même légers, finirent par faire apparaître des lignes de sang sur les chemises des femmes qui, rapidement, s'étendirent sur le dos.

Au centre du château, juste avant la nuit, devant des centaines de Maures silencieux, Brahim trancha la main droite du muletier de Narila d'un violent coup de cimeterre. Ubaid, à genoux, ne le regarda pas ; quelqu'un maintenait son bras tendu sur la souche d'un arbre en guise de billot. Il ne cria pas au moment où sa main quitta son poignet, ni quand on lui appliqua un garrot. Mais il le fit après, lorsqu'on lui enfonça le bras dans une bassine pleine de vinaigre et de sel pilé.

Ses hurlements donnèrent la chair de poule à tous les Maures présents.

Sitôt rentrée, le soir même, Aisha fit à Hernando, alors en train de dîner, un compte-rendu du procès.

— À la fin il a dit que c'était toi qui avais volé la croix. Il n'arrêtait pas de le répéter. Il criait et t'appelait le nazaréen. Pourquoi cette canaille t'a-t-elle accusé ? demanda Aisha.

La bouche pleine et le regard dans son assiette, Hernando ouvrit les mains en signe d'ignorance et haussa les épaules.

— C'est un misérable ! répondit-il sans regarder sa mère et en continuant à manger.

Puis il introduisit rapidement un autre morceau dans sa bouche.

Ce soir-là, il n'osa pas se rendre chez Hamid et eut du mal à trouver le sommeil. Qu'avait-il dû penser, lui, des accusations du muletier ? Il avait ordonné qu'on lui coupe la main droite ! Ubaid n'en resterait pas là. Il savait que c'était lui. Certainement. Mais à présent… il n'avait plus de main droite, celle avec laquelle il avait brandi le couteau contre lui. Malgré cela, Hernando devait rester prudent. Il se retourna sur la paille où il sommeillait. Et Brahim ? Son beau-père avait trouvé étrange son insistance pour qu'il inspecte les mules. Et les autres hommes présents ? Ce maudit surnom ! Si auparavant il avait été le nazaréen seulement pour les habitants de Juviles, il le serait désormais pour tous ceux des Alpujarras.

Le lendemain matin il ne se décida pas non plus à rendre visite à Hamid, mais en milieu de journée l'uléma le fit appeler. Il le trouva près de l'église, dans le froid du soleil d'hiver, à l'endroit même où gisaient les débris de la cloche, assis sur le plus gros morceau, l'épée du Prophète à ses pieds. Face à lui, par terre, de nombreux enfants, originaires de Juviles ou venus du château, étaient sagement alignés. Certaines femmes et des anciens observaient la scène. Hamid lui fit signe d'approcher.

— La paix soit avec toi, Hernando, l'accueillit-il.

— Ibn Hamid, corrigea le garçon. J'ai adopté ce nom… si tu n'y vois pas d'inconvénient, bredouilla-t-il.

— La paix, Ibn Hamid.

L'uléma planta son regard dans les yeux bleus d'Hernando. Il ne lui en fallut pas davantage : il lut la vérité en un instant. Hernando baissa la tête ; Hamid soupira et regarda le ciel.

Tous deux s'écartèrent un peu du groupe d'enfants. L'uléma avait auparavant chargé l'un d'eux de veiller sur la précieuse lame.

Hamid laissa passer quelques minutes.

— Regrettes-tu ce que tu as fait ou as-tu peur ? l'interrogea-t-il alors.

Hernando, qui s'attendait à un ton plus dur, réfléchit à la question avant de répondre :

— Il voulait que je vole le butin avec lui. Une fois, il a tenté de me tuer et m'a menacé de réessayer.

— Peut-être le fera-t-il, reconnut Hamid. Il te faudra vivre avec cela. Vas-tu l'affronter ou penses-tu fuir ?

Hernando l'observa : l'uléma semblait lire dans ses pensées les plus secrètes.

— Il est le plus fort… même avec une main en moins.

— Tu es le plus intelligent. Utilise ton intelligence.

Tous deux se regardèrent pendant un long moment. Hernando voulut parler, lui demander pourquoi il l'avait protégé. Il hésita. Hamid demeurait immobile.

— Nos usages stipulent que le juge n'agit jamais de façon injuste, dit finalement l'uléma. S'il altère la vérité, c'est pour se rendre utile. Et je suis convaincu d'avoir été utile à notre peuple. Pense à cela. J'ai confiance en toi, Ibn Hamid, lui murmura-t-il alors. Tu avais tes raisons.

Le garçon tenta de parler, mais l'uléma le lui interdit.

— Bien, ajouta-t-il soudain, j'ai beaucoup à faire, et tous ces enfants ont besoin d'apprendre le Coran. Il faut rattraper de nombreuses années perdues.

Il se tourna vers le groupe de petits, qui montraient déjà des signes d'impatience, et leur demanda à voix haute :

— Qui parmi vous connaît la première sourate, *al-Fatiha* ? demanda-t-il, tandis qu'il effectuait, en boitant, les pas qui le séparaient d'eux.

Ils furent un certain nombre à lever la main. Hamid désigna l'un des plus grands et lui fit signe de réciter. Le garçon se leva.

— *Bismillah ar-Rahman ar-Rahim*, « Au nom de Dieu, le Clément, le Miséricordieux… ».

— Non, non, l'interrompit Hamid. Plus lentement, avec…

Le garçon recommença, nerveux.

— *Bismillah…*

— Non, non, non, l'interrompit de nouveau, patiemment, l'uléma. Écoutez. Ibn Hamid, récite-nous la première sourate.

Il susurra le mot « récite-nous ».

Hernando obéit et entonna la prière en se balançant doucement :

— *Bismillah…*

Le garçon termina la sourate et Hamid demeura silencieux un moment, mains ouvertes et doigts repliés qu'il tournait en rythme, posément, de chaque côté de sa tête, près de ses oreilles, comme si cette prière avait été musicale. Aucun des enfants ne fut capable de détourner le regard de ces mains sèches qui semblaient caresser l'air.

— Vous savez que l'arabe, leur expliqua-t-il ensuite, est la langue de tout le monde musulman, ce qui nous unit, quels que soient notre origine ou l'endroit où nous vivons. À travers le Coran, l'arabe a atteint la condition de langue divine, sacrée et sublime. Vous devez apprendre à réciter en rythme ces sourates afin qu'elles résonnent à vos oreilles et aux oreilles de ceux qui vous écoutent. Je veux que les chrétiens là-dedans – il désigna l'église – entendent de votre bouche cette musique céleste et soient convaincus qu'il n'y a pas d'autre Dieu que Dieu, ni d'autre Prophète que Mahomet. Apprends-leur, conclut-il en s'adressant à Hernando.

Au cours des deux jours suivants, Hernando n'eut pas l'occasion de reparler avec Hamid. Il remplissait ses devoirs à l'égard des mules, attendant les ordres de Brahim, se chargeait des rares travaux saisonniers dans les champs et consacrait le reste de son temps à enseigner aux enfants.

Le 30 décembre, Farax passa par Juviles à la tête d'une bande de monfíes et, avant de repartir, il ordonna l'exécution immédiate des chrétiens détenus dans l'église.

Farax le teinturier, nommé grand alguazil par Abén Humeya, ne s'employa pas seulement, ainsi que le lui avait ordonné le roi, à récolter le butin saisi aux chrétiens, il décréta la mort de tous ceux, âgés de plus de dix ans, qui n'avaient pas encore été exécutés, précisant que leurs cadavres ne devraient pas être enterrés mais abandonnés pour servir de nourriture à la vermine. Il commanda aussi qu'aucun Maure, au risque de sa vie, ne cache ou ne donne asile à un chrétien.

Hernando et ses élèves improvisés virent les chrétiens de Juviles quitter l'église, nus, claudiquant, malades pour beaucoup d'entre eux, les mains attachées dans le dos, en direction d'un champ voisin. Traînant les pieds près du curé et du bénéficier, Andrés, le sacristain, tourna le visage vers Hernando, assis sur le plus gros morceau de la cloche. Le jeune garçon soutint son regard jusqu'au moment où un Maure poussa violemment l'homme avec la crosse d'une arquebuse. Hernando sentit en partie le coup dans son propre dos. « Ce n'est pas une mauvaise personne », songea-t-il. Il s'était toujours bien comporté avec lui. Les villageois se joignirent au cortège, hurlant et dansant autour des chrétiens. Les enfants restèrent silencieux, puis l'un d'eux cria et ils se levèrent tous en même temps. Hernando les observa qui couraient vers le champ comme s'il s'agissait d'une fête.

— Ne reste pas là, entendit-il.

Il se retourna. Hamid se tenait derrière lui

— Je ne veux pas les voir mourir, avoua le jeune garçon. Pourquoi faut-il les tuer ? Nous avons vécu ensemble…

— Moi non plus, mais nous devons y aller. Ils nous ont obligés à devenir chrétiens sous peine d'exil, ce qui est une autre façon de mourir, loin de sa terre et de sa famille. Ils n'ont pas voulu reconnaître l'unique Dieu ; ils n'ont pas saisi la chance qu'on leur avait offerte. Ils ont choisi de mourir. Allons, insista Hamid.

Hernando hésita.

— Ne prends pas de risques, Ibn Hamid. Le prochain, ce pourrait être toi.

Les hommes poignardèrent le bénéficier et le prêtre. Un peu à l'écart, sur une petite terrasse, Hernando tressaillit lorsqu'il vit sa mère se diriger lentement vers don Martín, qui agonisait sur le sol. Que faisait-elle ? Il sentit qu'Hamid lui passait un bras autour des épaules. Les femmes du village crièrent et poussèrent les hommes pour les obliger à s'éloigner des religieux. En silence, presque avec révérence, un Maure glissa un poignard dans la main d'Aisha. Hernando la vit se mettre à genoux au côté du prêtre, lever l'arme au-dessus de sa tête et la planter avec force dans son cœur. Les youyous éclatèrent à nouveau. Hamid serra fortement les épaules du garçon pendant que sa mère s'acharnait sur le cadavre de l'ecclésiastique. Assez vite, le corps ventru de l'écclesiastique ne fut plus qu'une masse sanguinolente, mais sa mère continuait à lui asséner des coups de couteau, sans s'arrêter, comme si elle se vengeait du destin auquel un autre curé l'avait condamnée. Alors les femmes s'avancèrent, la prirent par les bras et l'écartèrent du cadavre. Hernando parvint à voir son visage altéré, couvert de sang et de larmes. Aisha se dégagea des femmes, laissa tomber le couteau, leva les deux bras au ciel et cria de toute la force de ses poumons :

— Allah est grand !

Puis les Maures tuèrent deux autres chrétiens, des responsables du village, mais avant qu'ils puissent s'en prendre aux autres, parmi lesquels se trouvait Andrés, le sacristain, l'alguazil de Cádiar, El Zaguer arriva avec ses hommes. Il stoppa le massacre.

Hernando put seulement deviner la discussion entre les soldats du Zaguer et les Maures avides de sang. Son attention se partageait entre sa mère, assise à présent par terre, se tenant les jambes, la tête enfouie entre ses genoux, tremblante des pieds à la tête, et Andrés, le condamné suivant dans la file.

— Va auprès d'elle, dit Hamid en le poussant dans le dos. C'est pour toi qu'elle l'a fait, mon garçon, ajouta-t-il en sentant sa résistance. Pour toi. Ta mère a obtenu sa vengeance d'un homme du Christ, et une partie de cette vengeance est aussi la tienne.

Il s'avança vers sa mère et resta debout à ses côtés, à une certaine distance. Le champ se vida et des animaux commencèrent à s'approcher des quatre cadavres qui gisaient là. Hernando regardait deux chiens qui reniflaient le corps du bénéficier, se demandant s'il ne devait pas les chasser, quand Aisha se leva.

— Viens, mon fils, se contenta-t-elle de dire.

À partir de ce moment, Aisha renoua avec son comportement habituel ; ce jour-là, elle ne changea pas de vêtements, comme si le sang qui la tachait était quelque chose de naturel. Hernando, en revanche, eut bien du mal à se concentrer sur son travail : Ubaid l'attendait certainement au château, à moins qu'il ne vînt le chercher. Dans l'étable, avec les mules, Hernando regardait de tous côtés. Il devait se tenir prêt. Hamid savait que c'était lui qui avait tendu un piège au muletier. « J'ai confiance en toi », avait-il dit, mais que pouvait-il bien penser de lui ? « Un juge n'agit jamais de façon injuste. S'il altère la vérité, c'est pour se rendre utile. » Et l'uléma lui avait affirmé qu'il s'était senti utile. Le jeune garçon inspecta de nouveau les abords de l'étable, attentif au moindre bruit.

Il dormit mal, et le jour suivant, même les enfants

remarquèrent sa distraction lorsqu'il récita le Coran. C'était le premier jour de l'année du calendrier chrétien ; ce jour-là, il n'y eut pas classe. Suivant la coutume, les femmes s'en allèrent filer sous les mûriers. Elles s'étaient peint les mains au henné, avec lequel elles enduisaient également les portes de leurs maisons ; elles avaient préparé des galettes de pain sec à l'ail et partirent aux champs où, sur des sortes de grils constitués de brique et de boue, construits à cet effet, elles plongèrent les cocons dans des chaudrons en cuivre et les firent cuire avec du savon pour qu'ils perdent leur graisse. Tandis qu'elles remuaient les cocons avec une branche de thym, elles filaient la soie sur des fouets rustiques qu'elles installaient sous les mûriers. Les Mauresques étaient très habiles et suffisamment patientes pour filer. Elles séparaient les cocons en trois groupes : les cocons en forme d'amande, dont on tirait une soie fine et lustrée, la plus précieuse ; les cocons arrondis, dont on tirait une soie ronde, plus forte et grossière ; et ceux qui avaient été abîmés, dont la soie était utilisée pour les cordons et les tissus de moindre qualité.

Hernando se demanda ce qu'ils feraient de la soie cette année. Comment pourraient-ils la transporter et la vendre dans le quartier des marchands de soie de Grenade ? Les nouvelles des espions maures dans la ville disaient que le marquis de Mondéjar continuait de rassembler des troupes pour venir dans les Alpujarras.

— Par ailleurs, le marquis de los Vélez a proposé au roi Philippe d'écraser la révolte dans la région d'Almería, commentèrent des hommes sur la place du village, non loin de l'endroit où le garçon faisait sa classe.

Hernando indiqua d'un geste à l'enfant qui, à ce moment-là, chantait les sourates, de continuer, et il s'approcha du groupe.

— Le Diable Tête de Fer, murmura craintivement un ancien.

C'était ainsi que les Maures surnommaient le cruel et sanguinaire marquis.

— On raconte, continua le vieux, que ses chevaux pissent de panique quand il leur monte dessus.

— À eux deux, les marquis nous écraseront, conclut un homme.

— Les choses auraient été différentes si nos frères de l'Albaicín et ceux de la vega avaient rejoint la révolte, intervint un troisième homme. Le marquis de Mondéjar aurait des problèmes dans sa propre ville et ne pourrait pas accourir dans les Alpujarras.

Hernando remarqua que plusieurs hommes hochaient la tête en silence.

— Ceux de l'Albaicín paient déjà leur trahison, affirma le premier vieux avant de cracher par terre. Certains fuient dans les montagnes, pris de remords. Grenade est remplie de nobles et de soldats de fortune. Ils ont proposé de payer leur séjour et leur nourriture dans les hôpitaux de la ville, mais le marquis de Mondéjar a ordonné qu'ils s'installent dans les maisons des Maures. Alors ils les pillent et violent leurs femmes et leurs filles. Toutes les nuits.

— On raconte qu'ils ont emprisonné dans la Chancellerie plus d'une centaine de Maures parmi les plus importants et les plus riches de la ville, ajouta quelqu'un d'autre.

Le vieil homme acquiesça.

Le groupe redevint silencieux.

— Nous vaincrons ! cria quelqu'un.

L'enfant qui récitait les sourates se tut.

— Dieu nous aidera ! Nous vaincrons ! insista-t-il.

Et toutes les personnes présentes, y compris les enfants, reprirent ses exclamations.

Le 3 janvier 1569, Brahim rappela Hernando au château de Juviles. Les Maures partaient à la rencontre de l'armée du marquis de Mondéjar, qui se dirigeait vers les Alpujarras.

Ses mains tremblaient tellement qu'il ne put sangler la première mule. Le harnais se défit sur le flanc de l'animal et tomba par terre, tandis que le jeune garçon contemplait ses doigts avec préoccupation. Qu'allait faire Ubaid ? Il le tuerait. Il l'attendait probablement… non. À quoi servait un muletier manchot au château ? Comment un manchot pourrait-il travailler avec des mules ? Une sueur froide mouilla son dos ; il lui tendrait un piège. Pas au château. Là, il ne pourrait pas… Hernando harnacha le troupeau tant bien que mal, et après avoir dit au revoir à sa mère il se mit en marche. Et s'il s'enfuyait ? Il pourrait… il pourrait rejoindre les chrétiens, mais… Jamais il ne parviendrait à franchir les Alpujarras ! On l'arrêterait. S'il ne se présentait pas, Brahim le rechercherait et il saurait alors qu'Ubaid avait dit la vérité. Il se souvint du conseil d'Hamid et de la confiance que l'uléma avait placée en lui. Il ne pouvait le décevoir.

Il grimpa au château, à l'abri parmi les mules, qu'il obligeait à marcher autour de lui, attentif au moindre mouvement. Ubaid, comme il le craignait, ne vint pas à sa rencontre. Le château bouillonnait avec les préparatifs du départ à Pampaneira, où les attendaient Abén Humeya et son armée. Il chercha Brahim et le trouva en pleine discussion avec des chefs monfíes, près de la forteresse.

— On partira à vide, lui annonça son beau-père. Prépare mon cheval… et les mules d'Ubaid, ajouta-t-il en pointant le doigt sur ce dernier.

Le muletier de Narila avait le bras droit bandé, sale, les vêtements usés, et son visage paraissait terriblement émacié, alors qu'il essayait, sans succès, d'harnacher ses bêtes.

— Mais…, tenta de protester Hernando.

— Tu sais sans doute qu'il a payé pour *son crime*, l'interrompit Brahim, qui insista sur les deux derniers mots.

Et il se pencha sur Hernando, les yeux mi-clos, le défiant de protester à nouveau.

Il savait ! Son beau-père savait, lui aussi ! Pourtant il avait saisi son épée pour trancher la main du muletier. Brahim observa comment son fils adoptif se dirigeait vers le troupeau d'Ubaid. Anticipant l'affrontement des deux garçons, une grimace de satisfaction apparut sur son visage : il les haïssait autant l'un que l'autre.

— Je vais m'occuper de tes bêtes, dit Hernando au muletier de Narila, sans pouvoir quitter des yeux le bandage ensanglanté qui recouvrait le moignon de son bras droit.

Ubaid lui cracha au visage. Hernando se tourna vers son beau-père.

— Vas-y ! cria Brahim.

Le sourire avait disparu de ses lèvres.

— Pousse-toi de là, exigea alors Hernando du muletier. Je vais préparer tes mules, que ça te plaise ou non, mais je te veux loin de moi.

Il vit un long bâton sur le sol, le saisit des deux mains et en menaça Ubaid.

— Va-t'en ! cria-t-il. Si je te vois près de moi, je te tue.

— Je te tuerai avant, marmonna Ubaid.

Hernando le poussa du bout de son bâton, mais Ubaid l'attrapa de la main gauche et l'immobilisa. Hernando sentit là une force impropre à une personne dans l'état du muletier. Brahim semblait jouir de la situation, qui se prolongea quelques instants. Que pouvait-il faire ? se demandait le garçon. « Utilise ton intelligence », se souvint-il. Soudain, il lâcha le bâton de la main droite qu'il leva violemment. Ubaid répondit instinctivement à la menace et leva… son moignon ! La vision de son bras sectionné et sanguinolent fit hésiter le muletier, opportunité que saisit Hernando pour le frapper à l'estomac avec le bâton. Le muletier tituba avant de chuter sur le sol.

— Ne t'approche pas de moi ! Je veux toujours te

savoir loin de moi, lui ordonna-t-il, le repoussant de nouveau avec le bâton.

Sans pouvoir dissimuler la douleur à son poignet, Ubaid se traîna loin des mules.

Abén Humeya avait établi sa base d'opérations dans le petit château de Poqueira, enclavé sur une colline rocheuse du haut de laquelle on contrôlait le ravin de la Sangre, celui de Poqueira et la rivière Guadalfeo. Hernando fit le chemin de Juviles auprès d'un millier d'autres Maures, certains armés, la plupart munis de simples instruments de labour, mais tous impatients de se battre contre les forces du marquis. Ubaid, toujours devant, réussit à résister au trajet en s'appuyant sur les mules, incapable d'en monter une. Les hommes de Juviles n'étaient pas seuls : de nombreux Maures avaient répondu à l'appel du roi de Grenade et de Cordoue. Dans le petit château, il n'y avait plus de place et la foule s'était dispersée au cœur du village de Pampaneira, où les maisons étaient pleines à craquer. Celui qui trouvait un refuge contre le froid sous l'un des *tinaos*[1] qui, de maison en maison, recouvraient les ruelles sinueuses du village, pouvait s'estimer heureux.

Ils arrivèrent de nuit, un peu avant le retour à Pampaneira d'une bande de Maures vaincus, ayant perdu plus de deux cents hommes. La nuit même, le travail commença pour Hernando : plusieurs chevaux étaient revenus blessés et Brahim désigna son beau-fils pour les soigner.

Jusqu'à la rébellion, quelques Maures seulement avaient des chevaux, puisqu'il leur était interdit d'en posséder. Même pour un âne et pour pouvoir élever des mules, les Maures devaient bénéficier d'autorisations spéciales. Pour cette raison ils ne disposaient pas non plus de vétérinaires capables de s'occuper de chevaux.

---

1. Sorte de porche typique des Alpujarras. (*N.d.T.*)

Le jour se levait. Hernando resta un long moment immobile dans un champ voisin de celui des mules, observant à la lumière du soleil l'état des animaux. Il n'était pas prêt pour cela ; il ne s'agissait pas des problèmes habituels des mules. Comment certains de ces chevaux étaient-ils parvenus à revenir sans mourir en chemin ?

Le froid était intense et deux bêtes agonisaient sur la terre gelée ; d'autres demeuraient figées, blessées, avec de profondes plaies dues aux balles d'arquebuse, aux épées, aux lances ou aux hallebardes des soldats chrétiens. De convulsives bouffées d'air sortaient de leurs naseaux. Ubaid se tenait à plusieurs pas de lui ; son regard allait d'un cheval à l'autre. Cette nuit-là, Hernando avait dormi loin du manchot, la Vieille collée à lui, doucement attachée à l'une de ses jambes : la Vieille se méfiait toujours de tout inconnu qui prétendait l'approcher.

— Mets-toi au travail ! entendit-il derrière lui.

Hernando se retourna et vit Brahim en compagnie de plusieurs monfíes.

— Qu'est-ce que tu fais là sans bouger ? Soigne-les !

Les soigner ? faillit-il répondre à son beau-père, mais il se retint à temps. Un des monfíes qui accompagnaient Brahim, gigantesque, muni d'une arquebuse finement travaillée avec des arabesques dorées et un canon pratiquement deux fois plus large que la normale, lui désigna de son arme un petit alezan. Il la maniait d'un seul bras, comme si elle n'eût pas pesé plus qu'un mouchoir de soie.

— C'est le mien, petit. J'en aurai besoin au plus vite, dit le monfí, qu'on surnommait El Gironcillo.

Hernando regarda l'alezan. Comment cette pauvre bête pouvait-elle porter une telle masse ? Rien que l'arquebuse devait peser une tonne.

— Remue-toi ! cria Brahim.

« Pourquoi pas ? » se dit le garçon. Il fallait bien essayer.

— Examine ces deux-là, ordonna-t-il à Ubaid, en désignant les bêtes qui agonisaient sur le givre, alors qu'il se dirigeait vers l'alezan tout en vérifiant, du coin de l'œil, que le manchot obéissait à ses injonctions.

Malgré les grosses entraves qui lui immobilisaient les pattes, le cheval clopina quelques pas dans la direction opposée lorsque Hernando voulut s'approcher de lui. Une blessure sanglante, qui partait du haut de sa croupe, traversait toute sa hanche droite. « Il ne pourra pas bouger avant un moment », songea-t-il alors. Il lui aurait suffi de bondir et de l'attraper par le licou ; cependant... Il arracha de l'herbe sèche et tendit la main en murmurant. L'alezan semblait ne pas le regarder.

— Allez, vas-y ! Attrape-le ! le pressa Brahim derrière lui.

Hernando continua à murmurer, récitant en rythme au cheval la première sourate.

— Vas-y ! Attrape-le ! insista Brahim.

— Tais-toi ! marmonna Hernando sans se retourner.

L'impertinence sembla résonner jusque sur les armes des monfíes.

Brahim s'élança vers lui, mais avant qu'il pût le frapper, El Gironcillo le saisit par l'épaule et l'obligea à attendre. Hernando entendit la querelle derrière lui et ne bougea pas, les muscles du dos tendus ; puis il se remit à chantonner. Un moment après, l'alezan tourna le cou vers lui. Hernando tendit un peu plus le bras, mais le cheval n'étira pas le cou vers l'herbe qu'il lui offrait. D'autres interminables minutes passèrent, tandis que le garçon épuisait les sourates qu'il connaissait. À la fin, quand la vapeur des naseaux de l'animal se mit à surgir avec régularité, il s'approcha lentement et le prit avec douceur par le licou.

— Comment sont les deux autres ? demanda-t-il alors à Ubaid.

— Ils vont mourir, cria sèchement celui-ci. Le premier a l'intestin éclaté, l'autre la poitrine détruite.

— Partons, dit le monfí en s'adressant à Brahim. Ton fils a l'air de savoir ce qu'il fait.

— Tuez-les, leur demanda Hernando en montrant les deux chevaux couchés, lorsqu'il vit que le groupe commençait à se retirer. Il est inutile qu'ils souffrent.

— Fais-le, toi, rétorqua Brahim, les sourcils toujours froncés. À ton âge, tu devrais être en train de tuer des chrétiens.

Et, sur ces mots, il éclata de rire, lui lança un couteau et s'éloigna au côté des monfíes.

9.

Hernando effectua à pied, sans mule, le trajet qui séparait Pampaneira du pont de Tablate, parmi les trois mille cinq cents Maures qui se dirigeaient vers l'armée chrétienne du marquis de Mondéjar. Abén Humeya avait eu connaissance des mouvements du marquis grâce aux feux que ses espions allumaient sur les sommets les plus élevés, et il ordonna qu'on l'empêche de franchir le pont donnant accès aux Alpujarras.

Avant de partir, El Gironcillo examina les sutures de soie avec lesquelles le jeune garçon avait refermé la blessure de l'alezan. Il hocha la tête, satisfait, et monta lourdement sur le petit cheval.

— Tu resteras près de moi, exigea-t-il. Au cas il aurait besoin de tes soins.

C'est ainsi que marchait Hernando, le regard fixé sur la hanche de l'alezan, écoutant la conversation du Gironcillo avec d'autres chefs monfíes.

— On dit qu'il n'y a même pas deux mille fantassins, commentait l'un.

— Et juste cent cavaliers ! ajouta l'autre.

— Nous sommes beaucoup plus…

— Mais nous n'avons pas leurs armes…

— Nous avons Dieu ! lança El Gironcillo.

Le monfí accompagna son exclamation d'un coup sur sa monture qui fit sursauter Hernando. L'alezan tint bon, les sutures également. Il chercha parmi les quelques chevaux maures les trois autres exemplaires qu'il avait réussi à soigner, mais il ne les trouva pas ; puis il regarda ses vêtements, couverts de sang séché et incrusté.

Dès que Brahim et les monfíes eurent disparu, Hernando s'était décidé à mettre fin aux souffrances des deux bêtes moribondes. Couteau à la main, il s'était dirigé avec résolution vers la première d'entre elles : celle qui présentait une blessure de lance à l'estomac.

« Je suis un homme ! » ne cessait-il de se répéter. De nombreux Maures de son âge étaient mariés et avaient déjà des enfants. Il devait être capable de sacrifier un cheval ! Il arriva au côté de l'animal, qui gisait immobile, les pattes croisées sous le poitrail, l'abdomen reposant sur le givre, pour que la glace soulage la douleur générée par cette profonde blessure qui avait transpercé sa peau. Au village il avait vu plusieurs fois les bouchers égorger les bêtes. Les chrétiens le faisaient en public et sacrifiaient les animaux au-dessus de la pomme d'Adam ; les musulmans étaient obligés de réaliser leurs rites interdits en dehors du village, secrètement, cachés dans les champs : l'animal, auquel ils tranchaient le cou sous la pomme d'Adam, orienté vers la qibla.

Hernando se plaça derrière le cheval et, de la main gauche, saisit sa crinière au niveau de la tête en même temps que, de la droite, il lui entourait le cou. Il hésita. Au-dessus ou au-dessous de la pomme d'Adam ? Les Maures n'avaient pas le droit de manger de la viande de cheval ; qu'importait alors la manière dont il allait tuer celui-ci ? Il échangea un regard avec Ubaid, qui l'observait de loin, les yeux mi-clos. Il fallait qu'il le fasse. Il fallait qu'il montre au muletier… Il ferma les yeux et fit glisser le couteau avec force. À peine sentit-il le contact de la lame que le cheval rejeta le cou en arrière, frappa Hernando au visage et se leva en glapissant. Il n'était pas attaché. Il galopa, terrorisé, à travers champ, le sang coulant à flots nourris de sa jugulaire et les tripes sortant de son ventre. Il mit du temps à mourir. Loin, il agonisa, les intestins dehors, se vidant complètement de son sang. Pâle, observant le cheval qui souffrait, le garçon sentit de la bile plein sa bouche, et pourtant… Il se tourna vers Ubaid. Ce que pouvait obtenir la nature, même blessée à mort, s'il s'agissait de se battre pour le dernier souffle de vie ! Il ne pouvait avoir confiance, conclut-il alors : le muletier de Narila avait seulement une main en moins.

Il chercha une corde avant de se diriger vers le second cheval auquel il lia les pattes avant et arrière, tandis que l'animal se laissait faire, à l'agonie. Puis il répéta l'opération et lui coupa la gorge aussi fort qu'il put. Il esquiva son coup de tête et continua d'enfoncer son couteau jusqu'à ce que le sang chaud trempe une bonne partie de son corps. Le cheval mourut rapidement, allongé au même endroit…

Alors que l'odeur douceâtre du sang de ce second animal emplissait encore l'atmosphère, Hernando prêta de nouveau attention à la conversation qu'entretenaient les monfíes.

— Le marquis ne peut pas attendre l'arrivée de renforts supplémentaires, disait l'un d'eux. Je sais qu'à Órgiva, les chrétiens sont enfermés depuis plus de quinze jours dans la tour de l'église, résistant à l'assaut de la population maure. Il faut qu'il entre dans les Alpujarras le plus vite possible pour leur venir en aide.

— Alors remercions les chrétiens d'Órgiva, rit un monfí qui avait rejoint le groupe et qu'Hernando découvrit monté sur un autre cheval qu'il avait réussi à soigner.

Ils passèrent la nuit au sommet d'une colline qui s'élevait au-dessus du pont de Tablate. Au-dessous s'ouvrait une gorge étroite et abyssale et, de l'autre côté, les terres de la vallée de Lecrín. El Gironcillo le gratifia d'un sourire noir et d'une tape terrible dans le dos quand, mettant pied à terre, il constata que les sutures en soie avaient résisté au chemin ardu. Pendant la nuit, Hernando s'occupa des chevaux qu'il soigna de nouveau.

À l'aube, les espions annoncèrent l'arrivée imminente de l'armée chrétienne, et Abén Humeya ordonna de détruire le pont. Hernando observa une bande de Maures descendre et démâter la structure en bois pour n'en laisser que les cintres et quelques grosses planches éparses, qu'ils utilisèrent pour revenir auprès de leur armée. Trois d'entre eux chutèrent tandis qu'ils revenaient, et leurs cris s'éteignirent à mesure que leurs corps disparaissaient dans le profond ravin.

— Allons, dit El Gironcillo à Hernando, le forçant à détourner le regard du gouffre où venait de se perdre le dernier Maure tombé. Prenons position afin d'accueillir ces bâtards comme ils le méritent.

— Mais…

Hernando fit un geste en direction des chevaux.

— Les enfants s'occuperont d'eux. Ton beau-père a raison : tu es en âge de te battre et je veux que tu restes à mes côtés. Je crois que tu me portes chance.

Il descendit vers le pont derrière El Gironcillo, entouré par une foule de Maures. En peu de temps, le versant de la colline se peupla de plus de trois mille hommes qui, euphoriques et confiants, attendaient l'armée du marquis. À leurs pieds s'ouvrait le ravin de Tablate, et devant eux se dressait le versant de la colline où devaient apparaître les chrétiens.

Quelqu'un entonna les premières notes d'une chanson, et aussitôt une timbale retentit. Un autre Maure se dressa sur la côte et fit ondoyer un grand drapeau blanc ; plus loin un drapeau coloré apparut, puis encore un… Et cent autres ! Hernando sentit qu'il avait la chair de poule lorsque les trois mille Maures chantèrent en chœur ; au son des timbales, des centaines de drapeaux ondoyants recouvrirent de blanc et de rouge le versant de la colline.

C'est ainsi qu'ils accueillirent l'armée dirigée par le

marquis de Mondéjar, commandant général du royaume de Grenade. Hernando se laissa entraîner par l'enthousiasme général et, l'immense Gironcillo à ses côtés, se mit à chanter à pleins poumons, défiant ouvertement les troupes chrétiennes.

Le marquis, dans une armure étincelante, prit la tête de ses troupes ; il établit la cavalerie à l'arrière-garde, disposa l'infanterie sur le côté opposé et ordonna aux arquebusiers de charger. Pendant ce temps, les Maures prirent leurs positions respectives.

Au-dessus de l'étroit précipice, ils répondirent à l'attaque ennemie en tirant avec quelques arquebuses et arbalètes, mais surtout en déclenchant sur les chrétiens, au moyen de leurs frondes, une pluie intense de cailloux. Hernando respira l'odeur de poudre qui émanait de l'arquebuse du Gironcillo. Comme il ne disposait pas de fronde pour lancer des pierres, il le fit à la main, en criant avec exaltation. Il visait bien : il avait déjà lancé des pierres contre des animaux, et à ses moments perdus s'était entraîné dans les champs. Il parvint à atteindre un fantassin, ce qui le conduisit à prendre davantage de risques à chaque coup : aveuglé, il s'exposait au feu ennemi.

— Protège-toi !

Le monfí lui attrapa le bras et l'obligea à s'asseoir brutalement. Puis il s'employa à passer par les baguettes le canon de son arquebuse. Hernando fit mine de lancer une nouvelle pierre, mais El Gironcillo le lui défendit.

— Parmi les milliers de Maures que nous sommes, je suis leur cible. Mon arquebuse les appelle à tirer contre moi.

Il introduisit une balle de plomb dans le canon et saisit de nouveau fermement les baguettes.

— Je ne veux pas qu'on te tue à cause de moi. Lance-les sans te lever !

Toutefois, l'échange de tirs et de jets de pierres dura peu : les Maures furent impuissants devant la supériorité en armes des chrétiens, qui chargeaient et tiraient sans discontinuer, causant de nombreuses pertes. El Gironcillo ordonna la retraite vers des positions plus élevées, là où les balles de plomb chrétiennes ne parvenaient pas.

— Ils ne pourront pas franchir le pont, disaient les rebelles en se repliant.

Devant l'inutilité des tirs, le marquis donna l'ordre de cesser le feu. Les Maures se remirent à chanter et à crier. Beaucoup d'entre eux tentaient encore d'atteindre avec leurs frondes un objectif que même les arquebuses ne couvraient pas ; certains y parvinrent, mais avec peu de résultats, lançant des pierres en direction du ciel en priant qu'il les aide à réduire la distance. Hernando contempla comment le marquis, casque en main, et ses capitaines en uniforme, s'avançaient pour examiner le pont détruit. Il était impossible qu'une armée passe par là !

Le silence s'installa dans les rangs des deux camps, jusqu'au moment où tous virent le marquis hocher négativement la tête. Alors les Maures firent de nouveau éclater des vivats et ondoyer leurs drapeaux. Hernando cria aussi, levant son poing au ciel. Le commandant général chrétien s'apprêtait à se retirer, tête basse, quand, des rangs de l'infanterie, surgit un frère franciscain qui, une croix dans la main droite et l'habit attaché à la taille, sans même regarder le marquis, entreprit d'avancer sur le dangereux pont. Les cris s'arrêtèrent. Le marquis réagit et ordonna le feu à discrétion pour protéger le religieux. Durant quelques instants, tous furent suspendus au pas vacillant du moine et à la croix qu'il exhibait fièrement devant les musulmans.

Deux autres fantassins se risquèrent à traverser le pont avant même que le frère eût atteint l'autre rive. L'un d'eux fit un faux pas et tomba dans le vide, mais avant que son corps s'écrase contre les parois du ravin, comme si sa mort était un appel au courage pour ses compagnons, on entendit un cri dans la colonne de l'infanterie chrétienne :

— Santiago !

Le cri de guerre rugit parmi la troupe en même temps qu'une longue rangée de soldats s'avançait vers la tête du pont détruit, disposée à le franchir. Le frère arrivait de l'autre côté. Les caporaux et les sergents pressaient les arquebusiers pour qu'ils chargent et tirent rapidement afin d'empêcher les Maures de descendre une fois de plus des collines et d'attaquer ceux qui traversaient. Nombre d'entre eux essayèrent, mais le feu de l'armée chrétienne, concentré sur la tête du pont, fut efficace. Peu après, un corps de fantassins, parmi lesquels se trouvait le moine qui priait à grands cris en brandissant la croix, défendait le pont depuis le côté des Alpujarras.

Abén Humeya sonna la retraite. Cent cinquante Maures perdirent la vie à Tablate.

— Monte, dit El Gironcillo à Hernando en lui désignant un autre cheval, une fois au sommet de la colline. Son cavalier est mort, ajouta-t-il en voyant le garçon hésiter. On ne va pas laisser cet animal aux chrétiens. Appuie-toi sur son cou et laisse-toi mener, lui conseilla-t-il en partant au galop.

10.

Abén Humeya s'enfuit avec ses hommes en direction de Juviles. Le marquis de Mondéjar le poursuivit et prit tous les villages situés sur la route entre Tablate et Juviles, saccageant les maisons, réduisant en esclavage les femmes et les enfants restés à l'arrière et s'emparant d'un important butin.

Dans le château de Juviles, les Maures discutèrent de leur situation et de leurs possibilités. Certains étaient pour la reddition ; les monfíes, sûrs de leur châtiment et de ne bénéficier d'aucune mesure de grâce, appelaient à l'affrontement à mort ; d'autres proposaient de fuir dans les montagnes.

Dans l'urgence, car les espions annonçaient l'armée chrétienne à une journée seulement de Juviles, les Maures adoptèrent une solution intermédiaire : les hommes de guerre fuiraient avec le butin, après avoir libéré les quatre cents et quelques prisonnières chrétiennes comme preuve de leur bonne volonté et afin de continuer les négociations de paix que certains dirigeants avaient entamées. Pendant ce temps, leurs femmes, terrifiées, se virent contraintes d'être séparées de leurs maris et d'attendre l'arrivée des chrétiens.

— Tu veux faire mourir mes enfants ? cria Brahim à Aisha du haut de l'aubère, lorsque celle-ci lui proposa de le suivre. Les petits ne résisteront pas à l'hiver dans les montagnes. Ce n'est pas une promenade. C'est la guerre, femme !

Aisha baissa le regard. Raissa et Zahara sanglotaient,

accablées ; les garçons, percevant la tension générale, contemplaient leur père avec admiration. Hernando, en tête des mules surchargées par le butin qu'ils ramenaient du château, sentit son estomac se nouer.

— On pourrait… tenta-t-il d'intervenir.

— Tais-toi ! l'interrompit son beau-père. Tu te fiches pas mal du sort de tes frères. Reste là et veille sur eux ! ordonna-t-il à son épouse.

Brahim éperonna son cheval et les mules le suivirent, tandis qu'Hernando attendait que sa mère relève les yeux. Ressaisie, elle finit par le faire.

— La paix viendra, assura-t-elle avec détermination à son fils. Ne t'inquiète pas.

Hernando, les yeux brillants, voulut la prendre dans ses bras, mais Aisha le repoussa.

— Tes mules s'en vont, lui indiqua-t-elle. Pars avec elles ! insista sa mère en se redressant.

Elle lui caressa les cheveux, comme si elle voulait ôter toute importance à la situation.

Quand elle perçut la douleur sur le visage de son fils, elle éleva la voix :

— Pars !

Le garçon cependant ne put encore suivre ses mules. À la porte du château, il tomba sur Hamid, qui prenait congé des combattants en les encourageant, leur assurant que Dieu était avec eux, qu'Il ne les abandonnerait pas…

— Hâte-toi ! dit Hernando à l'uléma. Que fais-tu ici, immobile… ?

— Mon aventure s'arrête là, mon fils, le coupa ce dernier.

Mon fils ! C'était la première fois qu'il l'appelait ainsi.

— Tu ne peux pas rester ici ! s'exclama tout à coup Hernando.

— Si. Il le faut. Je dois rester avec les femmes, les enfants et les anciens. C'est ma place. À quoi servirait un boiteux dans mon genre sur les chemins de montagne ?

Hamid se força à sourire.

— Je ne serais qu'une entrave.

Sa mère, Hamid… Peut-être devrait-il rester lui aussi ? Sa mère n'avait-elle pas affirmé que la paix viendrait ? L'uléma devina ses pensées, alors que des dizaines de Maures, en fuite, passaient à leur côté.

— Bats-toi pour moi, Ibn Hamid. Tiens.

L'uléma détacha l'épée qui pendait de sa ceinture et la lui tendit.

— N'oublie jamais que cette lame a appartenu au Prophète.

Hernando la prit solennellement, écartant les deux bras pour qu'Hamid pose l'arme sur ses paumes ouvertes.

— Empêche-la de tomber entre des mains chrétiennes. Ne pleure pas, mon garçon.

L'uléma, lui, accepta l'étreinte d'Hernando.

— Notre peuple et notre foi doivent être au-dessus de nous, c'est notre destin. Que le Prophète te guide et t'accompagne.

L'armée du marquis de Mondéjar entra à Juviles et près de quatre cents chrétiennes, libérées par les Maures, s'élancèrent vers elle pour l'accueillir.

— Tuez-les ! Finissez-en avec les hérétiques ! exigèrent-elles des soldats.

— Ils ont égorgé mon fils, criait l'une.

— Ils ont tué nos maris et nos enfants, pleurait une autre avec un bébé dans les bras.

— Ils ont profané les églises ! tentait d'expliquer une troisième au milieu des cris.

Certaines de ces femmes étaient originaires de Cuxurio et d'Alcútar, mais elles venaient en réalité de toutes les Alpujarras. Une fois installés dans le village, éparpillés dans ses rues et sur sa place, les groupes de soldats écoutèrent avec effroi les histoires que racontaient les captives. Dans tous les villages rebelles s'étaient produits, en masse, de cruels massacres et assassinats, la plupart sur ordre direct de Farax.

— Ils s'amusaient à les torturer, raconta une femme, ils leur coupaient l'index et le pouce pour qu'ils ne puissent pas faire le signe de croix avant de mourir.

— Ils ont hissé le bénéficier au sommet de la tour de l'église, se souvint une autre entre deux sanglots, les bras écartés et attachés à un tronc horizontal d'où pendait son corps, pour se moquer du calvaire de Notre-Seigneur. Une fois là-haut, ils ont dénoué la corde et le prêtre s'est écrasé sur les dalles de la place. Ils ont recommencé quatre fois, applaudissant et riant à chacune d'elles. À la fin, le prêtre était brisé en mille morceaux mais vivant, et ils l'ont donné aux femmes qui l'ont lapidé.

Dans tout le village les mêmes scènes se répétaient : les soldats clamaient vengeance face aux atrocités qu'ils entendaient de la bouche des femmes. Une jeune de Laroles raconta que les Maures, après le pacte de reddition des chrétiens, avaient trahi leur parole et badigeonné les pieds des ecclésiastiques avec de l'huile, puis ils les avaient martyrisés sur des braises avant de les exécuter et de dépecer leurs corps. Une autre femme de Canjáyar dit que dans son village on avait simulé la célébration d'une messe, avec le bénéficier et le sacristain nus sur l'autel. On avait obligé le sacristain à faire l'appel. Chaque fois qu'un Maure entendait son nom, il s'avançait et, avec un couteau, une pierre, un bâton ou les mains nues, il s'acharnait sur les deux religieux, veillant juste à ne pas les tuer. À la fin, ils les avaient dépecés, encore vivants, lentement, en commençant par les doigts de pied.

Pendant ce temps, une commission composée de seize alguazils musulmans des principaux endroits des Alpujarras se présenta devant le marquis de Mondéjar. Les alguazils se jetèrent aux pieds du commandant général, implorant le pardon pour eux et pour tous les hommes des villages qui se rendraient. Le marquis de Mondéjar céda et promit la clémence à tous ceux qui déposeraient les armes ; il ne promit rien, en revanche, au sujet d'Abén Humeya et des monfíes. Il ordonna ensuite à l'armée de se rendre au château.

La reddition courut sur toutes les bouches dans les rangs chrétiens. Après tout ce qu'ils avaient vu et entendu, les lamentations et les pleurs des chrétiennes, les dizaines de lieues parcourues pour venir défendre les Alpujarras sans solde en contrepartie, les soldats ne pouvaient consentir à ce pardon. Les Maures devaient être châtiés et leurs biens répartis parmi eux ! Sur le chemin d'accès au château, les chrétiens rencontrèrent Hamid et deux anciens munis d'un drapeau blanc, qui leur rendaient la forteresse et imploraient leur clémence pour plus de deux mille femmes, enfants et vieillards demeurant à l'intérieur.

Le marquis accepta et dicta un arrêté décrétant le pardon aux hommes et la liberté pour les femmes mauresques et leurs enfants. Afin de calmer la soldatesque, il les autorisa à piller toutes les richesses qui se trouvaient dans le château et le village. Il ordonna ensuite que ceux qui se rendaient soient gardés dans les maisons de Juviles. Une partie des Mauresques et de leurs enfants fut confinée dans l'église, du moins ce qu'il en restait ; les autres restèrent sur la place, surveillées par des soldats indignés au vu de la tournure que prenaient les événements.

Les décisions du marquis et le mécontentement qui régnait au sein de l'armée chrétienne parvinrent aux oreilles de la longue colonne de Maures fuyant vers Ugíjar. Hernando sourit à trois vieux Maures qui n'avaient pas voulu rester au château et marchaient près des mules, s'appuyant sur elles de temps à autre.

— Il n'arrivera rien aux femmes, s'exclama-t-il en agitant son poing fermé.

Mais aucun d'eux ne répondit. Ils continuèrent à marcher avec gravité.

— Quoi ? s'enquit-il. Vous n'avez pas entendu ? Le marquis a pardonné à tous ceux qui sont restés à l'arrière.

— Un homme contre une armée…, répondit sans le regarder celui qui semblait être le plus âgé des trois. Ce n'est pas possible. La cupidité des chrétiens passera au-dessus de n'importe quel ordre du marquis.

Hernando s'approcha du vieil homme.

— Que veux-tu dire ?

— Le marquis a un intérêt personnel à nous pardonner : il gagne beaucoup d'argent avec nous. Mais les soldats qui l'accompagnent… Ce sont juste des mercenaires ! Des hommes sans solde qui sont venus pour s'enrichir. Les chrétiens respectent une chose : ce qui leur rapporte de l'argent. Si les femmes avaient été faites prisonnières, ils les respecteraient, puisqu'elles représenteraient de l'argent. Sinon… il n'existera aucun ordre, aucun décret d'aucun noble, pas même du roi, qui pourra empêcher…

Le sourire d'Hernando s'effaça et il palpa l'épée d'Hamid accrochée à sa taille.

— … que les soldats désobéissent, conclut le vieux Maure affligé.

Hernando partit en courant, sans réfléchir, heurtant les Maures qui le suivaient, sans répondre à leurs questions. Juviles ! Son esprit se trouvait à Juviles, auprès de sa mère, d'Hamid. Brahim entendit les cris et les plaintes qu'Hernando provoquait sur son passage et obligea l'aubère à faire demi-tour. Mais l'un des trois anciens le stoppa d'un geste de la main.

— Où va-t-il ? demanda Brahim.

— Accomplir, je suppose, le devoir de tout musulman : se battre… offrir sa vie pour les siens, sa famille et son Dieu.

Le muletier fronça les sourcils.

— Nous luttons tous pour cela. C'est la guerre, vieil homme.

Le Maure acquiesça.

— Tu ne sais pas encore à quel point, marmonna-t-il.

Hernando arriva à Juviles alors qu'il faisait déjà nuit. Les chrétiens étaient partout. Selon les espions qui avaient apporté les nouvelles de la reddition à la colonne de Maures, le marquis avait ordonné que les femmes et leurs enfants soient rassemblés dans l'église. Hernando contourna le village pour pouvoir arriver jusqu'à l'église par les terrasses attenantes à celle-ci et à la place par le sud. La nuit était profonde ; seuls quelques points de lumière scintillant ici et là, les feux des soldats chrétiens, trouaient l'obscurité. Il parcourut, accroupi, la terrasse où sa mère avait poignardé le prêtre ; la place et l'église demeuraient devant lui. « Elle l'a fait pour toi », lui avait dit Hamid à cet endroit même alors que tous deux assistaient à la vengeance d'Aisha. Les conversations des chrétiens lui parvenaient sous forme de murmures, interrompus soudain par un éclat de rire ou une injure.

Il tendait l'oreille un peu plus attentivement lorsque quelqu'un se jeta sur lui et l'immobilisa avec le genou. Il n'eut pas le temps de crier : une main puissante lui ferma la bouche aussitôt. Il sentit l'acier d'un couteau sur son cou. C'était ainsi qu'il avait tué les chevaux, pensa Hernando. Allait-il mourir comme eux ?

— Ne le tue pas, put-il entendre siffler en arabe juste avant que la lame ne lui tranche la gorge.

Ils étaient plusieurs.

— J'ai cru voir briller quelque chose… Regarde ça !

Hernando sentit qu'on retirait l'épée de sa ceinture. Le cliquetis des pierres qui pendaient au fourreau les paralysa tous. Mais les murmures chrétiens continuèrent comme si de rien n'était.

— C'est un des nôtres, constata un homme qui palpait de ses doigts les bijoux du fourreau courbé.

— Qui es-tu ? murmura celui qui le maintenait immobile, libérant sa bouche, non sans augmenter la pression de la lame contre son cou. Comment t'appelles-tu ?

— Ibn Hamid.

— Que fais-tu ici ? questionna un troisième.

— La même chose que vous, j'imagine, répondit-il. Je suis venu sauver ma mère, ajouta-t-il.

Ils l'obligèrent à se retourner, la pointe du couteau toujours sur sa pomme d'Adam, mais ni les uns ni les autres ne réussirent à voir leurs visages respectifs à la faible lueur des feux chrétiens.

— Comment peut-on savoir qu'il ne nous ment pas ? se demandèrent les hommes.

— Il parle arabe, souligna l'un d'eux.

— Certains chrétiens aussi. Tu enverrais un espion qui ne parlerait pas arabe ?

— Pourquoi les chrétiens enverraient-ils un espion ici ? demanda le premier.

— Tue-le, décida le deuxième.

— Il n'y a pas d'autre Dieu que Dieu, et Mahomet est son prophète, récita Hernando.

Immédiatement, la pointe du couteau relâcha la pression. Hernando continua la profession de foi maure. Lentement, à mesure qu'il récitait la prière qui l'avait déjà sauvé des habitants de Juviles, le couteau s'écarta de son cou.

C'étaient trois Maures de Cádiar, venus délivrer leurs femmes et leurs enfants.

— Beaucoup d'entre elles sont réfugiées dans l'église, lui expliqua l'un des hommes. D'autres sont à l'extérieur, sur la place, mais il est impossible de savoir où se trouvent les nôtres exactement. Elles sont des centaines, avec les enfants, et on ne voit absolument rien ! Les soldats ne leur ont pas permis d'allumer des feux et elles ne sont qu'une masse d'ombres informes. Si on y va maintenant, on n'arrivera pas à les trouver, et la confusion sera telle que les soldats nous découvriront.

Et les hommes ? pensa Hernando. Et Hamid ? Ils parlaient seulement des femmes et des enfants.

— Et les hommes restés au château ? demanda-t-il.

— Je crois qu'ils les ont enfermés chez eux.

— Comment pourrons-nous les délivrer ? interrogea Hernando en un chuchotement.

— On a le temps d'y penser, lui répondit un Maure. On doit attendre jusqu'au matin. Avant, on ne pourra rien faire, ajouta-t-il.

— À la lumière du jour ? Quelles seront nos chances alors ? Comment ferons-nous ? dit le garçon avec surprise.

Il n'obtint pas de réponse.

Le froid de la nuit les enveloppa. Dans l'attente du matin, ils se cachèrent derrière des buissons et communiquèrent par murmures. Hernando apprit tout sur les femmes et les enfants des hommes de Cádiar. De son côté, il leur avoua comment dans cette église, et ici même, sur cette terrasse, il avait fini par découvrir l'intense blessure de sa mère.

Au bout d'un certain temps, au cœur de la nuit, le silence écrasa le village. Les soldats chrétiens sommeillaient près des feux et les quatre Maures commencèrent à sentir leurs muscles s'engourdir. La Sierra Nevada ne leur accorderait pas de trêve.

— On va mourir de froid.

Hernando entendit claquer les dents d'un de ses compagnons. Il eut un mal fou à bouger ses doigts agrippés à l'épée : on les aurait crus collés au fourreau.

— Il va falloir qu'on trouve un abri jusqu'à l'aube…, commença à dire quelqu'un, lorsqu'un cri aigu de femme, provenant de la place, l'interrompit.

— Halte ! Qui va là ? s'exclama un soldat posté près d'un feu.

— Il y a des Maures armés parmi les femmes ! affirma-t-on depuis un autre feu.

Ce furent les dernières paroles qu'ils purent entendre clairement. Hernando et ses compagnons s'interrogèrent. Des Maures armés ? Hernando passa la tête au-dessus des buissons qui leur servaient d'abri. Les cris des femmes et des enfants se mêlaient aux ordres des soldats. Des dizaines d'entre eux partaient en courant des foyers en direction de la place avec leurs épées et leurs hallebardes prêtes au combat. Ils se fondirent parmi les ombres. Le premier tir d'arquebuse retentit ; Hernando put voir l'étincelle, le scintillement, et un grand nuage de fumée au sein de la multitude opaque qu'on devinait près de l'église.

D'autres coups de feu retentirent, des éclairs parmi les ombres, des cris.

Hernando fut le premier à sauter et il courut vers l'église, brandissant des deux mains son épée dégainée. Les trois Maures de Cádiar le suivirent. Sur la place, après quelques moments d'indécision, les femmes tentaient de se défendre contre des soldats qui les frappaient sans discrimination, à coups d'épée et de hallebarde.

— Il y a des Maures ! entendit-on dans la confusion de la foule.

— On nous attaque ! criaient les soldats chrétiens disséminés de toute part.

L'obscurité était totale.

— Mère ! se mit à hurler Hernando à son tour.

Dans les ténèbres, les arquebusiers chrétiens se tiraient dessus. Hernando trébucha sur un cadavre et faillit tomber. À sa droite, tout près, un tir étincela, en même temps qu'une grande quantité de fumée enveloppait le lieu. Il fit tournoyer son épée parmi la fumée dense et sentit que l'arme s'enfonçait dans de la chair. Au même instant, il entendit un cri mortel.

— Mère !

Il continua, l'épée en l'air. Il ne voyait pas ! Il ne voyait rien ! Il ne pouvait reconnaître personne dans ce chaos. Une femme l'attaqua.

— Je suis maure ! lui cria-t-il.

— Santiago ! put-il entendre en même temps dans son dos.

Lancée dans son dos, la hallebarde chrétienne le frôla et se planta dans l'estomac de la femme. Hernando sentit le dernier souffle de chaleur de la Mauresque sur son propre visage, lorsque celle-ci se raccrocha à lui, blessée à mort. Il se dégagea de cette terrible étreinte, se retourna et asséna un coup d'épée. La lame heurta le métal d'un casque et glissa dessus, avant de se planter dans l'épaule du chrétien. Pendant ce temps, la femme tombait, s'agrippant à ses jambes.

— Mère ! cria-t-il une nouvelle fois.

Les corps de femmes et d'enfants sur lesquels il trébuchait étaient de plus en plus nombreux. Il pataugeait dans du sang ! Les portes de l'église étaient fermées. Et si Aisha se trouvait à l'intérieur du temple ? Les chrétiens tiraient toujours, en dépit des appels de leurs commandants au cessez-le-feu. Mais rien ne pouvait arrêter le carnage : la peur incontrôlée des soldats continuait de prendre son lot de victimes parmi des femmes sans défense et leurs enfants.

Hernando ne voyait toujours rien. Comment allait-il la trouver ? Et si elle n'était déjà plus qu'un cadavre gisant sur cette place sanglante ?

— Mère, gémit-il, abaissant son épée.

— Hernando ? Hernando, c'est toi ?

Hernando releva son arme. Où était-elle ? D'où venait la voix ?

— Mère !

— Hernando ?

Une ombre le toucha. Il fit mine de frapper.

— Hernando !

Aisha le secoua.

— Mère ! Dieu soit loué ! Partons. Partons d'ici, dit-il en lui attrapant le bras… Vers où ?

— Tes sœurs ! Il manque tes sœurs ! le pressa-t-elle. Musa et Aquil sont avec moi.

— Où… ?

— Je les ai perdues dans le tumulte…

Deux tirs retentirent vers eux. Un corps à sa gauche s'effondra.

— Là, il y a un Maure ! cria un soldat chrétien.

Dans l'éclat des arquebuses, plus bas que lui, Hernando aperçut une ombre proche. Était-ce Raissa ? Il croyait avoir vu une jeune fille. Raissa ?… Ils allaient tous être tués. Il l'attrapa par les cheveux et la tira vers lui.

— Voilà Raissa, dit-il à sa mère.

— Et Zahara ?

Cette fois, trois coups de feu furent tirés dans leur direction. Hernando poussa sa mère tandis qu'il entraînait la jeune fille.

— Partons ! ordonna-t-il.

Il se guida grâce à la silhouette du clocher, du haut duquel quelqu'un essayait d'éclairer la scène avec une torche. Il continua à pousser sa mère qui tenait par la main les deux garçons pendant qu'il tirait lui-même la jeune fille, tous accroupis, jusqu'à la terrasse. De là, ils descendirent en courant dans le ravin, par à-coups, tombant et se relevant, avec dans leur dos les tirs et les cris de terreur des femmes et des enfants.

Ils s'arrêtèrent seulement une fois que les tirs ne furent plus qu'une rumeur lointaine. Aisha s'écroula. Musa et Aquil se mirent à pleurnicher. Hernando et la jeune fille demeurèrent tranquilles, s'efforçant de recouvrer leur respiration.

— Merci, mon fils, dit sa mère, se relevant soudain. Continuons. Nous ne pouvons pas nous arrêter. Nous sommes en danger et nous devons… Raissa ?

Aisha bondit vers la jeune fille et releva son visage en l'agrippant par le menton.

— Tu n'es pas Raissa !

— Je m'appelle Fatima, bredouilla celle-ci, sans avoir encore repris son souffle. Et voici, ajouta-t-elle en montrant un nourrisson de quelques mois qu'elle protégeait contre sa poitrine, Salvador… Je veux dire Humam.

Hernando ne put contempler les immenses yeux noirs et fendus de Fatima, mais il perçut en revanche un éclat qui semblait vouloir briser l'obscurité.

Cette nuit-là plus de mille femmes et leurs petits moururent sur la place de l'église de Juviles. Celles qui s'étaient réfugiées à l'intérieur du temple après en avoir fermé les portes à clé sauvèrent leurs vies, mais la place se réveilla jonchée de cadavres de femmes sans défense et d'enfants assassinés. Au côté de quelques soldats chrétiens morts dans la confusion de la main de leurs compagnons, on retrouva seulement le cadavre d'un Maure, que quelqu'un identifia comme un habitant de Cádiar. Le marquis de Mondéjar ordonna une enquête concernant l'émeute et fit exécuter trois soldats qui, profitant de l'obscurité, avaient tenté de violer une femme, provoquant ainsi ses cris et, avec eux, la panique qui avait déclenché le massacre.

11.

Elle avait treize ans et elle était de Terque, de la taa de Marchena, à l'est des Alpujarras, expliqua Fatima à Hernando sur le chemin d'Ugíjar. Elle ne savait pas où se trouvait son époux. Le père d'Humam avait rejoint les monfíes partis se battre contre le marquis de los Vélez à l'extrême est des Alpujarras, et elle, comme tant d'autres femmes mauresques, s'était retrouvée sur la place de Juviles.

— J'ai vu que tu étais armé et je me suis rapprochée de vous. Je suis désolée… Je ne pouvais pas laisser mon enfant mourir de la main des soldats…, chuchota Fatima.

Ses yeux noirs exprimaient du chagrin, mais aussi une ferme résolution. Tous deux marchaient devant Aisha, qui n'avait plus prononcé un seul mot depuis qu'elle s'était aperçue de son erreur au moment où ils s'étaient échappés du massacre. Les demi-frères d'Hernando, geignant constamment, s'efforçaient de suivre la cadence.

Le jour se levait. Le soleil commença à éclairer montagnes et ravins comme si rien ne s'était passé ; le froid et la neige produisaient une telle sensation de pureté que le carnage de Juviles semblait n'avoir été qu'une fantaisie macabre.

Pourtant il avait été bien réel. Et Hernando avait réalisé son objectif : sauver sa mère. Mais ses sœurs… Et Hamid ? Qu'était devenu l'uléma ? Il serra l'épée qu'il portait à la ceinture et tourna la tête vers Aisha : elle marchait tête baissée ; plus tôt, il l'avait entendue sangloter, maintenant elle avançait simplement derrière eux. Il profita également des premiers rayons de soleil pour examiner du coin de l'œil sa nouvelle compagne : sa chevelure noire bouclée lui tombait sur les épaules. Elle avait la peau sombre et les traits ciselés ; le corps d'une fille qui a subi une maternité prématurée. Et elle marchait avec dignité, malgré la fatigue. Fatima se sentit observée et elle se tourna vers lui pour lui offrir un léger sourire illuminé par ces fantastiques yeux noirs fendus et étincelants, qu'Hernando découvrit juste alors. Une bouffée de chaleur envahit ses joues.

Humam se mit à pleurer. Fatima berçait son fils sans cesser d'avancer.

— Arrêtons-nous pour qu'elle nourrisse le petit, conseilla Aisha à l'arrière.

Fatima acquiesça et tous s'éloignèrent du sentier.

— Je suis désolée, mère, dit Hernando tandis que Fatima s'asseyait pour allaiter Humam, flanquée des deux enfants ébahis.

Aisha ne répondit pas.

— J'ai cru... j'ai cru que c'était Raissa.

— Tu m'as sauvé la vie, l'interrompit alors sa mère. La mienne et celle de tes frères.

Aisha laissa ses larmes couler. Elle attira son fils vers elle et le serra dans ses bras.

— Tu n'as pas à t'excuser..., sanglota-t-elle, toujours en l'étreignant, mais comprends ma douleur pour tes sœurs. Merci...

Fatima observait la scène, le visage sérieux. Humam tétait avec appétit. Sur la poitrine découverte de la jeune fille, Hernando put alors observer un bijou en or qui pendait à son cou : la *jamsa*, la main de Fatima, le collier que les chrétiens leur interdisaient de porter, une amulette qui protège du mal.

Hernando et sa petite cohorte mirent toute la matinée pour parcourir les presque trois lieues qui séparaient Juviles d'Ugíjar, la plus importante localité chrétienne des Alpujarras, qui se trouvait aux mains des Maures après une tuerie sauvage ordonnée par Farax. Elle était enclavée dans la vallée du Nechite, un peu éloignée des contreforts de la Sierra Nevada, raison pour laquelle son orographie n'était pas aussi accidentée que celle des hautes Alpujarras ; il s'agissait d'un village riche en vignes et céréales, et qui possédait des pâturages très étendus pour le bétail. L'armée d'Abén Humeya, dès son arrivée, avait installé son camp. Ugíjar était une fourmilière.

Le roi de Grenade logeait dans la maison qui avait appartenu à Pedro López, le greffier principal des Alpujarras. Le bâtiment abritait une des trois tours défensives que comptait la localité. Les tours étaient disposées en triangle et une grande partie de l'armée était éparpillée à l'intérieur. Hernando retrouva son troupeau de mules devant la tour de la collégiale ; Ubaid surveillait l'aubère de son beau-père. S'il l'avait craint auparavant, désormais il se sentait assez fort pour s'adresser à lui.

— Et Brahim ? demanda-t-il au muletier.

Ubaid haussa les épaules et cloua son regard sur Fatima. Musa et Aquil voulurent s'approcher des mules, encore chargées du butin, mais des soldats leur barrèrent le passage. Ubaid ne quitta pas Fatima des yeux, même lorsque le petit Musa tomba à ses pieds, bousculé par les soldats qui le repoussèrent loin du butin. La jeune fille, intimidée, s'accrocha à Hernando.

— Qu'est-ce que tu regardes ? lança-t-il au muletier.

Ubaid haussa de nouveau les épaules, jeta un dernier regard lascif à Fatima et cessa son harcèlement. Hernando relâcha sa main, qu'instinctivement il avait portée à la poignée de son épée.

Ils se rendirent à la maison de Pedro López, que leur avait indiquée un soldat. Ils trouvèrent Brahim aux portes de la maison, au côté des chefs et d'une foule de monfíes ; Abén Humeya était à l'intérieur, en réunion avec ses conseillers.

— Que signifie… ? s'exclama son beau-père en voyant

Aisha et ses deux fils, avant qu'El Gironcillo, également présent, le coupe.

— Bienvenue, mon garçon ! s'écria-t-il. Je crois que nous allons avoir besoin de toi. Nous avons pas mal d'animaux blessés.

Aussitôt, El Gironcillo expliqua aux autres monfíes comment Hernando avait soigné son alezan. Brahim attendit, furieux, contenant sa rage, que le chef monfí finisse de chanter les louanges de son fils adoptif.

— Mais tu as abandonné le troupeau ! lança-t-il au moment où El Gironcillo termina son discours. Et pourquoi as-tu ramené mes fils ? Je t'ai déjà dit…

— Nous mourrons peut-être tous ici, l'interrompit Aisha, haussant la voix à la surprise de son époux, mais pour le moment Hernando nous a sauvé la vie.

— Les chrétiens, murmura alors le garçon, ont tué des centaines de femmes et d'enfants aux portes de l'église de Juviles.

Immédiatement, les monfíes l'entourèrent et il leur raconta avec tristesse ce qui s'était passé à Juviles.

— Viens, indiqua El Gironcillo avant même qu'il termine, tu dois le répéter à Ibn Umayya.

Les soldats qui montaient la garde aux portes de la maison les laissèrent passer sans problème. Hernando entra avec El Gironcillo. Les gardes voulurent barrer l'accès à Brahim, mais celui-ci réussit à les persuader qu'il devait accompagner son beau-fils.

Il s'agissait d'un bâtiment seigneurial à deux étages, blanchi à la chaux, avec des balcons en fer forgé à l'étage supérieur et un toit en tuiles à quatre pentes. À peine eurent-ils passé la garde, avant même qu'on leur ouvre les grosses portes en bois qui donnaient accès à la vaste pièce où se trouvait Abén Humeya, qu'Hernando sentit l'essence d'un parfum. Le garde qui les accompagnait appela et ouvrit les portes, et une pénétrante odeur de musc se mélangea au son d'un *ud*, un luth à manche court et sans touches. Le roi, jeune, séduisant et superbe, était confortablement calé dans un fauteuil en bois tapissé de soie rouge, entouré de ses quatre épouses ; il dominait ainsi les autres personnes présentes, assises par terre sur des coussins en soie entremêlés de fils d'or et d'argent, et de maroquins brodés de mille couleurs. Le salon était décoré de tapis et de tapisseries ; une femme dansait au centre.

Les trois hommes demeurèrent immobiles sur le seuil ; Hernando, les yeux accrochés à la danseuse ; El Gironcillo et Brahim examinant la pièce de tous côtés.

Abén Humeya frappa dans ses mains, mettant ainsi fin à la musique et à la danse, et les fit entrer. Miguel de Rojas, père de la première épouse du roi et riche Maure d'Ugíjar, plusieurs hommes importants de la localité et des chefs monfíes comme El Partal, El Seniz ou El Gorri fixèrent leur attention sur les deux hommes et le jeune muletier.

— Que voulez-vous ? demanda directement Abén Humeya.

— Ce garçon apporte des nouvelles de Juviles, répondit El Gironcillo de sa voix puissante.

— Parle, le pressa le roi.

Hernando n'osait presque pas le regarder. L'assurance nouvelle qu'il avait ressentie la nuit précédente semblait l'avoir abandonné comme par enchantement. Il commença son récit, bredouillant, jusqu'au moment où Abén Humeya lui sourit ouvertement. Il reprit alors confiance en lui.

— Les assassins ! s'écria El Partal après avoir entendu toute l'histoire.

— Ils tuent des femmes et des enfants ! s'exclama El Seniz.

— Je vous ai dit que nous devions résister ici, dans ce village, dit Miguel de Rojas. Nous devons nous battre et protéger nos familles.

— Non ! Ici, nous ne pourrons pas stopper les forces du marquis... répliqua El Partal.

Mais Abén Humeya lui donna l'ordre de se taire, apaisant d'un signe de la main les autres monfíes qui, désireux d'attaquer de nouveau, soutenaient qu'il fallait quitter les lieux.

— J'ai décidé que pour le moment nous resterions à Ugíjar, déclara le roi, au grand mécontentement des monfíes. Quant à toi, ajouta-t-il à l'adresse d'Hernando, je te félicite pour le courage que tu as montré. Quel est ton métier ?

— Je suis muletier… Je conduis les mules de mon beau-père, expliqua-t-il en désignant Brahim.

Abén Humeya parut reconnaître celui-ci.

— Et je veille sur votre butin.

— C'est aussi un excellent vétérinaire, intervint El Gironcillo.

Le roi réfléchit pendant quelques instants avant de reprendre la parole :

— Protégerais-tu l'argent de notre peuple de la même manière que tu as protégé ta mère ?

Hernando fit signe que oui.

— Dans ce cas tu resteras à mes côtés, avec l'or.

Près de son fils adoptif, Brahim s'agita avec inquiétude.

— J'ai demandé de l'aide à Uluch Ali, bey d'Alger, poursuivit Abén Humeya, en promettant vassalité au Grand Turc, et je sais que dans une des mosquées d'Alger on rassemble des armes pour nous les apporter. Dès que la saison de navigation commencera, ces armes nous parviendront… Et nous devrons les payer.

Le roi garda le silence quelques instants. Hernando se demandait si cette proposition incluait son beau-père, lorsque Abén Humeya reprit la parole.

— Nous avons besoin d'arquebuses et d'artillerie. La plupart de nos hommes combattent avec de simples frondes et des instruments de labour. Ils n'ont même pas d'épées ou de hallebardes. Cependant… Mais toi, tu as une bonne épée ! s'écria-t-il en pointant du doigt l'arme qui pendait à la taille d'Hernando.

Hernando la dégaina pour la lui montrer et la lame apparut, tachée de sang. Il se souvint alors des coups qu'il avait donnés, des entailles dans la chair chrétienne qu'il avait senties dans l'obscurité. Il n'avait pas eu l'occasion d'y songer encore. Il contempla, plongé dans ses pensées, la lame de l'épée noircie par le sang séché.

— Je vois également que tu l'as utilisée, dit alors Abén Humeya. Je suis certain que tu continueras à le faire et que beaucoup de chrétiens tomberont par ce fer.

— C'est Hamid qui me l'a donnée, l'uléma de Juviles, expliqua Hernando.

Il évita de mentionner, toutefois, que l'épée avait appartenu au Prophète ; on la lui prendrait sans aucun doute, et il avait promis à Hamid qu'il veillerait sur l'arme. Le roi hocha la tête, faisant signe qu'il connaissait l'uléma.

— Hamid était avec les hommes, dans le village… ajouta le garçon avec tristesse.

Puis il se tut, et Abén Humeya respecta ce silence. Un des monfíes s'avança pour s'emparer de l'épée, mais le monarque, devant le regard avide du Maure sur le fourreau en or, dit à voix haute, bien distinctement :

— Tu veilleras sur cette épée jusqu'au jour où tu pourras la rendre à Hamid. Moi, roi de Grenade et de Cordoue, je le veux ainsi. Et je suis certain que ce jour viendra, mon garçon, sourit Abén Humeya. Dès que les janissaires et les Arabes viendront à notre aide, nous régnerons à nouveau sur Al-Andalus.

Ils quittèrent la maison où s'était installé Abén Humeya et trouvèrent de quoi manger. Les hommes s'assirent par terre et s'attaquèrent au mouton qui avait été préparé.

— Qui est-ce ? gronda Brahim en montrant Fatima.

— Elle s'est échappée de Juviles avec nous, répondit Aisha, devançant Hernando.

Les yeux mi-clos de Brahim se fixèrent sur la jeune fille, debout près d'Aisha ; Humam dormait dans un grand cabas entre elles deux. Un morceau de mouton dans la main, Brahim examina Fatima de haut en bas, s'attardant sur sa poitrine et son visage, ces merveilleux yeux noirs que la jeune fille baissa, gênée.

Le muletier fit claquer sa langue de façon impudique, comme s'il la trouvait à son goût, et mordit dans la viande.

— Et mes filles ? questionna-t-il en mastiquant.

— Je ne sais pas.

Aisha étouffa un sanglot.

— Il faisait nuit… Il y avait tant de gens… On ne voyait rien… Je n'ai pas pu les retrouver. Je veillais sur les garçons ! s'excusa-t-elle.

Brahim contempla ses deux fils et acquiesça, comme s'il acceptait cette explication.

— Toi ! dit-il à Fatima. Sers-moi à boire.

Quand celle-ci lui apporta de l'eau, Brahim déshabilla la jeune fille du regard ; le muletier maintint son verre près de son corps, sans tendre le bras, pour obliger Fatima à s'approcher de lui et pouvoir ainsi toucher sa peau.

Hernando se surprit à retenir son souffle. Fatima faisait tout pour ne pas effleurer Brahim. Que voulait son beau-père ? Du coin de l'œil, il crut voir Aisha secouer le cabas d'Humam du bout du pied : l'enfant se mit à pleurer.

— Je dois l'allaiter, dit la jeune fille, effrayée.

Le muletier la suivit du regard, tremblant à l'idée de ces seins de gamine gorgés de lait.

— Hernando…, appela Fatima après avoir nourri son petit, qui s'était endormi dans ses bras.

— Ibn Hamid, la corrigea-t-il.

Fatima approuva.

— Peux-tu venir avec moi chercher des nouvelles de mon époux ? Je dois savoir ce qu'il est devenu, dit la jeune fille en regardant Brahim à la dérobée.

Ils laissèrent Humam sous la surveillance d'Aisha, se faufilèrent entre les échoppes et les cercles de personnes en quête de nouvelles des hommes de la taa de Marchena, qui s'étaient battus au côté des monfíes contre le marquis de los Vélez, gouverneur du royaume de Murcie et commandant général de Carthagène. Soldat cruel qui luttait contre les Maures sans concession aucune, le marquis de los Vélez avait initié la guerre de son propre chef, avant même de recevoir l'ordre royal, et il avait commencé par la côte Est de l'ancien royaume, au sud et à l'est des Alpujarras, où le marquis de Mondéjar n'avait pas réussi à aller.

Ils trouvèrent sans difficulté les nouvelles qu'ils cherchaient. Des hommes du Gorri, qui s'étaient battus contre le marquis de los Vélez, se lancèrent dans un récit complet de leurs mésaventures.

— Mais mon époux n'était pas avec El Gorri, les interrompit Fatima. Il est parti avec El Futey. C'est… son cousin.

Le soldat qui avait commencé à parler se mit alors à soupirer sans retenue. Fatima agrippa le bras d'Hernando : elle avait un mauvais pressentiment. Deux hommes qui faisaient partie du groupe évitèrent le regard interrogateur de la jeune fille. Un troisième prit la parole :

— J'étais avec eux. El Futey est tombé dans la bataille de Félix. Et avec lui, la plupart de ses hommes… mais surtout des femmes… beaucoup de femmes sont mortes. Avec El Futey, il y avait El Tezi et Portocarrero, et comme ils n'avaient pas assez d'hommes pour faire face aux chrétiens, ils ont déguisé les femmes en soldats. Nos frères ont combattu en plein champ puis dans les maisons de Félix. À la fin, ils ont dû se réfugier au sommet d'une colline devant le village, poursuivis en permanence par l'infanterie du marquis.

L'homme fit une pause qui sembla interminable à Hernando ; il sentait les ongles de Fatima plantés dans son bras.

— Il y a eu plus de sept cents morts, hommes et femmes. Quelques-uns, comme moi, ont réussi à fuir dans la montagne… d'où nous venions, ajouta-t-il, affligé, mais ceux qui n'ont pas pu… J'ai vu des femmes armées d'un poignard se jeter contre la panse des chevaux ! Elles allaient vers une mort certaine ! J'en ai vu beaucoup qui, n'ayant plus la force de soulever des pierres, finirent par lancer du sable dans les yeux des chrétiens. Elles ont combattu avec autant de courage que leurs hommes.

Cette fois, le soldat regarda directement Fatima.

— Si tu ne le trouves pas ici… Il n'y a pas eu de survivants. Le marquis de los Vélez ne fait pas de prisonniers parmi les hommes, et n'accorde pas de pardon comme Mondéjar. Les femmes et les enfants qui ne sont pas morts ont été réduits en esclavage. On a vu de nombreux bataillons de soldats qui désertaient l'armée en direction de Murcie, à la tête de longues files de femmes et d'enfants esclaves.

Ils cherchèrent dans tout Ugíjar. Un grand nombre de Maures leur confirmèrent le récit.

— De Terque ? intervint un soldat qui avait entendu les questions de Fatima. Salvador de Terque ?

La jeune fille hocha la tête.

— Le cordier ?

Fatima hocha de nouveau la tête, les mains sur sa poitrine, les doigts fortement entrelacés.

— Je suis désolé… Il est mort. Il est mort au côté d'El Futey, au combat, courageusement…

Hernando la rattrapa au vol. Elle ne pesait rien. Presque rien… Elle s'écroula dans ses bras et Hernando sentit sa joue tout imbibée de ses larmes.

— Pourquoi ces pleurs ? demanda Brahim au moment du dîner, alors qu'ils étaient assis en cercle au centre du village, parmi une multitude de brasiers.

— Son époux…, s'empressa de répondre Hernando. Apparemment, il a été blessé dans les montagnes, mentit-il.

Aisha, informée de la mort du père du petit avant le retour de Brahim, ne contredit pas la version de son fils.

Fatima non plus. Cependant, malgré la douleur qu'affichait la jeune fille et le fait que son époux était supposé toujours en vie, Brahim continua à la regarder lascivement et sans vergogne.

Cette nuit-là, Hernando ne put trouver le sommeil : les sanglots contenus de Fatima tambourinaient en lui, plus fortement que la musique et les chants qu'on entendait dans le camp.

— Je suis désolé, chuchota-t-il pour la énième fois, allongé à ses côtés, bien après minuit.

Fatima sanglota une réponse inintelligible.

— Tu l'aimais beaucoup…

La phrase d'Hernando resta suspendue entre l'affirmation et la question. Fatima laissa passer quelques instants.

— On a grandi ensemble… Je le connaissais depuis l'enfance. C'était un apprenti de mon père, un tout petit peu plus âgé que moi. Nous marier nous a semblé le plus…

La jeune fille tenta de trouver le bon mot.

— Le plus naturel. Il avait toujours été là…

Les pleurs de Fatima laissèrent place à une plainte désespérée.

— À présent nous sommes seuls, Humam et moi, parvint-elle à articuler. Qu'allons-nous devenir ? Nous n'avons plus personne…

— Je suis là, moi, susurra-t-il.

Sans réfléchir, il avança une main vers la jeune fille, mais elle ne la prit pas. Fatima demeura silencieuse. Hernando entendait sa respiration entrecoupée, qui se confondait avec le tapage du camp maure. Avant que la musique et les chants gagnent en force, Fatima bredouilla :

— Merci.

Le marquis de Mondéjar accorda quelques jours de répit à l'armée maure cantonnée à Ugíjar. Il recevait les chefs des lieux qui venaient se rendre à lui ; il envoyait des groupes d'hommes attaquer les grottes dans lesquelles se cachaient des Maures et, finalement, avant Ugíjar il se dirigea vers Cádiar.

Ces journées permirent aux espions maures, qui surveillaient tout ce qui se passait à Grenade, de revenir à Ugíjar avec un grand nombre de nouvelles. Hernando se joignit avec curiosité au cercle d'hommes qui entourait l'un des nouveaux venus.

— Tous nos frères emprisonnés dans la Chancellerie ont été assassinés, réussit à entendre Hernando.

Il y avait tant d'hommes qu'il n'arrivait pas à distinguer le centre du cercle. L'espion demeura silencieux pendant le temps que durèrent les rumeurs, les imprécations et les insultes par lesquelles les hommes accueillirent sa déclaration. Puis il reprit :

— Les soldats chrétiens ont attaqué la prison devant des geôliers passifs, et ont tué les nôtres comme des chiens, enfermés dans leurs cachots, alors qu'ils n'avaient aucune possibilité de se défendre. Plus d'une centaine d'entre eux ! Ensuite, ils ont confisqué toutes leurs propriétés, toutes leurs possessions. Il s'agissait des hommes les plus riches de Grenade !

— Seuls nos biens les intéressent ! cria quelqu'un.

— Tout ce qu'ils veulent, c'est s'enrichir ! renchérit quelqu'un d'autre.

— Les deux marquis, de Mondéjar et de los Vélez, ont de sérieux problèmes avec leurs armées respectives.

Hernando reconnut de nouveau la voix de l'espion. La foule s'était approchée du groupe et il se trouvait pris entre les nombreux Maures qui prêtaient attention au récit.

— Les soldats désertent dès qu'ils obtiennent un esclave ou une part du butin. Mondéjar a perdu une grande partie de ses hommes à partir du moment où il a franchi le pont de Tablate pour entrer dans les Alpujarras, mais des renforts le suivent, arrivent, des gens avides de devenir riches avant de rentrer chez eux.

136

— Que sont devenus les hommes âgés, les femmes et les enfants de Juviles ? demanda quelqu'un.

Plus de deux mille hommes avaient laissé leurs familles dans le château, et les rumeurs qui avaient couru depuis les nouvelles apportées par Hernando les avaient plongés dans l'incertitude.

— Près de mille femmes et enfants ont été vendus aux enchères comme butin de guerre sur la place de Bibarrambla…

La voix de l'espion s'éteignait.

— Parle plus fort ! le pressa-t-on de l'arrière.

— Elles ont été vendues comme esclaves ! s'efforça de crier l'homme. Mille d'entre elles !

— Seulement mille !

Hernando entendit dans son dos l'exclamation étouffée et trembla.

— Elles ont été publiquement exposées sur la place, en haillons, humiliées.

Un silence révérenciel se fit, tandis que la voix de l'espion baissait d'un ton.

— Les marchands chrétiens les tripotaient sans la moindre pudeur sous prétexte d'examiner leur état, pendant que les commissionnaires criaient des prix et les adjugeaient sous les insultes, les jets de pierres et les crachats des Grenadins. Tout l'argent est parti dans les coffres du monarque chrétien !

— Et les enfants ? questionna quelqu'un. Ils ont aussi été vendus comme esclaves ?

— À Bibarrambla, aux enchères publiques. Seuls les garçons âgés de plus de dix ans et les filles de plus de onze. Ainsi l'a ordonné le roi.

— Et les plus petits ?

Plusieurs posèrent la question en même temps. L'espion attendit quelques instants avant de continuer. Les hommes se poussèrent, se mirent sur la pointe des pieds ; certains finirent par se hisser sur le dos d'un de leurs compagnons pour mieux voir et entendre.

— Ils les ont aussi vendus, en cachette du roi, lâcha péniblement l'espion. Je les ai vus. Ils les ont marqués au fer sur le visage… des enfants tout petits… pour que personne ne puisse plus jamais contester leur condition d'esclave. Après ils les ont rapidement expédiés en Castille et même en Italie.

Hernando vit un homme, hissé sur les épaules d'un autre, s'effondrer et tomber par terre. Personne n'osa parler pendant un long moment : la douleur de ces hommes était presque palpable.

— Et les hommes âgés et invalides de Juviles ?

La question surgit parmi la multitude, sur un ton déjà désespéré.

— Ils étaient près de quatre cents.

Hernando tendit l'oreille. Hamid !

— Les soldats de Mondéjar les ont réduits en esclavage dès qu'ils ont déserté.

Hamid, esclave ! Hernando sentit ses genoux fléchir et il s'appuya sur un homme.

Mais il y avait encore une question ! La question qu'aucun des hommes présents ne voulait poser. Au cours des derniers jours, Hernando avait été physiquement assailli par des groupes de Maures qui voulaient entendre raconter de sa bouche ce qu'on murmurait dans le camp. Ils avaient tous des femmes et des enfants à Juviles. Hernando n'avait cessé de répéter ce qu'il avait vu. « Mais il faisait nuit noire quand tu t'es enfui de la place, non ? » argumentaient-ils, dans une tentative pour nier l'hypothèse d'un massacre. « C'est impossible que tu aies vu combien de femmes et d'enfants sont réellement morts… » Alors il hochait la tête. Cette nuit-là, il avait enjambé des centaines de cadavres, entendant, sentant même la haine et la folie qui s'étaient emparées des troupes chrétiennes. Mais pourquoi désespérer davantage ces époux et ces pères ?

— Toutes celles qui n'étaient pas dans l'église de Juviles sont mortes ! Toutes ! hurla l'espion. Plus de mille femmes, et leurs enfants ! Aucune n'a survécu.

Peu après, des feux au sommet des collines et des montagnes annoncèrent aux Maures que le marquis de Mondéjar marchait avec son armée en direction d'Ugíjar. Abén Humeya, convaincu par les monfíes que son beau-père, Miguel de Rojas, lui avait conseillé de se retrancher à Ugíjar parce qu'il avait conclu un pacte avec le marquis de Mondéjar – selon lequel, en échange de la tête du roi de Grenade, Miguel de Rojas et sa famille resteraient libres et s'approprieraient du butin de l'armée maure –, fit assassiner sans ménagements ce dernier, une grande partie du clan familial des Rojas, et répudia sa première épouse.

Puis Abén Humeya et ses hommes partirent vers Paterna del Río, au nord, sur le flanc de la Sierra Nevada. Au-dessus de ce village, il n'y avait que rochers, ravins, montagne et neige. Hernando cheminait avec l'armée, au côté du roi et de son état-major, loin des autres muletiers, ses bêtes chargées d'or, d'argent monnayé, de bijoux de toute sorte et de draperies brodées au fil d'or. Brahim l'avait disposé ainsi par ordre du roi : le butin devait être trié, et l'or et les bijoux chargés sur les bêtes du jeune muletier, placé en tête ; les autres animaux, avec le reste du butin, suivaient derrière, comme c'était l'usage.

De temps en temps, lorsque le chemin sinueux le lui permettait, Hernando tournait la tête pour tenter d'apercevoir le bout de la colonne composée de six mille hommes où, en compagnie d'autres femmes, il y avait Aisha, ses demi-frères, Fatima et son bébé. Hernando ne parvenait pas à effacer de son esprit les yeux noirs fendus de la jeune fille qui le poursuivaient, parfois étincelants, parfois baignés de larmes, parfois fuyants, effrayés.

— Hue ! criait-il alors à ses mules pour se débarrasser de ces sensations.

Ils atteignirent Paterna et le roi maure fit camper ses hommes à une demi-lieue de l'endroit, sur une côte qu'il considéra comme quasiment imprenable, tandis que lui-même, l'équipement et les gens inutiles au combat entraient dans le village.

Hernando ne voulut pas se joindre au reste de l'impedimenta, car il ne souhaitait pas tomber sur Ubaid, et dès qu'il arriva à Paterna il chercha une cour suffisamment grande dans les maisons des alentours ; les petits jardins des bâtiments du centre ne pouvaient accueillir son troupeau. Personne ne lui fit de difficultés. Au grand désespoir de Brahim, qui voyait sa position moins assurée, Abén Humeya lui fit publiquement confiance.

— Faites ce que vous ordonne ce garçon, dit-il aux autres soldats qui surveillaient l'or. Il est le gardien des richesses qui nous donneront la victoire.

C'est pourquoi Hernando n'eut même pas à justifier sa décision. Une fois à Paterna, et alors qu'Abén Humeya s'enfermait dans une des maisons principales, il attendit l'arrivée de l'arrière-garde où, parmi les femmes et les bagages, se trouvaient Aisha et Fatima. Il les vit arriver traînant les pieds et le visage baigné de larmes : Aisha à cause de la mort désormais certaine de ses filles – comme les autres Maures venus écouter l'espion, elle avait gardé le faible espoir qu'elles avaient pu survivre – ; Fatima à cause de la perte de son époux et de son avenir incertain avec un tout petit enfant à charge. Aquil et Musa, cependant, jouaient à la guerre. Une fois qu'ils furent tous réunis, les soldats les accompagnèrent à la recherche d'une cour. Ensuite, lorsqu'ils virent Hernando fort occupé à veiller sur ses bêtes, sûrs que l'armée maure stopperait les forces du marquis sur la côte imprenable choisie par Abén Humeya, les soldats les laissèrent et se dispersèrent dans le village.

Il commençait à neiger.

Mais les prévisions d'Abén Humeya relatives aux difficultés d'accès se révélèrent erronées. Les soldats chrétiens, désobéissant aux ordres du marquis, attaquèrent et réussirent à mettre en débandade les troupes qui défendaient l'accès au village. Ils pénétrèrent dans la localité, avides de sang et de butin, las du pardon que leur commandant général concédait à tous les hérétiques et assassins qui se rendaient.

Le chaos dévasta Paterna. Les Maures s'enfuirent du village ; les femmes et les enfants cherchaient leurs hommes ; les prisonnières chrétiennes, soudain libres, accueillaient par des vivats leurs sauveurs et tentaient d'empêcher la fuite des Maures. Elles furent les seules à combattre. Les hommes du marquis, tirant exceptionnellement ici et là, se lancèrent à la recherche du butin, qu'ils trouvèrent sans surveillance aucune sur les dizaines de mules rassemblées près de l'église du village, élevée, comme beaucoup d'autres dans les Alpujarras, sur une ancienne mosquée. Le fabuleux trophée aiguisa l'appât du gain et les querelles parmi les chrétiens : soies, perles et tout type d'objets de valeur étaient entassés entre les mules.

Dans la confusion, personne ne s'aperçut qu'il manquait l'or ; si nombreuses étaient les mules devant l'église que celui qui ne trouvait pas l'or pensait qu'il était chargé sur d'autres bêtes, plus loin.

La Sierra Nevada derrière lui, sans maisons pour lui obstruer la vue, se protégeant du froid et de la neige, Hernando fut le premier à observer comment l'armée maure fuyait, mise en déroute, dans les montagnes. À une demi-lieue d'où ils se trouvaient, là où se produisit le premier affrontement, des centaines de silhouettes se dessinèrent dans la neige. Elles montaient, de manière désordonnée, jusqu'aux sommets. Beaucoup d'entre elles tombaient et dérapaient sur les pentes et les rocs ; d'autres, brusquement, restaient immobiles. De sa position, Hernando ne pouvait entendre le fracas des arquebuses, mais il voyait bien, en revanche, les éclairs des armes chrétiennes et l'importante fumée qu'elles projetaient à chaque tir.

— Partons d'ici ! enjoignit-il Aisha et Fatima.

Les deux femmes se figèrent pendant quelques instants, stupéfaites, devant la fuite de leur armée.

— Aidez-moi ! insista Hernando.

Il n'eut pas besoin de demander des instructions. Lorsqu'il réussit à équiper le troupeau, il constata qu'à l'autre bout du village Abén Humeya s'enfuyait à bride abattue. Brahim et d'autres cavaliers éperonnaient violemment leurs chevaux à la suite du roi. Les soldats cantonnés à Paterna s'échappaient également. C'était la débandade. Les tirs et les « Santiago ! » des poursuivants étaient déjà clairement perceptibles.

— Et maintenant ? demanda Fatima derrière lui.

— Par là ! On va grimper au col de la Ragua ! répondit-il, et il montra la direction opposée à celle vers laquelle fuyaient le roi et ses hommes, poursuivis par les chrétiens.

Fatima et Aisha regardèrent l'endroit qu'il désignait. La jeune fille voulut dire quelque chose, mais elle parvint seulement à bredouiller deux mots inintelligibles tout en serrant Humam contre sa poitrine. Aisha avait la bouche ouverte. On ne distinguait aucun chemin ! Seulement de la neige et des rochers !

— Allez, la Vieille !

Hernando attrapa la mule par le licou et l'obligea à prendre la tête du cortège.

— Trouve-nous un chemin vers le sommet, murmura-t-il en lui tapotant le cou.

La Vieille se mit à sonder la neige à chaque pas et, lentement, ils entreprirent leur ascension. La neige, qui tombait à présent en abondance, les cacha de la vue des chrétiens.

12.

Le col de la Ragua s'élevait à plus de deux aunes cas-
tillanes et constituait le passage pour franchir la Sierra
Nevada en direction de Grenade sans avoir à contourner
la chaîne montagneuse. Hernando le connaissait. En haut
s'étendaient des plaines, de bons pâturages de printemps
où certainement, pensa le garçon, s'étaient rendus les
Maures en fuite ; il y avait peu d'autres endroits où ils
pouvaient se cacher et se regrouper. Sur le versant nord
du col, celui qui menait à Grenade, se dressait l'imposant
château de la Calahorra, mais sur le versant qui conduisait
aux Alpujarras il n'existait aucune défense.

Hernando connaissait également en détail le ravin qui
s'ouvrait non loin au pied d'une colline qui lui servait de
référence, à plus de deux mille quatre cents aunes de hauteur : c'est là qu'il venait chercher de nombreuses herbes
indispensables aux potions des animaux. À la fin de l'été,
le lit du ravin se couvrait de grandes fleurs bleues aussi
jolies que dangereuses : les fleurs de l'aconit. Tout en elles
était vénéneux, des pétales aux racines. Leur utilisation
médicinale était extrêmement compliquée et elle constituait la première fleur de l'herboristerie que lui avait
demandée Brahim au moment du soulèvement. Depuis très
longtemps, les musulmans imprégnaient leurs flèches de
sève d'aconit : l'homme atteint par une flèche mourait
dans des convulsions, de la bave, sauf s'il buvait du jus
de coing. Mais comme l'été précédent personne n'avait
prévu la guerre qui allait se déclarer, on découvrit l'hiver
venu que les réserves d'aconit étaient bien pauvres.

Hernando essayait de se rappeler ce brillant manteau bleu, mais la tempête l'en empêchait. Il continuait en tête, accroché au flanc de la Vieille pour ne pas faire de faux pas, la stimulant avec insistance pour qu'elle grimpe et cherche le sol ferme sous la neige. Il tournait sans cesse la tête, les cheveux et les sourcils couverts de givre, pour tâcher de distinguer le troupeau à travers la bourrasque. Il ordonna à sa mère et à Fatima de s'agripper à la queue d'un animal et de ne pas perdre de vue la trace de ses pas qui disparaissait si rapidement. Musa, le plus petit de ses frères, marchait avec Aisha ; Aquil avançait seul. Les autres mules paraissaient comprendre qu'elles devaient suivre la Vieille, et toute la file piétinait avec précaution. Mais le soleil commençait à se coucher et, dans l'obscurité, même la Vieille serait incapable de poursuivre.

Il leur fallait un refuge. À Paterna del Río, ils prirent la direction de l'est, évitant d'aller vers les zones où il y aurait à coup sûr des chrétiens. Ils devaient trouver le chemin qui montait de Bayárcal au col de la Ragua, mais bientôt il fut évident qu'ils n'allaient pas avoir le temps avant la tombée de la nuit. Dans la tempête de neige, Hernando crut voir une formation rocheuse, et c'est vers celle-ci qu'il dirigea la Vieille.

Ce n'était même pas une grotte ; malgré tout, jugea le garçon, ils pouvaient se protéger de la tempête sous les saillies de la roche. Le troupeau ramena sa mère et Fatima, qui se traînaient derrière les mules, recroquevillées, les lèvres violacées et les mains agrippées à la queue des bêtes. Fatima n'utilisait qu'une seule de ses mains, pressant de l'autre son bébé entre ses vêtements.

Hernando disposa les mules contre le vent. Puis il inspecta l'endroit d'un coup d'œil rapide : le silex et le fer qu'il portait toujours sur lui ne lui servaient à rien. Ici, dans la neige, il n'y avait aucune possibilité d'allumer un feu ; pas plus que de trouver des branches sèches ou des feuilles mortes. Seulement des rochers et de la neige !

N'aurait-il mieux pas valu que les chrétiens les fassent prisonniers ? s'interrogea-t-il, en constatant que la faible lumière qui jusque-là les avait accompagnés dans la tempête commençait à décroître.

— Comment va le petit ? demanda-t-il à Fatima.

La jeune fille ne lui répondit pas. Par-dessus ses habits, elle frottait son fils des deux mains.

— Il bouge ? insista-t-il. Il vit ?

La question se coinça dans sa gorge.

Fatima hocha la tête sans s'arrêter de frotter. Elle détourna alors les yeux vers la tempête et la nuit qui les recouvrirait bientôt. Un soupir craintif s'échappa de ses lèvres.

Pourquoi avaient-ils entrepris de fuir ? Hernando se tourna alors vers sa mère : elle serrait dans ses bras chacun de ses frères. Aquil tremblait sans pouvoir empêcher ses dents de claquer. Musa, qui avait seulement quatre ans, demeurait immobile, engourdi. Pourquoi les avait-il entraînés dans cette aventure ? C'étaient des femmes et des enfants ! La nuit s'imposait. La nuit…

Il prit des poignées de neige et les porta à son visage, ses cheveux et sa nuque ; puis il se lava les mains, s'agenouilla sur le blanc manteau humide et pria à haute voix, criant, suppliant le Miséricordieux, car c'était pour Lui qu'ils luttaient et risquaient leurs vies, qui… Il n'arriva pas à finir ses prières. Il se releva brusquement. L'or ! Parmi le butin il y avait plein d'habits ! Des dizaines de chasubles et d'ornements en soie brodée de fils d'or et d'argent. En quoi serviraient-ils à son peuple s'ils mouraient ? Il fouilla entre les mules et en peu de temps réussit à envelopper femmes et enfants dans de luxueuses parures. Puis il déharnacha les bêtes. Les sacs aussi seraient utiles ; certains étaient en cuir… Les harnais également ! À l'exception des pièces d'or qu'il enfouit dans un des sacs en sparte, il ôta le reste du butin et entassa besaces et harnais sur la neige, en guise de sol, tout près du mur.

— Contre la roche, leur dit-il. Ne vous laissez pas tomber sur la neige. Tenez bon toute la nuit, contre la roche.

Il s'emmitoufla lui aussi, mais juste ce qu'il fallait : il avait besoin de conserver une liberté de mouvement dont les autres étaient privés. Il fallait qu'il veille à ce que personne ne tombe dans la neige et mouille ses habits ! Il arrima ensuite les mules contre les femmes et les enfants. Il les attacha les unes aux autres, les unes contre les autres, de sorte qu'elles ne puissent plus bouger, et les poussa de l'extérieur. Il lança le licou de la dernière mule vers la paroi et se traîna sous les pattes des animaux jusqu'à la roche. Il se remit péniblement debout entre Fatima et Aisha. La Vieille, qui était restée tout près des femmes et des enfants, l'observait impassible.

— La Vieille, lui dit-il en se redressant, demain tu auras encore du travail. Je te le garantis.

Il tira sur le licou qu'il avait lancé au-dessus des bêtes et le maintint fermement : aucune d'elles ne devait bouger.

— *Allahu Akbar !* soupira-t-il en sentant la protection des vêtements et des animaux.

La tempête redoubla pendant la nuit ; pourtant, Hernando se laissa vaincre par un demi-sommeil lorsqu'il constata avec satisfaction qu'aucun d'eux ne pouvait tomber par terre, coincés comme ils l'étaient entre la roche et les mules, protégés du vent, du froid et de la neige.

Il s'éveilla sous le soleil et dans le silence. Le reflet de l'astre sur la neige blessait les yeux.

— Mère ? chuchota-t-il.

Aisha réussit à aménager un trou parmi les vêtements qui la recouvraient. Quand Hernando se tourna vers Fatima, elle aussi lui montra son visage. Elle souriait.

— Et le petit ? demanda-t-il.

— Il a tété depuis un moment déjà.

Alors ce fut lui qui arbora un franc sourire.

— Et mes… frères ?

Il remarqua que sa mère se réjouissait qu'il les appelle ainsi.

— Ne t'en fais pas. Ils vont bien, répondit-elle.

Il n'en était pas de même pour les mules. Hernando sortit entre les pattes du troupeau et constata alors que les deux bêtes qui avaient été le plus exposées au vent étaient congelées, raides et couvertes de givre. Elles faisaient partie des nouvelles, de celles que Brahim avait ramenées de Cádiar… Il se souvint de la volée de cailloux qu'il avait dû asséner à l'une d'elles et il lui tapota le cou. Le givre se détacha et tomba en mille morceaux brillants.

— Il me faudra un peu de temps pour vous tirer de là, cria-t-il.

Mais ce fut plus rapide qu'il ne le pensait. Après avoir détaché le troupeau, il se contenta de pousser les deux statues de glace qui tombèrent dans le ravin en provoquant une petite avalanche au pied des rochers qui leur servaient de refuge. Les autres bêtes étaient tuméfiées et il les harnacha doucement, attendant avec patience que chacune d'elles avance une patte… puis l'autre. Lorsque le tour de la Vieille arriva, il lui frotta les reins pendant un bon moment avant de lui permettre de bouger pour laisser sortir les femmes. Au cours de la nuit, il n'avait pas pris la précaution de mettre en lieu sûr les aliments qu'ils transportaient, si bien qu'il ne put même pas les retrouver : ils étaient ensevelis sous la neige, comme beaucoup d'objets qu'il avait jetés par terre en enlevant les harnais et les sacs des mules.

— Il semblerait qu'aujourd'hui seul le petit mangera, dit-il.

— Si la mère ne mange pas, prévint Aisha, le petit aura du mal à le faire.

Hernando les examina tous : eux aussi étaient tuméfiés et leurs mouvements lents, endoloris. Il regarda le ciel.

— Aujourd'hui, il n'y aura pas de tempête, affirma-t-il.

En milieu de journée nous arriverons aux plaines du col. Les nôtres seront là et nous pourrons manger.

La Vieille réussit à trouver le chemin du col de la Ragua. Ils marchaient tranquillement, étincelants dans leurs manteaux d'or. Avant de partir, Hernando avait prié avec dévotion, le vent nocturne encore retentissant à ses oreilles et l'ineffaçable souvenir des grands yeux fendus de Fatima lorsqu'elle avait cessé de frotter son fils et avait regardé la nuit, tremblante, comme une victime sans défense aurait pu regarder son assassin. Mille fois il remercia Allah d'avoir épargné leurs vies ! Il se souvint d'Hamid… Comme il avait raison pour les prières ! Et Ubaid, qu'avait-il bien pu devenir ? pensa-t-il aussitôt. Il lui semblait avoir vu certains hommes échapper aux chrétiens. Il secoua la tête et s'obligea à oublier le manchot. Puis, tandis qu'il plaçait les harnais et les sacs des mules, il demanda à ses demi-frères de chercher dans la neige le butin qui avait pu rester enseveli : seuls l'or et l'argent monnayé étaient à l'abri. Pour Musa et Aquil, la mission fut comme un jeu et, de cette manière, en dépit de la faim et de la fatigue, ils s'amusèrent à fouiller dans la neige. Leurs rires poussèrent Fatima et Hernando à croiser leurs regards. Rien de plus : pas de mots, de sourires, de gestes, mais un doux frisson parcourut la colonne vertébrale du garçon.

Dès qu'ils furent sur le chemin du col de la Ragua, ils commencèrent à rencontrer des Maures. Beaucoup fuyaient, vaincus, sans même tourner la tête vers le groupe pittoresque que formaient Hernando, les femmes et les enfants couverts de soies richement brodées. Mais tous ne partaient pas : certains montaient avec des provisions et d'autres maraudaient simplement sur les versants de la colline ; ceux-là s'approchèrent d'eux.

— C'est le butin du roi, finit par leur dire le garçon.

Quand l'un d'eux, souhaitant vérifier, s'avançait vers

les sacs, Hernando dégainait son épée et le curieux abandonnait son projet. Nombre d'entre eux, après avoir entendu ses explications, coururent prévenir le roi.

C'est pourquoi, lorsqu'ils arrivèrent sur les plaines du col de la Ragua, où ce qui restait de l'armée maure avait réussi à dresser un camp précaire, Abén Humeya et les chefs monfíes, parmi lesquels se trouvait Brahim, les attendaient. Derrière eux se tenaient les soldats, et sur les côtés les femmes et les enfants qui étaient parvenus à s'enfuir avec les hommes.

— Je savais que tu réussirais, la Vieille. Merci, dit Hernando à la mule à moins d'une centaine d'aunes des plaines.

Malgré son départ précipité, Abén Humeya arborait un certain luxe, et il les observait, souverain, altier comme toujours, à la tête de ses hommes. Personne ne vint à la rencontre d'Hernando. Le petit cortège qu'il conduisait continuait à marcher, et lorsqu'ils furent assez près, les soldats cantonnés purent constater que les nouvelles étaient exactes : ce garçon rapportait avec lui l'or du butin des musulmans. C'est alors que retentit la première ovation. Le roi applaudit, et aussitôt tous les Maures se joignirent à l'acclamation.

Hernando se tourna vers Aisha et Fatima, et ces dernières lui firent signe d'avancer.

— C'est ton triomphe, mon fils, cria sa mère.

Il arriva au camp en riant. Il s'agissait d'un rire nerveux qu'il ne pouvait pas contrôler. On l'acclamait ! Et c'étaient ceux qui le traitaient de nazaréen qui le célébraient. Si Hamid l'avait vu maintenant… Il caressa l'épée qui pendait à sa taille.

Le roi leur accorda une des nombreuses tentes précaires constituées de branchages et de tissus, où Brahim aussitôt s'installa également. Du butin même sauvé par Hernando, il offrit au garçon dix ducats en réaux d'argent que son beau-père regarda avec cupidité, ainsi qu'un turban et une tunique fauve, brodée de fleurs violettes et rouges qui resplendissaient à l'intérieur de la cabane à chaque mouvement d'Hernando. Abén Humeya l'attendait pour dîner dans sa tente. Maladroitement, il essaya d'enfiler ses vêtements devant Fatima, assise sur un coussin en cuir. Après la prière du soir, dont l'appel avait pu être entendu même des chrétiens au-delà du col, Aisha avait pris Humam dans ses bras et, sans explication, avait quitté la tente avec ses deux fils. Hernando n'avait pas remarqué le regard complice échangé au préalable entre Aisha et Fatima : celui de sa mère qui incitait ; celui de la jeune fille qui consentait.

— C'est trop grand pour moi, se plaignit-il en tirant sur une manche de la tunique.

— Elle te va merveilleusement bien, mentit la jeune fille, qui se leva et la lui arrangea sur les épaules. Reste tranquille, le gronda-t-elle gentiment. On dirait un prince.

Même à travers les riches pierreries qui lui recouvraient les épaules, Hernando sentit les mains de Fatima et rougit. Il perçut son odeur ; il pouvait… il pouvait la toucher, la prendre par la taille. Mais il n'osa pas. Fatima joua quelques secondes avec la tunique, les yeux baissés, avant de se retourner pour prendre avec délicatesse le turban. Il s'agissait d'une coiffe en or et en soie incarnat, ornée de plumes et d'aigrettes ; dans les boucles des plumes brillait une inscription en émeraudes et petites perles.

— Qu'est-ce qui est écrit ici ? lui demanda-t-elle.

— *La mort est une longue espérance*, lut-il.

Fatima se plaça devant lui et, se haussant sur la pointe des pieds, le couronna. Il sentit la légère pression de ses seins contre son corps et trembla. Lorsque les mains de Fatima descendirent jusqu'à son cou pour l'enlacer et s'accrocher à lui, Hernando faillit s'évanouir.

— J'ai déjà souffert d'une mort, lui murmura-t-elle à l'oreille. Je préférerais trouver l'espérance dans la vie. Et tu as sauvé la mienne à deux reprises.

Le nez de Fatima effleura son oreille. Hernando restait immobile, effrayé.

— Cette guerre… Dieu, peut-être, m'autorise à recommencer à nouveau… chuchota-t-elle.

Et elle posa sa tête sur sa poitrine.

Hernando la prit par la taille et Fatima l'embrassa doucement, faisant glisser plusieurs fois ses lèvres entrouvertes sur son visage jusqu'à sa bouche. Hernando ferma les yeux. Ses mains se crispèrent sur la taille de la jeune fille lorsqu'il sentit le goût de Fatima dans sa bouche ; elle était tout entière derrière cette langue qui le transperçait. Alors elle l'embrassa encore, elle l'embrassa mille fois pendant que ses mains parcouraient son dos ; par-dessus les pierreries de la tunique d'abord, puis dessous, caressant de ses ongles sa colonne vertébrale.

— Va rejoindre le roi, lui dit-elle soudain, s'écartant de lui. Je t'attendrai.

« Je t'attendrai. » Au son d'une telle promesse Hernando rouvrit les yeux. Et il rencontra les immenses yeux de Fatima rivés sur lui sans une once de pudeur ; le désir inondait la tente. Il baissa le regard vers la poitrine de la jeune fille, collée à sa chemise sous son collier doré : de grandes taches rondes de lait faisaient ressortir ses tétons dressés. Fatima prit la main droite d'Hernando et la posa sur un de ses seins.

— Je t'attendrai, répéta-t-elle.

13.

Le camp d'Abén Humeya voyait arriver des gens qui croyaient encore au soulèvement, mais d'autres au contraire l'abandonnaient, ayant perdu espoir, et désertaient pour répondre à l'appel du marquis de Mondéjar. Ce dernier continuait d'accepter ceux qui se rendaient et leur accordait un sauf-conduit pour qu'ils puissent retourner vivre chez eux. La grande tente du roi n'avait pas le faste de sa résidence à Ugíjar, mais elle était relativement bien pourvue en aliments. Hernando, mal à l'aise dans ses luxueux habits, l'alfange à la taille, ainsi que la bourse pleine de réaux, fut accueilli avec les honneurs. Après avoir confié son arme à une femme, il s'installa entre El Gironcillo, qui lui fit un grand sourire, et El Partal. Il chercha Brahim du regard parmi les hommes présents, mais il ne le trouva pas.

— La paix soit avec celui qui a protégé les trésors de notre peuple, le salua Abén Humeya.

On entendit un murmure d'assentiment dans la tente et Hernando se fit plus petit encore entre les immenses chefs monfíes qui l'encadraient.

— Profite, mon garçon ! s'exclama El Gironcillo, en lui donnant une forte tape dans le dos. Cette fête a lieu en ton honneur.

Il sentait encore le coup du Gironcillo dans son dos quand la musique se mit à retentir. Plusieurs jeunes femmes entrèrent avec des terrines pleines de raisins secs et des jarres de limonade, ainsi qu'une pâte qu'elles portaient dans des sachets. Elles déposèrent les jarres sur les

tapis, devant le cercle d'hommes assis. Ils burent et mangèrent, en regardant les danseuses qui s'agitaient au centre
de la tente : certaines seules, d'autres tenant la main d'un
chef monfí. Même El Gironcillo, empâté, dansa avec une
fille aux mouvements coquins. Et il chanta !

— *Qui dansera encore la* zambra, hurla-t-il, s'efforçant de suivre la fille, *sans plus aucun tourment, avec de
belles filles maures... en ton sein, mon Alhambra tant
aimée !*

L'Alhambra ! La forteresse découpée contre la Sierra
Nevada, colorant Grenade en rouge au coucher du soleil !
Hernando s'imagina en train de danser avec Fatima dans
les jardins du Generalife. On racontait qu'ils étaient merveilleux ! Ses pensées retournèrent vers Fatima, son corps,
son collier d'or entre ses seins... identique à celui que
portait la danseuse qui, à ce moment précis, lui prit la
main et l'obligea à se lever. Il entendit des applaudissements et des cris d'encouragement tandis que la jeune
femme le faisait bouger. Tout tournait autour de lui. Ses
pieds dansaient avec agilité, mais il ne pouvait les arrêter... ni les contrôler. La fille riait et s'approchait de lui ;
il sentait son corps, comme juste avant il avait senti celui
de Fatima...

Pendant qu'ils dansaient, une femme apporta d'autres
jarres de boisson. Elle les posa par terre, sortit d'un sachet
une pâte composée de céleri et de chanvre, l'introduisit
dans la limonade et remua le tout, comme ses compagnes
l'avaient fait jusque-là avec toutes les jarres qu'elles
avaient servies.

Puis Gironcillo trinqua avec El Partal et but une longue
gorgée.

— Hashish, soupira-t-il. Il semblerait qu'aujourd'hui
on ne l'utilisera pas pour combattre les chrétiens.

El Partal hocha la tête tout en finissant sa boisson.

— Alors dansons dans l'Alhambra ! ajouta-t-il en
levant son verre rempli de drogue dissoute.

Hernando ne réussit pas à se rasseoir. Les luths et les tambourins s'arrêtèrent et la jeune femme, accrochée à son jeune partenaire de danse, interrogea Abén Humeya du regard. D'un sourire, le roi lui donna son consentement. Le garçon fut alors entraîné par la danseuse à l'extérieur de la tente, vers une hutte où se trouvaient d'autres femmes qui veillaient sur le roi. Sans même chercher à s'isoler, la danseuse se jeta sur lui sous le regard des autres. Elle déshabilla rapidement Hernando sans qu'il puisse résister, puis elle se mit à détacher son propre pantalon bouffant et ses bas épais enroulés des chevilles aux genoux. Soudain une des femmes s'écria :

— Il n'est pas circoncis !

Toutes s'approchèrent d'Hernando et deux d'entre elles tendirent la main vers le membre dressé du garçon. Sans cesser d'ôter son pantalon, qu'elle avait déjà à mi-mollets, la danseuse plissa les yeux et protégea le pénis d'une de ses mains.

— Ouste ! cria-t-elle, frappant ses compagnes de sa main libre. Attendez votre tour.

Hernando se réveilla avec la bouche sèche et un terrible mal de tête. Où était-il ? La lumière de l'aube qui commençait à se faufiler à l'intérieur de la tente lui rappela vaguement la nuit, la fête… Et après ? Il voulut bouger. Qu'est-ce qui l'en empêchait ? Où était-il ? Sa tête était sur le point d'exploser. Que… ? De gros bras, mous et lourds, l'entouraient. Alors il sentit un contact : celui de son corps nu contre… Il bondit hors de la paillasse. La femme, sans broncher, grogna et continua à dormir. Qui était-elle ? Hernando observa ses énormes seins et son gros ventre. Tout en elle se répandait sur la couverture qui recouvrait la paillasse. Qu'avait-il fait ? Une seule cuisse de cette matrone était plus large que ses deux jambes réunies. La nausée et le froid l'assaillirent en même temps. Il examina l'intérieur de la hutte : ils étaient seuls. Il se leva et chercha ses vêtements du regard. Il les trouva par terre, jetés ici et là, et tenta de se protéger contre le froid. Que s'était-il passé ? se demanda-t-il, grelottant tandis qu'il s'habillait. Le simple frôlement du tissu contre son entrejambe le brûla. Il regarda son membre : il semblait décharné. Sa poitrine, ses bras et ses jambes étaient couverts de griffures. Et son visage ? Il trouva un bout de miroir cassé et se regarda : son visage aussi était tout éraflé, son cou et ses joues violacés de toutes parts, comme si on lui avait aspiré le sang. Il essaya de remonter jusqu'à la fête, qui lui revint en mémoire… La danse… La fille. Le visage de la danseuse réapparut, contracté, agité… À califourchon sur lui, le chevauchant et lui attrapant les mains pour les poser sur sa poitrine, comme auparavant l'avait fait… Puis la danseuse s'était mordu les lèvres et avait crié de plaisir, et plusieurs femmes s'étaient jetées sur lui, lui avaient donné à boire, et… Fatima ! Elle avait promis de l'attendre ! Il chercha sa nouvelle tunique. Elle n'était pas là. Il porta la main à la ceinture qu'il venait instinctivement d'attacher… La bourse pleine de réaux aussi n'y était plus, ni le turban en or… ni l'épée d'Hamid !

Il secoua la femme.

— Où est l'épée ?

La grosse Mauresque grommela en dormant. Hernando la bouscula plus fortement.

— Et mon argent ?

— Prends-moi encore, dit la Mauresque en ouvrant les yeux. Tu es si vigoureux…

— Et mes vêtements ?

La femme parut se réveiller.

— Tu n'en as pas besoin. Je te réchaufferai, lui murmura-t-elle, s'offrant à lui avec obscénité.

Hernando détourna le regard de ce corps obèse, intégralement épilé.

— Chienne ! l'insulta-t-il tandis qu'il se retournait pour scruter l'intérieur de la tente.

C'était la première fois qu'il insultait une femme.

— Chienne ! répéta-t-il, affligé, quand il constata que tout avait disparu.

Il avança vers le rideau qui servait de porte, péniblement à cause de la douleur que lui causait le contact de ses habits. Il marcha avec difficulté, en écartant les jambes.

Le jour s'était levé, mais le camp demeurait dans un étrange silence. Il vit le monfí qui montait la garde à l'entrée de la tente voisine d'Abén Humeya et se dirigea vers lui.

— Les danseuses m'ont volé, dit-il sans le saluer.

— Apparemment tu as pris du bon temps avec elles, répliqua le garde.

— Elles m'ont tout pris, insista-t-il. Les dix ducats, la tunique, le turban…

— Une grande partie de l'armée a déserté cette nuit, l'interrompit le monfí, la voix fatiguée.

Hernando tourna les yeux vers le camp.

— L'épée, murmura-t-il. Pourquoi voler l'épée si c'est pour se rendre aux chrétiens ?

— Ton arme ? interrogea le monfí.

Hernando acquiesça.

— Attends.

L'homme entra dans la tente et réapparut au bout de quelques secondes, l'épée d'Hamid entre les mains.

— Tu l'as retirée quand tu es entré dans la fête, dit-il en la lui remettant. Ce n'est pas pratique pour s'asseoir.

Hernando la saisit avec délicatesse. Au moins il n'avait pas perdu l'épée, mais… avait-il perdu Fatima ?

Hernando enfonça ses ongles dans l'épée que lui avait rendue le Maure qui montait la garde devant la tente d'Abén Humeya. Du regard il parcourut le camp, quasiment désert après la fuite nocturne d'une grande partie de l'armée, et se dirigea vers la hutte qui abritait Brahim, Aisha et Fatima. Mais à une certaine distance, il se cacha rapidement derrière une hutte vide : Fatima sortait de la tente. Elle portait Humam dans ses bras. Hernando la vit lever la tête vers le ciel clair et froid, et il se retrancha derrière les branchages de la hutte. La jeune fille, le visage très sérieux, fixa le camp. Que lui dire ? Qu'il avait tout perdu ? Qu'il s'était fait violer par des danseuses et s'était réveillé dans les bras d'une matrone épilée ? Comment se montrer devant elle avec son corps griffé, son cou et son visage violacés ? Il pouvait… lui mentir, lui dire que le roi l'avait retenu toute la nuit, mais… Et si elle voulait se donner à lui comme elle l'avait promis ? Comment lui montrer son membre désolé ? Son entrejambe gonflé, couvert de morsures ? Il n'avait même pas osé l'examiner en détail tant il lui faisait mal et le brûlait quand il marchait. Comment lui expliquer tout cela ? Il la vit serrer Humam entre ses bras, comme si elle se réfugiait dans l'enfant. Elle le berçait contre sa poitrine, l'embrassait sur la tête, tendrement, mélancoliquement. Puis elle disparut à l'intérieur de la hutte.

Il l'avait trahie ! Il se sentit coupable et honteux, terriblement honteux et, sans réfléchir, il s'enfuit. Il se mit à courir au hasard, mais lorsqu'il passa devant la tente d'Abén Humeya, le garde l'arrêta.

— Le roi veut te voir.

Hernando entra dans la tente, égaré et essoufflé. Abén Humeya l'accueillit debout, déjà habillé, magnifique, comme si rien ne s'était passé.

— L'armée… bredouilla-t-il en montrant le camp. Les hommes…

Abén Humeya s'avança vers Hernando et posa les yeux sur les suçons qui apparaissaient dans son cou.

— Ils sont partis ! s'écria le garçon, mal à l'aise.

— Je le sais, répondit avec sérénité le roi, non sans

laisser échapper un sourire malicieux devant l'aspect de son visiteur. Et je ne peux pas leur en vouloir.

À ce moment-là, un monfí grand et fort, qu'Hernando avait déjà vu, entra dans la tente et resta silencieux.

— On se bat sans armes. Les chrétiens sont en train de nous réduire à néant dans toutes les Alpujarras. Après Paterna, le marquis de Mondéjar a écrasé de nombreux villages, mais il se montre magnanime et accorde le pardon aux Maures. C'est pour cette raison que les hommes fuient, en quête de pardon, et c'est pour cette raison que je t'ai fait appeler.

Hernando eut un geste de surprise, mais Abén Humeya lui répondit par un franc sourire.

— Les hommes reviendront, Ibn Hamid, n'en doute pas. Il y a presque deux mois, après mon couronnement, j'ai envoyé mon petit frère Abdallah solliciter l'aide du bey d'Alger. Je suis toujours sans nouvelles de lui. À l'époque je n'avais pu lui faire parvenir qu'une lettre… des mots ! ajouta-t-il en agitant la main en l'air. Aujourd'hui nous possédons un important butin grâce auquel nous pouvons faire fléchir sa volonté. Mes hommes fuient, c'est vrai, et l'aide promise n'arrive pas ! Tu pars sur-le-champ, avec l'or, en direction d'Adra. Al-Hashum t'accompagnera.

Abén Humeya désigna le monfí qui se trouvait dans la tente.

— Il embarquera et portera l'or aux Barbaresques, à nos frères de foi. Tu reviendras pour me raconter. Le chemin sera dangereux, mais vous devez arriver jusqu'à la côte et trouver une embarcation. Une fois à Adra, il ne vous sera pas difficile d'obtenir ce qu'il faut pour traverser le détroit avec l'or dont vous disposez et l'aide des Maures de la zone. Tout est prêt ? demanda-t-il au monfí.

— La mule est chargée, répondit al-Hashum.

— Alors, que le Prophète vous accompagne et vous guide, leur souhaita le roi.

Hernando suivit le monfí. Ils partaient vers Adra, sur la côte, loin d'ici ! Qu'allait penser Fatima ? Elle paraissait triste… mais le roi l'ordonnait. C'était ainsi. Sur-le-champ ! avait-il précisé. Il n'avait même pas le temps de dire au revoir. Et sa mère ? Ils contournèrent la tente. De l'autre côté de l'endroit où le garde était posté, une mule les attendait, surveillée par Brahim. Son beau-père le toisa des pieds à la tête, fixant une attention particulière sur les suçons.

— Et les cadeaux du roi ? vociféra le muletier.

Hernando tituba, comme il le faisait chaque fois qu'il se trouvait devant Brahim.

— Je n'en ai pas besoin pour le voyage, répondit-il en feignant de vérifier les harnais de la mule. Je vais saluer ma mère.

— On doit partir tout de suite, intervint al-Hashum.

Brahim dissimula un sourire.

— Tu as une mission à accomplir, dit-il avec fermeté. Tu n'as pas de temps pour les pleurs d'une mère. Je lui raconterai tout.

Malgré lui, Hernando acquiesça. Les deux hommes montèrent sur leurs chevaux et Brahim les regarda partir. Pour une fois, le muletier se réjouissait de la confiance que le roi portait à son fils adoptif. Il souriait ouvertement à la pensée du corps voluptueux de Fatima.

14.

« La terre est-elle en paix ? »

En temps normal, le voyage leur aurait pris entre trois et quatre jours, mais Hernando et son compagnon furent contraints d'avancer sur des sentiers impraticables et à travers champ, en se cachant et en évitant les nombreuses bandes de soldats chrétiens qui sillonnaient la région, pillant les lieux, volant, tuant, violant les femmes avant de les réduire en esclavage. C'étaient habituellement des groupes d'une vingtaine d'hommes, sans capitaine ni porte-drapeau ; des hommes cupides et violents qui, au nom du Dieu chrétien, se vengeaient des Maures dans le seul but de s'enrichir.

La lenteur du voyage eut un avantage pour Hernando, qui en profita pour trouver les herbes nécessaires et soigner son entrejambe.

À la hauteur de Turón, dissimulés derrière d'épais buissons, alors qu'ils attendaient sur une colline, la mule attachée, qu'une petite troupe de bandits termine de piller les lieux, ils virent un soldat chrétien s'écarter des autres en tirant par les cheveux une fillette qui n'avait pas plus de dix ans et ne cessait de hurler et de donner des coups de pied. Il se dirigeait vers l'endroit où Hernando et le monfí étaient cachés. Tous deux portèrent en même temps la main à leurs armes. Juste devant eux, de l'autre côté des buissons, l'homme frappa la petite afin de la faire tomber à ses pieds ; puis il baissa sa culotte en souriant de toutes ses dents noires. Hernando dégaina son épée, attendant que le soldat expose sa nuque lorsqu'il se jetterait sur l'enfant, mais il sentit la pression de la main d'al-Hashum sur son bras. Il se tourna vers lui et le vit faire un signe négatif de la tête. Les larmes sillonnaient le visage du monfí. Hernando obéit et rengaina son arme lentement, regardant disparaître le fil de la lame dans le fourreau. Ils ne pouvaient pas non plus bouger sans être découverts. Al-Hashum, grand et aguerri, fort, demeura tête baissée, sanglotant en silence. Hernando, incapable de fermer les yeux, planta ses ongles sur la sainte épée d'Hamid, de plus en plus fort, à mesure que les cris de la petite diminuaient pour n'être plus à la fin qu'un gémissement presque inaudible.

Les plaintes de la fillette se mêlèrent aux souvenirs de Fatima, qui hantaient Hernando depuis qu'ils avaient quitté le camp d'Abén Humeya. Lâche ! ne cessait-il de se reprocher. Elle lui avait dit qu'elle n'avait plus personne et il lui avait répondu qu'elle pouvait compter sur lui. Fatima et sa mère avaient certainement appris la mission que lui avait confiée le roi, Brahim avait dû leur dire, mais même ainsi... Et si les chrétiens, montés jusqu'à ces sommets inhospitaliers, étaient à l'instant même en train de violer Fatima ?

Il sortit son épée lorsque al-Hashum, le visage enfoui dans la manche de sa tunique avec laquelle il séchait ses larmes, lui indiqua d'un geste qu'ils devaient reprendre la route. Les doigts d'Hernando lui faisaient mal.

Al-Hashum semblait connaître Adra. Face aux bancs de sable et aux champs stériles qui s'étendaient vers la mer, ils durent attendre qu'il fasse complètement nuit. Le monfí était un homme réservé, ainsi qu'Hernando avait pu le constater tout au long du chemin, sans être pour autant sauvage ou rébarbatif. Il laissait même entrevoir un caractère plutôt bon, ce qui, chez un bandit des montagnes, ne laissait pas de surprendre le garçon. Cette nuit-là, ils s'assirent tous deux au sommet d'une colline et, tandis qu'ils observaient l'eau de la mer changer de couleur à mesure que le soleil se couchait, Hernando écouta son compagnon lui parler davantage qu'au cours des journées précédentes.

— Adra est aux mains des chrétiens.

Le monfí essaya de susurrer, mais sa grosse voix naturelle l'en empêchait.

— C'est ici, au début du soulèvement, que furent trahis El Daud et d'autres frères de l'Albaicín de Grenade qui voulaient passer aux Barbaresques pour chercher de l'aide. Ils trouvèrent une embarcation, comme nous devons le faire, mais le Maure qui leur servit d'intermédiaire, que Dieu le condamne à l'enfer ! troua la barque et colmata les trous avec de la cire. Le bateau se mit à prendre l'eau à proximité de la côte ; les chrétiens eurent juste à attendre El Daud et les siens sur la plage pour les arrêter.

— Tu connais... quelqu'un de confiance ? demanda Hernando.

— Je crois que oui.

L'eau commençait à s'obscurcir.

— Je vois que tu marches désormais plus facilement, lança alors al-Hashum : les onguents t'ont soigné l'entrejambe.

Même dans la pénombre, Hernando se cacha le visage, mais le monfí insista ; partant des causes manifestes à l'origine de cette brûlure particulière, al-Hashum finit par lui parler de sa femme et de ses enfants. Il les avait laissés à Juviles et, comme tout le monde, il ignorait si, la nuit du massacre, ils se trouvaient dans l'église ou en dehors.

— Morts ou esclaves ? murmura-t-il, cette fois avec un filet de voix. Quel est le pire destin ?

Ils continuèrent à discuter tandis que la nuit tombait, et Hernando parla de Fatima et de sa mère.

Puis ils se cachèrent dans la maison d'un couple de vieux Maures qui n'avaient pu fuir dans les montagnes quand la révolte avait éclaté à Adra, et qui s'occupaient d'un jardin et de quelques arbres fruitiers à l'extérieur de la ville. L'homme, qui s'appelait Zahir, leur demanda de faire entrer la mule à l'intérieur de l'habitation.

— Nous ne possédons pas d'animaux, allégua-t-il. Une mule chez nous attirerait les soupçons.

L'épouse de Zahir veillait à garder l'intérieur de sa maison très propre, mais elle approuva les paroles de son mari ; ils attachèrent la bête dans ce qui était, leur dirent-ils avec orgueil, la chambre de leurs deux jeunes fils partis combattre pour le Dieu unique.

Ils restèrent cachés plusieurs jours sans sortir de la maison. Zahir négociait avec discrétion une embarcation. Hernando et al-Hashum surent instantanément qu'ils pouvaient faire confiance à leurs hôtes, mais qu'en était-il des hommes avec qui traitait le vieux Maure ?

— Aucun doute ! assura fermement Zahir devant leur méfiance. Ils sont musulmans ! Ils prient avec moi, et que ce soit en ville ou sur la plage, sans prendre les armes, ils collaborent avec nos jeunes. Ils sont tous conscients de l'importance qu'il y a à transporter cet or aux Barbaresques. Les nouvelles qui proviennent de certains endroits des Alpujarras ne sont en rien encourageantes. Nous avons besoin de l'aide de nos frères turcs et arabes !

Les nouvelles ! Chaque soir, en mangeant les quelques aliments que le couple pouvait leur offrir, ils écoutaient avec anxiété les nouvelles que Zahir leur apportait de la guerre.

— Les villages continuent à se rendre, leur raconta un soir le vieil homme. On dit qu'Ibn Umayya erre dans les montagnes, sans armes ni provisions, en compagnie de moins d'une centaine d'inconditionnels.

Hernando trembla à la seule pensée de Fatima et d'Aisha perdues dans les ravins de la Sierra Nevada, sans la protection d'une armée. Face à la douleur qu'il percevait chez le garçon, Le monfí fronça les sourcils.

— Pourquoi se rendent-ils ? cria-t-il alors.

Zahir, en signe d'impuissance, hocha négativement la tête.

— Par peur, jugea-t-il. Il ne reste plus grand monde avec Ibn Umayya, et les autres endroits des Alpujarras qui se sont soulevés, prétendant résister, se voient décimés. Le marquis de los Vélez vient d'affronter nos frères à Ohánez. Ses hommes ont tué plus de mille hommes et capturé environ deux mille femmes et enfants.

— Mondéjar leur accorde le pardon, murmura Hernando, pensant à ce qui pourrait arriver si Fatima était faite prisonnière.

— Oui. Les deux nobles agissent de manière totalement différente. Mondéjar considère que « la terre est en paix », et il l'a fait savoir par écrit au marquis de los Vélez, insistant pour qu'il stoppe ses attaques contre les Maures et octroie le pardon à tous ceux qui se rendent…

— Et ? questionna al-Hashum.

— Le marquis de los Vélez, en revanche, a juré de persécuter, exécuter ou réduire en esclavage tout notre peuple. Apparemment, la lettre lui est parvenue après la bataille d'Ohánez. Lorsqu'ils sont arrivés au village, sur l'escalier de l'église, disposées en rang sur la plus haute marche, ils ont trouvé les têtes fraîchement décapitées de vingt jeunes filles chrétiennes. On a pu entendre, dit-on, leurs hurlements réclamant vengeance jusqu'au plus haut sommet de la montagne.

Les trois hommes qui étaient assis sur le sol de l'habitation et l'épouse de Zahir, qui se tenait debout, un peu à l'écart, gardèrent un long moment le silence.

— Il faut apporter cet or aux Barbaresques ! s'exclama finalement Hernando.

Hernando apprit qu'Abén Humeya était à Mecina Bombarón. Le roi, en cachette, descendait de la montagne jusqu'à Válor, son village et son fief, en quête de nourriture, de réjouissances et de confort, mais cette nuit on l'attendait à Mecina Bombarón pour assister à un mariage musulman. Mecina comptait parmi les nombreuses localités qui s'étaient rendues au marquis, et comme les chrétiens avaient fui devant les massacres, elle jouissait d'un calme provisoire. Abén Humeya, toujours prêt à profiter d'une fête, fût-ce dans les pires circonstances, ne voulait pas manquer celle-là.

Tirant sur sa mule, seul, attentif au moindre mouvement suspect, Hernando se rendit à Mecina pour rendre compte au roi du résultat de sa mission. Il quitta Adra aussitôt que l'embarcation trouvée par Zahir se fût perdue sur les eaux sombres de la nuit, sans bateau chrétien à ses trousses et sans trou colmaté à la cire susceptible de la faire chavirer. Sur la plage même il avait récité des prières au côté du vieux Maure et de deux pêcheurs, dans lesquelles ils avaient recommandé à Dieu le bon accomplissement de la mission d'al-Hashum, qui transportait l'or des Maures. Puis il était parti, contre l'avis de Zahir, à la lumière de la lune. Il était pressé de rentrer. Il voulait retrouver Fatima et sa mère le plus vite possible.

Il fit le chemin de retour en se cachant de tout et de tous, se nourrissant du pain azyme et de la viande marinée que lui avait donnés l'épouse de Zahir, sans cesser de penser à Fatima, à sa mère, à cette armée qui devait venir les délivrer, bien au-delà des côtes grenadines.

Ce que n'imaginait pas Hernando, ni Abén Humeya, ni al-Hashum lors de sa traversée nocturne, c'était qu'Uluch Ali, bey d'Alger, tout comme le sultan de la Sublime Porte, avaient leurs propres projets. En effet, dès que les premières nouvelles du soulèvement maure étaient arrivées, le bey d'Alger avait fait appel à son peuple pour venir en aide aux Andalous, mais devant le nombre d'hommes disposés à la guerre qui s'étaient présentés à la convocation, il avait décidé qu'il valait mieux l'utiliser à ses propres fins et s'était lancé à la conquête de Tunis, alors aux mains de Muley Hamida. En contrepartie, il avait dicté un arrêt selon lequel il autorisait tout aventurier à voyager en Espagne, en même temps qu'il accordait son pardon à tous les délinquants qui s'enrôleraient dans la guerre d'Al-Andalus. Il avait également mis à disposition une mosquée dans laquelle il avait recueilli toutes les armes – nombreuses – que les frères de foi des Andalous voulaient bien apporter à la révolte, mais, au final, il avait préféré les vendre plutôt que de les donner. Pour le sultan, à Constantinople, les choses s'étaient passées différemment : la révolte des Maures espagnols signifiait un nouveau front de guerre pour le roi d'Espagne et ouvrait aux Turcs les portes de la conquête de Chypre, entreprise à laquelle le sultan s'était attelé après avoir répondu à son gouverneur à Alger et lui avoir ordonné, en signe de bonne volonté, d'envoyer deux cents janissaires turcs vers Al-Andalus.

Plus il approchait de Mecina, dont les constructions, comme dans la majorité des villages des hautes Alpujarras, s'arrimaient, groupées, aux contreforts de la Sierra Nevada, se chevauchant les unes les autres, plus Hernando entendait la musique des luths et des pipeaux. Il existait une grande demeure, celle d'Abén Aboo, cousin d'Abén Humeya, où ce dernier avait l'habitude de venir se réfugier. Il faisait nuit déjà quand Hernando attacha la mule et entra à Mecina. Un joyeux tapage guida ses pas. Il n'arrêtait pas de penser qu'il était tout près de revoir Fatima, laquelle se trouvait sans doute toujours au camp de la montagne. Qu'allait-il lui dire ? Comment s'excuserait-il ?

Il arriva juste à temps pour assister au moment où la mariée, tatouée au henné et vêtue d'une sorte de tunique en guise de chemise, était conduite à la maison de son époux, assise sur les mains jointes de deux de ses parents, les yeux fermés, sans que ses pieds touchent un seul instant le sol. Il se mêla à la bruyante assemblée. Les femmes poussaient des cris de joie ou des youyous spécifiques aux mariages, suivant ainsi la loi musulmane établissant que les noces devaient être publiques et manifestes. Après les recommandations adressées aux nouveaux mariés, plus personne à Mecina ne pouvait désormais contester cette union. La mariée apparut à la petite entrée de la maison à deux étages de son époux, alors que la foule était regroupée dans la ruelle, et quelqu'un lui donna un maillet et un clou qu'elle planta dans la porte. Puis, au milieu des cris, elle entra dans son nouveau foyer en y posant d'abord le pied droit.

À partir de cet instant, la mariée, flanquée de toutes les femmes qui avaient pu pénétrer dans la petite maison, fut conduite dans la chambre, située à l'étage supérieur de l'habitation, où elle devait se recouvrir d'un drap blanc et attendre, allongée et calme, silencieuse, les yeux clos, pendant que les femmes lui faisaient des cadeaux. Toutes, pressentant l'écrasement du soulèvement et le retour des prêtres et des bénéficiers prêts à veiller au bon respect des arrêts et des ordres qui leur interdisaient l'usage de leurs vêtements et de leurs coutumes, se raccrochaient à leurs rites et accédèrent à la maison le visage couvert. Elles le dévoileraient seulement dans l'intimité de la chambre nuptiale, là où les hommes n'étaient pas.

Hernando eut bien du mal à parvenir jusqu'à la porte de la maison ; beaucoup trop nombreux étaient ceux qui essayaient d'entrer avec le marié dans les pièces du rez-de-chaussée, incapables d'accueillir tout le monde.

— Je dois voir le roi, dit-il dans le dos d'un vieux Maure qui, dans la rue, lui barrait le passage.

L'homme se retourna et le transperça d'un regard fatigué. Puis il baissa les yeux vers l'épée qui pendait à la taille du garçon. Personne n'était armé à Mecina.

— Ici il n'y a pas de roi, le corrigea-t-il.

Pourtant il le laissa passer et prévint ceux qui le précédaient de faire de même.

— Rappelle-toi, insista-t-il au moment où Hernando le doublait. Ici, il n'y a pas de roi.

Le message ayant été transmis tout au long de la file d'hommes qui attendaient, Hernando put accéder depuis la rue à la minuscule pièce dans laquelle les hommes tournoyaient autour du marié. Il eut du mal à trouver Abén Humeya. Auparavant, il découvrit Brahim, qui mangeait des gâteaux, discutant et riant avec des monfíes qu'Hernando connaissait de vue, du camp. Brahim semblait heureux, pensa-t-il au moment où leurs regards se croisèrent. Il détourna les yeux de son beau-père et tomba sur ceux d'Abén Humeya, qui le reconnut aussitôt. Le monarque était habillé simplement, comme n'importe quel Maure de Mecina. Il s'avança vers lui.

— La paix, Ibn Hamid, le salua le roi. Quelles nouvelles m'apportes-tu ?

Hernando lui raconta le voyage.

— Je m'en réjouis, le coupa Abén Humeya d'un geste de la main dès que le garçon lui confirma que, grâce à Dieu, al-Hashum avait sans doute déjà débarqué aux Barbaresques. Malgré ton âge, tu es un loyal serviteur. Tu l'as déjà prouvé. Je te suis de nouveau reconnaissant et te récompenserai, mais à présent profitons de la fête. Viens, joins-toi à moi.

Les hommes se dirigèrent à l'étage, où les attendaient les femmes, le visage voilé. La plupart d'entre eux apportaient un cadeau : nourriture, pièces de monnaie, ustensiles de cuisine, tissu... qu'ils remettaient aux deux femmes servant de maîtresses de cérémonie, postées de chaque côté de la tête du lit. Hernando n'avait rien à offrir. Seuls les parents les plus proches pouvaient exiger de voir la mariée, cachée et immobile sous le drap blanc. Cette prérogative fut également accordée au roi, qui récompensa la mariée d'une pièce d'or, et les maîtresses de cérémonie soulevèrent le drap devant Abén Humeya.

— Mangeons ! dit le roi, une fois qu'il eut présenté ses hommages.

Étant donné l'humilité du foyer des nouveaux mariés, la fête s'étendit dans les rues et les autres demeures. Les oboles aux époux s'arrêtèrent, et ceux-ci s'enfermèrent afin de laisser passer les huit jours obligatoires pendant lesquels ils seraient nourris par leurs familles. Abén Humeya et Hernando prirent alors le chemin de la maison d'Abén Aboo, où l'on préparait un mouton au son des luths et des timbales. C'était une maison riche, avec des meubles et des tapis, des parfums, des servantes. Brahim faisait partie du groupe d'hommes de confiance qui les accompagnait.

Avant que les femmes se dirigent vers une pièce séparée, Hernando chercha sa mère. Il ignorait si elle était descendue au village avec son beau-père et brûlait d'envie de la voir. Mais toutes avaient le visage couvert et la majorité était de constitution similaire à celle d'Aisha. À une extrémité du jardin, sous un grand mûrier, Brahim continuait à rire au côté d'autres hommes : son visage, séduisant et tanné par le soleil, semblait avoir rajeuni en quelques jours. Hernando ne l'avait jamais vu aussi content. Il décida de s'approcher du groupe de son beau-père.

— La paix, salua-t-il.

Tous le dépassaient d'une tête et il hésita avant de poursuivre.

— Brahim, où est ma mère ? demanda-t-il finalement.

Son père adoptif le toisa, comme s'il ne s'attendait pas à le trouver là.

— Dans la montagne, répondit-il, se détournant afin de reprendre sa conversation. Elle s'occupe de tes frères et du fils de Fatima, ajouta-t-il l'air de rien.

Hernando tressaillit ; arrivait-il quelque chose à la jeune fille ?

— Du fils de Fatima ? Pourquoi… ? bredouilla-t-il.

Brahim ne daigna pas lui répondre. Alors un homme du groupe le fit à sa place :

— En bref, de ton nouveau frère, commenta-t-il avant d'éclater de rire et d'asséner une tape vigoureuse dans le dos du muletier.

— Co... comment ? parvint à questionner le garçon.

Le tremblement soudain de ses genoux paraissait gagner jusqu'à sa voix.

Brahim se tourna vers lui. Hernando perçut de la satisfaction dans ses yeux.

— Ton beau-père, répondit un autre homme, a demandé au roi la main de la jeune fille.

Les mots échappaient à l'entendement d'Hernando. Son visage dut afficher une telle incrédulité que le Maure se vit presque forcé de continuer.

— On a appris que son époux était mort à Félix et, en l'absence de parents pour veiller sur elle, ton père s'est présenté au roi. Réjouis-toi, mon garçon ! Tu vas avoir une nouvelle mère.

La bouche d'Hernando se remplit de bile. La nausée l'assaillit sans prévenir et il courut à l'autre bout du jardin, se heurtant à des hommes qui attendaient que le mouton finisse de cuire sur la broche où il tournait. Il ne réussit pas à vomir. Les haut-le-cœur se succédèrent les uns après les autres, lui causant de terribles douleurs à l'estomac. Fatima ! Sa Fatima mariée avec Brahim !

— Que t'arrive-t-il, Ibn Hamid ?

C'était le roi. Il était venu vers lui et l'interrogeait. Son visage montrait de la préoccupation. Hernando essuya de son bras la bile à la commissure de ses lèvres. Il respira profondément avant de parler. Pourquoi ne pas tout lui avouer ?

— Sa Majesté a dit qu'elle m'était reconnaissante...

— En effet.

— J'ai besoin que vous me fassiez une faveur, ajouta-t-il, affligé.

Avant même qu'Hernando termine son histoire, Abén Humeya souriait. On n'allait pas lui en raconter sur l'amour ! Faisant montre de l'esprit versatile qui le caractérisait, il saisit le garçon par le bras et, sans hésiter, se dirigea vers l'assemblée d'hommes qui discutaient et riaient.

— Brahim ! s'écria-t-il.

Le muletier se retourna ; lorsqu'il vit le roi et son fils adoptif ensemble, son expression s'altéra.

— Finalement j'ai décidé de ne pas t'accorder la main de cette jeune fille. Quelqu'un à qui notre peuple doit beaucoup l'a réclamée pour lui : ton fils. Et je la lui donne.

Le muletier serra les poings, parvenant ainsi à contenir la rage qui se reflétait dans la tension de tous les muscles de son corps. C'était le roi ! Les autres Maures se turent, les yeux fixés sur Hernando.

— À présent, reprit Abén Humeya, profitons de l'hospitalité de mon cousin Ibn Abbu. Mangez et buvez !

Hernando tituba derrière Abén Humeya, qui s'arrêta deux pas plus loin pour parler avec un chef monfí. Il n'entendit pas la conversation : sa respiration agitée l'en empêchait. Malgré tout, du coin de l'œil, il vit Brahim qui, furieux, quittait la maison d'Abén Aboo.

Il ne réussit pas à voir Fatima. Pendant le banquet, les femmes restèrent cachées à l'intérieur de la demeure. Hernando refusa de boire autre chose que de l'eau fraîche et pure, après avoir vérifié qu'on n'y avait pas dissous de la pâte de haschisch. Son esprit tournait dans tous les sens. Les gens s'en allaient, et à mesure que l'assistance diminuait, le garçon voyait s'approcher l'heure où il aurait à s'expliquer devant Fatima. Abén Humeya avait dit l'avoir réclamée pour lui… et qu'il la lui donnait ! Cela signifiait-il qu'il devait se marier avec elle ? Tout ce qu'il voulait… c'était qu'elle ne se marie pas avec Brahim ! Nombreux furent ceux qui le regardèrent et chuchotèrent au cours de la nuit ; certains même le désignèrent. Tous les hommes présents ici savaient ! Comment expliquerait-il à Fatima… ? Et Brahim ? Quelle allait être la réaction de son beau-père au fait qu'il lui avait enlevé Fatima ? Le roi le défendait, mais…

Il restait un peu plus d'une dizaine d'hommes dans la maison d'Abén Aboo, parmi lesquels Abén Humeya, El Zaguer et El Dalay, alguazil de Mecina, lorsqu'un soldat maure entra en courant.

— Les chrétiens nous encerclent ! annonça-t-il au roi. Un groupe d'hommes est à Válor et un autre déjà à Mecina, expliqua-t-il à Abén Humeya qui lui faisait signe de continuer. Ils viennent ici. J'ai pu entendre les consignes de leurs commandants.

Abén Humeya n'eut aucun ordre à donner. Tous ceux qui n'étaient pas des habitants de Mecina, non concernés, en conséquence, par le pardon du marquis, sautèrent pardessus les murs de la maison, évitant la porte, et se perdirent dans la nuit en direction des montagnes.

Soudain, Hernando se retrouva seul dans le jardin, au côté d'Abén Aboo.

— Fuis ! le poussa le chef maure en lui désignant le mur.

Les femmes qui étaient encore à l'intérieur sortirent à la hâte, le visage découvert à cause de l'urgence de la situation.

— Fatima ! cria Hernando.

La jeune fille s'arrêta. Hernando vit briller ses grands yeux noirs à la lumière d'une torche. À ce moment-là, un groupe de chrétiens pénétra dans le jardin. Lors de ces précieuses secondes de désordre, tandis que les chrétiens se débarrassaient des Mauresques, Hernando courut vers Fatima, l'attrapa et rentra dans la maison. Les cris des soldats leur parvenaient depuis le jardin.

— Où est Fernando de Válor et de Cordoue, qu'on nomme improprement roi de Grenade ?

Ce fut la dernière chose qu'entendit Hernando avant de

s'échapper avec Fatima par une fenêtre qui donnait, à l'arrière, sur la rue.

Ce n'étaient pas des soldats. L'armée du marquis de Mondéjar s'était dissoute après le butin ramassé lors d'une expédition punitive dans les Guájaras. La plupart des hommes qui cette nuit-là quittèrent le camp chrétien pour encercler Abén Humeya étaient des aventuriers attirés par l'appât du gain ; des hommes avec peu d'expérience et encore moins de scrupules, dont le seul objectif était de récolter le plus gros butin possible.

Válor fut dévasté. Les vieux du village vinrent accueillir les chrétiens et leur offrir à manger, mais ces derniers les exécutèrent et firent irruption avec violence. Mecina courut le même sort. Les aventuriers rebelles tuaient les hommes, dévalisaient les maisons et empoignaient les femmes et les enfants pour les vendre comme esclaves.

Dans le jardin d'Abén Aboo, après une fouille infructueuse de la maison à la recherche d'Abén Humeya, une bande de soldats se réunit.

— Où est Fernando de Válor ? répéta l'un d'eux en frappant Abén Aboo au visage avec la crosse de son arquebuse.

Les coups se succédèrent mais, malgré eux, le Maure continua de hocher la tête négativement.

— Tu parleras, maudit hérétique ! marmonna un chef à la barbe épaisse et aux dents noires. Déshabillez-le et attachez-lui les mains dans le dos ! ordonna-t-il aux soldats.

Les soldats lui présentèrent bientôt Abén Aboo, nu et mains liées. Le chef le poussa à coups d'arquebuse jusqu'au mûrier qui se dressait dans le jardin. Il prit une corde plutôt fine, la lança autour d'une branche et en fit tomber l'extrémité sur la tête du Maure. Le chef s'approcha de lui, ramassa la corde et feignit de la lui attacher au cou.

Abén Aboo lui cracha au visage. Le chef, sans accorder d'importance au crachat, joua avec la corde sur le cou du Maure.

— Tu n'auras pas cette chance, affirma-t-il.

Alors il posa un genou à terre et attacha le bout de la corde au scrotum d'Abén Aboo, au-dessus de ses testicules. Le Maure réprima un cri de douleur lorsque le chef serra le nœud.

— Tu vas regretter que je ne l'aie pas attachée à ton sale gosier, marmonna-t-il en saisissant l'autre bout de la corde.

Le chef tira sur la corde. Le Maure se dressa sur la pointe des pieds à mesure que la corde se tendait : plus elle le tirait vers le haut, plus la douleur, intense, envahissait son scrotum. Lorsqu'il s'assura qu'Abén Aboo ne pouvait plus monter sans perdre l'équilibre, le chef tendit l'extrémité de la corde à l'un des soldats, qui l'attacha fermement au tronc du mûrier.

— Tu parleras, chien mahométan. Tu parleras jusqu'à renier ta secte et ton Prophète, cracha le chef en s'avançant vers lui. Tu parleras jusqu'à injurier votre Allah, le chien de ton Dieu, merde infinie, scorie…

Abén Aboo lança un violent coup de pied, de sa jambe droite, dans les testicules du chef, qui se plia en deux, endolori. Mais le Maure ne put garder l'équilibre et s'effondra.

Le scrotum se déchira, les testicules éclatèrent et éclaboussèrent de sang tous ceux qui se trouvaient sous le mûrier. Abén Aboo resta recroquevillé par terre.

— Tu meurs saigné comme le porc que tu es, bafouilla le chef, encore brisé de douleur.

— Grâce à Allah, Ibn Umayya vit, même si je meurs, réussit à dire Abén Aboo.

Après avoir quitté la maison d'Abén Aboo, Brahim, afin d'oublier le revirement du roi, avait erré dans Mecina en quête de haschisch et d'une femme bien disposée dans les nombreuses fêtes célébrées en l'honneur des nouveaux mariés. Il avait trouvé l'un et l'autre. Cependant, lorsqu'il assista au pillage perpétré par les chrétiens, il pensa que toute cette confusion pouvait lui offrir l'occasion de se venger d'Hernando et il retourna chez Abén Aboo, évitant la lumière des torches.

Il arriva juste au moment où les soldats sortaient de la maison, emportant le butin récolté. Brahim entra et trouva le cousin du roi qui se vidait de son sang dans le jardin.

— Laisse-moi mourir, l'implora Abén Aboo.

Brahim ne lui obéit pas. Il le porta jusqu'à la maison, l'installa sur un lit et courut chercher de l'aide.

15.

« Cruelle est la condition de nos ennemis pour nous faire plier, eux qui sont si offensés. Pressons le pas, et prenons les devants avec un esprit viril vers une mort honorable, en défendant nos femmes et nos enfants, et en faisant notre possible pour sauver la vie et l'honneur que la nature nous oblige à défendre. »

Luis de Mármol
Historia de la rebelión y castigo de los moriscos del reino de Granada

Hernando et Fatima s'étaient enfuis de Mecina et avaient couru à travers champ dans la nuit. Ils avaient grimpé dans la montagne. Ils avaient trébuché et étaient tombés à plusieurs reprises. Lorsque le vacarme des exactions commises dans le village avait fini par être presque inaudible, alors seulement ils s'étaient arrêtés pour reprendre haleine.

Hernando s'avança vers Fatima, mais elle l'arrêta.

— La mort est une longue espérance, lui dit la jeune fille. Tu te souviens ?

Ils étaient au-dessus d'un ravin, entourés de terrasses en espaliers et de végétation. La lune semblait vouloir juste éclairer leurs visages.

— Je… tenta de s'excuser Hernando.

— Ton beau-père a demandé ma main au roi, le coupat-elle, et…

— Le roi s'est rétracté.

Il aurait aimé voir trembler le reflet de la lune sur le visage de Fatima ; voir étinceler ses dents blanches sous cette lune ambrée ou luire ses yeux noirs, mais il ne rencontra que des traits impassibles et un silence brutal.

— Il m'a accordé ta main, reconnut ensuite le garçon.

Quelques instants passèrent ; tous deux demeurèrent silencieux.

— Je suis donc à toi, dit-elle sans émotion, fendant par ses paroles l'air froid qui les séparait. Tu m'as sauvé la vie à plusieurs reprises… Aujourd'hui encore. Jouis de moi comme le dit le Prophète, mais…

— Tais-toi !

— Tu peux me prendre, mais tu n'auras jamais mon cœur.

— Non !

Hernando se retourna et s'éloigna de quelques pas. Il aurait voulu ne pas entendre cela. Que pouvait-il dire pour excuser sa conduite lors de cette fameuse nuit ? Rien, conclut-il.

— Fais en sorte de suivre mes pas, dit-il finalement, forçant la voix, abattu, le visage caché, avant de reprendre la route vers les sommets. Tu pourrais tomber.

Pendant le mois qu'avait duré le voyage d'Hernando à Adra, Brahim s'était installé dans une des nombreuses grottes situées au-dessus de Válor et de Mecina, de même qu'Abén Humeya en personne et tous ceux qui lui restaient fidèles.

Une fois qu'ils furent dans la montagne, au milieu de cet ensemble de sommets recouverts de la neige de février, la jeune fille guida Hernando ; le troupeau de mules, baigné par la lumière de la lune, se dessinait près de l'entrée de la grotte. Hernando entreprit d'avancer. Fatima hésitait, n'osant pas entrer.

— Brahim ?

La voix précéda l'apparition d'une silhouette qui se découpa à l'entrée de la caverne. C'était Aisha.

— Non. C'est Fatima. Je suis avec Ibn Hamid. Il… ? Et Brahim ? Il est revenu ?

— Non, pas encore.

Fatima se hâta d'entrer.

— Attends-moi… ! dit Hernando en essayant de l'arrêter.

La jeune fille ne prit même pas la peine de ralentir.

Aisha resta immobile, debout, devant son fils.

— Je suis désolé, mère, murmura-t-il. J'ai dû partir, par ordre du roi. Brahim ne te l'a pas dit ?

Sa mère le serra fortement dans ses bras, presque malgré elle. Puis, séchant ses larmes et secouant négativement la tête, elle s'écarta de lui et suivit la jeune fille à l'intérieur de la sombre grotte. Hernando demeura seul, les bras ballants. Il observa le troupeau de mules et marcha vers elles. Il les palpa, à la recherche de la Vieille, qui s'ébroua et tourna docilement le cou pour recevoir la caresse que le garçon aurait voulu donner à sa mère.

Brahim mit près de quinze jours pour revenir. C'était le temps qu'il avait fallu pour le rétablissement d'Abén Aboo, au côté de qui il était resté en permanence. Pendant ces deux semaines, Hernando n'entra pas une seule fois dans la grotte. Il dormait dehors, sans qu'Aisha ou Fatima ne lui adresse la parole. Sa mère lui avait parlé une seule fois le matin suivant, lorsqu'elle lui avait servi le petit déjeuner, près des mules.

— Tu t'es enfui sans explication.

Hernando avait bredouillé une excuse, mais Aisha l'avait coupé d'un geste sec de la main.

— Tu t'es enfui, et cela a encouragé la lascivité de ton beau-père que tu ne connais que trop. Tu lui as livré Fatima. Tu l'as lâchement abandonnée aux mains de Brahim… et moi aussi.

— Je ne me suis pas enfui ! Le roi m'a chargé d'une

mission. Brahim le savait et il m'avait promis de te le dire ! était-il parvenu à s'excuser. Et quant à Fatima... j'ai tout arrangé. Le roi a fait marche arrière : elle n'aura pas à se marier avec Brahim.

Aisha avait hoché négativement la tête, la bouche fermement serrée et le menton tremblant, avant de se retourner pour cacher les larmes qui noyaient ses yeux.

Hernando s'était tu, impressionné par la réaction de sa mère.

— Tu ne sais pas ce que tu dis, avait sangloté Aisha. Tu n'as pas idée des conséquences que va entraîner ce revirement du roi.

Mais Aisha ne pleura pas quand Brahim la frappa violemment, dès son retour, devant la grotte, en présence de Fatima, des enfants et des Maures qui se trouvaient là, partageant les rares provisions dont ils disposaient. Hernando vit s'écrouler sa mère et il dégaina son épée.

— C'est mon époux ! l'arrêta Aisha à terre.

Brahim et son fils adoptif se mesurèrent du regard pendant quelques instants. Finalement le garçon baissa les yeux : cette scène le renvoyait à son enfance et, malgré lui, il se sentit de nouveau impuissant face à la haine féroce qui suintait des yeux de son beau-père ; une haine à laquelle il pouvait laisser libre cours. Le muletier profita de ce moment de fléchissement pour faire tomber Hernando d'un vigoureux coup de poing ; puis il se jeta sur lui et continua à le frapper rageusement. Le jeune garçon n'opposa aucune résistance. Il préférait cela à voir sa mère subir le même sort.

— Ne t'approche pas de Fatima ! marmonna Brahim, en sueur à cause de la raclée qu'il venait de lui asséner. Sinon ce sera ta mère qui prendra ces coups... C'est clair ? Le roi a de l'estime pour toi, chien nazaréen, mais personne n'osera intervenir dans le traitement qu'un Maure inflige à sa femme. Je ne veux pas te voir dans ma maison.

Il était exact qu'Abén Humeya, en dépit de ses défauts, montrait une certaine prédilection pour le jeune muletier. Après l'assaut de Mecina, le roi s'intéressa au sort d'Hernando. Il l'envoya chercher et se réjouit de savoir qu'il s'était échappé sain et sauf de Mecina. Il lui sourit et lui demanda des nouvelles de Fatima. Hernando bafouilla une réponse inintelligible qu'Abén Humeya prit pour de la timidité. Puis il lui ordonna de s'occuper des animaux.

— Nous avons besoin de tes connaissances des chevaux, ajouta le roi. Je t'ai dit que les hommes reviendraient, tu te souviens ?

C'était ce qui se passait. Au cours de ces quinze jours, Hernando avait pu constater que le nombre de chevaux augmentait. Les Maures revenaient dans les montagnes auprès de leur roi, et lui juraient fidélité jusqu'à la mort.

— Le marquis de Mondéjar a été destitué en tant que commandant général du royaume et il a été rappelé à la cour, lui expliqua un jour El Gironcillo, alors qu'il ferrait l'alezan, lequel continuait à supporter le poids de l'énorme monfí et de son arquebuse dont le canon était le plus large de toutes les Alpujarras.

Hernando, le sabot du cheval posé sur sa cuisse, leva la tête vers lui.

— Ce sont les greffiers et les avocaillons de la Chancellerie qui ont gagné, ceux-là mêmes qui ont pris nos terres et se sont empressés de faire parvenir au roi leurs plaintes à propos du pardon qu'accordait le marquis à notre peuple. Ils veulent nous exterminer !

D'un geste de la main, Hernando fit signe au Gironcillo de lui donner le fer à cheval.

— Qui commande à présent les troupes chrétiennes ? interrogea le garçon avant de donner des coups de marteau sur le clou qui devait fixer le fer au sabot.

El Gironcillo resta silencieux, observant l'habileté du garçon.

— Le prince Jean d'Autriche, répondit-il après le dernier coup, bâtard de l'empereur, demi-frère du roi Philippe II, un jeunet hautain et prétentieux. Le roi, dit-on, a décrété que le régiment d'infanterie et les galères de Naples devaient venir en Espagne se mettre aux ordres du prince, du duc de Sesa et du commandeur majeur de Castille. C'est une affaire sérieuse.

Hernando lâcha la patte de l'alezan et se redressa face au monfí ; malgré le froid hivernal, la sueur coulait sur son front.

— Si c'est une affaire si sérieuse, pourquoi les Maures reviennent-ils dans les montagnes ? Il vaudrait peut-être mieux accepter la reddition, non ?

Ce fut un bourrelier récemment arrivé dans les montagnes, et qu'Abén Humeya avait chargé de veiller aux mors, harnais et montures, qui répondit à cette question. L'homme s'approchait, à l'écoute des explications du Gironcillo.

— Nous l'avons fait, vociféra-t-il à quelques pas d'eux.

Tous deux se tournèrent vers lui.

— Certains d'entre nous ont consenti à cette reddition. Et qu'ont-ils obtenu ? On les a volés. On les a tués, et leurs femmes et leurs enfants ont été réduits en esclavage. Les chrétiens n'ont pas respecté les grâces accordées par le marquis de Mondéjar. Mieux vaut mourir pour notre cause que trahis, entre les mains de ces canailles.

— Le prince et les nouvelles troupes vont mettre du temps à arriver à Grenade, intervint El Gironcillo. Pendant cette période, il n'existe aucune autorité. Mondéjar a été écarté et à Vélez la majeure partie de l'armée a déserté et ignore encore quel sera son nouveau rôle dans la guerre. Des milliers de soldats sans commandement sillonnent les Alpujarras, pillant, harcelant et tuant des gens paisibles. Ils veulent faire de l'argent et rentrer chez eux avant que Jean d'Autriche ne prenne en charge la situation.

Ce qui, environ quatre mois plus tôt, avait été une insurrection pour la défense des coutumes, de la justice et du

181

mode de vie musulman traditionnel, se transformait à présent en une nouvelle rébellion, un combat pour la vie et la liberté. La reddition et la soumission entraînaient seulement la mort et l'esclavage. Et les Maures de toutes les Alpujarras, accompagnés de leurs familles et flanqués de leurs quelques biens, se présentaient en masse dans la Sierra Nevada, où se trouvait leur roi.

Fatima n'abandonna pas Aisha, malgré la demande expresse de celle-ci. Brahim l'humiliait au quotidien, la provoquant chaque fois que la jeune fille était présente, comme s'il avait voulu sans cesse rappeler à cette dernière qu'elle était la cause de la disgrâce d'Aisha. Aquil, du haut de ses sept ans, imitait son père et quêtait son approbation, se conduisant avec violence et mépris envers sa mère. Les deux femmes se réfugièrent l'une auprès de l'autre : Fatima, se sentant coupable, s'efforçait de consoler Aisha en silence, se montrait douce avec elle ; et Aisha se comportait avec Fatima comme si elle avait été une de ses filles mortes à Juviles, essayant de la persuader, par son affection, qu'elle ne la considérait pas responsable de ses tourments. Elles évitèrent d'évoquer leur douleur réciproque. Et à chaque injure, à chaque insulte, la relation qui les unissait se consolidait davantage.

Lorsqu'il terminait son travail avec les chevaux, Hernando devenait un spectateur constamment tourmenté. Aisha ne lui permettait pas d'intervenir face à la violence de Brahim ; il ne pouvait s'approcher de Fatima, qui de toute façon semblait toujours fâchée après lui. Néanmoins, comme il ne pouvait renoncer aux deux seules personnes qu'il aimait, il restait à l'extérieur de la grotte, aux aguets, veillant à ce que son père tienne sa parole de ne pas maltraiter sa mère, serrant l'épée d'Hamid chaque fois que Brahim était dans les parages et qu'il entendait les insultes adressées à sa mère. Fatima ne lui avait pas reparlé ; c'était

Aisha qui, sans bruit, lui apportait la nourriture toutes les nuits.

Et quand dans la montagne on entendait l'appel à la prière, Hernando s'y consacrait avec dévotion. Une nuit... il invoqua même la Vierge des chrétiens. Andrés, le sacristain de Juviles, lui avait affirmé le pouvoir de la Vierge pour intercéder devant Dieu. Alors il se recommanda à elle, se souvenant également de l'enseignement d'Hamid :

— Nous, les musulmans, nous défendons Maryam, nous croyons en sa virginité. Oui, avait insisté l'uléma face à l'étonnement de son élève, c'est ce que disent le Coran et la Sunna. N'écoute pas ceux qui insultent sa pureté et sa chasteté ; il y en a, beaucoup, qui ont juste oublié nos enseignements... afin de s'opposer plus encore aux chrétiens, d'humilier plus encore leurs croyances. Mais ils se trompent : Maryam est un des quatre modèles parfaits de la femme et elle a mis au monde Isa, qu'ils appellent, eux, Jésus-Christ, sans perdre sa virginité. C'est ainsi qu'Isa l'a défendue depuis son berceau. Tel que nous l'enseigne le Coran, Isa, dès sa naissance, s'est mis à parler et à défendre la virginité de sa mère contre les insultes de ses proches, incrédules devant son accouchement.

Malgré sa foi aveugle en Hamid, Hernando demeurait réticent, les yeux mi-clos. Comment pouvaient-ils, eux, les Maures, défendre la mère du dieu chrétien ?

— Pense, avait ajouté Hamid pour le convaincre, que lorsque le Prophète a finalement réussi à conquérir La Mecque, avant d'entrer triomphalement dans la Kaaba, il a ordonné la destruction des idoles : Hubal, patron de La Mecque, Wad, Suwaa, Yagut, Yahuq, Nasr et tant d'autres, ainsi que l'effacement des peintures murales... à l'exception de celle qui se trouvait sous ses mains : c'était une représentation de Maryam et de son fils. N'oublie pas, avait-il ajouté enfin avec gravité, que Maryam n'est pas touchée par le péché originel ; elle est née pure, ainsi que l'affirment le Coran et la Sunna.

Mais n'était-ce pas un des prêtres du fils de Maryam qui avait violé sa mère alors qu'elle n'était qu'une fillette sans défense ? se demanda en silence Hernando cette nuit-là. N'était-ce pas là l'origine de sa disgrâce ? Son beau-père le hurlait sur tous les tons : le nazaréen ! Et il l'écoutait, les poings serrés, les ongles plantés dans les paumes de ses mains. Tous l'entendaient ! S'il n'avait pas joui de la faveur d'Abén Humeya, il aurait reçu le même traitement de la part des autres Maures. Il le devinait : il les voyait le regarder de travers et murmurer dans son dos. Mais ni le Dieu des chrétiens, malgré ses prières d'intercession à Maryam, ni celui des musulmans ne lui vinrent en aide, pas plus qu'à Aisha… ou à Fatima.

Les jours passaient et Abén Humeya profita de l'indécision de ses ennemis et du soutien inconditionnel de son peuple pour se réorganiser et, surtout, se réarmer. Il nomma de nouveaux gouverneurs des taas des Alpujarras et établit un système fiscal pour sa couronne : le dixième des fruits et récoltes et le cinquième des butins qu'ils prendraient aux chrétiens. La saison de la navigation venait de commencer : aventuriers, capitaines maures et janissaires débarquaient en Al-Andalus pour aider leurs frères. Les habitants des Alpujarras se mirent enfin à espérer voir ces soldats de la Sublime Porte qu'on leur avait tant de fois annoncés !

Le roi de Grenade et de Cordoue obtint sur les troupes chrétiennes deux importantes victoires qui encouragèrent les siens : la première à Órgiva, contre une compagnie du prince, et la seconde au col même de la Ragua, contre une centaine de soldats du marquis de los Vélez.

Après ces escarmouches, les Alpujarras connurent une période de calme : à tel point qu'à Ugíjar s'établit un marché aussi important que celui de Tétouan. L'affluence des marchands et l'activité commerciale décidèrent Abén

Humeya à instaurer une douane pour le recouvrement d'impôts sur les nombreuses transactions menées à terme.

Les deux triomphes apportèrent également aux écuries dont s'occupait Hernando un grand nombre de chevaux capturés aux chrétiens.

— Tu dois apprendre à monter, lui dit un jour le roi en personne, alors qu'il inspectait une plaine où se trouvaient les animaux, entouré par plusieurs arquebusiers de la garde du corps créée expressément pour sa sécurité. C'est seulement ainsi que tu arriveras à bien les connaître. De plus… – Abén Humeya lui fit un sourire – mes hommes de confiance doivent m'accompagner à cheval.

Hernando regarda les chevaux. Il n'était monté qu'une seule fois, au côté du Gironcillo, lorsqu'ils s'étaient enfuis de Tablate, et pourtant… que possédait donc cet homme qui lui inspirait confiance ? Son sourire ? Il pencha la tête vers le roi. Son port de conseiller municipal de Grenade et de roi des Maures ? Sa grâce et son allure ?

Abén Humeya lui souriait toujours.

— Allez, l'encouragea-t-il.

Le roi le laissa choisir et Hernando brida un cheval moreau qu'il estimait être le plus doux et le plus docile de tous ceux dont il s'occupait. À peine avait-il serré la sangle que les reflets rouges du pelage noir de l'animal semblèrent prendre vie et brillèrent avec force sous le soleil de la Sierra Nevada. Il hésita avant de mettre le pied à l'étrier ; cavalier et cheval respiraient à toute vitesse. Il se tourna vers le roi, qui lui fit de la main le signe de monter. Il passa son pied gauche dans l'étrier et poussa sur sa jambe droite mais, au même moment, le cheval moreau hennit et partit au galop.

Il lui fut impossible de le dominer et, presque aussitôt, Hernando tomba sur le dos. Il roula parmi les pierres et les buissons. Abén Humeya s'approcha de lui mais le jeune homme se releva rapidement, bien qu'endolori, sans saisir la main que le roi lui tendait. Certains arquebusiers riaient.

— Première leçon, lui dit Abén Humeya : les mules et les baudets ne sont pas stupides. Tu ne dois jamais être certain qu'un cheval se comportera avec toi de la même façon lorsque tu es sur lui que lorsque tu as pied à terre.

Hernando l'écoutait, le regard fixé sur le cheval moreau. À quelques pas d'eux, l'animal mâchait tranquillement des buissons.

— Essaie à nouveau, reprit le roi. Il existe deux façons de monter à cheval : la première, avec la bride, comme le font les chrétiens de tous les villages, moins les Castillans, qui nous copient largement et que leurs grandes et lourdes armures empêchent de faire beaucoup de mouvements. Quand le Diable Tête de Fer monte sur ses chevaux, ceux-ci tremblent et se pissent dessus. Je l'ai vu. Il les domine et les soumet avec cruauté… comme il le fait avec les hommes. Nous, les musulmans, nous montons différemment : à la genette, comme les Arabes dans les déserts, en utilisant des étriers courts et en guidant le cheval avec les jambes et les genoux, pas seulement avec la bride et les éperons. Sois dur si tu dois l'être, mais surtout sois intelligent et sensible. Avec ces seules vertus tu réussiras à dominer ces animaux.

Hernando entreprit de se diriger vers le cheval moreau, mais le roi attira son attention :

— Ibn Hamid, tu as choisi un animal à robe noire. Les couleurs des chevaux correspondent aux quatre éléments : air, feu, eau et terre. Les chevaux moreaux comme celui-là ont pris leur couleur de la terre et ils sont mélancoliques, raison pour laquelle il t'a paru tranquille, mais ils sont également vils et ont la vue basse. C'est pour ça qu'il t'a fait tomber.

Sur ces paroles, le roi fit demi-tour et le laissa seul avec les chevaux et une foule de questions : à quels éléments correspondaient les autres robes ? Quels défauts et vertus leur attribuait-on ?

Chaque jour, soit au moment de manger, soit le soir, il

revenait à la grotte endolori, parfois en clopinant, parfois en boitant ostensiblement ; plus d'une fois il dut manger d'une seule main. Cependant, par chance ou grâce à sa jeunesse, aucune des nombreuses chutes qu'il subissait n'entraîna de fractures graves. Au moins, lorsqu'il mettait le pied à l'étrier d'un cheval, il oubliait Aisha et Fatima, Brahim et tous les Maures qui chuchotaient dans son dos… Et il en avait besoin.

À certaines occasions, le roi lui-même chevauchait à ses côtés et lui enseignait. En tant que noble, Abén Humeya maîtrisait l'équitation. Entre les deux hommes, tandis qu'ils caracolaient dans les montagnes, s'établit une relation proche de l'amitié. Le roi lui parla des joutes et des courses de taureaux auxquelles il avait participé au cours de sa vie, et aussi de la signification des autres couleurs de robe des chevaux. Les blancs, qui avaient l'eau pour élément, étaient flegmatiques, mous et lents ; les marron, qui correspondaient à l'air, se caractérisaient par des mouvements tempérés, joyeux et légers ; et les alezans, dont l'élément était le feu, se montraient colériques, vifs et rapides.

— Le cheval qui réussit à posséder toutes ces couleurs et à les combiner dans sa robe, la fourchette de ses sabots, ses paturons ou ses canons, les étoiles de son front ou ses épis, sa crinière ou sa queue, est le meilleur, lui dit un matin le roi.

Abén Humeya chevauchait tranquillement sur un alezan hâlé ; Hernando luttait une fois de plus avec le cheval moreau, que le roi lui avait offert.

À la tombée de la nuit, Hernando revenait avec ses mules, près de la grotte. Alors Aisha et Fatima le regardaient passer tête basse, après un salut à tous et à personne, et se réfugier parmi ses animaux, comme s'il ne venait là que pour eux. Toutefois, les deux femmes se rendaient compte que le garçon ne quittait jamais son épée, qu'il caressait instinctivement dès qu'il entendait la voix de

Brahim. Il parlait seulement avec ses mules, et en particulier avec la Vieille. Tous les Maures des grottes alentour, un peu jaloux des faveurs que le roi prodiguait au nazaréen, avaient pris parti pour Brahim, et celui qui hésitait ne voulait pas s'attirer d'ennuis avec l'imposant muletier.

Aisha souffrait en silence de voir son fils dans cet état, et même Fatima ne put rester indifférente à la mélancolie qui accablait Hernando. Les premiers jours, la colère l'avait poussée à lui témoigner du dédain. Combien de fois y avait-elle pensé au cours du mois qu'avait duré son voyage ? Cette nuit-là elle l'avait attendu : Aisha avait obtenu pour elle un peu de parfum, juste quelques gouttes, et dès qu'elle avait senti diminuer le tapage dans la tente du roi, Fatima les avait versées entre ses seins, fantasmant à l'idée des caresses d'Hernando.

Mais il n'était pas revenu ! Alors son désir avait laissé place au mépris : elle s'était imaginée crachant à ses pieds dès qu'il reviendrait, lui tournant le dos, lui criant après… Le frappant même ! Puis il y avait eu l'empressement honteux de Brahim, ses regards lascifs, ses frôlements, ses insinuations constantes… Lorsqu'elle avait su que Brahim, informé de la mort de son époux et du fait qu'elle n'avait pas de famille, avait demandé sa main au roi, elle avait maudit Hernando et l'avait insulté entre ses larmes. La nuit où Hernando l'avait sauvée à Mecina et lui avait appris la décision du roi, elle s'était sentie offensée et soulagée en même temps. Certes, elle n'était plus contrainte de se marier avec l'odieux Brahim, mais que croyait Hernando ? Que le roi ou lui allaient, sans en parler avec elle, décider de son avenir et de celui de son fils ?

Cependant les jours passaient et Hernando revenait toujours pour veiller sur Aisha et elle, valide ou boiteux parfois à cause d'une chute, résigné au mépris avec lequel il était traité, mais également toujours prêt à venir les défendre : il l'avait démontré en supportant sans protester les coups de Brahim. Dans son dos, ils l'appelaient tous le nazaréen. Aisha s'était vue obligée de raconter à Fatima la raison de ce surnom et la jeune fille, pour la première fois depuis le retour d'Hernando, avait senti sa gorge se nouer. Hernando croyait-il qu'elle le méprisait comme les autres ? Que pouvait-il penser là-bas, tout seul parmi ses mules ?

Un soir, alors qu'Aisha s'apprêtait à apporter à son fils son dîner, Fatima lui demanda la terrine afin de la lui porter elle-même. Elle voulait s'approcher de lui. Elle était si obnubilée par le tremblement de sa main qu'elle ne remarqua pas la réaction préoccupée d'Aisha à cette requête.

Hernando l'attendait debout ; il pouvait à peine croire que c'était bien Fatima qui marchait vers lui.

— Que la paix soit avec toi, Ibn Hamid, commença à dire Fatima en face de lui, lui tendant sa nourriture.

— Chienne ! entendit-on crier Brahim devant les grottes.

La terrine tomba des mains de la jeune fille.

Fatima se retourna et vit Brahim, à la lumière du foyer, frapper Aisha. Hernando fit deux pas en avant, la main sur son épée, mais il s'arrêta. Brahim leva les yeux et les fixa sur Fatima. Alors la jeune fille comprit la grimace d'Aisha : elle avait voulu la prévenir du regard. Si Fatima s'approchait d'Hernando, c'est elle qui en paierait les conséquences. Le visage de Brahim exprimait une satisfaction malsaine, tandis qu'il levait la main pour se défouler une fois de plus sur son épouse. Fatima revint en courant à la grotte. Brahim la vit passer à côté de lui et éclata de rire.

16.

En avril 1569, l'armée maure recomposée et ses partisans, parmi lesquels des femmes et des enfants, marchèrent en direction d'Ugíjar avec à leur tête Abén Humeya et ses proches : Hernando, fier sur son cheval, en faisait partie. La longue colonne était menée par une garde d'arquebusiers qui arborait le nouvel étendard vermeil adopté par Abén Humeya.

Le roi et ses lieutenants étaient suivis par la cavalerie maure, puis par l'infanterie qui, cette fois, avait été disposée en ordre, conformément aux tactiques chrétiennes : répartie en escouades dirigées par des commandants qui portaient leurs propres drapeaux, en partie confectionnés pendant l'attente dans les grottes au-dessus de Mecina, en taffetas ou en soie, blancs, jaunes ou carmin, avec des lunes d'argent ou d'or au centre, des franges en soie ou en or, des glands ornés de perles. Mais d'autres escouades se déployaient, arrogantes, sous des étendards et de vieux drapeaux récupérés, datant de l'époque où les musulmans dominaient Al-Andalus, comme celui des habitants de Mecina, en taffetas carmin brodé d'or, avec un château à trois tours d'argent au centre, ou un autre volé aux chrétiens, tel l'étendard du Saint-Sacrement d'Ugíjar, en damas carmin avec des glands en soie et or, sur lequel les Maures avaient brodé des lunes d'argent.

Comme c'était l'usage, l'équipement et une foule de gens inutiles, femmes, enfants, malades et vieillards fermaient la marche.

Tous avançaient vers Ugíjar au son des timbales et des

pipeaux, salués avec enthousiasme par les habitants qui se consacraient à la culture des terres qu'ils traversaient, car tel était l'ordre du roi : on ne pouvait se passer du labourage. Les chrétiens recevaient des vivres de l'extérieur de Grenade, mais eux seuls disposaient de leurs propres ressources ; la trêve inespérée offerte par la prise de pouvoir de Jean d'Autriche, toujours empêtré dans des discussions en ville, leur donnait l'opportunité de semer et de récolter une nouvelle culture.

Hernando chevauchait cambré, dominant son cheval moreau, le freinant constamment pour qu'il ne devance pas le groupe de cavaliers qui le précédait, car parmi eux se trouvait Brahim, devenu l'inséparable compagnon d'un Abén Aboo dont la monture était recouverte de plusieurs couches de peau de mouton, à cause de ses cicatrices. Mais, malgré tout, il ne pouvait éviter de grimacer de douleur. Abén Aboo chevauchait au côté de son cousin, le roi, et Brahim se tenait derrière lui.

De sa monture, Hernando ne parvenait pas à distinguer l'arrière-garde de l'armée car les grands chefs monfís qui chevauchaient derrière lui l'en empêchaient. C'est là que se trouvaient les femmes, parmi lesquelles Aisha et Fatima, et les mules, veillées par Aquil et un garçonnet débrouillard dénommé Yusuf, qu'Hernando avait connu dans les grottes et à qui il avait demandé d'aider son demi-frère. Comment Aquil aurait-il pu contrôler tout seul le troupeau ?

Ugíjar les accueillit en grande pompe, au son de la musique et de la fête. Ce n'était plus la ville qu'ils avaient fuie devant les chrétiens. Dans l'église collégiale, on travaillait dur pour transformer le temple en mosquée. Les cloches que les Maures haïssaient tant apparaissaient détruites au pied du clocher, et dans le triangle formé par les trois tours défensives du lieu se trouvait un souk qui s'étalait dans les rues adjacentes. Tout était couleurs, odeurs et brouhaha, et il y avait surtout plein de gens nouveaux : Arabes, corsaires et marchands musulmans venus de l'autre côté du détroit. La plupart d'entre eux étaient habillés comme les Maures, quelques-uns avec des djellabas, mais certains arboraient un physique qui étonna franchement Hernando : blonds et grands, à la peau laiteuse ; roux aux yeux verts. On pouvait aussi voir des Noirs, libres. Tous déambulaient parmi les Arabes à la peau hâlée comme s'ils appartenaient à leurs clans.

— Des renégats chrétiens, commenta El Gironcillo quand, ébahi devant un imposant albinos caucasique, Hernando faillit se heurter à lui.

L'albinos lui sourit de façon étrange, comme… comme s'il l'invitait à mettre pied à terre et à le suivre. Hernando se tourna, troublé, vers le monfí.

— Ne leur fais jamais confiance, lui conseilla El Gironcillo dès qu'ils eurent quitté l'albinos, leurs coutumes sont assez différentes des nôtres : ils aiment les jeunes garçons comme toi. Les renégats sont les véritables maîtres d'Alger ; la Corse est à eux et ils nous méprisent. Tétouan est maure ; Salah, La Mámora et Vélez aussi, mais Alger…

— Ce ne sont pas des Turcs ? l'interrompit Hernando.

— Non.

— Alors ?

— À Alger, avec les renégats, vivent de véritables janissaires turcs envoyés par le sultan.

El Gironcillo se hissa sur ses étriers et jeta un coup d'œil sur le souk.

— Non. Ils ne sont pas encore arrivés. Tu les reconnaîtras dès qu'ils seront là. Les janissaires ne dépendent pas du bey d'Alger, seulement du sultan, duquel ils reçoivent des ordres à travers leurs aghas, leurs propres chefs. À son époque, il y a une quarantaine d'années, Jayr ad-Din, que les chrétiens appellent Barbe Rouge, soumit son royaume à la Sublime Porte, à notre sultan, qui doit nous aider dans notre combat contre les chrétiens… Mais ne t'y trompe pas : les renégats qui dominent Alger ne sont pas fiables, surtout pour de beaux garçons comme toi.

Il rit.

— Ne leur tourne jamais le dos !

Le rire du Gironcillo mit un terme à la conversation. Abén Humeya posa le pied à terre et chercha Hernando du regard. Le jeune Maure devait se charger des chevaux. À travers le chaos, il tenta d'apercevoir Fatima et Aisha, mais l'arrière-garde de la colonne n'était même pas encore entrée dans le village. D'abord il devait s'occuper des bêtes ; ensuite il irait à la recherche des femmes.

Comme il l'avait fait à Paterna avec les mules, Abén Humeya mit plusieurs arquebusiers de sa garde sous les ordres d'Hernando. Au-delà des rues bondées, derrière l'église d'Ugíjar, là où la ville commençait à se perdre dans les champs, le garçon trouva une bonne maison à deux étages, grande et avec suffisamment de terrain, dûment clôturée par un mur bas, pour y établir les chevaux du roi et des chefs monfís. Il s'agissait sans aucun doute de la demeure d'une famille chrétienne assassinée pendant l'insurrection ; il n'y avait pas d'accès direct depuis la rue, on y entrait par les terrains qui l'entouraient.

— Évacuez la maison ! cria l'un des soldats à la famille maure qui sortit à la hâte à l'arrivée du cortège.

C'était un couple d'âge moyen : la femme grosse, comme la plupart des épouses mauresques ; l'homme davantage encore, dans la mesure du possible, avec une vieille arquebuse entre les mains, qu'il baissa en voyant les soldats. Autour d'eux se tenaient sept enfants d'âge différent.

Hernando perçut chez la femme l'habituelle soumission de toutes les Mauresques ; une fillette d'à peine deux ans se cachait, agrippée aux bas enroulés à ses jambes. Peut-être…, songea-t-il, que la présence de cette famille si nombreuse le changerait de l'ambiance de la grotte.

— Tu t'y connais en animaux ? demanda Hernando à

193

l'homme, souhaitant qu'il lui réponde par l'affirmative. Dans ce cas, ajouta-t-il après la grimace qu'il obtint pour toute réponse et voulut prendre pour un assentiment, ta famille et toi m'aiderez avec les chevaux du roi, et on partagera la maison.

Hernando débrida rapidement la douzaine d'animaux dont il s'était chargé, gêné par les tentatives d'aide des trois enfants. Peu lui importait leur évidente inexpérience en matière de chevaux. Il fallait qu'il retrouve Aisha et Fatima.

Il quitta la maison à toute vitesse. Il donnerait à manger aux bêtes à son retour. Cependant, dès qu'il eut franchi la grosse porte en fer forgé qui donnait sur la rue terreuse et constaté que l'armée d'Abén Humeya, éparpillée dans tout le village, commençait à arriver jusque-là, il fit demi-tour.

— Fermez la porte et postez-vous derrière, ordonna-t-il aux arquebusiers. Que personne n'entre sur ces terres. Surveillez également le périmètre. Ce sont les chevaux du roi, leur rappela-t-il.

Au moment où deux arquebusiers obéissaient à ses ordres, un groupe important de soldats flanqués de leurs familles voulut entrer dans la maison.

— Ce sont les chevaux du roi, répéta-t-il, alors que les arquebusiers s'empressaient de fermer les portes derrière lui.

Il devait marcher à contre-courant. La petite ville était incapable d'accueillir tous les Maures qui arrivaient ; les soldats et leurs familles, en masse, se déployaient vers l'extérieur tandis qu'Hernando essayait de retourner au centre. Il tenta d'éviter la foule qui venait dans sa direction, mais souvent quelqu'un le bousculait et il était obligé de se frayer un chemin à la force des bras parmi les groupes entassés. Où pourrait-il trouver les femmes ? Les mules ! Les mules seraient faciles à repérer même dans…

Hernando percuta violemment un homme.

— Cornuti !

Le garçon reçut un coup qui le propulsa contre un groupe d'hommes et de femmes marchant en sens inverse. Ceux-ci, à leur tour, le poussèrent. Tout le monde s'immobilisa et un petit espace s'ouvrit au centre de la rue.

— Señori…

Hernando se tourna, stupéfait, vers l'homme qui l'avait poussé. Quelle langue parlait-il… ?

— Je te tuerai ! comprit-il en revanche.

Et, au même moment, il vit un homme aux cheveux blonds et bouclés, à la barbe touffue, qui avançait vers lui, armé d'une très jolie dague à la poignée parée de bijoux. Le blond lança une autre bordée de mots. Il ne parlait ni castillan, ni arabe. Hernando eut l'impression qu'il mélangeait des mots de plusieurs langues.

— Chien ! marmonna l'homme.

Hernando avait compris, mais il était pressé. Si Brahim retrouvait les femmes avant lui, il les emmènerait peut-être ailleurs, ce qui signifiait qu'Hernando les perdrait de vue, puisqu'il devait vivre près des chevaux du roi. Il voulut s'échapper et poursuivre son chemin, mais il se heurta aux hommes qui observaient la dispute. Quelqu'un le poussa vers le blond. Les gens tendaient le cou, par curiosité, au-dessus des têtes et entre les corps des premiers. Le blond, le bras tendu, agitait la dague devant lui, en petits cercles, menaçant. Hernando constata que c'était sa seule arme et il dégaina son épée.

— Allah est grand, prononça-t-il en arabe.

Et il empoigna l'épée des deux mains, juste au centre de sa poitrine, en l'air, prêt à frapper ; il avait les jambes écartées et fermement ancrées au sol. Il était tendu des pieds à la tête.

Alors le blond regarda ses yeux bleus.

— Joli garçon ! s'exclama-t-il soudain avec un doux accent.

— Beau garçon ! approuva un autre homme près du blond.

Il ne voulut pas détourner le regard.

Un rire fusa parmi les Maures. D'autres sifflèrent.

— Très beau !

Le blond rangea la dague à sa taille et s'embarqua, avec son doux accent, dans une conversation sonore et inintelligible avec son compagnon. Hernando demeurait immobile, l'épée levée et le visage furieux, mais comment aurait-il pu s'élancer sur un homme désarmé qui ne lui prêtait pas la moindre attention ? Alors le blond le regarda de nouveau, lui sourit et lui fit un clin d'œil avant de se retourner et de se frayer un passage en bousculant les spectateurs qui s'empressaient de s'écarter.

— Qu'il est beau… ! répéta lourdement un Maure.

Le sang monta à vive allure aux joues d'Hernando, et il sentit sa chaleur impertinente juste à l'instant où les rires éclatèrent dans l'assistance. Il rabaissa son épée sans regarder personne.

— Beau garçon ! se moqua un Maure qu'Hernando bouscula pour quitter l'endroit.

Tandis qu'il esquivait les gens, quelqu'un lui pinça les fesses.

Il retrouva les femmes avec les mules, stoppées à l'entrée du village, ne sachant où aller. Les enfants s'efforçaient d'empêcher le troupeau de suivre les flots de gens qui passaient à leurs côtés. Ni Aisha, ni Fatima, ni même ses demi-frères ne purent cacher leur soulagement devant la célérité avec laquelle Hernando prit en main la situation ; les mules aussi, à commencer par la Vieille, paraissaient se réjouir d'entendre cette voix connue qui se mit à les stimuler par des cris. Personne n'avait de nouvelles de Brahim.

À la maison, Salah, l'obèse Maure qui s'était installé là en compagnie de sa nombreuse famille, les accueillit avec une déférence proche de la servilité. Hernando pensa qu'un arquebusier avait dû lui parler des faveurs que le roi lui accordait.

Le Maure fit descendre sa famille au rez-de-chaussée et céda aux nouveaux venus le premier étage, avec une chambre où il restait encore un ancien et magnifique grand lit à baldaquin. Il expliqua qu'il avait vendu le reste du mobilier non sans avoir auparavant, jura-t-il avec véhémence, détruit les tapisseries et les images chrétiennes.

Salah était un commerçant rusé, qui vendait tout ce qu'il pouvait, aussi bien aux musulmans qu'aux chrétiens. Beaucoup d'argent transitait en temps de guerre. Pourquoi, avait-il l'habitude de dire, allait-il s'éreinter à tenter de rendre des pierres fertiles comme le faisaient les habitants des Alpujarras à coups de houe sur leurs terrains rocailleux, alors qu'il pouvait vendre ce qu'ils produisaient ?

La nuit tombait. Fatima et Aisha allèrent épauler la femme de Salah qui préparait le dîner, peu troublée par les cinq bouches supplémentaires à nourrir. Yusuf, le garçonnet qui les avait aidés avec les mules, resté avec eux, goûta le confort qu'offrait la demeure. Hernando l'avait adopté dès qu'il le vit se débrouiller si bien avec les animaux. Il ne pouvait guère espérer d'aide par ailleurs : ses frères le fuyaient et ne s'approchaient pas des mules s'il était là, et les enfants de Salah, malgré la bonne disposition de leur père, ne connaissaient rien aux animaux.

Fatima servit de la citronnade aux hommes, qui se tenaient alors sous le porche de la maison. Elle ne portait pas de voile sur le visage et sourit à Hernando en lui tendant sa boisson. Le garçon sentit comme un coup dans le ventre. Lui avait-elle pardonné ? Il entendit aussi sa mère bavarder et rire dans la cuisine. Brahim n'avait toujours pas fait acte de présence. Lors de la relève de la garde, il ordonna à un arquebusier d'enquêter au sujet de son beau-père et de revenir lui donner des nouvelles. « Il est avec Ibn Abbu », l'informa le soldat, qui avait demandé après le muletier à un commandant du roi.

Avant de se retirer, Fatima soutint le regard d'Hernando pendant quelques instants. Elle lui souriait de nouveau !

— Bonne épouse, déclara alors Salah, brisant le charme du moment. Silencieuse.

Hernando porta le verre à ses lèvres afin de pouvoir dissimuler son regard. La nuit s'annonçait froide, mais le gros homme transpirait. Hernando lui répondit par un murmure inintelligible.

— Allah vous a récompensés avec un fils. Moi, il m'a donné d'abord deux filles, insista Salah.

L'intérêt du marchand l'embarrassa. Il pouvait le mettre dehors, lui et sa famille... mais il entendit une fois de plus sa mère qui parlait joyeusement dans la cuisine. Depuis combien de temps n'avait-il pas entendu rire sa mère ? Néanmoins il ne souhaitait pas donner à Salah plus d'explications sur sa situation familiale.

— Mais ensuite il t'a dédommagé avec quatre garçons, allégua-t-il.

Alors que Salah s'apprêtait à répondre, l'appel du muezzin à la prière fit taire le souk et la curiosité du marchand.

Ils prièrent puis dînèrent. Le garde-manger du commerçant, qu'il gardait sous clé dans la cave de la maison, était bien pourvu : il s'agissait de l'ancien pressoir des propriétaires chrétiens où s'amoncelait également une multitude de marchandises diverses et variées. Ils terminèrent leur repas et Hernando inspecta les mules en compagnie de Yusuf. Tous les animaux paissaient tranquillement : ils avaient rasé le potager de l'épouse du marchand, forcée de consentir après avoir réclamé en vain du regard l'aide de son époux. « Ce sont les chevaux du roi », lui avait répondu Salah, impuissant, du regard aussi, esquissant un geste éloquent en direction des arquebusiers qui montaient la garde.

« Il leur faudra de l'orge et du fourrage », pensa Hernando. En deux jours le champ serait épuisé, et le roi lui avait ordonné de tenir ses chevaux prêts à tout moment, raison pour laquelle il ne pouvait les emmener paître sur d'autres champs en dehors d'Ugíjar. Le lendemain il serait obligé de s'approvisionner suffisamment en nourriture. Estimant l'inspection terminée, il disposa des couvertures sous le porche afin de s'en couvrir.

— Je préfère dormir ici pour être au plus près des animaux, prétexta-t-il, devançant la question de Salah, qui voyait d'un œil bizarre que le garçon ne dorme pas avec son épouse.

Yusuf resta avec lui et ils parlèrent jusqu'à ce qu'ils tombent de fatigue ; le garçonnet était attentif à la moindre de ses remarques. Les arquebusiers sommeillaient à leurs postes de garde tandis que femmes et enfants se répartirent sur les deux étages ; Aisha dans la chambre principale. Brahim n'avait toujours pas réapparu. Bien que sous le porche, Hernando dormit tranquillement pour la première fois depuis plusieurs jours : Fatima lui avait de nouveau souri.

Au matin, il s'occupa des bêtes et décida d'aller voir le roi afin de lui demander de l'argent pour acheter du fourrage. Mais Abén Humeya ne put le recevoir. Le souverain s'était installé une nouvelle fois dans la maison de Pedro López, greffier majeur des Alpujarras, à proximité de l'église, et il se trouvait en compagnie des chefs d'une compagnie de janissaires qui venaient d'arriver d'Alger : les deux cents que le sultan avait ordonné au bey d'envoyer en Al-Andalus pour contenter, sinon abuser, leurs frères de foi.

Hernando les regarda fouiner dans l'immense souk qu'était devenu Ugíjar. Comme l'avait prévenu El Gironcillo, il était impossible de ne pas les remarquer. Malgré la foule qui s'était rassemblée dans la petite ville – parmi laquelle marchands, Arabes, aventuriers, Maures et l'armée d'Abén Humeya –, les gens s'écartaient des Turcs avec terreur. Ils ne portaient pas les bonnets et les capes avec lesquels Farax, disparu dans les montagnes, avait essayé de déguiser les Maures qui avaient tenté de soulever l'Albaicín de Grenade. Ils portaient de grands turbans, la plupart défraîchis, avec des franges qui rasaient pratiquement le sol. Ils étaient vêtus de culottes bouffantes, de longues tuniques et de chaussons usés ; beaucoup d'entre eux avaient de longues et fines moustaches. Toutefois, le plus impressionnant était la quantité d'armes qu'ils portaient : arquebuses à long canon, dagues et cimeterres.

Ils avaient débarqué sur la côte des Alpujarras sous le commandement de Dalí, *ayabachi* des janissaires, officier de haut rang placé juste sous l'*agha*, élu démocratiquement dans le *diwan* par les deux mille et quelques membres qui se trouvaient établis à Alger. Dalí était accompagné par deux officiers janissaires : Caracax et Hosceni, et tous trois étaient alors réunis avec Abén Humeya.

Les janissaires avaient été créés comme une milice d'élite aux ordres du sultan : des soldats fidèles et invincibles. Leurs membres étaient recrutés obligatoirement parmi les enfants chrétiens de plus de huit ans qui vivaient sur les vastes domaines européens de l'Empire ottoman, à raison d'un toutes les quarante maisons. Après leur recrutement, on leur enseignait la foi musulmane et on les entraînait comme des soldats. Lorsqu'ils atteignaient le rang de janissaire, contrairement au reste de la population, ils jouissaient d'une paie à vie et de nombreux privilèges. Ils disposaient en outre d'une juridiction propre : aucun janissaire ne pouvait être jugé ni châtié, même par le bey ; ils dépendaient exclusivement de leur agha qui, dans tous les cas, les jugeait en secret.

Les janissaires d'Alger, cependant, avaient cessé de suivre le processus traditionnel des recrutements obligatoires parmi les enfants chrétiens de l'Empire ottoman. Ceux qui avaient été initialement amenés à Alger depuis l'Empire avaient été remplacés par leurs propres enfants ou par d'autres Turcs, et même par des chrétiens renégats, mais jamais par des Arabes. Les Arabes n'avaient pas le droit d'accéder à l'armée d'élite ; les janissaires constituaient une caste privilégiée. Ils se consacraient au pillage des villages. Et à Alger, sûrs d'eux, confiants en leur pouvoir et en leurs prérogatives, ils agissaient avec le plus absolu mépris à l'égard des autres habitants, volant et violant des femmes et des enfants. Personne ne pouvait toucher un janissaire !

Les deux cents hommes que le sultan ordonna au bey d'Alger d'envoyer afin de contenter les Maures arrivèrent en Al-Andalus pour se battre, sans toutefois perdre leurs privilèges. Hernando en fut témoin, tandis qu'il attendait, aux portes de la maison du greffier majeur, que l'arquebusier de la garde d'Abén Humeya revienne avec la réponse du roi.

Pendant ce temps, il s'efforça de vaincre sa curiosité et d'éviter que son regard poursuive les janissaires qui traînaient devant le bâtiment.

— Tu as des nouvelles de Brahim, le muletier ? demanda-t-il distraitement à un arquebusier resté à la porte. C'est mon beau-père.

— Hier soir, lui répondit celui-ci, il est parti avec Ibn Abbu et une compagnie d'hommes à Poqueira. Le roi a nommé son cousin alguazil de Poqueira et, à son tour, Ibn Abbu a nommé ton beau-père son lieutenant.

— Combien de temps vont-ils rester à Poqueira ? questionna-t-il encore, cette fois sans pouvoir dissimuler son enthousiasme.

L'arquebusier haussa les épaules.

Brahim était parti ! Il se tourna en souriant vers le souk qui s'étendait devant la demeure, au moment où passait un vendeur qui portait sur son dos un grand cabas rempli de raisins secs. Un des janissaires se servit une poignée de raisins. L'homme se retourna et, sans réfléchir, poussa celui qui venait de lui voler son humble marchandise.

Tout se passa en un instant : les janissaires n'adressèrent pas le moindre reproche au vendeur mais, brusquement, ils l'immobilisèrent à plusieurs : l'un d'eux lui saisit le bras et celui qu'il avait bousculé lui trancha la main à la hauteur du poignet d'un coup de cimeterre, rapide et efficace. La main atterrit dans le cabas aux raisins secs, puis l'homme fut congédié à coups de pied et les janissaires reprirent leur conversation comme si de rien n'était ; tel était le châtiment pour celui qui osait toucher un soldat du sultan de la Sublime Porte.

Hernando fut incapable de réagir et demeura immobile, les yeux fixés sur la traînée de sang que laissa le vendeur de raisins secs derrière lui avant de s'écrouler à quelques pas de là. Il était si pensif que l'arquebusier de la Garde royale fut contraint de le frapper dans le dos.

— Suis-moi, lui dit-il quand, finalement, Hernando détourna le regard vers lui.

La maison sentait de nouveau le musc, mais ce jour-là Hernando ne fut pas conduit en présence d'Abén Humeya. Le garde l'accompagna jusqu'à une pièce située au fond du premier étage. La porte en bois travaillé était protégée par deux arquebusiers ; le trésor que le roi n'avait pas envoyé à Alger devait se trouver à l'intérieur, songea-t-il devant de telles précautions.

— Alors c'est toi Ibn Hamid ? entendit-il derrière lui.

Hernando fit volte-face et découvrit un Maure richement paré.

— Ibn Umayya m'a parlé de toi.

L'homme lui tendit la main.

— Je suis Mustafa Calderón, voisin d'Ugíjar et conseiller du roi.

Après cet échange de civilités, Mustafa chercha une clé dans un jeu qu'il portait à la taille et ouvrit la porte.

— Tu trouveras ici tout l'orge dont tu as besoin pour les chevaux, dit-il en l'invitant à entrer, la main tendue.

Comment l'orge pouvait-il être là ? Ce n'était pas un grenier. Surpris, Hernando resta figé sur le seuil.

Les rires de Mustafa et des trois arquebusiers ne réussirent pas à le tirer de sa stupeur : près d'une douzaine de filles et de fillettes étaient entassées à l'intérieur, éclairées par la lumière qui pénétrait à travers un haut vasistas. Les filles le regardaient, effrayées, et tentaient de se cacher les unes derrière les autres, reculant jusqu'au fond de la pièce.

— Le roi veut se réserver les bijoux et l'argent qu'il lui reste, expliqua le conseiller en reniflant. L'or est plus facile à transporter que les prisonnières qu'on lui a données en paiement pour son impôt… Et l'argent ne mange pas !

Il se remit à rire.

— Choisis celle que tu veux et négocie-la au marché. Avec le prix que tu obtiendras, tu pourras acheter tout ce qu'il te faut, même si chaque mois tu devras venir me voir pour qu'on vérifie les comptes ensemble. Moi, je n'aurais pas fait ça, mais le roi a insisté. Il a également ordonné que tu t'achètes des habits appropriés pour chevaucher à ses côtés…

— Je… dois vendre une fille ?… Je…

— On te l'arrachera des mains, mon garçon, l'interrompit le Maure. Les femmes chrétiennes sont les plus désirées à Alger, ville au pouvoir des Turcs et des chrétiens renégats, qui ne veulent pas se marier avec des musulmanes. Même les Turcs ! Écoute, ajouta-t-il en posant sa main sur son épaule, un prisonnier chrétien peut être racheté par ces frères de la Merci ou de la Trinité qui se rendent, avec plein d'argent, en Barbarie, mais une femme jamais. Parmi les rares lois qui régissent la vie des corsaires, l'une stipule que le rachat des femmes est interdit. Ils les adorent !

— Mais… se mit à bredouiller Hernando, observant

les filles qui tremblaient et se serraient plus encore les unes contre les autres.

— Celle que tu veux, allez ! le pressa Mustafa. Nous sommes en conseil avec les Turcs et je ne peux pas perdre plus de temps.

Comment vendrait-il une fille ? Que savait-il, lui, de… ?

— Je ne peux pas… commençait-il à protester lorsque les cheveux blonds d'une fillette tremblante et sale apparurent devant lui.

L'une des plus grandes venait de la pousser devant sans ménagement.

— Celle-ci ! s'exclama-t-il soudain, sans réfléchir.

— Affaire conclue ! estima Mustafa. Attachez-la et donnez-la-lui, ordonna-t-il aux gardes avant de se retirer immédiatement. Et n'oublie pas, je t'attends dans un mois.

Hernando n'écoutait plus le conseiller du roi. Ses yeux étaient rivés sur sa prisonnière. C'était Isabel, la sœur de Gonzalico. Qu'était devenu Ubaid ? pensa-t-il à ce moment-là, se souvenant de la façon dont le muletier avait soulevé le cœur du petit garçon pour le jeter aux pieds de la fillette.

En quelques instants, il se retrouva de nouveau dans la rue, sous le regard des arquebusiers et des janissaires ; il tenait dans ses mains la corde avec laquelle les gardes avaient attaché la fillette aux cheveux clairs. Il s'arrêta, Isabel derrière lui, surpris par les milliers de reflets que le soleil arrachait aux gens et aux couleurs. Il ne les avait pas remarqués avant. Pourquoi le souk lui apparaissait-il maintenant comme un monde nouveau ?

— Hé, garçon, tu vas où avec cette beauté ? lui demanda quelqu'un d'un ton goguenard.

Hernando ne répondit pas. Pourquoi avait-il fallu qu'il accepte un tel marché ? Qu'allait-il faire désormais d'Isabel ? La vendre ? Le souvenir du massacre de Cuxurio et les supplications d'Isabel se mélangèrent aux milliers de couleurs et d'odeurs qui flottaient dans l'air. Comment pourrait-il faire une chose pareille ? La fillette n'avait-elle pas déjà assez souffert ? De quoi était-elle coupable ? Alors, pourquoi l'avait-il choisie ? Il n'avait même pas réfléchi ! La corde se tendit et Hernando tourna la tête vers Isabel : un janissaire voulait l'examiner et la petite reculait, effrayée.

Il fit un pas en direction du Turc, mais l'image de la main coupée du vendeur de raisins secs s'interposa sur son chemin. Isabel se mit à sangloter, les yeux grands ouverts, le suppliant du regard de lui venir en aide comme il l'avait fait à Cuxurio pendant qu'Ubaid assassinait son frère Gonzalico. Isabel se heurta, de dos, aux arquebusiers de garde, qui lui barrèrent le passage, et le janissaire se mit à tripoter ses cheveux dorés.

— Du calme ! cria Hernando.

Il lâcha la corde et dégaina son épée.

Il n'eut même pas le temps de la lever. Avec une rapidité étonnante, le janissaire sortit son cimeterre et frappa violemment l'épée, qui voltigea dans l'air. Instinctivement, le garçon secoua plusieurs fois sa main tandis que les autres Turcs éclataient de rire.

— Laisse la fille tranquille ! insista-t-il cependant.

Le janissaire tourna le visage vers Hernando : une de ses mains pelotait la poitrine naissante d'Isabel. Un sourire blanc et impudique s'ajouta aux mille éclats du souk.

— Je veux voir la marchandise, énonça-t-il clairement.

Hernando hésita un instant.

— Et moi, ton argent, bafouilla-t-il. Sans cela, pas d'examen.

Certains janissaires, comme s'il s'agissait d'un jeu, acclamèrent Hernando.

— Bien dit ! s'écrièrent-ils entre deux rires.

— Oui ! Montre-lui ton argent…

À ce moment-là, l'arquebusier qui avait bloqué Isabel, et qui avait auparavant accompagné Hernando à l'intérieur de la maison, murmura quelques mots à l'oreille du janissaire. Le Turc écouta en silence et fit la grimace.

— Elle ne vaut rien ! grogna-t-il après avoir réfléchi une poignée de secondes, et il repoussa Isabel.

— Tu peux en tirer plus de trois cents ducats, mon garçon ! le contredit un autre janissaire.

Après avoir de nouveau saisi la corde, Hernando se dirigea à l'endroit où avait atterri l'épée d'Hamid, derrière le groupe de janissaires qui riaient encore, et il avança en tirant Isabel, évitant les Turcs.

— Cette vieille lame ne te servira pas à grand-chose, entendit-il crier derrière lui lorsqu'il se baissa pour la ramasser, si tu n'apprends pas à la tenir plus fort.

Le souk : les cris, la foule, les couleurs et les odeurs s'imposèrent une fois de plus. Hernando rengaina son épée et se redressa. Qu'allait-il faire de cette enfant ? pensa-t-il, alors qu'il voyait déjà plusieurs marchands se presser dans sa direction.

17.

— Va. Tu es libre.

Hernando avait réussi à traverser le souk sans tenir compte des offres des marchands. « Elle est déjà vendue ! » répondait-il, en entraînant Isabel pour échapper aux hommes qui s'en approchaient. « Ne la touchez pas ! » Il dut se libérer de tous ceux qui, dès qu'ils voyaient la jeune chrétienne attachée, l'abordaient et, sans même savoir son prix supposé, s'entêtaient à les suivre en leur assénant tout type de proposition.

À l'extérieur du village, ils se cachèrent derrière un petit mur qui délimitait un champ d'oliviers ; alors Hernando délia les mains d'Isabel.

— Cours ! murmura-t-il, une fois la corde dénouée.

La petite tremblait. Hernando aussi. Il était en train de libérer l'esclave que le roi lui avait livrée pour qu'il puisse nourrir ses chevaux !

— Fuis ! insista-t-il à voix basse auprès de la fillette qui restait immobile.

Elle était incapable d'articuler un mot. La terreur se reflétait dans ses yeux bruns.

— Va-t'en !

Il la poussa, mais Isabel se blottit davantage contre le mur en pierres. Alors il se leva et fit mine de la laisser là.

— Où ? demanda Isabel avec un filet de voix.

— Eh bien…

Hernando esquissa un geste des mains. Puis il observa les alentours, la montagne au fond. Ici et là brûlaient les feux des soldats et des Maures qui n'avaient pas trouvé de place à Ugíjar : la plupart d'entre eux appartenaient à la grande armée d'Abén Humeya.

— Je ne sais pas ! J'ai déjà assez de problèmes, se plaignit-il. J'aurais dû te vendre et acheter du fourrage pour les chevaux du roi. Comment vais-je leur donner à manger si je te libère ? Tu veux que je te vende ?

Elle ne répondit pas, mais elle continua à le supplier du regard. Hernando se baissa de nouveau et fit signe à Isabel de garder le silence car un groupe de gens arrivait. Il attendit qu'ils passent. Qu'allait-il faire ? songea-t-il pendant ce temps. Comment allait-il nourrir les chevaux ? Que se passerait-il si le roi apprenait ce qu'il avait fait ?

— Va-t'en ! Fuis ! insista-t-il malgré tout, une fois que les voix des Maures se perdirent au loin.

Comment aurait-il pu vendre la sœur de Gonzalico ? Il n'avait pas réussi à obtenir la conversion de cet enfant obstiné. Même à le faire juste mentir ! Il se rappela ce petit être qui avait dormi paisiblement à ses côtés, en lui tenant la main, quelques heures avant qu'Ubaid l'égorge et lui arrache le cœur.

— Sauve-toi une fois pour toutes !

Hernando se leva et se remit à marcher en direction du village. Il fit un effort pour ne pas se retourner mais, au bout d'une douzaine de pas, la curiosité le vainquit et la sensation que… Elle le suivait ! Isabel le suivait, pieds nus, en haillons, pleurant et montrant au soleil de la mi-journée ses cheveux blonds hirsutes. Hernando lui indiqua la direction opposée, mais elle ne bougea pas. Une nouvelle fois, il lui ordonna de partir. Isabel resta immobile.

Hernando fit marche arrière.

— Je vais te vendre ! dit-il en poussant une fois de plus la fillette qu'il ramena près du mur. Si tu me suis, je te vendrai. Tu as bien vu : ils veulent tous t'acheter.

Isabelle pleurait. Hernando attendit qu'elle se calme. Mais le temps passait et la petite pleurait toujours.

— Tu pourrais t'enfuir, insista-t-il. Tu pourrais attendre qu'il fasse nuit et te faufiler par là…

— Et après ? le coupa Isabel entre deux sanglots. Où j'irai après ?

Les Alpujarras étaient aux mains des Maures, reconnut Hernando en son for intérieur. D'Ugíjar à Órgiva, à plus de sept lieues, où se dressait le dernier camp du marquis de Mondéjar, il n'y avait pas de chrétiens. Et tout au long des quatre lieues qui les séparaient de Berja, où se trouvait le marquis de los Vélez, il n'y en avait pas non plus. Les terres étaient truffées de Maures qui surveillaient le moindre mouvement. Jusqu'où pourrait parvenir la fillette avant d'être arrêtée ? Et si on l'arrêtait… On saurait qu'il l'avait libérée.

Alors Hernando se rendit compte de son erreur et soupira.

Pour ne pas avoir à retraverser le souk, ils contournèrent Ugíjar et se dirigèrent vers la maison de Salah. Hernando tirait encore sur la corde qu'il avait rattachée aux mains d'Isabel au cas où ils croiseraient quelqu'un. Qu'allait-il faire d'elle ? La faire passer pour une musulmane ? Tout Ugíjar avait vu ses cheveux clairs, blonds et secs ! Qui ne la reconnaîtrait pas ? Quelles explications donnerait-il ? Comment une chrétienne pouvait-elle habiter avec eux ? Ils rencontrèrent des groupes de Maures et de soldats qui observèrent avec attention la prisonnière. Bientôt ils arrivèrent sur les terres de la maison, près du mur qui les entourait, du côté le plus éloigné d'Ugíjar.

— Cache-toi, dit Hernando à Isabel après l'avoir détachée.

La fillette regarda autour d'elle : il y avait juste le mur ; le reste était constitué de champs plats.

— Couche-toi dans les buissons, ils te dissimuleront. Fais ce que tu veux, mais cache-toi. Si on te découvre… tu sais très bien ce qui t'arrivera.

« Et à moi aussi », songea-t-il.

— Je reviendrai te chercher. Je ne sais pas quand. Je ne sais pas non plus pour quoi faire, dit-il en faisant claquer sa langue et en hochant la tête. Mais je reviendrai.

Sans plus se soucier de la petite, il contourna le mur pour parvenir jusqu'à la porte principale ; il remarqua juste que la fillette se jeta par terre dès qu'il lui tourna le dos et commença à s'éloigner. Qu'allait-il faire d'elle ? Et, en supposant ce problème résolu, qu'en serait-il de l'orge ? Et du fourrage ? Où obtiendrait-il la nourriture des animaux ? Bientôt ils ne pourraient plus paître dans le champ autour de la demeure. Qui lui avait demandé de choisir Isabel ? Il aurait pu prendre n'importe quelle autre. Celle qui avait poussé Isabel pour se sauver, par exemple ! Aurait-il été capable de la vendre ?

Depuis toujours les Maures avaient aidé les Barbaresques dans leurs incursions sur les côtes méditerranéennes. On comptait beaucoup de Maures parmi les corsaires, surtout chez ceux de Tétouan, mais aussi chez les Algériens. C'étaient des hommes nés en Al-Andalus qui, aidés de parents et d'amis, faisaient des prisonniers qu'ils vendaient ensuite comme esclaves sur la côte arabe, y compris s'il leur arrivait parfois de les libérer en échange de la somme correspondante sur les plages mêmes, avant de lever l'ancre pour retourner dans leurs ports. Mais cela se passait sur les côtes de l'ancien royaume nasride, pas dans les hautes Alpujarras, où les esclaves des riches Maures étaient habituellement des Noirs guinéens. Les chrétiens leur avaient également interdit de posséder des esclaves noirs. C'est Hamid qui le lui avait raconté. Hernando n'avait jamais vendu personne ni aidé à capturer un chrétien ! Comment aurait-il pu vendre une gamine, même chrétienne, alors qu'il n'ignorait pas quel serait son destin aux mains des corsaires ou janissaires ? Il caressa l'épée, comme il le faisait toujours quand le souvenir de l'uléma revenait à sa mémoire.

Plongé dans ces pensées, il franchit les grosses portes

en fer qui donnaient sur la maison. Que… ? Que se passait-il là ? Plus d'une douzaine de soldats arabes discutaient dans la cour, devant le porche. Ils étaient accompagnés de chevaux harnachés et de mules chargées. Soudain Hernando se sentit mal, légèrement nauséeux, l'estomac retourné, avec dans le dos des sueurs froides.

Un arquebusier maure de la garde d'Abén Humeya vint à sa rencontre. Hernando recula malgré lui. L'homme eut l'air surpris.

— Ibn Hamid… commença-t-il à dire.

Savaient-ils déjà à propos d'Isabel ? Venaient-ils l'arrêter ? Ubaid ! Derrière une mule, il reconnut le muletier de Narila.

— Que fait-il ici, lui ? demanda-t-il d'une voix forte en le montrant du doigt.

L'arquebusier se tourna vers l'endroit que désignait Hernando et haussa les épaules. Ubaid fronça les sourcils.

— Lui ? dit à son tour l'arquebusier. Je ne sais pas. Il est arrivé avec le capitaine corsaire. C'est ce que je voulais te dire : un capitaine corsaire et ses hommes nous ont rejoints.

Hernando essayait d'écouter l'explication, mais son attention était concentrée sur Ubaid, qui continuait à le regarder avec arrogance.

— Le roi l'a autorisé à établer ses animaux près des nôtres, vu qu'ici il y a assez de fourrage pour tous…

— Ici ? laissa échapper Hernando.

— C'est ce qu'a dit le roi, répondit l'arquebusier.

Ses genoux se mirent à trembler. Pendant un instant, il fut tenté de partir en courant. Fuir… ou bien retourner là où se trouvait Isabel et la vendre une fois pour toutes. Ce n'était pas si difficile !

— Mais il y a un problème, reprit l'arquebusier.

Hernando ferma les yeux : que pouvait-il y avoir de pire ?

— Le Turc veut que ses hommes et lui aussi s'installent ici. Il n'y a aucun logement de libre dans tout Ugíjar, et vous avez assez de place. Il dit qu'il n'est pas venu nous aider à combattre les chrétiens pour dormir dehors.

— Pas question, voulut s'opposer Hernando.

Encore des gens ! Et Ubaid parmi eux ! Il cachait une prisonnière chrétienne près du mur et ne possédait pas un seul grain d'orge pour… un, deux, trois, quatre chevaux de plus, compta-t-il, et autant de mules.

— Ce n'est pas possible…

— Il a passé un accord avec le marchand. Lui et ceux qui l'accompagnent s'installeront au rez-de-chaussée ; Salah et sa famille, sous le porche.

— Quel accord ?

L'arquebusier sourit.

— Soit il lui laissait le rez-de-chaussée, soit il lui arrachait le nez et les oreilles à coups de dents et les clouait sur le mât à la poupe de son bateau.

— Sur… le mât ?

— C'est ce qu'il a dit, répondit l'arquebusier, qui haussa une nouvelle fois les épaules.

Pourquoi posait-il la question ? Que lui importaient les oreilles de Salah et l'endroit où les clouerait le capitaine turc ?

— Arrêtez cet homme, ordonna-t-il en signalant Ubaid.

L'arquebusier le regarda avec surprise.

— Arrêtez-le ! le pressa-t-il. Il ne peut pas… être au côté des chevaux du roi, ajouta-t-il après avoir réfléchi quelques instants au prétexte qu'il devait invoquer.

L'arquebusier était embarrassé, mais quelque chose dans le ton d'Hernando l'obligea à appeler ses compagnons. Au moment où ces derniers se dirigeaient vers Ubaid, plusieurs soldats arabes firent irruption. Ce n'étaient pas des janissaires. Ils étaient habillés de la même façon que les Maures de Grenade, mais leur teint n'était pas celui des Arabes ; il s'agissait sans doute de chrétiens renégats. Les deux groupes se retrouvèrent l'un en face de l'autre : le défi flottait dans l'air. Ubaid, retranché derrière les Barbaresques, avait le regard fixé sur Hernando.

— Où est ce Turc ? interrogea celui-ci lorsque l'arquebusier se tourna vers lui dans l'attente d'instructions.

Le Maure lui désigna la maison. Hernando découvrit le corsaire dans la salle à manger de la demeure chrétienne, bien calé sur un tas de coussins en soie brodés de mille couleurs. Dès qu'il le vit, Hernando ne douta pas une seconde qu'il pût couper à coups de dents la moindre oreille rencontrée sur son chemin : c'était un homme corpulent, aux traits droits et sévères, et il le salua avec le même accent que le blond qui, un peu plus tôt, l'avait défié avec sa dague pour se moquer ensuite de lui. Un autre chrétien renégat !

Pourtant, Hernando fut incapable de répondre à son salut. Il examina le corsaire : à l'extrémité d'un de ses bras puissants, il caressait avec les doigts de sa main droite les cheveux d'un jeune garçon richement vêtu, assis par terre à ses pieds.

— Mon mignon te plaît ? demanda le corsaire devant l'air stupéfait d'Hernando.

— Quoi… ? se réveilla soudain Hernando. Non !

Le non jaillit de sa bouche avec plus de force qu'il ne l'aurait souhaité.

Il vit le corsaire sourire et remarqua qu'il l'observait avec une audace indécente. Que se passait-il avec ces hommes ? se demanda-t-il, effrayé. Il se retrouvait planté devant un capitaine corsaire qui menaçait d'arracher des oreilles mais caressait cependant doucement les cheveux d'un enfant. À cet instant, suivi par Salah, un autre garçon un peu plus âgé que celui qui était assis, et paré avec le même luxe, se présenta : il portait une djellaba en lin jaune sur une culotte bouffante et de délicates babouches de la même couleur. Le garçon bougeait avec affectation ; il remit un verre de citronnade au capitaine et s'assit de l'autre côté, tout contre lui.

— Et celui-ci ne te plaît pas non plus ? l'interrogea-t-il avant de porter la citronnade à ses lèvres.

Hernando chercha l'aide de Salah, mais le commerçant ne pouvait détourner ses yeux exorbités du trio.

— Non plus, répondit Hernando. Ni l'un ni l'autre.

Tous trois semblaient le déshabiller du regard.

— Tu ne peux pas rester ici, lui lança-t-il brusquement, pour mettre fin à cette situation.

— Je m'appelle Barrax, dit le corsaire.

— La paix soit avec toi, Barrax, mais tu ne peux pas rester dans cette maison.

— Mon bateau se nomme *Le Cheval rapide*. C'est un des navires corsaires les plus rapides d'Alger. Tu aimerais beaucoup naviguer dessus.

— C'est possible, mais…

— Quel est ton nom ?

— Hamid ibn Hamid.

Le capitaine se leva très lentement : il était pratiquement deux fois plus grand que tous les hommes présents et portait une simple tunique en lin blanc. Hernando dut faire un effort pour ne pas reculer ; Salah, en revanche, esquissa un pas en arrière. Le corsaire sourit de nouveau.

— Tu es courageux, reconnut-il, mais écoute-moi bien, Ibn Hamid : je resterai dans cette maison jusqu'au moment où votre roi se mettra en marche avec son armée, et aucun chien maure, aussi protégé soit-il par Ibn Umayya, ne m'en empêchera.

— Nous attendons mon beau-père… et Ibn Abbu ! ajouta Hernando de façon incohérente. Ils sont à Poqueira. C'est le cousin du roi, alguazil de Poqueira. Quand ils reviendront il n'y aura pas assez de…

— Ce jour-là, les femmes et les enfants de l'étage devront partir pour laisser la place au noble et valeureux Ibn Abbu et à ton beau-père.

— Mais…

— Ne t'inquiète pas, tu pourras dormir avec nous, Ibn Hamid.

Après ces paroles, le corsaire s'apprêta à quitter la pièce flanqué des deux garçons : le premier lançant des éclats d'or, le second rouge sang.

— Le muletier ne peut pas rester, dit alors Hernando.

Le corsaire s'arrêta et ouvrit les mains en signe d'incompréhension.

— Je ne veux pas le voir par ici, allégua-t-il pour toute explication.

— Et qui va s'occuper de mes chevaux et de mes mules ?

— Ne t'en fais pas pour tes animaux. Nous veillerons sur eux.

— D'accord, céda le corsaire sans accorder au sujet une plus grande importance.

Soudain, il esquissa un sourire et ajouta :

— Mais je le considère comme une faveur de ma part envers un jeune homme courageux, Ibn Hamid. Tu me devras quelque chose.

Il n'avait pas d'orge et il fallait nourrir les bêtes. Avant qu'on lui ordonne de quitter la maison, Ubaid l'avait fait appeler. Hernando apprit par Salah que le manchot avait rejoint Barrax à Adra, où il avait fui après la prise de Paterna par les troupes du marquis de Mondéjar. Corsaires, Arabes et Turcs ne cessaient d'affluer sur les côtes d'Al-Andalus, conscients que les galères de Naples allaient bientôt arriver et qu'à partir de là il serait plus difficile de débarquer. La navigation se compliquerait également sur les côtes espagnoles avec l'arrivée de l'armée du commandeur de Castille, raison pour laquelle beaucoup de capitaines corsaires avaient décidé de tirer profit de la guerre ou du commerce avec les Maures. Barrax avait besoin de chevaux et de mules pour transporter son équipement, principalement les habits et autres effets personnels de ses garçons, seuls membres de l'expédition corsaire autorisés à voyager avec bagages, et c'était pour cela qu'il avait engagé Ubaid, fin connaisseur de la région des hautes Alpujarras qui, bien que manchot, avait réussi à recouvrer sa pleine compétence avec les mules.

Salah rapporta à Hernando qu'Ubaid avait exigé du fourrage dès son arrivée.

— Je m'en occupe, répondit Hernando de mauvaise humeur, réfléchissant au moyen d'y parvenir.

Comment allait-il faire ? se demanda-t-il pour la énième fois lorsque le marchand, tout en sueur, lui tourna le dos.

Il était midi et les femmes préparaient à manger, mais avec l'arrivée de Barrax et de ses hommes, l'intimité de la veille s'était dissipée : Aisha, Fatima et l'épouse de Salah allaient et venaient, la tête et le visage couverts, dans une maison pleine d'étrangers. Fatima s'efforçait de remplacer ses sourires de la veille par de tendres regards qui s'attardaient plus que nécessaire sur Hernando, mais elle comprit vite, comme Aisha, qu'il se passait quelque chose.

— Qu'est-ce qui te préoccupe, mon fils ? demanda Aisha, profitant d'un moment où personne ne les écoutait.

Hernando secoua la tête, les lèvres pincées.

— Ton beau-père n'est pas revenu, insista Aisha, je t'ai entendu le dire au capitaine corsaire. Que se passe-t-il alors ?

Voyant qu'il évitait son regard, Aisha insista :

— Ne t'inquiète pas pour nous, apparemment le corsaire ne s'intéresse pas aux femmes…

Il cessa de l'écouter. Bien sûr qu'il ne s'intéressait pas aux femmes ! Partout où il allait, partout où il se trouvait, Hernando tombait sur le regard libidineux de Barrax, parfois seul, parfois caressant un des garçons qui l'accompagnaient, ainsi qu'il l'avait fait pendant tout le repas, sans cesser de regarder Hernando, assis en face de lui, à côté de Salah, comme s'il occupait la place de son mignon. Tous les autres avaient mangé à l'extérieur de la maison.

Comment pourrait-il confesser cela à sa mère, si elle ne s'en était pas encore rendu compte ? Comment lui avouer, aussi, qu'il cachait une petite chrétienne près du mur, probablement affamée et terrorisée, capable de… De quoi Isabel était capable ? Et si elle quittait sa cachette et était arrêtée ? On viendrait le trouver. Comment lui dire qu'il n'avait pas d'orge et que cette nuit même, au pire demain, les hommes de Barrax réclameraient ce qu'Abén Humeya avait promis à leur capitaine ? Comment aurait-il pu rendre sa mère complice de sa désobéissance au roi, à qui il avait volé une prisonnière ? Si on avait coupé la main du muletier de Narila pour un simple crucifix… quel serait son sort à lui, pour une chrétienne qui pouvait valoir trois cents ducats ?

— Pourquoi trembles-tu ? demanda sa mère en portant ses deux mains à ses joues. Tu es malade ?

— Non… mère. Ne t'inquiète pas. Je vais tout arranger.

— Arranger quoi ? Que… ?

— Ne t'en fais pas ! cria-t-il brusquement.

Il passa l'après-midi à s'occuper des bêtes et tenta de se rapprocher de l'endroit où, en principe, Isabel était toujours cachée, mais il n'y parvint pas suffisamment pour parler avec elle, même à travers le mur. Yusuf se tenait en permanence à ses côtés, vif, intéressé, désireux d'apprendre, posant sans cesse des questions sur chaque soin qu'Hernando prodiguait aux animaux.

Malgré tout, à un moment où ils se trouvaient près du mur, Hernando montra à Yusuf les lèvres des chevaux, imprégnées de terre.

— Tu sais pourquoi ? l'interrogea-t-il.

— Parce qu'ils cherchent les racines, répondit le garçon, étonné qu'Hernando lui pose une question aussi facile.

— Parce qu'il n'y a rien à manger ! dit Hernando en

élevant la voix, feignant de regarder au-delà du mur. Ce soir, il n'y aura rien à manger, cria-t-il. Il faudra tenir jusqu'à demain !

— Elle a mangé, murmura alors Yusuf.

Hernando sursauta.

— J'ai entendu quelqu'un pleurer et je suis allé voir…, expliqua l'enfant. Je lui ai donné un morceau de pain. Ne t'en fais pas, ajouta-t-il rapidement en voyant le visage alarmé d'Hernando. Je ne te dénoncerai pas.

Et demain ? pensa cependant Hernando. Il tapota affectueusement la joue du petit Yusuf et contempla le ciel bas et lourd au-dessus la Sierra Nevada.

Ce soir-là, Fatima, poussée par une Aisha très inquiète, vint elle aussi prendre de ses nouvelles, et elle se montra si douce qu'Hernando crut la voir sourire à travers le voile qui couvrait sa tête.

Il porta sa main droite vers son visage, mais il y eut alors un bruit et Fatima s'enfuit.

— Et l'orge ? interrogea Salah.

Le marchand avait mis Fatima en fuite juste au moment où Hernando s'apprêtait à soulever son voile. En dépit de son obésité, le commerçant s'était faufilé silencieusement dans la pièce où la jeune fille avait abordé Hernando, antichambre de l'escalier qui menait à la cave où Salah cachait ses trésors. Fatima passa à côté du gros homme, s'efforçant d'éviter le contact, mais ce dernier profita de l'instant pour la tripoter au passage.

Hernando avait la main encore tendue vers le voile qui avait disparu. La voix chuchotante de Fatima lui caressait les sens.

— Laisse-la ! cria-t-il. Pourquoi t'intéresses-tu autant à l'orge ? répliqua-t-il avec aigreur après s'être assuré que Fatima avait échappé à l'assaut de Salah et courait au premier étage.

— Parce qu'il n'y aura pas d'orge.

Les petits yeux de Salah se mirent à briller à la faible lueur d'une lanterne qui pendait du plafond, sur la première marche.

— Tout le marché parle d'un jeune Maure avec une épée à la taille et d'une jolie petite chrétienne que le roi lui avait confiée pour acheter du fourrage.

— Et ?

— La gamine n'est pas ici et tu ne l'as pas vendue. Personne à Ugíjar ne te l'a achetée. Je le sais.

Hernando n'avait pas envisagé cette éventualité, et pourtant… Tout à coup il se sentit tranquille ! Il tenait la solution. L'angoisse qui l'avait poursuivi toute la journée disparut subitement, tandis qu'il ébauchait son plan. Salah continuait de parler, une moue triomphale sur les lèvres :

— Voleur ! Qu'en as-tu fait ? Tu l'as violée et tuée ? Tu te l'es gardée pour toi ? Elle vaut cher… Donne-la-moi et je ne te dénoncerai pas ; sinon…

Le marchand parlait et menaçait. Hernando ne bougea pas.

— Je le ferai, j'irai voir le roi et tu seras exécuté.

— Mais si, je l'ai vendue, affirma soudain Hernando.

Son regard dur se posa sur le gros et sournois commerçant.

— Tu mens.

— Je l'ai vendue au seul marchand que je connais à Ugíjar… Je pensais qu'avec lui j'en obtiendrais un meilleur prix, mais…

— À qui… ? commença à demander Salah, qui s'interrompit en voyant le garçon porter la main à son épée.

— Mais ce gros marchand m'a roulé, reprit Hernando avec aplomb, et maintenant je n'ai ni chrétienne ni argent pour nourrir les chevaux du roi.

Il dégaina son épée et la pointa en direction du ventre de Salah, qui recula d'un pas vers le mur. Hernando serra fortement la poignée ; tous les muscles de son bras étaient tendus : cette fois, il ne se laisserait pas désarmer.

— Que crois-tu ? balbutia Salah, comprenant le piège que lui tendait le jeune garçon. Ce sera… ta parole contre la mienne et tu ne pourras jamais prouver que tu me l'as remise.

— Ta parole ?

Hernando plissa les yeux.

— Personne ne pourra entendre ta parole !

Quand il fit mine d'enfoncer son épée, Salah tomba à genoux. La lame courut jusqu'à sa gorge, déchirant ses habits.

— Non ! supplia Salah.

Hernando appuya la pointe de l'épée contre sa pomme d'Adam.

— Je ferai ce que tu veux, mais ne me tue pas. Je te paierai ! Je paierai tout ce que tu veux !

Il se mit à pleurer.

— Trois cents ducats, dit Hernando.

— Oui, oui. D'accord. Trois cents ducats. Tout ce que tu veux. Oui.

Il s'arrêta aussitôt de pleurer. Hernando exerça de nouveau une légère pression sur la gorge du marchand.

— Si tu me trompes, tu vas souffrir. Foi d'Ibn Hamid.

Salah secoua négativement la tête à plusieurs reprises.

— Lève-toi et ouvre ta réserve. Allons chercher l'argent.

Ils descendirent les marches, l'épée d'Hernando sur la nuque du commerçant. Salah mit du temps à ouvrir les deux serrures qui protégeaient l'accès à la réserve. Son vaste dos empêchait que la lanterne du garçon l'éclaire assez.

— À genoux ! exigea le jeune homme lorsque la porte s'entrouvrit et que Salah s'avança pour entrer. Marche comme un chien.

Le marchand obéit et pénétra dans la réserve à quatre pattes. Hernando referma la porte d'un coup de pied. Puis il essaya d'examiner l'intérieur sans cesser de menacer Salah, qui respirait bruyamment.

— Maintenant allonge-toi par terre, bras et jambes en croix ! Si tu fais le moindre mouvement, je te tue. Où y a-t-il une autre lampe ?

— Devant toi, sur un coffre.

Salah se mit à tousser à cause de la poussière que ses paroles avaient soulevée du sol. Hernando trouva la lampe, alluma la mèche et la cave s'éclaira.

— Hérétique ! s'écria Hernando dès que ses yeux se furent habitués à la lumière. Qui aurait pu croire en ta parole ?

Vierges et crucifix, un calice, capes et chasubles, et même un petit retable s'entassaient près de vieux tonneaux de vivres, vêtements et marchandises de tout type.

— Ils valent beaucoup d'argent, se défendit le commerçant.

Hernando garda le silence pendant quelques instants, puis effleura des doigts la figure d'une Vierge à l'Enfant qui se trouvait près de lui. « Cette fois tu m'as sauvé », fut-il tenté de lui dire. Sans toutes ces images… l'un d'eux serait mort.

— Où sont les ducats ? demanda-t-il.

— Dans un petit coffre, juste à côté de la lampe.

— Assieds-toi, lui ordonna-t-il après avoir pris la lampe. Doucement, les jambes écartées, ajouta-t-il alors que le marchand commençait à se redresser lourdement. Compte trois cents ducats et mets-les dans un sac.

Salah s'exécuta. Hernando referma le coffre et posa le sac sur un autre coffre.

— Tu vas les laisser là ? questionna Salah, étonné.

— Oui. Je pense qu'il n'existe pas de meilleur endroit pour l'argent du roi.

Ils refermèrent la porte comme ils l'avaient ouverte. Hernando menaçait toujours le commerçant.

— Donne-moi une de tes clés. Celle-là, la plus grande,

exigea-t-il une fois que Salah eut terminé d'actionner les serrures. Bien, reprit-il, la clé à la main, maintenant voici la dernière partie du plan : tu vas m'accompagner voir le chef de la garde des arquebusiers. Si tu parles, je nierai tout. Ils me croiront ou pas, mais toi, j'en suis sûr, tu ne le sauras jamais car avec tout ce que tu caches là-dedans, tu seras exécuté sans autre forme de procès. Compris ?

Le marchand garda le silence dans le patio, écoutant Hernando parler au chef des arquebusiers et lui ordonner de poster un de ses hommes en permanence devant la porte d'accès à la cave.

— À l'intérieur il y a l'argent du roi, expliqua-t-il. Nous pourrons seulement entrer tous les deux en même temps, Salah et moi. S'il m'arrive un jour quelque chose, vous devrez forcer la porte et récupérer ce qui appartient au roi. Prie le Miséricordieux, dit-il ensuite à Salah, alors qu'ils se trouvaient de nouveau à l'intérieur de la maison, pour qu'il ne m'arrive rien.

— Je prierai pour toi, affirma le marchand bien malgré lui.

Le lendemain, de bonne heure, l'un et l'autre ouvrirent leur serrure respective sous les yeux de l'arquebusier de garde, au bas des marches. Une fois dans la réserve, Salah se hâta de refermer la porte, mais Hernando la maintint entrouverte, suffisamment pour que le marchand soit contraint de veiller au moindre bruit provenant de l'escalier, peu désireux que quelqu'un d'autre voie ses marchandises. Hernando prit plusieurs ducats et les remit à Salah.

— Va acheter de l'orge et du fourrage, lui dit-il. Assez pour plusieurs jours et pour tous les animaux. Je veux tout ici ce matin et, bien sûr, j'ai besoin de beaux habits…

— Mais…

— Telle est la volonté du roi. Le prix a augmenté, c'est comme ça. Je veux aussi des vêtements noirs… non, blancs, de femme… de jeune fille. Et un voile, poursuivit-il en souriant, surtout un voile. Il me le faut dès que possible. Je suis sûr que tu peux trouver cela parmi... tout ceci, ajouta-t-il en agitant la main.

Peu après, Hernando quittait la réserve, vêtu de vert, avec une tunique de taffetas rouge et argent, une cape de tissu or violet brodée de perles et un turban avec une petite émeraude sur le front : il portait l'épée d'Hamid à la ceinture et les habits pour Isabel à la main. Salah le suivit des yeux, le regard rempli de haine. Pendant la nuit, Hernando avait imaginé des quantités de plans pour sortir Isabel de ces terres, mais il les avait rejetés les uns après les autres jusqu'au moment où... pourquoi pas ? L'affaire du fourrage n'avait-elle pas bien marché ? Il devait simplement se laisser mener par son instinct. Dans le salon, il tomba sur Barrax et ses mignons : le corsaire s'écarta de son chemin et lui fit une révérence. Hernando passa parmi eux en leur souhaitant la paix.

— Si tu venais avec moi, ton petit turban serait plein de saphirs gros comme tes yeux, s'exclama le capitaine à son passage.

Hernando chancela, troublé, mais il se ressaisit. Il arriva au porche et demanda son cheval moreau à Yusuf, qui le lui ramena en un rien de temps, bridé.

— Je dois remplir une mission pour le roi, prétexta-t-il à Fatima et à sa mère, qui ne purent dissimuler leur admiration devant ses luxueux habits.

Il enfourcha son cheval, l'éperonna et quitta la maison au galop. Il se rendit à l'endroit où se trouvait Isabel.

— Enfile cette tenue.

Allongée par terre, là où il l'avait laissée la veille, Isabel leva seulement la tête lorsque les sabots de l'animal faillirent lui effleurer le front.

— Obéis ! insista-t-il devant l'hésitation de la fillette. Que regardez-vous, vous autres ? aboya-t-il en direction d'un groupe de soldats qui s'étaient approchés.

Hernando dégaina son épée et excita son cheval à

l'encontre des Maures ; sa cape or et violet tournoyait sur la croupe de l'animal. Les hommes s'enfuirent.

— Dépêche-toi, dit-il à Isabel.

La petite n'avait nul endroit où se cacher et elle commença à se déshabiller accroupie, s'efforçant le plus possible de se dissimuler. Hernando se tourna, mais le temps pressait. D'autres soldats pouvaient surgir à n'importe quel moment.

— Ça y est ?

N'obtenant pas de réponse, il fit volte-face et aperçut ses seins naissants.

— Vite !

Isabel ne savait comment enfiler des habits qu'elle ne connaissait pas. Hernando mit pied à terre et l'aida, ignorant sa pudeur.

— Le voile, le voile, couvre-toi bien la tête !

Une fois qu'elle fut prête, il la fit monter devant lui en amazone pour pouvoir la maintenir entre ses bras, puis il partit au galop. Isabel oscillait, instable, mais elle ne se plaignit pas. Hernando hésita entre Órgiva et Berja, mais il réfléchit : même si le Diable Tête de Fer se trouvait à Berja, il risquait de rencontrer un plus grand nombre de Maures sur le trajet qui menait à Órgiva ; Abén Aboo et Brahim maraudaient avec leurs hommes dans la région de Válor, et pour rien au monde il n'aurait voulu tomber sur son beau-père. Il connaissait le chemin jusqu'à Berja : c'était celui qu'il avait parcouru deux mois plus tôt pour se rendre à Adra. À peu près à une demi-lieue de la côte, il lui faudrait tourner vers l'est, en direction des contreforts de la montagne de Gádor. Loin d'Ugíjar et de l'armée d'Abén Humeya, Hernando retint le mors de son cheval. Il transpirait.

— Où m'emmènes-tu ? s'enquit alors Isabel.

— Chez les tiens.

Ils trottèrent un bon moment avant que la fillette reprenne la parole :

— Pourquoi fais-tu cela ?

Hernando ne répondit pas. Pourquoi faisait-il cela ? Pour Gonzalico ? Pour la chaleur de ses petites mains qu'il avait tenues serrées dans les siennes au cours de la dernière nuit de l'enfant ? Pour l'union qu'il avait vécue avec Isabel alors qu'ils regardaient tous deux Ubaid l'assassiner, ou simplement parce qu'il ne voulait pas qu'elle tombe entre les mains d'un Arabe ou d'un chrétien renégat ? Il ne s'était jamais posé la question jusque-là. Il s'était contenté d'agir… comme le lui ordonnait son instinct ! Mais réellement, pourquoi faisait-il cela ? Il allait s'attirer des ennuis. Qu'avaient fait les chrétiens à son égard pour qu'il défende l'une des leurs ? Isabel lui redemanda pourquoi il l'aidait. Il éperonna son cheval afin qu'il se remette au galop. Pourquoi ? insista la fille. Il asticota davantage la bête, agrippant Isabel par la taille pour l'empêcher de tomber. Elle ne pesait rien. C'était juste une enfant. Pour cette raison, conclut-il avec satisfaction tandis que le vent lui fouettait le visage. Parce que c'était juste une enfant !

Aucun des Maures qu'ils croisèrent n'essaya de les arrêter. Ils s'écartaient de leur chemin, montrant de la curiosité à l'égard de cet étrange couple à cheval : une silhouette féminine vêtue de blanc, la tête et le visage couverts, tenue par un cavalier qui montait fièrement, avec ses riches habits et l'épée cognant au flanc de l'animal.

Avant la mi-journée ils arrivèrent aux abords de la ville de Berja, où chaque maison possédait un jardin. Plusieurs tours défensives dominaient les constructions. Ils effectuèrent au pas la dernière partie du trajet, afin de permettre au cheval de se reposer. C'est alors qu'Hernando sentit le contact du jeune corps d'Isabel. La petite s'appuyait entièrement contre lui. Son vêtement, sur son abdomen, là où il la tenait fermement, était trempé de sueur, et Hernando sentit le ventre d'Isabel, dur et tendu en permanence.

Devant la vision de Berja, il balaya ces sensations. À l'extérieur de la ville, les gens travaillaient les champs et

certains soldats chrétiens se reposaient pendant que
d'autres ramassaient du fourrage pour les chevaux. À
l'apparition d'Hernando, les soldats cessèrent leurs activités. Le soleil de la mi-journée était de plomb. Le cheval
moreau, freiné, percevant la tension de son cavalier, se
mit à tanguer en soufflant fortement : le rouge de son
pelage scintillait, de même que la cape du jeune homme…
Et que l'armure du marquis de los Vélez et celle de son
fils, don Diego Fajardo, qui se tenaient debout à l'entrée
du village.

Il fit descendre Isabel au moment où un groupe de
soldats courait déjà vers lui, les armes à la main. Du haut
de son cheval, il arracha le voile de la fillette afin de faire
apparaître ses cheveux blonds. Alors il dégaina son épée
et l'appuya sur la nuque de l'enfant. Les soldats en tête
stoppèrent d'un coup sec et se heurtèrent les uns aux
autres, à guère plus de cinquante pas du couple.

— Cours, petite ! Sauve-toi ! cria l'un d'eux en tentant
d'amorcer son arquebuse.

Mais Isabel resta immobile.

Au loin, Hernando chercha le regard du marquis de los
Vélez, et le soutint quelques instants. Ce dernier finit par
comprendre ce que voulait le Maure. D'un geste de la
main, il fit signe à ses hommes de reculer.

— La paix soit avec toi, Isabel, dit Hernando dès que
les soldats chrétiens obéirent à leur général.

Il tourna bride et quitta l'endroit au galop, faisant tournoyer son épée en l'air et hurlant à la manière des Maures
quand ils attaquaient les troupes chrétiennes.

18.

« Nous avons appris que vingt-deux mille Maures plutôt bien armés doivent nous attaquer, et nous ne sommes pas plus de deux mille ; moi tout seul je me charge de deux mille d'entre eux, et mon cheval autant. Que sont neuf mille Maures pour l'infanterie de notre valeureux camp, et neuf mille autres pour vous, mes illustres cavaliers, qui avez tant de courage et tant de force avérée ? Et il nous reste encore le son belliqueux de nos claires trompettes, dont le fracas épouvantable suffit pour faire défaillir dix mille autres Maures. »

Ginés Pérez de Hita,
Guerras civiles de Granada,
harangue du marquis de los Vélez à son armée

Le mal qu'il s'était donné pour sauver Isabel avait-il servi à quelque chose ? se demandait Hernando, un peu plus d'un mois après avoir laissé la fillette aux mains du marquis de los Vélez, alors qu'il se trouvait une nouvelle fois aux portes de la ville. La petite était-elle encore à l'intérieur ? Si tel était le cas, ils risquaient de la capturer à nouveau… et on découvrirait alors qu'il ne l'avait pas vendue.

Abén Humeya s'était décidé à attaquer Berja, contraint par les Maures de l'Albaicín de Grenade, qui réclamaient la déroute du noble sanguinaire avant de rejoindre la rébellion. C'était le moment idéal : les troupes du marquis étaient plus que décimées par les désertions, dans l'attente des renforts de Naples lesquels, en même temps que la flotte royale, venaient juste de débarquer sur les côtes andalouses.

Qui doutait encore que les musulmans écraseraient l'armée du Diable Tête de Fer ?

Le roi avait ordonné d'attaquer la nuit, et le ciel commençait à s'assombrir. Le grand camp maure, aux abords de la ville, bouillonnait d'activité. Les hommes se préparaient au combat. Ils disposaient d'armes, criaient, chantaient et se recommandaient à Dieu. Cependant, au cœur des préparatifs et du vacarme général, beaucoup d'entre eux, à l'instar d'Hernando sur son cheval moreau, à l'instar du roi et de sa cour, ne cessaient de prêter attention à un demi-millier de soldats un peu à l'écart des autres.

Il s'agissait de *muyahidin* turcs et arabes qui enfilaient des chemises blanches sur leurs vêtements pour se distinguer dans l'obscurité, comme cela se faisait lors des incursions nocturnes de l'infanterie espagnole, et qui, certains de la victoire, posaient des guirlandes de fleurs sur leurs têtes. Le haschisch circulait en abondance parmi ces soldats d'Allah, qui avaient juré de mourir pour Dieu ; ils avaient également demandé au roi l'honneur de prendre la tête de l'assaut.

Une fois qu'Abén Humeya eut donné l'ordre d'attaquer, Hernando observa la façon dont les muyahidin s'élançaient aveuglément sur la ville. Comment ces hommes-là pourraient-ils être mis en échec ? s'interrogea-t-il encore. Les cris de guerre, les tirs des arquebuses, le résonnement des timbales et le son des pipeaux enveloppèrent le garçon. Qu'importait Isabel face à ces martyrs de Dieu ? Hernando, comme la quasi-totalité des hommes de l'armée restés à l'arrière, sentit un frisson et cria avec ferveur au moment où les muyahidin réduisirent à néant les chrétiens qui défendaient l'accès au village. Abén Humeya ordonna alors au gros de l'armée maure de se joindre à l'assaut.

Plusieurs monfíes qui se trouvaient à côté de lui hurlèrent et éperonnèrent leurs chevaux afin de couvrir la distance qui les séparait de la ville. Hernando dégaina son épée et partit lui aussi au galop, frénétique, criant comme un fou.

Mais à l'intérieur des ruelles de Berja il était impossible de combattre. Hernando n'arrivait même pas à maîtriser son cheval. Les soldats musulmans qui avaient envahi le village, trop nombreux, se retrouvaient coincés avec leurs chevaux entre les bâtiments. Hernando ne rencontra aucun ennemi à qui décocher un coup d'épée. Autour de lui, tous étaient musulmans ! Les chrétiens les attendaient postés dans les maisons, à l'intérieur ou sur les terrasses des toits, d'où ils tiraient sans répit. Ils n'avaient même pas besoin de viser ! Les hommes tombaient partout, blessés ou morts. L'odeur de poudre et de salpêtre inondait les rues et la fumée des tirs d'arquebuse empêchait Hernando de voir ce qui se passait. Il eut peur, très peur. En un instant il comprit que, comme les autres cavaliers, il dépassait des autres : il constituait donc une cible facile et attirante pour les chrétiens, en plus d'être un obstacle pour les Maures qui envoyaient leurs flèches ou leurs tirs d'arquebuse depuis la rue jusqu'aux toits. Il éperonna son cheval pour s'échapper de ce guet-apens, mais la bête ne put se frayer un passage parmi la foule. Une balle de plomb passa près de sa tête. Hernando perçut son sifflement tandis qu'elle fendait l'air. Il tint bon sur son cheval, priant, penché contre son cou. Soudain il sentit une douleur poignante à la cuisse droite : une flèche l'avait atteint au-dessus du genou. Quand l'armée musulmane entreprit de se retirer, la douleur était devenue insupportable. Le cheval moreau fut à deux doigts de tomber face à la multitude qui, à présent, poussait pour reculer. Hernando fut incapable de le maîtriser. Par miracle, l'animal se redressa, tourna sur lui-même et parvint à sortir de la petite ville avec le flot de gens.

Abén Humeya persista à attaquer tout au long de la nuit. Dans le camp maure, un barbier obligea Hernando à boire de l'eau avec du haschisch pour le faire patienter pendant qu'il soignait d'autres blessés. Puis il incisa la chair de sa cuisse, arracha la flèche et recousut la blessure avec habileté. Alors seulement Hernando s'évanouit.

À l'aube, Abén Humeya mit fin à son acharnement et sonna la retraite. Pendant toute la nuit, le marquis de los Vélez avait su utiliser avec succès sa position stratégique et avait continué à repousser les Maures. Hernando accompagna au galop la débandade du roi, la jambe droite pendante, incapable de mettre le pied à l'étrier, les dents serrées, s'efforçant de ne pas tomber. Ils laissaient derrière eux plus de mille cinq cents morts.

— Que le Prophète et la victoire t'accompagnent.

Telles avaient été les paroles par lesquelles Fatima lui avait dit au revoir avant qu'il parte pour Berja. Tout ce qu'on souhaitait à un guerrier !

L'armée du marquis de los Vélez ne les poursuivait pas – il aurait été absurde qu'elle sorte à découvert – et les Maures marchaient, déconfits et découragés, en direction des montagnes. Hernando laissa son cheval avancer à son rythme, avec les autres bêtes, et se réfugia dans le souvenir de Fatima pour oublier l'humiliante défaite et la douleur lancinante qu'il éprouvait à la jambe.

Lors des jours qui avaient suivi la libération d'Isabel, avant qu'Abén Humeya décide d'attaquer Berja, Fatima s'était sans cesse rapprochée de lui, sans peur ni rancune. Aisha s'occupait d'Humam et de ses fils, tandis que Brahim, qui venait juste de passer par la maison où vivait sa famille pour témoigner de son existence, était toujours à Válor au côté d'Abén Aboo. Barrax prenait impudiquement du plaisir avec ses mignons et Ubaid, en attendant d'être rappelé par le corsaire, avait disparu dans le village. Salah allait et venait dans la maison, affligé par la perte de ses trois cents ducats et par les coûteux vêtements que lui avait pris Hernando, demeurant non loin de la réserve où se trouvait son trésor.

Fatima et Hernando se cherchaient et profitaient de chaque instant. Ils discutaient, se promenaient et partageaient leurs souvenirs, les événements qu'ils avaient vécus au cours des mois précédents, à la lumière du jour ou sous les étoiles, s'effleurant sans cesse. Lors d'une promenade, Fatima avait ouvert son cœur à Hernando et lui avait parlé de son mari, ce jeune apprenti qu'elle avait aimé davantage comme un frère que comme un amant.

— Je me rappelle de lui, à la maison, depuis ma plus tendre enfance. Mon père avait beaucoup d'affection pour lui… et moi aussi.

Fatima avait regardé Hernando comme si elle voulait lui signifier quelque chose par ces mots. Il était resté silencieux et elle avait poursuivi :

— Il était attentionné, et tendre… Ce fut un bon mari et il adorait Humam.

La jeune femme avait respiré profondément. Hernando avait attendu qu'elle reprenne la parole.

— Quand il est mort, j'ai pleuré pour lui. Comme je l'avais fait avant pour mon père. Mais…

Fatima l'avait soudain fixé ; ses yeux noirs paraissaient plus intenses que jamais.

— … maintenant je sais qu'il existe d'autres sentiments…

Un doux baiser avait scellé ses paroles. Puis, envahis tous deux par une timidité subite, ils étaient revenus vers la maison sans se dire un mot. Pendant quelques instants, ils avaient oublié Brahim et son harcèlement menaçant mais, alors qu'ils cheminaient, l'écho de ses paroles furieuses avait résonné à leurs oreilles. Qu'adviendrait-il d'Aisha si son mari apprenait que Fatima s'était donnée à Hernando ?

Le jour où on annonça que l'armée partirait à Berja,

Fatima apporta au jeune homme une citronnade bien fraîche à l'endroit où il préparait les chevaux. C'était aux premières heures du jour. Il flottait dans l'air l'allégresse nerveuse du combat imminent. Entre deux rires, Hernando la fit monter sur son cheval moreau, à cru, sentant trembler son corps lorsqu'il la saisit à la taille pour la hisser sur l'animal. Il voulut l'aider à mettre pied à terre et Fatima en profita pour se laisser tomber dans ses bras du haut de la monture. Alors, accrochée à lui, elle l'embrassa. Yusuf s'esquiva non sans leur jeter des coups d'œil. Hernando lui rendit un baiser passionné, se serrant contre sa poitrine et son pelvis, la désirant et sentant son désir. Plus tard, absorbé par les préparatifs du départ, il ne s'aperçut pas que la jeune fille et sa mère avaient disparu pendant tout le reste de la journée.

Cette nuit-là, Aisha laissa à leur disposition sa chambre avec le lit à baldaquin et alla dormir au côté des enfants. Elle avait passé la journée à louer des vêtements et des bijoux pour Fatima, faisant fi de ses faibles protestations. Elle avait acheté un peu de parfum et employé l'après-midi à la préparer : elle l'avait baignée et avait lavé sa chevelure noire avec du henné mélangé à une douce huile d'olive, afin de lui donner cette teinte rouge qui éclatait sur chaque boucle ; elle l'avait ensuite parfumée d'eau de fleur d'oranger. Au moyen du henné encore, elle avait soigneusement tatoué ses mains et ses pieds, traçant de petites figures géométriques. Fatima s'était laissé faire : parfois souriant, parfois baissant les yeux. Aisha nettoya ses yeux noirs avec du jus de baies de myrte et de la poudre d'antimoine, puis elle lui prit le menton, l'obligeant à se tenir tranquille, jusqu'à ce que les grands yeux noirs de la jeune fille apparaissent clairs et brillants. Elle lui fit enfiler une tunique en soie blanche brodée de perles et ouverte sur les côtés, et la para de grandes boucles d'oreilles, de bracelets aux chevilles et aux poignets, le tout en or. Mais, au moment où elle voulut lui passer un collier, la jeune femme refusa avec délicatesse qu'elle enlève la main de Fatima qui ornait sa poitrine. Aisha caressa la petite main et céda. Elle prépara des bougies et des coussins, remplit une cuvette avec de l'eau pure et disposa de la citronnade, des raisins, des fruits secs et des pâtisseries au miel qu'elle avait achetés sur le marché.

« Tâche de ne pas bouger », l'implora-t-elle quand Fatima fit mine de l'aider. Une ombre de tristesse, presque imperceptible, traversa le visage de la jeune fille.

— Que se passe-t-il ? s'inquiéta Aisha. Tu ne... tu n'es pas décidée ?

Fatima baissa les yeux.

— Si, bien sûr, dit-elle. Je l'aime. Ce que je ne sais pas...

— Raconte-moi.

Fatima releva le visage et se confia à Aisha.

— Salvador, mon époux, aimait jouir de mon corps. Et je me pliais à tout ce qu'il voulait, mais...

Aisha attendit patiemment.

— Mais je n'ai jamais réussi à éprouver quelque chose. Il était comme un frère pour moi ! On a grandi ensemble dans l'atelier de mon père.

— Ce sera différent avec Hernando, affirma Aisha.

La jeune fille l'interrogea du regard, comme si elle voulait croire ses paroles.

— Tu t'en rendras compte toi-même ! Oui, quand le désir fera trembler tout ton corps. Hernando n'est pas ton frère.

Après les prières du soir, Aisha alla chercher son fils sous le porche et, sans lui donner d'explications, l'obligea à l'accompagner au premier étage. Salah et sa famille observèrent l'insistance d'Aisha pour qu'Hernando la suive, puis Barrax et ses deux mignons les virent passer par la porte ouverte de la salle à manger qu'ils utilisaient pour dormir. Le corsaire lâcha un soupir de regret.

— Elle a promis de t'attendre, dit Aisha à Hernando à la porte de la chambre.

Le jeune garçon allait dire quelque chose, mais il réussit seulement à agiter maladroitement la main.

— Mon fils, je n'admettrai pas qu'à cause de moi vous vous reteniez de vous aimer. De plus, ce serait inutile… Entre, l'enjoignit-elle, lui attrapant le poignet tandis qu'elle entrouvrait la porte.

Hernando voulut l'étreindre, mais Aisha s'effaça.

— Non, mon fils, plus maintenant. C'est elle que tu dois prendre dans tes bras. C'est une femme bien… et elle sera une bonne mère.

Mais le garçon fut incapable de franchir le seuil ; il s'arrêta là, fasciné. Fatima l'attendait debout, près des coussins disposés par Aisha autour de la nourriture.

— Entre ! chuchota sa mère en le poussant afin de pouvoir refermer la porte.

À l'intérieur de la chambre, Hernando se figea de nouveau. Les lueurs des bougies jouaient avec les formes voluptueuses qu'il percevait à travers la tunique de la jeune fille ; les perles qui ornaient les vêtements de Fatima brillaient, comme ses cheveux, et l'or, et les tatouages à ses pieds et à ses mains, et ses yeux, le tout enrobé dans ce parfum si pur d'eau de fleur d'oranger…

Fatima s'avança vers lui, souriante, et lui tendit la cuvette d'eau. Après avoir réussi à balbutier un remerciement, Hernando se lava nerveusement. Puis, avec douceur, la jeune fille l'invita à s'asseoir. Effrayé, Hernando détourna le regard de ses seins, qui pointaient librement sous la soie, mais il ne fut pas davantage capable de le poser sur ses immenses yeux noirs. Alors il s'assit. Et se laissa servir. Il mangea et but, sans pouvoir dissimuler le tremblement de ses mains ou sa respiration agitée.

Ils terminèrent les raisins. Ainsi que les fruits secs et la citronnade. Par les côtés ouverts de sa tunique, Fatima ne cessait de lui montrer son corps mais Hernando, troublé, baissait les yeux comme s'il voulait fuir. Il n'avait plus le moindre souvenir de son unique expérience avec les femmes ! Il tendait la main pour prendre un autre petit gâteau au miel lorsqu'elle susurra son nom :

— Ibn Hamid.

Elle se tenait debout devant lui, dressée. Fatima ôta sa tunique. Hernando retint son souffle face à la beauté du corps brillant qu'elle lui montrait ; ses seins, ronds et fermes, bougeaient au rythme d'un désir que la jeune femme ne pouvait réprimer.

« Tu t'en rendras compte toi-même », lui avait dit Aisha.

— Viens, murmura-t-elle au bout de quelques instants où seule la respiration hachée de l'un et l'autre filtrait dans la pièce.

Hernando s'approcha. Fatima prit une de ses mains et la porta à sa poitrine. Hernando la caressa et pinça doucement l'un des tétons dressés. Du lait jaillit et Fatima haleta. Hernando insista. Un jet de lait surgit et mouilla son visage. Tous deux se mirent à rire. Fatima fit un signe et Hernando pencha la tête pour téter pendant qu'il faisait glisser ses mains dans le creux de son dos, jusqu'à ses fesses musclées. Alors la jeune fille le déshabilla, ses lèvres parcourant son corps, l'embrassant doucement et tendrement. Hernando frissonna au contact de la bouche de Fatima sur son membre tendu. Elle le mena jusqu'au lit. Ils s'allongèrent tous deux et la jeune fille tenta d'atteindre ce plaisir qu'elle n'avait jamais rencontré avec son mari auprès d'un Hernando novice qui ne savait comment s'y prendre. Elle se souvint des conseils du cheik Nefzawi de Tunis, transmis de femme en femme et les lui chuchota à l'oreille, alors qu'Hernando, sur elle, s'efforçait d'introduire son pénis :

— Je ne t'aimerai pas si les bracelets de mes chevilles ne touchent pas mes boucles d'oreilles.

Hernando stoppa ses tentatives. Il se redressa et s'écarta

du corps de la jeune fille. Que disait-elle ? Ses chevilles près de ses oreilles ? Il interrogea Fatima du regard et elle lui sourit de manière coquine tout en levant les jambes. Attentif à ses murmures, il la pénétra avec douceur : doucement, je t'aime, doucement, aime-moi… Mais lorsque leurs corps finirent par se fondre l'un dans l'autre, Fatima poussa un cri qui rompit l'enchantement et donna à Hernando la chair de poule. Alors ses requêtes se muèrent en un mélange de soupirs et de halètements, et Hernando s'abandonna au rythme des gémissements de plaisir de la jeune fille. Ils atteignirent l'orgasme en même temps et, après s'être ainsi livrés à l'extase, ils restèrent silencieux. Au bout d'un moment, Hernando ouvrit les yeux et observa le visage de Fatima : ses lèvres étaient serrées et ses yeux complètement clos, comme si elle faisait tout pour retenir ce moment.

— Je t'aime, dit Hernando.

Elle garda fermés ses beaux yeux noirs, mais ses lèvres esquissèrent un large sourire.

— Dis-le-moi encore, susurra-t-elle.

— Je t'aime.

La nuit s'écoula en baisers, rires, caresses, ébats et promesses. Des milliers de promesses ! Ils firent l'amour plus d'une fois, et Fatima comprit enfin la signification de toutes les anciennes lois du plaisir ; son corps sensible au moindre contact, son esprit définitivement livré à la jouissance des sens. Hernando la suivit sur ce chemin, découvrant ce monde immense de sensations satisfaites seulement par les convulsions et les spasmes de l'extase. Ensuite, chaque fois, ils se jurèrent de s'abandonner entièrement l'un à l'autre.

La défaite de Berja ne changea rien à la situation. Après la bataille, le marquis de los Vélez se retira sur la côte dans l'attente de nouvelles troupes. Don Juan d'Autriche se contenta de renforcer des quartiers périphériques comme Órgiva, Guadix et Adra, raison pour laquelle Abén Humeya conserva le contrôle des Alpujarras. Le roi de Grenade conquit Purchena, où il célébra des jeux fastueux. Il organisa des concours de danse pour couples ou juste pour femmes, des concours de chant et de poésie, de combats au corps à corps, des concours de saut, de poids, de lancer de pierre et d'adresse, à l'arquebuse, l'arbalète ou la fronde, auxquels participèrent Maures d'Al-Andalus, Turcs et Arabes, pour l'amour des dames et pour les importants prix que le roi avait promis aux vainqueurs : chevaux, habits brodés d'or, épées, couronnes de laurier, écus et ducats en or par dizaines.

Pendant ce temps, Hernando prolongea sa convalescence à Ugíjar pour jouir de sa romance avec Fatima. Aisha et Fatima n'avaient pas suivi l'armée et elles étaient restées à la maison, avec Salah et sa famille. Bien que le roi ne fût pas en ville, Hernando avait ordonné à l'alguazil d'Ugíjar de maintenir un Maure de garde dans l'escalier de la cave ; l'argent du roi s'y trouvait et il pouvait à tout moment revenir et en avoir besoin.

De son côté, le petit Yusuf s'occupait des mules restées avec l'armée et envoyait régulièrement un message à Hernando. Ce dernier appréciait sa présence à la maison. L'absence de Brahim les avait plongés dans une douce ambiance : Aisha veillait sur lui et lui montrait une tendresse sans limites, et Fatima, attentionnée, était aux petits soins. Depuis leur nuit d'amour, vécue juste avant le départ d'Hernando au combat, leurs relations s'étaient limitées à des regards chargés de désir et à de fugaces caresses.

Aisha avait abordé le problème dès que son fils était rentré de Berja ; les femmes connaissaient bien les lois.

— Vous devez vous marier, leur avait-elle dit à tous deux, s'efforçant d'écarter de ses pensées les conséquences pour elle d'une telle union.

Ils avaient mutuellement consenti du regard ; cependant, le visage d'Hernando s'était altéré.

— Je n'ai pas les moyens de payer son *idaq*, sa dot…, avait-il commencé à murmurer.

Les ducats d'Abén Humeya ? avait-il alors songé, dirigeant les yeux vers l'intérieur de la maison. Mais Aisha avait deviné ce qui lui passait par la tête.

— D'abord tu devras demander au roi son autorisation. C'est son argent. Ensuite il faudra que tu cherches de quoi constituer la dot de Fatima, car ton beau-père, qui représente ta famille, contribuera difficilement à cela. Toi, avait-elle dit en s'adressant à Fatima, tu es une femme libre. Après la mort de ton mari, tu as suivi les préceptes de notre loi et tu as respecté les quatre mois et dix jours d'*idda* ou veuvage. Je les ai comptés, avait-elle ajouté avant que l'un ou l'autre entreprenne de faire des calculs. Certes, tu n'as pas respecté l'obligation de demeurer dans la maison de ton mari pendant l'idda, mais la situation ne le permettait pas, avec l'armée du marquis à Terque. Pour ce qui est de l'idaq, avait-elle poursuivi en s'adressant à présent à Hernando, tu disposes d'environ trois mois pour l'obtenir. Vous avez couché ensemble sans être mariés, c'est pourquoi désormais vous ne pouvez pas vous marier avant qu'elle ait eu trois fois ses règles, sauf si…

Aisha avait fait claquer sa langue.

— Si tu étais enceinte, vous ne pourriez pas vous marier avant l'accouchement, ni faire l'amour pendant toute cette période, la loi l'interdit. Nous ne trouverions aucun témoin qui accepte de comparaître au mariage d'une femme enceinte. Souviens-toi, mon fils : tu as trois mois pour obtenir cette dot.

Faire l'amour avait signifié mettre le mariage au second plan. La première menstruation les rassura. La décision n'en était pas moins dure, mais elle était simple pour tous deux : trois mois d'abstinence.

Quant à l'idaq, Hernando envisageait de s'adresser au roi dès que sa jambe serait guérie. Si quelqu'un pouvait l'aider, qui d'autre qu'Abén Humeya, l'homme qui lui avait appris à monter et offert un cheval ? Ne lui avait-il pas prouvé son estime par le passé ? Même si, malgré lui, Hernando avait de sérieux doutes quant à la nature de cette estime. Les rumeurs sur la décadence morale dans laquelle le roi était tombé s'étaient ébruitées partout dans la montagne. Ce qu'ignorait Hernando, c'était que le temps jouait contre lui.

Malheureusement, ces rumeurs étaient fondées : le pouvoir unilatéral et l'argent qu'il avait ensuite reçu à profusion avaient transformé le roi en tyran. Abén Humeya avait cédé à l'avarice, et il n'existait pas une seule propriété maure qu'il n'eût pas pillée ; il vivait dans la luxure, conformément à ses goûts, entouré de toutes les femmes qu'il voulait, qu'il épousait à tour de bras. En tant que noble grenadin de souche, il se méfiait des Turcs et des Arabes ; il mentait, trompait et se comportait cruellement avec ceux qui étaient à son service. Sa façon d'agir lui avait déjà coûté l'inimitié publique de plusieurs de ses meilleurs commandants : El Nacoz à Baza, Maleque à Almuñecar, El Gironcillo à Vélez, Garral à Mojácar, Portocarrero à Almanzora et, bien entendu, Farrax, son rival à la couronne.

Mais ce fut une femme qui marqua l'origine de la fin de la vie splendide d'Abén Humeya. Le roi s'était amouraché de la veuve de Vicente de Rojas, frère de Miguel de Rojas, son beau-père, qu'il avait fait assassiner à Ugíjar avant de répudier sa première épouse. La veuve était d'une grande beauté, danseuse d'exception qui, par ailleurs, jouait du luth à la perfection. Selon l'usage, après la mort de son époux, son cousin Diego Alguacil, du clan des Rojas, ennemi juré du roi, la demanda en mariage. Abén Humeya s'arrangea pour tenir occupé Diego Alguacil par des voyages et des missions à travers les Alpujarras, jusqu'au jour où, de retour de l'un d'entre eux, celui-ci découvrit que le roi avait forcé la veuve, la gardant à ses côtés comme une vulgaire concubine.

Diego Alguacil, humilié, ourdit un plan pour en finir avec Abén Humeya à Laujar d'Andarax.

Le roi ne savait pas écrire. Par conséquent c'était un neveu d'Alguacil, pourtant apparenté avec les Rojas, qui écrivait, voire signait au nom du roi tous les ordres que ce dernier transmettait à ses commandants disséminés dans chaque coin des Alpujarras.

À ce moment-là, Abén Humeya s'était débarrassé des Turcs et des Arabes, gênants et arrogants, qu'il avait envoyés combattre avec l'armée d'Abén Aboo, aux alentours d'Órgiva. Par l'intermédiaire de son neveu, Diego Alguacil eut vent d'une lettre que le roi adressait à Abén Aboo. Il intercepta le messager, le tua et, avec la complicité de son neveu, en rédigea une autre dans laquelle le roi donnait l'ordre à Abén Aboo d'égorger, avec l'aide des troupes maures, tous les Turcs et Arabes qui étaient avec lui.

Diego Alguacil en personne apporta cette lettre à Abén Aboo, qui ne put réprimer la colère des Turcs, principalement d'Huscein, Caracax et Barrax. Abén Aboo, Brahim, Diego Alguacil, accompagnés de Turcs et de capitaines corsaires, se rendirent à vive allure à Laujar d'Andarax, où ils trouvèrent Abén Humeya dans la demeure du Coton.

Aucun des trois cents Maures qui constituaient la garde personnelle d'Abén Humeya n'empêcha Abén Aboo et ses compagnons d'entrer dans la propriété. À l'intérieur, un autre corps de garde, élite composée de vingt-quatre arquebusiers, laissa les Turcs défoncer à coups de pied la porte de la chambre royale. Telle était la haine qu'Abén Humeya avait engendrée, même chez ses plus proches partisans.

Abén Aboo, Turcs et Arabes surprirent le roi dans son lit, en compagnie de deux femmes. L'une d'elles était la veuve du clan des Rojas.

Abén Humeya démentit le contenu de la lettre, mais son sort était scellé. Abén Aboo et Diego Alguacil enroulèrent une corde à son cou et tirèrent chacun de son côté pour l'étrangler. Puis ils se répartirent ses femmes, les deux qui partageaient son lit, mais aussi toutes les autres, ainsi que les nombreuses richesses personnelles qu'il conservait auprès de lui.

Avant de mourir, Fernando de Válor, roi de Grenade et de Cordoue, renia la Révélation du Prophète et clama qu'il mourait dans la foi chrétienne.

19.

« Je n'ai pu ni désirer plus ni me contenter de moins. »
Telle fut la devise qu'Abén Aboo, qui se proclama nouveau roi d'Al-Andalus, fit imprimer sur son nouvel étendard coloré. Le monarque fut présenté au peuple dans une
tenue écarlate, à l'instar de son prédécesseur, une épée nue
dans sa main droite et l'étendard dans sa main gauche. À
l'exception de Portocarrero, tous les commandants
brouillés avec Abén Humeya jurèrent obéissance au nouveau roi, qui éleva les Turcs aux plus hauts rangs de son
armée. L'argent accumulé par Abén Humeya et les prisonnières chrétiennes furent immédiatement envoyés à
Alger pour acheter des armes, qu'Abén Aboo répartit
ensuite à bas prix parmi les Maures. Il finit par rassembler
une armée composée de six mille arquebusiers. En marge
de la répartition des butins, il établit un solde mensuel de
huit mille ducats pour les Turcs et les Arabes, et de la
nourriture pour les Maures. Il nomma de nouveaux commandants et des alguazils entre lesquels il divisa le territoire des Alpujarras et ordonna que les vigies fonctionnent
en permanence, avec signaux de fumée la journée et feux
la nuit, pour communiquer le moindre incident et interdire
l'accès à toute personne étrangère à l'armée. Abén Aboo,
le castré, était disposé à réussir là où son capricieux prédécesseur avait échoué : vaincre les chrétiens.

Hernando apprit la nouvelle de l'exécution d'Abén
Humeya. Ses jambes tremblèrent et une sueur froide lui
coula dans le dos lorsqu'il apprit le nom du nouveau roi :
Abén Aboo. Salah, qui écoutait également le messager,

plissa les yeux et mesura mentalement la signification de ce changement de pouvoir.

Hernando courut trouver Aisha et Fatima, qui étaient à la cuisine, préparant le repas au côté de l'épouse du marchand.

— Partons ! cria-t-il. Fuyons !

Toutes deux le regardèrent avec surprise.

— Ibn Umayya a été assassiné, expliqua-t-il précipitamment. Ibn Abbu est le nouveau roi, et avec lui… Brahim ! Il viendra nous chercher ! Il viendra pour Fatima ! C'est le lieutenant du roi, son ami, son homme de confiance.

— Brahim est mon époux, le coupa Aisha.

Elle contempla ensuite Fatima et son fils, puis s'appuya, chancelante, contre un des murs de la cuisine.

— Partez !

— Mais si nous partons, intervint Fatima, Brahim… Il te tuera !

— Viens avec nous, mère.

Aisha hocha négativement la tête. Les larmes surgissaient à ses yeux.

— Mère…, supplia-t-il.

Hernando s'avança vers elle.

— J'ignore ce que fera Brahim : s'il me tuera ou non quand il ne vous trouvera pas avec moi, murmura Aisha, tâchant de contrôler la panique qui lui tenaillait la voix, mais ce dont je suis sûre, c'est que je mourrai si vous ne vous échappez pas. Je ne pourrais pas supporter de vous voir… Partez, je vous en prie. Fuyez à Séville ou à Valence… en Aragon ! Fuyez cette folie. J'ai d'autres enfants. Ce sont ses fils. Peut-être… qu'il se contentera de me frapper. Il ne peut pas me tuer ! Je n'ai rien fait de mal ! La loi l'interdit. Il ne peut pas m'accuser de ce dont vous êtes responsables…

Hernando voulut la prendre dans ses bras. Aisha changea de voix et se redressa, refusant l'étreinte de son fils.

— Tu ne peux pas me demander d'abandonner tes frères. Ils sont plus petits que toi. Ils ont besoin de moi.

Hernando secoua la tête à l'idée de ce qui pourrait arriver à sa mère face à la colère de Brahim. Aisha chercha l'aide de Fatima et elle la supplia du regard. La jeune femme comprit.

— Partons, décida-t-elle avec résolution.

Elle poussa Hernando hors de la cuisine mais, auparavant, le garçon se retourna et lança un triste regard à sa mère, qui lui répondit par un sourire forcé.

— Prépare tout, le pressa Fatima une fois qu'ils furent hors de la cuisine. Vite ! insista-t-elle.

Elle dut le brusquer. L'émotion paralysait Hernando, qui ne pouvait détacher ses yeux d'Aisha.

— Je me charge d'Humam.

Préparer tout ? Il vit Fatima prendre son petit dans ses bras. Que devait-il préparer ? Comment arriver jusqu'en Aragon ? Et sa mère ? Qu'allait-elle devenir ?

— Tu ne l'as pas entendue ? insista Aisha sur le seuil de la porte de la cuisine.

Hernando tenta de revenir vers elle, mais Aisha fut catégorique.

— Va-t'en ! Tu ne te rends pas compte ? D'abord, c'est toi qu'il tuera. Le jour où tu auras des enfants, tu comprendras ma décision, la décision d'une mère. Sauve-toi !

« Je n'ai pu ni désirer plus ni me contenter de moins. » Brahim, porté au pouvoir par l'homme qu'il avait sauvé d'une mort certaine, savourait cette devise et ce qu'elle représentait pour lui.

Hernando fut capturé dans la réserve, au côté de Salah, alors qu'il s'emparait de l'argent qu'il restait sur les trois cents ducats que lui avait remis le marchand. Fatima et lui en auraient davantage besoin désormais que le malheureux Abén Humeya. De la cave, ils perçurent les cris des soldats envoyés par Brahim qui faisaient irruption dans la maison et se figèrent. Puis, après quelques instants de confusion, ils entendirent les pas des hommes qui descendaient avec précipitation l'escalier menant aux trésors du marchand.

Quelqu'un envoya un violent coup de pied dans la porte entrouverte. Cinq hommes, l'épée dégainée, firent irruption dans la cave. Celui qui semblait être leur chef allait dire quelque chose mais, à la vue des objets sacrés qui s'entassaient à l'intérieur, il resta bouche bée ; les autres, derrière lui, s'efforçaient de scruter la pénombre.

Crucifix, chasubles brodées d'or, une image de la Vierge, un calice et d'autres pièces reposaient aux pieds d'Abén Aboo. À côté, Hernando et Salah, mains attachées, et derrière, Fatima et Aisha. À l'inverse d'Abén Humeya, le nouveau roi ne suivait aucun protocole, et il écouta Brahim à l'endroit même où ils se rencontrèrent : dans une étroite ruelle de Laujar d'Andarax, avec un cortège de Turcs et de commandants regroupés autour de lui. Les soldats qui accompagnaient Brahim laissèrent tomber par terre dans un grand fracas les objets qu'ils avaient trouvés dans la réserve du marchand.

Avant que s'arrête le tintement d'un calice qui continuait de rouler sur des cailloux, Salah se mit à pleurnicher et tenta de bredouiller des excuses. Brahim lui-même le fit taire d'un coup de crosse de son arquebuse ; de la bouche du commerçant une traînée de sang commença à couler. Hernando regardait directement Abén Aboo, beaucoup plus gros et flasque que lors de la fête nuptiale où il l'avait connu, à Mecina. Aux fenêtres et aux balcons des petites maisons à deux étages peintes à la chaux, des femmes et des enfants apparaissaient.

— C'est elle, la femme dont tu m'as tant parlé ? demanda le roi en montrant Fatima.

Brahim acquiesça.

— Elle est à toi.

— Je vais l'épouser, s'opposa alors Hernando. Ibn Umayya…

Il attendit le coup de Brahim, mais en vain. Ils le laissaient parler.

— Ibn Umayya m'a accordé sa main et nous allons nous marier, bafouilla-t-il.

Plus d'une vingtaine de personnes, dont le roi, le transperçaient du regard.

— La loi… dit que puisqu'il s'agit d'une veuve, elle doit donner son consentement et… ajouta Hernando.

— C'est ce qu'elle a fait, coupa Abén Aboo avec cynisme. Je l'ai entendue. Nous l'avons tous entendue dire qu'elle acceptait d'épouser Brahim, n'est-ce pas ?

Autour de lui, il y eut des signes d'assentiment.

Instinctivement, Hernando se tourna vers Fatima, mais cette fois Brahim lui asséna une gifle et le visage de la jeune fille s'effaça dans une vision fugace.

— Douterais-tu de la parole de ton roi ? interrogea Abén Aboo.

Hernando se tut : il n'y avait pas de réponse. Le roi tâta du bout du pied, dégoûté, une image de la Vierge.

— Que signifie tout ceci ? demanda-t-il, estimant que le chapitre sur Fatima était clos.

Brahim informa le roi sur les objets qu'avaient découverts les soldats dans la maison de Salah. À la fin du récit, Abén Aboo croisa les doigts, posa ses deux index sur l'arête de son nez et réfléchit pendant quelques instants, sans quitter du regard ces trésors chrétiens.

— Ton beau-père, affirma-t-il un moment après en s'adressant au garçon, a toujours soutenu que tu étais chrétien. On te surnomme le nazaréen, pas vrai ? À présent je comprends pourquoi Ibn Umayya te protégeait : ce chien hérétique est mort en se recommandant au Dieu des papes. Quant à toi… poursuivit-il en désignant Salah… Qu'on les tue tous les deux ! ordonna-t-il soudain, comme si la situation l'ennuyait. Embrochez-les sur la place et faites griller leurs corps avant de les livrer à la vermine.

Salah tomba à genoux et, en hurlant, implora miséricorde. Brahim le frappa de nouveau. Hernando ne prêtait même pas attention à la sentence. Fatima ! Il valait mieux mourir que de la voir aux mains de Brahim. Que lui importait la vie si Fatima… ?

— J'achète le garçon !

La proposition secoua Hernando. Il releva le visage. Barrax, qui avait effectué un pas en avant, se dressait devant lui. De nombreuses personnes présentes ne purent dissimuler un sourire.

Abén Aboo réfléchit. Le nazaréen méritait de mourir ; il était certain que son lieutenant le souhaitait aussi, mais une des raisons de la disgrâce d'Abén Humeya résidait dans le fait d'avoir mécontenté les Turcs et les capitaines corsaires. Il ne désirait pas commettre la même erreur.

— D'accord, consentit-il. Fixe le prix avec Brahim. Le chrétien t'appartient.

De la même manière qu'il avait emmené Isabel, Hernando parcourut les ruelles de Laujar jusqu'au camp du corsaire et de ses troupes, traînant les pieds derrière plusieurs Barbaresques appartenant aux hommes de Barrax. Il perdit l'un de ses chaussons, mais continua à marcher. Il traînait les pieds comme ses souvenirs. Qu'allait-il advenir de Fatima ? Il ferma en vain les yeux pour tenter de repousser l'image de Brahim montant sur la jeune fille. Que ferait-elle ? Elle ne pouvait s'opposer, mais… Et si… ? Il s'arrêta. La corde qui lui liait les mains fut tirée fortement et l'obligea à avancer. Il tituba. Un Maure lui cracha dessus, le traitant de nazaréen. Hernando tourna les yeux vers lui : il ne le connaissait pas. Pas plus que le suivant, à quelques pas de là, qui le taxa de chien hérétique. Au coin d'une rue, plusieurs Maures se moquèrent de lui devant des femmes avec qui ils parlaient. L'un d'eux tendit une pierre à un enfant d'à peine cinq ans pour qu'il la lui jette. Il atteignit faiblement sa hanche, et tout le groupe encouragea le garçonnet. Cessant de penser à Fatima, Hernando s'élança sur les Maures. La corde glissa des mains de l'homme de Barrax, le prenant à l'improviste. Hernando se jeta sur celui qui était le plus près de lui, dont les rires laissèrent place à un hurlement de panique, et qui tomba par terre. Il voulut le frapper mais ses mains étaient attachées. Avec les bras, l'homme lutta pour se débarrasser de lui, et Hernando le mordit violemment, en proie à une fureur irrépressible. Les partisans de Barrax le relevèrent sans ménagement. Hernando se dressa, provocant, la bouche tachée de sang, prêt à livrer bataille. Les Barbaresques, cependant, non seulement ne le maltraitèrent pas, mais prirent son parti contre les autres Maures ; épées et dagues apparurent. Les deux groupes se mesurèrent.

— Si vous avez une réclamation, lança l'un des Arabes, venez la présenter à Barrax. C'est son esclave.

Au nom du capitaine corsaire, les Maures baissèrent leurs armes et Hernando cracha à leurs pieds.

Dès lors, s'efforçant de ne pas l'abîmer, comme s'il était une précieuse marchandise, les Arabes l'emmenèrent en vitesse. Entre les coups de pied, les cris et les morsures qu'il leur infligeait, ils durent s'y mettre à quatre.

Dans le camp de Barrax, Hernando fut attaché à un arbre. Il continuait à crier, à insulter tout le monde. Il se tut seulement quand Ubaid se planta devant lui, caressant son moignon du poignet droit.

— Ne t'approche pas de lui, manchot, lui ordonna un soldat.

Lorsque Hernando avait exigé de Barrax qu'Ubaid quitte la maison d'Ugíjar, la haine qu'ils se vouaient l'un à l'autre avait alors été connue de tous.

— Ce garçon est intouchable, l'avertit un soldat.

Les lèvres d'Ubaid dessinèrent une phrase muette : « Je te tuerai. »

— Vas-y ! le défia Hernando.

— Va-t'en ! cria à son tour le soldat, en poussant le muletier.

Le prix dont convinrent Brahim et Barrax pour l'achat d'Hernando fut simple : le coût de la noce et la dot de la mariée. Le corsaire exigea que l'épée d'Hamid soit comprise dans le pacte ; il avait constaté avec quelle délicatesse le garçon caressait l'épée, raison pour laquelle il avait pensé la lui offrir dès qu'il se soumettrait à lui, ce dont il ne doutait pas. Tous le faisaient ! Des milliers de jeunes chrétiens vivaient confortablement à Alger, garçons de Turcs et d'Arabes, après avoir renié leur religion et s'être convertis à la foi véritable.

— Prends-la, avait répondu Brahim. Garde aussi ses vêtements ! Emporte tout ce qui lui appartient. Je ne veux plus rien qui puisse me rappeler son existence… J'ai déjà assez avec sa mère.

Puis, les yeux mi-clos, Brahim avait réfléchi quelques instants. Sa vie de muletier était terminée : à présent il était le lieutenant du roi d'Al-Andalus et il possédait déjà un bon butin en or.

— Il me faut une mule blanche pour la mariée, la plus belle de toutes les Alpujarras. En échange, je te donnerai mon troupeau de mules. Tu feras une bonne affaire, avait-il précisé au corsaire qui pensait exactement la même chose. Tu peux trouver des mules blanches dans beaucoup de villages des Alpujarras. Peut-être ici même. Je n'ai pas le temps de m'occuper de ce genre de détail.

Deux jours après avoir accepté le marché que lui avait proposé Brahim, Barrax s'avança vers l'arbre où était attaché Hernando et lui montra une très jolie mule blanche achetée par Ubaid dans un village voisin. Par ordre du corsaire, le garçon était là, enchaîné, sans nourriture. On lui donnait juste à boire. Hernando refusait de répondre aux paroles de son maître.

— C'est cette mule que va monter la fille que tu aimes avant d'être offerte à ton beau-père, lui dit Barrax en tapotant le cul de l'animal.

Hernando, les yeux enfoncés et violacés, complètement éteints, observa la bête.

— Renie ta religion et donne-toi à moi, insista Barrax une fois de plus.

Le garçon se signa ostensiblement. Professer sa foi… serait le premier pas pour tomber entre les mains du corsaire. C'était absurde ! Le vieil Hamid avait dû convaincre tous les habitants de Juviles qu'il était un vrai musulman et maintenant… il devait feindre d'être chrétien pour ne pas tomber entre les mains de Barrax… Mais peut-être l'était-il ? Qu'était-il en fait ? Il n'eut pas la force de se poser la question ; à présent, il devait juste proclamer son christianisme. Le corsaire, imposant comme il l'était, fronça les sourcils, mais continua à parler calmement.

— Tu as tout perdu, Ibn Hamid : la faveur du roi, la femme que tu aimais… et la liberté. Je t'offre une nouvelle vie. Deviens un de mes « fils » et tu triompheras à Alger ; je le sais, je le pressens. Tu vivras bien, tu n'auras besoin de rien, et un jour tu finiras par devenir un corsaire aussi important que moi ; peut-être même plus important, oui, probablement plus. Je t'aiderai. Le prince des corsaires, Jayr ad-Din, nomma commandant général son mignon, Hasan Agá ; ensuite succéda à ce dernier comme bey Dragut l'indomptable, qui fut également garçon de Jayr ad-Din et à celui-ci notre grand Uluch Ali, à son tour garçon de Dragut. Moi-même… Tu ne comprends pas ? Je t'offre tout alors que tu n'as rien.

Hernando se signa encore.

— Tu es mon esclave, Ibn Hamid. On te considère chrétien. Tu céderas, sinon tu deviendras galérien pour moi et tu regretteras ta décision. J'attendrai, mais n'oublie pas que le temps passe pour toi et sans jeunesse… Je ne veux pas forcer ton corps, j'ai tous ceux que je peux désirer : jeunes garçons ou femmes ; je te veux à mes côtés, soumis. Réfléchis, Ibn Hamid ! Détachez-le de l'arbre ! cria-t-il soudain à ses hommes, le regard fixé sur les orbites enfoncées d'Hernando, mettez-lui des fers aux chevilles. Qu'il travaille. Qu'il gagne au moins ce qu'il mange. Toi ! ajouta-t-il en s'adressant à Ubaid, parfaitement au courant de la haine qui existait entre Hernando et lui, tu répondras de ta vie s'il lui arrive quelque chose, et je peux t'assurer que ta mort sera beaucoup plus lente et douloureuse que celle que tu pourrais lui faire subir. Regarde bien cette mule blanche, dit-il pour finir à Hernando avant de faire demi-tour avec l'animal, avec elle s'achèvent tes espoirs et tes illusions en Al-Andalus.

Aisha prépara Fatima dans la demeure même où résidaient Brahim et Abén Aboo. Un des commandants turcs leur céda une chambre. Brahim les accompagna à l'intérieur.

— Femme, aboya-t-il à l'attention d'Aisha, mais en déshabillant Fatima du regard, je désire qu'elle soit la plus belle de toutes les mariées d'Al-Andalus. Prépare-la. Quant à toi, Fatima, puisque tu n'as pas de famille, le roi a accepté d'être ton parrain. Tu es veuve. Tu dois octroyer le pouvoir à un *wali* ou à un uléma pour qu'il puisse te confier à moi. Consens-tu à cela ?

Fatima garda le silence, tête basse, luttant contre l'angoisse et le chagrin que lui inspirait son avenir.

— Je vais te dire une chose, ma belle : tu seras mienne. Tu peux l'être en tant que ma deuxième épouse ou en tant que sa servante. Tu savais forcément ce qui était caché dans la réserve du marchand, et tu n'as rien dit devant les pratiques chrétiennes du nazaréen… à moins que tu les aies partagées… avec ton fils !

Fatima trembla.

— Dis-moi : tu délégueras au roi le pouvoir de te donner en mariage ?

251

La jeune fille acquiesça en silence.

— Rappelle-toi bien ce que je t'ai dit. Si tu ne consens pas à cette union, ou si tu t'opposes aux exhortations, ton fils et le nazaréen mourront de la même façon que le marchand : tel est le pacte que j'ai conclu avec le corsaire. Si tu ne consens pas, il me rendra le chien nazaréen et je l'embrocherai moi-même sur la place au côté de ton fils.

Fatima eut un haut-le-cœur à la vision d'Humam et d'Hernando transpercés d'une broche ainsi que l'avait été Salah. Brahim l'avait obligée à assister au supplice : le commerçant glapissait comme les cochons sacrifiés par les chrétiens. Son corps obèse, nu, à quatre pattes, avait été immobilisé par plusieurs Maures pendant qu'un cinquième lui enfonçait une lance dans l'anus. Les gens s'étaient mis à applaudir quand ses cris de panique s'étaient transformés en hurlements de douleur : des cris qui s'étaient éteints à mesure que la lance, poussée par deux soldats, perforait le corps de Salah jusqu'à ce que l'extrémité ressorte par la bouche du marchand. Lorsqu'ils l'avaient placé sur les braises pour le faire rôtir, entouré d'une bande de petits enfants surexcités, Salah était déjà mort. L'odeur de sa chair brûlée avait envahi les alentours de la place de Laujar pendant toute la journée, imprégnant les vêtements et pénétrant dans les maisons.

Brahim sourit et quitta la pièce.

Malgré cela, Fatima ne se laissa pas laver.

— Tu crois peut-être qu'il s'en rendra compte ? dit-elle à Aisha, la voix brisée, devant l'insistance de cette dernière pour qu'elle fasse ses ablutions. Je ne veux pas arriver propre à ce mariage.

Aisha ne discuta pas : la jeune fille se sacrifiait pour Hernando. Elle baissa les yeux.

Fatima lui demanda également de ne pas reproduire le dessin des tatouages qu'elle lui avait faits la nuit où elle s'était donnée à Hernando, et elle refusa d'être parfumée avec de l'eau de fleur d'oranger. Aisha sortit et trouva à l'extérieur de l'huile de jasmin pour remplacer la fleur d'oranger. Puis, en dépit de son opposition, elle lui passa les bijoux que leur avait fait parvenir Brahim en indiquant qu'ils seraient seulement utilisés pour la noce et ne faisaient pas partie de la dot. Elle lui passa un collier. Quand la jeune fille esquissa le geste d'arracher l'amulette en or qui pendait à son cou, Aisha l'en empêcha en posant sa main sur le bijou.

— Ne renonce pas à l'espérance, dit-elle, tout en pressant le symbole contre sa poitrine.

Alors Fatima pleura pour la première fois.

— L'espérance ? balbutia-t-elle. Seule la mort me donnera l'espérance… une longue espérance.

La demande en mariage eut lieu dans la résidence même, dans un petit jardin d'intérieur, froid, devant le roi, faisant office de wali, et en présence de la cour bariolée qui l'accompagnait. Dalí, commandant des Turcs, et Husayn servirent de témoins. Brahim se présenta et, conformément au rituel, demanda à Abén Aboo la main de Fatima, qui la lui accorda. Puis vinrent les exhortations, adressées par un vieil uléma de Laujar. En tant que veuve, Fatima dut répondre personnellement à chacune d'elles. Elle jura qu'il n'existait pas d'autre Dieu que Dieu et que, sur le Coran, elle répondait la vérité aux questions qui lui étaient posées : elle voulait être mariée dans l'honneur et selon la Sunna du Prophète.

— Si vous avez dit la vérité, termina l'uléma, qu'Allah soit votre témoin et vous donne Sa grâce. Mais si vous avez menti, qu'Allah vous détruise et vous maudisse !

Avant que le roi commence la lecture de la trente-sixième sourate du Coran, Fatima leva les yeux au ciel : « Qu'Allah nous détruise », implora-t-elle en silence.

Tout ce qu'on put voir de Fatima chevauchant la mule blanche qu'un esclave noir tirait par le licou furent ses pieds tatoués au henné ; la mariée était portée en amazone, vêtue d'une tunique, blanche aussi, qui la voilait entièrement. Ainsi, applaudie et acclamée par des milliers de Maures, Fatima parcourut le village avant de revenir à la demeure. Elle monta ensuite dans la chambre de Brahim, se mit sans dire un mot dans le lit, où on la recouvrit du drap blanc obligatoire sous lequel elle devait garder les yeux fermés. Tandis que la noce était célébrée par de la musique et du tapage partout dans les rues, Fatima perçut dans la chambre le va-et-vient de dizaines de personnes. Une seule fois on souleva le voile léger qui la protégeait.

— Je comprends ton désir, soupira Abén Aboo qui avait soulevé le drap un peu plus qu'il ne le fallait pour observer son visage. Jouis d'elle pour moi, mon ami, et qu'Allah te récompense de beaucoup d'enfants.

Une fois les visites terminées, Fatima s'assit sur les coussins disposés au sol et se ferma mentalement à la perspective de sa proche union avec Brahim ; elle n'écouta pas les conseils éhontés et insistants des femmes exultantes demeurées avec elle ; elle refusa tout ce qu'on lui offrit à manger et, pendant l'attente, en entendant la musique qui provenait de la rue, elle essaya de trouver un souvenir où se réfugier. On chantait pour elle ! On célébrait son mariage avec Brahim ! L'image d'Aisha, assise devant elle de l'autre côté d'un brasero, immobile, les yeux humides, perdue dans ses pensées, Hernando esclave, ne lui apporta aucun réconfort. Elle se consacra alors à la seule activité qui semblait la soulager : la prière. Elle pria en silence, comme le font les condamnés, récita toutes les prières qu'elle connaissait et laissa ses peurs se fondre en elles. C'était une foi désespérée, mais sa force croissait à chaque mot, à chaque invocation.

Un peu après minuit, l'agitation des femmes dans la chambre annonça l'arrivée de Brahim. L'une d'elles retoucha sa coiffure et arrangea la tunique sur ses épaules. Fatima refusa de tourner le visage vers la porte par laquelle les femmes se hâtaient de partir et fixa ses yeux sur le brasero. « La mort est une longue espérance », marmonna-t-elle les yeux mi-clos. Mais elle ne marchait pas vers la mort ! Quelle espérance lui restait-il à trouver alors ? Le craquement du verrou fit taire cantiques et pipeaux, et Fatima entendit derrière elle la respiration agitée de Brahim. Elle frissonna.

— Montre-toi à ton époux, ordonna l'ancien muletier.

Ses jambes flageolèrent lorsqu'elle tenta de se lever. Elle y parvint néanmoins et se tourna vers Brahim.

— Déshabille-toi, haleta celui-ci en s'approchant.

Fatima se dressa, tremblante. Elle manquait d'air ! Elle sentit l'haleine fétide de Brahim. Le menton recouvert d'une barbe graisseuse, il fit un geste vers sa tunique. Les doigts de Fatima s'échinèrent maladroitement sur les nœuds, puis la tunique glissa sur ses épaules et elle se retrouva nue face à son nouvel époux, qui se délecta lascivement à la contemplation de ce corps de presque quatorze ans. Il tendit une main calleuse vers sa poitrine gonflée, et Fatima sanglota en fermant les yeux. Alors elle sentit que Brahim palpait ses seins, râpant la peau délicate destinée au repos de la tête d'Humam, avant de lui pincer un téton. En silence, les paupières fortement serrées, Fatima se recommanda à Dieu et au Prophète, à tous les anges… De son téton commencèrent à couler quelques gouttes de lait qui glissaient entre les doigts de Brahim. Sans cesser de presser son sein, Brahim enfonça les doigts de son autre main dans la vulve de la jeune fille et les introduisit dans son vagin avant de la renverser sur les coussins et de la pénétrer avec violence.

Le vacarme et la musique, les cris de guerre et de joie des rues de Laujar accompagnèrent Fatima tout au long de cette nuit interminable, au cours de laquelle Brahim rassasia à maintes reprises le désir qu'il avait d'elle. Fatima résista en silence. Fatima obéit en silence. Fatima se soumit en silence. Elle pleura seulement, pour la deuxième et dernière fois de la journée, lorsque Brahim lui téta les seins.

20.

À la fin du mois d'octobre, à la tête de dix mille hommes, Abén Aboo attaqua Órgiva, la plus importante ville sous contrôle chrétien de toutes les Alpujarras. Après plusieurs tentatives que les assiégés repoussèrent, à cause de la faim et de la soif, le roi catholique se disposa à rendre les armes.

L'inactivité, qui allait de pair avec le siège, sema l'ennui dans le camp maure. Hernando, chevilles enchaînées, suivit l'armée au côté des inutiles et effectua le chemin jusqu'à Órgiva monté sur la Vieille : en amazone, comme une femme, ainsi que le lui avait ordonné Ubaid, il sentait entrer dans sa chair les os de la mule famélique. Au cours du trajet il fut constamment l'objet de railleries de la part des femmes et des enfants qui accompagnaient l'armée. Seul Yusuf, qui avait suivi les mules comme si elles faisaient partie du marché conclu entre Brahim et le muletier, lui témoignait de la sympathie et chassait les gamins qui, sitôt qu'Ubaid n'était pas aux aguets, s'approchaient de lui pour se moquer. Malgré l'inconfort de sa position et sa honte, il tenta, sans succès, de distinguer Fatima ou sa mère sur le chemin, parmi la foule. Il y parvint seulement quelques jours après qu'ils se furent installés aux abords de la ville.

— Humiliez-le, avait ordonné Barrax à ses deux garçons. Ne le maltraitez pas, sauf en cas d'absolue nécessité. Humiliez-le en présence de commandants, de janissaires et de soldats, mais surtout en présence de cette

Mauresque. Faites-lui perdre son orgueil. Tâchez de lui faire oublier cette honnêteté qui l'aveugle.

Dans le camp, les mignons revêtirent Hernando d'une délicate tunique en soie verte et d'une culotte bouffante de la même couleur, toutes deux brodées de pierreries. Ces vêtements appartenaient au plus âgé des deux. Hernando tenta de s'opposer, mais l'aide de plusieurs Barbaresques oisifs qui s'amusèrent à le déshabiller et à l'attifer ainsi rendit ses efforts inutiles. Il essaya d'arracher ses habits mais ils lui lièrent les mains par-devant. Les garçons décidèrent ensuite de le promener dans le camp attaché, enchaîné et vêtu de soie verte, parmi les tentes et les huttes de fortune, les soldats et les femmes qui cuisinaient.

Ils purent à peine faire deux pas : Hernando se laissa tomber par terre. L'aîné des garçons le frappa plusieurs fois, au moyen d'un fin bâton, mais Hernando lui présenta son visage.

— Vas-y, frappe-moi ! le provoqua-t-il.

Soldats, femmes et enfants observaient la scène. Le garçon leva son bâton, mais au moment de lui asséner un nouveau coup, le plus petit, paré d'une djellaba en lin rouge sang, l'arrêta.

— Attends, dit-il en lui faisant un clin d'œil.

Alors il s'agenouilla à côté d'Hernando et se mit à lui lécher la joue. Après un instant de silence, et devant le visage furieux d'Hernando, certains curieux applaudirent et poussèrent des cris, d'autres sifflèrent. De nombreuses femmes montrèrent leur désapprobation par des gestes et des insultes, tandis que les enfants se contentaient de regarder l'étrange scène, les yeux exorbités. L'aîné des mignons éclata de rire et posa son bâton. L'autre continua et fit glisser sa langue de la joue d'Hernando à son cou, tout en pelotant de sa main droite son entrejambe. À ce seul contact Hernando se retourna mais, attaché comme il l'était, il lui fut impossible d'éviter ce tripotage. Il essaya de mordre le garçon. En vain. Il n'entendait que des cris et des rires. L'aîné s'approcha également de lui en souriant.

— Assez ! cria alors Hernando. C'est bon !

Les deux mignons l'aidèrent à se relever, et reprirent leur promenade.

Il déambula dans le camp, aussi vite que le lui permettait la chaîne qui liait ses chevilles. Il ne leur fallut guère de temps pour tomber sur Aisha et Fatima, dont le visage était voilé. Hernando les reconnut, même sans Humam et Musa à leur côté. Ce dernier courut rejoindre les gamins qui se moquaient du petit cortège. Cette rencontre n'était pas le fruit du hasard : les garçons s'étaient dirigés vers la tente de Brahim, conformément aux ordres de Barrax.

Honteux et humilié, Hernando baissa le regard vers ses chevilles enchaînées. Fatima dissimula aussi le sien, tandis qu'Aisha se mettait à pleurer.

— Regardez-le, femmes !

La voix de Brahim, debout à l'entrée de sa tente, tonna au-dessus des rires, des murmures et des commentaires. Hernando leva instinctivement la tête, juste au moment où Fatima et sa mère obéissaient à leur époux, et leurs regards vides se croisèrent.

— Voilà ce que méritent les nazaréens ! lança Brahim en riant.

— Il va tenter de s'échapper, annonça cette nuit-là Barrax au chef de sa garde et aux garçons, après qu'Hernando eut été montré à toute l'armée comme l'un des nouveaux amants du corsaire. Peut-être cette nuit, peut-être demain ou dans quelques jours, mais il va essayer. Ne le perdez pas de vue, laissez-le faire et prévenez-moi.

Il essaya en effet, trois jours plus tard. Après l'avoir promené une nouvelle fois à travers le camp, les garçons avaient conduit Hernando jusqu'au ruisseau où les femmes lavaient le linge et l'avaient obligé à laver celui de Barrax. Au cœur d'une nuit sans lune, et sans se soucier des gardes, Hernando se traîna sous les mules, pieds et poings liés, jusqu'à un petit ravin où il se jeta sans réfléchir. Il roula sur le côté et se cogna contre des pierres, des arbustes et des branches. Il ne sentit pas la douleur. Il ne sentait rien. Ensuite, sur les coudes et les genoux, il suivit dans l'obscurité le cours du vallon. Il se traîna avec plus d'énergie à mesure que, derrière lui, les bruits du camp s'éloignaient. Alors il se mit à rire, nerveusement. Il allait y arriver ! Soudain il se heurta à des jambes. Le corsaire se dressait au centre du vallon.

— Je t'ai prévenu que mon navire s'appelait *Le Cheval rapide*, dit Barrax d'une voix tranquille.

Hernando laissa retomber sa tête comme un poids mort sur le sable.

— Peu de bateaux espagnols m'ont échappé une fois que j'avais fixé mon objectif sur eux. Toi non plus, tu ne réussiras pas, mon garçon. Jamais !

Abén Aboo vainquit l'armée du duc de Sesa, venu défendre Órgiva. La victoire donna aux Maures le contrôle des Alpujarras, des montagnes à la Méditerranée, ainsi que d'importants lieux proches de la capitale même du royaume de Grenade, comme Güejar et de nombreuses localités plus éloignées, dont Galera. Dès lors, les chrétiens redoutèrent que la rébellion s'étende au royaume de Valence.

Face à ce danger, le roi Philippe II ordonna l'expulsion du royaume de Grenade de tous les Maures de l'Albaicín et, pour la première fois depuis l'insurrection, il déclara une guerre à feu et à sang, donnant le champ libre à l'ensemble des soldats qui participaient au conflit sous le drapeau ou l'étendard, et les autorisant à s'emparer de tous les meubles, argent, bijoux, bétail et esclaves pris à l'ennemi. Il les exempta également de payer le cinquième royal sur le butin, afin d'inciter les hommes à s'engager.

En décembre, plusieurs mois après avoir été nommé commandant général, don Juan d'Autriche obtint l'autorisation de son demi-frère le roi Philippe II d'entrer person-nellement dans la bataille. Le prince organisa deux puis-santes armées dans le but de prendre les Maures en tenaille : la première armée, sous son commandement, entrerait par l'est, via les terres de la rivière Almanzora ; la seconde, sous les ordres du duc de Sesa, attaquerait par l'ouest, via les Alpujarras. De son côté, le marquis de los Vélez continuerait à se battre avec ses quelques troupes.

Pendant ce temps, des armes et des renforts arrivaient de Barbarie pour renforcer les rebelles.

Les chrétiens reprirent Güejar et don Juan, au comman-dement des régiments d'infanterie de Naples et de presque un demi-millier de cavaliers qui l'avait rejoint, se disposa à assiéger la place forte de Galera, en haut d'une colline, où il trouva les têtes de vingt soldats et d'un capitaine des troupes du marquis de los Vélez, piquées sur des lances dans le donjon du château. Malgré l'expérience des vieux soldats et l'artillerie expressément rapportée d'Italie, l'armée du prince souffrit de nombreuses pertes, que payè-rent les Maures de Galera, après la douloureuse et labo-rieuse victoire des forces chrétiennes, par leur exécution en masse en présence de don Juan d'Autriche en personne, qui ordonna ensuite la destruction de la ville. Galera fut dévastée, incendiée et parsemée de sel.

Au cours du siège, le prince décida également le mas-sacre des femmes et des enfants, sans tenir compte ni des âges ni des conditions. En dépit du carnage, l'armée repar-tit avec quatre mille cinq cents femmes et enfants réduits en esclavage, de l'or, des perles, de la soie, des richesses de tout type, et assez de blé et d'orge pour subvenir à ses besoins pendant toute une année.

Abén Aboo ne vint pas défendre Galera et les milliers de Maures qui s'étaient réfugiés dans la ville. Après la reddition d'Órgiva, il attaqua Almuñecar et Salobreña, où il fut vaincu. Il dispersa ensuite ses forces dans toutes les Alpujarras, avec l'ordre de combattre par escarmouches contre l'ennemi en attendant l'aide de la Sublime Porte, qui n'arriverait jamais, erreur qui permit au duc de Sesa d'entrer dans la région et de prendre toutes les places entre el Padul et Ugíjar. De son côté, don Juan d'Autriche continua à exterminer des villages entiers.

La mort, la faim – conséquences de la stratégie chrétienne de la terre brûlée – et le froid, les montagnes déjà enneigées, commencèrent à creuser une brèche dans l'esprit des Maures et de leurs alliés au-delà du détroit.

La défaite de Salobreña offrit une mince satisfaction à Hernando. Lorsque le gouverneur de la ville, don Diego Ramírez de Haro repoussa l'attaque, les Maures s'enfuirent précipitamment vers les montagnes. Les gens inutiles qui accompagnaient l'armée avec les bagages – femmes, enfants et anciens – partirent dans la confusion, emportant leur équipement, tandis qu'à l'avant, le roi, Brahim, Barrax, les autres commandants et la soldatesque, libres de toute entrave, se souciaient seulement de leur vie.

Hernando, chevilles enchaînées mais aidé par Yusuf, profita du désordre ambiant pour sauter jusqu'à la Vieille. À côté de cette mule se trouvait celle qui transportait les vêtements, parures et autres accoutrements des deux mignons. Les gens criaient et se hâtaient ; personne ne lui prêtait attention. Il pouvait tenter de… Pourquoi pas ? Il vit Aisha et Fatima qui s'enfuyaient. Il aperçut aussi les garçons, dans leurs tuniques éblouissantes, qui couraient perdus dans la foule, à la recherche de cette mule. Les mignons adoraient leur garde-robe ; Hernando les avait vus se parfumer et prendre soin de leurs habits et ornements comme des femmes… Plus encore ! Peut-être que… Que feraient-ils en voyant tous leurs trésors en danger ?

Il fit signe à Yusuf de les surveiller. Juste avant que les garçons n'arrivent jusqu'à eux, offusqués et haletants, Hernando dénoua les attaches des sacs ainsi que la sangle qui les maintenait aux flancs de l'animal. Ubaid donna l'ordre d'avancer et le troupeau se mit en route. Alors les sacs se renversèrent, éparpillant à terre le trésor des garçons qui couraient après la mule pour ramasser leurs affaires. Ubaid s'en aperçut mais ne s'arrêta pas ; l'armée maure s'enfuyait à toute vitesse devant eux. Yusuf souriait en tournant la tête vers les garçons, puis en direction d'Hernando.

Les amants du corsaire firent tout leur possible pour récupérer les vêtements, flacons et bijoux qui s'étalaient sur le chemin, ramassant les uns et perdant les autres. Dans leurs tenues colorées qui se détachaient comme des fanaux, ils crièrent et supplièrent Ubaid de les attendre.

Personne ne leur vint en aide.

Hernando contempla la scène juché sur la Vieille, fuyant au côté du troupeau : une matrone poussa l'un des mignons lorsqu'elle le vit accroupi en train de ramasser un vêtement ; le garçon tomba à plat ventre et perdit tout ce qu'il tenait entre ses bras. Le second mignon accourut rapidement à son aide, glapissant des malédictions, et une autre femme lui fit un croche-pied. La suivante lui cracha dessus et une autre encore lui donna un coup. Ils perdirent leurs jolies babouches, dont plusieurs morveux s'emparèrent pour jouer. À mesure que la colonne d'inutiles s'échappait, les femmes et les enfants ramassaient quelque chose sur le chemin. La dernière fois qu'Hernando put voir les garçons, ils étaient déjà loin derrière la file de gens, debout, pieds nus et sales, étrangement immobiles, pleurant sur une terre qui n'appartenait plus à personne, entre l'arrière-garde de l'armée maure et la vengeance des chrétiens.

— Ils se sont enfuis, expliqua Ubaid à Barrax quand ils se retrouvèrent à Ugíjar.

À quelques pas de là, Hernando et Yusuf écoutaient la conversation. Le capitaine corsaire saisit le muletier par sa tunique et le souleva d'un seul bras en beuglant, rapprochant dangereusement son visage et sa bouche ouverte du nez de ce dernier.

— Ils se sont enfuis, confirma Hernando d'où il se tenait.

Barrax se tourna vers lui, sans lâcher le muletier.

— Ça t'étonne tant que ça ? ajouta le garçon avec insolence.

Le corsaire les regarda l'un et l'autre, plusieurs fois, avant de projeter Ubaid à quelques mètres de lui.

Abén Aboo établit son camp près d'Ugíjar, où il laissa ceux qu'il considérait comme des éléments inutiles, obstacles à sa nouvelle stratégie de guerre de guérillas. De là, il tenta de contrôler ses troupes disséminées dans les Alpujarras. Barrax et ses hommes revinrent dans le camp maure après avoir affronté don Juan d'Autriche à Serón. Dans un premier temps, la victoire avait penché du côté des musulmans ; même le prince n'avait pu empêcher que ses soldats, avides de butin, attaquent le village dans le plus grand désordre et soient vaincus. Mais ensuite don Juan avait chapitré ses troupes, fait une nouvelle tentative et pris le village.

Hernando fut convoqué d'urgence dans la tente du corsaire.

— Soigne-le, lui ordonna Barrax dès qu'il entra. Le manchot m'a dit que tu t'y connaissais.

Hernando observa l'homme étendu aux pieds de Barrax : sous sa cuirasse, sa tunique, grisâtre et trempée de sueur, était auréolée sur un côté d'une grande tache de sang ; sa respiration était irrégulière, ses muscles contractés par la douleur ; son visage, encadré par une courte barbe noire, apparaissait crispé. Il devait avoir vingt-cinq ans, estima Hernando avant de détourner le regard vers l'armure brillante et travaillée du chrétien blessé, posée à côté de lui.

— Elle vient de Milan, précisa alors Barrax, qui

ramassa le casque et l'examina avec attention. Fabriquée près d'où je suis né, probablement dans l'atelier des Negrolis. Un cavalier comme ce bâtard de chrétien, qui porte une telle armure, dit-il en lançant le casque, constituera une rançon supérieure à tout le butin que nous avons amassé jusque-là. Il n'y a aucune inscription sur l'armure, essaie de savoir comment ce noble s'appelle et à qui il appartient.

— Je n'ai soigné que des mules, voulut objecter Hernando.

— Dans ce cas, tu t'occuperas encore plus facilement d'un chien. Tu as pris ta décision, nazaréen. Je t'ai prévenu. Tu n'as pas voulu renier ta religion. S'il meurt, tu l'accompagneras dans la tombe ; s'il vit, tu seras galérien sur mon navire. Foi de Barrax.

Et il le laissa seul avec le chrétien.

Le cavalier avait été blessé par Barrax lui-même sur le chemin conduisant à Serón, alors qu'il tentait de protéger des soldats qui fuyaient dans la débandade. Des centaines de chrétiens morts étaient restés sur les routes et dans les ravins pendant plusieurs jours avant que don Juan puisse les faire enterrer, mais le prisonnier noble avait été monté sur un cheval comme un sac et conduit jusqu'au camp.

Hernando s'agenouilla au côté du cavalier pour examiner la profondeur de sa blessure. Qu'allait-il faire ? Il essaya de déchirer délicatement la tunique qui couvrait l'homme, rembourrée de plusieurs couches de coton pour le protéger du contact de l'armure. Il n'avait jamais soigné un être humain…

— Il t'a appelé nazaréen.

Les mots, articulés avec peine, le surprirent alors qu'il tenait le tissu de la tunique entre les doigts.

— Tu comprends l'arabe ? lui demanda Hernando en espagnol.

— Il a dit aussi que tu n'av… que tu n'avais pas renié ta religion.

Il respirait à peine. Il voulut se redresser et un gros jet de sang coula de la blessure sur les doigts d'Hernando.

— Ne parle pas. Ne bouge pas. Tu dois vivre.

« Barrax tient toujours parole », murmura-t-il pour lui-même.

— Au nom de Dieu et de la Très Sainte Vierge... râla le cavalier. Au nom des clous de Jésus-Christ, si tu es chrétien, délivre-moi.

Était-il chrétien ?

— Tu serais incapable de faire deux pas, répondit le garçon en chassant cette pensée. Par ailleurs, il y a des milliers de soldats maures cantonnés ici, où irais-tu ? Garde le silence pendant que je t'examine.

La blessure semblait assez profonde. Avait-elle atteint les poumons ? Que connaissait-il ? Il l'examina à nouveau ; il procéda de même ensuite avec le visage du cavalier. Il n'avait pas craché de sang. Et après ? Qu'est-ce que cela signifiait ? Sa seule certitude, c'était que si l'homme mourait, Hernando mourrait après lui. Il l'avait senti à l'attitude de Barrax, très différente de celle qu'il avait lorsqu'il lui tournait autour, et semblable désormais à celle qu'il adoptait quand il s'adressait à Ubaid ou à n'importe lequel de ses hommes. Le corsaire, comme la plupart des Arabes et des janissaires, était préoccupé par la marche de la guerre. Et s'il ne mourait pas... il serait galérien à vie sur *Le Cheval rapide*. Qui paierait un seul maravédis de rançon pour un chrétien qui était en réalité musulman ? Il toucha le front du noble : il était brûlant ; la blessure s'était infectée. C'était pareil avec les mules. Il devait stopper l'infection et l'hémorragie. Les probables blessures internes du corps...

Il lui fallait des cornes. Il appela Yusuf.

— Dis au corsaire que j'ai besoin de cornes, de préférence de cerf, d'un maillet, d'une casserole et de tout ce qu'il faut pour faire du feu...

— Où trouver des cornes ? l'interrompit le garçonnet.

— Auprès des arquebusiers. Beaucoup d'entre eux gardent la poudre fine de leur bassinet dans des cornes. Il me faudra aussi une plaque de cuivre, des bandages, de l'eau fraîche et des chiffons. Vite !

Hernando se mit à triturer à coups de maillet le bout d'une des trois cornes que lui rapporta Yusuf.

— Barrax m'a demandé de rester près de toi et de t'aider, lui dit le jeune garçon lorsque Hernando se tourna vers lui.

— Alors, continue avec les cornes. Tu dois pulvériser leurs pointes.

Yusuf se mit à donner des coups de maillet pendant qu'Hernando déshabillait le cavalier, à demi conscient. Il lava sa blessure à l'eau fraîche avant d'étendre sur son front des chiffons mouillés. Puis, une fois que Yusuf eut terminé de broyer les pointes des cornes, il fit cuire la poudre dans la casserole et en appliqua les cendres sur la blessure. Le cavalier gémit. Hernando couvrit la plaie de cendres au moyen de la plaque de cuivre et appliqua un bandage.

À quel Dieu devait-il se recommander à partir de maintenant ?

Brahim était fou de Fatima. Il ne lui permettait pas de quitter la hutte qu'il avait donné l'ordre d'élever pour eux deux dans le camp, et il manquait même à ses obligations envers le roi afin de rester auprès d'elle ; Aisha, ses fils et Humam trouvaient refuge sous des branchages à côté de la cabane. Lorsque Brahim se présentait devant elle, Fatima se montrait indifférente. Le muletier la frappait, furieux face à son mépris, et elle se soumettait. Il l'obligeait à le caresser jusqu'à ce qu'il atteigne l'orgasme mais, dans ses grands yeux noirs fendus, il ne voyait que du dédain. Elle obéissait. Elle se donnait à lui et, chaque fois que le muletier n'obtenait rien de plus que la passivité de son corps, la jeune fille satisfaisait une petite vengeance, compensation qui cependant s'évanouissait lentement à mesure que passaient les jours sans fin où elle était recluse dans la hutte.

Un soir, Brahim se présenta avec Humam en larmes. Il tenait le petit de la main droite, comme s'il s'agissait d'un paquet.

— Si tu ne changes pas d'attitude, je le tuerai, la menaça-t-il.

À partir de cette nuit, Humam toujours à ses côtés pour qu'elle n'oublie pas ce qui arriverait à son bébé si elle ne contentait pas son époux, Fatima sortit tout ce qu'elle avait appris de sa mère et des autres Mauresques sur l'art de l'amour, tâchant de se souvenir de ce qui plaisait à Brahim et des commentaires qu'échangeaient les femmes sur les moyens de conduire leurs hommes à l'extase. À plusieurs reprises elle simula le plaisir qu'elle lui avait refusé jusqu'alors. Puis Brahim la laissait, emportant Humam avec lui. La plupart du temps qu'elle passait dans la cabane, seule, elle l'employait à observer Aisha et son fils à travers les fentes de la hutte, pleurant et caressant son pendentif avec la main de Fatima, attendant l'heure où il faudrait qu'elle allaite le petit, seul moment où son époux permettait qu'elle soit avec lui. Brahim prétendait la tenir à l'écart de tout, même de son fils.

Pendant ce temps, à l'autre extrémité du camp d'Abén Aboo, où arrivaient et d'où partaient les Maures pour se lancer dans des escarmouches contre les troupes du duc de Sesa, Hernando tentait de sauver la vie du chrétien… et la sienne. Durant plusieurs jours, le cavalier resta à moitié conscient, luttant contre l'infection. Dans les moments où il s'éveillait et dont Hernando profitait pour lui donner du bouillon, il se recommandait à Jésus-Christ et à la Vierge. Une fois, il lui demanda de l'accompagner dans sa prière, refusant de s'alimenter s'il ne le faisait pas. Hernando céda et pria tout en s'efforçant de lui faire boire le bouillon, qui s'écoulait dans sa barbe. Une autre fois, plus lucide, le cavalier plongea son regard dans les yeux bleus d'Hernando.

— Ce sont des yeux de chrétien, dit-il, scrutant ensuite son allure déguenillée. Libère-moi. Je te récompenserai.

Où irait-il ? songea Hernando en observant l'ombre de l'Arabe qui montait la garde en permanence devant la tente.

— Comment t'appelles-tu ? se contenta-t-il de répondre.

Le noble fixa de nouveau les yeux bleus d'Hernando.

— Je ne ferai pas porter à ma famille le déshonneur de mourir dans la tente d'un corsaire renégat, ni ne donnerai à mon prince le souci de ma captivité.

— Si tu ne dis pas qui tu es, ils ne pourront pas te délivrer.

— Si je survis, ce sera différent. Je suis conscient de valoir beaucoup d'argent. Mais si je meurs ici, je préfère que les miens l'ignorent.

Hernando lut l'inscription gravée sur un côté de la lame plate et hexagonale de la longue et lourde épée bâtarde à six faces du noble, pendue à l'entrée de la tente à côté de l'épée d'Hamid, où jour et nuit un soldat montait la garde. Depuis que Barrax avait ramené le chrétien blessé, il avait été contraint de dormir dans la tente du corsaire, au chevet du cavalier. La première nuit, le corsaire l'avait surpris alors qu'il regardait l'épée à la dérobée, dans un coin de la tente. Barrax s'était alors dirigé vers l'arme, l'avait prise et accrochée au poteau en bois de l'entrée, à côté de l'épée du cavalier. L'Arabe de garde l'avait observé sans dire un mot.

— Si tu veux mourir, avait-il alors lancé à Hernando, tu n'as qu'à empoigner l'une des deux.

Depuis lors, chaque fois qu'il entrait dans la tente, Barrax jetait un coup d'œil au poteau contre lequel dormait l'Arabe de garde, appuyé sur les armes.

« Ne me dégaine pas sans raison, ni ne m'utilise sans honneur », annonçait l'épée du noble. Hernando examina le visage du cavalier qui dormait à ce moment-là. Quelle raison avaient les Espagnols de dégainer leurs armes ? Ils avaient bafoué le traité de paix souscrit par leurs rois lors de la reddition de Grenade. Eux, les Maures, étaient aussi des sujets du roi chrétien. Ils l'avaient été pendant des années, payant chaque fois davantage de dîmes aux seigneurs chrétiens ; raillés et détestés, ils s'étaient employés à travailler en paix, pour leurs familles, des terres rudes et ingrates qui étaient les leurs depuis des temps immémoriaux. Simplement, ils étaient musulmans. La reine Isabelle et le roi Fernando le savaient bien le jour où ils leur avaient promis la paix ! Quelle était cette paix dont ils prétendaient jouir ? Avec le soulèvement, les terres du Roi Prudent s'étaient retrouvées inondées d'esclaves maures, que les marchands négociaient à bas prix dans toute l'Espagne. Des milliers de personnes, sujettes du roi en personne, baptisées de force, avaient été réduites en esclavage. Du roi en personne ! On disait qu'aux Indes, sous l'empire de ce monarque, ses habitants, également baptisés de force, ne pouvaient être réduits en esclavage. Alors, pour quelle raison pouvaient-ils l'être, eux ? Pourquoi l'Église ne défendait-elle pas de la même façon ces deux peuples, serfs du même roi ? On racontait que les habitants des Indes mangeaient de la chair humaine, adoraient des idoles et suivaient des chamanes, et cependant les rois leur avaient épargné l'esclavage. À l'inverse, les musulmans croyaient comme les chrétiens au dieu d'Abraham, ne mangeaient pas de chair humaine, n'adoraient pas d'idoles et, alors qu'ils avaient été baptisés et contraints de vivre dans la même foi… ils pouvaient devenir esclaves !

Lui aussi était un esclave. Et à présent parce qu'il était chrétien ! Quelle était cette folie ? Pour les uns il n'était qu'un Maure à exécuter avec tous ceux qui avaient plus de douze ans ; pour les autres, un chrétien qui serait galérien à vie sur un bateau corsaire… s'il n'était pas tué avant. Et s'il se convertissait à la religion musulmane – la sienne ! –, il deviendrait alors le mignon d'un renégat. Lui qui était né musulman ! Le sang chrétien qui coulait dans ses veines pesait-il plus qu'il ne le croyait ? Ce cavalier serait racheté pour une poignée de pièces d'or qui enrichiraient le renégat. Le corsaire rentrerait riche à Alger, et le chrétien retrouverait ses terres, où il reprendrait le combat contre les Maures, pour continuer à en faire des esclaves.

21.

ÉDIT EN FAVEUR DE CEUX QUI SE RENDENT

Le roi, mon seigneur, ayant compris que la plupart des Maures du royaume de Grenade qui se sont rebellés l'ont fait non de leur propre chef mais contraints et forcés, abusés et poussés par certains responsables et meneurs, chefs de file, qui sont venus vers eux et continuent à le faire ; lesquels, pour leurs propres intérêts, afin de jouir et de profiter des biens des gens simples du peuple, et non pour apporter à ces derniers un quelconque bénéfice, ont réussi à les faire se soulever ; et ayant lancé à leur poursuite un grand nombre de soldats pour les châtier, comme le méritaient leurs fautes et délits, reprenant les lieux qu'ils avaient sur la rivière Almanzora, la montagne de Filabres et dans les Alpujarras, avec mort et captivité pour beaucoup d'entre eux, et les obligeant, comme ce fut le cas, à errer, égarés, dans les montagnes, à vivre comme des bêtes sauvages dans des cavernes et des grottes, dans les forêts, souffrant de tout ; pour ces raisons, prenant pitié d'eux, vertu très propre à sa royale condition, et désireux d'user à leur égard de clémence, se rappelant qu'ils sont ses sujets et vassaux, et ému d'apprendre les violences, les viols de femmes, l'effusion de sang, les pillages et autres grands maux que les soldats leur font subir, sans aucune excuse, il nous a conféré le pouvoir, en son nom, de leur témoigner sa royale clémence, et de les admettre sous son royal commandement de la façon suivante :

Il promet à tous les Maures qui seraient rebelles hors de l'obéissance et de la grâce de Sa Majesté, les hommes comme les femmes, quels que soient leur qualité, leur grade et leur

271

condition, qui dans les vingt jours à compter de la date de cet édit viendraient se rendre ou remettre leurs personnes aux mains de Sa Majesté, et du seigneur don Juan d'Autriche en son nom, de laisser la vie sauve et d'écouter ceux qui voudraient ensuite témoigner des violences et des oppressions qu'ils ont subies pour se soulever, et de leur rendre justice ; et de faire preuve à leur égard, pour le reste, de sa clémence habituelle, avec eux comme avec ceux qui, au lieu de se livrer, rendraient un service particulier, comme égorger ou ramener des prisonniers turcs ou arabes qui soutiennent les rebelles, et d'autres Maures naturels du royaume devenus commandants ou chefs de la révolte et qui, obstinés à la poursuivre, ne veulent pas jouir de la grâce et de la pitié que Sa Majesté leur accorde.

En outre : tous ceux qui, âgés de plus de quinze ans et de moins de cinquante, viendraient au cours de ce délai rendre et remettre au pouvoir des ministres de Sa Majesté une escopette ou une arbalète et tout l'équipement qui va avec, auront la vie sauve, ne pourront pas être pris comme esclaves, et pourront en plus désigner deux personnes de leur choix, père, mère, enfants, femme, frères, qui seront libres également ; ces derniers ne pourront pas être esclaves, mais recouvreront leur liberté première et leur libre arbitre, avec la sommation que parmi ceux qui ne voudraient pas profiter de cette grâce et de cette mansuétude, aucun homme de plus de quatorze ans ne sera admis nulle part ; au contraire, tous subiront la rigueur de la mort, et il ne leur sera accordé ni pitié ni miséricorde.

L'édit dicté par don Juan d'Autriche en avril 1570 se propagea dans toutes les Alpujarras. Les chrétiens le traduisirent en arabe et réalisèrent des copies qu'ils firent distribuer par des espions et des marchands. Dans certains cas, l'édit fut récité discrètement par ceux qui savaient lire, loin des monfíes, janissaires ou Barbaresques ; dans d'autres cas, il fut chanté comme s'il s'agissait d'un ban. Le prince décréta également que personne, sous peine d'un châtiment sévère, ne devrait arrêter, voler ou maltraiter un

Maure qui viendrait se rendre, comme cela s'était produit par le passé.

Les deux camps traversaient des moments critiques : sur les terres des Alpujarras, le prix des fanègues de blé et d'orge avait été multiplié par dix : les soldats et leurs familles souffraient de la faim. Abén Aboo ne pouvait rien faire pour améliorer cette situation. C'est pourquoi, après un échange de lettres avec Alonso de Granada Venegas, homme de crédit parmi les Maures, il chargea formellement El Habaquí de négocier la reddition. Mais les simples négociations eurent un effet contraire aux intérêts des Maures. À ce moment-là, trois galères venues d'Alger avec des vivres, des armes et des munitions, entreprirent de débarquer leurs provisions sur les plages de Dalías, et lorsque leurs occupants apprirent qu'Abén Aboo négociait sa reddition, ils reprirent toute leur cargaison et retournèrent à Alger. La même chose se produisit avec sept autres galères qui accostèrent sous le commandement d'Hoscein, frère de Caracax, avec quatre cents janissaires et de nombreuses armes à bord, et qui firent eux aussi demi-tour vers la capitale corsaire dès qu'ils eurent vent des négociations de paix.

Du côté chrétien, la situation était plus complexe encore : d'un côté, et indépendamment d'affrontements plus ou moins sporadiques dans d'autres endroits des Alpujarras, la stratégie de la guerre de guérilla adoptée par Abén Aboo rendait pratiquement impossible une victoire définitive. De l'autre, l'insurrection avait déjà eu des conséquences dans la ville voisine de Séville, où dix mille Maures vassaux du duc de Medina Sidonia et du duc d'Arcos s'étaient soulevés, en réaction aux outrages qu'ils avaient subis. Le Roi Prudent parvint à remédier à la situation en ordonnant à ces deux nobles de venir en personne pacifier leurs terres, mais la crainte se répandit qu'à tout moment le soulèvement pouvait s'étendre aux royaumes de Murcie, de Valence ou d'Aragon, où vivaient de nombreux Maures.

Cependant, la raison qui pesa le plus pour que le roi Philippe permette à don Juan d'Autriche d'offrir des conditions pour la reddition résida dans l'attitude du sultan ottoman.

En février 1570, les Turcs, imitant les Arabes, qui consacraient leurs efforts à la conquête de Tunis, attaquèrent Zara, en Dalmatie vénitienne, et réclamèrent l'île de Chypre, où ils débarquèrent au mois de juillet. En mars de cette même année, Philippe II reçut à Cordoue, où s'étaient réunis les États généraux pour être tout près du champ de bataille, un envoyé du pape Pie V. Au nom de toute la chrétienté, Sa Sainteté demandait une nouvelle croisade, pour laquelle il proposait la constitution d'une sainte Ligue afin de lutter contre la menace de l'infidèle qui, selon le pontife, se croyait fort à cause de l'attention que l'Espagne prêtait à ses conflits intérieurs. Le pieux monarque espagnol accepta mais, pour employer tous ses efforts à cette entreprise, il était indispensable qu'il mît un point final à ses problèmes avec les Maures des Alpujarras.

L'édit obtint la reddition massive des Maures, qui se présentèrent au camp de don Juan d'Autriche, à El Padul. Mais il en résulta aussi, devant l'impossibilité de faire du profit, la désertion d'une grande partie de l'armée chrétienne. Sur les dix mille hommes aux ordres du duc de Sesa lorsque celui-ci entra dans les Alpujarras, il n'en restait plus que quatre mille.

— On s'en va ! On rentre à Alger !

L'ordre de Barrax tonna parmi ses hommes.

— Que tout soit prêt pour demain matin.

Il entra ensuite sous la tente.

— Tu as entendu ? cria-t-il à Hernando. Prépare-le pour le voyage, ajouta-t-il en désignant le chevalier.

Hernando se tourna vers le noble : il allait un peu mieux, mais…

— Il mourra, dit-il sans réfléchir.

Barrax ne dit mot. Il fronça les sourcils, dont les extrémités se rejoignaient au-dessus de ses yeux mi-clos. Hernando retint sa respiration pendant que le corsaire gardait les yeux fixés sur lui. Puis il lui tourna le dos et sortit de la tente ; sa main droite caressait une dague, comme s'il voulait indiquer au garçon quel allait être son destin.

Il était condamné, pensa Hernando : la mort l'attendait ou, dans le meilleur des cas, les galères à vie. Assis par terre, il contempla les chaînes qui entravaient ses chevilles. Il ne pouvait courir. Ni même marcher ! Il était un esclave. Il n'était rien qu'un esclave enchaîné ! Et Fatima… Portant les mains à son visage, il ne put retenir ses larmes.

— Les hommes ne pleurent pas, sauf quand leur mère se meurt ou qu'ils ont les tripes à l'air.

Hernando regarda le chevalier et respira fortement, dans une tentative pour réprimer ses sanglots.

— Nous allons mourir ensemble, lui répondit-il en se séchant les yeux avec sa manche.

— Seulement si Dieu en a décidé ainsi, murmura le chrétien.

Où avait-il déjà entendu ces mêmes paroles ? Gonzalico ! La même disposition, la même soumission. Il fit claquer sa langue. Et l'islam ? Le mot en soi ne signifiait-il pas soumission ?

— Mais Dieu nous a faits libres pour combattre, ajouta le chevalier, coupant court à ses réflexions.

Hernando eut une moue de mépris.

— Un homme blessé et un autre enchaîné ?

En même temps qu'il faisait cette observation, il esquissa un geste vers l'extérieur de la tente. Le va-et-vient était permanent.

— Si tu as déjà accepté ta mort, permets-moi au moins de me battre pour ma vie, répliqua le chrétien.

Hernando observa ses chaînes. Elles n'étaient pas grosses mais solides : la chair de ses chevilles était à vif à l'endroit où elle frottait contre le fer.

— Que feras-tu si je te libère ? lui demanda le garçon, les yeux rivés sur les anneaux.

— Je m'échapperai et sauverai ma vie.

— Je doute que tu sois capable de marcher. Tu ne peux même pas te lever de ce lit.

— J'y arriverai, répéta le chevalier.

Il voulut se redresser mais une grimace de douleur contracta son visage.

— Il y a des milliers de musulmans à l'extérieur.

Cette fois, Hernando se tourna vers lui. Il remarqua un éclat inconnu dans le regard du noble.

— Ils te…

— Tueront ? le devança le chevalier.

L'appel du muezzin à la prière interrompit leur conversation. La nuit tombait. Les fidèles suspendirent leurs préparatifs pour le voyage et se prosternèrent. « Maintenant », dit distinctement le chevalier dans le silence qui précède les prières, en montrant l'extrémité de la tente derrière laquelle se trouvaient les mules.

Hernando ne priait pas. Il ne l'avait pas fait depuis un moment. La prière du soir, celle que les Maures, libérés de la vigilance des chrétiens, pouvaient ânonner avec une certaine tranquillité, cachés dans leurs maisons. Que lui aurait conseillé Hamid ? Qu'aurait dit l'uléma sur le fait de libérer ou non un ennemi chrétien ? Il tourna la tête vers le poteau, à l'entrée de la tente. L'épée d'Hamid, l'épée du Prophète ! Par une ouverture du tissu il vit les membres du camp qui cherchaient à s'orienter vers la qibla, se préparant à la prière. L'Arabe de garde, comme toujours, restait résolument à son poste, à côté du poteau, à côté des épées. Hernando se souvint de la menace de Barrax : « Si tu veux mourir, tu n'as qu'à empoigner l'une des deux. » Mourir. La mort est une longue espérance ! Ce fut comme si les yeux fendus de Fatima, dont l'image surgit soudain à sa mémoire, le guidaient. Qu'importait tout cela désormais ? Chrétiens, musulmans, guerres, victimes…

— Fais semblant d'être mort, ordonna-t-il au chevalier en se tournant vers lui. Ferme les yeux et retiens ta respiration.

— Que… ?

— Fais-le !

Le début de la prière de milliers de Maures rompit le silence. Hernando écouta les cantiques pendant quelques instants puis il passa la tête par l'ouverture de la tente.

— Aide-moi ! dit-il au garde avec urgence. Le noble est en train de mourir.

L'Arabe pénétra dans la tente, posa un genou auprès du blessé et lui tapota le visage. Hernando profita qu'il lui tournait le dos pour dégainer l'alfange ; le bruissement métallique obligea l'Arabe à tourner la tête. Sans hésiter, de l'endroit où il se trouvait, Hernando fit tourner son fer et atteignit le cou du garde qui tomba raide mort sur le chevalier.

Le noble écarta péniblement le cadavre.

— Donne-moi mon épée, lui demanda-t-il, tout en essayant de se lever.

Hernando contemplait, pensif, la lame aiguisée de l'alfange, sur laquelle brillait une fine ligne de sang.

— Par Dieu ! Donne-moi mon épée ! supplia le noble.

Hernando regarda le chrétien. Que pouvait faire un homme dans son état avec une épée aussi lourde ?

— Je t'en prie, insista le chevalier.

Il lui remit la lourde épée bâtarde et se dirigea vers l'extrémité de la tente ; les troupeaux de mules étaient juste postés de l'autre côté. Le noble le suivait, courbé, l'épée à la main. Hernando perçut la douleur et la faiblesse dans les mouvements lents et engourdis du blessé, et les doutes l'assaillirent de nouveau. C'était du suicide ! Comme s'il devinait ses pensées, le chevalier leva le visage vers lui et lui sourit avec reconnaissance. Hernando se baissa, s'immobilisa près du tissu de la tente et tenta de distinguer quelque chose parmi les ombres. Le chevalier fit abstraction de toute prudence : il fendit le tissu avec décision, passa par le trou et se mit à avancer à quatre pattes vers l'extérieur. Lorsqu'il passa à côté de lui, Hernando vit que sa blessure se remettait à saigner et que le bandage qui recouvrait la plaque de cuivre était écarlate. Il le suivit, à quatre pattes également, les yeux rivés au sol, sur l'épée qu'il traînait, s'attendant à tout moment à tomber sur un soldat de garde. Mais ils n'en rencontrèrent pas et, en quelques instants, se retrouvèrent entre les pattes des mules. Les murmures des prières des milliers de fidèles faisaient écho à leur propre respiration accélérée. Le chrétien lui sourit une fois de plus, ouvertement, comme s'ils étaient déjà libres. Et maintenant ? se demanda Hernando : le chevalier ne pourrait aller très loin, il se viderait de son sang, et ils ne parviendraient pas à parcourir le dixième d'une lieue. Au-dessus des montagnes le ciel était rougeâtre et le soleil annonçait son coucher imminent. Le crépuscule de la Sierra Nevada ! Combien de fois l'avait-il contemplé à… Juviles ! La Vieille ! En silence, il scruta les pattes des bêtes. Il était impossible qu'il ne reconnaisse pas celles de la Vieille, il les avait soignées des milliers de fois. Il les repéra et fit signe au chrétien de le suivre. Lorsqu'il parvint auprès de la mule, il caressa ses tendons tordus et couverts de cloques. La Vieille était équipée pour le voyage. Hernando se leva, sans même vérifier si quelqu'un le voyait, si quelqu'un surveillait. Tous étaient concentrés dans les prières du soir. À leur gauche, à quelques pas, s'ouvrait le ravin d'une des innombrables gorges des Alpujarras.

— Lève-toi, pressa-t-il le noble.

Hernando l'aida à s'étendre en travers de la Vieille, comme un ballot.

— Accroche-toi bien, lui dit-il tandis que ses mains cherchaient la sangle de l'animal.

Il voulut lui retirer son épée, mais le chrétien s'y opposa, préférant s'agripper d'une seule main.

Tirant la mule jusqu'au ravin, Hernando avança à petits pas, entravé par les chaînes de ses chevilles ; il réussissait à éviter de les faire tinter, et marchait sans regarder un endroit précis, les yeux fixés sur le vide de la gorge vers laquelle ils approchaient. Il eut envie de prier et de se joindre aux murmures familiers qu'il entendait dans le camp, mais il s'en montra incapable. Quand ils furent au bord du ravin, alors seulement Hernando tourna la tête : on pouvait encore apercevoir une fine ligne rouge qui dessinait les sommets. Personne ne les avait remarqués. Il se réjouit un instant de cette scène : des milliers de personnes prosternées en direction de l'orient, sur la rive opposée. Le chrétien le pressa. Il sauta sur le dos de la mule, s'étendant en travers comme le chevalier, et il saisit la sangle sous la panse de la bête.

— Accroche-toi fermement, lui conseilla-t-il. La descente va être dangereuse. À Juviles, la Vieille ! Conduis-nous à Juviles !

Et il lui tapota la croupe, d'abord doucement, puis plus vigoureusement, jusqu'au moment où la mule vainquit sa réticence initiale et s'élança dans la gorge. Elle jeta en avant une de ses pattes, s'assit sur sa croupe et se laissa glisser dans la descente.

Cela ne dura en réalité qu'une poignée de secondes, mais qui leur semblèrent une éternité. La mule évita pierres, rochers et arbres ; à la surprise du garçon, elle alla même jusqu'à sauter par-dessus des brèches verticales. La Vieille ! Sa Vieille ! Plusieurs fois ils faillirent tomber lorsque l'animal s'asseyait pour se laisser glisser plus bas. Des ronces et des branches les griffèrent mais ils atteignirent finalement un cours d'eau qui descendait de la Sierra Nevada. L'eau glacée avait le goût de la liberté. La Vieille demeura immobile, de l'eau jusqu'à mi-pattes, et secoua violemment le cou ; ses grandes oreilles voltigèrent, fièrement, lançant des milliers de gouttes dans toutes les directions, comme si elle était consciente, elle aussi, de la prouesse qu'elle venait d'accomplir.

Hernando se laissa tomber dans le petit ruisseau et plongea la tête dans l'eau. Alors, en apnée, il cria, produisant d'innombrables bulles qui lui caressèrent le visage. Ils avaient réussi ! De son côté, tout en restant debout, légèrement appuyé contre la mule, le chevalier aussi se laissa glisser ; il perdait toujours du sang et malgré cela, simplement vêtu de sa tunique, il apparaissait digne, altier, serrant fortement dans sa main droite sa lourde et longue épée.

Hernando s'assit dans le ruisseau.

— Tu vois ? commenta le noble. Dieu ne voulait pas notre mort.

Hernando rit nerveusement.

— Il faut se battre, pas pleurer ! Tu n'as pas les tripes à l'air et ta mère n'est pas morte. Jésus-Christ et la Sainte Vierge et…

Le chevalier continuait de parler, mais Hernando ne l'écoutait plus. Et sa mère ? Et Fatima ?

— Fuyons ! ordonna le noble à la fin de son discours.

Fuir ? se demanda Hernando. Oui, c'était ce qu'il voulait. C'est pour cela qu'il avait risqué sa vie. Il s'était déjà échappé une fois, à Adra. Alors, il avait abandonné Fatima et sa mère.

— Attends.

— Ils vont nous poursuivre. Dès qu'ils s'apercevront que nous sommes partis.

— Attends, insista Hernando. La nuit les arrêtera…

— Que t'arrive-t-il ? l'interrompit le noble.

— Il y a quelques mois, expliqua-t-il en se dressant dans l'eau, et regardant avec une soudaine tristesse l'épée d'Hamid, je suis allé sauver ma mère à Juviles.

Pourquoi l'accuser de ce massacre ? pensa-t-il avant de continuer. Mais il ne put s'en empêcher.

— Vous, les chrétiens, vous avez tué plus de mille femmes et enfants, lui reprocha-t-il.

— Je n'ai…

— Tais-toi ! Vous l'avez fait. Et vous en avez réduit des milliers d'autres en esclavage.

— Et vous… !

— Qu'est-ce que cela change, maintenant ! coupa le jeune Maure. Je suis allé là-bas, à Juviles, sauver ma mère. Et j'ai réussi. J'ai aussi sauvé Fatima, ma… celle qui devait être ma femme ! Ensuite j'ai sauvé sa vie à plusieurs reprises. Nous avons vécu des moments très difficiles.

Hernando se souvint de la tempête de neige, lorsqu'ils avaient fui Paterna, de la noce à Mecina, quand ils avaient échappé aux chrétiens… À quoi tout cela avait-il servi ?

— Je ne vais pas les abandonner à leur sort, affirma-t-il.

Il défia le chrétien du regard. Ce dernier perdait du sang en abondance et pourtant débordait de force. Hernando lui-même, lorsqu'il vivait comme esclave du corsaire, avait effacé de son esprit Fatima et Aisha : il avait repoussé toute pensée les concernant, comme si elles n'existaient pas, mais à présent… la liberté ! Quelle étrange énergie donnait la liberté ! Brahim ne se livrerait pas aux chrétiens, pensa-t-il tout à coup, mais si lui, Hernando, arrivait à fuir avec Fatima et sa mère, et à se rendre, peut-être parviendraient-ils tous, ensemble, à oublier ce cauchemar ?

— J'ai besoin de ton aide… commença à dire le chevalier.

— Je ne te servirai pas à grand-chose dans le noir. Tu as seulement besoin de la Vieille. Je dois aller chercher ma mère… Et la femme que j'aime ! Tu comprends ? Je ne peux pas laisser les chrétiens les tuer ou faire d'elles des esclaves.

Emporté par l'élan de sa décision, il voulut quitter le ruisseau mais ses chaînes le firent retomber dans l'eau. Il les avait oubliées.

— Cette résolution t'honore, admit le chevalier en l'aidant à se relever. Viens, ajouta-t-il, et il désigna la rive.

— Que veux-tu faire ?

— Mon garçon, il n'y a pas de fer maure qui puisse résister au bon acier tolédan, répondit le chrétien en lui faisant signe de s'asseoir et de placer ses pieds enchaînés, jambes tendues, sur un petit rocher.

Hernando le vit empoigner l'épée des deux mains. Il ne pourrait pas y arriver ; il était blessé. Même dans la pénombre, il put lire la douleur sur le visage du chevalier lorsque celui-ci leva l'arme au-dessus de sa tête.

— Par les clous de Jésus-Christ ! cria le noble.

Hernando crut voir ses pieds libres entre les étincelles qui jaillirent de la chaîne et de la pierre à l'instant où l'acier cogna le fer. Le craquement des maillons brisés coïncida avec le vacarme qui se produisit au-dessus de leurs têtes. Leur fuite avait été découverte. Le chrétien se pencha sur l'épée, à présent plantée dans la terre, comme si ce coup avait épuisé toutes ses forces.

— Pars ! le poussa Hernando.

Le chevalier ne tenta pas de protester. Hernando passa son bras sous le sien et le mena jusqu'à la Vieille. Il l'aida à monter comme auparavant, en travers, tel un sac. Il dénoua l'un des harnais, attacha le chrétien à la mule et conserva les autres harnais pour lui.

— Aie confiance en elle, lui dit-il à l'oreille. Si tu vois qu'elle s'arrête, donne-lui l'ordre de se diriger à Juviles.

La Vieille dressa les oreilles.

— Souviens-toi : à Juviles. Allez, la Vieille, à Juviles !

Il asticota la mule en lui tapant sur la croupe. Il la regarda reprendre la descente de la gorge, mais seulement quelques instants : déjà le ravin était truffé de torches qui progressaient avec une extrême précaution.

Hernando se cacha dans des buissons pendant que les Barbaresques de Barrax cherchaient ici et là sans zèle excessif, dirigeant avec indifférence les torches d'un côté et de l'autre. Les cris du corsaire résonnaient au-dessus du ravin. Deux soldats suivirent le cours du ruisseau dans l'obscurité, mais firent demi-tour peu après. Ils repartaient à Alger le lendemain, beaucoup plus riches que lorsqu'ils avaient débarqué sur les côtes d'Al-Andalus ; que leur importait, à eux, que Barrax ait perdu son prisonnier ?

Hernando attendit le milieu de la nuit avant de se décider à gravir le sentier ouvert par les Arabes eux-mêmes. Avec les harnais qu'il avait gardés, il attacha les extrémités de la chaîne au-dessus des fers ; ils frottaient contre sa peau et le blesseraient certainement de la même manière que les anneaux en fer de ses chevilles, mais la douleur était différente : jusqu'alors la souffrance l'avait obligé à se traîner ; à présent, c'était à peine s'il sentait un pincement dans ses jambes libres.

Alors qu'il attendait au pied du ravin, il put entendre les cris de joie et la fête dans le camp. Beaucoup de corsaires et d'Arabes, de même que Barrax, avaient choisi de retourner dans leur patrie et célébraient leur dernière nuit sur les terres d'Al-Andalus. De leur côté, les Maures continuaient à se rendre à don Juan d'Autriche et abandonnaient, en cachette ou à la vue de tous, les armées musulmanes. Cette fois, l'ordre du prince chrétien s'accomplissait, et hommes et femmes étaient respectés dans leur décision. Même le petit Yusuf avait avoué l'après-midi à Hernando son intention de se rendre le lendemain matin. Le garçonnet s'était emparé d'une vieille arbalète, avec laquelle il prétendait se présenter au camp de don Juan comme l'exigeait l'édit. Il n'avait pas encore quatorze ans, mais il voulait avoir l'air d'un soldat comme les autres. Ainsi s'était-il exclamé avec orgueil.

Hernando s'était forcé à sourire à ses paroles.

— Je… avait hésité Yusuf sans oser le regarder dans les yeux. Je…

— Dis.

— Qu'en penses-tu ? Je peux ?

Alors Hernando avait baissé les yeux. Sa voix s'était

étranglée quand il avait voulu lui répondre, et il s'était raclé la gorge à plusieurs reprises.

— Tu n'as pas à me demander mon autorisation. Tu…

Il s'était tu et avait toussoté de nouveau.

— Tu es libre et tu ne me dois rien. Dans tous les cas, c'est moi qui te suis reconnaissant.

— Mais…

— Qu'Allah te protège, Yusuf. Va en paix.

Yusuf s'était approché de lui avec la solennité propre à un jeune garçon, la main tendue, mais il avait fini par se jeter dans ses bras. Encore maintenant, Hernando sentait la respiration entrecoupée du petit muletier contre sa poitrine.

Il atteignit le haut du ravin et se dirigea vers le camp en contournant la tente de Barrax. Nul besoin de prendre d'excessives précautions : la garde était constituée d'un unique Arabe qui branlait du chef pour tenter en vain de rester éveillé. Les autres, après la fête, dormaient près des feux. Où pourrait-il trouver Fatima et sa mère ? Il devait sillonner le camp et, depuis ses promenades en compagnie des mignons, qui ne le reconnaîtrait pas ? Il vit un turban jeté près des braises d'un feu : il réfléchit au moyen de se le procurer. Le garde avait beau sommeiller à moitié, il se rendrait probablement compte que quelqu'un rôdait parmi ses compagnons ; rien ne bougeait, et l'éclat des torches qui illuminaient le camp le dénoncerait. Il balaya l'endroit du regard jusqu'à… Non !

Ses jambes flageolèrent et il tomba à genoux tandis que des frissons parcouraient son corps. Il vomit. Il vomit une deuxième fois et son estomac se retourna encore, mais il n'avait plus rien à rejeter et les spasmes le déchirèrent. Alors il regarda de nouveau l'entrée de la tente de Barrax : piquée sur le poteau où le corsaire avait ordonné de suspendre les épées se trouvait la tête du petit Yusuf ; on lui avait arraché le nez et les oreilles, qui étaient cloués sous sa tête, en rang : d'abord une oreille, puis l'autre et à la fin ce qui avait dû être le nez du garçon. Hernando eut un autre haut-le-cœur, mais cette fois il ne détourna pas les yeux. Il imagina l'immense corsaire sur Yusuf, lui arrachant le nez et les oreilles à coups de dents.

Combien de fois les avait-il menacés de cela ! Ce ne pouvait être qu'à cause de lui ! Il avait dû accuser le garçon de son évasion ; l'absence de la Vieille… C'était lui qui s'occupait des animaux. Il chercha la tête d'Ubaid, mais ne la trouva pas. Le muletier avait été plus malin, et il avait sans doute fui. Il contempla un moment encore les restes de Yusuf, qui témoignaient de la cruauté du corsaire. Puis il se leva et dégaina l'épée.

Dans la plus grande discrétion, il avança sur le bord du ravin jusqu'à l'Arabe qui montait la garde et lui tournait le dos. « Cette vieille épée ne te servira pas à grand-chose si tu n'apprends pas à l'empoigner avec force », lui avait dit un janissaire. S'il échouait, il retomberait entre les mains de Barrax. Il serra les doigts sur la poignée et banda tous ses muscles avant d'asséner un violent coup d'épée sur la nuque du soldat. On entendit juste le sifflement de l'arme dans l'air et le bruit sourd de l'homme lorsqu'il tomba sur le sol, la tête pendante. Puis Hernando traversa le camp, sans se soucier des Barbaresques qui ronflaient, mâchoires serrées, muscles tendus et regard fixé sur l'entrée de la tente du corsaire. Il écarta la toile et entra. Barrax dormait par terre, sur sa paillasse. Hernando attendit que ses yeux s'habituent à la pénombre et se dirigea vers lui. Il leva l'épée au-dessus de sa tête ; ses doigts lui faisaient mal, les muscles de ses bras et son dos luttaient pour ne pas éclater. Il était là ! Sans défense ! Son cou était beaucoup plus gros que celui du garde qu'il n'avait pas réussi à décapiter complètement. Il allait frapper quand il retint son geste. Son arme resta suspendue dans l'air. Le corsaire devait savoir qui allait mettre fin à ses jours ! Il le devait à Yusuf. Du bout du pied, il mit un coup dans les côtes de Barrax. Le corsaire marmonna quelque chose, se retourna et continua à dormir. Le coup suivant, toujours dans les côtes, fut plus fort. Barrax se redressa, l'esprit confus, et Hernando lui accorda quelques secondes pour qu'il le voie, lève les yeux vers l'alfange, les abaisse ensuite jusqu'à lui. Le corsaire ouvrit la bouche pour crier et l'épée vola jusqu'à son cou. D'un seul coup, Hernando lui trancha la tête.

Il parcourut le camp vêtu à la mode turque, avec les habits qu'il avait trouvés dans la tente : un turban qui lui cachait la moitié du visage, une culotte bouffante et une longue tunique qui lui arrivait aux chevilles ; ses fers étaient entourés de morceaux de tissu et cachés sous sa culotte. Dans un sac qu'il portait à la main droite se trouvait la tête du corsaire. Il avait aussi plusieurs dagues à la ceinture et une petite arquebuse pendue du côté opposé à l'alfange d'Hamid. Avec audace, élevant la voix, il demanda à plusieurs soldats de garde qu'il rencontra où était la tente de Brahim. Il l'atteignit, entra sans réfléchir, résolu, l'épée dégainée. Peu lui importait que ce fût l'époux de sa mère ! Cette fois, les supplications d'Aisha ne l'arrêteraient pas. Mais la tente qu'on lui avait indiquée était vide : il n'y avait plus rien à l'intérieur. Il allait rengainer son arme quand un bruit dans son dos l'obligea à se retourner, l'épée à nouveau prête au combat. Il vit sa mère, immobile, à l'entrée.

— Que cherches-tu ? demanda Aisha.

Hernando découvrit son visage.

— Mon fils !

Aisha se précipita vers lui, mais pour la première fois Hernando se déroba à son étreinte.

— Et Brahim ? questionna-t-il avec brusquerie. Et Fatima ? Où sont-ils ?

— Mon fils… Tu es vivant ! Et… libre ? balbutia sa mère.

Hernando observa les larmes qui coulaient sur les joues d'Aisha.

— Mère, où est Fatima ? lui redemanda-t-il, cette fois avec douceur, en la prenant dans ses bras.

— Ils ont fui. Ils sont partis se rendre aux chrétiens, répondit-elle entre deux sanglots. Cette nuit, dès que le soleil s'est couché.

La déception d'Hernando fut si manifeste qu'Aisha s'empressa de continuer :

— Le roi a dû réprimander ton beau-père à plusieurs reprises. Il n'assistait plus aux conseils, ni même aux escarmouches pour… – elle hésita – rester avec Fatima, lâcha-t-elle finalement. Comme l'édit des chrétiens n'accorde la liberté qu'à deux personnes, Brahim a choisi Fatima et notre fils aîné, Aquil. Ils ont aussi emmené Humam, à la demande expresse de Fatima. Peut-être qu'un bébé de si peu de mois ne sera pas pris en compte.

— Fatima… Fatima est partie avec lui ?

— Elle a dû obéir, mon fils. Brahim…

— Et Musa ? l'interrompit-il.

Il ne voulait pas connaître de détails supplémentaires.

— Dans la tente d'à côté. C'était la seule où nous avions le droit de…

— Suivons-les ! ordonna-t-il en la coupant une fois encore.

Le jour se levait. Ils trouvèrent un troupeau de mules à quelques mètres de la tente et Hernando décida de prendre l'une d'elles pour sa mère. Le muletier, un Maure déjà vieux, se réveilla en sentant de l'agitation parmi ses bêtes. Hernando le menaça de l'épée puis lui laissa la vie sauve et le força à les accompagner sur une partie du trajet afin qu'il ne puisse dénoncer leur fuite. Enfin, lorsqu'ils furent suffisamment loin, il le remit en liberté.

22.

Hernando, Aisha et Musa mirent deux jours pour parcourir la distance qui les séparait de Padul, où se trouvait le camp de don Juan d'Autriche. Pendant le trajet, ils rejoignirent des centaines de Maures qui venaient se rendre. Le prince avait exigé que tous ceux qui transitaient par les Alpujarras dans ce but portent une croix blanche sur l'épaule droite. Ainsi, de loin, on voyait de longues files de gens avancer sur de nombreux chemins, comme des processions de grandes croix blanches tissées sur les vêtements d'hommes, de femmes et d'enfants qui traînaient les pieds en silence, abattus, épuisés, affamés et malades, ayant perdu l'illusion fugace d'avoir retrouvé leur culture, leur terre… et leur Dieu. Tous connaissaient leur destin : l'exode dans les différents royaumes du monarque chrétien, loin de Grenade, comme cela s'était passé pour les Maures de l'Albaicín et de la vega.

Ils se trouvaient dans les environs de Lanjarón lorsqu'il commença à faire nuit. La lumière se mit à décliner et certains s'arrêtèrent là, vite rejoints par d'autres. Il n'y eut ni cris de joie, ni fête, ni danses ; on alluma peu de feux de camp et les gens se préparèrent à dormir à la belle étoile. Les quelques provisions que chacun avait pu emporter dans sa fuite constituèrent le seul repas. Personne n'appela à la prière.

Hernando mâcha un morceau de pain, prit la mule et dit au revoir à sa mère.

— Où vas-tu ?

— J'ai quelque chose à faire. Je reviendrai, mère, tenta-t-il de la rassurer devant son regard préoccupé.

Il se dirigea vers l'imprenable château de Lanjarón qui se dressait sur une colline rocheuse de presque six cents aunes au sud du village qui dominait les terres ; trois des quatre côtés de la forteresse donnaient dans le vide, sur d'impressionnants précipices de roches. Le château avait été construit, comme beaucoup d'autres, à l'époque nasride, et s'était retrouvé à moitié détruit après la première révolte des Alpujarras en l'an 1500, quand les Maures s'étaient soulevés contre la dure politique du cardinal Cisneros, qui prendrait fin avec la trahison des accords de paix de Grenade par les Rois Catholiques.

Tandis qu'il traversait le camp, il chercha des yeux Brahim et Fatima : ils avaient beau avoir fui au coucher du soleil, ils ne pouvaient avoir voyagé à la seule lumière de la lune et s'étaient forcément arrêtés au cours de cette première nuit d'avance qu'ils avaient sur eux. Mais il ne parvint pas à les reconnaître parmi la multitude d'ombres qui bougeaient, affligées. Peut-être étaient-ils plus loin déjà, à Tablate, où certains s'étaient dirigés pour passer la nuit.

Il effectua le trajet jusqu'à la forteresse sous la lumière ténue et dorée de la lune. La mule, experte, avançait avec prudence, cherchant un endroit ferme où poser les pattes… comme la Vieille. Qu'était donc devenue la pauvre Vieille ? Sentant la nostalgie affluer, il repoussa cette pensée. Et le chevalier ? Était-il vivant ? Il aurait aimé connaître son identité, mais le chrétien s'était quasiment évanoui après avoir asséné le coup qui l'avait délivré de ses chaînes. Dans tous les cas, sans lui, sans sa soif de liberté, peut-être n'aurait-il pas fui et serait-il galérien à bord du *Cheval rapide* de Barrax… ou mort, comme Yusuf. Au souvenir du garçonnet, il ressentit une terrible angoisse. Il leva les yeux vers l'imposante silhouette du château et soupira. Après tous ces mois de souffrances, les gens se rendaient. À nouveau. À quoi bon tant de morts et de malheurs ? Ce château défendrait-il encore un jour les aspirations d'un peuple outragé et opprimé ?

Il grimpa jusqu'au château en ruine. Il mit pied à terre, tête basse, et attendit que ses yeux s'habituent à la nouvelle obscurité. Il opta pour le bastion encore debout, sur le côté sud de la forteresse, et s'y dirigea.

Il tâcha de deviner où se trouvait La Mecque. Quand il crut l'avoir trouvée, il ramassa du sable et se lava avec. Il leva ses yeux bleus au ciel : des yeux différents de ceux qui avaient contemplé l'alfange d'Hamid pour la première fois. Leur éclat juvénile avait disparu, voilé par une expression de douleur.

— Il n'y a pas d'autre Dieu que Dieu et Mahomet est l'envoyé de Dieu.

Il récita à voix basse, en un murmure, tenant par les deux bouts l'alfange d'Hamid au-dessus de sa tête, dans son fourreau.

Combien de fois avait-il refusé, devant Barrax, de prononcer cette profession de foi ?

— Hamid, je suis là, susurra-t-il.

Il écouta le silence autour de lui.

— Je suis là ! cria-t-il.

Le cri résonna sur les collines et les vallons, le surprenant lui-même. Qu'était devenu l'uléma ? Il attendit quelques instants et aspira un grand bol d'air.

— Allah est grand ! hurla-t-il de toute la force de ses poumons.

Seuls les sommets silencieux lui répondirent.

— J'ai promis que cette épée ne tomberait entre les mains d'aucun chrétien, ajouta-t-il d'une voix tremblante.

Il l'enterra au pied du bastion, le plus profondément possible, se déchirant doigts et ongles pour creuser la terre au moyen d'une petite corne qu'il avait prise dans le camp. Puis il pria, sentant la présence d'Hamid à ses côtés, comme tant de fois à Juviles. Enfin, grâce à une pierre et à la corne, il frappa les boulons de ses fers qu'il réussit à faire sauter, faisant apparaître ses chevilles décharnées.

Il était plus de midi quand le groupe d'Hernando arriva au camp de don Juan d'Autriche. À un quart de lieue, les femmes découvrirent leurs têtes et leurs visages, et cachèrent dans leurs vêtements leurs bijoux interdits. Dans un grand champ aux abords de Padul, les Maures étaient accueillis par plusieurs compagnies de soldats.

— Rendez vos armes ! criaient-ils en les obligeant à former des rangs. Quiconque lève une arquebuse, une arbalète ou empoigne une épée, mourra sur l'instant !

Devant chacune des longues files, une série de scribes, assis derrière des bureaux qui détonnaient en plein champ, consignaient des renseignements sur les Maures et sur les armes qu'ils remettaient ; l'attente était interminable à cause de l'indolence et de la lenteur avec lesquelles les scribes accomplissaient leur tâche. À côté d'eux, une autre armée, celle des prêtres, priait autour des Maures, exigeant d'eux qu'ils se joignent à leur rituel, se signent et se prosternent devant les crucifix qu'ils leur montraient. Des rangs s'élevaient les mêmes murmures inintelligibles et dégoûtés qu'on avait pu entendre dans les églises des Alpujarras pendant des années, par lesquels les Maures répondaient aux sollicitations des prêtres.

— Que transportes-tu là-dedans ? demanda à Hernando un soldat arborant la croix rouge de saint André des régiments d'infanterie brodée sur son uniforme, en désignant le sac qu'il tenait à sa main droite.

— Ce n'est…, commença à dire Hernando en ouvrant le sac dans lequel il introduisit lentement sa main.

— Santiago ! cria le soldat, dégainant son épée face à cette attitude qui lui paraissait suspecte.

Rapidement, plusieurs hommes de troupe accoururent à l'appel de leur compagnon, tandis que les Maures s'écartaient d'Hernando, Aisha et Musa qui, en un instant, se retrouvèrent encerclés d'hommes armés. Hernando avait toujours la main à l'intérieur du sac.

— Je ne cache aucune arme, dit-il pour tenter de rassurer les fantassins.

Et il se mit à extraire, tranquillement, la tête du corsaire.

— Voilà ce qu'il reste de Barrax ! cria-t-il en montrant la tête qu'il tenait par les cheveux. Le capitaine corsaire !

Les murmures s'étendirent, même dans les rangs maures. Un des soldats vétérans ordonna à une nouvelle recrue d'aller chercher un commandant ou un sergent, pendant que les autres soldats et les prêtres formaient un cercle autour du garçon et de ses compagnons. Tous savaient qui était Barrax.

— Comment t'appelles-tu ? interrogea un commandant qui se fraya un passage parmi les gens et sourit en voyant la tête du corsaire.

— Hernando Ruiz ! répondit alors quelqu'un à sa place, de l'autre côté du cercle.

Le garçon se retourna, surpris. Cette voix... C'était Andrés, le sacristain de Juviles !

Le prêtre s'était lui aussi introduit dans le groupe, flanqué de deux curés, et il se dirigea directement vers Aisha, qu'il gifla dès qu'il fut devant elle. Hernando laissa tomber la tête de Barrax et voulut sauter sur le sacristain, mais le commandant le retint.

— Que se passe-t-il ? s'étonna-t-il. Qu'est-ce que... ?

— Cette femme a assassiné don Martín, le curé de Juviles, hurla le sacristain, les yeux injectés de sang.

Il voulut alors frapper Aisha une fois encore.

Hernando sentit ses jambes flageoler au souvenir de sa mère poignardant l'ecclésiastique. Jamais il n'avait imaginé qu'ils rencontreraient là quelqu'un de Juviles, et encore moins Andrés. Le commandant saisit le bras du sacristain et l'empêcha de continuer.

— Comment oses-tu... ? lança un prêtre, prenant la défense du sacristain.

Les ordres du prince étaient catégoriques : il ne fallait rien intenter qui puisse entraîner une révolte des Maures.

— Don Juan, argumenta le soldat, a promis le pardon à tous les Maures qui se rendent, et personne n'ira à l'encontre de sa décision. Ce garçon, ajouta-t-il, vient remettre ses armes et… la tête d'un capitaine corsaire. Les seuls à ne pas bénéficier du pardon du prince sont les Turcs et les Barbaresques.

— Elle a assassiné un homme de Dieu ! répliqua l'autre prêtre en secouant le bras d'Aisha.

— Apparemment ils ont également tué un ennemi sanguinaire du roi. Elle est avec toi ? demanda-t-il à Hernando.

— Oui. C'est ma mère.

— Bien entendu ! explosa de nouveau Andrés en crachant ses mots sur Aisha. Tu ne pouvais pas revenir avec ton époux, n'est-ce pas ? Quand je l'ai reconnu tout à l'heure avec une autre femme… il a juré que tu étais morte ! C'est pour cela que tu as été obligée de revenir avec ton fils et la tête d'un corsaire pour obtenir la liberté…

— La liberté, c'est le prince qui l'accorde, trancha le commandant. Je vous interdis, dit-il à l'attention des religieux, de prendre la moindre mesure envers cette femme. Si vous avez une déclaration ou une réclamation à formuler, adressez-vous à don Juan d'Autriche.

— C'est ce que nous allons faire ! glapit le premier prêtre. Contre elle et contre son époux, qui a menti.

Le commandant haussa les épaules.

— Viens avec nous chercher son époux, exigea le prêtre.

— J'ai à faire, s'excusa le soldat en ramassant par terre la tête de Barrax. Accompagnez-les, ordonna-t-il à deux de ses hommes, et veillez à ce qu'ils respectent les ordres du prince.

Ils allaient chercher Brahim ! Hernando ne prêta attention ni aux Maures qui se mêlaient de l'affaire et suivaient le sacristain, ni aux commentaires qui surgissaient à son passage ; l'histoire de la tête du capitaine corsaire avait couru dans tous les rangs. Ils allaient à la recherche de Brahim… et de Fatima !

— Le voici !

Le cri d'Andrés, désignant le bureau d'un scribe, le ramena à la réalité juste au moment où son estomac commençait à se retourner en imaginant Fatima entre les bras de son beau-père.

— José Ruiz ! rugit le sacristain, qui pressait le pas vers le bureau.

Le scribe arrêta d'écrire dans son registre et leva les yeux vers le groupe qui avançait.

— Ne m'as-tu pas juré que ton épouse était morte ?

Lorsqu'il vit son beau-fils, Aisha et Musa, les deux soldats, des religieux et le sacristain de Juviles qui s'approchaient d'eux à grandes enjambées, Brahim pâlit. Mais Hernando ne put voir la panique qui se refléta sur le visage de son beau-père ; son regard était fixé sur Fatima, maigre, émaciée, ses beaux yeux noirs fendus enfoncés dans ses orbites violacées. La jeune fille les regarda venir, impassible.

— Quel est ce scandale ? interrogea le scribe, les stoppant d'un geste de la main avant qu'ils ne se jettent sur son bureau.

C'était un homme sec, au visage maladif et à la barbe clairsemée, que cette interruption contrariait. Le sacristain s'élança vers Brahim, mais un soldat lui barra le passage.

— Que se passe-t-il ici ? redemanda le scribe.

— Cet homme a menti ! cria Andrés.

Le scribe eut une moue résignée. Il était convaincu qu'ils mentaient tous.

— Il m'a juré que son épouse était morte, mais en réalité il voulait cacher l'assassinat d'un prêtre, accusa-t-il en prenant par le bras Aisha, qu'il poussa vers le scribe.

— Son épouse ? D'après ce qu'il dit, intervint de mauvais gré le scribe, comme si parler exigeait de lui un effort considérable, c'est cette femme.

Et il désigna Fatima.

— Bigame ! s'écria l'un des prêtres.

— Hérétique ! vociféra un autre. Il faut le dénoncer au Saint-Office ! Le prince ne peut pardonner ce genre de péché, qui relève du domaine de l'Église.

Le scribe laissa tomber sa plume sur le livre et s'épongea le front avec un mouchoir. Après tous ces jours de travail au cours desquels il s'était occupé de centaines d'hommes et de femmes qui ne parlaient même pas l'espagnol, il ne lui manquait plus que ce genre de problème.

— Où sont les alguazils du Conseil suprême de l'Inquisition ? s'enquit Andrés.

Il regarda autour de lui et fit signe aux soldats d'aller à leur recherche.

Hernando remarqua que Brahim tremblait, de plus en plus pâle. Il devinait ses pensées. Si on l'arrêtait et constatait qu'il était marié avec deux femmes, il serait arrêté par l'Inquisition et…

— Non… Ce n'est pas mon épouse, bredouilla-t-il alors.

— Ici, il est écrit María de Terque, épouse de José Ruiz de Juviles, dit le scribe. C'est ce que tu m'as dit.

— Non ! Tu m'as mal compris ! Épouse d'Hernando Ruiz de Juviles.

Brahim, nerveux, intercala quelques mots en arabe. Il ne cessait de gesticuler.

— Voilà ce que je t'ai dit : Hernando Ruiz, mon fils, pas José Ruiz. María de Terque est l'épouse de mon fils ! cria-t-il en s'adressant à tous les hommes présents.

Hernando resta sans voix. Fatima leva les yeux, jusque-là posés sur Humam, qu'elle berçait, indifférente à ce qui se passait autour d'elle.

— Tu as dit… insista le scribe.

Brahim lâcha une autre volée de mots arabes. Il voulut s'adresser au scribe, mais celui-ci l'en empêcha d'un geste dédaigneux de la main.

— Donnez-moi votre livre ! exigea Andrés, exalté, d'un ton autoritaire.

Le scribe saisit le livre des deux mains et hocha négativement la tête. Puis il observa la file de Maures, de plus en plus longue, qu'il restait à inscrire. Tous attendaient l'issue de la discussion.

— Comment voulez-vous que nous fassions notre travail s'ils savent seulement baragouiner le castillan ? se plaignit-il.

À cet instant, ce qu'il souhaitait le moins au monde c'était se retrouver plongé, même en tant que simple témoin, dans un procès de l'Inquisition. Il avait déjà connu de mauvaises expériences avec le Saint-Office et ne désirait pas que... Il reprit la plume, la trempa dans l'encre et corrigea à haute voix ce qu'il avait noté :

— María de Terque, épouse d'Hernando Ruiz de Juviles. Voilà. Il n'y a plus de problèmes. Rends tes armes, ajouta-t-il en s'adressant à Hernando, et donne-moi tous les renseignements nécessaires sur toi et ceux qui t'accompagnent.

— Mais..., se plaignit le sacristain.

— Les réclamations, à la chancellerie de Grenade, le coupa le scribe sans lever les yeux de son livre.

— Vous ne pouvez pas... commença à dire un des religieux.

— Si, je peux ! répliqua le fonctionnaire tout en écrivant.

Hernando, en regardant Fatima du coin de l'œil, murmura les renseignements concernant sa mère et Musa. La jeune fille demeurait indifférente à toute l'agitation alentour, le regard uniquement fixé sur son petit, qu'elle continuait de bercer doucement.

— Ils vous abusent ! insista Andrés.

— Non.

Cette fois, le scribe s'opposa frontalement au sacristain, las de ses exigences.

— Il ne m'abuse pas. Maintenant je me rappelle parfaitement qu'il m'a dit Hernando Ruiz, pas José Ruiz, mentit-il. Où voulez-vous vivre jusqu'à ce que le prince décide de votre expulsion ? demanda-t-il ensuite à Brahim.

— À Juviles, répondit ce dernier.

— Il faut que ce soit dans une plaine, loin des montagnes et de la côte, récita avec irritation le scribe pour la énième fois depuis le début de cette longue journée.

— Dans la vega de Grenade, décida Brahim.

— Mais… tenta d'intervenir le sacristain.

— Au suivant, continua l'homme avec fatigue, leur faisant signe de s'écarter.

— Si, comme ils le prétendent, ils se sont mariés pendant le soulèvement, unissez-les conformément aux préceptes de notre sainte mère l'Église.

Telle fut la réponse que reçurent de Juan de Soto, secrétaire de don Juan d'Autriche, le sacristain de Juviles et les deux prêtres venus se plaindre aussitôt après l'incident avec le scribe.

— Quant à la femme, poursuivit le secrétaire, se souvenant du sourire de satisfaction de son prince devant la tête de Barrax, encore à ses pieds lorsqu'il était allé le consulter au sujet de la plainte, il lui accorde le pardon promis.

Tous trois voulurent protester, mais le secrétaire les en empêcha :

— Obéissez, telle est la décision du prince.

— Ne t'approche pas de Fatima, sinon…

À quelques mètres à peine de la table du scribe, la menace de Brahim surprit Hernando.

Le garçon s'arrêta. Il n'était plus l'esclave d'un corsaire ! Moins de deux jours auparavant il avait renoncé à sa liberté et risqué sa vie pour sauver Fatima et sa mère. Il avait assassiné trois hommes pour y parvenir ! À part le turban, qu'il avait laissé tomber sur le chemin, il portait encore des vêtements turcs.

— Sinon quoi ? cria-t-il à son beau-père.

Devant lui, Brahim s'arrêta également et se tourna vers son fils adoptif. Hernando le défiait. La bouche du muletier esquissa alors une grimace cynique. Il attrapa le bras d'Aisha qu'il serra avec force. Aisha résista un instant, mais Brahim continua de serrer. La pauvre femme ne put dissimuler davantage sa douleur. Cependant, elle ne chercha pas à s'opposer à son mari, ni à s'éloigner de lui.

— Mère ! s'exclama Hernando en cherchant la poignée d'une alfange qu'il ne porterait jamais plus.

Aisha évita de croiser le regard de son fils.

— Ce fils de pute t'a abandonnée à Ugíjar ! cria-t-il.

Brahim étreignit plus fortement encore le bras d'Aisha, qui évitait toujours de regarder son fils. Fatima, réagissant pour la première fois, pressa étroitement Humam contre sa poitrine, comme si toute sa vie se trouvait là.

Hernando se dressait contre son beau-père. Dans ses yeux bleus brillait une fureur incontrôlée. Il tremblait. Toute sa haine accumulée éclata en un cri de rage. Brahim sourit et tordit le bras de sa première épouse avec tant de violence que celle-ci ne put réprimer un gémissement.

— C'est à toi de choisir, nazaréen. Tu veux voir comment je casse le bras de ta mère ?

Aisha sanglotait.

— Assez ! cria Fatima. Ibn Hamid, non…

Hernando fit un pas en arrière, incrédule devant la supplique muette qu'il lisait sur le visage de la jeune fille. Il respira profondément pour calmer les battements de son cœur.

Les yeux mi-clos, le jeune se souvint du conseil d'Hamid. « Utilise ton intelligence », lui avait dit l'uléma. Ce n'était pas le moment de se laisser emporter par ses émotions… Sans dire un mot de plus, Hernando fit demi-tour et s'éloigna, luttant pour contenir sa soif de vengeance.

23.

— Miséricorde, Seigneur. Que Votre Altesse nous accorde sa miséricorde au nom de Sa Majesté, et nous pardonne les graves péchés que nous reconnaissons.

Telles furent les paroles qu'El Habaquí, prosterné devant don Juan d'Autriche, prononça au moment de sa reddition.

— Je rends ces armes et ce drapeau à Sa Majesté au nom d'Abén Aboo et de tous les insurgés dont je détiens les pouvoirs, conclut-il alors que don Juan de Soto jetait le drapeau à terre.

Avant qu'El Habaquí entre dans la tente, l'étendard coloré d'Abén Aboo avec sa devise brodée, « Je n'ai pu ni désirer plus ni me contenter de moins », fut remis aux compagnies d'infanterie et de cavalerie dûment formées dans le camp. Une longue salve d'arquebuses accompagna les cris des cavaliers et des soldats avant les prières des prêtres.

El Habaquí obtint du roi le pardon pour les Turcs et les Arabes, qui resteraient libres afin de pouvoir revenir sur leurs terres. Philippe II céda car il était pressé de mettre un terme à ce conflit pour mener la sainte Ligue que lui avait proposée le Pape, et craignait également que l'arrivée du printemps ne fournisse des aliments aux Maures, leur permettant de se révolter de nouveau.

Don Juan d'Autriche nomma des commissaires qu'il envoya dans toutes les Alpujarras pour s'assurer de la reddition totale des Maures du royaume de Grenade. El Habaquí se chargea du nécessaire pour embarquer Turcs et Arabes dans les ports désignés par le prince, et Philippe II mit à disposition de nombreux voiliers et galères à cet effet. La pacification définitive fut fixée au jour de la Saint-Jean de 1570, date à laquelle tous les Turcs et Arabes devraient avoir quitté les terres du royaume de Grenade.

Le 15 juin, trente mille Maures s'étaient rendus. El Habaquí réussit à embarquer à destination d'Alger presque tous les Turcs et corsaires, mais la plupart des Arabes décidèrent de continuer le combat. Face à cela, Abén Aboo changea d'attitude et se rétracta : il assassina El Habaquí, reconstitua des forces dans les montagnes, et reprit la tête de près de trois mille hommes.

Aujourd'hui les derniers d'entre eux sont partis et dans la plus grande douleur du monde car, au moment du départ, il y a eu tant de pluie, de vent et de neige que certains se plaignaient de ce sort en chemin : la fille à sa mère, le mari à sa femme, le bébé à la veuve ; et moi je les ai tous déportés de deux milles dans la souffrance ; il est indéniable qu'assister à la dépopulation d'un royaume est la plus grande compassion qu'on puisse imaginer. Enfin, Seigneur, cela est fait.

Lettre de don Juan d'Autriche à Rui Gómez,
5 novembre 1570

En novembre 1570, Philippe II ordonna l'expulsion de tous les Maures du royaume de Grenade vers les terres intérieures. Ceux qui s'étaient établis dans la vega, comme Hernando, Brahim et leurs familles, se retrouvèrent sous le commandement de don Francisco de Zapata de Cisneros, seigneur de Barajas et corregidor de Cordoue, qui devait les conduire dans cette ville pour les répartir ensuite sur les terres de Castille et de Galice.

La vega de Grenade était composée d'une multitude de

fermes à l'ouest de la ville. Il s'agissait d'une région plate et fertile, grâce à un système d'irrigation organisé et complexe à travers des canaux construits à l'époque romaine, développé ensuite et perfectionné par les musulmans. Après la reddition de Grenade devant les Rois Catholiques, l'ancienne distribution de la terre en potagers et petites parcelles avait pris la forme de métairies : grandes extensions de cultures appartenant à des nobles, des chrétiens illustres ou des ordres religieux, comme celui des chartreux, qui avait bénéficié de grandes superficies dédiées à la culture extensive de la vigne.

Là, pendant sept mois, des milliers de Maures déplacés avaient vécu. Ils gardaient la nostalgie des montagnes, des gorges et des ravins des Alpujarras, sur ces terres qui s'étendaient sans obstacles sous leurs yeux, cultivées, surveillées par les chrétiens, et constamment traversées par des frères et des prêtres qui, quoi qu'ils fissent, leur reprochaient leurs actes.

Conformément aux ordres du prince, Hernando et Fatima s'étaient mariés, chrétiennement, dans l'église de Padul. La veille de la cérémonie, à l'intérieur du temple, tous deux avaient été interrogés sur la doctrine chrétienne par les prêtres qui les avaient assaillis dès leur arrivée au village, en présence d'Andrés, le sacristain.

Hernando avait réussi l'examen sans difficulté.

— À ton tour maintenant, avait indiqué l'un des religieux à Fatima. Récite le Notre Père.

La jeune fille n'avait pas répondu. Au bout de quelques instants, les deux prêtres et le sacristain montrèrent leur impatience.

Fatima restait plongée dans son malheur. La nuit même, sous les yeux d'Hernando, d'Aisha et de centaines de Maures qui s'entassaient sur le sol, essayant de dormir, Brahim l'avait possédée sans la moindre pudeur, comme s'il voulait prouver à tous qu'il continuait à être son maître. Fou de rage, Hernando avait dû s'éloigner pour ne pas entendre les gémissements de plaisir de son beau-père. Il était parti, en quête d'air, sans pouvoir empêcher ses yeux de se remplir de larmes d'impuissance.

— Tu ne connais pas le Notre Père ? interrogea Andrés en plissant les yeux.

Hernando secoua doucement le bras de la jeune fille pour qu'elle réagisse. Elle récita d'une voix tremblante le Notre Père et aussi l'Ave Maria, mais elle fut beaucoup plus hésitante avec le Credo, le Salve et les Commandements.

Un des prêtres lui ordonna de se présenter à sa paroisse tous les vendredis, pendant trois ans, jusqu'à ce qu'elle sache correctement son catéchisme ; il le consigna ainsi dans sa cédule.

Puis, comme c'était obligatoire, ils avaient dû se confesser.

— C'est tout ? rugit le curé qui confessait Fatima, quand cette dernière eut déclaré ses péchés.

Hernando, qui attendait son tour, debout à côté du confessionnal, se fit tout petit.

— Don Juan a beau avoir ordonné votre mariage, il ne sera pas valable si tu ne te confesses pas correctement et ne te repens pas de tes péchés. Et ton adultère ? Tu vis dans le péché ! Vos fiançailles mauresques n'ont aucune valeur. Et le soulèvement ? Qu'en est-il des insultes, des blasphèmes, des assassinats et des sacrilèges que tu as commis ?

Fatima bégaya.

— Je ne puis t'absoudre ! Je ne vois en toi ni contrition, ni remords, ni désir d'amendement.

La jeune fille, agenouillée, ne put observer la moue satisfaite du curé à l'intérieur du confessionnal, mais Hernando, en revanche, aperçut le sourire d'Andrés et de l'autre prêtre, attentifs à la confession. Pourquoi ces sourires ? S'ils ne se mariaient pas... L'Inquisition ! Ils vivaient dans le péché. Même le prince ne pourrait arrêter le Conseil suprême du Saint-Office.

— Je confesse ! s'écria le garçon en s'agenouillant. Je confesse que je vis dans le péché et je m'en repens. Je confesse avoir assisté au sacrilège dans les églises…

Fatima se mit à répéter, mécaniquement, les phrases d'Hernando.

Ils avouèrent tous deux les mille péchés que les prêtres désiraient entendre, se repentirent et promirent qu'ils vivraient désormais dans la vertu chrétienne. Ils passèrent la nuit en pénitence à l'intérieur de l'église. Hernando pria à voix haute, s'efforçant de cacher par ses mots le silence tenace dans lequel demeurait Fatima, agenouillée à ses côtés.

Le lendemain matin, en la seule présence de Brahim, aux aguets, menaçant, et de quelques vieux chrétiens du village appelés en urgence pour servir de témoins, le couple avait été marié. Ils avaient communié une nouvelle fois. Hernando remarqua que son beau-père s'agitait, inquiet, devant la formalité de la cérémonie, et il laissa l'hostie se dissoudre lentement dans sa bouche. On le mariait avec Fatima ! Qu'importait ce qui se passerait par la suite ! Brahim réclamerait encore Fatima et, au sein de la communauté maure, elle serait toujours sa seconde épouse, mais à présent le muletier ne pouvait rien faire, sauf contrôler ses impulsions face à la solennité de ce faux mariage. Le prêtre les déclara mari et femme, et Hernando, en silence, implora l'aide d'Allah.

La noce leur avait coûté la mule. Hernando avait failli s'opposer et alléguer que le prix maximal pour les mariages était de deux réaux pour le curé, un demi-réal pour le sacristain et une humble offrande, mais il n'avait pas d'argent ; il ne possédait que cette mule, qui n'était pas non plus la sienne.

Le dernier avertissement que reçurent les nouveaux mariés avant de quitter le temple fut le suivant : ils ne devaient pas vivre ensemble ni entretenir de relations pendant les quarante prochains jours.

Dans la vega de Grenade, les Maures vivaient en plein air et presque sans feu, puisqu'ils ne pouvaient utiliser le bois des arbres fruitiers qui dominaient le paysage. Ils bradèrent tout ce qu'ils avaient pu conserver pour obtenir du blé. Et même l'eau, distribuée en abondance entre les cultures, selon de strictes règles ancestrales, devint pour eux un bien rare. Loqueteux, ils vivaient par centaines là où se trouvait un bout de terre inculte ; les maisons des Maures de la plaine, expulsés avant leur arrivée, étaient désormais occupées par des chrétiens. Ils partageaient le peu dont ils disposaient, dans l'attente de l'exode annoncé. Après la noce, Brahim avait de nouveau réclamé Fatima. Puis, quand ils furent dans la plaine, Hernando se vit obligé d'accompagner son beau-père dans ces vergers où ils pénétraient, malgré l'interdiction, pour dénicher de quoi se nourrir. Brahim veillait à tout moment à ce que son fils ne se retrouve pas seul avec Fatima. De toute façon, quand, pour une raison ou pour une autre, cela arrivait, la jeune fille le fuyait.

— N'insiste pas, conseilla un jour Aisha à son fils. Elle agit ainsi pour Humam… et pour moi. Brahim pourrait tuer le petit s'il apprenait qu'elle te parle. Il l'a menacée ! Je suis désolée, mon fils.

Hernando se réfugia dans le souvenir de la communion qu'ils avaient vécue dans l'église de Padul ; en cet instant où il s'était senti l'époux de Fatima. Ironique ! Dans une église chrétienne ! Peut-être qu'un jour…

Sur la plaine, dans l'attente de la décision du prince, les Maures vécurent le chagrin de la défaite qu'ils perçurent alors, désarmés et soumis, prisonniers sur ce qui avaient été leurs terres, dans toute son ampleur. Où seraient-ils exilés ? Où vivraient-ils ? La préoccupation autour de leur avenir dans des royaumes lointains et hostiles, dominés par des chrétiens qui ne dissimulaient pas leur haine envers les vaincus, les tenaillait à tout instant. Et les nouvelles n'invitaient pas à l'optimisme ceux qui croyaient encore en la révolte d'Abén Aboo : le grand commandeur de Castille et le duc d'Arcos combattaient avec efficacité les maigres forces du roi d'Al-Andalus.

Le 1er novembre, alors que le mauvais temps redoublait et que la subsistance devenait impossible pour ce peuple plongé dans la misère, don Juan d'Autriche ordonna enfin son expulsion. On demanda aux Maures de la vega de se rassembler près de l'Hôpital royal de Grenade, dans un grand champ à l'extérieur de la ville. L'hôpital, la vieille porte d'Elvire qui donnait accès à l'Albaicín et à la médina musulmane, le couvent de la Merci, l'église mudéjar de San Ildefonso, et de grands et nombreux vergers entouraient l'endroit.

Le 5 novembre, au milieu de la tempête, en haillons, faméliques et malades, trois mille cinq cents Maures, qui comptaient parmi eux les Ruiz de Juviles, quittèrent Grenade par le chemin de la Chartreuse. Pendant sept jours ils parcoururent, sous bonne escorte, les plus de trente lieues qui séparaient Grenade de Cordoue, réglant les étapes de leur voyage en fonction du bien-être du corregidor et de ses officiers, qui cherchaient à s'arrêter dans des lieux où ils pourraient passer la nuit sans manquer ni de lits ni de nourriture.

Lors de la première étape, ils marchèrent jusqu'à Pinos, dans la plaine, à près de trois lieues de Grenade. Don Francisco de Zapata s'installa dans le village, mais les Maures durent passer la nuit sous la pluie, à l'extérieur, se protégeant les uns les autres. La distribution de vivres fut parcimonieuse. Les villageois se montraient réticents à nourrir ceux qui avaient injurié la chrétienté. Au petit matin ils entreprirent l'ascension de Moclín, où se dressait une imposante forteresse qui protégeait l'accès à la plaine et à la ville de Grenade. La distance parcourue fut la même que celle de la première journée, mais cette fois en montant et avec le froid de la montagne qui grimpait le long des vêtements trempés par la pluie et pénétrait jusqu'aux os. Il était hors de question de laisser des Maures sur la route, c'est pourquoi tous les hommes valides se virent forcés d'aider les malades, voire de transporter les cadavres. Il n'y avait aucune charrette. Loin de Fatima et d'Aisha qui marchaient devant, Hernando dut porter pendant l'ascension un vieil homme émacié incapable de tenir debout, affecté d'une toux sèche qui, au fil de la journée, se transforma en un râle sourd et douloureux aux oreilles du garçon. Il mourut la nuit même, ainsi que soixante-dix autres Maures. La seule consolation des exilés, une fois qu'ils eurent porté leurs morts jusqu'au prochain arrêt, fut, en l'absence de cercueils, de pouvoir les enterrer à même la terre.

Certains, désespérés, tentèrent de fuir, mais le prince avait décrété que tout Maure qui essaierait de s'échapper deviendrait l'esclave du soldat qui l'arrêterait, raison pour laquelle le moindre mouvement d'un homme, d'une femme ou d'un enfant déclenchait une partie de chasse féroce de la part des chrétiens, qui marquaient ensuite au fer leurs nouveaux esclaves, sur le front ou les joues, tandis que les hurlements de douleur couraient dans les rangs des exilés. Aucun Maure ne parvint à fuir.

De Moclín ils se dirigèrent vers Alcalá la Real, à trois autres lieues, en marchant au sommet de la montagne. Hernando dut porter une grosse femme boiteuse à la place du vieil homme qui était mort, et il fut aidé par un autre garçon de son âge. La nuit précédente il avait senti chez Fatima de l'inquiétude pour le petit Humam, dont elle tentait d'apaiser la toux contre sa poitrine.

Ce fut à Alcalá la Real, au pied d'une colline couronnée par une nouvelle forteresse, à l'intérieur des murs de laquelle on construisait une abbaye sur l'emplacement d'une ancienne mosquée, qu'Aisha annonça à son fils la mort du petit au cours de la journée : de même que pour le vieil homme, sa toux s'était muée en une respiration sifflante et le bébé avait commencé à grelotter de telle façon que Fatima, entre larmes et cris d'impuissance, s'était mise à trembler pareillement. Ils n'avaient pas été autorisés à s'arrêter. Ravagée de douleur, Fatima avait imploré à genoux les chrétiens de l'aider, de lui permettre de s'arrêter un moment pour donner quelque chose de chaud à l'enfant, mais seul le mépris avait répondu à ses nombreuses supplications. La soldatesque avait semblé plus attentive à la possibilité que cette jeune mère, belle jusque dans sa souffrance, prenne la décision désespérée de fuir afin de soigner son fils ; pour Fatima, un bon prix pourrait être obtenu sur le marché de Cordoue.

— Personne ne nous a aidées, sanglota Aisha au souvenir des regards compatissants des autres Maures.

Ils avaient continué jusqu'au moment où, à moins d'une lieue d'Alcalá, la mère et le fils avaient cessé de trembler. Aisha avait dû décoller le cadavre du bébé des bras raidis de sa mère.

En tant qu'époux chrétien de la jeune fille, Hernando comparut devant les scribes, qui prirent note et certifièrent le décès du petit Humam. Fatima ne parlait pas. À la nuit tombée, Hernando, Brahim, Aisha et Fatima s'éloignèrent du camp de fortune et, comme tant d'autres familles musulmanes, surveillés de loin par les soldats, ils procédèrent à l'enterrement du bébé. Aisha lava avec délicatesse son cadavre dans l'eau froide et cristalline qui coulait d'un canal. Cachée dans les habits d'Humam, elle trouva la main de Fatima, qu'elle garda ; ce n'était pas le moment de rendre le bijou à la jeune fille. Hernando crut entendre dans la bouche de sa mère les berceuses dont il se souvenait tant ; Aisha les chantonnait à voix basse, comme elle l'avait fait avec lui quand il était petit. Brahim creusa une tombe non loin de là. Fatima n'avait plus de larmes pour pleurer. Il n'y eut ni uléma, ni prières, ni tissu pour envelopper le bébé. Brahim le déposa dans le trou. Sa mère, debout, dévastée, ne s'approcha même pas de la tombe.

À partir d'Alcalá, les étapes se firent plus longues. Ils descendirent jusqu'à la campagne de Jaén. Brahim aidait Fatima, qui se laissait faire. Elle ne parlait pas, ne semblait plus vivre. Hernando éprouvait nausées et frissons dès qu'il apercevait le corps inanimé de Fatima collé à son beau-père. Au terme de trois autres journées, ils arrivèrent à Cordoue. En haillons, pieds nus, portant des enfants et des malades, en rangs de cinq encadrés par les compagnies de hallebardiers et d'arquebusiers, ils entrèrent dans la ville au son de la musique et sous les yeux de la population intriguée. Les soldats, en formation, avaient revêtu leurs plus beaux atours.

Sur les trois mille cinq cents Maures partis de Grenade, seulment trois mille atteignirent Cordoue. Cinq cents cadavres jonchaient le macabre chemin.

C'était le 12 novembre 1570.

AU NOM DE L'AMOUR

« Je ne savais pas qu'il s'agissait de cela, sinon je ne l'aurais pas permis, car vous êtes en train de faire ce que l'on peut trouver partout à la place de ce qui était unique au monde. »

Paroles attribuées à l'empereur Charles Quint en l'an 1526, à la vue de la cathédrale chrétienne à l'intérieur de la mezquita de Cordoue, dont il avait lui-même autorisé les travaux, mettant fin aux disputes entre le conseil municipal et celui de la cathédrale quant à la pertinence de sa construction.

24.

Ils passèrent devant la forteresse de la Calahorra, franchirent le pont romain sur le Guadalquivir et entrèrent dans Cordoue par la porte du Pont, qui donnait sur le chevet de la cathédrale de la ville. En formation, surveillés par les soldats et scrutés par les habitants regroupés à leur passage, les Maures reconnurent dans la cathédrale chrétienne la merveilleuse mosquée de la Cordoue des califes, la *mezquita*. Hernando tourna le regard vers le temple. Tous ces anciens villageois des Alpujarras, humbles, rivés à leurs terres, n'avaient jamais eu l'occasion de la voir, mais ils en avaient beaucoup entendu parler et, bien qu'exténués, les visages ne pouvaient cacher leur curiosité. Juste derrière le mur centenaire, sous la coupole, se trouvait le *mihrab*, l'endroit d'où le calife dirigeait la prière. Certains murmures se firent entendre parmi les déportés, qui inconsciemment ralentirent le pas. Un homme qui portait un enfant sur ses épaules désigna la mezquita.

— Hérétiques ! cria une femme devant ces signes d'intérêt.

Immédiatement, la foule reprit l'insulte, comme si elle voulait protéger l'église des regards profanes :

— Sacrilèges ! Assassins !

Un vieil homme voulut leur jeter une pierre, mais les soldats l'en empêchèrent et obligèrent la colonne à avancer plus vite. Une fois qu'ils eurent dépassé la cathédrale, les rues devinrent plus étroites et les soldats dispersèrent les habitants qui purent seulement continuer à observer le défilé du haut des balcons des maisons à deux étages, blanchies à la chaux. Les Maures empruntèrent la calle de los Cordoneros, passèrent par la calle Alhóndiga et la calle de la Pescadería, traversèrent la calle de Feria et arrivèrent à l'embouchure de la calle del Potro. La tête du cortège s'arrêta sur la plaza del Potro, la plus importante enclave commerciale de la ville, choisie par le corregidor Zapata pour les tenir à l'œil.

La plaza del Potro était une petite place fermée, au centre du quartier du même nom, où l'on essaya sans succès d'installer les trois mille Maures qui avaient survécu à l'exode, même si la plupart d'entre eux se retrouvèrent disséminés dans les rues adjacentes. Rares furent ceux qui purent trouver un logement, et encore moins le payer, dans la posada del Potro, située sur la place même, dans celle de la Madera, dans celle des Monjas ou dans n'importe laquelle des autres posadas, nombreuses, qui existaient alentour. Le corregidor établit des contrôles d'accès à la zone et ce fut là, dans les rues, sous la responsabilité du conseil municipal cordouan, que les Maures attendirent les instructions du roi Philippe sur leur destination finale.

La nuit tomba alors que la majorité des exilés, assoiffée, s'abreuvait à de grandes jarres. Quand leur tour arriva, pendant que Brahim buvait, renversé sous le jet d'eau, Hernando observa Fatima : sa chevelure, à présent hirsute et sale, encadrait son visage aux pommettes marquées, aux yeux enfoncés et violacés, aux traits consumés sous lesquels pointaient les os. Il vit ses mains trembler lorsqu'elle les joignit pour les porter à ses lèvres et tenter de boire ; l'eau coula entre ses doigts avant d'atteindre sa bouche. Qu'allait-elle devenir ? Elle ne résisterait pas à un nouveau voyage.

Personne n'osa se laver ; le corregidor avait beau avoir fermé les rues, la mesure affectait seulement les Maures, tandis que les voyageurs, commerçants, marchands de bétail et artisans qui travaillaient et vivaient dans le quartier – rempailleurs, armuriers, liniers, fabricants d'aiguilles ou tanneurs – passaient d'un air hautain parmi la foule des déportés, les examinant des pieds à la tête, de même que les nombreux prêtres maraudant dans les parages ou les innombrables désœuvrés qui venaient chaque jour traîner là : mendiants ou aventuriers qui en profitaient pour les traiter avec mépris.

Les Maures étaient épuisés et affamés. Soudain, les chrétiens surgirent avec de grandes marmites de potage aux légumes et… aux tripes de porc ! Alors les prêtres s'employèrent à vérifier, ici et là, que personne ne refusait d'avaler cet aliment interdit par la religion.

— Pourquoi ne mange-t-elle pas ? demanda l'un d'eux en désignant Fatima.

La jeune fille était assise par terre, le dos appuyé contre le mur d'un bâtiment de la calle del Potro ; l'écuelle remplie de soupe était posée, intacte, entre ses pieds.

Fatima ne leva même pas le visage vers le prêtre. Brahim, plongé dans les morceaux d'entrailles qui flottaient dans son écuelle, ne répondit pas. Aisha non plus.

— Elle est malade, prétexta à la hâte Hernando.

— Dans ce cas, il faut qu'elle mange, répliqua le curé.

Et, d'un geste, il lui ordonna de le faire.

Fatima resta impassible. Hernando s'agenouilla à côté d'elle, prit la cuiller, l'emplit de soupe… et d'un petit bout de porc.

— Mange, s'il te plaît, murmura-t-il à Fatima.

Elle ouvrit la bouche et Hernando lui donna la becquée. La graisse coula sur le menton de la jeune fille et un haut-le-cœur l'obligea à cracher la nourriture aux pieds du prêtre. L'homme fit un bond en arrière.

— Chienne mauresque !

Les Maures qui étaient autour d'eux s'écartèrent en formant un cercle. À genoux, se traînant par terre, Hernando se tourna vers le curé et s'adressa à lui.

— Elle est malade ! s'exclama-t-il. Regardez !

Il ramassa le bout de porc sur le sol et le porta à sa bouche.

— C'est… ma femme. Elle est seulement malade, répéta-t-il. Regardez !

Il revint à l'endroit où se trouvait l'écuelle, remplit une cuillerée de tripes et l'avala.

— Elle est seulement malade…, balbutia-t-il, la bouche pleine.

Le prêtre contempla pendant un bon moment Hernando mâcher et manger le porc, bouchée après bouchée. Il parut satisfait.

— Je reviendrai, dit-il avant de leur tourner le dos et d'examiner d'autres Maures. Et alors, j'espère que vous aurez changé d'attitude et que vous ferez honneur à la nourriture que la ville de Cordoue vous offre avec tant de générosité.

En face de Fatima et Hernando, de l'autre côté de la rue, s'ouvrait une minuscule ruelle sans issue où deux hommes ne tenaient pas de profil, qui menait du Potro au Guadalquivir. La porte en bois qui donnait accès à la ruelle était à ce moment-là ouverte et l'on apercevait un alignement de petites échoppes ou locaux, certains d'un seul étage, qui s'étendaient de chaque côté de l'impasse et sur toute sa longueur. Juste à l'entrée, armé, discutant avec les clients qui entraient ou sortaient du lupanar, l'alguazil de la maison close de Cordoue observait les Maures. Derrière lui, sans oser se montrer entièrement à cause de leurs vêtements et bijoux interdits qu'elles pouvaient juste porter à l'intérieur de la maison close, certaines femmes passaient la tête. Parmi elles, tâchant de ne pas éveiller la méfiance de l'alguazil, un homme avait assisté à la scène du jeune Maure volant au secours de cette jeune fille malade. Sa femme, avait-il dit ? Il esquissa un sourire qui s'estompa sur sa joue droite, là où l'infâme lettre « S » apparaissait, marquée au fer rouge. Hernando ! Presque

314

deux ans avaient passé depuis qu'ils s'étaient quittés au château de Juviles. Pendant tout ce temps, cet homme avait pensé chaque jour à Hernando : c'était le fils qu'il n'avait jamais eu… Ému de le voir en vie, il pensa avec orgueil que le jeune homme avait grandi et que, malgré son aspect déguenillé, il était à l'évidence devenu un homme. Quel âge avait-il ? Dix-sept ans ? se demanda Hamid.

— Francisco ! cria l'alguazil lorsqu'il se rendit compte de sa présence derrière lui. Va travailler ! Et vous autres aussi, ajouta-t-il en repoussant les femmes.

Hamid sursauta et retourna dans la ruelle en boitant, s'efforçant de retenir ses larmes. Hernando ! Il avait cru qu'il ne le reverrait jamais… Combien d'autres anciens villageois de Juviles avaient pu arriver avec ce nouveau groupe ? Il ne les avait pas vus, mais il savait que dans la ville se trouvaient plusieurs esclaves originaires de Juviles, capturés avant le pardon accordé par don Juan d'Autriche. Tous les autres Maures libres établis à Cordoue provenaient de l'Albaicín ou de la vega de Grenade, débarqués avec les premiers groupes. En silence, il remercia le Clément d'avoir protégé la vie et la liberté du garçon. Mais qu'arrivait-il à son épouse ? Elle avait l'air malade, tremblait de manière convulsive. Hernando devait beaucoup l'aimer car il s'était lancé sans hésiter à sa défense, se traînant à genoux jusqu'au curé. Il s'arrêta devant la porte d'une petite échoppe à deux étages et tendit l'oreille. On n'entendait rien à l'intérieur. Il frappa du revers de la main.

— Tu dois manger.

Hernando se laissa tomber à côté de Fatima. Aussitôt Brahim leva les yeux de son écuelle.

— Laisse-la, grogna-t-il. Ne t'approche…

— Ferme-la ! Tu veux qu'elle meure ? Tu vas la laisser mourir et ensuite tu tueras ma mère parce que j'ai essayé de l'aider ?

Brahim observa la jeune fille : recroquevillée, tremblante.

— Toi, femme, occupe-toi d'elle, ordonna-t-il à Aisha, qui mangeait en fermant les yeux chaque fois qu'elle portait une cuillerée à sa bouche. Débrouille-toi pour qu'elle ne meure pas.

— Tu dois te nourrir, Fatima, murmura Hernando à son oreille.

Elle ne répondit pas, ne le regarda pas, continua de trembler.

— Je sais que tu souffres à cause d'Humam, mais ne pas manger ne lui rendra pas la vie. Il nous manque à tous…

— Laisse-moi faire, le pressa Aisha, debout devant lui.

Hernando leva ses yeux bleus. Son regard exprimait une profonde consternation.

— Laisse-moi faire, répéta-t-elle avec douceur.

Aisha ne parvint pas plus à faire réagir Fatima. Elle essaya de la forcer à avaler la soupe, mangeant elle-même le porc au cas où un prêtre reviendrait, mais à peine réussissait-elle à introduire un peu de liquide ou un légume dans la bouche de la jeune fille que celle-ci le recrachait aussitôt. Accroupi, Hernando observait sa mère qui bataillait pour nourrir Fatima ; il retenait sa respiration quand elle y parvenait, et se désespérait, au point de frapper la terre avec ses mains, lorsque le corps de la jeune fille rejetait la nourriture.

— On dit qu'il y a un hôpital sur la petite place, les informa une Mauresque qui assistait à la scène avec angoisse.

Hernando l'interrogea du regard et la femme lui montra la plaza del Potro ; il partit en courant, mais fut bloqué après quelques mètres : la foule s'amassait devant ce qui devait être l'entrée de l'hôpital ; un porche fermé par un double arc en demi-pointe. Il s'avança tant bien que mal et, sans tenir compte des protestations, se démena pour se frayer un passage parmi les gens.

— Je vous ai déjà dit, répétait le chapelain qu'il réussit à voir, que les quatorze lits de l'hôpital sont occupés et que dans plus de la moitié d'entre eux il y a déjà deux personnes. Et, en plus, pour entrer dans l'hôpital, il faut l'ordre du médecin ou du chirurgien. Aucun des deux n'est ici en ce moment.

En entendant ces paroles, certains s'avouaient vaincus et quittaient le porche ; d'autres ne bougeaient pas, montraient leurs blessures, toussaient ou tendaient les bras en suppliant. Un enfant agonisait aux pieds du chapelain tandis que son père pleurait, désespéré. Que pouvait-il faire, lui ? songea Hernando en voyant le prêtre secouer obstinément la tête. La vision de Fatima tremblant et vomissant le poussa à agir et, pour la deuxième fois de la soirée, il se jeta à genoux devant un ecclésiastique.

— Au nom de Dieu et de la Sainte Vierge…, cria-t-il, les mains jointes à la hauteur de l'estomac du chapelain, se souvenant des prières du noble chrétien dans la tente de Barrax. Par les clous de Jésus-Christ, aidez-moi !

Le prêtre demeura un moment interdit. Puis il se baissa et l'obligea à se relever. C'était le premier Maure qui invoquait Jésus-Christ ! Mais Hernando resta à genoux.

— Aidez-moi, répéta-t-il alors que le prêtre lui saisissait les mains et voulait le forcer à se relever. Où puis-je trouver ce chirurgien ? Dites-le-moi ! Mon épouse est très malade…

Le chapelain lui lâcha les mains d'un geste brusque et hocha la tête négativement.

— Désolé, mon garçon. L'hôpital de la Charité n'admet que des hommes.

Hernando n'entendit pas, après son départ, les autres Maures se répandre en invocations à la Sainte Vierge.

Les heures passèrent. C'était la nuit. Les Maures tâchaient de dormir par terre, les uns contre les autres.

Hernando faisait les cent pas, sans s'éloigner de Fatima, réprimant ses sanglots devant les tremblements de la jeune fille. Brahim dormait, appuyé contre le mur, Musa et Aquil pelotonnés à ses côtés. Aisha caressait les cheveux de Fatima, veillant sur elle, comme si… elle attendait sa mort.

La nuit était bien avancée lorsque le bruit de la porte de la ruelle qui s'ouvrait surprit Hernando. D'abord il vit une jeune blonde se diriger directement vers lui. Que voulait cette femme ? Puis soudain, derrière elle, boitant…

— Hamid !

L'uléma mit son index sur ses lèvres et claudiqua jusqu'à lui.

Hernando se jeta dans ses bras. À cet instant, il réalisa à quel point ce visage aimable et familier lui avait manqué, le visage de celui qui avait été son plus grand réconfort au cours des tristes moments de son enfance.

— Vite ! Nous n'avons pas de temps, le pressa Hamid non sans l'avoir auparavant étreint avec force. C'est elle, son épouse, cette jeune fille, indiqua-t-il à la femme qui était avec lui. Aide-la, vite.

— Que… vas-tu faire ? demanda Hernando immobile, sans pouvoir quitter des yeux la lettre marquée au fer rouge sur la joue de l'uléma.

Aisha se mit debout, et ce fut elle qui aida la jeune blonde à soulever Fatima.

— Essayer de sauver ton épouse, lui répondit Hamid alors que les deux femmes traversaient la rue en traînant Fatima. Tu ne dois pas franchir la porte, Aisha, ajouta-t-il. Je me chargerai de la jeune fille.

Hernando restait pétrifié. Son épouse ? Elle l'était devant les chrétiens, mais Hamid… Et Brahim ? Que dirait Brahim lorsqu'il verrait que Fatima n'était plus là ? Le fait qu'Hamid était l'artisan de cette manœuvre tempérerait peut-être sa colère…

— Ce n'est pas mon…

Aisha, qui ne portait plus Fatima, lui attrapa le bras et

le fit taire d'un geste. L'uléma ne l'entendit pas. Une seule chose lui importait : que personne ne les découvre.

— Demain, dit-il avant de refermer la porte de la maison close, je sortirai faire des courses. Alors nous parlerons, mais n'oubliez pas qu'ici je suis juste un esclave ; ce sera à moi de choisir le bon moment... Et appelez-moi Francisco, c'est mon nom chrétien.

25.

Le 30 novembre 1570, par ordre du roi Philippe II, les trois mille Maures arrivés de la plaine de Grenade avec le corregidor Zapata reprirent la route vers leurs destinations définitives : Mérida, Cáceres, Plasencia et d'autres villes encore. Cordoue recouvra une certaine tranquillité et la plaza del Potro sa frénétique activité commerciale habituelle. À la première heure de la matinée, au-delà du moulin de Martos, sur la rive du Guadalquivir, Hernando les vit franchir le pont romain, en formation, ainsi qu'il l'avait fait lui-même en sens inverse presque trois semaines plus tôt.

Face à cette colonne d'hommes, de femmes et d'enfants silencieux, livrés à la fatalité, le ballot de peaux puantes et sanglantes qu'il portait sur ses épaules lui sembla bien plus lourd qu'il ne l'avait été au long du trajet qu'il effectuait à l'extérieur de la ville, autour des remparts, comme l'ordonnait le conseil municipal, des abattoirs à la calle Badanas, près du fleuve, où se trouvait la tannerie de Vicente Segura. Pendant quelques instants, Hernando ralentit l'allure. Son regard suivait la colonne de proscrits. Il sentit le sang des bêtes couler dans son dos et lui tremper les jambes. La puanteur pénétrante de la peau, du derme fraîchement écorché, à laquelle les Cordouans interdisaient l'accès aux rues de leur ville, accompagna la souffrance qu'il pouvait, même de loin, deviner chez ses frères. Qu'allaient-ils devenir ? Qu'allaient-ils faire ? Une femme passa à côté de lui et le dévisagea en fronçant les sourcils.

Hernando réagit aussitôt et se remit en marche : son patron ne tolérait pas les retards.

Tel était l'accord auquel Hamid était parvenu en leur faveur, par l'intermédiaire d'Ana María, la prostituée qui s'était occupée de Fatima, l'avait cachée et avait veillé sur elle, avec l'aide d'Hamid, au deuxième étage du petit local où elle officiait dans la maison close. Il sourit en pensant à Fatima : elle avait échappé à la mort.

Avant que les Maures soient contraints de quitter Cordoue, les fonctionnaires du conseil municipal s'étaient penchés sur leur cas. Ils les avaient recensés et répartis vers différentes destinations. À ce moment-là, Fatima avait dû quitter le lupanar et Hernando avait pu constater que les nouvelles que leur donnait chaque jour l'uléma étaient exactes : la jeune fille, malgré la tristesse inscrite sur son visage, avait repris du poids et paraissait en meilleure santé.

Aucun d'eux n'avait eu l'occasion de revoir Ana María.

— C'est une brave fille, avait commenté Hamid un matin.

— Une prostituée ? avait laissé échapper Hernando.

— Oui, avait confirmé avec gravité l'uléma. Ce sont souvent de bonnes personnes. La plupart d'entre elles sont issues de foyers humbles et sans ressources, confiées dès l'enfance par leurs parents à des familles aisées à qui elles servent de domestiques. Généralement, l'accord passé entre eux est le suivant : à mesure que les filles grandissent, ces familles fortunées doivent leur assurer une dot suffisante pour leur permettre de faire un beau mariage. Mais dans de très nombreux cas, cet accord n'est jamais respecté : on les accuse de voler ou d'entretenir des relations avec le maître de maison ou ses fils, ce à quoi elles sont souvent contraintes, par ailleurs, fréquemment… Beaucoup trop fréquemment, s'était-il lamenté. Alors, taxées de voleuses ou de putes, on les expulse sans aucun argent.

Hamid s'était pincé les lèvres et avait gardé le silence.

— C'est toujours la même histoire ! La majorité des maisons closes sont remplies de ces malheureuses.

Hamid était devenu esclave après l'entrée des chrétiens à Juviles. Le pardon accordé par le marquis de Mondéjar n'avait pas servi à grand-chose. Dans la confusion qui avait suivi le massacre des femmes et des enfants sur la place de l'Église, certains soldats s'étaient emparés des hommes installés dans les maisons du village et avaient déserté avec le maigre butin que représentaient ces Maures n'ayant pas pu fuir avec l'armée musulmane. Marqué au fer, émacié et boiteux, Hamid fut vendu à bas prix avant même d'arriver à Grenade, sans marchandage, à un marchand qui accompagnait l'armée. De là, il fut transféré à Cordoue et acheté par l'alguazil du lupanar. Quel meilleur esclave pour un endroit plein de femmes qu'un homme faible et invalide ?

— Nous rachèterons ta liberté ! s'écria Hernando, indigné, quand il apprit toute l'histoire.

Hamid lui répondit par un sourire résigné.

— Je n'ai pas pu quitter Juviles en compagnie de nos frères… Et l'épée ? demanda-t-il soudain.

— Enterrée dans le château de Lanjarón, près de…

Hamid lui fit signe de se taire.

— Celui qui est destiné à la trouver la trouvera.

Hernando réfléchit avant d'insister une nouvelle fois :

— Et ta liberté ?

— Que ferais-je en liberté, mon garçon ? Je ne sais rien faire d'autre que cultiver les champs. Et qui engagerait un boiteux pour cela ? Je ne peux pas davantage compter sur l'aumône des fidèles. Ici, à Cordoue, je serais un homme mort si, libre, je m'employais à faire ce que j'ai fait toute ma vie comme uléma…

— Libre ? Est-ce que cela veut dire que tu continueras à être uléma ? l'interrompit Hernando.

Hamid l'obligea à se taire après avoir regardé du coin de l'œil si quelqu'un les écoutait.

— Nous reparlerons de cela plus tard, chuchota-t-il. Nous aurons le temps, je le crains.

— Tu t'y connais en herbes, en remèdes, reprit cependant le garçon. Tu pourrais t'y consacrer.

— Je ne suis ni médecin ni chirurgien. Tout ce que je ferais avec des herbes serait considéré comme de la sorcellerie. De la sorcellerie… répéta-t-il pour lui-même.

Précisément, il avait dû persuader la jeune Ana María que son savoir n'en était pas. Malgré tout, la jeune fille n'avait pas paru vraiment convaincue. Peu après son arrivée dans la maison close, alors qu'il lui apportait des draps propres, Hamid l'avait trouvée un jour en train de pleurer, inconsolable, dans son petit local. Au début, Ana María s'était butée et n'avait pas répondu à ses questions. Hamid était propriété de l'alguazil, et qui lui certifiait qu'il n'irait pas raconter… ? Hamid avait lu cette méfiance dans ses yeux et insisté, jusqu'au moment où, peu à peu, ouvrant son cœur à l'uléma, elle lui avait tout dit. Le chancre ! Une petite plaie était apparue sur sa vulve, indolore, quasi imperceptible, mais premier signe sans équivoque d'une future syphilis. Le médecin chargé, toutes les deux semaines, par le conseil municipal de contrôler la santé et l'hygiène des prostituées venait de passer et ne s'était rendu compte de rien, mais la prochaine fois cela ne lui échapperait pas. La jeune fille s'était remise à pleurer.

— Il m'enverra à l'hôpital de la Lampe, avait-elle sangloté, et là… je mourrai au milieu des syphilitiques.

Hamid avait entendu parler de l'hôpital de la Lampe, qui se trouvait non loin. Tous les Cordouans avaient peur d'être admis dans un des nombreux hôpitaux de la ville. « La pauvreté extrême est ce qui oblige un pauvre à aller à l'hôpital », disait-on, mais celui de la Lampe, asile de femmes affligées de maladies vénériennes incurables, était évoqué avec effroi parmi les prostituées. Surveillé de près par les autorités, dans un souci sanitaire, il menait à coup sûr à une agonie lente et douloureuse.

— Je pourrais… avait commencé Hamid. Je connais…

Ana María s'était tournée vers lui et l'avait supplié de ses yeux verts.

— Il existe un vieux remède musulman, peut-être que…

Il n'avait jamais soigné quiconque du chancre dans les Alpujarras ! Et si ça ne marchait pas ? Mais la jeune fille était à genoux devant lui, accrochée à ses jambes.

« Que Dieu autorise sa guérison ! » pria Hamid en silence quand, ce soir-là, il lava avec du miel la vulve d'Ana María et saupoudra ensuite la plaie des cendres qu'il obtint d'une tige de roseau remplie d'une pâte composée de farine d'orge, de miel et de sel. « Permets-le, mon Dieu ! » pria-t-il soir après soir en répétant le traitement. Lors de la visite suivante du médecin du conseil municipal, la plaie avait disparu. Cette minuscule fistule avait-elle vraiment annoncé la syphilis ? s'interrogea Hamid alors qu'Ana María, reconnaissante, pleurait de joie dans ses bras. C'était la médecine du Prophète, conclut-il cependant : une médecine capable de soigner le chancre et la syphilis. Ne s'était-il pas recommandé à Dieu chaque fois qu'il l'avait soignée ?

— Ne le raconte à personne, je t'en supplie, demanda Hamid à la prostituée, se dégageant de son étreinte. Si on savait… Si l'alguazil ou l'Inquisition apprenait ce qui s'est passé ici, je serais accusé de sorcellerie… et toi d'ensorcellement…, ajouta-t-il avec plus d'assurance. Que fais-tu, jeune fille ? interrogea-t-il, surpris, en voyant Ana María retirer ses vêtements.

— Mon corps est tout ce que je possède, répondit-elle, en ouvrant sa chemise qui laissa apparaître sa jeune poitrine.

Hamid n'avait pu s'empêcher de regarder ces seins blancs et lisses, la grande aréole brune qui entourait ses tétons. Depuis combien d'années n'avait-il pas joui d'une femme ?

— Ton amitié me suffit, s'excusa-t-il, effrayé. Rhabille-toi, s'il te plaît.

À partir de ce jour, Hamid fut l'objet d'un respect révérencieux de la part de toutes les femmes de la maison de tolérance ; même l'alguazil changea d'attitude envers le vieil esclave. Qu'avait pu raconter Ana María ? L'uléma préférait ne pas le savoir.

— J'ai obtenu que vous puissiez rester à Cordoue, annonça Hamid un matin à Hernando.

L'uléma inspira longuement avant de continuer :

— Tu es toute ma famille… Ibn Hamid, dit-il en prononçant son nom à voix basse, à l'oreille d'Hernando, qui tressaillit. Et je voudrais que tu sois près de moi, dans cette ville. De plus… ton épouse ne résisterait pas à un nouvel exode.

— Ce n'est pas mon épouse…, confessa finalement le jeune Maure.

Hamid l'interrogea du regard et Hernando lui raconta toute l'histoire. Alors le vieil homme comprit pourquoi Brahim l'avait accueilli avec colère le premier matin où ils s'étaient revus. L'uléma avait cru que c'était parce que Fatima était dans une maison close, et il s'était montré catégorique : « Il n'y aura aucun homme en sa présence », avait-il dit. « Fais-moi confiance. » Le muletier avait voulu discuter, mais Hamid lui avait tourné le dos. Plus tard, Aisha avait dû, une fois de plus, affronter son époux : « On la soigne, Brahim. Morte, elle ne te servira pas à grand-chose. »

Ana María connaissait un juré de Cordoue : un homme qui s'était entiché d'elle et venait régulièrement la voir au lupanar. Les jurés avaient pour rôle de faire contrepoids aux vingt-quatre membres du gouvernement municipal. À la différence des Vingt-Quatre, tous nobles, les jurés étaient des hommes du peuple, directement élus par leurs concitoyens pour les représenter au conseil. Avec le temps, toutefois, la charge s'anoblit et devint successorale, apte à être cédée du vivant de son propriétaire, et les différents monarques l'utilisaient, qui pour récompenser des services, qui pour la vendre et en tirer de larges profits. L'élection devint une pantomime formaliste et les jurés, sans posséder les titres et les richesses de la noblesse, s'efforcèrent de se comparer à celle-ci et aux Vingt-Quatre. Le juré qui fréquentait Ana María avait vu dans la demande de la jeune fille l'opportunité de lui prouver son pouvoir au-delà de sa chambre et, dans un accès de vanité, il lui avait promis que les Maures dont elle lui parlait resteraient à Cordoue.

— Ce sont des parents du Maure boiteux, avait-elle expliqué d'une voix mielleuse en faisant référence à Hamid.

Le juré était à ses côtés, dans le lit, satisfait.

— Une des femmes est malade. Elle ne peut pas voyager. Tu pourrais… ? Tu aurais le pouvoir de… ? lui avait-elle demandé avec une fausse innocence, cajoleuse, provocante, consciente que le juré lui répondrait par un « tu en doutes ? » comme cela se produisit.

Ana María avait caressé le torse flasque de l'homme.

— Si tu réussis, avait-elle susurré, nous aurons les meilleurs draps de la maison, avait-elle ajouté avec une moue coquine.

L'autorisation de demeurer à Cordoue comportait une condition : que les hommes travaillent. Le juré parvint à faire embaucher Brahim dans un des nombreux champs cultivés des alentours de la ville.

— Muletier ? avait ri le juré quand Ana María lui avait communiqué la profession de Brahim. Et il a des mules ?

La jeune fille avait hoché négativement la tête.

— Alors comment pourrait-il travailler comme muletier ?

Quant à Hernando, il n'y eut même pas à discuter : il serait employé à la tannerie de Vicente Segura.

Et, ce 30 novembre 1570, il portait des peaux jusqu'à la calle Badanas sur la rive du Guadalquivir, le regard posé sur les derniers Maures qui, à ce moment-là, passaient la forteresse de la Calahorra après avoir franchi le pont romain d'accès à la ville des califes.

La calle Badanas commençait à San Nicolás de la Ajerquía, au bord du fleuve, puis dessinait une sorte de ligne brisée qui débouchait sur la calle del Potro, tout près de la place. La majorité des tanneurs se trouvait dans ce quartier qui disposait de l'eau abondante du Guadalquivir, indispensable à leur travail ; l'air qu'on y respirait était âcre et nocif, conséquence des divers procédés auxquels les peaux étaient soumises avant d'êtres transformées en fantatisques cuirs cordouans, maroquins, semelles, chaussures, courroies, harnais et tout type d'objet nécessitant du cuir. Hernando entra dans l'atelier de Vicente Segura par la porte de derrière, qui donnait sur le fleuve, et déposa les peaux dans un coin du grand patio intérieur, comme il l'avait fait depuis trois jours. Un employé, un chrétien chauve et fort, s'approcha pour vérifier l'état des peaux, sans même saluer Hernando qui, une fois de plus, se retrouva plongé au cœur de l'agitation qui se déployait à l'intérieur du patio, entre le fleuve et la calle Badanas : des ouvriers, des apprentis et deux esclaves, dont l'unique tâche consistait à transporter de l'eau propre du fleuve, travaillaient sans relâche. Certains amollissaient les peaux : c'était la première opération effectuée dès qu'un nouvel échantillon arrivait dans la tannerie ; elle consistait à plonger la peau dans des cuves remplies d'eau fraîche pour la ramollir, autant de jours que nécessaire, selon la peau et l'état dans lequel elle se trouvait. Certaines d'entre

elles, déjà ramollies ou non loin de l'être, étaient étendues
sur des planches en bois, le côté du derme à l'air, afin que
les ouvriers les râpent avec des couteaux affûtés et les
nettoient de leur chair, du sang et des immondices qui
pouvaient encore y être accrochés.

Une fois les peaux ramollies, elles étaient introduites
dans des pelains pour y être plainées, opération qui consistait à les plonger dans de l'eau contenant de la chaux, le
derme tourné vers le haut. Le badigeonnage à la chaux
dépendait de la qualité de la peau et de l'objet auquel elle
était destinée. Hernando avait observé que certains
apprentis sortaient les peaux des pelains afin de les sécher,
et les suspendaient à des bâtons plus ou moins longtemps,
selon la saison, avant de les replonger dans l'eau et de
répéter l'opération quelques jours plus tard. Ce planage
des cuirs pouvait durer entre deux et trois mois, s'il avait
lieu l'été ou l'hiver. L'amollissement et le bain de chaux
étaient communs à toutes les peaux ; ensuite, quand le
maître considérait que la peau était assez plainée, les procédés variaient selon l'objectif final : semelles, chaussures, courroies, cuirs cordouans ou maroquins. Le
tannage des peaux s'effectuait dans des fosses, gros trous
creusés dans la terre recouverts de pierre ou de brique, où
les peaux étaient immergées dans de l'eau avec de l'écorce
de chêne-liège, qui abondait à Cordoue ; dans les fosses,
le maître contrôlait avec précision le tannage des cuirs.
Hernando regarda le maître et l'ouvrier qu'il commandait,
plongé dans une des fosses et nu jusqu'à la taille, foulant
des peaux de chevreau destinées à des cuirs noirs, sans
cesser un instant de les retourner et de les tremper dans
l'eau et le sumac. Cette opération se déroulait pendant huit
heures, au cours desquelles à aucun moment les ouvriers
ne cesseraient de fouler, de retourner et de tremper les
peaux de chevreau.

— Que regardes-tu ? Tu n'es pas ici pour flâner !

Hernando sursauta. L'ouvrier chauve, à qui il avait

remis les peaux, lui tendait l'une d'elles, qui paraissait en mauvais état.

— Celle-là, c'est pour ton trou, lui indiqua-t-il. Allez, au fumier, comme les autres jours.

Hernando jeta un regard affligé vers l'extrémité opposée du patio où, dans un coin un peu à l'écart, caché, s'ouvrait au sol un trou profond ; dans le froid de ce jour de novembre s'élevait de cette fosse une colonne d'air chaud et pestilentiel résultant de la putréfaction du fumier. Lorsque Hernando s'introduirait à l'intérieur, comme il avait dû le faire les deux jours précédents, cette colonne de fumée prendrait vie, se collerait à ses mouvements et l'envelopperait de chaleur, de puanteur et de miasmes. Le maître avait décidé que les peaux qui présentaient des défauts, comme celle que venait de lui remettre l'ouvrier, ne seraient pas ramollies avec de la chaux mais avec du fumier ; le procédé était beaucoup plus rapide, nul besoin d'attendre deux mois, et surtout bien moins coûteux. Les cuirs qui en ressortaient, de moindre qualité puisque le fumier n'obtenait pas les mêmes résultats que la chaux, étaient destinés aux semelles de chaussures.

Hernando traversa le patio, entre les cuves, les fosses, les longues tables en bois où l'on travaillait les peaux avec des couteaux aiguisés ou émoussés, selon les besoins, et les bâtons sur lesquels on accrochait les peaux. Il passa devant un apprenti qui était dans la cuve et traîna des pieds en direction du fumier. Plusieurs jeunes apprentis échangèrent des sourires : il n'existait pas de tâche plus ingrate, et l'arrivée du Maure les avait délivrés de la corvée du fumier. Près de la fosse dans laquelle on foulait le cuir cordouan, Vicente se rendit compte de la situation et poussa un cri ; les sourires disparurent, et ouvriers et apprentis se consacrèrent de nouveau à leurs travaux respectifs, indifférents au Maure qui se trouvait à présent au bord du trou. Le fumier qui recouvrait les peaux bouillonnait.

Le premier jour, il avait failli s'évanouir à cause du manque d'air. Il avait hoqueté en essayant de respirer, mais la puanteur ardente, en pénétrant ses poumons, l'avait asphyxié. Alors il avait dû revenir au bord du trou et, en quête d'air, poser son menton au ras du sol. Il avait été à deux doigts de vomir, mais l'ouvrier qui le surveillait ce jour-là lui avait crié de faire attention aux peaux, de sorte qu'il avait fermé la bouche et refoulé sa nausée.

Hernando regarda le fumier et se déchaussa. Puis il se déshabilla et se laissa tomber dans le trou. Où était la Sierra Nevada ? Son air pur et propre ? Sa fraîcheur ? Ses arbres et les ravins où coulaient des milliers de ruisseaux qui descendaient des cimes enneigées ? Il retint sa respiration. Il avait appris que c'était la seule façon de supporter cette tâche. Il s'agissait de soulever les peaux pour les assécher et faire en sorte qu'elles ne chauffent pas plus qu'il ne fallait. Il retourna le fumier, où s'entassaient les peaux, dans le but de trouver la première d'entre elles. Il la secoua et réussit à la sortir du trou avant de ne plus pouvoir respirer. Alors il chercha l'air, une fois de plus au ras du sol. La première peau était la plus simple à soulever ; à mesure qu'on descendait dans ce trou immonde, le fumier s'entassait et il devenait de plus en plus difficile d'extraire les autres peaux. Hernando resta plus de deux heures à les soulever, retenant sa respiration, le corps et les cheveux recouverts d'immondices infectes.

Une fois qu'il eut terminé son travail, l'un des ouvriers s'approcha et vérifia l'état des peaux. Il en retira deux, de grandes peaux de bœuf qu'il considéra comme assez ramollies, puis lui fit signe de sécher les autres et d'extraire avec une pelle tout le fumier du trou ; à la fin de la journée, il devrait replacer les peaux dedans ; une couche de fumier et une peau, une autre couche de fumier et une autre peau, jusqu'à les recouvrir toutes afin, le jour suivant, de les soulever à nouveau.

26.

En cette année 1570, la population de Cordoue atteignait environ les cinquante mille habitants. Comme dans toute ville fortifiée, la construction d'habitations extramuros était interdite, car elles pouvaient empêcher le libre accès au chemin de ronde ou gêner la ville qui s'ouvrait sur les remparts, au-delà desquels s'étendait la campagne. Le fleuve Guadalquivir cessait d'être navigable à sa hauteur et traçait des méandres capricieux et impressionnants. Au nord de la ville se trouvait la Sierra Morena et au sud, après le fleuve, se déployaient des champs cultivés, la riche « campagne de pain ». Au Xe siècle, le processus d'indépendance de Cordoue vis-à-vis de l'Orient atteignit son zénith, et Abderrahman III s'érigea en calife d'Occident, successeur et vicaire de Mahomet, prince des croyants et défenseur de la loi d'Allah. Dès lors, Cordoue devint la ville la plus importante d'Europe, héritière culturelle des grandes capitales orientales, avec plus de mille mosquées, des milliers d'habitations, de commerces, et près de trois cents bains publics. À Cordoue rayonnèrent les sciences, les arts et les lettres. Trois siècles plus tard, elle fut reconquise par la chrétienté et le roi saint, Ferdinand III, après six mois de siège, mené depuis la Ajerquía à la medina, les deux parties qui divisaient la ville.

Les chrétiens ne travaillaient pas le dimanche. Lors de son premier jour de repos, Hernando s'échappa, offusqué, de la misérable maison à deux étages située dans une impasse qui donnait sur la calle de Mucho Trigo où, dans six petites pièces, s'entassaient sept familles maures, dont la sienne.

— Il y a des maisons où vivent jusqu'à quatorze, voire seize familles, leur avait commenté Hamid quand il leur avait proposé cette demeure. Le roi, avait-il expliqué devant leurs visages incrédules, a décrété que les Maures partageraient leur habitation avec de vieux-chrétiens pour que ces derniers puissent les surveiller, mais le conseil municipal n'a pas cru opportun d'obéir à cet ordre puisqu'il a compris qu'aucun chrétien ne voudrait vivre avec nous, et il a décidé que nous vivrions dans des maisons indépendantes, à condition qu'elles se trouvent entre deux bâtiments occupés par des chrétiens. De plus, avait-il ajouté en faisant claquer sa langue, ici toutes les maisons sont propriété de l'Église ou des nobles, qui touchent de bonnes rentes en les louant, ce qu'ils ne pourraient pas faire si nous vivions avec les chrétiens. Nous devons être plus de quatre mille Maures à Cordoue. Il n'a pas été très difficile aux Vingt-Quatre du conseil de prendre cette décision : ils nous paient des salaires de misère, mais gagnent beaucoup d'argent grâce à nous : d'abord ils nous exploitent, et ensuite ils nous reprennent nos revenus dérisoires à travers le loyer de leurs maisons.

Comme ils avaient été les derniers à arriver, ils furent contraints de partager une pièce avec un jeune couple qui venait d'avoir un bébé, lequel semblait éveiller chez Fatima, accablée, des sentiments. La jeune fille se contentait de suivre les instructions qu'à tout moment lui donnait Aisha. Une fois qu'elle les avait remplies, elle replongeait dans un silence tenace, qu'elle interrompait seulement pour murmurer une prière. Parfois elle levait le visage en entendant pleurer le petit. Les rares fois où il s'était trouvé à la maison, Hernando avait tenté de lire, en vain, dans ses yeux noirs, désormais toujours éteints, autre chose qu'un immense chagrin.

Aisha aussi laissait échapper de tristes regards en direction du nouveau-né. Au moment où les autorités les avaient recensés, on leur avait arraché Aquil et Musa, comme tous les mineurs déportés, pour les confier à de pieuses familles cordouanes, censées les élever et les convertir à la foi chrétienne. On avait forcé Aisha et Brahim, pour une fois aussi impuissant que sa femme, à voir leurs enfants, pleurant toutes les larmes de leur corps, leur être enlevés et remis entre les mains d'inconnus. Le visage du muletier avait exprimé une fureur sauvage : c'étaient ses garçons ! La seule fierté qui lui restait !

Cependant, ce n'était ni Fatima, ni la perspective de vivre dans la même pièce que le jeune couple et son bébé, qui poussa Hernando ce dimanche-là à se lever avant qu'il fasse jour et à sortir discrètement. Au cours de la nuit, alors qu'ils étaient tous entassés dans la pièce, Brahim avait cherché Aisha pour la première fois depuis des mois, et celle-ci s'était donnée à lui, conformément à son devoir de première épouse. Tendu, recroquevillé sur sa paillasse, Hernando avait entendu les soupirs et les gémissements de sa mère juste à côté de lui. Il n'y avait pas de place ! Dans la pénombre, les paupières fortement serrées, il avait souffert de sentir le plaisir qu'elle parvenait à donner à Brahim, renversée sur lui comme étaient tenues de le faire les femmes musulmanes : en cherchant à se rapprocher de Dieu à travers l'amour.

Il ne voulait plus voir sa mère. Il ne voulait plus voir Brahim. Il ne voulait plus voir Fatima !

Mais il eut beau quitter l'habitation et déambuler dans les rues de Cordoue sous le soleil qui commençait à les éclairer, il ne parvint pas à se défaire de cette sensation d'étouffement. Il voulut d'abord se diriger vers la mezquita, contempler de près cette construction qui dépassait tous les édifices de Cordoue et qu'il voyait chaque fois qu'il traversait le pont romain, en revenant à la tannerie avec le fumier. Il ne restait aucune autre mosquée dans la ville des califes. Le roi Ferdinand avait ordonné qu'on bâtisse des églises à leur place ; quatorze au moins avaient été construites aux dépens de lieux de culte musulmans. Les autres avaient été démolies. La mezquita des califes n'était plus une mosquée, mais on racontait qu'on pouvait encore apercevoir les jalousies sur les portes d'entrée, les arabesques ou les longues rangées de colonnes couronnées par des doubles arcs en fer à cheval, ocre et colorés, qui la rendaient unique au monde ; on disait aussi que si on tendait l'oreille, on entendait toujours l'écho des prières des croyants.

Au souvenir des insultes des chrétiens le jour de leur arrivée à Cordoue et de la suspicion avec laquelle les gens le regardaient quand, portant le fumier, il s'approchait de la mezquita après avoir franchi le pont romain, Hernando rejeta l'idée. Même les enfants paraissaient défendre le temple des hérétiques ! Il marcha dans les rues de la Aljerquía et de la medina, et se rendit compte que Cordoue elle-même était, dans son ensemble, un vaste temple de la chrétienté. Aux quatorze temples construits par le roi castillan, correspondant aux paroisses de la ville, s'en ajoutait un autre, postérieur, et près d'une quarantaine de petits hôpitaux ou asiles, tous avec leur église correspondante. Entre églises et hôpitaux, on voyait de grandes étendues de terrain avec de magnifiques couvents occupés par des ordres religieux : San Pablo, San Francisco, la Merced, San Agustín et la Trinidad. Et aussi d'imposants couvents de religieuses, comme celui de Santa Cruz, contigu à la calle de Mucho Trigo où vivait Hernando, celui de Santa Marta, et tant d'autres bâtis depuis la reconquête, tous cachés à la curiosité du voisinage au moyen de longs et hauts murs aveugles blanchis à la chaux, ouverts seulement via des portes d'accès.

À chaque coin de rue de Cordoue apparaissaient des peintures ou des sculptures d'ecce homo, de vierges, de saints ou de christs, certains de taille humaine, et une infinité d'autels que les vieux chrétiens veillaient à garder toujours éclairés par des bougies, seules lumières nocturnes de la ville. De minuscules ermitages, parmi lesquels certains n'abritaient pas plus de douze personnes, béguinages et maisons de recluses, étaient disséminés partout, comme les moines ou les frères qui, constamment, demandaient l'aumône pendant le tambourinage des rosaires chantés dans les rues.

Comment allaient-ils pouvoir survivre, eux, dans ce gigantesque sanctuaire ? pensa Hernando debout, le regard perdu sur la façade de l'église de Santa Marina, près des abattoirs, derrière le cimetière qui entourait le temple sur trois côtés, et où le conduisirent ses pas, au nord de la ville.

Juviles ! La montagne ! cria-t-il en son for intérieur. Là, au calme, sous les premiers rayons du soleil, il se sentit sale et puant le fumier putréfié.

— Ne songe même pas à te laver, l'avait prévenu Hamid. C'est un des comportements que les chrétiens surveillent et considèrent comme un signe d'hérésie.

— Mais…

— N'oublie pas qu'eux ne le font pas, le coupa l'uléma. À l'occasion ils se lavent les pieds, mais la plupart d'entre eux se baignent seulement une fois par an, le jour de leur fête. Les dentelles de leurs chemises sont des nids à poux et à puces. J'en souffre tellement ! Rappelle-toi qu'une de mes responsabilités est de changer les draps de la maison close.

Il avait suivi son conseil à contrecœur et ne s'était pas lavé jusqu'au moment où la puanteur s'était cousue à sa peau, comme cela arrivait avec tous les Maures… comme cela arrivait avec tous les chrétiens. Conscient de son odeur, il avait observé les enterrements des paroissiens aux portes de leur église, nobles et riches. Tous ceux qui le pouvaient se payaient une tombe à l'intérieur d'une église, d'un couvent ou de la cathédrale, mais commerçants et artisans gisaient là, au milieu des rues de Cordoue, tandis qu'on enterrait les indigents aux abords de la ville.

Le dimanche, il était obligatoire d'assister à la messe, et il devait s'y rendre accompagné de Fatima, son épouse légitime aux yeux des chrétiens, qui fréquentait désormais tous les vendredis les cours d'évangélisation qu'on lui avait imposés le jour de leur mariage.

Alors, il redescendit à San Nicolás de la Ajerquía, en longeant la rivière de San Andrés. Ce qui débordait à Cordoue, en plus de la dévotion chrétienne, c'était l'eau : comme dans la Sierra Nevada, mais à la différence de l'eau cristalline des vallons des Alpujarras, ici elle inondait les places ou coulait, corrompue, jusqu'au fleuve. Dans la rivière de San Andrés, près de laquelle marchait à présent Hernando, affluaient les eaux qui récupéraient les déchets des abattoirs et ceux de tout ce qui avoisinait son lit. Pourquoi les chrétiens étaient-ils si sensibles au passage des peaux sous leurs fenêtres alors qu'ils laissaient couler ces eaux putrides ? se plaignit-il en pensée, avançant avec attention sur une des grosses planches en bois que le conseil municipal avait ordonné de placer en guise de pont entre les maisons qui entouraient la rivière. Le lit de cet infect cours d'eau était si profond, plus bas même que les fondations des bâtiments, que les Cordouans l'avaient baptisé « le Précipice ».

L'intérieur de l'église San Nicolás, enclavée à l'endroit où la calle de las Badanas rejoignait la rivière, avait surpris Hernando, qui s'était retrouvé là avec Fatima et les autres Maures pour assister au service religieux. Parfois, en revenant des abattoirs, il avait observé sa façade basse, qui ne dépassait guère cinq aunes de hauteur, et la distinguait des autres églises construites par le roi Ferdinand, beaucoup plus vastes et élevées. Comme celles-ci, elle avait été érigée sur une mosquée, pourtant San Nicolás conservait encore les rangées de colonnes achevées par des arcs, caractéristiques aux lieux de culte musulmans, dans le style de la cathédrale. Mais cette fugace sensation avait disparu dès que le sacristain s'était mis à faire l'appel des Maures : près de deux cents se trouvaient recensés dans la paroisse : seulement, à la différence de Juviles, ils étaient ici une minorité parmi les deux mille et quelques vieux-chrétiens qui s'amassaient dans le temple : la plupart artisans, commerçants et salariés – les nobles habitaient d'autres paroisses –, en plus d'un nombre considérable d'esclaves, propriété des artisans.

Hommes et femmes entendaient la messe séparément. Il n'y avait ni sorties intempestives ni menaces du prêtre comme à Juviles : la messe, ici, était pour les chrétiens. La cérémonie leur coûtait un maravédis par tête.

À la sortie, un dimanche, alors qu'ils attendaient les femmes, un homme bien habillé s'avança vers eux. Sans réfléchir, Hernando examina la dentelle du col de sa chemise dans l'attente de voir apparaître un pou ou sauter une puce.

— Vous êtes les nouveaux Maures de la calle de Mucho Trigo, n'est-ce pas ? demanda-t-il à Hernando et à Brahim, avec condescendance, sans leur tendre la main.

Tous deux acquiescèrent et le nouveau venu se tourna vers Hamid, qu'il contempla avec mépris, s'arrêtant sur son visage marqué.

— Que fais-tu avec eux, toi ?

— Nous sommes du même village, Excellence, répondit Hamid avec humilité.

L'homme parut prendre note, mentalement, de cette information.

— Je m'appelle Pedro Valdés, magistrat de Cordoue, dit-il ensuite. J'ignore si vos voisins vous auront parlé de moi, mais sachez que j'ai pour mission de vous rendre visite tous les quinze jours afin de vérifier comment vous êtes et si vous vivez conformément aux préceptes chrétiens. Je suis certain que vous ne me poserez pas de problèmes.

À ce moment-là, Aisha et Fatima les rejoignirent, demeurant toutefois en retrait du groupe.

— Vos épouses ? questionna-t-il.

Considérant que oui, et sans attendre de réponse, il observa Fatima, qui paraissait avoir rapetissé au côté d'Aisha.

— Celle-ci est émaciée et toute maigre, remarqua-t-il comme s'il parlait d'un animal. Elle est malade ? Si c'est le cas, je devrai ordonner son admission dans un hôpital.

Hernando et Brahim hésitèrent et cherchèrent le soutien d'Hamid.

— Il faut qu'un esclave réponde pour vous ? leur reprocha le magistrat. Est-elle malade ou non ?

— Non… Excellence, bredouilla Hernando. Le voyage… le voyage ne lui a pas réussi, mais elle récupère.

— Cela vaut mieux. Les hôpitaux de la ville ont peu de lits disponibles. Emmène-la se promener dans la ville. Le soleil et l'air lui feront du bien. Profitez de la fête du jour du Seigneur et remerciez-le. Le dimanche est un jour de joie : le jour où Notre-Seigneur a ressuscité d'entre les morts avant de monter au ciel. Emmène-la se promener, répéta-t-il en faisant mine de les laisser. Tu es l'esclave de la maison de tolérance, non ? demanda-t-il cependant à Hamid avant de s'en aller.

L'uléma hocha la tête et le magistrat prit note, à nouveau, mentalement. Puis il se dirigea vers un groupe de riches marchands et leurs femmes qui l'attendaient un peu plus loin.

— À la maison ! cria Brahim dès que le magistrat et ses compagnons eurent disparu.

Aisha et Fatima lui avaient déjà emboîté le pas quand Hamid intervint :

— Parfois ils nous rendent visite par surprise, Brahim.

Les magistrats, les prêtres et le surintendant s'amusent à débarquer dans nos maisons avec des amis. Quelques verres de vin et…

— Veux-tu dire que tu es d'accord pour que mon épouse se pavane dans la ville devant tous les chrétiens, avec ce…

Il cracha, sans regarder Hernando.

— Avec le nazaréen ?

— Non, rétorqua Hamid. Il n'est pas question qu'elle se pavane devant les chrétiens. Je ne suis pas d'accord non plus pour que nous assistions à la messe, récitions leurs prières, mangions l'hostie, et pourtant nous le faisons. Nous devons vivre comme ils le désirent. De cette manière seulement, sans leur causer de problèmes, en les abusant, nous pourrons retrouver nos croyances.

Brahim réfléchit un instant.

— Avec le nazaréen, jamais, affirma-t-il, catégorique.

— Aux yeux des chrétiens, il est son époux.

— Que prétends-tu défendre, Hamid ?

— Appelle-moi Francisco, le corrigea l'uléma. Je ne défends rien, José.

Hamid éleva la voix en prononçant le prénom chrétien de Brahim.

— Les choses sont ainsi. Ce n'est pas moi qui les ai décidées. Ne cherche pas de problèmes à ton peuple ; nous dépendons tous de ce que font les autres. Tu exiges que s'appliquent nos lois au sujet de tes deux épouses et nous te respectons, mais tu refuses de te soumettre au bien de nos frères et tu cherches l'affrontement avec les chrétiens. Hernando, ajouta-t-il, en s'adressant à ce dernier, souviens-toi que selon notre loi, Fatima n'est pas ta femme ; comporte-toi comme un de ses parents. Allez vous promener. Obéissez à l'ordre de la justice.

— Mais… commença à protester Brahim.

— Je ne veux pas de problèmes si le magistrat se présente dans ta maison, José. Nous en avons déjà assez. Allez, insista-t-il auprès d'Hernando et de Fatima.

Fatima le suivit, comme elle l'aurait fait avec tout homme qui eût tiré sur les vêtements défraîchis qu'elle portait ; cette fois, la jeune fille à ses côtés, silencieuse et tête basse, Hernando pénétra une fois de plus dans les rues de Cordoue, s'efforçant de marcher aussi lentement qu'elle.

— À moi aussi le petit me manque, lui dit-il, quelques rues plus loin, après avoir repoussé plusieurs dizaines d'autres réflexions qui lui tournaient dans la tête.

Fatima ne dit mot.

— Combien de temps cela va-t-il durer ? se plaignit-il. Tu es jeune ! lança-t-il, exaspéré. Tu pourras avoir d'autres enfants !

Aussitôt, il se rendit compte de son erreur. Fatima ralentit davantage le pas. Ce fut sa seule réaction.

— Je suis désolé, reprit Hernando. Je suis désolé de tout ! Désolé d'être né musulman ; désolé qu'il y ait eu le soulèvement et la guerre ; désolé de ne pas avoir été capable de prévoir ce qui allait arriver et d'avoir rêvé, plein d'espoir, comme l'ont fait des milliers de nos frères ; désolé pour nos désirs de liberté ; désolé…

Hernando se tut soudain. Leur déambulation les avait menés à la medina, au quartier de Santa María, derrière la cathédrale, un ensemble confus de ruelles et d'impasses, comme dans beaucoup de villes musulmanes. Un groupe de gens courait vers eux : ils s'étaient regroupés dans l'étroite ruelle, criant, certains s'arrêtant une seconde pour regarder nerveusement et rapidement derrière eux avant de reprendre leur course.

— Un taureau ! s'égosilla une femme en passant près d'eux.

— Qu'il vienne ! glapit un homme.

Un taureau ? Comment était-il possible qu'ici, dans une ruelle de Cordoue… ? Ils n'eurent pas le temps d'y penser.

Ils étaient restés immobiles. À présent, dans cet espace étroit, s'approchaient cinq cavaliers pomponnés, tirant sur un taureau impressionnant, attaché aux cornes et au cou à leurs selles par des cordes. Les croupes des chevaux cognaient contre les murs et les cavaliers maniaient leurs montures avec habileté. Le taureau se défendait en mugissant, et les hommes le tractaient vers l'avant quand l'animal se retournait, ou bien ils le freinaient lorsqu'il paraissait être sur le point d'atteindre les coureurs et de les encorner. Les mugissements du taureau, les hennissements des chevaux, les sabots contre la terre et les cris des cavaliers résonnèrent dans la ruelle.

— Cours ! cria Hernando à Fatima en lui empoignant le bras.

Mais elle resta derrière lui. Hernando s'arrêta et se retourna dès qu'il sentit qu'elle lui avait lâché la main. Les deux premiers cavaliers étaient à moins de quinze pas. Ils tiraient sur le taureau, aveuglés, étrangers à ce qui se passait devant eux. Un instant seulement il crut voir Fatima lui tourner le dos, dressée comme elle ne l'avait pas été depuis longtemps, résolue, les poings serrés le long du corps. Elle voulait mourir ! Il sauta sur elle juste au moment où le premier cavalier allait la renverser. L'homme n'avait même pas tenté de s'arrêter. Dans leur chute, ils se cognèrent contre le mur d'une maison ; s'allongeant sur son corps, il s'efforça de protéger Fatima. Un autre cheval leur sauta par-dessus ; le taureau lança un coup de corne qui, par chance, ne les atteignit pas et écailla le mur au-dessus de leurs têtes. Le dernier cavalier qui galopait à ses côtés les enjamba à son tour, mais cette fois Hernando sentit le cheval lui écraser le mollet.

Après les chevaux, un autre groupe de gens passa en courant sans se préoccuper du couple allongé par terre, qui restait immobile tandis que le tumulte s'éloignait dans la ruelle. Hernando sentit la respiration hachée qui agitait

341

le corps de Fatima. Quand il se leva, il éprouva une cuisante douleur dans la jambe gauche.

— Ça va ? demanda-t-il, endolori, à la jeune fille, en essayant malgré tout de l'aider.

— Pourquoi faut-il toujours que tu me sauves la vie ? s'écria-t-elle une fois debout, face à lui.

Elle tremblait, mais ses yeux… Après être passés si près de la mort, ses yeux noirs semblaient avoir recouvré la vie. Hernando, les bras tendus, voulut la prendre par les épaules, mais elle se déroba.

— Pourquoi… ? se remit-elle à crier.

— Parce que je t'aime, la coupa-t-il en élevant la voix, les bras toujours tendus. Oui. Parce que je t'aime de toute mon âme, répéta-t-il à voix basse, tremblante.

Fatima plongea son regard dans le sien. Quelques instants passèrent et une larme glissa enfin sur sa paupière. Alors elle laissa échapper les sanglots qu'elle avait réprimés depuis sa nuit de noces avec Brahim.

Elle se jeta dans les bras d'Hernando. Et au cœur de cette ruelle cordouane, tandis qu'il la berçait, elle pleura tout ce qu'elle n'avait pas pleuré.

Un peu plus loin, à l'endroit où la ruelle rejoignait deux autres rues, formant une toute petite place irrégulière, une demoiselle noble, vêtue de noir, flanquée de sa duègne un pas derrière elle, observait depuis le balcon d'un petit palais cinq jeunes cavaliers lui rendre hommage en mettant à mort le taureau, libéré de ses cordes, pendant que les gens du peuple les encourageaient et applaudissaient, réfugiés à l'entrée des rues.

27.

Le conseil municipal avait décrété trois jours de fête pour célébrer l'écrasante victoire de don Juan d'Autriche sur les Turcs, au commandement de l'armée de la sainte Ligue, lors de la bataille navale de Lépante. Avec le triomphe des forces chrétiennes sur les musulmans, les sentiments religieux étaient exacerbés et, parallèlement aux festivités païennes, la ville bouillonnait de processions et de Te Deum d'action de grâces. Pour les Maures, ce n'était pas le moment de se promener dans les rues de Cordoue, ni de s'unir à la joie et à la ferveur populaire. Par ailleurs, quelques mois plus tôt, on avait appris la défaite définitive du roi d'Al-Andalus. Abén Aboo avait été trahi et assassiné par El Seniz. Son corps, rempli de sel, avait été transféré à Grenade, où sa tête était toujours suspendue, dans une cage en fer, à l'arc de la porte du Rastro, qui menait à la route des Alpujarras.

Pourtant, Hernando assistait à la fête, en compagnie d'Hamid, sur la plaza de la Corredera. Au centre de la grande place cordouane avait été érigé un château dans lequel une bataille entre Maures et chrétiens devait être simulée, mais jusqu'à présent le vin coulait gratuitement du bec d'un pélican, et l'alcool produisait son effet sur une foule qui se battait pour approcher cette curieuse fontaine. Pendant ce temps, le conseil municipal annonça un concours, pour lequel il mit à disposition un prix de onze pièces de velours, damas et tissu d'argent : deux pièces

343

pour les vainqueurs des courses de chevaux ; quatre pour les hommes les plus élégants ; trois autres pour les trois meilleures compagnies d'infanterie formées par les corps de métier, et deux pour les femmes les mieux habillées du lupanar !

— Il est difficile de comprendre ces gens, commenta le jeune homme à Hamid alors qu'Ana María se pavanait avec coquetterie devant un public nombreux qui l'acclamait sans relâche. En présence de leurs épouses et de leurs filles, ils récompensent les femmes avec lesquelles ils couchent.

— Elles savent toutes que leurs maris fréquentent la maison close, argumenta Hamid sans prêter attention à ce qu'il disait, les yeux fixés sur les mouvements d'une Ana María sublimissime.

Hernando fit de même, bien qu'attentif aux efforts des alguazils pour empêcher certains hommes déjà saouls de se jeter sur la jeune fille.

— Les chrétiens ne recherchent pas le plaisir avec leurs épouses, ajouta l'uléma à voix basse, en se tournant vers le garçon dès qu'Ana María fut remplacée par une voluptueuse femme aux cheveux noirs. C'est péché. Les attouchements et les caresses sont péché. Même adopter une autre position que celle allongée sur le lit, c'est péché. On ne doit pas rechercher la sensualité…

— Péché ! intervint Hernando en souriant.

— Exact.

Hamid lui fit signe de parler plus bas.

— C'est pourquoi leurs épouses acceptent qu'ils aillent trouver la sensualité et le plaisir avec les prostituées. Ces dernières ne posent pas de problèmes de bâtards ou d'héritage, à l'inverse des concubines ou des courtisanes. Et l'Église les soutient.

— Hypocrites.

— Plusieurs locaux du lupanar appartiennent au conseil de la cathédrale, dit Hamid.

Ils s'éloignèrent du concours et de la plaza de la Corredera, marchant sans but précis parmi la foule.

— Oui, affirma Hernando, pensif, au bout de quelques instants. Mais ces mêmes épouses, si chastes avec leurs maris, cherchent ensuite le plaisir avec d'autres hommes…

Hamid le regarda avec curiosité et Hernando lui répondit par une simple moue qu'il chassa aussitôt de son visage, dès qu'il perçut la désapprobation de l'uléma.

Plus d'une année avait passé depuis que Fatima s'était jetée dans ses bras après avoir cherché à mourir devant un taureau et des chevaux emballés.

— Je suis toujours sa seconde épouse, avait gémi la jeune fille après qu'ils se furent embrassés dans l'impasse et qu'ils eurent échangé des promesses d'amour.

— Ici, ce mariage n'a aucune valeur ! avait rétorqué Hernando sans réfléchir.

Le visage de Fatima avait changé et Hernando avait titubé. Comment pouvait-il affirmer… ?

— C'est notre loi, l'avait devancé Fatima. Si nous ne la respectons pas… si nous renonçons à nos croyances… Malgré ma répugnance, je dois respecter mon mariage avec Brahim : aux yeux des nôtres, il est mon mari. Je ne peux pas l'oublier, même si c'est ce que je désire plus que tout. Même si je l'abhorre.

— Non. Je ne voulais pas dire…

— Nous ne serions plus rien. C'est ce que veulent les chrétiens : nous martyriser jusqu'à notre disparition. Selon eux nous sommes un peuple maudit. Personne ne nous veut ici : les pauvres nous détestent et les riches nous exploitent. Beaucoup parmi les nôtres sont morts pour défendre la véritable foi : mon époux, mon fils… Aucun chrétien n'est venu en aide à un bébé malade et innocent ! Qu'ils soient maudits ! Tous maudits ! Tu l'as enterré de tes propres mains…

La voix de Fatima s'était brisée, laissant place à un

sanglot. Hernando l'avait attirée vers lui et prise dans ses bras.

— Nous devons remplir nos obligations… ! avait-elle pleuré.

— Nous trouverons une solution, avait tenté de la consoler Hernando.

— Nous ne serions rien sans nos lois ! avait insisté la jeune fille.

— Ne pleure plus, je t'en supplie.

— C'est notre religion ! La vraie ! Maudits !

— Nous réussirons à résoudre cela.

— Chiens chrétiens !

Hernando avait enfoui le visage de la jeune femme dans son épaule pour la faire taire.

— S'il le faut, je mourrai pour le Prophète. Loué soit-il ! avait-elle conclu.

— Je mourrai avec toi, avait-il murmuré à son oreille.

Pendant ce temps, un peu plus loin sur la petite place, les gens s'étaient mis à applaudir à tout rompre au moment où la pique s'enfonçait dans le cou du taureau, le blessant mortellement.

La demoiselle qui assistait à la scène du balcon de son palais avait, pour sa part, applaudi modérément.

« Je mourrai pour le Prophète ! »

La détermination qui émanait de cette promesse était identique à celle qu'Hernando avait entendue dans la bouche de Gonzalico juste avant que le manchot l'égorge. Qu'avait pu devenir Ubaid ? s'était-il demandé plus d'une fois. À la nuit tombée, il avait raccompagné Fatima dans la maison de la calle de Mucho Trigo. Brahim et Aisha paraissaient tranquilles et il était ressorti après avoir mangé un morceau de pain de seigle dur, une fois seulement que Fatima le lui avait permis d'un imperceptible mouvement du menton. Ce dimanche-là, après l'épisode du taureau, ils étaient descendus jusqu'au fleuve, en passant devant la mezquita où, au milieu des curés et des prêtres, ils avaient serré leurs mains entrelacées. Là, sur les rives du Guadalquivir, devant la noria de la Albolafia et d'autres moulins à eau, ils avaient passé l'après-midi. Hernando n'avait pas d'argent. Il touchait deux misérables réaux par mois, moins qu'une servante, qui avait droit à un lit et à de la nourriture, et il confiait immédiatement cet argent à sa mère pour lui permettre, avec le salaire de Brahim, de couvrir les frais du loyer et la manutention. Ils n'avaient rien mangé, à l'exception de deux beignets frits et huileux qu'un vendeur maure leur avait offerts après les avoir observés humer l'arôme qu'il laissait derrière lui.

C'était l'heure des vêpres et les portes des maisons des chrétiens pieux étaient fermées, comme l'ordonnaient les bonnes mœurs pendant l'hiver. Cependant, cette mesure ne s'appliquait pas au quartier du Potro, où se rassemblaient les gens : marchands, vendeurs de bétail, voyageurs, soldats et aventuriers, mendiants, vagabonds ou simples voisins buvaient dans des auberges ou tavernes, parlaient fort dans des discussions improvisées, entraient et sortaient de la maison close, se disputaient ou concluaient des affaires commerciales, quelle que fût l'heure. Hernando avait dirigé ses pas vers le lupanar, mais il n'avait pas réussi à voir Hamid dans l'impasse, seulement les portes de la maison, ouvertes sur la calle del Potro. Il avait erré dans le quartier. « Nous trouverons la solution », avait-il assuré à Fatima, mais comment ? Seul Brahim avait le droit de la répudier, et il ne le ferait jamais pour l'empêcher lui, le nazaréen, de se consacrer à son amour. Qu'adviendrait-il d'elle pendant ce temps ? Fatima faisait tout pour ne pas grossir et paraître le moins attirante aux yeux de son époux, mais Brahim la regardait toujours avec des yeux pleins de désir.

— Gamin ! Hé ! Toi !

Hernando avait senti une main lui attraper l'épaule. Il s'était retourné et trouvé nez à nez avec un petit homme maigre, plus petit que lui. Au début, à la faible lumière qui sortait des auberges et des tavernes, il ne l'avait pas reconnu, mais l'homme lui avait montré des dents aussi noires que la nuit qui les entourait. Alors il s'était souvenu : c'était un des vendeurs de mules qui marchandaient près de la tour de la Calahorra, là où il venait chercher le fumier pour la tannerie. Ils avaient échangé un salut quand Hernando passait entre ses bêtes.

— Ça te dirait de gagner deux mailles ? lui avait demandé le marchand.

— Que faut-il faire ? avait interrogé Hernando, laissant entendre qu'il était partant.

— Suis-moi.

Ils avaient descendu la calle de Badanas jusqu'au fleuve. L'homme n'avait pas dit un mot. Il ne s'était même pas présenté. Hernando l'avait suivi en silence. Deux mailles, c'était une misère, mais cela représentait deux jours de travail à la tannerie. Sur la rive, l'homme avait scruté nerveusement de tous les côtés. C'était une nuit sans lune et l'obscurité était totale.

— Tu sais ramer ? lui avait-il demandé, découvrant un canot disloqué et minuscule caché sur la berge.

— Non, avait avoué le Maure. Mais je peux…

— Peu importe. Grimpe, lui avait-il ordonné en mettant la chaloupe à l'eau. Je ramerai, moi. Tu te contenteras d'écoper.

Écoper ? Hernando avait hésité à sauter dans le bateau.

— Monte doucement, l'avait averti le marchand. Il ne supporte pas beaucoup les remuements.

— Je…

Il ne savait pas nager !

— Tu t'attendais à quoi ? À une galère de Sa Majesté ?

Le garçon avait regardé les eaux noires du Guadalquivir qui coulaient paisiblement.

— Où va-t-on ? avait-il questionné, encore sur la rive.

— Sainte Vierge ! À Séville, qu'est-ce que tu crois ?

On y fera un petit arrêt puis on continuera jusqu'aux Barbaresques pour visiter un lupanar où j'ai l'habitude d'aller tous les dimanches. Ferme-la et fais ce que je te dis !

Les eaux du Guadalquivir paraissaient vraiment tranquilles, avait tenté de se convaincre Hernando en montant dans le canot. Dès qu'il avait mis le pied dans le fond du bateau, l'eau avait trempé ses chaussures.

— Il y a combien de femmes dans ce bordel dont tu parles ? avait-il ironisé, une fois assis sur ce qui avait dû être un jour un des deux bancs de l'embarcation.

Le marchand naviguait déjà vers la rive opposée.

— Assez pour nous deux, avait plaisanté l'homme. Écope. Tu trouveras un pot à ta droite.

Hernando avait tâtonné et s'était mis à écoper l'eau dès qu'il avait trouvé le récipient. Le marchand naviguait avec attention, parvenant à introduire dans l'eau les rames sans qu'elles fassent de bruit, le regard fixé sur le pont romain et les hommes qui, dessus, montaient la garde.

— On raconte qu'il y a dans les lupanars des femmes de toutes les races et de tous les pays, avait-il cependant commenté à voix basse. Beaucoup d'entre elles sont des captives chrétiennes. Très belles et expertes dans l'art de l'amour…

Fantasmant sur les femmes de ce bordel imaginaire, ils avaient accosté sur la rive opposée où ils furent aussitôt abordés par un autre homme dont Hernando, dans l'obscurité, n'avait même pas réussi à distinguer les traits. Cela n'avait duré qu'un instant, en silence, juste le temps pour que le marchand et l'inconnu échangent une bourse d'argent et mettent une barrique dans le canot. Ils s'étaient quittés en sifflant doucement et le bateau s'était dangereusement enfoncé quand le vendeur, après l'avoir tourné, était monté dedans.

— Maintenant il va vraiment falloir que tu écopes, avait-il insisté. Sinon… tu sais nager ?

Ils ne s'étaient pas parlé pendant la moitié du retour.

Hernando avait remarqué que l'eau s'infiltrait avec beaucoup plus de pression. Le récipient ne suffisait plus ! Il avait senti son ventre se serrer de plus en plus à mesure qu'il percevait que l'homme ramait plus vite, sans prudence aucune, avec effort, couvrant chaque fois moins de distance à cause de l'eau et du poids.

— Écope ! avait fini par crier le marchand.

— Rame ! avait rétorqué Hernando.

Ils étaient revenus sur la rive d'où ils étaient partis. Hernando était trempé et le canot inondé, prenant l'eau par toutes ses jointures sèches et vermoulues.

L'homme lui avait fait signe de l'aider à décharger le tonneau. Puis ils s'étaient employés à cacher le canot.

— Il a encore beaucoup de voyages devant lui, avait dit l'homme alors qu'ils tractaient tous deux le bateau. *La Vierge fatiguée*, c'est son nom, avait-il marmonné après avoir tiré un grand coup.

— *La Vierge fatiguée* ? avait interrogé Hernando en voyant l'eau tomber de chaque côté de la barque, la rendant moins lourde.

— La Vierge, pour que la Madone ne soit pas fâchée si l'on devait se recommander à elle ; on ne sait jamais.

L'homme avait tiré fortement pour déplacer le canot un peu plus loin.

— Fatiguée... Tu as bien vu, elle revient toujours en traînant la jambe, s'était-il mis à rire en se redressant. Comment tu t'appelles ? avait-il ajouté, tandis qu'il recouvrait la barque avec des branches.

Le garçon avait répondu, et l'homme s'était présenté à son tour. Juan.

— À présent nous devons...

— Et mon argent ? l'avait coupé Hernando.

— Après. Nous resterons ici jusqu'au milieu de la nuit, quand tout le monde sera parti et qu'on pourra transporter la barrique sans problèmes.

Ils avaient attendu que les voix s'éteignent dans El

Potro. Transi de froid, Hernando n'arrêtait pas de sauter et de se frapper les côtes. Juan lui avait raconté qu'il s'agissait de vin.

— Une bonne gorgée te ferait du bien, avait-il dit en le voyant trembler, mais on ne peut pas l'ouvrir.

Il lui avait également expliqué que l'importation de vin de l'extérieur n'était pas autorisée à Cordoue et que les impôts étaient très élevés. Avec ce tonneau, l'aubergiste allait faire une bonne affaire… et eux aussi.

— Deux mailles ? s'était moqué Hernando.

— Tu trouves que ce n'est pas assez ? Ne sois pas ambitieux, mon garçon. Tu as l'air bien et courageux. Tu pourras gagner plus si tu apprends et si tu fais un effort.

Alors que même le quartier del Potro était plongé en plein sommeil, l'aubergiste était apparu. Juan et lui s'étaient salués ; ils étaient tous deux de la même taille, l'un maigre et l'autre gros. Ils avaient enveloppé le tonneau dans une couverture en tâchant de dissimuler sa forme, et s'étaient mis en route : l'aubergiste ouvrait la marche et les deux autres portaient le vin. Arrivés à l'auberge, calle del Potro, ils avaient caché la barrique dans une cave secrète. Une fois le travail terminé, Hernando avait couru se réchauffer près des braises qui languissaient dans la cheminée du rez-de-chaussée, et Juan lui avait remis ses deux pièces de billon… et servi un verre de vin.

— Ça te fera du bien, l'avait-il encouragé en voyant l'hésitation se refléter sur son visage.

Il allait boire quand les paroles de Fatima lui étaient revenues en mémoire : « Nous devons remplir nos obligations ! Nous ne serions rien sans nos lois ! »

— Non, merci, avait-il refusé.

Et il avait fait le geste de lui rendre le verre.

— Bois, Maure ! avait crié l'aubergiste, qui nettoyait une des tables. Le vin est un cadeau de Dieu.

Hernando avait cherché le regard de Juan, qui lui avait répondu par un haussement de sourcils.

— Ce vin n'est pas exactement un cadeau de votre Dieu, avait répliqué Hernando. Nous l'avons rapporté…

— Hérétique !

L'aubergiste avait arrêté d'essuyer la table pour se diriger vers lui en soufflant.

— Je t'ai dit qu'il était courageux, León, avait dit Juan, stoppant l'homme en posant la main sur sa poitrine pour l'empêcher de s'approcher d'Hernando. Même si je retire que c'est un type bien, avait-il ajouté en se tournant vers le garçon.

— C'est si important pour toi que je boive ? avait alors questionné Hernando.

— Dans mon auberge, oui, avait rugi l'aubergiste, à la lutte avec Juan.

— Dans ce cas, avait-il décidé, levant son verre pour trinquer, je le ferai pour toi.

« Et s'ils vous forcent à boire du vin, buvez-en, sans désir de vice », s'était-il souvenu en avalant une longue gorgée.

Il avait quitté la taverne à l'aube. Certains chrétiens se rendaient à la messe. Après le premier verre, il avait trinqué plusieurs fois avec Juan et León qui, satisfait, lui avait offert les restes du dîner de ses hôtes, qu'il avait fait réchauffer sur les braises. Il s'était ensuite dirigé directement vers la tannerie, saoul, mais doté d'une information utile : quand ils avaient appris qu'Hernando travaillait à la tannerie de Vicente Segura, Juan et l'aubergiste s'étaient mis à rire et à plaisanter, au plus obscène, sur l'épouse du tanneur.

— Utilise à bon escient ce que tu sais, lui avait conseillé Juan. Ne sois pas aussi impétueux que tu l'as été avec León.

Il avait tourné dans la calle Badanas, ralenti le pas. Était-ce… ? Oui. C'était Fatima. Elle l'attendait près de la porte de la tannerie, par laquelle entraient apprentis et ouvriers.

— Que fais-tu ici ? lui avait demandé Hernando. Et Brahim ? Comment t'a-t-il laissée… ?

— Il travaille, l'avait-elle interrompu. Ta mère ne lui dira rien. Que s'est-il passé ? avait interrogé la jeune fille. Tu n'es pas rentré dormir. Certains hommes de la maison voulaient te dénoncer au magistrat, sans attendre une deuxième nuit.

— Tiens.

Hernando lui avait donné les deux pièces de billon.

— C'est ce que j'ai fait cette nuit. Cache-les. Elles sont pour nous.

Et pourquoi pas ? avait-il alors songé. Peut-être pourrait-il acheter à Brahim la liberté de Fatima ? S'il trouvait de l'argent…

— Comment les as-tu obtenues ? Tu as bu ?

Fatima avait froncé les sourcils.

— Non. Oui. Bon…

— Tu vas être en retard, Maure.

L'avertissement, sec, avait été lancé par l'ouvrier chauve et musclé qui distribuait les peaux et se tenait devant la tannerie.

Pourquoi devait-il toujours courber l'échine ? avait pensé Hernando. Il se sentait capable de tout ! De plus, il n'aurait peut-être pas d'autre opportunité comme celle-là : seul à seul avec l'ouvrier dont ses compagnons de contrebande lui avaient affirmé qu'il couchait avec l'épouse du maître tanneur.

— Je parle avec ma femme, avait-il lancé avec arrogance, alors que l'ouvrier s'éloignait.

L'homme s'était arrêté net avant de se retourner. Fatima avait fait le dos rond et s'était collée au mur.

— Et alors ? Tu crois peut-être que ça t'autorise à arriver en retard ?

— Je connais quelqu'un qui, dès que le maître

s'absente de la tannerie, rend visite à son épouse et arrive bien plus en retard que moi.

Le trouble qui s'était reflété sur le visage de l'ouvrier lui avait confirmé les blagues de ses compagnons de nuit. L'homme avait gesticulé sans rien dire. Puis il avait fléchi.

— Tu cognes fort, gamin, avait-il réussi à dire.

— Moi, et beaucoup d'autres comme moi. Tout un peuple ! Nous avons cogné fort un jour, beaucoup plus fort… et nous avons perdu. Peu m'importe aujourd'hui le résultat de la partie.

— Et elle ? avait ajouté l'autre, en montrant Fatima. Elle ne t'importe pas non plus ?

— Nous nous protégeons l'un l'autre.

Hernando avait approché la main du visage étonné de Fatima, et lui avait caressé la joue.

— S'il m'arrive quelque chose, le tanneur apprendra que…

Hernando et l'ouvrier s'étaient mesurés du regard.

— Mais bon. Ce ne sont peut-être que des ragots auxquels il ne faut pas prêter plus d'attention, n'est-ce pas ? Pourquoi mettre en doute l'honneur d'un prestigieux maître tanneur cordouan et la vertu de son épouse ?

L'homme avait réfléchi quelques instants : honneur et vertu, les biens les plus précieux de tout bon Espagnol. Combien perdaient la vie pour un simple incident d'honneur ! Et le maître…

— Ce sont sûrement des ragots, avait-il cédé à la fin. Dépêche-toi. Il ne faut pas que tu arrives en retard.

L'ouvrier avait voulu reprendre son chemin, mais Hernando l'avait rappelé :

— Hé !

L'homme s'était arrêté.

— Et la politesse ? Vous ne saluez pas mon épouse ?

L'ouvrier avait hésité. Son visage était rouge de colère. Mais il avait cédé une nouvelle fois.

— Madame… avait-il marmonné, transperçant Fatima du regard.

— Pourquoi l'humilier autant ? lui avait-elle reproché une fois que l'homme eut disparu derrière la porte de la tannerie.

Hernando avait cherché ses yeux noirs.

— Je les mettrai tous à tes pieds, avait-il promis.

Et, immédiatement, il avait porté un doigt aux lèvres de la jeune fille pour faire taire ses protestations.

28.

Hernando n'avait eu aucun mal à comprendre l'âme de Cordoue, au-delà des églises, prêtres, messes, processions, chapelets, bigotes et membres de confréries qui quémandaient l'aumône dans les rues. En effet, les Cordouans remplissaient leurs obligations religieuses et acceptaient avec générosité de doter les femmes humbles, d'effectuer des dons aux hôpitaux ou aux couvents, ainsi que de coucher des legs pieux sur leurs testaments, ou encore de payer la rançon de prisonniers aux mains des Arabes. Mais une fois leurs devoirs accomplis auprès de l'Église, leurs intérêts et leur mode de vie s'éloignaient des préceptes religieux qui auraient dû les inspirer. En dépit des efforts du concile de Trente, le curé qui ne jouissait pas d'une concubine à la maison disposait d'une esclave. Engrosser une esclave n'était pas considéré comme un péché. C'était, disait-on, comme livrer un cheval à une ânesse pour qu'elle mette bas une mule ; et puis de toute façon, arguaient-ils, le rejeton héritait de la condition de sa mère et naissait esclave. Les mesures prises par les autorités ecclésiastiques pour empêcher que les curés exigent des femmes des faveurs sexuelles culminèrent avec l'obligation, dans le confessionnal, de séparer le prêtre de la pénitente au moyen d'une jalousie. Mais les autorités n'incarnaient pas non plus un bon exemple de chasteté et de vertu. Les richesses et prébendes qu'impliquaient leurs charges étaient ardemment convoitées par les fils cadets des familles nobles, et le doyen de la cathédrale en personne, don Juan Fernández de Cordoue, d'insigne lignage, finit par ne plus savoir combien d'enfants il avait dispersés dans toute la ville.

La société civile n'était guère différente. Derrière la pureté qui devait régir la vie matrimoniale semblait se dissimuler un monde de libertinage, et les scandales se succédaient les uns après les autres, avec des conséquences sanglantes pour qui était découvert en situation d'adultère. Les religieuses, recluses la plupart du temps par leurs pères et leurs frères pour de simples raisons économiques – il se révélait moins coûteux pour le patrimoine familial de livrer une fille à l'Église que de la doter pour un époux de sa condition –, et cependant sans aucune vocation religieuse, se laissaient séduire par des galants qui relevaient le défi d'obtenir un si précieux trophée dont ils pourraient ensuite s'enorgueillir.

Pour Hernando et les autres Maures qui, comme lui, s'étaient retrouvés à travailler dur sur les terres du royaume de Grenade, la société cordouane semblait paresseuse et dégénérée : le travail était mal considéré ! L'accès aux charges publiques était interdit aux travailleurs. Les artisans œuvraient le minimum nécessaire pour subvenir à leurs besoins et une armée d'hidalgos, le plus bas échelon de la noblesse, généralement sans ressources, préféraient mourir de faim plutôt que s'humilier à trouver un travail. Leur honneur, ce sentiment exacerbé de l'honneur, inculqué à tous les chrétiens quelle que fût leur condition ou leur classe sociale, le leur interdisait !

Hernando s'en était rendu compte quelques jours avant la célébration de la victoire de Lépante. Il aurait pu demander pardon, comme il avait failli le faire dans un premier temps ; s'humilier et l'affaire était réglée, mais quelque chose en lui l'avait poussé à agir autrement : alors qu'il marchait un soir, distrait, dans l'étroite calle de Armas, près de l'ermitage de la Consolation, où se dressait l'hospice des enfants trouvés, avec sa tour où l'on abandonnait les petits non désirés, un jeune hidalgo à l'allure hautaine,

vêtu d'une cape noire, d'une casquette ornée de passemen-
terie, une épée à la ceinture, qui arrivait en sens inverse,
fit un faux pas et perdit l'équilibre. Tandis qu'il l'aidait à
se relever, Hernando laissa malgré lui échapper un sourire.
Loin de le remercier, le jeune noble lâcha sa main avec
une grimace et se dressa devant lui.

— De quoi ris-tu ? grogna l'hidalgo en recouvrant sa
superbe.

— Pardonnez-moi…

— Que regardes-tu ?

L'homme esquissa le geste de porter la main à son épée.
Que regardait-il, en effet ? Après avoir dérapé, le noble
s'efforçait de remplir à nouveau ses chausses de sciure,
afin de leur donner, ainsi qu'il le prétendait, plus belle
allure. Fat bouffi d'orgueil ! avait songé Hernando. Et s'il
donnait une leçon à ce petit-maître ?

— Je me demandais… Comment vous appelez-vous ?
bredouilla-t-il délibérément, baissant les yeux au sol.

— Et qui es-tu, pestilentiel imbécile, pour t'intéresser
à mon nom ?

— C'est que…

Hernando réfléchissait à toute vitesse. Présomptueux !
Comment pourrait-il lui donner une leçon ? Les chaussures
pointues en velours sur lesquelles il avait fixé son regard
lui indiquaient que l'hidalgo devait posséder quelque
argent. Il observa les chausses à crevés et le bas de sa
cape semi-circulaire, raccommodé avec soin par une
domestique.

— C'est que…

— Parle !

— Il me semble… je crois… J'ai l'impression que
l'autre nuit, dans une taverne de la Corredera, j'ai entendu
parler de vous…

Il suspendit ses paroles.

— Continue !

— Je ne voudrais pas me tromper, Excellence. Ce que

j'ai entendu… Je ne peux pas. Pardonnez mon audace, mais j'insiste pour savoir quel est votre nom.

Le jeune noble hésita quelques instants. Hernando aussi. Dans quelle embrouille se fourrait-il ?

— Don Nicolás Ramírez de Barros, énonça le noble avec vantardise et solennité, hidalgo de souche.

— Oui, oui, confirma Hernando. Ils parlaient bien de vous : don Nicolás Ramírez. Je m'en souviens…

— Que disaient-ils ?

— C'étaient deux hommes…

Il marqua une pause un moment. Il allait poursuivre lorsque l'hidalgo le devança :

— Qui étaient-ils ?

— Deux hommes… bien habillés. Ils parlaient de Votre Excellence. J'en suis sûr ! Je les ai entendus.

Il feignit de ne pas oser continuer. Que lui raconter ? Il ne pouvait plus reculer.

— Que disaient-ils ?

Que pouvaient-ils dire ? se demanda-t-il. Hidalgo de souche ! s'était vanté le petit-maître.

— Que votre lignage n'était pas pur, lâcha-t-il finalement sans plus de détours.

La main du jeune noble se crispa sur la poignée de son épée. Hernando se risqua à regarder son visage : congestionné, fou de rage.

— Par Santiago, patron de l'Espagne ! marmonna-t-il. Mon sang est pur jusqu'aux Romains ! Quinto Varus est à l'origine de mon nom ! Dis-moi, qui a osé soutenir une telle infamie ?

Hernando sentit sur sa figure l'haleine imprégnée d'oignons de don Nicolás.

— Je ne… sais pas, bégaya-t-il, cette fois sans avoir besoin de simuler.

N'était-il pas allé trop loin ? Le jeune hidalgo tremblait de colère.

— Je ne les connais pas. Comme Votre Excellence comprendra, je ne fréquente pas de telles personnes.

— Tu les reconnaîtrais ?

Comment reconnaître deux hommes dont il venait d'inventer l'existence ? Il pouvait lui répondre qu'il faisait nuit et qu'il n'y avait pas assez de lumière.

— Tu les reconnaîtrais ? insista l'hidalgo en le secouant violemment par les épaules.

— Bien sûr, affirma Hernando.

Et il s'écarta de lui.

— Accompagne-moi à la Corredera !

— Non.

Don Nicolás sursauta.

— Comment non ?

L'hidalgo fit un pas vers lui. Hernando recula.

— Je ne peux pas. On m'attend à la...

Quelle était la corporation la plus éloignée du quartier del Potro ? Là où ensuite le noble ne le trouverait pas s'il le cherchait.

— On m'attend à la poterie. Vos histoires ne me concernent pas. Je dois faire vivre ma famille. Si je ne vais pas travailler, le maître ne me paiera pas. J'ai une épouse et des enfants que j'essaie d'élever selon la doctrine chrétienne...

Et voilà ! se félicita-t-il en voyant l'hidalgo fouiller maladroitement dans ses chausses en quête de sa bourse. Pour Fatima ! songea Hernando.

— L'un d'eux est malade et j'ai l'impression que l'autre...

— Tais-toi ! Combien ton maître te paie-t-il ? demanda le noble en faisant tinter les pièces à l'intérieur de la bourse.

— Quatre réaux, mentit Hernando.

— Prends-en deux, lui offrit-il.

— Je ne peux pas. Mes enfants...

— Trois.

— Je suis désolé, Excellence.

L'hidalgo mit dans sa main une pièce de quatre réaux.

— Allons ! ordonna-t-il.

Pour se rendre de l'ermitage de la Consolation, où se dressait la tour des Enfants trouvés, à la Corredera, il n'y avait qu'à traverser la plaza de las Cañas ; quelques mètres à peine que l'hidalgo franchit, raide comme un piquet, avec vigueur, la main sur la poignée de son épée, jurant, clamant vengeance contre ceux qui s'étaient permis de souiller son nom.

Hernando marchait devant lui, poussé de temps en temps par don Nicolás. Et maintenant ? réfléchissait-il, comment échapper à ce piège qu'il s'était lui-même tendu ? Mais il serra la pièce de monnaie dans sa main. Quatre réaux ! Tout argent était bon pour acheter la liberté de Fatima !

— Et s'ils n'étaient pas là ce soir ? tenta-t-il lorsque l'hidalgo le poussa une fois de plus dans le dos.

— Prie pour qu'il n'en soit pas ainsi, se contenta de répondre don Nicolás.

Ils arrivèrent sur la grande place cordouane par le sud. Hernando s'efforça d'accoutumer ses yeux à l'immense espace. On comptait sur la place trois auberges : la taverne de la Romaine, où ils étaient arrivés, et deux autres à sa droite, à l'est, près de la calle del Toril, la taverne des Lions et celle du Charbon, situées près de l'hôpital de Notre-Dame de los Angeles. Il faisait encore assez jour. Les gens entraient et sortaient des auberges, et la grande place bouillonnait.

— Eh bien ? interrogea l'hidalgo.

Hernando soupira. Et s'il partait en courant ? Comme s'il avait deviné ses intentions, don Nicolás l'attrapa par le bras et le traîna jusqu'à la taverne de la Romaine. Ils firent irruption dans l'établissement en poussant sans ménagement un paroissien qui se trouvait à la porte. Là même, l'hidalgo secoua Hernando en exigeant une réponse.

— Non. Ils ne sont pas là, affirma le garçon en balayant des yeux l'intérieur de l'auberge, alors que plusieurs clients se taisaient, soutenant son regard.

Il prétexta la même chose dans la taverne des Lions. Ils avaient bien le droit de ne pas être là ! pensa-t-il au moment où ils entrèrent dans celle du Charbon. Pourquoi aurait-il fallu qu'ils y soient ? Mais alors, ses quatre réaux… Quelle décision prendrait l'hidalgo ? Il ne laisserait jamais les choses en rester là. Son honneur ! Son nom ! Il l'obligerait à attendre toute la nuit, et ensuite… Il lui avait donné ce qu'il croyait être le salaire d'un mois !

Un éclat de rire tonitruant coupa court à ses réflexions. À une table, un homme barbu, vêtu des habits colorés des soldats des régiments d'infanterie, levait un verre de vin et fanfaronnait à grands cris face aux deux hommes qui l'accompagnaient. À l'évidence, il avait bu.

— Lui, désigna Hernando, prêt à s'échapper dès que don Nicolás s'emporterait.

Mais l'hidalgo exerça une pression encore plus forte sur son bras, comme s'il se préparait à la bagarre.

— Vous ! cria don Nicolás depuis la porte.

Les conversations s'arrêtèrent brusquement. Des rires s'interrompirent d'un coup. Deux clients, les plus proches, se levèrent précipitamment de leur table et s'écartèrent en heurtant leurs chaises. Hernando sentit ses jambes trembler.

— Comment avez-vous osé souiller le nom des Varus ? beugla l'hidalgo.

L'homme se mit fébrilement debout, s'employant à avaler le reste de son vin, qui coula dans sa barbe. Il porta la main à la poignée damasquinée de son épée.

— Qui donc êtes-vous, seigneur, pour me parler sur ce ton ? rugit-il. À un sous-lieutenant du régiment d'infanterie de Sicile, hidalgo basque !

En entendant ces mots, Hernando se fit tout petit. Un autre hidalgo !

— Si votre lignée est vraie, ce dont je doute, vous ne la méritez pas.

— Vous doutez de mon sang ? cria don Nicolás.

— Je vous l'avais dit, tenta de murmurer Hernando. C'est ce que j'avais entendu, il en doute…

Mais don Nicolás ne lui prêtait plus attention. Soudain, la pression qu'il exerçait sur le bras d'Hernando se relâcha.

— Vous souillez vous-même votre nom ! brama le sous-lieutenant.

— J'exige réparation ! hurla à son tour don Nicolás.

— Vous l'aurez !

Les deux hidalgos dégainèrent leurs épées. Les clients demeurés encore à leur table se levèrent pour leur faire de la place, et les deux nobles s'affrontèrent.

Hernando resta quelques instants, ébahi. Ils allaient se battre en duel ! Il ouvrit sa main en sueur et observa la pièce de quatre réaux. Il la lança deux fois en l'air, la serra encore dans sa paume et quitta l'auberge. Les imbéciles ! pensa-t-il en entendant le cliquètement métallique du premier choc entre les deux fers.

Il revint calle de Mucho Trigo rempli d'une sensation étrange, différente de celle qu'aurait dû lui procurer cette victoire pour laquelle il avait couru tant de risques : deux nobles jouaient leur vie, et aucun des deux ne s'était préoccupé de savoir exactement pourquoi. Tout cela pour un simple malentendu ! En rentrant, alors que la nuit était tombée, il croisa une procession d'aveugles qui avançaient en file indienne, attachés les uns aux autres, et récitaient leur chapelet en demandant l'aumône, comme ils le faisaient trois nuits par semaine dans les rues de Cordoue en partant de l'hôpital des Aveugles dans la calle Alfaros. Un homme qui priait et veillait sur les cierges d'une image de la Vierge en façade d'un immeuble laissa tomber une pièce dans le récipient qu'agitait en rythme le premier aveugle ; Hernando s'écarta de leur chemin et serra dans sa main sa pièce de quatre réaux. Chrétiens !

Depuis qu'il avait appris les aventures entre l'ouvrier de la tannerie et l'épouse du maître, il avait récolté pas mal d'argent. Pendant plusieurs nuits, il y avait réfléchi : il savait écrire et compter, et ces connaissances pourraient sûrement lui fournir un travail mieux rémunéré et loin du fumier, tâche pour laquelle il touchait moins qu'un domestique, mais il avait finalement préféré rester où il était. Sa mission dans le trou de fumier, qui se trouvait à l'écart des autres et caché, lui offrait une liberté, consentie et désormais couverte par l'ouvrier, dont il n'aurait pu jouir à un autre poste.

Par ailleurs, les expéditions vers l'autre rive du Guadalquivir sur *La Vierge fatiguée*, qui supportait avec ténacité les voyages successifs, se répétèrent à plusieurs reprises. Hernando et Juan sympathisèrent et leurs conversations nocturnes sur les femmes du bordel arabe, après l'arrêt sévillan, se déroulaient entre rires et plaisanteries.

— Comment pourrais-tu chevaucher trois femmes en même temps si tu n'es pas capable de ramer plus vite ! l'asticotait Hernando, écopant sans relâche, quand *La Vierge* se fatiguait et se retrouvait pleine d'eau lors des voyages de retour.

Cette amitié lui procurait aussi un peu plus que les deux mailles que le vendeur de mules lui avait données la première fois : Hernando participait aux bénéfices de la contrebande de vin. El Potro – à l'ambiance peuplée d'aventuriers et de coquins sans vergogne – devint peu à peu son véritable foyer. Il continuait à travailler à la tannerie ; il avait besoin de la respectabilité que lui conférait ce poste face au magistrat ou au curé de San Nicolás qui leur rendaient visite pour vérifier s'ils se convertissaient bien en bons chrétiens. Mais sa vie était désormais à El Potro.

Pendant que les gamins des quartiers de San Lorenzo ou de Santa María transportaient ses peaux depuis les abattoirs, Hernando allait à la Calahorra traficoter avec Juan et les autres marchands. Il souriait toujours quand il se rappelait comment il avait réussi à se débarrasser d'une tâche si ingrate. Lors de ses premiers voyages, en contournant les remparts, il avait vu les garçons des différents quartiers se battre à coups de pierres sur le chemin de ronde et alentour. Ces affrontements avaient fini par faire un mort et plusieurs blessés parmi les personnes égarées qui passaient dans le coin, raison pour laquelle le conseil municipal avait décidé de les interdire, mais les gamins n'avaient pas tenu compte des décrets et les batailles de cailloux s'étaient poursuivies. La première fois où Hernando s'était retrouvé pris dans l'une d'elles, entre des dizaines de garçons qui se jetaient des pierres, il s'était protégé avec les peaux jusqu'à ce que le combat s'arrête. Plus tard il les avait revus s'entraîner pour la bataille suivante. Qui pouvait gagner contre un ancien habitant des Alpujarras au lancer de pierres ? avait-il alors pensé. Il avait parié une maille. Ils viseraient un bâton ; si les gamins perdaient, ils porteraient les peaux jusqu'à la tannerie ; dans le cas contraire, ils gagneraient la maille. Il avait perdu quelques pièces, mais remporté la majorité des paris, et alors que les garçons remplissaient leur part du marché, il se présentait au campo de la Verdad où il feignait de ramasser du fumier en se traînant sous les mules. Alors, un marchand de chevaux désignait ce Maure sale et malodorant, l'attrapait par les cheveux et l'obligeait à monter sur un palefroi pour convaincre un acheteur que le cheval était paisible et n'avait aucun vice. Et Hernando se laissait tomber sur la monture tel un sac, en apparence terrorisé, comme s'il n'avait jamais monté, tandis que le marchand chantait les mérites d'un animal capable de supporter un cavalier aussi inexpérimenté. Si la vente était conclue, Hernando recevait son argent.

Une nuit, il aida aussi un chevalier à grimper le mur du couvent des religieuses de Santa Cruz, attendant de l'autre côté pour lui lancer la corde de retour tandis que, dans l'obscurité, il avait d'abord perçu les rires étouffés du couple puis leurs halètements passionnés. Mais toutes ses incursions ne furent pas couronnées de succès. Un jour il se joignit à un groupe de mendiants étrangers qui n'avaient pas l'autorisation de demander l'aumône dans la ville. La mendicité était parfaitement régulée à Cordoue, et seuls pouvaient la pratiquer ceux qui avaient la permission du curé. Une fois qu'ils confirmaient s'être confessés et avoir communié, on leur remettait une cédule spéciale qu'ils accrochaient autour de leur cou et qui leur permettait de demander l'aumône à l'intérieur des limites de la paroisse. L'un de ces mendiants clandestins possédait la rare habileté de retenir sa respiration jusqu'à simuler la mort : son visage prenait alors une couleur blafarde qui convainquait tous ceux qui le regardaient. Ils choisirent la plaza de la Paja, où l'on vendait de la paille pour les paillasses, et le mendiant se laissa mourir, provoquant un beau désordre parmi les paroissiens. Hernando et ses complices entourèrent le cadavre, pleurant et demandant l'aumône pour pouvoir lui offrir un enterrement chrétien, ce à quoi les gens, émus, répondirent avec générosité. Mais il s'avéra qu'un prêtre qui se trouvait de passage à Cordoue avait assisté à la même scène à Tolède. Il s'approcha alors du mort et, sous les yeux indignés de l'auditoire affligé, se mit à lui flanquer des coups de pied. Au troisième coup dans les reins, le mendiant ressuscita et Hernando et ses complices échappèrent du mieux qu'ils purent à la colère des personnes dupées.

Il travaillait également pour les fonctionnaires corrompus, les patrons de tripots illégaux où l'on jouait aux cartes ou aux dés. Il fit la connaissance d'un garçon un peu plus âgé que lui, surnommé Palomero, qui s'employait à dénicher des clients potentiels. Palomero avait un sixième sens pour repérer les étrangers qui recherchaient un tripot où parier de l'argent et, dès qu'il en voyait un, il courait vers lui pour lui conseiller, avec insistance, celui de Mariscal, qui le payait. Hernando l'aidait souvent, surtout en empêchant les autres dénicheurs de clients, qui traînaient sur la place del Potro, d'atteindre le joueur que Palomero avait découvert le premier. Il leur faisait des croche-pieds, les poussait et utilisait n'importe quelle ruse pour y arriver.

— Au voleur ! s'était-il écrié une fois face à un jeune qu'il n'avait pu retenir et qui se dirigeait déjà vers le joueur avec qui Palomero négociait.

Un alguazil avait alors surgi, qui s'était élancé à la poursuite du jeune, mais cela n'avait pas rendu service à Palomero car le joueur disparut dans la pagaille.

Comme cela devait arriver, Hernando se retrouva embarqué dans de nombreuses rixes et reçut pas mal de coups, ce qui lui valut l'amitié sincère de Palomero, et lui fit gagner un peu plus d'argent que de ce qu'ils étaient convenus. Ils discutaient, riaient et partageaient leur nourriture. Hernando s'amusait des grimaces permanentes que Palomero parvenait à faire. Il prétendait avoir découvert le truc grâce auquel Mariscal plumait, non seulement les « bleus », les ingénus qui arrivaient pour la première fois dans son tripot, mais également les tricheurs et les joueurs invétérés, aussi expérimentés fussent-ils.

— Il est capable de bouger le lobe de son oreille droite tout en restant imperturbable, lui avait-il révélé, émerveillé. Pas un muscle de son visage ne bouge, pas même le reste de son oreille ! Il joue avec un complice qui, sitôt qu'il reconnaît le signal, sait quelle carte possède Mariscal et mise.

— Comme ça ? avait-il demandé à Hernando en tentant de reproduire la performance.

— Non.

— Et maintenant ? avait-il insisté.

— Non plus. Je suis désolé.

Et Hernando avait éclaté de rire devant le visage contracté de son ami.

En général, à l'exception de certains échecs comme celui du faux mort, les affaires d'Hernando marchaient bien. Si bien qu'il avait versé à Juan la première échéance pour l'achat d'une mule ; pas celle qu'il aurait désirée, mais pas celle non plus que son capital lui permettait de se payer. Cependant le marchand lui avait fait un bon prix. Il avait l'intention de proposer à Brahim d'échanger cette mule contre Fatima. Malgré sa haine à l'égard d'Hernando, il ne pourrait pas dire non. Depuis un moment il ne réclamait plus sa seconde épouse. Fatima continuait à ne pas manger, ce qui, compte tenu des privations, n'était pas très difficile. Elle ne grossissait pas et demeurait extrêmement maigre et languissante, sans attrait pour un Brahim toujours épuisé à cause de son travail exténuant dans les champs, auquel il n'était pas habitué. Aisha collaborait à la tranquillité de la jeune fille et rassasiait son mari lorsque ce dernier en avait besoin. Cependant, depuis qu'Hernando lui avait sauvé la vie face au taureau dans la ruelle, les yeux noirs de Fatima s'étaient remis à pétiller. Toutefois, Hernando dut la convaincre de son plan.

— Je suis sûr qu'il acceptera ! tenta-t-il de la persuader. Tu n'as pas vu dans quel état il se lève à l'aube et revient à la maison après sa journée de travail dans les champs ? Il se consume de jour en jour. Brahim est un muletier ; il n'a jamais été agriculteur, et moins encore pour la misère qu'on le paie. Il a besoin d'espace. Il te répudiera. Je n'ai aucun doute.

Et c'était exact. Même la grossesse désormais évidente d'Aisha ne réussissait pas à remonter le moral abattu de l'ancien muletier, qui se combinait à sa mauvaise humeur naturelle et à son irascibilité.

— Il te déteste à mort, allégua Fatima, consciente que,

ces derniers temps, Brahim la regardait à nouveau avec des yeux lascifs.

Il s'arrangeait pour se trouver sur son chemin dans la maison, lui barrait le passage et lui tripotait les seins. Néanmoins, la jeune fille préféra ne pas transmettre ses craintes à un Hernando plein d'espoir. Ce n'était pas la seule chose qu'elle lui cachait ces jours-ci, pensa-t-elle avec tristesse.

— Mais il s'aime plus que tout, conclut le jeune homme. Quand j'étais dans le ventre de ma mère, il m'a accepté contre une mule. Pourquoi ne ferait-il pas la même chose aujourd'hui, surtout dans les circonstances actuelles ?

Avec les quatre réaux qu'il venait d'obtenir de don Nicolás, il pourrait remettre à Juan le premier paiement de la mule, calcula-t-il en tournant dans la ruelle qui conduisait à la maison en ruine où ils s'entassaient. Un jeune garçon, posté au coin, lui ordonna de garder le silence. Que faisait-il là ? Hernando l'avait déjà vu dans la maison ; il dormait avec sa famille dans l'une des pièces de l'étage… Comment s'appelait-il ? Hernando s'avança vers lui, mais le jeune mit un doigt sur ses lèvres et lui fit signe de continuer.

De la porte, il perçut une ambiance festive, étrange et inhabituelle. Étonné d'entendre une chanson maure, murmurée, il franchit le seuil et se dirigea vers le patio intérieur du bâtiment, identique à celui de la plupart des maisons cordouanes, que les chrétiens transformaient en vergers remplis de tous types de plantes aromatiques et de fleurs colorées autour d'une fontaine. Dans les maisons louées par des Maures, ces patios ne servaient en aucune façon au plaisir et à la décoration : on y lavait et étendait le linge, tissait la soie, cuisinait et même dormait ; nulle fleur ne pouvait résister à toutes ces activités.

Tous les voisins de l'immeuble étaient rassemblés dans

le patio ou dans les pièces du rez-de-chaussée. Hernando distingua plusieurs visages nouveaux. Il aperçut aussi Hamid. Certains parlaient à voix basse ; d'autres, les yeux fermés, comme s'ils avaient voulu s'échapper de cette grande prison cordouane, fredonnaient la chanson qu'il avait entendue en entrant. Dans un coin du patio, peut-être en direction de La Mecque, un homme priait. Hernando comprit aussitôt pourquoi le jeune garçon faisait le guet au coin de la ruelle : les réunions de Maures étaient interdites, et plus encore pour prier.

— Si vous êtes découverts, reprocha-t-il à Hamid qui s'était aussitôt dirigé vers lui, vous n'aurez aucun moyen de fuir. La ruelle n'a pas d'issue et les chrétiens pourront accéder à la maison par…

— Pourquoi t'exclus-tu de la réunion, Ibn Hamid ? l'interrompit l'uléma.

Hernando fut stupéfait. Hamid lui avait parlé avec dureté.

— Je… ne… Je suis désolé. Tu as raison. Je voulais dire, s'ils nous découvrent.

Hamid hocha la tête, acceptant ses excuses.

— Que… célèbre-t-on ? Nous courons un risque important. Que fais-tu ici ?

— Mon maître m'a donné sa permission pour un moment. Je ne pouvais pas rater un jour pareil.

Hernando, qui ne suivait pas le calendrier chrétien, suivait moins encore le calendrier musulman. S'agissait-il d'une fête religieuse ?

— Je suis désolé, Hamid, mais je ne sais pas quel jour nous sommes. Que célèbre-t-on ? insista-t-il, distrait, en regardant les gens.

Soudain il vit Fatima. Une main en or brillait à son cou. D'où venait cette main ? Où l'avait-elle cachée ? Fatima tourna les yeux vers lui comme si, de loin, elle s'était sentie observée. Hernando s'apprêtait à lui sourire mais elle détourna le regard et baissa la tête. Que se passait-il ? Il chercha Brahim et le vit non loin de Fatima. Dans le patio, il ne pouvait aborder la jeune fille et lui demander pourquoi elle le repoussait de cette manière.

— Que célèbre-t-on ? redemanda-t-il à l'uléma, cette fois avec un filet de voix.

— Aujourd'hui, nous avons racheté de l'esclavage notre premier frère de foi, répondit Hamid avec solennité. Lui, ajouta-t-il en montrant un homme qui arborait sur la joue une lettre marquée au fer rouge.

Hernando dirigea son attention vers le Maure qui, au côté d'une femme, recevait les félicitations des personnes présentes. Quelle importance pouvait avoir le rachat d'un esclave pour que Fatima… ? Que lui arrivait-il ?

— La femme à ses côtés est son épouse, poursuivit Hamid. Elle a appris qu'il vivait comme esclave dans la maison d'un marchand de Cordoue et…

Hamid arrêta son explication.

— Et ? questionna Hernando sans l'écouter vraiment.

Qu'arrivait-il à Fatima ? Il essaya de capter à nouveau son attention, mais il était manifeste qu'elle le fuyait.

— Elle est venue voir la communauté.

— Bien.

— Ses frères.

— Oui, murmura Hernando.

— Nous nous sommes tous cotisés pour réunir la somme du rachat. Tous les Maures de Cordoue ! Même moi, j'ai donné le peu d'argent que j'ai pu obtenir…

Hernando se tourna vers Hamid avec surprise, le regard interrogateur.

— Fatima, confessa alors l'uléma, a été l'une des plus généreuses.

Hernando secoua la tête comme s'il voulait repousser les paroles qu'il venait d'entendre. La pièce de quatre réaux de l'hidalgo, qu'il serrait toujours dans son poing, faillit lui glisser entre les doigts tant il se sentit d'un coup affaibli. Fatima ! Une de celles qui avaient le plus contribué !

— Cet argent… balbutia-t-il, devait acheter sa propre liberté et…

— La tienne ? ajouta Hamid.

— Oui, répondit-il fermement, recouvrant ses esprits. La mienne. La nôtre !

Il chercha encore Fatima et la trouva cette fois debout de l'autre côté du patio. À présent elle soutenait son regard, certaine qu'Hamid lui avait raconté ce qu'elle avait fait de son argent. Fatima avait expliqué à l'uléma pour quelle raison ils amassaient cette somme, et elle lui avait avoué qu'elle se sentait incapable de dire à Hernando qu'elle l'avait donnée. Hernando la contempla avec une sensation étrange : elle semblait fière et satisfaite, l'éclat de ses yeux rivalisait avec la splendeur scintillante que les lumières arrachaient au bijou en or de son cou.

— Pourquoi ? lui demanda de loin Hernando.

Hamid lui répondit :

— Parce que tu t'es éloigné de ton peuple, Ibn Hamid, le réprimanda-t-il dans son dos.

Hernando ne se retourna pas.

— Pendant que nous nous réorganisons, que nous essayons de prier en secret et de maintenir nos croyances, que nous venons en aide à ceux des nôtres qui en ont besoin, tu passes ton temps à courir dans tout Cordoue comme un ruffian.

Hamid attendit quelques instants. Hernando demeura immobile, envoûté par ces yeux noirs fendus.

— Je souffre de voir mon fils au dernier rang de ceux qui régissent et gouvernent notre monde : les vagabonds.

Hamid perçut un léger tremblement dans les épaules d'Hernando.

— Tu m'as toi-même appris, répliqua le jeune homme toujours de dos, qu'il y en avait un autre au-dessous : le dernier, le douzième rang, celui des femmes. Est-ce pour y rester que Fatima a dû renoncer à sa liberté ?

— Elle a confiance en la miséricorde divine. Tu devrais l'imiter. Reviens avec nous, avec ton peuple. Votre condition d'esclave, à toi et à Fatima, ne dépend pas des hommes, qu'on peut acheter. Elle dépend de nos lois, de nos croyances, et seul Dieu est appelé à nous en libérer. Quand Fatima m'a remis l'argent en m'expliquant dans quel but elle le gardait, pourquoi tu te battais pour l'obtenir, je lui ai dit de faire confiance à Dieu, de ne pas perdre l'espérance. Alors elle m'a assuré qu'avec une seule phrase tu comprendrais...

Hernando tourna enfin la tête vers celui qui lui avait tout appris. Il le savait. Il savait quelle était cette phrase, mais ce fut seulement en l'entendant encore qu'il capta toute sa signification : dans l'histoire qu'elle recélait, dans les souffrances et les joies partagées avec Fatima.

Hamid ferma à demi les yeux avant de la murmurer :

— La mort est une longue espérance.

29.

— Répudie-moi ! Ou bien tue-moi ! Viole-moi si c'est ce que tu veux… mais plus jamais tu n'obtiendras mon consentement. Par Dieu, plutôt mourir que de me donner à toi encore une fois !

Même dans la pénombre de la pièce, le tremblement de rage avec lequel Brahim accueillit le refus de Fatima face à sa tentative d'approche fut palpable. Blottie dans un coin, Aisha entendit ces paroles, à la fois tremblante face à la réaction de Brahim et fière de l'attitude de la jeune fille. À l'autre bout de la pièce, allongés sur une paillasse, les deux jeunes époux avec leur bébé se prirent les mains et retinrent leur respiration. Hernando n'était pas là. Brahim bredouilla quelque chose d'inintelligible. Il donna plusieurs coups de poing dans l'air, grognant et jurant. Fatima se dressait devant lui, craignant qu'un coup ne lui atteigne le visage. Ce ne fut pas le cas.

— Tu ne seras jamais une femme libre… même avec tout l'argent que pourra réunir le nazaréen, assena finalement Brahim. Tu entends, femme ?

Fatima ne répondit pas, défiant la colère de Brahim.

— Que crois-tu ? Je suis ton époux !

Un instant, Fatima crut qu'il allait la violer là, devant tout le monde, mais Brahim regarda autour de lui et se maîtrisa.

— Tu n'es rien qu'un tas d'os. Personne ne voudrait coucher avec toi ! ajouta-t-il avec un geste de mépris avant de se diriger vers Aisha.

Ses jambes flageolèrent et Fatima se laissa tomber par

374

terre, surprise d'avoir tenu debout face à Brahim. Elle mit un moment avant d'arrêter de trembler et de respirer normalement. Elle n'avait pas cessé d'y penser, certaine que le jour ne tarderait pas où, en dépit de sa maigreur et de son apparence peu désirable, Brahim prétendrait une fois de plus à ses droits sur elle. C'était ce qui venait de se passer. Le temps avait joué en sa faveur, et le fait qu'elle avait donné tout son argent pour le rachat du premier esclave maure, ce que la communauté avait jugé comme le premier signe qu'elle restait, malgré la défaite, un peuple uni par sa foi, la convainquit définitivement. Pourquoi alors aurait-elle dû se livrer à un homme qu'elle abhorrait ? Ne venait-elle pas de renoncer à la possibilité de sa liberté, de ses illusions et de son avenir au bénéfice des partisans du Prophète ? La communauté les avait remerciés, elle et Hernando, qui avait fini par céder. Après avoir écouté les paroles d'Hamid, Hernando l'avait regardée une fois de plus depuis l'autre côté du patio ; elle avait levé les yeux au ciel et les siens avaient suivi le même parcours. Puis il lui avait pardonné d'une simple moue d'approbation. Tout Cordoue connaissait désormais sa générosité ! Brahim avait posé des questions sur l'origine de cet argent et Hamid lui avait répondu sans dissimulation. Fatima se sentait sûre d'elle ; elle savait pouvoir compter sur l'appui de la communauté… et Brahim le savait parfaitement lui aussi. De plus, son petit Humam n'était plus là pour servir de monnaie d'échange à ses intentions sexuelles. La jeune fille avait également réfléchi à cela : Dieu et le Prophète avaient peut-être décidé de libérer l'enfant de ce qui aurait été un poids terrible toute sa vie durant. Elle se le devait à elle-même et à ce fils perdu ! Et quant à la probabilité que Brahim maltraite Aisha, comme il le faisait dans les Alpujarras, elle était nulle : qu'était un musulman sans enfants ? Musa et Aquil n'avaient pas réapparu ; on ne savait rien d'eux, même si on restait à l'affût de nouvelles. Certains Maures s'étaient rendus au conseil municipal pour se plaindre que ces enfants qu'on leur avait volés étaient traités comme des esclaves par leurs familles d'accueil, mais les chrétiens ne leur avaient pas prêté attention, également sourds à la pragmatique royale interdisant que les enfants maures de moins de onze ans soient réduits en esclavage. Cordoue, à l'instar de tous les royaumes chrétiens, débordait d'enfants, accueillis ou esclaves, utilisés par leurs maîtres comme de petits domestiques ou travailleurs jusqu'à ce qu'ils atteignent l'âge de vingt ans. Aisha était à l'abri, avait conclu Fatima : pendant toute la durée de sa grossesse, et probablement aussi pendant qu'elle allaiterait le petit, Brahim ne la maltraiterait pas, afin de ne pas mettre en danger son nouvel enfant, si désiré. Cette nuit-là, l'attitude de Brahim, qui tentait de recouvrer son calme, confirma ce raisonnement car il ne s'acharna pas comme avant sur sa première épouse. Alors Fatima pleura doucement, certaine qu'à seulement un mètre de l'endroit où elle s'était laissée tomber, épuisée, Aisha pleurait aussi en cachette, la consolant en silence, à la façon dont les deux femmes avaient appris à communiquer entre elles là-bas, dans la montagne.

Au même moment, Hernando franchissait la porte d'une misérable petite maison de la calle de los Moriscos, dans le quartier de Santa Marina. Depuis que Fatima avait donné son argent pour le rachat du premier esclave maure et qu'Hamid l'avait rappelé à l'ordre, son comportement avait changé. Et il se sentait mieux ! Pourquoi ne pas faire confiance à Dieu ? Si Fatima et Hamid le faisaient... Par ailleurs, la jeune fille lui avait promis que Brahim ne la toucherait plus, et Hernando l'avait crue. Par Dieu, il l'avait crue ! « Je me tuerais », lui avait-elle affirmé avec fermeté. Exalté par cette promesse, Hernando mit à la disposition de ses frères de foi la facilité avec laquelle il se déplaçait dans Cordoue, ses nombreux contacts, son intelligence et sa ruse. Et la communauté l'accueillit avec affection et reconnaissance. Des sentiments que Fatima partageait, bien plus qu'à l'époque où il lui remettait une pièce pour acheter la mule contre laquelle il prétendait l'échanger : la jeune fille prenait alors l'argent et le cachait, presque par obligation, insatisfaite, comme si elle doutait que ce fût le bon chemin. Et dire qu'il avait estimé sa valeur à une simple vieille mule ! se lamentait Hernando à présent qu'il la voyait sourire, ses grands yeux noirs écarquillés, quand elle l'écoutait raconter le dernier service qu'il avait rendu à un frère musulman. Il y avait beaucoup à faire, lui avait assuré Hamid lors de la longue conversation qu'ils avaient eue après la fête du premier rachat.

Car, en dépit de tout, Cordoue attirait les Maures. C'était la ville des califes, celle qui avait atteint l'apogée de la culture et de la religion musulmanes en Occident, et les conditions de vie n'y étaient pas si différentes de celles dont souffraient les Maures dans n'importe quelle ville ou village espagnols. Partout la pression chrétienne était suffocante ; plus encore, s'il en était, dans les petits villages, où les Maures subissaient de près la haine des vieux-chrétiens. Et en tous lieux, sans exception, ils étaient exploités par les autorités ou les seigneurs de l'endroit. C'est pourquoi, deux ans après le grand exil, des immigrants sans permis continuaient constamment d'affluer à Cordoue, attirés par son passé et par l'essor que connaissait la ville ces derniers temps.

Par ordre royal, les Maures ne pouvaient s'absenter de leurs lieux de résidence à moins de posséder l'autorisation délivrée par les autorités locales, sur laquelle devait figurer la description physique détaillée de la personne, où elle se rendait, pour quelle raison et combien de temps elle avait le droit de rester en dehors du village où elle était recensée. Des dizaines d'entre eux obtenaient la cédule sous un prétexte quelconque et débarquaient à Cordoue mais, à l'expiration du délai, ils se retrouvaient dans la ville sans permis, contrairement aux autres Maures résidents.

En accord avec Hamid et deux anciens de l'Albaicín grenadin qui assumaient le contrôle et le commandement de la communauté, Hernando s'occupait de ces nouveaux arrivants. À l'expiration de leurs permis, deux possibilités leur étaient offertes : se marier avec une Mauresque déjà recensée à Cordoue ou se laisser arrêter par les autorités et accomplir une peine de trois à quatre semaines de prison. Le conseil municipal était conscient que ce flux bénéficiait à la ville, puisqu'il fournissait une main-d'œuvre bon marché et de meilleures rentes aux propriétaires des maisons. C'est pourquoi, que ce fût par l'intermédiaire du mariage ou de l'accomplissement de la peine, il accordait la cédule correspondante, accréditant ceux qui la possédaient comme citoyens cordouans.

Hernando connaissait tous les Maures qui se cachaient dans les maisons de ses coreligionnaires une fois que l'autorisation leur permettant de se déplacer librement dans la ville avait expiré. Il jouait les marieurs, comme cette nuit où il entra dans une petite maison de la calle de los Moriscos afin d'annoncer qu'il avait trouvé une épouse pour un bon cardeur de Mérida, métier très recherché à Cordoue au sein de la corporation des tisserands.

Mais tous les sans-papiers n'étaient pas cardeurs, ni toutes les Mauresques cordouanes disposées à convoler en mariage, et la majorité des immigrants finissait en prison. C'était là qu'Hernando devait agir avec la plus grande prudence.

La prison royale n'était qu'un commerce géré par un gouverneur nommé à cet effet. L'unique préoccupation des autorités était de la pourvoir d'un local où reclure les prisonniers, avec les fers et les chaînes qui leur correspondaient. Les détenus devaient acheter leur nourriture ou la faire venir de l'extérieur, après avoir payé le gouverneur dans l'un ou l'autre cas ; le lit était loué en fonction des barèmes qu'avait fixés le roi devant les abus commis. Les prix variaient selon qu'une, deux ou trois personnes dormaient dans le même lit. Ceux qui pouvaient, payaient. Les pauvres et les indigents vivaient en prison de la charité publique, mais cette charité parvenait difficilement aux nouveaux-chrétiens sacrilèges qui avaient commis tant d'atrocités pendant le soulèvement.

Hernando avait pour mission de déterminer d'une part le moment opportun, en fonction des disponibilités de la prison, pour qu'un Maure soit arrêté ; d'autre part de s'assurer que le gouverneur recevait bien l'argent correspondant et que la communauté fournissait à manger aux détenus qui se trouvaient emprisonnés. Il avait continué ses expéditions nocturnes dans le quartier del Potro, désormais non plus en quête d'argent mais d'informations. Quand tel magistrat avait-il prévu de venir inspecter les maisons des Maures figurant sur sa liste ? Quelles nouvelles émanaient de la prison ? Quel alguazil était le plus susceptible d'arrêter un Maure, et où ? Qui disposait d'esclaves maures et combien lui avaient-ils coûté ? Combien de temps mettrait le conseil municipal à accorder la citoyenneté à telle ou telle personne ? Toute information était bonne et, s'il le pouvait, Hernando utilisait un peu d'argent que lui confiaient les anciens de la communauté pour fléchir une volonté ou pour qu'un domestique qui buvait du vin dans une auberge lui dise le nom et l'origine de l'esclave, homme ou femme, qui vivait dans sa maison. Libérer les esclaves capturés pendant la guerre des Alpujarras était devenu l'objectif principal de la communauté. Cependant, les chrétiens qui avaient acheté ces hommes ou ces femmes à bas prix, à plus bas prix que s'ils avaient été noirs, mulâtres ou blancs de toute origine, spéculaient sur l'intérêt des Maures pour leurs coreligionnaires et augmentaient démesurément le coût du rachat. Ainsi, tout Cordouan qui possédait des esclaves maures s'était transformé en marchand, à petite échelle, s'employant à tirer surtout profit des hommes. Les femmes en effet étaient rarement mises en vente, puisque que les enfants d'esclaves héritaient de la condition de leurs mères. Engrosser une Mauresque laissait espérer alors un bon bénéfice, mais dans un délai relativement court.

Hernando avait hésité à poursuivre ses voyages sur *La Vierge fatiguée*. Juan insistait pour qu'il continue à travailler avec lui. Quel mal y avait-il à obtenir de l'argent propre et facile ? « Celui qui m'accompagne en ce moment, s'était-il plaint avec un clin d'œil complice, refuse d'entendre parler des femmes du bordel arabe. » Il lui avait même proposé de gagner plus, mais un jour, alors qu'il se dirigeait vers la plaza del Salvador en prenant par la calle Marmolejos, par laquelle il s'obligeait à passer, il repoussa définitivement l'éventualité de continuer les expéditions nocturnes sur la chaloupe. Le long de la calle Marmolejos, contre le mur aveugle du couvent de San Pablo, se trouvait une rangée de bancs en pierre sur lesquels étaient exposés les cadavres de ceux qui mouraient aux champs et avaient été ramenés en ville par les frères de la Miséricorde. Hernando avait pris l'habitude d'observer les corps, tâchant d'entrevoir, par leurs vêtements ou à leur peau, bien qu'elle ne fût pas si différente de celle des Espagnols, s'il s'agissait ou non d'un Maure. Quand c'était le cas, il en faisait part aux anciens pour qu'ils recherchent dans les autres communautés si quelqu'un avait perdu un proche. Mais les bancs ne servaient pas seulement à l'exposition de cadavres ; ils servaient à tout. On y vendait du pain ou tout produit saisi ; les travailleurs sans emploi venaient y vanter leurs qualités ; les commerçants illégaux ou escrocs y étaient soumis à l'outrage public, et c'était surtout l'endroit où le vin étranger était déversé. Ce jour-là, juste à côté du banc sur lequel le cadavre d'une femme commençait à se décomposer, un voyer et un alguazil se tenaient près d'une barrique de vin, entourés d'un essaim de gamins prêts à se jeter au sol pour boire le liquide qui s'y répandrait dès l'instant où le voyer assènerait son premier coup de hache. Le vin saisi, à l'inverse des autres produits, n'était pas revendu. Hernando ne put s'empêcher d'observer la barrique. Il la reconnaissait. Il en avait transporté beaucoup, du même type, à bord de *La Vierge fatiguée*. Le ventre noué, il entendit le bruit du bois qui se brisait et le vacarme des enfants qui s'élançaient sur le vin. Cette nuit-là, Hernando constata que León n'était pas dans sa taverne del Potro.

— Il a été arrêté, lui expliqua Juan quelques jours plus tard, parmi ses mules, sur le campo de la Verdad. Le voyer a trouvé la cachette des tonneaux… Mais vu la détermination avec laquelle il s'est dirigé là-bas… On dirait bien que León a été dénoncé.

30.

Le fumier était une denrée appréciée dans la Cordoue des jardins potagers et des mille patios fleuris. Hernando continuait à travailler à la tannerie pour le salaire misérable de deux réaux mensuels. Grâce à cela il pouvait justifier devant le magistrat d'une occupation stable qui lui offrait par ailleurs, toujours couvert par l'ouvrier qui batifolait avec l'épouse du maître, la mobilité nécessaire pour se consacrer à ses autres affaires. Mais cet excès d'activités se faisait au détriment du ramassage du fumier nécessaire pour ramollir les peaux, et l'ouvrier avait beau lui trouver des excuses, le manque de fumier devenait catastrophique.

Ce premier dimanche de mars, à l'aube, quinze taureaux braves, flanqués de quelques vaches provenant des pâturages cordouans, franchirent au galop le pont romain d'accès à la ville. Derrière eux, des vachers à cheval, armés de longues piques avec lesquelles ils les avaient accompagnés depuis les champs, les stimulaient. De l'autre côté du pont, malgré l'heure matinale, les citoyens joyeux de Cordoue attendaient les bêtes. De là, l'*encierro* longerait les rives du Guadalquivir en direction de la calle Arhonas, puis monterait vers celle du Toril, près de la plaza de la Corredera, où les taureaux seraient enclos jusqu'à l'après-midi.

La veille, l'ouvrier avait prévenu Hernando :

— Il nous faut du fumier. Demain, il y aura un encierro avec quinze taureaux. Tu pourras en trouver aussi bien sur le parcours du matin que sur les places proches de la Corredera, où se tiennent les chevaux des nobles.

— On ne travaille pas le dimanche.

— C'est possible, mais si tu ne travailles pas demain, tu peux être sûr que tu ne travailleras pas lundi non plus. Le maître a attiré mon attention sur toi. Si, c'est vrai, avait-il rapidement ajouté devant l'expression menaçante qu'avait adoptée le visage d'Hernando. Et pareil pour moi ! Si c'est ce que tu veux, nous allons perdre tous les deux notre emploi.

— Les domestiques des nobles m'empêcheront de prendre le fumier.

— Je les connais. Je serai là. Ils te laisseront. Mais ramasse d'abord celui de l'*encierro*.

C'est pourquoi Hernando était planté à l'extrémité du pont romain, au milieu de la foule, un grand seau en sparte dans les mains, derrière une barrière de bois élevée par le conseil municipal pour obliger les taureaux à tourner et à continuer leur route vers les rives du Guadalquivir où se rassemblaient les Cordouans qui, en cas de bousculade, seraient contraints de se jeter à l'eau. Au début de la calle Arhonas, sur la berge, une autre barrière avait été placée pour que les taureaux empruntent précisément cette rue. À partir de là, chaque intersection où devait passer l'encierro était également protégée par de grandes planches en bois jusqu'à la calle del Toril, où un enclos avec une seule issue avait été installé : la plaza de la Corredera.

Hernando sentit la nervosité des gens quand la rumeur des taureaux et des vachers dans le campo de la Verdad se fit entendre.

— Les voilà ! Les voilà ! cria-t-on de tous côtés.

Le vacarme des animaux, lorsqu'ils franchirent l'ancien pont en pierre, se mêla aux glapissements de la foule. Des hommes sautèrent les barrières et se mirent à courir devant la manade ; d'autres préparèrent des lances qu'ils destinaient aux taureaux, ou de vieilles capes pour les distraire de leur course. Hernando regarda les taureaux passer derrière les vaches, beuglant, galopant à l'aveuglette, en groupe, suivis par les vachers. Le tournant après le pont était brusque et en pente, à cause de la dénivellation entre le pont et la rive, et plusieurs taureaux cognèrent contre la barrière de bois. L'un d'eux tomba, glissa par terre et fut piétiné par les autres ; un jeune garçon voulut agiter une cape devant lui, mais le taureau, avec une étonnante agilité, bondit et lui donna un coup de corne dans la cuisse, l'atteignant du haut du front. Hernando parvint à voir que deux autres hommes, qui couraient devant, avaient été également encornés, mais quand les taureaux se retournèrent pour s'acharner sur eux, les piques des vachers se plantèrent dans leurs flancs, les obligeant à poursuivre le parcours.

Cris, courses, poussière et bruit assourdissant ne durèrent que quelques instants. Puis taureaux, vachers et chevaux disparurent au coin de la calle Arhonas. Hernando oublia le fumier qu'il devait ramasser et demeura, ébahi, à observer la foule qui restait là, après le passage de la manade : le jeune garçon à la cape saignait abondamment ; accrochée à lui, une jeune fille criait, désespérée ; hommes, femmes et enfants tentaient de sortir de l'eau qui avait débordé au passage des taureaux ; de nombreux blessés, certains debout, boitaient ou gémissaient ; d'autres étaient allongés sur la rive du Guadalquivir. Quand Hernando recouvra ses esprits, plusieurs vieilles femmes, aidées par des enfants, s'étaient mises à ramasser le fumier piétiné tout au long du chemin. Il regarda son seau vide et hocha la tête. Ici, il ne récolterait même pas une bouse. Il sauta par-dessus la barrière et s'approcha du jeune blessé, que de nombreuses femmes entouraient, pour voir s'il pouvait faire quelque chose.

— Va-t'en, sale Maure ! cria une vieille femme vêtue de noir.

— Ce jeune garçon va mourir, s'il n'est déjà mort, raconta Hernando à Hamid à la sortie de la grand-messe, après le cimetière, en présence de Fatima et d'une Aisha au ventre de plus en plus rond.

Un peu plus loin, Brahim discutait avec d'autres Maures.

— Oui. Beaucoup meurent au cours des *encierros*.

— Mais quel plaisir trouvent-ils à… ?

— Le combat, la lutte de l'homme contre l'animal, répondit Hamid.

Hernando fit une moue sceptique et ouvrit les mains en signe d'incompréhension.

— Nous l'avons fait, nous aussi, renchérit l'uléma. À la cour de Grenade, les jeux de taureaux étaient fameux. Les Zegríes, les Gazules, les Venegas, les Gomeles, les Azarques et beaucoup d'autres nobles se sont distingués dans l'art de toréer et de tuer les taureaux. Plus encore, aucun uléma musulman n'a jamais osé prohiber ces fêtes alors qu'au contraire le pape de Rome, sous peine d'excommunication, les a interdites aux chrétiens. Celui qui succombe lors des jeux de taureaux meurt en état de péché mortel, et les curés qui assistent aux fêtes perdent leurs habits.

Hernando se souvint de tous ces prêtres sortis des maisons de la Ribera après le passage des taureaux et courant parmi les blessés de l'*encierro* pour tâcher de leur apporter le salut, entre prières et encensoirs.

— Alors pourquoi y participent-ils ? Ne sont-ils pas si pieux ?

Hamid sourit.

— L'Espagne aime les taureaux. Les nobles aiment les taureaux. Le peuple aime les taureaux. Ce doit être le seul sujet, à part l'argent, sur lequel le Très Chrétien roi Philippe s'oppose au pape Pie V.

Les nobles musulmans dont parlait Hamid constituaient

le patriciat de Cordoue : les Aguayos, les Hoces, les Bocanegras et, bien entendu, ceux qui correspondaient à l'insigne maison des Fernández de Cordoue et leur branche, non moins illustre, d'Aguilar. Cordoue était noble ! Nombreux étaient les faveurs et les titres royaux obtenus par les Cordouans pendant la conquête et, lors des fêtes de taureaux, les nobles de la ville, avant d'affronter les animaux, rivalisaient entre eux de luxe et d'ostentation.

Après le repas et avant que la fête commence, on exhiba dans les palais des nobles les cuadrillas des seigneurs, composées de leurs domestiques richement vêtus d'une livrée de la même couleur. Au sein des cuadrillas, de trente, quarante, voire soixante serviteurs, deux d'entre eux exerçaient la fonction de laquais : ils accompagneraient le seigneur à l'intérieur de la place. Les Cordouans se postèrent devant le palais des Fernández de Cordoue, sur la côte du Bailío, devant celui du marquis del Carpio, dans la calle Cabezas, et autour d'un grand nombre d'autres palais ou de maisons anciennes pour contempler et applaudir la sortie des nobles à cheval, accompagnés de leurs familles nombreuses et escortés par leurs cuadrillas de domestiques qui portaient des vivres, du vin et des sièges pour leurs seigneurs.

La plaza de la Corredera avait été parfaitement préparée pour toréer les animaux qui arriveraient, un par un, de l'arcade et du couloir qui donnait à l'est, sur la calle del Toril. Au nord, sur le côté le plus long de l'irrégulière place, on avait placé des barrières au-delà des porches en bois des maisons dont les balcons, décorés pour l'occasion de tapis et de châles, avaient été loués par le conseil municipal à des nobles et à de riches commerçants rivalisant de luxe dans leurs vêtements. Parmi eux, se faisant discrets, il y avait plusieurs prêtres et membres du conseil de la cathédrale, qui enfreignaient la bulle papale. Au sud, appuyées contre un mur blanc que la municipalité avait ordonné de construire pour fermer la place, s'élevaient des tribunes en bois où se tenait le corregidor, en tant que représentant du roi et gouverneur des arènes, au côté d'autres nobles et chevaliers. Autour du reste de la place, on avait installé des barrières en bois qui empiétaient sur l'arène et derrière lesquelles le public pouvait se protéger des taureaux.

Depuis la plaza de las Cañas, où se dispersèrent les domestiques avec les chevaux de réserve de ceux qui allaient toréer et de leurs proches, Hernando entendit les cris des gens lorsque les nobles à cheval, accompagnés des deux laquais qui les assistaient en portant les lances, défilèrent, tous vêtus à la mauresque, avec des tuniques ajustées qui leur laissaient une grande liberté de mouvements, des turbans, des capes pendues à leur épaule gauche, et armés d'épées ; chaque noble portait les couleurs des livrées de ses cuadrillas et montait à la genette, avec des étriers courts. L'ouvrier de la tannerie avait tenu parole et attendait Hernando sur la plaza. Grâce à lui, le garçon put passer avec son grand seau en sparte à travers les alguazils qui empêchaient le peuple de se mélanger aux domestiques des chevaliers. Cependant, il n'était pas le seul à chercher du fumier.

Huit chevaliers s'apprêtaient à toréer cet après-midi de mars. D'un geste solennel, le corregidor remit à l'alguazil de la place la clé du toril, signe que la fête pouvait commencer ; quatre chevaliers quittèrent l'arène pendant que les quatre autres prenaient position à l'intérieur. Les chevaux piaffaient, s'ébrouaient et suaient. Le silence envahit la Corredera quand l'alguazil ouvrit la grosse porte en bois qui fermait la calle del Toril, puis les vivats éclatèrent lorsqu'un grand taureau zain, aiguillonné par des hommes armés de piques, déboula dans l'arène en beuglant. Le taureau galopa sur la place, donnant des coups de corne contre les planches en bois à mesure que les gens l'appelaient à grands cris, cognaient contre les barrières ou lui lançaient de petites piques. L'allure du taureau ralentit et il se mit à trotter. Alors plus d'une centaine de personnes sautèrent dans l'arène et attirèrent son attention avec des capes ; les plus audacieux s'approchaient de lui, s'écartant vivement pour l'esquiver dès qu'il se retournait contre eux. Certains, ne parvenant pas à s'échapper à temps, se retrouvaient encornés, renversés ou projetés en l'air. Pendant que le peuple s'amusait, les quatre nobles restaient à leur place, retenant leurs chevaux, jaugeant la bravoure de l'animal. Était-il assez brave pour qu'ils se mesurent à lui ?

À un moment déterminé, don Diego López de Haro, chevalier de la maison del Carpio, tout de vert vêtu, cria pour appeler le taureau. Aussitôt, un des laquais qui l'accompagnaient courut en direction des gens qui importunaient l'animal et les obligea à s'écarter. L'espace entre le taureau et le cavalier s'éclaircit et le noble cria à nouveau :

— Taureau !

La bête, énorme, se tourna vers le chevalier, et tous deux s'observèrent de loin. La place, quasi silencieuse, attendait l'affrontement imminent. Juste à ce moment-là, le second laquais s'avança vers don Diego avec une lance de frêne, épaisse et courte, achevée par une pointe en fer affilée ; à trois paumes de la pointe on avait pratiqué dans le bois de petites entailles recouvertes de cire pour qu'elle puisse se rompre plus facilement lors du choc contre le taureau. Les trois autres chevaliers s'approchèrent doucement, pour ne pas distraire l'animal, au cas où leur aide serait nécessaire. Le cheval du noble se trémoussa nerveusement et se tourna, exposant ses flancs au taureau ; immédiatement sifflets et protestations parcoururent la place : l'affrontement devait avoir lieu de face, sans ruses contraires aux règles de la chevalerie. Mais don Diego n'ayant nul besoin de réprobations, éperonnait déjà son cheval pour l'obliger à se replacer face au taureau. Le laquais demeurait à côté de l'étrier droit de son seigneur, la lance prête, pour que ce dernier ait juste à la saisir dès que le taureau aurait commencé à charger.

Don Diego rejeta dans son dos la cape verte accrochée à ses épaules et appela une nouvelle fois l'animal. Le vert brillant qui s'agitait entre les mains du cavalier attira l'attention du taureau.

— Taureau ! Hé ! Taureau !

La charge ne se fit pas attendre et une masse de couleur zain s'élança sur le cheval et le cavalier. À ce moment-là, don Diego empoigna avec force la lance que tenait son laquais et serra le coude contre son corps. Le laquais s'échappa juste à l'instant où le taureau atteignait le cheval. Don Diego visa un point précis dans l'échine de l'animal, interrompant brutalement sa course, et enfonça de deux paumes la lance qui se brisa. Le craquement du bois fit éclater les vivats de la foule, alors que le taureau, pourtant mortellement blessé et perdant des flots de sang, essayait de charger à nouveau le cheval. Don Diego cependant avait dégainé sa lourde épée bâtarde, avec laquelle il asséna un coup franc sur le front de l'animal, juste entre les cornes, lui fendant le crâne. Le taureau zain s'écroula, mort.

Tandis que le chevalier galopait autour de la place, tapotant l'encolure de son cheval, saluant les spectateurs, recevant applaudissements et honneurs dus à sa victoire, des garçons se jetèrent sur le cadavre du taureau, se battant les uns contre les autres pour s'emparer, avant que la fête ne se poursuive, de la queue, des testicules ou de n'importe quelle autre partie. Il s'agissait des *chindas*, qui vendaient ensuite ces morceaux, en particulier la queue, très prisée, aux tavernes de la Corredera.

À travers les cris et les silences, depuis la plaza de las Cañas où il se trouvait, Hernando s'efforçait d'imaginer le déroulement de la fête ; il n'avait jamais assisté à une course de taureaux et la seule fois où il s'était retrouvés près d'une de ces bêtes fut lors de l'incident dans la ruelle, quand un taureau lui avait sauté par-dessus alors qu'il protégeait le corps de Fatima. Que pouvait-il bien se passer sur la place ? Pendant ce temps, cette question en tête, il se bagarrait avec d'autres garçons désireux aussi de récupérer du fumier. « Cet après-midi, tu n'as pas droit à l'erreur, l'avait prévenu l'ouvrier. Tu dois au moins remplir le seau. Ça nous servira pour la couche supérieure du puits. » Hernando possédait un avantage sur les autres : il n'avait pas peur des chevaux et il en profita. Ramasser le fumier dans une rue après le passage des bêtes et le ramasser au moment où l'animal était en train de faire n'était pas pareil. Près de la place, les chevaux étaient très nerveux : ils savaient ce qui se passait ; ce n'était pas la première fois qu'ils affrontaient des taureaux, en ville ou aux champs, et ils hennissaient, se montraient terriblement inquiets, agités. Les concurrents d'Hernando n'étaient pas habitués à traiter avec les chevaux des nobles, racés, colériques pour certains, tous tendus, et dès qu'Hernando en voyait un en train de faire, il se mettait à courir en même temps qu'un autre garçon, brusquement, de façon à effrayer l'animal. Alors, en général, ses rivaux s'écartaient, craignant les pattes menaçantes du cheval et Hernando se jetait sur le fumier. Les domestiques des nobles, qui servaient de palefreniers et se relayaient entre la plaza de las Cañas ou la Corredera, suivant l'endroit où se trouvait leur seigneur, considérèrent que cette compétition était un bon moyen de s'amuser et se mirent à avertir Hernando dès qu'un cheval faisait.

Au moment où la place applaudit l'irruption du septième taureau, le grand seau en sparte du jeune homme était plein. Comme il n'était pas autorisé à entrer dans la tannerie un dimanche, il envoya un message à l'ouvrier qui accourut chercher le fumier.

— Nous aurons le temps d'en remplir un autre, lui dit l'homme en emportant le récipient.

Quand l'ouvrier lui tourna le dos pour se diriger vers

la tannerie, Hernando souffla et en profita pour se glisser entre les cuadrillas jusqu'à la porte d'accès des chevaliers, à côté du mur blanc, au sud de la place, près d'un jeune domestique avec qui il avait ri devant l'effroi des autres garçons et quelques chutes provoquées par leur combat pour le fumier. La fête se déroulait sans incident : chaque noble montrait, avec plus ou moins de réussite, son art de toréer, au grand plaisir du peuple. Hernando parvint à s'appuyer contre une planche en bois qui servait parfois de porte, juste au moment où un grand taureau coloré s'élançait vers un cavalier monté sur un cheval moreau, tel celui qu'Abén Humeya lui avait offert un jour. Pendant quelques instants, il sentit sous lui ce souple destrier comme s'il le chevauchait, à la façon d'un noble musulman dans les Alpujarras, libre dans les montagnes, aspirant à la victoire… Le vacarme qui résonna sur la place le ramena à la réalité. Le cavalier avait manqué son coup à la lance, qui avait glissé de l'encolure à la croupe du taureau, où elle s'était plantée sans le blesser mortellement. Aussitôt, un autre noble arriva et caracola avec son cheval pour distraire le taureau et l'écarter du premier, afin de l'empêcher de charger à nouveau. Alors le premier chevalier se ressaisit et son second coup de lance tua cette fois l'animal. Le huitième, un taureau marron, se contenta de trotter sur la place, menaçant de donner un coup de corne, mais fuyant les gens qui le provoquaient. Un des nobles l'appela et le taureau courut sur quatre ou cinq mètres avant de stopper brusquement devant le cavalier et de fuir. Les gens commencèrent à siffler.

— Que se passe-t-il ? demanda Hernando au jeune domestique.

— Le taureau est faible, répondit celui-ci sans quitter le spectacle des yeux. Les chevaliers ne le combattront pas, ajouta-t-il.

En effet, les quatre nobles alors sur la plaza de la Corredera se retirèrent avec solennité et obligèrent ceux qui se trouvaient à la porte à s'écarter. La planche en bois fut ensuite remise à sa place et Hernando retrouva sa position. Il observa que la place s'était remplie de gens, et même de chiens, qui poursuivaient et persécutaient le taureau. L'une des nombreuses capes qu'on lui jeta sur la tête resta accrochée à ses cornes et lui masqua la vue, moment que plusieurs hommes, armés de dagues et de couteaux, mirent à profit pour se jeter sur lui et le cribler de coups de lame. D'autres lui saisirent les pattes pour lui couper les jarrets. Un homme, muni d'une faux, réussit à inciser le fort tendon de la patte gauche du taureau, qui tomba. Alors ils le poignardèrent à mort.

Ils n'avaient pas tout à fait fini de lui couper la queue quand déboula sur la place le taureau suivant : plus petit mais très vif, sautillant, au pelage mêlé.

— Pousse-toi de là, imbécile !

Fasciné par le taureau, Hernando ne s'était pas rendu compte que le domestique, comme les autres membres de cuadrillas, s'était écarté de la barrière. Il obéit et céda le passage à un gros noble, au ventre énorme, dont la tunique semblait sur le point d'exploser. Deux laquais renfrognés le suivaient, puis trois autres nobles qui se moquaient de l'obèse cavalier en le montrant du doigt.

— C'est le comte d'Espiel, murmura le jeune domestique comme si, en dépit du tapage et de la distance, le cavalier eût pu l'entendre. Il ne sait pas toréer, mais chaque fois il s'obstine.

— Pourquoi ? voulut savoir Hernando sur le même ton de voix.

— Orgueil ? Honneur ? se contenta de répondre le garçon.

À peine arrivé dans l'arène, le laquais qui ne portait pas de lance pour le comte se mit à crier aux gens de cesser d'importuner le taureau bondissant et de permettre à son seigneur de l'affronter. Les Cordouans obéirent à contrecœur, renonçant à la fête que leur offraient les autres nobles et se retenant même de siffler quand le comte d'Espiel appela le taureau et laissa son cheval se hâter sur la gauche afin de mieux pouvoir recevoir la charge. Hernando observa les autres cavaliers. Ils ne souriaient plus. L'un d'eux, tout de violet vêtu, hocha négativement la tête. Malgré l'avantage obtenu par la position du cheval au moment du choc, le comte rata son coup et la pointe de sa lance frappa la gueule du taureau lorsque celui-ci sauta avant d'atteindre le cheval. La lance tomba de la main du noble. Le comte poussa un juron et perdit un précieux instant à faire dévier son cheval de la trajectoire du taureau dont il n'avait pu arrêter la charge.

Il eut beau enfoncer ses éperons dans les flancs de sa monture, le taureau s'était déjà élancé vers eux et, en pleine course, transperça la panse du cheval de ses deux cornes imposantes. Le comte perdit l'équilibre et roula par terre pendant que son cheval demeurait empalé sur les cornes du taureau qui, après deux enjambées bondissantes, releva la tête en portant toujours l'animal en l'air. Puis il lui déchira la panse comme s'il s'agissait d'un vieux chiffon. Les hennissements du cheval agonisant assourdirent la Corredera, atteignant au plus profond les spectateurs qui observaient la scène. Le taureau baissa la tête et le cheval tomba par terre. Le gros animal s'acharna alors sur lui, l'encornant sans relâche, le traînant sur toute la place, le déchiquetant jalousement, sans prêter attention aux cavaliers qui tâchaient de le distraire. Il le poussa jusqu'à la barrière derrière laquelle se tenait Hernando. Lorsqu'il le souleva de nouveau, le sang du cheval éclaboussa le jeune homme ; les intestins et les organes de l'animal s'éparpillèrent de tous côtés.

Avant qu'Hernando n'ait eu le temps de prendre conscience de ce qu'il voyait, le comte d'Espiel se planta près du taureau et du cadavre du cheval, l'épée à la main.

— Taureau ! cria-t-il en levant son arme qu'il tenait des deux mains.

L'animal l'entendit et releva vers le noble sa tête trempée de sang. À ce moment-là, le comte lui flanqua un coup terrible sur la nuque. Le bon acier tolédan trancha la moitié du gros cou du taureau, qui s'écroula près du cheval.

Il s'agissait d'un comte, d'un grand d'Espagne ! Au début les applaudissements furent modérés, provenant seulement de la noblesse, de ses pairs, mais quand le comte d'Espiel leva à nouveau son épée ensanglantée en signe de victoire, ils résonnèrent sur toute la place de la Corredera.

— Un cheval ! cria alors le noble à l'un de ses laquais tandis qu'il recueillait, avec fierté, les acclamations du peuple.

Hernando et les autres durent encore se pousser pour laisser passer le laquais qui courut plaza de la Paja chercher un autre cheval.

— Pourquoi ? demanda Hernando au domestique.

— Les nobles, répondit celui-ci, n'ont pas le droit de quitter l'arène à pied. Ils doivent le faire à cheval. Si leur cheval meurt, on leur en apporte un nouveau. Ce n'est pas la première fois que cela arrive au comte, réussit-il à dire au moment où le laquais revenait déjà, tirant par la bride un haut étalon au pelage marron.

— Mon cheval ! exigea le comte depuis l'arène.

Hernando et le domestique aidèrent à ouvrir complètement la porte en bois pour laisser place au nouveau cheval, mais dès que celui-ci vit les deux animaux morts, dès qu'il sentit le sang de l'immense flaque qui les entourait, il se cabra, échappa aux mains du laquais et se retrouva, débridé, parmi les serviteurs. Un domestique essaya une fois de plus de l'attraper, mais l'animal, devenu fou, hennissait avec violence et se soulevait en donnant des coups de pattes dans le vide, frôlant la tête des laquais, lançant des ruades frénétiques. Deux hommes se retrouvèrent à terre, atteints par une ruade à la poitrine et à l'estomac, un autre subit le même sort quand le cheval lui donna un puissant coup de tête. Le comte continuait de réclamer son cheval à grands cris, mais l'espace près de la barrière était minuscule et les nombreux serviteurs qui tentaient de s'emparer de l'étalon contribuaient au contraire à le rendre plus fou encore. Certains chevaliers, parmi ceux qui toréaient, s'approchèrent de l'entrée de la place, peu disposés à lui venir en aide ; l'un d'eux sourit même en entendant les cris exaspérés du comte d'Espiel.

Alors l'étalon, juché sur ses pattes arrière, lança des ruades juste à l'endroit où se trouvaient Hernando et son compagnon. À la seule vision des yeux exorbités et injectés de sang du cheval, Hernando s'écarta à toute vitesse, mais l'étalon atteignit au visage le jeune domestique qui commença à saigner. Il allait les mettre en pièces ! L'animal gratta la terre, prêt à se cabrer de nouveau. Hernando sauta alors sur sa tête, l'aveuglant de son corps, et lui attrapa une oreille qu'il mordit de toutes ses forces, en tordant l'autre d'une main. Il sentit sur son ventre le souffle du hennissement de douleur du cheval et, quand l'animal courba la tête sous le poids d'Hernando, celui-ci lui tordit brusquement et violemment le cou avant de le mettre à terre.

Avec Hernando qui lui mordait toujours l'oreille, allongé sur sa tête, le cheval, incapable de tourner le cou, essayait en vain de se relever. Il se débattit encore quelques instants avant d'abandonner la lutte.

— Laissez-le ! ordonna quelqu'un aux domestiques du comte qui accouraient vers le cheval.

Hernando arrêta de lui mordre une oreille, mais continua de lui tordre l'autre. Il eut alors l'idée de réciter des sourates, ses lèvres tout près de l'oreille de l'animal, pour tenter de le calmer. Il demeura ainsi un long moment, sans voir rien ni personne, récitant des sourates, pendant que le cheval recouvrait peu à peu sa respiration.

— Je vais lui mettre une cape sur la tête, garçon.

C'était la voix qui avait ordonné aux domestiques de

rester tranquilles. Hernando parvint seulement à distinguer des éperons d'argent.

— Je vais la placer entre ton corps et sa tête. Ne le laisse pas se lever.

Hernando tint bon et fit de la place pour que l'homme aux éperons d'argent puisse disposer la cape. Pendant qu'il effectuait cette manipulation, il l'entendit pester à voix basse :

— Pauvre fat ! Il ne mérite pas les chevaux qu'il a.

Hernando attrapa l'animal par la panse. Il sentit que l'homme glissait la cape entre les flancs et la tête de l'étalon.

— Imbécile. Grand d'Espagne ! marmonna-t-il avant de terminer ce qu'il avait entrepris. Maintenant, dit-il à Hernando, laisse-le se redresser petit à petit. D'abord il va tourner le cou pour lever la tête, ensuite il déploiera ses pattes pour se donner de l'élan.

Hernando le savait.

— À ce moment-là, tu devras lui attacher la cape sous la mâchoire pour qu'il ne puisse pas l'enlever. Tu t'en sens capable ? Tu n'as pas peur ?

— Non.

— Maintenant, indiqua l'homme.

L'étalon, probablement épuisé, se releva beaucoup plus lentement que ne s'y attendait Hernando, qui n'eut aucun mal à nouer la cape sous sa mâchoire, ainsi que le lui avait demandé l'homme aux éperons. Une fois debout, aveugle, le cheval demeura immobile. Hernando lui tapota le cou et lui parla avec calme. Un des domestiques du comte s'avança pour attraper la bride de l'animal, mais une main l'en empêcha.

— Ineptes, dit l'homme.

Hernando se tourna vers lui. C'était don Diego López de Haro, l'un des vingt-quatre conseillers municipaux de Cordoue, chevalier royal de Philippe II.

— Vous seriez capables, ajouta-t-il en s'adressant au

domestique, d'énerver encore cet animal fou. Vous ne savez même pas reconnaître un bon cheval, comme votre...

Il se tut et secoua la tête.

— Vous n'êtes bons qu'à vous occuper d'ânes et de bourricots ! Garçon, amène, toi, ce cheval au *comte*.

Hernando remarqua la façon méprisante qu'avait eue don Diego de prononcer le dernier mot. En revanche, il ne s'aperçut pas que le chevalier royal ne le quittait pas des yeux et l'observait avec attention, la main droite posée sous son menton : lorsqu'il entrerait dans l'arène, l'étalon sentirait à nouveau le sang. Que ferait alors Hernando ?...

En effet, le cheval entreprit de reculer. Aussitôt, Hernando tira vivement sur la bride et lui donna un coup de pied dans la panse. L'étalon tremblait, mais il obéit et entra sur la plaza de la Corredera. Il dépassa les cadavres de l'autre cheval et du taureau, et don Diego hocha la tête avec satisfaction. C'est alors que le comte d'Espiel, qui attendait toujours au même endroit, cria à l'attention d'Hernando :

— Comment oses-tu frapper mon cheval ? Il vaut plus cher que ta vie !

Les deux laquais qui servaient le noble dans l'arène coururent vers Hernando. Le premier lui arracha la bride des mains et l'autre l'attrapa par le bras.

— Arrêtez-le ! ordonna le comte d'Espiel.

Le public, après cette longue attente, se remit à crier. Dès qu'il sentit le contact du laquais sur son bras, Hernando asticota le cheval, qui tourna sur lui-même et balaya les laquais de sa croupe. Le jeune homme en profita pour leur filer entre les mains. Il sauta par-dessus le cadavre du taureau et se mit à courir en direction de la plaza de la Paja. Lorsqu'il passa devant don Diego, celui-ci fit un geste impératif à l'attention de deux laquais à son service avec qui il avait parlé tandis qu'Hernando s'échappait de l'arène. Les laquais de don Diego s'élancèrent à la poursuite du garçon. Un alguazil qui surveillait la place fit de même et réussit à l'arrêter. Au loin, plusieurs domestiques du comte d'Espiel se mirent à courir dans leur direction.

— Que… ? commença à dire l'alguazil.

— Lâchez-le ! ordonna l'un des laquais en arrachant Hernando d'entre ses mains.

— Ce sont eux qu'il faut arrêter ! ajouta l'autre laquais en montrant les serviteurs du comte d'Espiel. Ils veulent l'assassiner !

L'accusation suffit pour que d'autres alguazils barrent la route aux hommes du comte et qu'Hernando et les laquais de don Diego se perdent en direction del Potro.

Pendant ce temps, le comte d'Espiel défilait fièrement, à cheval, sur la Corredera, sous les applaudissements du public.

— Retirez ces cadavres, demanda don Diego aux membres des cuadrillas qui assistaient à la scène depuis la barrière en bois, pointant du doigt le taureau et le cheval morts. Sinon, ironisa-t-il à voix basse en s'adressant aux cavaliers qui se tenaient près de lui, cet imbécile sera incapable de quitter la place et on y passera la nuit.

31.

Quelques jours avant ce dimanche de corrida, Fatima et Jalil, dont le nom chrétien était Benito et qui, avec Hamid, comptait parmi les vieillards institués chefs de la communauté maure de Cordoue, s'étaient dirigés vers la prison, chacun portant la nourriture qu'il avait réussi à collecter pour les prisonniers, comme ils le faisaient régulièrement. Ils avaient parlé d'Hernando, de son travail pour la communauté.

— C'est un homme bon, avait dit Jalil à un moment donné. Jeune, sain et fort. Il devrait se marier et fonder une famille.

Fatima n'avait rien répliqué. Elle avait baissé la tête et ralenti l'allure.

— Il existe une possibilité de régler votre problème, avait alors ajouté Jalil, qui connaissait leur situation.

La jeune fille s'était arrêtée et avait interrogé l'ancien :

— Que veux-tu dire ?

— Aisha a-t-elle accouché ? avait demandé Jalil, tout en faisant signe à Fatima de continuer à marcher.

Ils avaient contourné la mezquita jusqu'à la porte du Pardon, d'où partait la calle de la Cárcel. Fatima avait vu que le vieil homme regardait à la dérobée le symbole de la domination musulmane en Occident, tandis qu'elle se dépêchait de le rejoindre.

— Oui, avait-elle répondu avec mélancolie. D'un beau garçon.

Cordoue lui avait pris Humam ; Cordoue donnait un nouveau fils à Aisha.

Jalil avait deviné ses pensées :

— Tu es encore jeune et plus forte que tu n'en as l'air. Tu le montres jour après jour. Aie confiance en Dieu.

Jalil avait gardé le silence quelques instants. Au moment où ils débouchaient dans la calle de la Cárcel, le vieil homme avait repris la parole :

— Quand tu t'es mariée avec Brahim, il était pauvre ?

— Non. Il était alors le lieutenant d'Ibn Abbu, le roi d'Al-Andalus, et il avait tout ce qu'il désirait. On m'a promenée dans les rues de Laujar sur la plus belle des mules blanches…

Elle s'était tue dès qu'elle avait vu deux femmes vêtues de noir avancer dans leur direction, flanquées de plusieurs domestiques et de petits pages qui tenaient le bas de leurs robes pour éviter qu'elles se salissent. L'étroite rue ne permettait pas qu'autant de personnes passent de front, et les deux Maures s'étaient prudemment écartés. Les femmes ne leur avaient même pas jeté un coup d'œil, mais Fatima, comme Jalil, n'avait pu s'empêcher de regarder les enfants qui servaient de pages : c'étaient probablement des Maures, des petits volés à leurs mères afin de les évangéliser. Le vieil homme avait soupiré, et tous deux avaient gardé le silence un instant tandis que les femmes et leur escorte descendaient la rue.

— C'était la plus belle mule blanche des Alpujarras, avait repris Fatima une fois que le groupe eut tourné vers la cathédrale.

Jalil avait acquiescé, comme si cette révélation était intéressante. Alors il s'était arrêté, à quelques mètres de la prison, aux portes de laquelle s'entassaient les familles des prisonniers.

— L'argent que gagne ton époux… Je veux dire, qui t'entretient ?

— Je ne sais pas, avait-elle avoué. Eux deux. Brahim et Hernando confient ce qu'ils gagnent à Aisha. C'est elle qui gère cet argent.

— Hernando aussi ? l'avait interrompue Jalil.

— Bien sûr ! Même si c'est peu, sans lui nous ne pourrions pas vivre. Brahim passe d'ailleurs son temps à s'en plaindre.

— Et maintenant, avec le nouvel enfant, je suppose que ça va être plus difficile encore.

— On dirait que c'est tout ce qui le préoccupe désormais : son nouveau fils, un garçon qui lui a rendu le sourire !

Fatima s'était demandé si en réalité elle avait déjà vu Brahim sourire une fois franchement, en dehors de cette moue cynique avec laquelle, généralement, il répondait. Certainement pas, avait-elle conclu.

— Dès qu'il n'est pas avec le petit, avait-elle poursuivi, il passe son temps à jurer après le salaire de misère qu'on lui donne aux champs.

Jalil avait hoché la tête une nouvelle fois.

— Le mari, avait-il alors récité, doit gouverner son épouse et subvenir à ses besoins en nourriture et boisson, ainsi qu'en vêtements, chaussures…

Le vieux Maure avait baissé les yeux et examiné les pieds de Fatima enfoncés dans des sabots de cuir, usés et troués, dont la semelle de liège avait presque disparu.

— … et lui fournir également une habitation décente. S'il ne le fait pas, l'épouse peut demander à le quitter.

La jeune fille avait fermé les yeux et ses ongles s'étaient plantés dans le morceau de pain dur qu'elle portait à la prison.

— Nos lois disent que seule l'épouse qui se marie en sachant que son époux est pauvre perd son droit à demander le divorce si celui-ci ne peut l'entretenir.

— Comment puis-je demander le divorce ? s'était écriée la jeune fille, soudaine pleine d'espoir.

— Il faudrait que tu ailles voir l'alcall, et s'il considère que tu as raison, il accordera à Brahim entre huit jours et deux mois de délai pour lui permettre de gagner plus d'argent. S'il réussit, il pourra revenir vers toi mais si, une fois passée la idda déterminée par l'alcall, il est toujours incapable de t'entretenir convenablement, tu pourras te marier avec quelqu'un d'autre et Brahim perdra tous ses droits sur toi.

— Qui est l'alcall ?

Le vieil homme avait hésité.

— Nous… n'en avons pas. Je suppose que ce pourrait être moi, ou Hamid, ou Karim, avait-il ajouté en faisant référence au troisième vieillard qui composait le conseil.

— Sans alcall, Brahim pourrait refuser d'accomplir…

— Non.

Le vieux Maure avait été catégorique.

— Conformément à nos lois, il dispose de deux épouses. Il ne peut pas y recourir quand elles l'arrangent et les refuser quand elles l'ennuient. La communauté sera de ton côté, avec nos coutumes et nos lois. Brahim ne pourra s'opposer en aucune façon, ni face à nous, ni face aux chrétiens. N'es-tu pas officiellement mariée avec Hernando ?

Fatima était demeurée pensive. Et Aisha ? Qu'adviendrait-il d'Aisha si elle demandait le divorce ? Devant son silence, Jalil avait pressé la jeune fille d'avancer jusqu'à la prison. Hernando avait bien fait son travail et l'un des gardiens avait pris la nourriture pour les prisonniers maures pendant que les gens allaient et venaient sans interruption à l'intérieur du bâtiment. Eux n'étaient pas entrés ; ils ne voulaient pas créer de ressentiment chez ceux des leurs qui étaient emprisonnés. Fatima avait remis au gardien le pain dur, quelques oignons et un morceau de fromage, avant de retourner dans la rue. À présent, avait-elle continué à penser, Brahim avait l'air satisfait avec son nouveau fils. Mais pour combien de temps… Même si… Il pourrait vouloir d'autres enfants ? Et s'il les avait avec elle ? S'il la violait ? C'était son droit. Il pouvait…

— Je veux divorcer, Jalil, avait soudain lancé Fatima.

Le vieil homme avait hoché la tête. Ils étaient de nouveau devant la porte du Pardon de la mezquita de Cordoue.

— C'est là-dedans, avait-il dit, s'arrêtant et désignant le temple, que tu devrais en principe réclamer ton droit, devant l'alcall ou le cadi. Je te le demande, Fatima de Terque, avait-il ajouté d'une manière très formelle, pourquoi désires-tu le divorce ?

— Parce que mon époux, Brahim de Juviles, est incapable de m'entretenir comme il se doit.

Après avoir parlé sur la plaza del Potro avec les laquais de don Diego López de Haro, et vérifié que les sbires du comte d'Espiel n'étaient plus à sa poursuite, Hernando partit à la recherche d'Hamid. Le dimanche, la maison de tolérance était fermée et l'uléma sortit sans problème dans la calle del Potro. Toute la Cordoue chrétienne, y compris le gérant du bordel, de même que la plupart des Maures, se trouvaient à la Corredera pour assister à la course de taureaux.

— Ils veulent que je travaille aux écuries royales de Cordoue, annonça Hernando à Hamid après l'avoir salué. Avec les chevaux du roi. Il y en a des centaines. Ils les élèvent et les dressent, et ils ont besoin de gens qui s'y connaissent.

Il lui raconta alors ce qui s'était passé avec l'étalon du comte.

— Apparemment, c'est pour cela que don Diego a prêté attention à moi.

— J'ai entendu parler de cette affaire, approuva l'uléma. Il y a peut-être six ou sept ans, le roi Philippe a ordonné la création d'une nouvelle race de chevaux. Les chrétiens n'utilisent plus les chevaux de guerre lourds et sauvages. L'Espagne vit en paix. Bien qu'elle soit en guerre sur des terres lointaines, ici non, et depuis que le père du roi, l'empereur Charles, a adopté les usages de la cour de Bourgogne, les nobles veulent des chevaux pour briller lors des défilés, des fêtes, des joutes ou des courses de taureaux. J'ai cru comprendre que c'est ce qu'ils recherchent : le parfait cheval de cour. Et le roi a choisi Cordoue pour mener à bien son projet. Ils sont en train de construire de magnifiques écuries près de l'alcázar, où se trouve l'Inquisition. Certains maîtres d'œuvre musulmans y travaillent. Je te félicite, conclut l'uléma.

— Je ne sais pas.

Hernando fit une petite grimace pour accompagner ses doutes.

— Je suis bien où je suis. Je peux faire ce que je veux et me déplacer librement dans la ville. Mais le salaire…

Alors il pensa aux vingt réaux par mois, plus le toit, que lui offraient les laquais de don Diego.

— Si j'accepte, je ne pourrais plus m'occuper des Maures qui arrivent en ville…

— Accepte, mon fils, lui conseilla Hamid.

Hernando allait insister, mais l'uléma le devança :

— Il est très important que nous obtenions des travaux bien rémunérés, avec des responsabilités. Un autre occupera les fonctions que tu occupes actuellement, et ne crois pas que tu n'auras rien à faire pour la communauté. Nous devons nous organiser. Peu à peu, nous allons y arriver. À mesure que nos frères commencent à travailler comme artisans ou marchands et abandonnent les champs, nous obtenons de l'argent pour notre cause. N'importe lequel d'entre eux est infiniment plus courageux que ces paresseux de chrétiens. Profite. Travaille dur et surtout essaie de poursuivre ce que nous apprenions dans les Alpujarras : lis, écris. Dans toute l'Espagne il y a des hommes qui se préparent. Nous… moi… nous disparaîtrons un jour ou l'autre et quelqu'un devra continuer. Nous ne pouvons laisser nos croyances tomber dans l'oubli !

Hamid prit Hernando par les épaules au milieu de la calle déserte del Potro, sans aucune prudence. Ce contact, cette véhémence, firent frissonner le garçon.

— Nous ne pouvons pas les laisser nous vaincre à nouveau et permettre que nos enfants ignorent la religion de leurs ancêtres !

La voix d'Hamid se brisa. Hernando regarda ses yeux : ils étaient humides.

— Il n'y a pas d'autre Dieu que Dieu et Mahomet est l'envoyé de Dieu, réussit alors à entonner Hamid, comme s'il s'agissait d'un chant de victoire.

Une larme ! Une larme coulait sur la joue de l'uléma.

— Toute personne, ajouta Hernando en récitant la profession de foi des Maures, est tenue de savoir que Dieu est unique en son royaume. Il a créé toutes les choses qui existent dans le monde, en haut et en bas, le trône et l'escabeau, le ciel et la terre…

Lorsque Hernando eut terminé, ils s'étreignirent.

— Mon fils, murmura Hamid, le visage posé sur l'épaule du garçon.

Hernando le serra avec force dans ses bras.

— Il y a un problème, objecta Hernando au bout de quelques instants. Ils m'ont offert un toit. Fatima… Aux yeux des chrétiens, elle est mon épouse, elle est recensée comme telle. Normalement elle devrait venir vivre avec moi, et c'est impossible. Je ne sais si je pourrai renoncer à l'habitation ou s'il est obligatoire que j'y vive.

— Peut-être n'auras-tu à renoncer à rien.

Hamid s'écarta de lui.

— Il y a quelques jours, Fatima a demandé le divorce.

— Elle ne m'a rien dit !

— Nous travaillons à cela au conseil. Nous-mêmes lui avons demandé de n'en parler à personne jusqu'au jugement. Pour que Brahim n'apprenne rien.

— Elle pourrait… divorcer ? bredouilla Hernando.

— Oui, si ce qu'elle affirme est exact. Et c'est le cas. Aujourd'hui même, quand tout le monde était à la course de taureaux, nous nous sommes réunis et nous avons décidé de donner suite à sa demande. Si, dans un délai de deux mois, Brahim n'a pas trouvé assez d'argent pour subvenir aux besoins de Fatima, elle sera libre.

Ce soir-là, Hamid et les deux autres vieux Maures du conseil prirent la direction de la maison de Brahim, calle de Mucho Trigo. L'uléma avait demandé à Hernando de disparaître pour la nuit, de trouver un autre endroit pour dormir, ce qui n'avait pas été difficile pour lui.

De son côté, Fatima savait que le conseil se réunissait ce dimanche afin d'examiner sa demande de divorce. Jalil le lui avait dit.

L'après-midi, lorsque Brahim et les autres occupants de la maison étaient allés voir les taureaux, Fatima était restée en tête à tête avec Aisha et son bébé. Le petit avait été baptisé Gaspar, comme l'un de ses parrains – tous deux vieux-chrétiens –, que le curé de San Nicolás avait choisis pour cette fonction. Pour les baptêmes d'enfants maures, c'était obligatoire. Ni Aisha ni Brahim n'avaient de prédilection pour un prénom chrétien en particulier, et ils acceptèrent la proposition du prêtre : l'enfant s'appellerait Gaspar.

La cérémonie leur avait coûté trois maravédis pour le curé, une galette pour le sacristain et quelques œufs en cadeau aux parrains, ainsi que la toque de lin blanc qui couvrait le nourrisson et serait ensuite offerte à l'Église ; Brahim avait dû emprunter pour honorer toutes ces dépenses. Avant le baptême, à l'instar de l'accoucheuse qui avait assisté Aisha lors de la naissance du petit, le prêtre avait vérifié que Gaspar n'avait pas été circoncis. Mais sitôt de retour chez eux, Aisha avait lavé plusieurs fois à l'eau chaude la petite tête du nouveau-né afin de la débarrasser des huiles saintes. Ils avaient décidé de l'appeler Shamir. Cette cérémonie avait eu lieu une nuit, quelques jours avant son baptême chrétien. L'enfant, tendu à bout de bras en direction de La Mecque, avait été lavé entièrement, vêtu d'habits propres et neufs, on avait passé autour de son cou la main en or de Fatima et des prières avaient été récitées à ses oreilles.

L'après-midi de ce dimanche de mars, les deux femmes étaient assises dans le patio de la maison.

— Que t'arrive-t-il ? avait à la fin questionné Aisha, rompant ainsi le silence.

Fatima lui avait demandé de lui laisser Shamir. Depuis un bon moment, elle le berçait, lui fredonnait des chansons, le regardait et le caressait, absorbée par le bébé. Elle n'avait pas adressé un seul mot à Aisha qui l'avait laissée faire, pensant d'abord qu'Humam lui manquait et respectant son silence, sa douleur ; mais à mesure que le temps passait et que la jeune fille ne la regardait toujours pas, la mère d'Hernando avait pressenti autre chose.

Fatima ne lui avait pas répondu. Elle avait serré les lèvres pour réprimer un léger tremblement qui n'avait pas échappé à Aisha.

— Dis-moi, ma fille, avait insisté cette dernière.

— J'ai demandé le divorce, avait-elle avoué.

Aisha avait fortement inspiré.

Pour la première fois depuis que Fatima avait pris Shamir dans ses bras, les deux femmes avaient échangé un regard. Aisha avait laissé couler ses larmes, et Fatima avait fait aussitôt de même. Elles avaient pleuré toutes deux un bon moment en se regardant dans les yeux.

— Finalement…, avait dit Aisha en s'efforçant de ravaler ses sanglots, vous réussirez à fuir. Vous auriez dû le faire depuis longtemps, à la mort d'Ibn Umayya.

— Que va-t-il se passer ?

— Tu vas enfin être heureuse.

— Je veux dire…

— Je sais ce que tu veux dire, ma chérie. Ne t'inquiète pas.

— Mais…

Aisha avait tendu le bras et, délicatement, posé ses doigts sur les lèvres de la jeune fille.

— Je suis contente, Fatima. Je le suis pour vous. Dieu m'a mise à l'épreuve, et après tant de malheurs, Il m'a récompensée aujourd'hui avec la naissance de Shamir. Toi aussi tu as souffert, et tu mérites d'être heureuse à nouveau. Nous ne devons pas douter de la volonté de Dieu. Profite donc des présents qu'Il a décidé de t'accorder.

Mais que dira Brahim ? s'interrogeait Fatima sans pouvoir réprimer un frisson en songeant au caractère violent du muletier.

Quand Jalil, accompagné d'Hamid et de Karim, lui communiqua la demande de divorce de la part de sa seconde épouse, Brahim lança des milliers de malédictions. Fatima et Aisha se protégèrent l'une l'autre, se rapprochant autant qu'elles le purent dans un coin de la pièce. Puis, comme s'il venait soudain de s'en apercevoir, Brahim remit en cause la représentativité du conseil.

— Et qui êtes-vous pour décider du sort de ma seconde épouse ? rugit-il.

— Nous sommes les chefs de la communauté, répondit Jalil.

— Qui a dit cela ?

— Eux, intervint alors Karim, l'autre vieillard qui portait le nom chrétien de Mateo, faisant un geste en direction de la porte.

Comme s'ils avaient répondu à un signal convenu, trois jeunes Maures costauds apparurent à la porte et se plantèrent derrière les membres du conseil. Brahim évalua du regard la force d'un seul d'entre eux.

— On ne devrait pas en arriver là, Brahim, dit Hamid dans une tentative de conciliation. Tu sais bien que nous sommes les chefs de la communauté. Personne ne nous a élus et nous ne l'avons pas proclamé non plus ; nous n'avons pas demandé à l'être. Tu honoreras les sages. Tu obéiras aux aînés. Ce sont les commandements.

— Que voulez-vous ?

— Ta seconde épouse, expliqua Jalil, est venue se plaindre devant nous que tu ne l'entretiens pas convenablement…

— Et qui peut le faire dans cette ville ? l'interrompit Brahim en criant. Si j'avais mes mules… On nous vole ! On nous paie des salaires de misère…

— Brahim, reprit Hamid avec douceur, ne parle pas sans savoir quelles peuvent être les conséquences de tes paroles. Face à la demande de Fatima, nous devons lancer une procédure, et c'est ce que nous faisons. C'est pour cette raison que nous sommes là, pour te donner l'opportunité d'exposer ce que tu crois opportun, d'accepter les témoins qu'éventuellement tu nous proposeras, et finalement de prendre une décision conforme à nos lois.

— Toi ? Je sais bien ce que tu vas décider. Tu l'as déjà fait une fois, tu t'en souviens ? Dans l'église de Juviles. Tu défendras toujours le nazaréen !

— Je n'interviendrai pas dans le jugement. Personne ne peut le faire s'il connaît des faits antérieurs à l'affaire jugée. Sois rassuré sur ce point.

— Brahim de Juviles, trancha Jalil pour écarter de possibles disputes personnelles, ta seconde épouse, Fatima, se plaint que tu ne peux pas l'entretenir. Qu'as-tu à dire ?

— À toi ? cracha Brahim. À un vieillard de l'Albaicín de Grenade ? Qui, avec d'autres lâches du même genre, as décidé de ne pas t'unir au soulèvement. Qui as trahi tes frères des Alpujarras…

— Je t'interroge au sujet de ton épouse, insista Jalil.

— Et toi, tu as une épouse, vieillard ? Tu peux l'entretenir ? Qui peut entretenir son épouse dans cette ville ?

— Tu veux donc dire que tu ne peux pas ? s'écria alors Karim.

— Je veux dire que personne ne le peut à Cordoue, répliqua Brahim en traînant sur chaque mot.

— C'est tout ce que tu avances pour ta défense ? questionna Jalil.

— Oui. Vous le savez tous, vous connaissez tous notre situation. À quoi rime cette comédie ?

Jalil et Karim se consultèrent en silence. Au coin de la pièce, Aisha chercha la main de Fatima et la serra avec force.

— Brahim de Juviles, conclut Jalil, nous n'ignorons pas les pénuries dont souffre actuellement notre peuple. Nous en souffrons tout comme toi et nous prenons en compte les difficultés de chacun, non seulement pour entretenir les épouses, mais pour habiller et nourrir les enfants. Nous n'accepterions pas la demande d'une épouse pour de telles raisons. C'est vrai, moi non plus je ne peux pas entretenir mon épouse comme je le faisais à Grenade. Cependant, il n'y a aucun croyant à Cordoue qui, comme toi, a deux épouses. Si, comme tu le soutiens, personne ne peut entretenir une épouse dans cette ville, comment pourrait-on prétendre en entretenir deux ? Nous t'accordons un délai de deux mois pour apporter les preuves, devant ce conseil, que tu es capable d'entretenir convenablement tes deux épouses. Une fois passé cette idda, si tu n'as pas prouvé le contraire et qu'elle persiste dans sa demande, Fatima ne sera plus ta femme.

Brahim écouta la sentence sans bouger : seuls ses yeux entrouverts révélaient la colère qui le rongeait. C'est alors qu'intervint Karim. Hamid avait prévenu les deux autres. « Je le connais bien, avait-il dit en parlant de Brahim. Il pourrait la tuer avant qu'elle soit libérée », avait-il affirmé.

— Compte tenu de la naissance de ton nouveau fils et le peu de revenus dont tu disposes, nous n'exigerons pas de toi, comme l'ordonne la loi, que durant l'idda tu entretiennes ta seconde épouse. Nous t'exemptons de cela en faveur de ton nouvel enfant. Pendant ce délai, Fatima vivra sous notre garde.

— Chien ! cracha Brahim à la figure d'Hamid.

Immédiatement, les trois jeunes Maures se dressèrent face à lui.

— Suis-nous, Fatima, dit Jalil.

À ce moment-là, Aisha desserra ses doigts fortement entrelacés à ceux de la jeune fille. Leurs deux mains transpiraient. Fatima tendit le bras en quête d'un dernier contact avec Aisha. Puis elle s'avança vers les trois anciens.

32.

À l'aube, Hernando se présenta aux écuries royales, un bâtiment neuf élevé près de l'alcázar des rois chrétiens, siège de l'Inquisition cordouane. Depuis qu'il était arrivé à Cordoue, à l'instar des autres Maures, Hernando évitait ce quartier, celui de San Bartolomé, situé entre la mezquita et le Palais épiscopal, le Guadalquivir et la limite occidentale des remparts de la ville. Non seulement on y trouvait l'Inquisition et sa prison, le Palais épiscopal avec son va-et-vient constant de prêtres et de proches du Saint-Office mais, à la différence des autres quartiers de Cordoue, aucun Maure libre n'y était recensé. Les habitants de San Bartolomé étaient différents des autres Cordouans : la paroisse avait été ajoutée à la distribution géographique de la ville adoptée après la conquête et, par ordre royal, elle avait été peuplée d'hommes courageux et robustes. Ceux-ci, par ailleurs, se devaient d'être de bons arbalétriers de guerre : une sorte de milice urbaine toujours prête à défendre les remparts de la ville. Ces qualités caractérisaient les habitants privilégiés de San Bartolomé, qui paradaient devant leurs voisins, pratiquant même une endogamie marquée et entretenant un certain nombre de querelles avec les autres paroisses. C'est pourquoi peu de Maures souhaitaient se mélanger aux inquisiteurs, aux prêtres, ainsi qu'à ces gens altiers et orgueilleux.

Ce soir-là, Hernando se réfugia chez le cardeur à qui il avait trouvé une épouse, où il fut accueilli, dans une ambiance quelque peu nostalgique, avec un bon repas composé d'agneau assaisonné de sel, de poivre et de coriandre fraîche, et frit à l'huile dans le style de cette Grenade qui leur manquait tant. Avant la fin du dîner, Karim, qui vivait aussi calle de los Moriscos, passa par la maison du cardeur et se joignit à eux après avoir laissé Fatima aux bons soins de son épouse. Hernando et elle ne pourraient pas se voir pendant les deux mois d'idda accordés à Brahim.

Qu'étaient deux mois ? songea une fois de plus Hernando en se rendant aux écuries. Son bonheur aurait été complet... sans sa mère. À l'extérieur de la maison, au moment de prendre congé de Karim, Hernando l'interrogea au sujet d'Aisha. Le vieux Maure lui répondit que sa mère affrontait la situation avec courage. Il ne fallait pas qu'il s'inquiète : la communauté était avec eux.

— Gagne de l'argent, mon garçon, le pressa ensuite Karim. Hamid m'a raconté pour don Diego et les chevaux. Nous avons besoin de gens comme toi. Travaille ! Étudie ! Nous nous chargeons du reste.

L'ancien se perdit dans l'obscurité fraîche de cette nuit de mars. « Nous avons confiance en toi », avait-il murmuré. Et cette phrase vint troubler les fantasmes que, cette nuit-là, Hernando s'autorisa sans limites en songeant à Fatima. Nous avons confiance en toi ! Quand Hamid disait cela, c'était comme s'il parlait à l'enfant de Juviles, mais quand il l'entendait dans la bouche de ce vieillard inconnu de l'Albaicín... Ils avaient confiance en lui. Pourquoi ? Que devait-il faire de plus ?

Il traversa le Campo Real, jonché de déchets comme toujours, et tourna le regard vers la gauche, où s'élevait majestueusement l'alcázar. L'Inquisition ! Un frisson parcourut sa colonne vertébrale lorsqu'il contempla les quatre tours, toutes différentes, qui se dressaient à chaque coin de la forteresse aux remparts hauts, massifs et crénelés. La longue façade des écuries royales commençait là même, au bout du bâtiment. Hernando put sentir les chevaux à l'intérieur, entendre les cris des palefreniers et les hennissements. Il s'arrêta devant le large portail d'accès à l'enceinte, à côté des anciens remparts, près de la tour de Belén.

C'était ouvert, et les bruits et les odeurs qu'il avait perçus de l'autre côté du mur le frappèrent de nouveau quand il s'arrêta sur le seuil de la porte. Personne ne gardait l'entrée, et après une courte hésitation Hernando avança de quelques pas. À sa gauche s'ouvrait un grand corps de bâtiment traversé par un vaste couloir central. Des deux côtés, entre des colonnes, se trouvaient les écuries remplies d'animaux. Les colonnes soutenaient une succession de voûtes, longues et droites, qui invitaient à s'avancer d'arc en arc sous leurs courbes.

À l'intérieur des box, les valets d'écurie travaillaient avec les chevaux.

Immobile à l'entrée, au centre du couloir, Hernando fit claquer sa langue pour que les deux premiers chevaux se tenant à sa droite, attachés au mur par des anneaux, arrêtent de se mordre dans le cou.

— Ils font toujours ça, dit quelqu'un derrière lui.

Hernando se retourna juste au moment où l'homme qui lui avait parlé l'imitait en faisant claquer plus fort sa langue.

— Tu cherches quelqu'un ? lui demanda-t-il.

C'était un homme d'âge moyen, grand et maigre, brun et bien habillé, avec des brodequins en cuir au-dessus du genou, noués par des lanières tout autour du mollet, des chausses et une tunique blanche ajustée, sans luxe ni pompons. Il l'examina de haut en bas et lui sourit. Cet homme lui souriait ! Combien de fois lui avait-on souri à Cordoue ? Hernando lui rendit son sourire.

— Oui, répondit-il. Je cherche le laquais de don Diego… López ?

— López de Haro, l'aida l'homme. Qui es-tu ?

— Je m'appelle Hernando.

— Hernando comment ?

— Ruiz. Hernando Ruiz.

— Bien, Hernando Ruiz. Don Diego a beaucoup de laquais. Lequel cherches-tu ?

Hernando haussa les épaules.

— Hier, pendant la course de taureaux…

— Ça me revient ! l'interrompit l'homme. C'est toi qui as fait entrer sur la place l'étalon du comte d'Espiel, n'est-ce pas ? Je savais que ton visage m'était familier, ajouta-t-il tandis qu'Hernando acquiesçait. Je vois qu'ils ne t'ont pas attrapé, mais tu n'aurais pas dû aider le comte. Cet homme aurait dû sortir de la place à pied et humilié. Tu parles d'un triomphe ! Le taureau a tué son cheval à cause de sa maladresse. C'était un bon animal, susurra-t-il. D'ailleurs, le roi devrait lui interdire de monter, au moins devant un taureau… ou une femme. Bon, maintenant je sais qui tu cherches. Viens avec moi.

Ils quittèrent le bâtiment des box et sortirent dans un immense patio central où trois cavaliers domptaient des chevaux, deux d'entre eux montés sur de fougueux exemplaires pendant que le troisième, en qui Hernando reconnut le laquais de don Diego, pied à terre, obligeait un poulain de deux ans à tracer des cercles autour de lui. Il le tenait par le licou, au-dessus du mors et des brides ; les étriers, détachés, frappaient ses flancs, ce qui l'excitait.

— C'est lui, n'est-ce pas ? lui indiqua l'homme.

Hernando approuva.

— Il s'appelle José Velasco. Et moi, Rodrigo García.

Hernando hésita avant d'accepter la main que lui tendait Rodrigo. Il n'était pas habitué à ce que les chrétiens lui tendent la main.

— Je suis… maure, annonça-t-il pour que Rodrigo ne se sente pas abusé.

— Je sais, lui répondit celui-ci. José m'en a parlé ce matin. Ici nous sommes tous cavaliers, dompteurs, valets d'écurie, maréchaux-ferrants, harnacheurs et tout ce que tu veux. Ici, notre religion, c'est les chevaux. Mais garde-toi bien de répéter cela en présence d'un prêtre ou d'un inquisiteur.

Hernando sentit que Rodrigo, en disant ces paroles, lui pressait franchement la main.

Au bout d'un moment, alors que le poulain était en sueur, José Velasco le força à s'arrêter. Il attacha à sa tête le licou qu'il utilisait pour le faire tourner et approcha l'animal d'un petit banc en pierres ; il grimpa dessus et, avec l'aide d'un valet d'écurie qui le tenait, il monta, prudemment, sur le poulain. Les deux autres cavaliers stoppèrent leurs exercices. Le jeune cheval resta immobile, dans l'attente, cabré, les oreilles basses, sous le poids de Velasco.

— C'est la première fois, murmura Rodrigo à Hernando, comme si, en parlant plus fort, il eût pu causer un problème.

Velasco tenait dans ses mains un long bâton croisé au-dessus du cou du poulain, ainsi que les rênes et le licou ; les rênes lâchées, afin de ne pas gêner le poulain avec le mors ; le licou, à l'inverse, tendu à l'anneau qui pendait sous la lèvre inférieure de l'animal. Il attendit quelques secondes pour voir si le poulain réagissait, mais celui-ci resta immobile et nerveux. Alors Velasco dut l'asticoter doucement. D'abord il fit claquer sa langue ; puis, n'obtenant pas de réponse, il mit en arrière les talons de ses brodequins, sans éperons, et effleura les flancs de la bête. Aussitôt, le poulain partit comme une flèche en bondissant. Velasco supporta la ruade et finalement l'animal s'arrêta une fois de plus, tout seul, sans que son cavalier, toujours sur son dos, ait eu à agir.

— Ça y est, affirma Rodrigo. Il a de bonnes manières.

En effet, la deuxième fois, le poulain se cabra, mais sans bondir. Velasco le dirigeait grâce au licou et, en dernier recours, sans le frapper, il lui montrait le bâton d'un côté de la tête pour l'obliger à tourner, sans cesser de lui parler et de lui tapoter le cou.

Les cent et quelques chevaux espagnols établis dans les écuries royales de Cordoue représentaient les exemplaires choisis, parfaits, issus des sept cents juments d'élevage composant le bétail du roi Philippe II et disséminées dans divers pâturages des alentours de Cordoue. Comme l'avait raconté Hamid à Hernando, en 1567 le roi avait ordonné la création d'une nouvelle race de chevaux, et il avait procédé à l'acquisition des meilleures mille deux cents juments de ses territoires ; mais il avait été impossible de dénicher autant de mères de la qualité requise, et le troupeau s'était contenté de la moitié. Par ailleurs, il avait ordonné de destiner les droits des salines à cette entreprise, incluant l'érection d'écuries royales à Cordoue et la location ou l'achat des pâturages sur lesquels les juments devaient être placées. Pour diriger le projet, il avait nommé écuyer royal et responsable de la race l'un des vingt-quatre membres du conseil municipal de Cordoue, don Diego López de Haro, de la maison de Priego.

Le cheval devait être un animal avec une petite tête légèrement busquée et un front décharné ; des yeux sombres, éveillés et arrogants ; des oreilles rapides et vives ; de larges naseaux, un cou flexible et arqué, gros près du tronc et plus fin vers la nuque, avec un peu de graisse à la naissance du crin, abondant et épais, de même que la queue ; un bon aplomb ; un dos court, maniable ; avec un garrot saillant ainsi qu'une croupe large et ronde.

Mais le plus important, pour le cheval espagnol, devait être sa façon de bouger, son allure. Haut, gracile et élégant, comme s'il ne voulait poser aucune de ses pattes sur le sol brûlant d'Andalousie et qu'il les maintenait en l'air, les soutenant, dansant le plus longtemps possible, les faisant voltiger au trot ou au galop, sans que la distance à parcourir semble avoir d'importance ; luisant, fier, exhibant sa beauté au monde entier.

Pendant six ans, don Diego López de Haro, en tant que responsable de la race, avait recherché toutes ces qualités, une à une, chez les poulains qui naissaient dans les pâturages cordouans, afin de les croiser de nouveau entre eux et d'obtenir des descendants chaque fois plus parfaits. Les animaux qui ne possédaient pas les qualités requises étaient vendus comme du bas de gamme, car dans les écuries de Cordoue se trouvaient les chevaux les plus purs et parfaits de ce qu'on avait nommé, par disposition royale, la race espagnole.

José Velasco confia à Hernando le soin, l'entretien et surtout le dressage des poulains à la mangeoire. Au mois de mars, juste avant le début du printemps et donc de la saison de monte des juments, l'écuyer royal choisirait les poulains de un an qui seraient transférés des pâturages aux écuries pour prendre la place de ces autres chevaux, domptés, qui partiraient en direction de Madrid, dans les écuries royales de l'Escorial, afin d'être remis au roi Philippe. Aucun cheval de race espagnol que don Philippe considérait parfait n'était vendu ; ils étaient tous destinés au roi, à ses écuries ou offerts à d'autres souverains, nobles ou hiérarques de l'Église.

Les poulains arrivaient sauvages des pâturages. Jusqu'à l'âge de deux ans, où on leur imposait une selle et où on les montait pour la première fois, il y avait beaucoup à faire, comme Hernando en fut informé au cours des jours précédant la venue des animaux : il fallait parvenir à habituer les bêtes au contact de l'homme – qu'elles se laissent toucher, nettoyer, brider et soigner –, elles devaient aussi apprendre à rester établées, attachées en permanence aux anneaux des murs des box, à cohabiter avec d'autres chevaux à leurs côtés, à manger à la mangeoire, à boire à l'auge, à obéir au licou, à marcher au pas et à accepter le mors ou le poids de la selle, obligatoires pour monter. Tout cela était inconnu aux jeunes chevaux qui, jusque-là, avaient vécu en liberté dans les champs, près de leurs mères.

Si, à un moment, Hernando avait éprouvé le fantasme

de monter l'un de ces fantastiques chevaux, celui-ci s'évanouit à mesure qu'on lui expliquait quelles seraient ses tâches. En revanche, un autre de ses rêves se réalisa : au deuxième étage des écuries royales, au-dessus des box, il y avait une enfilade de logements à l'usage des employés. On lui octroya une vaste habitation de deux pièces, indépendante, avec une cuisine commune à deux autres familles. En dix-neuf ans de vie il n'avait jamais disposé d'un tel espace pour lui tout seul ! Ni à Juviles ni à Cordoue ! Hernando parcourut ces deux pièces plusieurs fois. Le mobilier se composait d'une table et de quatre chaises, d'un bon lit avec des draps et une couverture, d'une petite commode avec une cuvette (il pourrait se laver !), et même d'un grand coffre. Que mettraient-ils dans ce coffre ? pensa-t-il avant d'aller à la fenêtre qui donnait sur le patio des écuries. L'administrateur des box, qui lui avait montré son logement, revint juste au moment où Hernando ouvrait le coffre.

— Et ton épouse ? lui demanda-t-il comme si c'était à elle qu'il aurait dû montrer l'habitation. Sur tes papiers, il est écrit que tu es marié.

Hernando avait préparé la réponse à cette question :

— Elle est au chevet d'un membre de notre famille qui est malade, répondit-il avec fermeté. Pour le moment, elle doit rester auprès de lui.

— Dans ce cas, le prévint l'administrateur, vous devrez vous présenter sans faute à la paroisse de San Bartolomé pour vous faire recenser. Ton épouse n'aura sans doute aucun problème à laisser le malade juste le temps qu'il faut pour effectuer cette démarche.

Y aurait-il un problème ? La question vint assaillir Hernando dès qu'il se retrouva seul, à la fenêtre, à observer Rodrigo qui dressait un cheval pommelé, insistant sur un exercice que l'animal n'arrivait pas à exécuter correctement ; les gros éperons d'argent du cavalier scintillaient sous le soleil de mars chaque fois que Rodrigo les enfonçait dans les flancs du cheval. Fatima n'était pas encore son épouse. Karim avait été catégorique : il y avait les deux mois d'idda accordés à Brahim, pendant lesquels Hernando ne pouvait s'approcher d'elle. Et si Brahim obtenait assez d'argent pour récupérer Fatima ?

Le coup d'éperon avec lequel Rodrigo châtia l'animal lorsque celui échoua une fois de plus à faire l'exercice se planta autant dans la chair d'Hernando que dans les flancs du cheval rebelle. Et si Brahim réussissait ?

La nuit était tombée et il ne pouvait plus rentrer à Cordoue. Quel prétexte aurait-il pu donner à la porte ? songeait Brahim. Blotti dans les buissons, sur le chemin qui menait de l'auberge des Romains à la ville par la porte de Séville, il regarda passer plusieurs marchands, tous armés, qui se déplaçaient en groupe pour se protéger. Il s'était procuré un poignard auprès d'un Maure avec qui il travaillait au champ ; Brahim n'avait cessé d'insister auprès de lui.

— Fais attention, l'avait averti l'homme, si on t'attrape avec, on t'arrêtera et je perdrai mon poignard.

Brahim était conscient de cela. Entrer à Cordoue avec une arme cachée, perdu dans la foule qui revenait des champs, était relativement simple, mais revenir la nuit, seul et armé, était plus que téméraire. En tout cas, pour l'heure, le poignard ne lui servait pas à grand-chose. Au moindre bruit de pas ou de monture, Brahim l'empoignait fermement. « Les prochains, je leur saute dessus », se promettait-il après avoir laissé échapper, caché dans les buissons, un autre groupe de marchands. Mais lorsque finalement apparaissait sur le chemin ce nouveau groupe, la main de Brahim qui tenait l'arme se mettait à transpirer à grosses gouttes et ses jambes, qui auraient dû courir après les commerçants, ne lui obéissaient plus. Comment pourrait-il affronter, seul, plusieurs hommes armés d'épées ? Alors, se maudissant, il écoutait leurs rires et leurs discussions se perdre dans le lointain. « Les suivants… », tentait-il de se convaincre, « les suivants, ils ne m'échapperont pas ».

Il faillit se décider au passage de deux femmes flanquées de plusieurs enfants qui se hâtaient vers Cordoue avec un panier de légumes, mais aucune d'elles ne semblait porter le moindre bracelet, même en fer, aux poignets ou aux chevilles. Et que ferait-il d'un panier de légumes ?

L'obscurité le surprit et le chemin devant lui disparut de sa vue. Aucun autre marchand ne se risqua à braver le noir qui effaçait le dessin de la route, et le silence tomba sur Brahim, écrasant sa lâcheté.

Des deux mois d'idda que lui avaient concédés les anciens pour prouver qu'il pouvait entretenir Fatima, la moitié du délai était passée, et Brahim n'avait pas réussi à économiser un seul réal de la somme qu'il empochait aux champs. Plus encore, une partie de son salaire était destinée, depuis le baptême de Shamir, à rembourser ce qu'on lui avait prêté pour la cérémonie. Il était impossible de gagner de l'argent en travaillant, et tout aussi impossible en essayant de le voler.

Le nazaréen allait récupérer Fatima. Et pourtant, même cette perspective, qui torturait sans relâche sa conscience, ne réussissait pas à lui insuffler le courage nécessaire pour risquer sa vie face à une poignée de chrétiens, si peu armés fussent-ils.

Brahim connaissait la nouvelle situation d'Hernando. Aisha avait été obligée de lui raconter pour les écuries royales, et quand elle avait vu son époux se replier sur lui-même au lieu de réagir avec violence, la panique l'avait envahie. À son tour, elle avait compris ce qui était en train de se passer : Brahim allait perdre Fatima ; Brahim allait être bafoué, humilié aux yeux de la communauté… Lui ! Le muletier de Juviles, le lieutenant d'Abén Aboo ! À l'inverse, ce beau-fils, qu'il avait accepté contre une mule et toujours détesté, allait prospérer grâce à un travail bien rémunéré et, le plus important, allait lui arracher sa précieuse Fatima.

Deux cavaliers qui passèrent sur le chemin au galop le firent sursauter.

— Sales nobles ! cracha Brahim sans bouger.

— Va voir les monfíes de la Sierra Morena, lui recommanda le lendemain matin l'homme qui lui avait prêté son poignard, lorsque Brahim lui rendit l'arme en lui avouant qu'il ne s'en était pas servi. Ils ont toujours besoin de gens en ville ou aux champs, de frères qui leur fournissent des informations sur les caravanes qui vont partir, les personnes qui arrivent ou s'en vont, ou encore sur les activités de la sainte Confrérie. Ils ont besoin d'espions et de collaborateurs. Ce sont eux qui m'ont donné le poignard.

Et comment pourrait-il trouver les monfíes ? s'enquit Brahim. La Sierra Morena était immense.

— Si tu vas dans la Sierra, ce sont eux qui te trouveront, lui répondit l'homme. Mais débrouille-toi pour que ceux de la sainte Confrérie ne les devancent pas.

La sainte Confrérie était une milice municipale composée de deux gouverneurs et d'unités d'archers, douze généralement, qui surveillaient les délits commis hors de la ville : dans les champs, les montagnes et les villages de moins de cinquante habitants, où l'organisation des grandes communes ne pouvait arriver. Elle pratiquait une justice sommaire et cruelle et, à ce moment-là, recherchait les monfíes maures qui avaient terrorisé les bons chrétiens, comme El Sobahet, cruel monfí valencien à la tête d'une puissante bande de la Sierra Morena, au nord de Cordoue, composée essentiellement d'esclaves désespérés, enfuis des terres de leur seigneurie, où la vigilance était plus faible qu'en ville, et qui, à cause de leurs visages marqués au fer rouge, ne pouvaient se cacher ailleurs que dans les montagnes.

Les monfíes constituaient son dernier espoir, conclut Brahim.

Le lendemain, à l'aube, après être passés devant l'église, le cimetière de Santa Marina, et à gauche la tour de la Malmuerta, qui servait de prison pour les nobles, Brahim, Aisha et le petit Shamir quittèrent Cordoue par la porte du Colodro, en direction du nord, vers la Sierra Morena.

Brahim avait ordonné à Aisha de se préparer pour partir avec lui et l'enfant, de prévoir à manger et des habits de rechange. Le ton qu'il avait employé avait été si tranchant qu'Aisha n'avait pas osé lui poser de questions. Ils franchirent la porte du Colodro parmi la foule qui allait travailler aux champs ou aux abattoirs et bifurquèrent vers Adamuz, au-dessus de Montoro, sur le chemin de las Ventas, qui reliait Cordoue à Tolède à travers la Sierra. Près de Montoro, on venait de trouver quatre chrétiens égorgés avec la langue coupée : les monfíes devaient rôder dans le coin.

De Cordoue à Tolède, sur le chemin de las Ventas, il y avait de nombreuses auberges pour les voyageurs de passage, raison pour laquelle Brahim prit des sentiers éloignés de la route principale, et coupa même à travers champs. Mais avant d'arriver à Alcolea, en rase campagne, comme elle avait l'ordre de le faire, se produisit leur première rencontre avec la sainte Confrérie. Attaché à un poteau enfoncé dans la terre, le cadavre criblé de flèches d'un homme se décomposait, servant de nourriture aux charognards et d'avertissement aux passants : telle était la manière dont la Confrérie exécutait ses sentences de mort contre les malfaiteurs qui osaient commettre des délits à l'extérieur des villes. Brahim se souvint des précautions qu'on lui avait conseillé de prendre et obligea Aisha à quitter la route qu'ils suivaient, bien qu'il s'agît déjà d'un chemin à l'écart par lequel ils essayaient de contourner les contreforts de la Sierra Morena et de s'enfoncer directement dans la montagne. Entre les chênes-lièges et les vallons, son instinct de muletier lui permit de s'orienter sans difficulté et de trouver ces petits sentiers inconnus que seuls suivaient les chevriers et les experts de la montagne.

Il leur fallut une journée entière pour parcourir la distance qui séparait Cordoue d'Adamuz, un petit village soumis à la seigneurie de la maison de Carpio. Aisha marchait en silence derrière son mari, portant son petit sur son dos. Ils campèrent aux alentours, sous les arbres, à l'abri des voyageurs et de la Confrérie.

— Pourquoi fuyons-nous Cordoue ? se risqua à interroger Aisha au moment où elle donnait à Brahim un morceau de pain dur. Où va-t-on ?

— Nous ne fuyons pas, lui répondit brutalement son époux.

La conversation en resta là et Aisha se consacra à son bébé. Ils passèrent la nuit à la belle étoile, sans allumer de feu et luttant contre le sommeil, apeurés par les hurlements des loups, les grognements des cochons sauvages et des bruits qui pouvaient révéler la présence d'un ours. Aisha protégea Shamir de son corps. Brahim, toutefois, paraissait heureux ; il observait la lune et laissait son regard errer parmi les ombres, se délectant du retour à ce mode de vie qui avait été le sien avant l'exil.

À l'aube, en effet, les monfíes se présentèrent à eux. Les bandits rôdaient sur le chemin de las Ventas, à l'affût de tout voyageur en provenance de Madrid, Ciudad Real ou Tolède, qui n'aurait pas été suffisamment prévoyant pour se faire accompagner ou bien protéger. Ils les avaient déjà repérés la veille, attentifs au moindre mouvement qui aurait pu signifier l'arrivée des archers de la Confrérie, mais ils ne leur avaient pas accordé d'importance : un homme, une femme et un bébé qui voyageaient à pied et sans équipage, évitant les routes principales, ne présentaient aucun intérêt. Néanmoins, il convenait de savoir qui ils étaient et ce qu'ils faisaient tous les trois dans la montagne.

— Qui êtes-vous et que voulez-vous ?

Brahim et Aisha, qui mangeaient assis, ne les avaient même pas entendus approcher. Soudain, deux esclaves fugitifs, le visage marqué au fer, armés d'épées et de dagues, se plantèrent devant eux. Aisha pressa le petit contre sa poitrine ; Brahim fit mine de se lever, mais l'un des esclaves le lui interdit d'un geste.

— Je m'appelle Brahim de Juviles, muletier des Alpujarras.

Le monfí hocha la tête pour montrer qu'il connaissait l'endroit.

— Mon fils et ma femme, ajouta-t-il. Je veux voir El Sobahet.

Aisha tourna la tête vers son époux. À quoi jouait Brahim ? Un terrible pressentiment l'envahit, lui serrant l'estomac. Shamir, réagissant à l'angoisse de sa mère, se mit à pleurer.

— Et pourquoi veux-tu rencontrer El Sobahet ? demanda alors le second monfí.

— C'est mon affaire.

Aussitôt, les deux esclaves rebelles portèrent la main à la poignée de leur épée.

— Dans la montagne, tout est notre affaire, répliqua l'un d'eux. Tu n'es pas, semble-t-il, en situation d'exiger...

— Je veux lui offrir mes services, avoua Brahim.

— Avec une femme et un bébé ? se moqua l'un des esclaves.

Shamir braillait.

— Fais-le taire, femme ! ordonna Brahim à Aisha.

— Suivez-nous, finirent par dire les esclaves en haussant les épaules, après s'être concertés du regard.

Ils pénétrèrent dans les entrailles de la montagne. Derrière les hommes, Aisha avançait avec peine, tâchant de calmer Shamir. Brahim avait dit qu'il voulait s'offrir au monfí. Il était évident qu'il cherchait de l'argent pour récupérer Fatima, mais pourquoi les avait-il emmenés ? Pourquoi avait-il besoin du petit Shamir ? Elle se mit à trembler. Ses jambes flageolèrent, elle tomba à genoux par terre, l'enfant collé à sa poitrine, se releva et s'efforça de suivre la marche. Aucun des hommes ne s'était tourné vers elle… et Shamir ne cessait de pleurer.

Ils arrivèrent dans une petite clairière qui servait de camp aux monfíes. Il n'y avait ni tentes ni huttes de fortune ; seules des couvertures éparpillées au sol et les braises d'un feu au centre. Appuyé contre un arbre, El Sobahet, un grand homme aux sourcils fournis et à la barbe noire broussailleuse, recevait les explications des deux esclaves qui avaient accompagné Brahim et Aisha. Il examina Brahim au loin, puis lui fit signe d'approcher.

Près d'une demi-douzaine de monfíes, tous marqués au fer et en haillons, allaient et venaient dans le camp : certains, attentifs aux nouveaux venus ; d'autres, remplis d'un désir non dissimulé pour Aisha.

— Dis rapidement ce que tu as à dire, ordonna le chef monfí à Brahim, avant même que ce dernier fût devant lui. Dès que les hommes qui nous manquent reviendront, nous partirons. Qu'est-ce qui te fait croire que je pourrais être intéressé par tes services ?

— J'ai besoin d'argent, répondit Brahim avec franchise.

El Sobahet sourit avec cynisme.

— Tous les Maures en ont besoin.

— Mais combien d'entre eux s'échappent de Cordoue, pénètrent dans la Sierra Morena et viennent jusqu'à toi ?

Le monfí réfléchit aux paroles de Brahim. À quelques mètres de là, Aisha tentait d'écouter la conversation. L'enfant s'était enfin apaisé.

— Les chrétiens paieraient cher pour m'arrêter, moi et mes hommes. Qui me dit que tu n'es pas un espion ?

— Voilà ma femme et mon fils, répondit Brahim en désignant Aisha. Je mets leurs vies entre tes mains.

— Et que pourrais-tu faire pour moi ? demanda El Sobahet, satisfait par la réponse.

— Je suis muletier de profession. J'ai participé au soulèvement et j'ai été lieutenant d'Ibn Abbu dans les Alpujarras. Je m'y connais en troupeaux, et d'un seul coup d'œil à leurs harnais et équipements, je peux dire ce qu'ils transportent et quels sont leurs défauts. Je peux me déplacer n'importe où avec un troupeau de mules, même dans les coins les plus dangereux, de jour comme de nuit.

— Nous avons déjà un muletier avec nous, mon second, mon homme de confiance, l'interrompit El Sobahet.

Brahim se tourna vers les esclaves.

— Non. Il n'est pas là. Nous l'attendons. Et nous avons déjà envisagé la possibilité d'avoir quelques mules avec nous pour nous aider, mais nous bougeons très rapidement. Les mules ne feraient que gêner nos déplacements.

— Avec de bons animaux je peux me déplacer aussi rapidement que n'importe lequel de tes monfíes, et dans des endroits où n'irait jamais un homme. Tu devrais en avoir, ils multiplieraient tes bénéfices.

— Non, dit le monfí en accompagnant son refus d'un geste de la main. Ça ne m'intéresse pas…, commença-t-il, comme s'il estimait la conversation terminée.

— Laisse-moi te le prouver ! insista Brahim. Quel risque cours-tu ?

— Mettre entre tes mains notre butin, muletier. Voilà le risque. Que se passerait-il si tu restais en arrière avec tes mules chargées ? Nous serions obligés de t'attendre et de risquer nos vies… ou de te faire confiance.

— Je ne te décevrai pas.

— J'ai trop souvent entendu cette promesse, allégua El Sobahet avec une grimace.

— Je pourrais te servir d'espion…

— J'ai déjà des espions à Cordoue et dans les villages alentour. Je suis informé de toutes les caravanes qui empruntent le chemin de las Ventas. Si tu veux rejoindre ma bande, je te mettrai à l'épreuve, comme je le fais avec chacun. C'est tout ce que je peux t'offrir.

Au même moment, un autre groupe de monfíes apparut entre les arbres.

— Allons-y ! cria El Sobahet. Réfléchis à ce que je t'ai dit, muletier, et viens avec nous si tu veux. Mais tout seul, sans ta femme et ton fils.

— Chienne ! Que fait cette pute ici ?

Le cri résonna parmi les hommes qui s'affairaient et se préparaient à partir. El Sobahet sursauta. Brahim se tourna vers l'endroit où se trouvait Aisha.

Ubaid ! Aisha restait pétrifiée devant le muletier de Narila, qui venait d'arriver dans le camp. Un silence soudain s'ensuivit. Ubaid se tourna vers Brahim, comme s'il avait deviné sa présence.

Les deux muletiers se toisèrent avec défi.

— Il manque juste le nazaréen pour que s'accomplisse mon plus beau rêve, sourit le Manchot.

Brahim quêta du regard l'aide du chef des monfíes.

— C'est l'homme dont je t'ai tant de fois parlé.

El Sobahet eut une expression plus dure.

— C'est lui qui m'a coupé la main.

— Alors il est à toi, Manchot. Lui et sa famille, cracha-t-il en désignant Aisha et le bébé. Mais fais vite. Nous devons partir.

— Quel dommage que le nazaréen ne soit pas là ! Tranchez-lui la main, ordonna Ubaid. À lui et à son fils. Que sa descendance se souvienne toujours pourquoi on m'appelle Ubaid de Narila le Manchot.

Avant même qu'Ubaid ait fini de parler, deux hommes

se saisirent de Brahim. Aisha se mit à hurler, tentant de protéger Shamir, alors que d'autres monfíes s'efforçaient de le lui arracher. Le petit éclata de nouveau en sanglots, et pendant qu'Aisha le défendait, le protégeant à terre de son corps, les monfíes qui se battaient avec Brahim l'obligèrent à s'agenouiller. Ce dernier criait, lançait des insultes et se débattait. Ils étendirent l'un de ses bras et le maintinrent fermement pendant qu'un troisième homme lui assenait un coup d'alfange sur le poignet. Immédiatement, Brahim, les yeux écarquillés d'horreur sur sa main tranchée, fut traîné jusqu'aux braises où les monfíes introduisirent son moignon pour cautériser sa blessure. Les cris de Brahim, les plaintes d'Aisha et les pleurs du bébé se confondirent au moment où les bandits réussissaient à arracher l'enfant aux bras de sa mère.

Aisha bondit derrière eux et se jeta aux pieds d'Ubaid.

— Je suis la mère du nazaréen ! hurla-t-elle à genoux, agrippant des deux mains la tunique du monfí. Si vous lui coupez la main, le petit va mourir. Qu'est-ce qui fera le plus de mal à Hernando ? Tue-moi ! Je te donne ma vie en échange de la sienne, mais laisse mon bébé. Quelle est sa faute ? sanglota-t-elle. Quelle est sa faute ? répéta-t-elle, en proie à des sanglots incontrôlables.

Comme Ubaid ne fit aucun geste pour repousser Aisha, les hommes qui emportaient l'enfant s'arrêtèrent. Le muletier de Narila hésita.

— D'accord, céda-t-il. Épargnez l'enfant et tuez-la. Toi, ajouta-t-il en s'adressant à Brahim qui se tordait sur le sol, tu porteras sa tête au nazaréen. Tu lui diras aussi que j'accomplirai ici, à Cordoue, ce que j'aurais dû faire dans les Alpujarras.

Aisha lâcha la tunique d'Ubaid qui s'écarta et la laissa seule, à genoux. Il fit signe à l'un des hommes, un esclave marqué, de l'exécuter. Le bandit s'avança vers elle, son épée dégainée.

— Il n'y a pas d'autre Dieu que Dieu et Mahomet est

l'envoyé de Dieu, récita Aisha, les yeux fermés, résignée à mourir.

En entendant la profession de foi, l'esclave arrêta son geste et baissa la tête. Ubaid porta les doigts de sa main gauche à son visage. El Sobahet contemplait la scène. L'épée du monfí resta suspendue en l'air pendant quelques instants. Shamir se tut. Puis l'homme, en quête de soutien, regarda ses compagnons. Ils n'étaient pas des assassins ! Parmi eux il y avait un orfèvre de Grenade, trois teinturiers, un commerçant... Ils avaient été contraints de devenir monfíes pour échapper à un esclavage injuste, à un traitement ignoble. Lutter et tuer des chrétiens ? Oui. Les chrétiens leur avaient volé leur liberté et leurs croyances ! C'étaient eux qui avaient réduit en esclavage leurs épouses et leurs enfants ! Mais assassiner une femme musulmane...

Avant que l'épée du bandit retombe, El Sobahet et Ubaid échangèrent un regard. Il ne pouvait pas demander cela aux hommes, semblait dire le chef monfí à son lieutenant, et il ne devait pas le faire lui-même. C'était une femme musulmane. Alors Ubaid intervint :

— Prends ton enfant et ton mari et va-t'en ! Tu es libre. Moi, Ubaid, je t'accorde la vie, que je prendrai à ton autre fils.

Aisha ouvrit les yeux sans regarder personne. Elle se releva rapidement, tremblante, et se dirigea vers l'homme qui portait Shamir, lequel le lui rendit en silence. Puis elle marcha jusqu'à l'endroit où se tenait Brahim, prostré près des braises. Elle l'observa avec mépris et lui cracha dessus.

— Chien ! parvint-elle à dire.

Elle quitta la clairière, défaite, en larmes, sans savoir où aller.

— Montre-lui le chemin de las Ventas, ordonna El Sobahet à l'un de ses hommes, lorsque la silhouette d'Aisha se perdit dans dans l'épaisseur de la forêt, vers la mauvaise direction.

33

Hernando remit à Rodrigo un fougueux individu de trois ans, déjà bridé, nerveux, à la curieuse robe pie avec de grandes taches marron sur fond blanc. Une fois qu'ils étaient montés et obtempéraient au manège des écuries royales, les poulains devaient s'habituer aux champs, aux taureaux et aux animaux, franchir des rivières et sauter par-dessus des ravins, galoper sur les chemins et s'arrêter au seul contact du mors, mais ils étaient aussi tenus de connaître la ville : stopper juste en face de l'atelier d'un forgeron et rester impassibles devant les coups donnés contre le fer sur la forge ; se déplacer parmi la foule sans être effrayés par les enfants qui couraient partout, les couleurs, les drapeaux ou tous les animaux qui erraient en liberté dans Cordoue – chiens, poules et bien sûr les nombreux cochons noirs et poilus, à la queue sombre, aux oreilles et au groin pointus avec, pour certains, d'imposantes canines – ; supporter la musique, les fêtes et tous types de bruits et d'imprévus. Que serait-il advenu de ces chevaux et surtout de leurs dresseurs si le roi ou tout autre de ses proches, parent ou bénéficiaire, était tombé par terre parce que sa monture aurait eu peur du vacarme des fifres et des timbales d'une parade militaire ou des cris des sujets devant leur roi ?

Comme les nouveaux poulains n'étaient pas encore revenus des pâturages, Hernando se contentait d'aider dans les box, sans fonction concrète. Et c'est ainsi que Rodrigo, monté sur le poulain pie et Hernando à pied, un long bâton flexible à la main, sortirent des écuries un matin afin de sillonner la ville et de soumettre le fougueux animal à toutes sortes de nouvelles expériences.

— Je t'ai vu travailler dans les box et j'aime ta façon de faire, lui dit le cavalier avant de mettre pied à l'étrier. Mais pour le moment, tu ne te distingues pas des autres. Je voudrais vérifier si tu possèdes vraiment ce don spécial que don Diego a cru percevoir en toi. On va se promener dans la ville et la présenter à ce poulain. Il aura peur. Quand ce sera le cas, si tu considères que je ne peux rien faire d'autre que le châtier avec les éperons, ou que le bâton serait contreproductif, tu devras intervenir en l'excitant, à la juste mesure. Compris ?

Hernando hocha la tête. Le cavalier passa sa jambe droite par-dessus la croupe du poulain. Comment connaîtrait-il la juste mesure ?

— Si le poulain parvient à me faire tomber, reprit Rodrigo en prenant position sur sa monture, ce qui est assez courant lors des premières sorties en ville, ton objectif, c'est lui. Quoi qu'il se passe, que je me fracasse la tête contre un mur, que le cheval donne un coup de patte à une vieille dame ou détruise une boutique, tu dois t'emparer de lui afin de l'empêcher de s'enfuir à travers la ville et d'être blessé. N'oublie pas ceci : par privilège royal, personne, je répète, personne, ni le corregidor, ni les alguazils, ni les magistrats ni aucun des vingt-quatre membres du conseil municipal de Cordoue n'a d'autorité ou de juridiction sur les chevaux et le personnel des écuries royales. Ta mission est de protéger cet animal et, s'il m'arrive quelque chose, de le ramener aux écuries sain et sauf, quoi qu'il se passe, quoi qu'on te dise.

Hernando suivit le cavalier à l'extérieur des écuries, s'interrogeant encore sur ce que Rodrigo attendait exactement de lui mais, à l'instar du poulain, il n'eut bientôt plus le temps d'y penser : dès que l'animal mit une patte en dehors de l'enceinte et dressa les oreilles, surpris par la foule qui déambulait sur le Campo Real et par tous ces bâtiments qui lui étaient inconnus, Rodrigo l'éperonna avec force pour l'empêcher de réfléchir. Le poulain bondit alors dans la rue et, pour ne pas le perdre, Hernando lui emboîta le pas de la même manière. À partir de ce moment-là, la matinée fut frénétique. Le cavalier obligea l'animal à galoper dans d'étroites ruelles ; il passa entre des gens et chercha les endroits et les situations qui pouvaient le surprendre le plus, Hernando toujours derrière lui. Ils se rendirent calle de los Carboneros, dans le quartier de la cathédrale, où ils firent entendre au poulain les coups du marteau sur le cuivre. Puis ils se plantèrent devant la tannerie au va-et-vient constant, s'arrêtèrent devant les ateliers de cardeurs et de teinturiers, devant ceux des bijoutiers et des fabricants d'aiguilles, parcoururent plusieurs fois la Corredera et les marchés jusqu'aux abattoirs, ainsi que le coin des poteries. L'expérience et le courage de Rodrigo rendirent pratiquement inutile le concours de son assistant.

À une exception près : à un moment donné, Rodrigo approcha le poulain d'un des innombrables cochons laissés en liberté dans les rues. Le gros animal s'en prit au cheval, grognant et montrant les dents. Terrorisé, le cheval tourna sur lui-même et se cabra, déséquilibrant son cavalier. Mais avant qu'il ne puisse s'enfuir, Hernando lui barra le passage et le châtia d'un coup de bâton sur la croupe, le forçant à faire face au cochon jusqu'à ce que Rodrigo reprenne le contrôle de la situation. Pour le reste, il se borna à présenter le bâton au cheval, faisant claquer sa langue toutes les fois où, malgré les éperons ou les caresses du cavalier selon les cas, le poulain était effrayé par des bruits ou des mouvements, et se montrait réticent à avancer.

Au final, de même que l'animal, Hernando rentra aux écuries en sueur et hors d'haleine.

— Bien, mon garçon, le félicita Rodrigo.

Il mit pied à terre et lui confia le poulain.

— On continue demain.

Hernando tira sur les brides du petit cheval jusqu'au corps de bâtiment des box où, à son tour, il passa le relais à un valet d'écurie. Il s'apprêtait à quitter le bâtiment quand un maréchal-ferrant, qui inspectait les sabots d'un autre animal et qu'il avait déjà vu plus d'une fois dans les écuries, s'adressa à lui d'une voix forte.

— Aide-moi ! Tiens-le ! lui indiqua-t-il.

L'homme, à la peau très sombre, lui tendit la patte arrière d'un cheval. Hernando maintint celle-ci en l'air, appuyée sur sa cuisse, de dos à l'animal, permettant au maréchal-ferrant de gratter la fourchette du sabot avec un couteau et d'éliminer la saleté qui s'y était accumulée.

— J'ai un message pour toi, murmura alors ce dernier, sans cesser de gratter. Ta mère a été arrêtée.

Hernando faillit lâcher la patte du cheval. L'animal s'agita.

— Tiens-le bien ! ordonna l'homme, cette fois à voix haute.

— Comment… comment le sais-tu ? Que lui est-il arrivé ? demanda-t-il, collé à l'oreille du maréchal-ferrant.

— Ce sont les anciens qui m'envoient.

Le respect avec lequel il avait prononcé cette dernière phrase indiqua à Hernando que l'homme était des siens.

— La Confrérie l'a arrêtée sur le chemin de las Ventas alors qu'elle revenait à Cordoue avec son petit dans les bras. Elle n'avait pas l'autorisation de quitter la ville et on l'a condamnée à soixante jours de prison.

— Que faisait-elle sur le chemin de las Ventas ?

— Ton beau-père a disparu. Ta mère a dit au gouverneur de la Confrérie que son époux l'avait obligée à fuir Cordoue avec le bébé, mais qu'elle avait réussi à le tromper et à revenir.

Aisha s'était bien gardée d'expliquer aux archers, puis au gouverneur de la Confrérie, qu'ils avaient rejoint les monfíes.

— Ils m'ont dit qu'il ne fallait pas que tu t'inquiètes ; ils ont réussi à lui procurer une couverture et des vêtements pour le petit. Et ils leur apportent à manger.

— Elle va bien ?…

— Oui, oui. Tous les deux vont bien.

— Et… pour moi ? Tu as des nouvelles de Fatima ?

Si Brahim avait décidé de s'enfuir de Cordoue, songea Hernando, il avait peut-être emmené Fatima avec lui. Ou bien avait-il renoncé ?

— Elle est toujours chez Karim, répondit le maréchal-ferrant, qui semblait être au courant de toute l'histoire.

Hernando restait attentif au travail de l'homme qui finissait de nettoyer les fourchettes du cheval, mais il ne pouvait s'empêcher de penser à ce que tout cela signifiait : Brahim s'était enfui, laissant Fatima à Cordoue ! L'idda était-elle terminée ?

— Qui es-tu ? demanda-t-il quand le maréchal-ferrant eut terminé sa tâche et lui fit signe qu'il pouvait lâcher la patte du cheval.

— Je m'appelle Jerónimo Carvajal, répondit l'homme en se redressant.

— D'où es-tu ? Quand… ?

— Pas ici.

Jerónimo coupa court à la curiosité du jeune homme et porta la main à ses reins en grimaçant de douleur.

— Ce travail me démolit. Viens avec moi, enjoignit-il Hernando.

Ils passèrent par le vestibule d'entrée du bâtiment, sur la droite duquel s'ouvrait un petit bureau qui servait d'administration aux écuries. Là, se tenaient le grand écuyer et un greffier qui écrivait sur des liasses de papier.

— Ramón, dit Jerónimo d'un ton ferme à l'assistant depuis la porte, j'ai besoin de matériel. J'emmène le nouveau.

Debout au côté du greffier, l'assistant acquiesça d'un

simple signe de tête, sans cesser de regarder ce qu'écrivait l'autre.

Jerónimo et Hernando sortirent dans la rue.

— Je suis originaire d'Oran et mon vrai nom est Abbas, dit Jerónimo dès qu'ils eurent quitté les bâtiments. Je me suis rendu en Espagne pour travailler dans les écuries d'un noble venu défendre la ville il y a dix ans. Ensuite, don Diego m'a engagé pour les écuries du roi.

Ils passèrent devant le palais de l'évêque et longèrent l'arrière de la mezquita. Hernando examina Abbas : sa peau un peu plus brune que celle des Maures espagnols – qu'on pouvait souvent confondre avec les chrétiens – révélaient ses origines africaines ; il était légèrement plus grand que lui, avec la poitrine et les bras musclés d'un maréchal-ferrant habitué à donner des coups de marteau sur l'enclume et à ferrer les chevaux. Ses cheveux étaient épais et noirs comme le jais ; il avait les yeux sombres et les traits francs, seulement brisés par un nez sensiblement bulbeux, comme s'il avait été cassé.

— Que va-t-on acheter ? interrogea Hernando.

— Rien. Et si à notre retour on te pose des questions, dis qu'on n'a pas trouvé le matériel que je voulais.

Ils étaient déjà au coin de la calle de la Venta del Sol, qui contournait la mezquita jusqu'à la porte du Pardon.

— Alors, on pourrait… ? indiqua-t-il en désignant la rue qui partait à sa droite.

— La prison ? comprit Abbas.

— Oui. J'aimerais voir ma mère. Je connais le gouverneur, ajouta-t-il pour rassurer le maréchal-ferrant qui paraissait hésiter. Il n'y aura aucun problème. Il faut que je lui parle.

Abbas accepta et ils prirent la calle del Sol.

— Et moi, il faut que je te parle, annonça le maréchal-ferrant à Hernando tandis qu'ils montaient jusqu'à la porte du Pardon, longeant sur leur gauche les vestiges de leur culture, ces magnifiques portes et arabesques travaillées dans la pierre de la mezquita. Je comprends que tu veuilles rendre visite à ta mère, mais je te supplie de faire vite.

— De quoi veux-tu parler ?

— Après, s'opposa Abbas.

Hernando s'enfonça dans la foule qui entrait dans la prison et finit par tomber sur un geôlier. Abbas préféra l'attendre dehors. Autour d'un patio intérieur entouré d'arcades s'élevaient deux étages où se trouvaient les cachots et les dépendances du gouverneur, ainsi que d'autres services et même une petite auberge. Il salua le geôlier et demanda à parler à l'obèse et malpropre gouverneur, qui apparut bien vite dans le patio dès qu'il apprit la présence du Maure.

Une odeur d'excréments accompagna son arrivée. Hernando fit mine de s'écarter quand l'homme lui tendit la main droite. Il était couvert de merde et trempé d'urine.

— Encore un réfugié dans les latrines ? questionna-t-il en guise de salutation, après avoir soupiré et accepté la main que lui tendait le chef de la prison.

— Oui, confirma le gouverneur. Il est condamné aux galères et c'est la troisième fois qu'il se roule dans la merde pour éviter qu'on l'emmène.

Hernando sourit, malgré la chaude humidité qu'il sentait dans la main qui pressait la sienne. Il s'agissait d'un stratagème des prisonniers qui devaient être sortis de la prison pour subir leur condamnation : se cacher dans les latrines afin de se rouler dans l'urine et les excréments des autres. Aucun alguazil ne voulait s'approcher d'eux pour les arrêter. Mais, sans doute, au bout de la troisième fois, la présence du gouverneur en personne avait été nécessaire pour conduire le condamné jusqu'aux galères.

— On m'avait dit que tu ne reviendrais plus par ici, ajouta le chef de la prison, mettant fin à l'humide poignée de main.

— C'est pour une affaire personnelle.

Hernando perçut dans l'éclat des yeux de son interlocuteur l'intérêt qu'avait suscité sa déclaration.

— La Confrérie a ordonné l'arrestation d'une femme et de son fils.

Le gouverneur parut réfléchir.

— Elle s'appelle Aisha. María Ruiz.

— Je ne sais pas…, commença à dire le gros homme en frottant avec insolence son pouce contre son index, afin de réclamer son dû habituel.

— Gouverneur, protesta Hernando. Cette femme, c'est ma mère.

— Ta mère ? Et que faisait-elle sur le chemin de las Ventas ?

— Je vois que vous vous souvenez d'elle. C'est exactement ce que je voudrais savoir : que faisait-elle là-bas ? Et ne vous inquiétez pas, je serai loyal envers vous.

— Attends ici.

L'homme s'éloigna vers l'un des cachots qui donnaient sur le patio, derrière les arcades qui l'entouraient. Pendant ce temps Hernando vit deux alguazils furieux, couverts d'excréments et d'urine, emmener le prisonnier condamné aux galères. Le détenu, crasseux, souriait entre les deux alguazils en colère, tandis que des cris d'adieu surgissaient des cachots et que les gens s'écartaient avec dégoût à son passage. Il les suivit du regard jusqu'à ce qu'ils quittent la prison, puis il tourna la tête. Sa mère, qui avait confié la garde de Shamir à une autre recluse, se tenait devant lui.

— Mère…

— Hernando, murmura Aisha en le voyant.

— Où pourrions-nous être seuls un moment ? demanda Hernando au gouverneur.

Celui-ci leur céda une petite pièce contiguë à la loge du gardien, sans fenêtre, qui servait d'entrepôt.

— Que faisais-tu… ? commença-t-il à s'enquérir dès que le chef de la prison referma la porte derrière lui.

— Embrasse-moi, coupa Aisha.

Il contempla sa mère qui l'attendait les bras ouverts, n'osant se réfugier contre elle. Jamais elle ne lui avait formulé une telle demande ! Pendant une seconde il se rappela comment, à Juviles, elle repoussait ses manifestations de tendresse par crainte de la moindre éventualité d'être découverte, et maintenant… Il se jeta dans ses bras et l'étreignit avec force. Aisha le berça en fredonnant une chanson douce, mais elle ne put se retenir de pleurer.

— Que faisais-tu sur le chemin de las Ventas, mère ? questionna-t-il de nouveau au bout d'un instant, ressaisi.

Aisha lui raconta leur fuite dans la montagne, la rencontre avec les monfíes et Ubaid ; comment ils avaient coupé la main de Brahim et lui avaient laissé, à elle, la vie sauve.

— Je lui ai craché dessus et je l'ai insulté, avoua-t-elle à la fin en bafouillant, encore incapable d'assumer l'abandon de son époux dans la Sierra Morena avec la main tranchée.

Hernando se retint de rire, et même de crier. Chien ! pensa-t-il. Sa mère, enfin, s'était révoltée ! Il préféra ne pas exprimer sa joie.

— Il a lui-même provoqué sa perte, se contenta-t-il de commenter.

Aisha hésita, avant d'acquiescer légèrement.

— Ubaid veut te tuer, le prévint-elle. Il est dangereux. Il est devenu le lieutenant d'un chef monfí.

— Ne t'en fais pas pour cela, mère, voulut-il la rassurer, mais sans grande conviction. Il ne descendra jamais à Cordoue, ni pour moi ni pour personne. Pense seulement à toi et au petit. Comment vous traite-t-on ici ?

— Personne ne nous fait de mal… et nous mangeons.

Abbas respecta le silence dans lequel était plongé Hernando lorsqu'ils reprirent leur marche. Les adieux avaient été longs ; Aisha sanglotait et semblait vouloir le retenir auprès d'elle. Quant à lui… il ne voulait pas la laisser. Mais avant que les pleurs ne le submergent, Aisha avait senti un léger tremblement dans le menton de son fils, sa respiration s'accélérer, et elle l'avait obligé à partir. Hernando avait cherché le gouverneur et lui avait promis de l'argent, tout ce qu'il voulait, s'il traitait bien sa mère et veillait sur elle. Il avait quitté la prison en regardant à plusieurs reprises la porte du cachot où sa mère avait disparu.

— De quoi voulais-tu parler tout à l'heure ? demandat-il à Abbas dès qu'il eut recouvré la maîtrise de soi.

— Ta mère… va bien ? interrogea celui-ci à son tour.

Hernando opina du chef.

— Ils l'ont fouettée ?

— Non… pas que je sache.

— Dans ce cas, la condamnation a été bienveillante. Un homme est condamné à mort s'il s'enfuit à Grenade, aux galères à vie s'il parvient à dix lieues de Valence, d'Aragon ou de Navarre, au fouet et à quatre ans de galères si on le retrouve n'importe où hors de son lieu de résidence.

Il l'avait serrée fortement dans ses bras, pensait Hernando, et elle n'avait pas gémi. Elle n'avait certainement pas été fouettée… ou bien… ?

— Il faudra que tu me racontes ce qui s'est passé, surtout avec ton beau-père, reprit Abbas. Nous avons besoin de le savoir.

— Nous avons besoin ? s'étonna Hernando.

— Oui. Nous tous. Ils nous surveillent. Un fugitif… affecte la communauté. Ils enquêteront dans son entourage.

— Personne ne parlera, assura Hernando.

Ils marchaient sans but dans la médina, sorte de lattis complexe de ruelles étroites et sinueuses, entouré de grandes portions de terrain dans lesquelles, à leur tour, pénétraient d'innombrables impasses.

— Ne te fais pas d'illusions, Hernando. C'est la première chose que tu dois savoir : parmi nous il y a aussi des traîtres, des croyants qui jouent les espions pour le compte des chrétiens.

Hernando s'arrêta et fronça les sourcils.

— Oui, insista Abbas. Des espions. Le Conseil des anciens t'a choisi…

— Et toi ? Qui es-tu réellement ? Comment sais-tu tant de choses ?

Abbas soupira. Ils se remirent à marcher.

— Ils ont profité de mon travail aux écuries pour que je puisse te prévenir au sujet de ta mère, mais ils désirent aussi que je te propose quelque chose.

Il fit une pause et, comme Hernando ne répliquait pas, il reprit la parole :

— Toutes les mosquées d'Espagne sont organisées. Toutes ont des muftis et des ulémas qui officient en secret. Valence, Aragon, Catalogne, Tolède, Castille… dans tous ces lieux il y a des communautés de croyants établies. Dans certaines d'entre elles quelqu'un s'est même nommé roi ! Toutes les autres localités où ont été déportés les musulmans de Grenade s'organisent, se joignant aux Maures dans des lieux où ils étaient déjà établis ou bien, comme à Cordoue, là où il n'en restait quasiment plus un seul, pour recréer cette structure.

— Mais moi…

— Tais-toi. En premier lieu, tu ne dois faire confiance à personne. Non seulement il y a des espions, mais beaucoup de nos frères aussi, malgré eux, cèdent sous les tortures de l'Inquisition. Nous pourrons parler de ce que tu veux et j'essaierai de répondre à toutes les questions que tu souhaites me poser, mais jure-moi que si tu n'acceptes pas notre proposition, tu ne raconteras à personne ce que tu sais.

Leurs pas les avaient menés devant la calle del Reloj où, sur une petite tour, se trouvait l'horloge de la ville.

Tous deux se laissèrent distraire un instant et observèrent des garçons qui jetaient des cailloux sur les cloches.

— Tu le jures ? insista Abbas.

Un jésuite, qui criait et faisait des grimaces, s'efforçait de mettre fin au jet de pierres.

— Oui, affirma Hernando, le regard perdu sur les petits qui fuyaient devant le jésuite. Et comment savoir si je peux avoir confiance en toi ?

Abbas sourit.

— Tu apprends vite ! Fais-tu confiance à Hamid, l'esclave de la maison close ?

— Plus qu'à moi-même ! répliqua Hernando.

Ils prirent la direction du lupanar. Hamid était occupé et ne put s'approcher, mais de la porte il fit un signe d'assentiment qu'Hernando comprit sur l'instant : le maréchal-ferrant était digne de confiance.

Ce soir-là, enfermé dans son appartement, après avoir vérifié à plusieurs reprises que la porte était bien barricadée de l'intérieur, Hernando s'assit par terre et glissa ses doigts sur la couverture d'un exemplaire râpé du Coran écrit en aljamiado. Puis il ouvrit l'œuvre divine et feuilleta son contenu.

— Je ne suis pas là pour louer tes vertus ou blâmer tes défauts, lui avait confessé Abbas au cours de la matinée, mais tu possèdes quelque chose qui est important pour les besoins de nos frères : tu sais lire et écrire, ce que la plupart d'entre nous ignorent.

Les livres écrits en arabe ou ayant un contenu musulman faisaient l'objet d'une stricte interdiction, et quiconque était trouvé en possession d'un exemplaire finissait dans les geôles de l'Inquisition. Abbas, qui vivait lui aussi avec sa famille à l'étage au-dessus des box, avait paru soulagé lorsque, en toute discrétion, il avait remis le Coran à Hernando.

— Il y a beaucoup d'autres livres répartis parmi les

gens, lui avait-il confié. Des traductions ou compositions du grand cadi Iyad sur les miracles et vertus du Prophète, aux simples manuscrits en vers ou prophéties en arabe ou en aljamiado. Ils les gardent cachés comme ils le peuvent afin de conserver nos lois et nos croyances, chacun d'eux comme un trésor. Le cardinal Cisneros, qui a convaincu les Rois Catholiques de trahir les traités de paix avec les musulmans, a fait brûler à Grenade plus de quatre-vingt mille de nos écrits. Traite l'œuvre divine comme ce qu'elle est pourtant : le trésor de notre peuple.

Le trésor de notre peuple ! À nouveau Hernando devenait le gardien du trésor des croyants.

Il devait lire et apprendre. Écrire. Transmettre les connaissances et maintenir vivant l'esprit des musulmans. Il avait accepté sans hésiter. Abbas l'avait alors invité à entrer dans une taverne et, à sa surprise, avait demandé deux verres de vin avec lesquels ils avaient trinqué, sous le regard des clients présents.

— Tu dois être plus chrétien que les chrétiens et, à la fois, plus musulman que n'importe lequel d'entre nous, avait-il murmuré à son oreille.

Hernando avait levé son verre et acquiescé.

— Allah est grand, avait murmuré Abbas en levant le sien pour trinquer.

Dans son appartement, au cœur de la nuit silencieuse, Hernando pouvait entendre la rumeur de la centaine de chevaux sous la solive ; certains grattaient la terre, inquiets, d'autres hennissaient ou s'ébrouaient. Mais il pouvait également les sentir. Et cette odeur n'avait rien à voir avec celle du fumier putréfié de la tannerie ! Certes, il s'agissait d'une odeur forte et pénétrante, mais saine. Régulièrement, le fumier des écuries royales était transporté au potager contigu de l'Inquisition. Pour cette raison, il ne pourrissait jamais sous les pattes des chevaux.

Il ferma le Coran et, faute de meilleure cachette, le rangea dans le grand coffre. Il chercherait un endroit plus sûr, songea-t-il en observant le livre au fond du coffre, la seule chose que contiendrait ce meuble jusqu'à l'arrivée de Fatima. Alors elle le remplirait, peu à peu, avec des objets et des vêtements, peut-être ceux d'un enfant. Il ferma le coffre et jeta la clé. Fatima ! Il aurait de toute façon accepté le livre, sans nul doute, mais quand Abbas lui avait avoué qu'ils comptaient aussi sur elle, il n'avait plus hésité.

— Ce sont nos femmes qui enseignent à nos enfants, lui avait expliqué le maréchal-ferrant. D'elles dépend leur éducation, et toutes acceptent avec orgueil et espoir. Par ailleurs, de cette façon on évite les dénonciations à l'Inquisition. Il est presque inimaginable qu'un fils dénonce sa mère. Toi, tu ne peux ni ne dois te réunir avec des femmes pour leur expliquer la doctrine ; seule une femme peut le faire. Personne ne soupçonne une femme qui retrouve d'autres femmes.

34.

L'idda de deux mois avait été accomplie, mais Karim pria Hernando de ne pas venir chercher Fatima avant le dimanche suivant, après la grand-messe. Conformément à la loi de Mahomet, ils n'étaient pas encore mariés et la cérémonie, qui serait célébrée en secret, posait un sérieux problème à Hernando : il n'avait pas d'argent pour l'idaq de la mariée. Sans dot, l'union ne pouvait avoir lieu. La majeure partie de son salaire avait fini entre les mains du chef de la prison, et le peu qui restait lui servait à couvrir ses frais. Il ne disposait pas du quart de pistole qu'exigeait la loi ! Comment pouvait-il ne pas y avoir pensé ?

— Une bague suffira, avait tenté de le rassurer Hamid quand il lui avait exposé son problème.

— Je n'ai pas non plus assez pour cela, avait-il gémi en songeant aux coûteux ateliers d'orfèvrerie de Cordoue.

— Une bague en fer, ça ira.

Le dimanche suivant, Hernando prit la direction de l'église de San Bartolomé, calle de los Moriscos, à Santa Marina. Il traversa tout Cordoue le plus lentement possible, pour laisser du temps à Karim et à Fatima, sans cesser de caresser entre ses doigts le magnifique anneau en fer que lui avait forgé Abbas à partir d'un reste de métal. Avec ses grandes mains, si différentes de celles, délicates, des bijoutiers, Abbas avait même réussi à y graver de minuscules encoches décoratives.

Dans la rue, deux jeunes Maures qui feignaient de discuter mais surveillaient en réalité l'éventuelle apparition d'un prêtre ou d'un magistrat, le saluèrent cordialement.

Un troisième, qui surgit de nulle part, l'accompagna jusqu'à la maison de Karim : un bâtiment petit et vieux, d'un seul étage, avec un jardin potager à l'arrière, commun à plusieurs familles selon l'usage. Toutefois les femmes étaient parvenues à blanchir sa façade à la chaux, comme celles de la plupart des maisons modestes de la calle de los Moriscos, et son intérieur, à l'instar des maisons de Grenade, se présentait immaculé.

Jalil, Karim et Hamid accueillirent Hernando ; ils étaient les premiers de la toute petite liste d'invités indispensables pour que l'union atteigne la notoriété requise dans les mariages ; peu de coutumes pouvaient encore être respectées à Cordoue. Hamid le prit dans ses bras, mais le jeune homme pensait à sa mère : la deuxième fois qu'il était allé lui rendre visite en prison, Aisha l'avait supplié de ne plus revenir : « Tu as un bon travail chez les chrétiens, avait-elle argumenté. Je sortirai vite d'ici. Il ne faut pas qu'on te voie auprès d'une Mauresque fugitive, et qu'on fasse le rapprochement entre Brahim et toi. » Il aurait tant aimé que sa mère soit avec lui ce jour-là !

Hamid s'écarta doucement et, prenant Hernando par les épaules, il l'obligea à se tourner vers l'endroit où venait d'apparaître Fatima. Elle était vêtue d'une tunique en lin blanc prêtée, qui contrastait avec sa peau brune, l'éclat de ses immenses yeux noirs et sa longue chevelure ténébreuse et bouclée que les femmes avaient ornée de toutes petites fleurs de différentes couleurs. L'épouse de Karim lui avait offert un fin voile blanc qui couvrait ses beaux cheveux. Fatima, du haut de ses dix-sept ans, resplendissait. À la naissance de son cou, où Hernando pouvait percevoir les palpitations du cœur de la jeune fille, le bijou en or interdit étincelait.

Il lui tendit la main qu'elle saisit avec force, cette force qu'elle avait démontrée jusqu'alors. C'est ce qu'Hernando comprit, et il serra sa main à son tour. Ils se regardèrent droit dans les yeux, sans ciller. Personne ne les dérangea ;

personne n'osa même bouger. Il faillit lui dire qu'il l'aimait, mais Fatima l'en empêcha d'un geste quasi imperceptible, comme si elle avait voulu prolonger ce moment et se délecter de la victoire. Combien leur avait-elle coûté ! En un instant, tous deux se souvinrent simultanément de leurs souffrances : le mariage forcé, Fatima livrée à Brahim…

— Je t'aime, déclara Hernando, qui devinait les pensées de sa future épouse.

Fatima se mordit les lèvres. Elle aussi devinait à quoi il pensait. Hernando avait subi l'esclavage par amour pour elle !

— Moi aussi, je t'aime, Ibn Hamid.

Ils se sourirent, et l'épouse de Karim en profita pour les presser. Il ne fallait pas perdre de temps.

Hamid fit les exhortations. Il avait vieilli : à plusieurs reprises sa voix trembla et il dut se racler la gorge pour recouvrer son timbre. Fatima perdit un peu de sa superbe et de sa sérénité quand elle vit le rustique anneau en fer. Les mains tremblantes, elle chercha le bon doigt et esquissa un sourire nerveux. Il n'y eut ni fête ni danses, ni même de banquet ; ils se contentèrent de murmurer des prières en direction de la qibla, puis les jeunes mariés quittèrent la calle de los Moriscos comme un couple ordinaire. Fatima avait ôté les fleurs de ses cheveux et remplacé sa tunique blanche par ses vêtements habituels. Elle avait juste gardé son voile sur la tête, et un minuscule baluchon à la main. Le grand coffre ne serait pas rempli de sitôt, songea Hernando.

Ils cachèrent la main de Fatima à l'intérieur du Coran, lui-même dissimulé à son tour dans le voile de lin blanc que Fatima plia délicatement. Pour respecter la tradition, ils introduisirent sous le matelas un petit pain aux amandes. Puis, pour la énième fois, la jeune fille parcourut les deux pièces, les yeux écarquillés, imaginant son avenir dans cette maison. Elle finit par s'arrêter, tournant le dos à Hernando, face à la cuvette sur laquelle elle fit doucement glisser le bout de ses doigts, et elle effleura la surface de l'eau pure. Alors elle demanda à son époux de la laisser seule jusqu'à la tombée du jour.

— Je voudrais me préparer pour toi.

Hernando ne réussit pas à voir son visage, mais le ton de sa voix, sensuel, lui dit tout ce qu'il désirait entendre.

Masquant son anxiété, il obéit et descendit aux box qui, le dimanche, étaient déserts ; seul un valet d'écurie flemmardait dans le patio extérieur. Il se promena le long des box, tapotant distraitement la croupe des poulains. Comment Fatima se préparerait-elle pour lui ? Elle n'avait plus la tunique blanche ouverte sur les côtés avec laquelle elle l'avait accueilli lors de leur première nuit d'amour, à Ugíjar. Il n'y avait rien dans le baluchon ! Il frissonna au souvenir de ses seins durs et gonflés qu'on devinait à contre-jour, saillants, provocateurs, à travers les ouvertures, ondulant tandis qu'elle le servait, qu'elle s'occupait de lui…

Il n'eut pas le temps d'esquiver le coup. Un des poulains sauvages récemment arrivés des pâturages rua à son passage et l'atteignit au mollet. Hernando sentit une vive douleur et porta les mains à sa jambe ; heureusement, l'animal n'avait pas encore été ferré et la douleur s'estompa vite. Imbécile ! marmonna Hernando, se reprochant sa négligence. Comment avait-il pu tapoter des animaux qui n'étaient pas habitués à ce genre de traitement ? Le poulain s'appelait Saeta, et son fougueux caractère lui avait déjà signalé qu'il poserait plus de problèmes que les autres. Hernando s'avança vers lui et la bête tira fortement sur le licou qui l'attachait au mur. Attentif à ses pattes, prêtes à ruer une fois de plus, il vint à ses côtés. Là, immobile, il attendit patiemment que le petit cheval se calme, d'abord sans dire un mot. Ensuite, dès qu'il cessa de se battre contre ses liens et de s'agiter, inquiet, dans le petit espace où il se trouvait confiné, Hernando se mit à murmurer. Pendant un long moment, il lui parla avec douceur, comme il le faisait avec la Vieille dans les montagnes. Pas une fois il n'essaya de se rapprocher de lui ou de lui tapoter le cou. Saeta évitait de le regarder, mais il dressait les oreilles à chaque changement de ton. Ils demeurèrent ainsi un certain temps. Le poulain ne cédait pas. Il restait obstiné, tendu, la tête bien droite, sans montrer la moindre intention de la tourner pour flairer Hernando ou chercher son contact.

— Tu finiras bien par te rendre, conclut Hernando, décidant que ce n'était pas le moment d'aller plus loin. Et ce jour-là, continua-t-il en sortant du box, les yeux rivés sur les pattes du poulain, tu le feras de bon cœur, plus encore que les autres.

— Je suis sûr que oui.

Hernando se retourna, surpris par la voix qu'il venait d'entendre. Don Diego López de Haro et José Velasco l'observaient. Le noble avait revêtu ses habits du dimanche : chausses à crevés, de différents tons de vert, au-dessus du genou ; bas et chaussures en velours ; pourpoint noir extrêmement ajusté, sans manches, avec une fraise au cou et aux poignets de la chemise ; pardessus et épée à la ceinture. José, son laquais, se tenait sur le côté, à quelques mètres derrière le valet d'écurie. Depuis combien de temps l'observaient-ils ? Avait-il dit quelque chose d'inconvenant pendant qu'il s'adressait au poulain ? Il se souvenait… qu'il lui avait parlé en arabe !

— Tu as mal ? demanda don Diego en désignant sa jambe.

S'ils avaient vu Saeta lui donner le coup… ils avaient tout entendu depuis le début !

— Non, Excellence, bredouilla-t-il.

Don Diego s'avança vers lui et posa la main sur son épaule avec familiarité. Mais Hernando était intimidé : il avait récité des sourates !

— Sais-tu pourquoi il s'appelle Saeta[1] ?

L'écuyer royal n'attendit pas sa réponse :

— Parce qu'il est rapide et dur comme les flèches, mais aussi agile et vaillant, qu'il se déplace en soulevant ses pattes comme s'il voulait toucher le ciel avec ses genoux et ses jarrets. J'attends beaucoup de ce poulain. Veille bien sur lui. Où as-tu appris à t'occuper des chevaux ?

Hernando hésita… Devait-il lui raconter ?

— Dans la Sierra Nevada, tenta-t-il de se dérober.

Don Diego hocha légèrement la tête, dans l'attente de plus amples explications.

— Dans les montagnes, seuls les monfíes possédaient des chevaux, fit-il remarquer devant son silence.

— Avec Ibn… Abén Humeya, se vit-il alors obligé d'avouer. Je me suis occupé de ses chevaux.

Don Diego approuva. Sa main droite était toujours posée sur l'épaule d'Hernando.

— Don Fernando de Válor et de Cordoue, reprit-il doucement. On dit qu'il est mort en clamant sa chrétienté. Don Juan d'Autriche a ordonné que son cadavre soit exhumé des montagnes et qu'il soit enterré, chrétiennement, à Guadix.

Le noble réfléchit quelques instants.

— Tu peux te retirer, dit-il finalement. Aujourd'hui, c'est dimanche. Tu continueras demain.

Hernando détourna les yeux vers les fenêtres : le soleil commençait à se coucher. Fatima ! Il esquissa une révérence maladroite et quitta les box rapidement.

Don Diego, toutefois, gardait le regard fixé sur Saeta.

— Je vois beaucoup d'hommes réagir violemment lorsqu'un poulain leur décoche une ruade ou se défend, commenta-t-il à son laquais sans le regarder. Souvent ils les maltraitent, les châtient, et tout ce qu'ils réussissent à

1. *Saeta* signifie « flèche » en espagnol. *(N.d.T.)*

faire, c'est à les rendre vicieux. Ce garçon, au contraire, s'est rapproché de lui tout doucement. Garde un œil sur lui, José. Il sait ce qu'il fait.

Hernando monta en courant l'escalier qui menait aux appartements. Il frappa à la porte de chez lui.

— Pas encore, dit Fatima de l'intérieur.

— La nuit tombe, s'entendit-il lui répondre, sur un ton terriblement ingénu.

— Pas encore, renchérit-elle fermement.

Il fit les cent pas dans le couloir de l'étage. Que faisait-elle ? Le temps passait. Devait-il frapper de nouveau ? Il hésita. Finalement, il décida de s'asseoir par terre, devant la porte. Et si quelqu'un le voyait ? Que dirait-il ? Si l'un des autres employés qui vivaient là… ? Et si c'était l'écuyer royal en personne ? Il se trouvait juste en bas, dans les box ! Qu'avait-il pu entendre des mots qu'il avait murmurés au poulain ? Il était interdit de parler en arabe. Hernando savait que les Maures avaient porté une pétition au conseil municipal cordouan dans laquelle ils exposaient la difficulté, pour beaucoup d'entre eux, d'abandonner la seule langue qu'ils connaissaient. Ils avaient imploré un moratoire pour l'application de la pragmatique royale afin de laisser le temps à ceux qui ne le connaissaient pas d'apprendre l'espagnol. On le leur avait refusé. Et parler en arabe était toujours puni d'une amende, voire d'une peine de prison. Quel était le châtiment pour quelqu'un qui récitait le Coran en arabe ? Pourtant, don Diego n'avait rien dit. Était-il donc vrai qu'ici, l'unique religion, c'était les chevaux… ?

De timides coups sur la porte le tirèrent de ses pensées. Que signifiait… ?

Les coups se répétèrent. Fatima l'appelait de l'intérieur.

Hernando se leva et ouvrit délicatement. La porte n'était pas barricadée.

Il se figea sur le seuil.

— Entre ! lui ordonna Fatima, dans un filet de voix et un sourire aux lèvres.

Il obéit gauchement.

Faute de tunique, Fatima était nue. La lumière du couchant et le tremblement d'une bougie derrière elle jouaient avec sa silhouette. Ses seins étaient peints au henné en un dessin géométrique qui grimpait, sous l'apparence d'une flamme, jusqu'aux doigts de la main en or qu'elle avait remise à son cou. Elle avait aussi peint ses yeux, entourés et accentués par de longs traits qui soulignaient leur forme en amande. Un délicieux parfum d'eau de fleur d'oranger enveloppa Hernando tandis qu'il scrutait le corps svelte et voluptueux de son épouse. Tous deux restaient immobiles, dans un silence seulement troublé par leurs respirations saccadées.

— Viens, dit-elle.

Hernando s'avança. Fatima ne bougea pas et il suivit du bout des doigts le dessin de sa poitrine. Puis, debout face à elle, il joua avec ses tétons dressés. Elle soupira. Quand il voulut prendre l'un de ses seins dans sa main, elle l'arrêta et l'emmena vers la cuvette. Alors elle le déshabilla avec douceur et lui lava le corps.

Hernando bafouilla quelque chose et s'abandonna aux frissons qui le secouaient dès que la poitrine de Fatima frôlait sa peau, que ses mains humides couraient sensuellement sur son torse, ses épaules, ses bras, son abdomen, son entrejambe…

Pendant ce temps, la jeune fille lui susurrait des mots doux : je t'aime ; je te désire ; je veux être à toi ; prends-moi ; emmène-moi au paradis…

Une fois qu'elle eut fini, elle l'embrassa et se pendit à son cou.

— Tu es la plus belle femme du monde, dit Hernando. J'ai tant attendu ce… !

Mais Fatima ne le laissa pas continuer : elle leva les deux jambes jusqu'à sa taille, s'accrocha à lui, et avança lentement sa vulve vers son pénis dressé. Ils haletèrent à l'unisson lorsque Fatima se laissa glisser vers le bas et qu'Hernando la pénétra au plus profond. Tendu, les muscles brillant de sueur, Hernando portait la jeune fille en lui tenant le dos. Elle se cabra, se tordant en quête de plaisir. C'est elle qui imposait le rythme. Hernando écouta avec attention ses gémissements, ses soupirs et ses murmures inintelligibles ; elle s'arrêta à plusieurs reprises pour lui mordiller le lobe des oreilles et le cou, lui parlant pour calmer sa fougue, lui promettant le ciel pour ensuite, de nouveau, reprendre sa danse rythmée sur son membre. À la fin, ils atteignirent l'orgasme en même temps.

Hernando cria ; Fatima s'abandonna à une extase qui dépassa celle de son époux.

— Sur le lit, porte-moi sur le lit, lui demanda-t-elle quand il voulut la reposer sur le sol. Comme ça. Porte-moi !

Elle s'agrippa encore davantage à lui.

— Tous les deux, ensemble, exigea-t-elle. Je t'aime.

Elle lui tirait gentiment les cheveux tandis qu'il la conduisait à l'alcôve.

— Ne me quitte pas. Aime-moi. Reste à l'intérieur de moi…

Allongés, toujours unis, ils s'embrassèrent et se caressèrent jusqu'au moment où Fatima sentit le désir renaître chez Hernando. Alors ils refirent l'amour, avec frénésie, comme si c'était la première fois. Puis elle se leva et prépara de la citronnade et des fruits secs, qu'elle servit sur le lit à Hernando. Et pendant qu'il mangeait, elle lui lécha tout le corps, ondulant comme une chatte. Alors il joua avec elle, essayant de l'atteindre avec la langue à mesure qu'elle se glissait d'un côté et de l'autre.

Et cette nuit-là, tous deux parcoururent ensemble, sans relâche, les chemins millénaires de l'amour et du plaisir.

35.

8 décembre 1573,
fête de la Conception de Notre-Dame

Sept mois avaient passé depuis leur mariage. Aisha avait purgé ses soixante jours de prison avant d'être remise en liberté. Hernando avait obtenu l'autorisation de l'administrateur des écuries pour qu'elle puisse, avec Shamir, partager leur habitation au-dessus des box. Fatima était enceinte de cinq mois et Saeta avait fini par se rendre, sous les soins d'Hernando et de ses caresses. Il ne lui avait plus parlé en arabe. Au cours de leur nuit de noces, alors qu'ils étaient étendus tous deux sur le lit, en sueur, le jeune homme avait expliqué à Fatima ce qui s'était passé avec le poulain et don Diego.

— Un chrétien sera toujours un chrétien, avait-elle alors assuré, sur un ton absolument différent de celui qu'elle avait employé tout au long de la nuit, méfiante face à l'affirmation qui prétendait qu'aux écuries royales, la seule religion, c'était les chevaux. Maudits soient-ils ! Ne t'y trompe pas, mon amour : avec ou sans chevaux, ils nous détestent et nous détesteront toujours.

Puis Fatima avait cherché une nouvelle fois le corps de son époux.

Hernando travaillait du lever au coucher du soleil. Deux fois par jour, il devait promener les poulains et les dresser. Il utilisait un long licou autour duquel les animaux tournaient avec un bâton vert enduit de miel dans la bouche, dont la grosseur devait augmenter au fur et à mesure, jusqu'à atteindre celle d'une lance, pour les habituer au mors en fer qu'ils seraient un jour contraints de supporter ; et avec des sacs de sable sur le dos pour s'exercer au poids d'un cavalier. Dans les box, il les lavait, frottant énergiquement leur corps tout entier avec une époussette. Il soulevait leurs pattes et nettoyait leurs sabots, les préparant au moment où ils seraient ferrés. Saeta fut le premier à accepter l'exercice dans le patio avec le sac de sable sur le dos et le gros bâton entre les dents.

En dehors de ces tâches, souvent, comme l'avait fait Rodrigo, un cavalier lui demandait de l'accompagner en ville.

Il aimait son travail, et les poulains respiraient la santé et les bonnes manières. Il avait surpris les valets d'écurie en proposant plusieurs types d'alimentation complémentaire à la paille et à l'avoine, que d'ordinaire les poulains consommaient : Saeta, fougueux, devait manger une pâte composée de fèves ou de pois chiches bouillis avec du son et une pincée de sel pendant la nuit ; un autre poulain, timide, était tenu de compléter son alimentation avec du blé ou du seigle, pareillement bouilli au cours de la nuit précédente pour former une pâte à laquelle on ajoutait également du son, du sel et, dans ce cas, de l'huile. Face à ces recommandations, qui soulevaient quelques réticences par rapport aux coutumes des écuries, don Diego avait estimé qu'il ne fallait en aucune façon qu'elles nuisent aux poulains, et il avait pour cela demandé conseil à Hernando. Les résultats ne s'étaient pas fait attendre : Saeta, sans perdre sa fougue, s'était apaisé, et les poulains pusillanimes avaient gagné en courage et en joie de vivre. Cavaliers, valets d'écurie, maréchaux-ferrants et selliers respectaient Hernando, et l'administrateur lui accordait avec diligence tout ce qu'il demandait. Ainsi il avait obtenu une recommandation pour qu'Aisha puisse travailler au tissage de la soie.

Ce 8 décembre 1573, jour de la Conception de Notre-

Dame, les inquisiteurs avaient prévu de célébrer un auto-dafé dans la cathédrale de Cordoue. Hernando et Fatima vivaient avec inquiétude l'excitation que cette annonce avait suscitée parmi la population, y compris le personnel des écuries, comme cela avait déjà été le cas à la même date les deux dernières années, en cette journée choisie chaque fois pour les autodafés. L'année précédente, la ferveur populaire et la curiosité morbide avaient atteint leur comble : lors de cette célébration, après un long procès où la torture avait été employée, une sentence avait été dictée à l'encontre de sept sorcières, parmi lesquelles la célèbre Montilla Leonor Rodríguez, connue sous le nom de « La Camacha », condamnée, une fois qu'elle eut abjuré le *levi*, à recevoir cent coups de fouet à Cordoue et cent autres à Montilla, à être exilée dix années de Montilla et à servir dans un hôpital de Cordoue pendant les deux premières. En ces journées, où la religiosité pouvait se percevoir même chez les animaux, les Maures s'efforçaient de passer inaperçus dans le voisinage. La Camacha avait avoué tenir son art de nécromancienne d'une Mauresque de Grenade !

Cependant, ni Hernando ni Fatima ne purent demeurer indifférents aux intentions du tribunal de l'Inquisition cette année-là. La veille au soir, Abbas leur avait rendu une petite visite.

— Demain, nous devrons aller à la mezquita assister à l'autodafé, leur avait-il annoncé brusquement après les avoir salués.

Hernando et Fatima avaient échangé un regard.

— Tu crois vraiment ? avait demandé le jeune homme. Pour quelle raison devrions… ?

— Plusieurs Maures sont condamnés.

En dépit de ses origines africaines, Abbas s'entendait très bien avec les inquisiteurs. Lui-même suivait les ins-tructions qu'il donnait à Hernando et se présentait devant ses impitoyables voisins de l'alcázar comme le plus chrétien des chrétiens. Au point d'être régulièrement montré comme exemple d'évangélisation d'un natif de la secte de Mahomet. De la même manière, son métier lui permettait de gagner la confiance et la gratitude des inquisiteurs avares et familiers du Saint-Office : la soudure d'une porte déboîtée, une barre en fer cassée, un ornement brisé. Les grilles des petites fenêtres des cachots… ! Tous ces menus travaux étaient effectués par l'habile maréchal-ferrant des écuries qui, prétendant les réaliser par dévotion, ne demandait pas à être rémunéré pour cela.

— Quand bien même, avait insisté Hernando. Pour quelle raison devrions-nous assister à l'autodafé ?

— Premièrement, à cause de notre dévotion et de notre respect pour la sainte Inquisition, avait répondu Abbas avec une grimace. Il faut qu'ils nous voient là-bas, crois-moi. Deuxièmement, je veux que tu rencontres quelqu'un. Troisièmement, et c'est le plus important, afin de savoir exactement pourquoi nos frères ont été jugés et quelles sont les peines dont ils écopent. Nous devons informer Alger de la façon dont l'Inquisition traite les musulmans en Espagne.

Fatima et Hernando s'étaient redressés en même temps.

— Pourquoi ?

Abbas avait imploré leur attention d'un geste de la main.

— Pour chacun de nos condamnés, les Turcs châtieront les prisonniers chrétiens dans les bains d'Alger. Oui. C'est comme ça, avait-il renchéri en voyant l'expression d'Hernando. Et les chrétiens le savent. Cela ne suffit pas pour que l'Inquisition arrête de punir ce qu'elle considère comme de l'hérésie, mais c'est une bonne méthode de pression qui aura probablement une influence au moment du choix de la condamnation. Je le sais. Je les ai entendus en parler. Les nouvelles vont et viennent. Nous les envoyons à Alger et elles reviennent de là-bas par l'entremise de captifs rachetés ou de moines mercenaires qui sont allés payer leur rançon. Ça c'est toujours passé ainsi : avant les Rois Catholiques, les corsaires faits prisonniers en Espagne étaient lapidés ou pendus, ce qui entraînait une réponse immédiate de l'autre côté du détroit, où les corsaires exécutaient un chrétien. Ils en arrivèrent à un accord tacite : les galères à perpétuité pour les uns et les autres. Il se passe la même chose avec l'Inquisition. Ici, à Cordoue, avant l'arrivée des Grenadins déportés, il n'y avait pas de Maures ; à présent c'est à nous d'organiser ce qui, dans d'autres royaumes, existe depuis des années.

— Comment faisons-nous parvenir cette information jusqu'à Alger ?

— Plus de quatre mille muletiers maures traversent l'Espagne chaque jour ! Des croyants embarquent en permanence vers les Barbaresques. Malgré l'interdiction faite aux Maures d'approcher des côtes, il n'est pas difficile de tromper la faible surveillance des chrétiens. Par l'intermédiaire des muletiers, nous transmettons aux monfíes ainsi qu'aux esclaves et fugitifs qui les ont rejoints pour s'enfuir aux Barbaresques les nouvelles sur les condamnations de l'Inquisition. Ce sont eux qui se chargent de les faire passer à…

— Ubaid est parmi eux ? s'était alors écrié Hernando, se souvenant soudain du récit de sa mère quant aux événements survenus dans la montagne.

— Tu parles du Manchot ?

Abbas avait froncé les sourcils.

— Oui. Cet homme a juré de me tuer.

Surprise, Fatima avait interrogé son époux du regard. Hernando n'avait pas voulu lui raconter ce qui s'était exactement passé sur le chemin de las Ventas. Sa mère et lui s'étaient contentés de lui dire que Brahim s'était enfui et qu'Aisha avait réussi à s'échapper.

Hernando avait pris la main de Fatima et secoué la tête.

— Mais que fait Ubaid à Cordoue ? Quand as-tu eu de ses nouvelles ? avait-elle insisté auprès d'Hernando, consciente que cet homme représentait pour eux une dangereuse menace.

— Les monfíes nous sont très utiles, avait tranché Abbas. Mais nous le sommes plus encore à leur égard. Sans le soutien qu'ils obtiennent des Maures dans les campagnes et dans les endroits où ils doivent se cacher, ils ne pourraient pas survivre. Pourquoi a-t-il juré de te tuer ?

Hernando lui avait raconté toute l'histoire, sans oublier les menaces qu'avait proférées le muletier de Narila à l'encontre de Brahim et de lui-même. En revanche, il avait passé sous silence le fait qu'il avait caché dans les harnais de la mule le crucifix d'argent à cause duquel Ubaid avait été condamné.

— Maintenant je comprends ! était intervenu Abbas. C'est pour cela qu'il a coupé la main de ton beau-père. Nous ne parvenions pas à nous expliquer pourquoi il avait réagi si violemment envers un frère de foi. Je sais aussi pourquoi Hamid est si méfiant à l'égard du Sobahet et du Manchot.

Fatima avait compris à son tour et fixé ses yeux noirs, accusateurs, sur le visage d'Hernando.

— Nous avons pensé qu'il valait mieux que tu ne saches rien, avait-il reconnu en serrant la main de la jeune femme avec plus de force. Mais comment as-tu appris, toi, tout cela ? avait-il demandé au maréchal-ferrant.

— Je te l'ai déjà dit, nous sommes en contact permanent.

Abbas s'était frotté le menton à plusieurs reprises.

— Je vais essayer de régler cette affaire. Nous exigerons qu'il te laisse tranquille. Je te le jure.

— Si vous êtes si proches des monfíes, était alors intervenue Fatima, le visage préoccupé, savez-vous ce qu'est devenu Brahim ?

— Il a guéri, avait répondu Abbas. J'ai entendu dire qu'il avait rejoint une bande d'hommes qui voulaient partir aux Barbaresques.

Et c'était exact. Ce que personne ne savait, pas même les hommes à qui Brahim s'était uni dans sa fuite, c'était que la douleur de son membre tranché avait semblé disparaître lorsque Brahim avait jeté un dernier regard sur les terres de Cordoue étendues au pied de la Sierra Morena. Les élancements terribles et constants qu'il sentait dans son bras avaient diminué face à la colère qui l'avait envahi à ce moment-là. Il abandonnait, chez les chrétiens, ce qui avait constitué, de toute sa vie misérable, son seul vrai désir : Fatima. Au loin, il avait imaginé l'épouse que les anciens lui avaient volée entre les bras du nazaréen, offerte, lui livrant son corps, avec peut-être même déjà la semence du bâtard dans son ventre… « Je jure que je reviendrai pour toi ! » avait grondé Brahim en direction de la plaine.

Il était un peu plus de trois heures de l'après-midi en cette journée froide mais ensoleillée, et Hernando hésita à franchir la porte du Pardon de la mezquita cordouane. Fatima éprouva le même doute, mais Abbas avança de deux pas. De toute façon, la foule qui s'entassait derrière eux les poussa à l'intérieur, au son des cloches qui carillonnaient dans l'ancien minaret musulman, devenu clocher.

Hernando vivait à Cordoue depuis trois ans et il était passé des dizaines de fois à côté de la mezquita ; parfois il s'était contenté de garder les yeux au sol ; parfois il avait jeté des coups d'œil furtifs aux murs qui, en guise de forteresse, entouraient le lieu de prière des califes d'Occident et des milliers de fidèles qui avaient fait de Cordoue le phare irradiant la véritable foi vers le couchant de la chrétienté.

Mais jamais il n'avait osé y entrer. On comptait dans la cathédrale plus de deux cents prêtres, sans compter les membres du conseil municipal, qui célébraient quotidiennement plus de trente messes dans leurs nombreuses chapelles.

Abbas les rejoignit quand, une fois qu'ils eurent passé l'entrée recouverte d'une coupole s'ouvrant derrière le grand arc en pointe de la porte, Hernando et Fatima furent rejetés au loin par le flot de gens qui se déversa dans le grand verger intérieur du cloître précédant l'accès à la cathédrale, au milieu d'orangers, de cyprès, de palmiers et d'oliviers. Le maréchal-ferrant crut deviner les pensées du jeune homme. Il se pinça les lèvres et lui fit signe de continuer. Fatima, recouverte de la coiffe blanche qu'elle avait portée le jour de ses noces, s'agrippa à son bras.

Le verger du cloître était un vaste rectangle fermé et entouré, sur trois de ses côtés, de galeries d'arcs à colonnes dont les dimensions coïncidaient avec la façade nord de la cathédrale. Malgré la fraîcheur des arbres et les fontaines du verger, les trois Maures furent sur le point de se trouver mal en voyant les centaines de san-benito accrochés aux murs, en guise d'avertissement notoire et permanent : l'Inquisition surveillait et sanctionnait l'hérésie. Au temps des musulmans, les fidèles se purifiaient et faisaient leurs ablutions à quatre points d'eau différents, deux pour les femmes et deux pour les hommes, que le calife al-Hakam avait fait construire à l'extérieur de la mezquita, en face de ses façades orientale et occidentale, puis pénétraient dans la salle de prière à travers les dix-neuf portes, une par nef, qui s'ouvraient sur ses côtés et que les chrétiens avaient bouchées. Ce jour-là, ils entrèrent dans l'enceinte par la porte de l'arc de Bénédictions, la seule toujours ouverte dans le verger où, à une autre époque, on avait béni les bannières des troupes qui partaient combattre les musulmans. Une fois à l'intérieur, ils attendirent que leurs yeux s'habituent à la lumière des lampes qui pendaient du plafond de seulement neuf aunes de hauteur, et même Abbas, qui était déjà venu, ne put s'empêcher de ressentir l'impression puissante qui paralysa

Fatima et Hernando tandis que la foule entrait par vagues, séparant les uns, poussant les autres. Une forêt de presque un millier de colonnes alignées, toutes reliées entre elles par des doubles arcades, les unes par-dessus les autres, alternant dans les arcs le rouge des briques et l'ocre de la pierre, s'étalait devant eux, les invitant à la prière !

Ils restèrent immobiles quelques instants, respirant la forte odeur d'encens. Hernando contemplait, pensif, les chapiteaux wisigoths et romains, tous différents, situés à l'extrémité des colonnes, où ils rejoignaient les arcs. Fatima se tenait entre les deux hommes.

— Il n'y a pas d'autre Dieu que Dieu et Mahomet est l'envoyé de Dieu, murmura-t-elle alors, comme si une force étrangère, magique, l'avait obligée à prononcer de telles paroles.

— Tu es folle ? la réprimanda sévèrement Abbas, tournant en même temps la tête pour voir si quelqu'un semblait l'avoir entendue.

— Oui, répondit Fatima à voix haute.

Et elle avança, caressant son ventre proéminent, vers l'intérieur de la mezquita.

Du regard, Abbas supplia Hernando d'empêcher son épouse de commettre le moindre esclandre. Le jeune homme rejoignit aussitôt la jeune fille et posa sa main sur son ventre.

— Pense à notre enfant, lui dit-il.

Fatima parut se réveiller.

— Un jour je t'ai juré que je mettrais les chrétiens à tes pieds ; aujourd'hui je te jure qu'un jour nous prierons le Dieu unique dans ce lieu saint.

Elle avait les yeux mi-clos. Nul compromis n'avait l'air suffisant pour elle.

— Je le jure, par Allah, ajouta Hernando à voix basse.

— Ibn Hamid, répliqua-t-elle alors sans aucune prudence, tandis que les gens passaient de tous côtés autour d'eux en discutant, excités par l'autodafé auquel ils allaient assister. N'oublie jamais ce serment que tu viens de faire et accomplis-le quoi qu'il arrive.

Abbas souffla quand il vit Fatima prendre à nouveau le bras de son époux.

Ils furent nombreux à pénétrer dans la mezquita ; des milliers de personnes se concentrèrent dans la zone où se construisait la nouvelle cathédrale Renaissance, en forme de transept, soutenue par de grands piliers et des arcs-boutants de style gothique, au cœur du lieu de prière des musulmans – dans la nef centrale qui conduisait au mihrab – et qui perçait le centre du plafond de la mezquita pour surgir, imposante, au-dessus de celle-ci et atteindre ainsi les proportions que les chrétiens désiraient tant pour leurs temples. Cette immense construction, commencée bien des années plus tôt et toujours en cours, était destinée à remplacer la petite église primitive bâtie elle aussi à l'intérieur de la mezquita, à l'endroit qu'occupait la qibla de l'agrandissement effectué par Abderrahman II. L'érection du nouveau sanctuaire avait été refusée par le conseil municipal de Cordoue, dont certains membres avaient craint qu'elle ne détruise les chapelles ou les autels du précédent sanctuaire. Et, en guerre contre le conseil de la cathédrale, les vingt-quatre membres et magistrats de la municipalité de Cordoue avaient édicté un décret qui condamnait à mort tout ouvrier qui travaillerait à la construction de la nouvelle cathédrale. L'empereur Charles Quint avait mis fin au contentieux et autorisé cette construction.

Pendant qu'ils attendaient l'entrée de tous les fidèles, parmi lesquels beaucoup durent rester à l'intérieur du cloître, ainsi que celle du tribunal du Saint-Office, des membres des conseils de la cathédrale et de la ville, et surtout des prisonniers, entre les rires, les murmures et les conversations des spectateurs, Hernando eut le temps d'examiner l'intérieur du grand édifice, capable d'accueillir des milliers de personnes. Indépendamment du verger, la surface de la mezquita était quasiment quadrangulaire.

En son centre, on procédait à la construction de la nouvelle cathédrale, entourée de centaines de colonnes et de doubles arcs superposés combinant le rouge et l'ocre. Les nobles et les chrétiens prébendés avaient profité de l'espace qui restait entre la dernière rangée de colonnes et les murs de la mezquita pour ouvrir de nombreuses chapelles dédiées à leurs saints et martyrs. Autels, christs, tableaux et images religieuses, comme dans toutes les rues de la ville, étaient exposés à la ferveur populaire en signe de pouvoir des maisons nobles qui les finançaient et bénéficiaient de dons et de legs. Partout où se posait le regard, il pouvait rencontrer les écus d'armes et d'emblèmes héraldiques de nobles, chevaliers et princes de l'Église : sculptés dans la fabrique même, dans les murs, les arcs et les colonnes ; travaillés dans le fer forgé des innombrables grilles qui fermaient les chapelles périphériques ; sur les pierres tombales, presque toutes au ras du sol ; sur les retables et les peintures des chapelles et sur n'importe quel support, aussi insignifiant qu'il pût être : serrures, lampes, poignées de portes, coffres, chaises… sans oublier ceux qui apparaissaient sur les boucliers et les casques des chevaliers castillans, allemands, polonais ou bohémiens, accrochés un peu dans tous les coins, en remerciement pour les victoires obtenues au nom du christianisme.

« Musulman parmi les chrétiens », songea Hernando au son de l'orgue et des cantiques du chœur annonçant l'arrivée de l'évêque, de l'inquisiteur de Cordoue et du corregidor de la ville, tous trois devant leurs cours respectives et devant les prisonniers. « Comme cette construction », ajouta-t-il pour lui-même en caressant une des colonnes : la ferveur chrétienne s'exhibait dans tout le périmètre du temple, où se trouvaient les chapelles. L'espace qui s'ouvrait à partir de ces chapelles, avec ses mille colonnes et arcs ocre et rouges, chantait la magnificence d'Allah tandis qu'au centre, entourés de colonnes, se dressaient le nouveau sanctuaire et le chœur, à nouveau chrétiens.

Hernando leva les yeux vers le plafond de la cathédrale : les chrétiens cherchaient à se rapprocher de Dieu par leurs constructions, les élevant le plus haut possible, aussi haut que le permettaient leurs moyens techniques ; des bases solides et des sommets élancés. Cependant, la mezquita de Cordoue apparaissait comme un prodige de l'architecture musulmane, le résultat d'un audacieux exercice de construction où le pouvoir de Dieu venait descendre sur ses fidèles. La section des arcs supérieurs des doubles arcades, qui reposaient sur les colonnes de la mezquita, était deux fois plus large que la section des arcs qui les supportaient. À l'inverse des édifices chrétiens, dans la mezquita, la base solide, le poids, se trouvait au-dessus des colonnes élancées, en un défi manifeste et public aux lois de la gravité. Le pouvoir de Dieu se situait dans les hauteurs, la fragilité des croyants qui priaient dans la mosquée, à la base.

Pourquoi les chrétiens n'avaient-ils pas démoli tout vestige de cette religion qu'ils détestaient tant, comme ils l'avaient fait avec les autres mosquées de la ville ? s'interrogea Hernando, le regard toujours rivé aux doubles arcs au-dessus des colonnes. Le conseil de la cathédrale de Cordoue était l'un des plus riches d'Espagne, ses nobles aussi, et la dévotion n'aurait pas manqué pour assumer un projet comme celui-là. Ils auraient pu envisager la construction d'une cathédrale géante, comme celles de Grenade ou Séville. Pourtant ils avaient laissé survivre la mémoire musulmane dans ces colonnes, ces plafonds bas, la disposition des nefs... dans l'esprit de la mezquita ! « Indépendamment des gens, l'union qui se respire à l'intérieur de cet édifice est magique », soupira-t-il.

Aucun d'eux ne réussit à voir l'autodafé qui fut célébré sur un plancher près de l'ancien sanctuaire ; seuls les rangs les plus proches du cordon de sécurité établi par les magistrats et les alguazils autour des dignitaires purent contempler la cérémonie. En revanche, ils entendirent la lecture publique des accusations et les sentences, sans preuves, brèves, où seules étaient mentionnées les fautes et les peines imposées à l'encontre de quarante-trois prisonniers du royaume de Cordoue, dont vingt-neuf Maures, sur lequel le tribunal exerçait sa juridiction, lectures que les chrétiens écoutèrent en silence avant d'acclamer ou de conspuer les châtiments qui concluaient chaque exposé.

Deux cents coups de fouet à un chrétien, qui vivait à Santa Cruz de Mudela, pour avoir soutenu que l'affirmation du Credo que Dieu viendrait juger les vivants et les morts était fausse. « Il est déjà venu une fois ! insistait le détenu. Pourquoi reviendrait-il ? » Plusieurs coups de fouet également à d'autres chrétiens pour avoir déclaré en public que les relations charnelles ou le fait de vivre en concubinage sans être mariés n'étaient pas un péché ; deux cents coups de fouet et trois ans de galères à un habitant d'Andújar accusé de bigamie ; une amende à un tuilier d'Aguilar de la Frontera pour avoir déclaré que l'enfer n'existait pas, sauf pour les Maures et les désespérés : « Pourquoi les chrétiens iraient-ils en enfer puisqu'il existe des Maures ? » ; une amende et le déshonneur public par la corde et le bâillon à un autre homme pour avoir certifié que payer pour coucher avec une femme n'était pas un péché ; de plus faibles amendes et des san-benito à plusieurs hommes et femmes accusés d'avoir blasphémé, d'avoir douté de l'efficacité de l'excommunication, ou encore d'avoir proféré des paroles grossières, scandaleuses ou hérétiques. Confiscation de biens, coups de fouet et galères à vie pour deux Français appartenant à la secte de Luther et condamnation au bûcher par effigie à l'encontre de trois habitants d'Alcalá la Real pour avoir renié la religion catholique à Alger, après avoir été faits prisonniers par les corsaires.

— Elvira Bolat, continua l'huissier, nouvelle chrétienne de Terque…

— Elvira ! laissa échapper Fatima.

Un homme et une femme, devant eux, se retournèrent surpris : d'abord vers la jeune fille, ensuite vers Hernando à qui elle essayait de donner une explication :

— C'était mon amie avant que…

Abbas se signa ostensiblement.

— Femme, la coupa brutalement Hernando, qui se signa de la même façon que le maréchal-ferrant, tu dois renoncer à de telles amitiés d'enfance. Elles ne te conviennent pas. Prie pour elle, ajouta-t-il en lui serrant le bras. Prie l'intercession de la Vierge Marie pour que Notre-Seigneur la guide sur le chemin du bien.

L'homme qui s'était retourné vers eux hocha la tête en signe d'approbation. Sa femme et lui se concentrèrent de nouveau sur la lecture.

Amende, san-benito et cent coups de fouet. Cinquante à Cordoue et cinquante à Écija, où vivait Elvira, pour « affaires maures ». Les autres Maures mis en accusation, tous réconciliés avec l'Église après avoir reconnu leur culpabilité et leur hérésie, encoururent un sort semblable – san-benito, périodes d'évangélisation dans les paroisses et cent ou deux cents coups de fouet selon le sexe.

Le prisonnier suivant était un esclave récidiviste, arrêté alors qu'il tentait de s'enfuir aux Barbaresques et resté fidèle à la secte de Mahomet : le bûcher. Cris de joie et applaudissements éclatèrent. Le spectacle était enfin garanti ! Condamner aux flammes les trois effigies inanimées des apostats d'Alcalá prisonniers à Alger ne satisfaisait personne ; alors qu'un esclave impénitent, vivant, qui, parce qu'il avait persisté dans son attitude, brûlerait sans la grâce d'être au préalable exécuté au garrot, excitait tout le monde.

— Ainsi nous le prononçons et le déclarons.

Les membres du tribunal mirent un terme à l'autodafé et les détenus furent livrés au bras séculier afin que les peines infligées soient exécutées. Avant même le dernier mot, la foule s'était mise à courir en direction du bûcher, dans le campo de Marrubial, situé à l'extérieur de Cordoue, complètement à l'est. Il fallait traverser toute la ville.

Le vacarme provoqué par les gens permit à Hernando de s'adresser à Abbas sans plus de précaution. Il était écœuré. Hommes et femmes de tout âge se poussaient, riaient et criaient.

— Un Maure de moins ! entendit-on.

Des rires, à l'unisson, ponctuèrent cette remarque.

— Devons-nous également assister à l'exécution d'un des nôtres sur le bûcher ? demanda Hernando.

— Non, parce qu'on nous attend à la bibliothèque, répondit le maréchal-ferrant avec une certaine froideur. Mais nous devrions le faire.

Hernando se rendit compte aussitôt de son erreur.

— Cet homme va mourir en revendiquant la véritable religion devant des milliers de chrétiens exaltés, tous avides de sang et de vengeance. N'oublie pas que l'ensemble des croyants condamnés aujourd'hui sont fiers de l'être. Les femmes, sous prétexte qu'il fait froid, vont demander des san-benito pour leurs petits enfants afin que ceux-ci les accompagnent, nous montrant ainsi à tous qu'elles n'ont pas renié leur Dieu, que le culte reste bien vivant chez les croyants.

Fatima écoutait, les yeux mi-clos et les deux mains posées sur son ventre. Hernando voulut s'excuser mais Abbas l'en empêcha.

— Récemment, nous avons appris que quelques jours après un autodafé à Valence, le bourreau qui était intervenu pour exécuter les sentences s'était présenté dans le petit village de Gestalgar, dans la montagne, afin de réclamer à nos frères les honoraires de son infâme travail. L'un d'eux refusa de payer car il n'avait pas été fouetté. Après que l'erreur eut été prouvée, l'homme reçut cent coups de fouet en présence de sa famille et de ses voisins, et seulement alors, la chair du dos à vif, il rémunéra le bourreau. Il aurait pu payer avant et éviter les coups de fouet, mais il a préféré subir la condamnation, comme ses frères. Tel est notre peuple !

Le maréchal-ferrant fit une pause, balayant du regard la forêt de colonnes et d'arcades bicolores, comme si ces témoins du pouvoir musulman pouvaient ratifier ses propos.

— Allons-y, dit-il finalement.

Ils traversèrent la mezquita parmi les retardataires et ceux qui, pour une raison ou pour une autre, ne pouvaient assister à l'exécution des sentences. Aucune autorité n'était encore présente à l'intérieur de la mosquée. Ils contournèrent le transept en construction de la cathédrale, dont les bras s'étaient adaptés aux dimensions des nefs musulmanes originelles, et passèrent près de trois petites chapelles Renaissance situées derrière l'autel. Le sanctuaire était construit ; toutefois, la coupole elliptique destinée à le recouvrir n'était pas encore achevée, raison pour laquelle les échafaudages supportaient un plafond provisoire. Ils se dirigèrent au sud-est, où se trouvait, dans une ancienne chapelle, la magnifique bibliothèque de la cathédrale, avec des centaines de documents et de livres, manuscrits vieux de plus de huit cents ans pour certains. Une superbe grille en fer forgé fermait en principe l'enceinte, mais la porte était ouverte.

— Ton épouse, dit Abbas à Hernando lorsqu'ils atteignirent la grille, est-elle capable de nous attendre ici sans provoquer de scandale ?

Fatima voulut défier le maréchal-ferrant, mais Hernando l'arrêta d'un simple geste.

— Oui, répondit-il.

— Est-elle capable de comprendre que de notre discrétion dépend la vie de nombreux hommes et femmes ?

— Elle le comprend, confirma encore Hernando, tandis que Fatima acquiesçait, honteuse.

— Alors, allons-y !

Les deux hommes franchirent la grille qui donnait accès

à la bibliothèque et s'arrêtèrent. À l'intérieur, sur des rayonnages, apparaissaient des centaines de volumes reliés et des rouleaux de parchemin. Il y avait aussi des tables de lecture. Entre deux d'entre elles se tenait un groupe de cinq prêtres. Dès que le maréchal-ferrant se rendit compte qu'une réunion avait lieu à l'intérieur de la bibliothèque, il tenta de faire demi-tour, mais l'un des religieux, s'apercevant de leur présence, les appela. Grand comme il était, Abbas croisa les doigts en signe de prière, les porta à sa poitrine et pencha la tête. Hernando l'imita et tous deux se dirigèrent vers le groupe.

— Que voulez-vous ? demanda, courroucé, le prêtre qui les avait appelés, avant même qu'ils rejoignent le groupe.

— Je le connais, don Salvador, intervint alors un autre ecclésiastique, le plus âgé de tous, gros et chauve, de petite taille, avec une voix beaucoup trop douce pour son apparence. C'est un bon chrétien et il collabore avec l'Inquisition.

— Bonjour, don Julián, salua Abbas.

Hernando bafouilla un salut.

— Bonjour, Jerónimo, répondit alors le prêtre. Qu'est-ce qui t'amène ici ?

Un religieux s'avança vers une étagère pour prendre un livre ; les autres, à l'exception de don Salvador, qui les scrutait, assistaient à la scène avec une certaine indifférence, jusqu'au moment où Abbas prit la parole :

— Il y a longtemps…

Il se racla plusieurs fois la gorge.

— Il y a longtemps, quand les Maures de Grenade sont arrivés, vous m'avez demandé, si je trouvais parmi eux un bon chrétien sachant en plus bien écrire en arabe, de vous l'amener. Il s'appelle Hernando, ajouta le maréchal-ferrant en prenant son compagnon par le bras, l'obligeant à faire un pas en avant.

Écrire en arabe ! Hernando sentit sur lui jusqu'aux yeux

470

du Christ crucifié qui présidait la bibliothèque. Abbas était-il devenu fou ? Hamid lui avait enseigné les rudiments de la lecture et l'écriture dans le langage universel qui unissait tous les croyants, mais de là à le présenter dans la bibliothèque de la cathédrale comme un bon connaisseur… Quelque chose le poussa à se retourner vers l'entrée, où il aperçut alors Fatima qui écoutait à travers la grille. La jeune fille l'encouragea d'une imperceptible moue.

— Bien, bien… commença à dire don Julián.

— N'est-il pas un peu jeune pour savoir écrire en arabe ? l'interrompit don Salvador.

Hernando perçut chez Abbas un mouvement d'inquiétude. N'avait-il pas pensé à ce qui pourrait leur arriver ? Ne l'avait-il pas prévu ? Il nota l'animosité qui suintait des paroles de don Salvador.

— Vous avez raison, mon père, répondit-il avec humilité en se tournant vers le religieux. Je crois que mon ami valorise à l'excès mes maigres connaissances.

Don Salvador dressa la tête devant les yeux bleus du Maure. Il hésita quelques instants.

— Même si elles sont maigres, où les as-tu acquises ? l'interrogea-t-il ensuite, sur un ton de voix peut-être légèrement différent de celui qu'il avait employé jusqu'alors.

— Dans les Alpujarras. Le curé de Juviles, don Martín, que Dieu le garde dans sa gloire, m'a appris tout ce qu'il savait.

En aucune façon il n'évoquerait Hamid. Quant au pauvre don Martín… L'image de sa mère le lacérant de coups de couteau ressurgit à sa mémoire. Comment les membres du conseil de la cathédrale de Cordoue auraient-ils pu avoir connu le curé d'un petit village perdu dans les montagnes grenadines ?

— Un prêtre chrétien qui connaissait l'arabe ? intervint le plus jeune ecclésiastique du groupe.

Don Julián allait lui répondre, mais don Salvador le devança. Tous semblaient le respecter.

— C'est très possible, affirma-t-il. Il y a plusieurs années déjà que le roi a décrété qu'il était plus pratique que les prédicateurs connaissent l'arabe pour pouvoir évangéliser les hérétiques ; beaucoup d'entre eux ignorent l'espagnol et ne sont pas capables de le parler, surtout à Valence et Grenade. Il faut savoir l'arabe pour pouvoir contredire leurs écrits polémiques, pour comprendre leur façon de penser. Bien, mon garçon, montre-nous tes connaissances, aussi maigres soient-elles. Mon père, ajouta-t-il à l'attention de don Julián, apportez-moi le dernier manuscrit polémique arrivé entre nos mains.

Don Julián hésitait, mais don Salvador insista en agitant les doigts de sa main droite tendue. Hernando sentit des sueurs froides dans son dos et il évita de regarder Abbas. En revanche, il tourna la tête vers Fatima qui lui fit un clin d'œil de l'autre côté de la grille. Comment pouvait-elle lui faire un clin d'œil à un moment pareil ? Que voulait-elle lui dire ? Son épouse l'encouragea d'un mouvement du menton et d'un sourire. Alors il comprit. Pourquoi pas ? Que connaissaient-ils, eux, de l'arabe ? Ne recherchaient-ils pas un traducteur comme lui ?

Il prit le papier misérable que lui tendait don Julián et le parcourut des yeux. Il s'agissait d'un arabe savant, d'un arabe d'au-delà d'Al-Andalus, différent, comme le répétait à satiété Hamid, de l'arabe dialectal qui s'était implanté en Espagne au cours des siècles. Que disait cet écrit ?

— Il est daté de Tunis, annonça Hernando avec assurance, alors qu'il s'efforçait d'en comprendre les mots. Et il traite de la Très Sainte-Trinité, ajouta-t-il en déchiffrant les caractères. Plus ou moins, il dit ceci : *Au nom de Celui qui juge avec vérité*, inventa-t-il en feignant de lire, *de Celui qui sait tout, le Clément, le Miséricordieux, le Créateur...*

— D'accord, d'accord, coupa don Salvador, offusqué,

grimaçant. Épargne-nous tous ces blasphèmes. Que dit-il du dogme de la Trinité ?

Hernando tenta de saisir le sens de ce qui était écrit. Il connaissait à la perfection le contenu de la dispute entre musulmans et chrétiens : Dieu est seulement un. Comment les chrétiens pouvaient-ils soutenir qu'il existait trois dieux, Père, Fils et Saint-Esprit en un seul ? Il pouvait évoquer cette polémique sans qu'il soit nécessaire de vérifier le contenu exact du texte, mais… il se signa avec gravité et repoussa le papier qu'il tenait dans la main.

— Mon père, désirez-vous vraiment que je répète, ici, questionna-t-il en se tournant vers la cathédrale, dans ce lieu saint, ce qui est écrit sur ce papier ? Ce matin, plusieurs personnes ont été condamnées pour moins que cela.

— Tu as raison, accorda don Salvador. Don Julián, ajouta-t-il à l'adresse de ce dernier, faites-moi un rapport sur le contenu de ce document.

Hernando parvint à entendre un soupir sortir des lèvres d'Abbas.

— Où travailles-tu ? lui demanda-t-il alors.

— Aux écuries royales.

— Don Julián, parlez avec l'écuyer royal, don Diego López de Haro, pour que ce jeune homme puisse vous apprendre l'arabe et nous aider avec les livres et les documents tout en conciliant son travail avec les chevaux du roi. Faites-lui savoir que l'évêque, autant que le conseil de la cathédrale, lui en seront reconnaissants.

— Je le ferai, mon père.

— Vous pouvez partir, dit don Salvador à Hernando et Abbas.

Ils franchirent la grille de la bibliothèque. Fatima sourit à son époux.

— Bien ! chuchota-t-elle.

— Silence ! ordonna Abbas.

Ils prirent la direction de la porte de Saint-Michel, à l'extrémité occidentale de la mezquita. Hernando et

Fatima suivirent le maréchal-ferrant sur toute la longueur du côté sud de l'édifice. Ils passèrent devant la chapelle de don Alonso Fernández de Montemayor, grand capitaine de frontière au temps du roi Eric II.

Abbas s'arrêta.

— Cette chapelle, sous l'invocation de saint Pierre, signala-t-il tandis qu'il esquissait une pieuse génuflexion devant l'autel, invitant Hernando et Fatima à l'imiter, est construite dans l'entrée du mihrab d'al-Hakam II.

Tous trois demeurèrent agenouillés derrière les magnifiques arcs polylobés, différents de ceux, en fer à cheval, du reste de la mezquita, lesquels donnaient accès à l'entrée, à l'intérieur de ce qui avait été la *maqsura*, la zone réservée au calife et à sa cour.

— Là derrière, reprit Abbas en faisant un geste du menton, où il y a actuellement la sacristie de la chapelle, se trouve le mihrab, dans lequel le roi a interdit de célébrer le moindre enterrement chrétien.

Les restes du protégé du roi, don Alonso, à l'inverse de la plupart des sépultures au sol, apparaissaient dans un grand cercueil, simple, en pierre blanche.

— Ici, oui, siffla le maréchal-ferrant à Fatima. Ici, c'est l'endroit.

— Allah est grand, prononça-t-elle, cachant sa tête et se relevant.

Chacun d'eux, à sa manière, s'efforça d'imaginer l'aspect du célèbre mihrab d'al-Hakam II, devant lequel ils restaient à genoux et qui avait été profané, converti en une simple et vulgaire sacristie de la chapelle de Saint-Pierre. C'était là qu'on lisait le Coran. L'exemplaire du Livre conservé dans la chambre du trésor était amené tous les vendredis dans le mihrab et déposé sur un lutrin en aloès vert avec des clous d'or. Il avait été écrit de la main du prince des Croyants, Uzman ibn Affan ; il était décoré d'or, de perles et de jacinthes, et pesait si lourd qu'il fallait deux hommes pour le porter. Dans l'entrée comme dans le mihrab, le calife, en harmonie avec la magnificence de la culture cordouane, avait ordonné l'union de plusieurs styles architectoniques afin d'obtenir un ensemble d'une beauté inégalée. On accédait à la niche où le Coran était gardé en passant sous une coupole octogonale ouvragée de style arménien, dont les arcs ne se rejoignaient pas en son centre mais se croisaient tout au long de ses murs. Byzance aussi était présente, avec ses marbres veinés ou blancs, et surtout ses mosaïques colorées, construites avec des matériaux apportés par des artisans venus expressément de la capitale de l'empire d'Orient. Inscriptions coraniques en or et marbres byzantins, arabesques, éléments gréco-romains et également chrétiens, dont les maîtres avaient contribué à l'érection, avaient fait de ce lieu où se trouvait la chapelle de Saint-Pierre l'un des plus beaux du monde.

Tous trois prièrent quelques instants en silence puis, nostalgiques, sortirent de la mezquita par la porte de Saint-Michel. Ils se retrouvèrent calle de los Arcos, où se dressait le Palais épiscopal bâti sur l'ancien alcázar des califes de Cordoue. Ils s'engagèrent ensuite sous l'un des trois arcs au-dessus desquels reposait le pont qui traversait la rue par le haut, reliant l'ancien palais à la cathédrale, et continuèrent en direction des écuries. Ils passèrent devant l'alcázar des Rois Catholiques. À ce moment-là, Hernando décida d'être franc.

— Je ne peux pas traduire ces documents, se plaignit-il. Ils sont écrits en arabe savant. Comment pourrais-je enseigner l'arabe savant à ce prêtre ?

Abbas fit quelques pas supplémentaires sans lui répondre. Il ressentait une certaine méfiance. Il n'avait pas aimé l'attitude de Fatima, trop intrépide et inconsciente. Pourtant, se disait-il, la communauté comptait sur elle. Par ailleurs, admettait-il, lui-même ne venait-il pas de lui montrer l'endroit où se cachait le mihrab, l'encourageant à prier ? N'avaient-ils pas, tous, les mêmes sentiments ?

— C'est le contraire, avoua le maréchal-ferrant alors qu'ils n'étaient plus très loin de la porte des écuries. C'est don Julián qui va t'apprendre l'arabe savant de notre livre divin.

Hernando stoppa net. La surprise se dessinait sur son visage.

— Oui, confirma Abbas. Ce prêtre, don Julián, est l'un de nos frères, et le plus savant musulman de Cordoue.

36.

Le jour où Aisha fut remise en liberté après son arrestation dans la Sierra Morena, Brahim avait abandonné la bande des monfíes du Sobahet au côté de deux esclaves fugitifs. Le souvenir du crachat que lui avait lancé son épouse avant de quitter le camp accentuait la douleur intense qu'il ressentait dans son bras. Peu après qu'Aisha eut disparu entre les arbres, les monfíes s'étaient mis en marche. Brahim s'était alors traîné jusqu'à eux ; il ne pouvait pas rester seul dans la montagne, ni rentrer à Cordoue, vaincu et manchot. Pour ces raisons, il les suivit, à une certaine distance, comme un chien errant. Le Sobahet laissait faire ; Ubaid se moquait de lui, lui jetait les restes de sa pitance. C'est pourquoi, lorsqu'il entendit que deux esclaves avaient l'intention de s'enfuir aux Barbaresques, il s'unit à eux. Ensemble ils prirent la direction des côtes valenciennes. De longues journées durant ils dérobèrent de la nourriture et recherchèrent de l'aide dans les maisons maures, veillant soigneusement à éviter les escadrons de la sainte Confrérie qui surveillaient ces anciennes voies romaines laissées à l'abandon. Ils marchèrent vers l'est, vers Albacete, d'où ils prirent le chemin qui menait à Xátiva avant d'atteindre les localités côtières du royaume de Valence, situées entre Cullera et Gandía, presque toutes exclusivement peuplées de Maures.

Depuis cette côte, en dépit de l'effort des rois de Valence successifs, le flux de Maures en direction des Barbaresques était constant, aidés par les corsaires qui débarquaient pour piller le royaume. Les Espagnols ne laissaient pas vivre en paix les nouveaux-chrétiens baptisés de force, mais ils ne les laissaient pas non plus partir vers les terres musulmanes. En effet, les nobles et les propriétaires terriens auraient alors perdu une main-d'œuvre bon marché, et l'Église des âmes qu'elle s'employait à sauver, comme le défendait le duc de Gandía, Francisco de Borja, général des jésuites, qui plaidait cette cause : « (…) car ainsi, tant d'âmes qui auraient pu s'égarer ne s'égaraient pas ». Pourtant, les Maures étaient bel et bien soucieux de sauver leur âme… mais plutôt sur les terres où on louait Mahomet. C'est pourquoi les musulmans valenciens aidaient tous ceux qui, décidés à quitter les royaumes qui leur avaient appartenu pendant huit siècles, souhaitaient traverser la mer en direction des Barbaresques.

Brahim et ses compagnons, au côté d'une demi-douzaine d'autres Maures, saisirent leur chance à l'aube d'un matin de septembre quand près d'une cinquantaine de corsaires arrivèrent sur la côte pour dévaster les environs de Cullera. Les corsaires utilisèrent leur tactique habituelle : profitant de la nuit, trois galiotes avaient mouillé après l'embouchure de la rivière Júcar, où les pirates débarquèrent, loin du lieu qu'ils avaient l'intention d'attaquer. Le lendemain, à l'aube, ils se dirigèrent à pied vers leur objectif. Hormis de possibles attaques perpétrées par une grande armada corsaire, l'expédition terrestre fondait ses incursions sur la surprise et la rapidité. Les pillages devaient être menés à bien en un laps de temps relativement court, inférieur au délai de réponse du tocsin de la ville attaquée et des localités alentour ; les corsaires ne désiraient pas engager de bataille. Ensuite les galiotes venaient les récupérer, avec le butin, dans un endroit tout proche et déterminé au préalable.

Cette nuit-là, un groupe de corsaires envoyés en éclaireurs pénétra sur les terres pour rendre visite aux Maures et obtenir d'eux des informations pour le pillage. Les nouveaux-chrétiens n'avaient pas le droit de s'approcher du littoral sous peine de trois ans de galères. C'est à ce moment-là que Brahim, les deux esclaves et d'autres Maures s'unirent à l'expédition. Deux hommes ayant l'expérience du terrain furent désignés pour accompagner les corsaires et leur indiquer le chemin de Cullera.

— Donne-moi une épée, je voudrais venir avec vous, dit le muletier à un individu qui semblait être le chef, quand ils furent de retour sur la place où les corsaires se cachèrent en attendant le lever du jour.

Les galiotes étaient toujours en pleine mer, afin de ne pas être repérées.

— Maure et manchot ? s'écria le corsaire. Garde-toi bien d'intervenir !

Brahim serra les dents et se dirigea en silence vers le groupe de Maures assis loin des pirates, sur le sable.

— Que regardes-tu ? aboya-t-il à l'encontre d'un des esclaves fugitifs de la bande d'Ubaid, à qui il envoya un coup de pied qui lui frôla le visage.

Brahim, offensé, restait debout. Mais un corsaire lui ordonna, méchamment, de s'asseoir comme les autres et de se taire.

L'intervention fut foudroyante : les corsaires attaquèrent les environs de Cullera. Ils tombèrent par surprise sur des paysans venus travailler leurs terres et firent dix-neuf prisonniers mais, au lieu de poursuivre les autres qui fuyaient, épouvantés, ils partirent à toute vitesse vers le point de rencontre dont ils étaient convenus avec les galiotes, cette fois près de Cullera. Ni les forces à l'intérieur de la ville, ni celles des localités voisines, n'eurent le temps de réagir à l'offensive et, avant qu'elles ne réalisent ce qui s'était passé, corsaires, captifs et Maures fugitifs se trouvaient déjà à bord des galiotes, cap sur la pleine mer.

Néanmoins, une fois hors de portée d'un tir de bombarde, les trois galiotes virèrent vers la côte et hissèrent le pavillon blanc ; les bateaux étaient déjà bien chargés du butin d'autres incursions et la saison de la navigation allait bientôt s'achever. Les Valenciens savaient ce que signifiait ce drapeau : les capitaines corsaires étaient disposés à négocier, sur-le-champ, le rachat des prisonniers. Ils acceptèrent le marché et, de chaloupe à chaloupe, les tractations commencèrent. Cette matinée-là, quinze hommes furent rachetés. Les quatre autres continuèrent le voyage jusqu'aux marchés aux esclaves d'Alger.

Au cours des deux jours paisibles que dura la traversée de retour, pendant lesquels les galiotes peinèrent à avancer sur une mer si calme, Brahim constata que l'équipage corsaire – entièrement composé de Turcs et de renégats chrétiens – témoignait envers sa communauté d'un mépris égal à celui dont ils avaient souffert lors du soulèvement des Alpujarras. Personne ne voulait avoir affaire à eux. On leur donna à manger comme à des chiens et on ne leur demanda même pas de ramer. Pourquoi alors les pirates acceptaient-ils de les emmener ? s'interrogeait Brahim. La joie des Maures valenciens à la vue des corsaires lui revint en mémoire ; le mal qu'ils infligeaient aux chrétiens constituait pour eux une satisfaction suffisante et maximale quand, par ailleurs, ils gardaient l'espoir d'une aide future de la part de la Sublime Porte. Il observa les galériens qui ramaient avec difficulté ; les bateaux lourds, aux ordres du garde-chiourme. On avait divisé les Maures fugitifs afin de pouvoir les installer sur la petite surface latérale qui restait entre les rameurs et les plateformes menant sur le pont. Il tourna la tête vers le capitaine de son bateau, debout à la proue, doucement bercé par le rythme des rameurs, avec ses longs cheveux blonds, propres aux chrétiens renégats de l'Adriatique, qui lui tombaient sur les épaules. Brahim cracha dans la mer. L'aide qu'ils leur apportaient pour fuir avait en réalité un intérêt commercial : les corsaires acceptaient de transporter cette méprisable charge humaine dans le seul but d'obtenir les faveurs des villageois.

Pour cette raison, dès que la flottille des galiotes entra dans le port d'Alger et qu'il aperçut ses grands remparts imposants, tandis qu'ulémas, religieux et toutes sortes de gens accouraient pour les accueillir au son des timbales, Brahim décida qu'il ne resterait pas longtemps dans une ville aussi hostile aux Maures d'Al-Andalus que pouvait l'être ce nid de corsaires. Il erra pourtant dans ses rues pendant deux jours, loin des Maures qui venaient se vendre comme main-d'œuvre, aussi bon marché qu'en Espagne, aux propriétaires des nombreux vergers ou champs d'arbres fruitiers qui entouraient la ville, voire aux immenses exploitations de blé de la plaine de Yiyelli. Finalement, dans le souk, il rencontra une caravane qui partait vers Fez, qu'il tenta de rallier, promettant de travailler dur pour obtenir des restes de nourriture. Il avait faim ! Il avait dû se battre avec des hommes plus forts que lui, et pourvus de leurs deux mains, pour les détritus des Algérois.

— Je suis muletier, informa-t-il l'Arabe qui devait être le chef de la caravane, un homme du désert vêtu comme un Bédouin, qui baissa le regard vers son moignon en hochant la tête.

Alors Brahim voulut démontrer sa compétence auprès des animaux, même avec une seule main. Il hésita un peu au souvenir des problèmes qu'avait rencontrés Ubaid pour conduire ses mules dans les Alpujarras, mais finalement il se dirigea vers un groupe important de chameaux qui se reposaient, fléchis sur leurs quatre pattes. C'était la première fois qu'il voyait un chameau et, même dans cette posture compliquée, les pattes repliées, leurs bosses dépassaient en hauteur n'importe quelle bête dont le muletier avait pu s'occuper auparavant.

Il caressa la tête de l'animal devant le chef de la caravane, intrigué, et l'indifférence absolue du chameau. Puis il voulut le faire se relever et tira sur sa bride de sa main gauche, mais l'animal ne bougea même pas la tête. Il tira d'un côté puis de l'autre, comme avec les mules lorsqu'elles ne voulaient pas avancer, afin de les tromper et les obliger à faire un pas sur le côté, mais la bête, têtue, demeura impassible. Brahim vit qu'autour de l'Arabe s'était rassemblé un petit groupe de gens qui observaient la scène en souriant ; l'un d'eux le montrait du doigt en pressant un autre chamelier de venir le plus vite possible voir le spectacle. Pourquoi cette hâte ? pensa Brahim. Il se sentit bouillir d'humiliation et tira fortement sur la bride du chameau pour l'obliger à se lever. Au moment où il s'apprêtait à tirer une deuxième fois, l'animal le mordit au ventre. Il bondit en arrière, trébucha et tomba par terre, entre les bouses des chameaux et les rires des caravaniers. Voilà pourquoi ! Ils savaient tous qu'il allait le mordre. Il s'agenouilla pour se redresser, s'efforçant d'ignorer le groupe de chameliers. Les rires s'arrêtèrent, sauf un gloussement d'enfant, aigu, qui continua de résonner dans le camp. Tandis qu'il se relevait, Brahim tourna le visage vers l'endroit d'où provenait ce rire aussi innocent qu'irritant. C'était un enfant d'environ huit ans, vêtu des pieds à la tête d'habits en soie verte brodée, comme un petit prince. À ses côtés se trouvait un homme paré de bijoux et armé d'une alfange sur le fourreau de laquelle étincelaient de nombreuses pierres précieuses incrustées, aussi luxueusement habillé que l'enfant. Derrière eux se tenaient trois femmes, toutes vêtues d'une tunique noire à manches larges, enveloppées dans des châles noirs ou bleus accrochés aux tuniques par des fils d'argent, le visage couvert d'un voile où apparaissaient seulement des trous pour les yeux. Les poignets et les chevilles de ces femmes étaient ornés d'une kyrielle de bracelets en argent. Brahim regarda l'enfant droit dans les yeux. Il avait faim ! Très faim. Rester dans la ville signifiait pour lui mourir d'inanition, ou bien tomber aux mains d'un janissaire ou d'un corsaire si on le surprenait à voler, la seule perspective qui lui restait à part celle de retourner travailler aux champs. Avec une seule main, il ne pouvait même pas s'engager comme rameur ou se vendre comme galérien !

Il remarqua que l'homme à l'alfange posait tendrement sa main sur l'épaule du petit, dont les rires avaient cessé, et il eut alors une idée : il lança un clin d'œil au garçonnet, fit un pas en avant, feignit de poser son pied nu sur l'une des nombreuses bouses éparpillées de tous côtés et se laissa déraper, exagérant sa chute et se retrouva de nouveau sur les fesses. L'enfant éclata une nouvelle fois de rire et, à la dérobée, Brahim observa que les lèvres de l'homme esquissaient un sourire. À terre, il se mit à gesticuler et à grimacer de mille manières grossières. Que pouvait-il inventer pour séduire cet enfant et son père ? pensait-il en même temps. Il n'avait jamais joué les bouffons, mais à présent il le fallait. Il devait quitter cette ville où tout le monde le toisait avec mépris, comme à Cordoue. Il n'avait pas entrepris ce long voyage pour terminer une fois de plus tel un vulgaire paysan, en dépit des innombrables mosquées où il pourrait se rendre afin de pleurer ses malheurs ! Il fit mine de trébucher encore et encore, chaque fois qu'il prétendait se lever, et les éclats de rire du garçonnet l'encouragèrent : il se dirigea vers un autre chameau aux pattes repliées et sauta sur l'une de ses bosses, se laissant tomber comme un sac de l'autre côté ; d'autres rires fusèrent, que Brahim ne reconnut pas mais qu'il supposa provenir des chameliers. Il essaya encore de monter, avec le même résultat, et finit par tourner autour de l'animal, l'examinant avec attention, lui soulevant la queue, comme s'il voulait savoir où se cachait son secret.

Quand il entendit le premier rire de l'homme à l'alfange, Brahim se dirigea vers eux et leur fit une révérence ; le garçon le fixait, de ses grands yeux marron baignés de larmes de rire. L'homme hocha la tête et lui donna une pièce d'or, une sultanine frappée à Alger. Alors seulement Brahim se rendit compte de la douleur qui tenaillait tout son corps, en particulier son ventre, où l'avait mordu le chameau.

On lui permit de voyager en tant que bouffon du fils du riche marchand de Fez, Umar ibn Sawan. Près de cinquante chameaux chargés de marchandises coûteuses, que surveillait une petite armée engagée par Umar, se mirent en marche afin de sillonner le centre de la Barbarie, d'Alger à Tremecén, jusqu'à la riche et magnifique ville de Fez, érigée entre coteaux et collines, au centre du royaume du Maroc. Pendant le trajet, Brahim comprit pourquoi le chameau l'avait mordu : les chameliers traitaient ces bêtes avec une tendresse et une délicatesse extrêmes. Un simple bâton, avec lequel ils effleuraient leurs genoux et leur cou, suffisait pour que les chameaux se lèvent ou s'allongent et, au lieu de les fustiger pour qu'ils pressent le pas au cours des longues journées, quand la fatigue commençait à se faire sentir, ils leur chantaient des chansons ! À la surprise du muletier des Alpujarras, les animaux répondaient, faisant un effort pour avancer plus vite. Umar et son fils, Yusuf, voyageaient sur des chevaux arabes du désert, petits et élancés, nourris deux fois par jour uniquement au lait de chamelle. D'après ce que Brahim entendit, celui que chevauchait le père valait une fortune : il avait réussi à battre une autruche lors d'une course dans les déserts de Numidie, où l'avait acheté le marchand. Les trois femmes d'Umar voyageaient cachées dans des nacelles recouvertes de somptueux tapis qui oscillaient sans cesse au pas des chameaux qui les transportaient.

Brahim était à pied, parmi les chameaux, chameliers, esclaves, serviteurs et soldats. Il avait acheté de vieilles chaussures et un turban avec une partie de la pièce d'or que le marchand lui avait donnée pour avoir fait rire son fils ; le reste du cortège riait également, mais à ses dépens, puisqu'il était constamment l'objet de moqueries, plaisanteries et bousculades. Le muletier simulait de grotesques chutes, se laissant ridiculiser à tout moment. Aux railleries, il répondait alors par des sourires et des mimiques comiques. Il découvrit que s'il marchait à quatre pattes, en protégeant son moignon d'un turban, malgré la douleur que ça lui causait chaque fois qu'il le posait par terre, les voyageurs riaient ; et aussi quand, sans aucune raison, il se mettait à courir autour d'un chameau ou d'une personne en hurlant comme un fou. Le petit Yusuf s'esclaffait sur son cheval, à l'écart des autres, toujours en compagnie de son père.

Tous des imbéciles ! pensait-il dans les moments de repos. N'étaient-ils pas capables de percevoir la rage dans ses yeux ? Car chaque fois que Brahim provoquait un éclat de rire, une brûlure incontrôlable naissait dans son estomac, embrasant l'ensemble de son corps. Il était impossible qu'ils ne se rendent pas compte du feu qui jaillissait de ses pupilles ! Il marchait parmi les chameliers, observant à la dérobée les deux cavaliers qui discutaient et galopaient le long de la caravane, souriant et donnant sans cesse des ordres auxquels les hommes obéissaient avec une attitude servile. Il contemplait aussi les luxueux tapis qui recouvraient les nacelles des trois femmes et, la nuit, après avoir amusé pendant un bon moment le petit Yusuf, il aspirait à rejoindre les grandes tentes sous lesquelles s'abritaient le marchand et sa famille, débordantes de tissus moelleux, de coussins et d'objets variés en cuivre ou en fer, bien plus magnifiques que toutes celles qu'avait connues Brahim. Lorsque Umar, Yusuf et les trois femmes se retiraient, il se couchait sur le sol, près des tentes.

À une journée de Tremecén, il décida qu'il devait s'enfuir. Ils avaient traversé des montagnes et des déserts, et les gens parlaient du prochain désert qui les attendait après la ville : celui d'Angad, où des bandes d'Arabes attaquaient les caravanes qui faisaient la route entre Tremecén et Fez. Des Arabes. Il se trouvait enfin chez les

Arabes : le royaume de Tremecén, celui du Maroc, celui de Fez. Il n'en pouvait plus des humiliations, des coups et des moqueries ! Il n'en pouvait plus des déserts et des chameaux qui avançaient au son de stupides rengaines !

Les soldats qui gardaient les tentes le prenaient pour un fou doublé d'un imbécile, de même que les esclaves et la plupart des caravaniers. Pour cette raison, ils avaient depuis longtemps arrêté de surveiller ses faits et gestes ou ses heures de sommeil près de la tente. C'est pourquoi, la nuit où ils campèrent à quelques lieues de Tremecén, Brahim n'eut aucun mal à se glisser dans la tente d'Umar en rampant sous un côté. Père et fils dormaient profondément. Il écouta la respiration cadencée de l'un et de l'autre et attendit que ses yeux s'habituent au faible éclat des braises du feu hors de la tente, autour desquelles sommeillaient trois gardiens. Il scruta l'intérieur, les soies et les tapis, les luxueux vêtements du marchand et de son fils... et distingua près d'Umar un petit coffre en métal serti de pierres précieuses. En se traînant, afin d'éviter qu'on voie son ombre de l'extérieur, il s'approcha d'Umar et prit le coffre avant de le reposer pour, de son unique main, glisser à sa taille la dague magnifique du marchand. Alors il reprit le coffre et sortit par où il était entré. Il se traîna hors de la tente et comprit qu'il venait de se lancer un terrible défi : fuir ou mourir. S'il était découvert... Il cacha le coffre dans ses habits, le noua vigoureusement à sa taille et avança, recroquevillé, entre les chameaux et les personnes qui dormaient : très lentement, pour empêcher qu'on entende tinter le contenu du coffre, malgré le tissu qui l'enveloppait. Il arriva près de l'endroit où se trouvaient les marchandises que transportaient les chameaux. Là aussi des hommes de garde étaient postés. Il inspecta les alentours à la recherche d'un foyer allumé pendant la nuit ; il en trouva un, se dirigea vers lui, se déchaussa et introduisit une braise brûlante dans sa chaussure. Il retourna près des marchandises et, caché non loin, attendit que les gardes s'éloignent pour leurs rondes permanentes. Alors il lança la braise et la chaussure, qui tombèrent entre des sacs où l'on devinait de riches tissus en soie. Sans attendre les conséquences de son geste, il fila alors vers l'endroit où dormaient, attachés, les chevaux d'Umar et de son fils.

Il caressa les animaux pour qu'ils se calment et s'habituent à sa présence ; ces bêtes-là, aucun problème, il les connaissait bien. Plusieurs hommes dormaient tout près. Quand il estima que les chevaux accepteraient ses manipulations sans protester et réveiller leurs palefreniers, il les détacha tout doucement et mit le mors à celui d'Umar, qui avait réussi à battre une autruche à la course. Puis il attendit, caché. Quelqu'un allait donner l'alarme. Le temps s'écoulait lentement sans qu'il ne se passe rien. Brahim imagina l'alfange d'Umar sur son cou, châtiment certain pour ce qu'il venait de commettre. Soudain, le premier cri retentit, aussitôt suivi par beaucoup d'autres. Une immense fumée dense, encore sans flammes, montait dans l'obscurité depuis le tas de marchandises. Les hommes bondirent au moment où les flammes, impressionnantes, rugissaient, libérées, surprenant même Brahim, tandis que le chaos s'emparait du camp. Il perdit quelques instants, en extase devant cette langue de feu rouge intense qui semblait vouloir lécher le ciel.

— Que fais-tu avec les chevaux ? lui cria le valet d'écurie en charge des animaux et qui, au lieu de se diriger vers le feu, était accouru auprès d'eux.

Brahim se ressaisit et tenta de l'embobiner par une grimace grotesque. Alors que le jeune garçon regardait son visage, étonné par sa réaction, il tira la dague et la lui enfonça dans la poitrine. Ce serait la dernière pitrerie de sa vie, se promit-il en montant d'un coup sur le cheval, à cru, une chaussure en moins.

Et, pendant que les gens couraient dans tous les sens en s'efforçant d'éteindre le feu, Brahim partit au galop en direction du nord, le cheval de Yusuf à ses côtés, dans son sillage. En quelques instants, chevaux et cavalier s'évanouirent dans la nuit.

Il arriva à Tétouan presque à la fin du mois d'octobre 1574, après des jours de chevauchée depuis Tremecén. Il avait évité les chemins, s'était laissé guider par son instinct et son expérience de muletier, toujours vers le nord, se cachant dès qu'il percevait un mouvement, méfiant en permanence bien qu'il eût désormais la conviction qu'Umar ne le poursuivrait pas sur ces terres sauvages. Les deux chevaux étaient d'une immense valeur et il trouva à l'intérieur du coffre une seconde fortune, composée de pierres précieuses et de différentes pièces d'or : dirhams, rubis, zianas, pistoles, sultanines et écus espagnols.

Tétouan était une petite ville enclavée au pied du mont Dersa, dans la vallée de l'oued Martil. Elle se trouvait seulement à six milles de la Méditerranée et à près de dix-huit du détroit de Gibraltar, un point stratégique pour le trafic naval. Fertile, elle jouissait d'une eau abondante, provenant de la montagne du Hauz et de la cordillère du Rif. La médina fortifiée de la ville avait été reconstruite et repeuplée par les musulmans qui avaient fui après la reddition de Grenade aux Rois Catholiques. Par conséquent, ses habitants étaient, en grande majorité, maures.

Brahim rompit sa promesse de ne plus jamais jouer les bouffons et, après avoir caché chevaux et argent dans la montagne, il se présenta en ville par la porte de Bab Mqabar, près du cimetière, sous l'apparence d'un mendiant fou, avec seulement quelques pièces dissimulées sur lui. L'esprit andalou palpable dans l'air, la façon de parler et de s'habiller des gens, la distribution des rues comme dans l'Albaicín de Grenade ou tout autre petit village des Alpujarras, le convainquit aussitôt que c'était l'endroit où il devait vivre. Il persuada un gamin débraillé, aux yeux vifs, ronds et grands, au crâne rasé à cause de la gale, de le guider à travers la ville. Il surprit les marchands du souk et le gamin en achetant des habits neufs et tout ce dont il avait besoin pour se présenter avec la plus grande distinction. Il acheta également des vêtements pour Nasi, qui était le nom du garnement. Il ne pouvait entrer dans Tétouan sous cet aspect d'indigent, alors qu'il voyageait avec deux magnifiques chevaux et un coffre rempli d'or. Il revint ensuite avec le gamin étonné à l'endroit où il avait caché les chevaux, se lava dans une rivière, obligeant Nasi à faire de même, s'habilla, étendit une natte sur le cheval d'Umar, qui lui servirait de monture, et chargea les sacs sur celui de Yusuf, afin que Nasi, un turban sur la tête, le tire par la bride comme s'il était son serviteur. Dès que Brahim lui promit qu'il aurait à manger tous les jours, le garçon accepta.

— Mais si tu racontes quoi que ce soit sur moi, je t'égorge, le menaça-t-il en lui montrant la lame de la dague.

Nasi ne parut pas impressionné à la vue du couteau, mais sa réponse fut sincère :

— Je le jure, par Allah.

Ils louèrent une belle maison à un étage, qui disposait d'un jardin à l'arrière.

Dans la seconde partie du XVIe siècle, au moment où Brahim s'établissait en ville, le commerce maritime se transforma totalement. Depuis Martil, le port de Tétouan, de nombreuses embarcations levaient l'ancre, généralement petites, pour attaquer les côtes espagnoles, rivalisant ainsi avec les autres villes corsaires des Barbaresques : Alger, Tunis, Sargel, Vélez, Larache ou Salé. Mais au cours du dernier quart de ce siècle, l'arrivée de grands et ronds navires français, anglais ou hollandais en Méditerranée poussa les armateurs d'Alger à remplacer leurs délicates galiotes et galères à coques fines et légères par de grands voiliers ronds, armés de dizaines de canons, afin d'égaler ces nouvelles embarcations, voire de les dépasser. Par conséquent, la zone d'influence des seigneurs de la mer algériens finit par toucher jusqu'aux coins les plus reculés de la Méditerranée, aussi éloignés que pussent être leurs ports, et même de l'Atlantique : Angleterre, France, Portugal et la très lointaine Islande.

Les rapides actions surprises de pillage auxquelles se livrait la petite flotte qui accostait sur les côtes espagnoles, sans cesser complètement, ne représentèrent plus alors pour ces grands peuples corsaires qu'une activité secondaire. Ainsi, une fois établi à Tétouan, Brahim devint l'armateur de trois navires de douze rangées de rameurs chacun, à une condition qu'acceptèrent les capitaines de ses bateaux : il participerait personnellement aux expéditions car, s'il ne savait rien de la navigation, qui mieux qu'un muletier pouvait connaître dans le menu détail les côtes de Grenade, Málaga et Almería et diriger les attaques ?

En mars 1575, au début de la saison de navigation et à la tête d'une bande de trente Maures, l'ancien muletier des Alpujarras débarqua sur la côte d'Almería, près de Mojácar, sans qu'aucun garde des neuf tours défensives réparties sur seulement sept lieues de rivage, entre Vera et Mojácar justement, pour surveiller cette partie du littoral, ne repère les navires et sonne le tocsin.

— Les défenses sont dégarnies ou en ruine, commenta en riant le capitaine corsaire qui naviguait avec Brahim. Certaines tours n'ont même pas de garde, ou alors c'est un vieillard qui préfère s'occuper de son verger plutôt qu'accomplir un travail pour lequel le roi Philippe ne le paie pas.

Et c'était vrai. En dépit des nombreuses incursions corsaires qui se produisaient en Espagne, le système défensif composé par les tours de vigilance qui s'étendaient le long des côtes, avec des gardes et des muletiers de tête censés alerter les villes et les troupes, s'était dégradé, faute de moyens économiques, au point de devenir pratiquement inutile.

Cette fois, personne n'empêcha Brahim de participer au pillage de plusieurs fermes proches de Mojácar. Près d'une cinquantaine d'hommes, parmi lesquels des Maures et des galériens libres, débarquèrent sur les côtes d'Al-Andalus. D'autres restèrent à surveiller les bateaux. La plupart des hommes se dispersèrent, en groupes, à la recherche du butin. Brahim s'arrêta un instant et les regarda partir en courant sur la terre d'Espagne. L'Espagne ! Il respira profondément et se gonfla d'orgueil. Il revenait en Espagne et ces hommes étaient ses hommes ! Il les payait ! Il avait une petite armée à son service.

— Qu'est-ce que tu attends ? le pressa le capitaine qui dirigeait ses troupes. On n'a pas le temps !

Au-delà de la plage, des paysans travaillaient leurs terres. Brahim les vit s'enfuir, épouvantés, devant les corsaires qui attrapèrent deux d'entre eux.

— Par ici ! cria Brahim en désignant sa gauche. Il y a des maisons.

Il s'en souvenait. Il était venu dans ce coin.

Les Arabes coururent dans la direction indiquée par l'ancien muletier. Ils arrivèrent près d'un petit groupe de modestes maisons, mais les habitants, avertis par les cris des paysans, étaient déjà partis.

Brahim, d'un vigoureux cou de pied, força la porte d'une demeure. C'était inutile, mais ce geste lui donna une sensation de puissance, d'invincibilité, même s'il n'y avait rien à prendre dans l'habitation d'une misérable famille paysanne.

Au bout d'un certain temps, ils se retrouvèrent tous sur la plage, sans avoir subi une seule perte, sans avoir livré de combat, avec peu d'argent, de la quincaillerie et beaucoup de vêtements de peu de valeur, mais disposant de quinze prisonniers parmi lesquels se détachaient trois jeunes femmes espagnoles, saines et voluptueuses, venues repeupler le royaume de Grenade après l'expulsion des leurs, et dont ils pourraient tirer un profit considérable sur le marché aux esclaves de Tétouan.

Pendant que ses hommes embarquaient derrière lui, Brahim, en sueur, essoufflé, excité, planta une nouvelle fois son regard sur les terres d'Al-Andalus. Un peu plus loin se profilait la Sierra Nevada, avec ses sommets et ses rivières, ses forêts et…

— Je suis de retour, bâtard nazaréen ! cria-t-il. Fatima, je suis là ! Et je jure par Allah que je récupérerai un jour ce qui m'appartient !

37.

Hernando éperonna Corretón, et l'air froid des pâturages cordouans lui fouetta le visage. Le bruit puissant des sabots du cheval sur la terre humide ne réussit pas à étouffer les imprécations de José Velasco et de Rodrigo García qui galopaient derrière lui, peinant à le rejoindre. Hernando les avait défiés dans le champ même, entouré de juments et de poulains : « Corretón est capable de vaincre n'importe lequel de vos chevaux. » Le raillant gentiment, les deux dresseurs vétérans s'étaient montrés incrédules.

— Le dernier arrivé aux chênes-lièges, là-bas, paiera une tournée de vin, avait proposé Hernando en montrant le bout du champ, où les arbres délimitaient le pâturage des juments.

Penché en avant sur sa monture, sur le cou tendu de Corretón, à bride abattue, maintenant une légère pression dans la bouche du cheval et sentant dans ses jambes le rythme frénétique du galop impétueux et rapide de l'animal, il continua à l'éperonner pour augmenter son avantage sur ses poursuivants. C'était un grand jour pour tous les Maures. Avant qu'ils partent aux champs, la nouvelle s'était répandue dans la ville au son des cloches de toutes les églises : don Juan d'Autriche, également gouverneur des Pays-Bas, était mort du typhus à Namur. Le bourreau des Alpujarras avait fini ses jours dans une simple chaumière.

Corretón galopait comme peu de chevaux le faisaient

et Hernando poussa un cri, aussi fort que ses poumons le lui permettaient. Pour les femmes et les enfants de Galera que le prince chrétien avait ordonné d'exécuter !

À moins d'un quart de lieue des chênes-lièges, Rodrigo d'abord, José ensuite, le dépassèrent en projetant une pluie de terre et de petits cailloux. Hernando ralentit sa course avant d'atteindre les arbres, où l'attendaient les deux cavaliers au pas, laissant leurs montures reprendre tranquillement leur souffle.

— On trinquera à ta santé ! souffla Rodrigo.

José se mit à rire et fit mine de porter un verre à ses lèvres.

— Il est beaucoup plus jeune que vos chevaux, se défendit le Maure.

— Fallait y penser avant de lancer des défis, rétorqua le laquais de don Diego. Tu n'as quand même pas l'intention de te rétracter ?

— Vous le saviez très bien ! J'ai mal évalué la distance.

Rodrigo s'avança vers lui et lui tapota l'épaule.

— Eh bien, ça te coûtera quelques pièces.

Les animaux respiraient de nouveau normalement, et les trois hommes se disposèrent à rentrer en ville. Alors Rodrigo attira leur attention :

— Regardez ! s'exclama-t-il en désignant l'épaisseur du bois.

La croupe et l'arrière-train d'une jument apparaissaient sous des buissons. Ils s'approchèrent et mirent pied à terre. José et Rodrigo allèrent examiner le cadavre de l'animal tandis qu'Hernando veillait sur les chevaux.

— C'était une des plus vieilles, commenta José de l'endroit où gisait la jument.

Tous deux revinrent vers Hernando et reprirent leurs montures.

— Elle a donné de très bons poulains, renchérit-il en guise d'épitaphe. Nous rentrons à Cordoue, ajouta-t-il en s'adressant à Hernando. Va chercher le palefrenier et dislui qu'il y a une jument morte ici. Reviens avec lui et emporte ensuite la dépouille pour la montrer à l'administrateur, qu'il la retire des registres. Et fais vite avant qu'une bête quelconque ne s'acharne sur le cadavre et fasse disparaître le fer du roi !

Si un charognard s'en prenait au cadavre précisément là où la jument était marquée du « R » couronné, effaçant celui-ci, il serait impossible d'accréditer sa mort devant l'administrateur et les palefreniers se trouveraient confrontés à un véritable problème.

La dépouille de la jument morte, avec son fer bien visible, posée à l'avant de la monture d'Hernando, empestait autant que celles qu'il avait transportées des abattoirs à la tannerie plus de sept ans auparavant. Comme sa vie avait changé depuis ! Trouver le palefrenier, revenir près des chênes-lièges et dépouiller le cadavre lui avait pris quasiment tout le reste de la journée ; quand il termina, le soleil se couchait, jouant avec la silhouette de Cordoue qu'on devinait : la cathédrale surgissant de la mezquita, l'alcázar, la tour de la Calahorra et les clochers des églises illuminées par un éclat rouge au-dessus des maisons. La campagne était plongée dans un silence absolu et ils marchaient au pas. Corretón avançait doucement, comme s'il avait conscience de l'enchantement. Hernando soupira. Le cheval fit tournoyer ses oreilles vers lui, surpris, et le cavalier lui tapota le cou.

Il y avait près d'un an et demi, un jeune dresseur avait eu un accident dans les pâturages : un taureau qu'il toréait avait renversé son cheval, l'encornant à l'entrejambe.

Les cavaliers qui l'accompagnaient l'avaient transporté aux écuries royales. Alonso, ainsi s'appelait l'accidenté, perdait énormément de sang, bien que la corne ne semblât pas avoir touché de parties vitales. Cependant, quand le chirurgien était arrivé aux écuries, avait examiné la blessure et diagnostiqué qu'il faudrait intervenir dans la zone du gland du membre d'Alonso, ce dernier avait refusé d'être soigné tant qu'un greffier public n'aurait pas attesté par écrit que son membre n'était pas circoncis. C'est Hernando qui avait dû courir à la recherche du greffier. La crainte qu'Alonso ne se vide de son sang le temps que le fonctionnaire réponde et se mette en marche n'avait semblé effleurer personne : tous les présents, y compris le chirurgien, avaient trouvé logique la requête du jeune homme. Il était plus important de ne pas être pris pour un juif ou un musulman que de rester vivant ! À la surprise d'Hernando, dès qu'il lui eut expliqué la situation, le greffier avait réagi sans attendre, lui demandant de porter ses papiers et son matériel pour écrire, puis il s'était précipité aux écuries où, après avoir examiné l'entrejambe du blessé, il avait suivi avec intérêt les doigts et les explications du chirurgien entre le sang et la chair déchirée, afin de constater personnellement que le dénommé Alonso n'était effectivement pas déjà circoncis. Alors il avait consigné par écrit que lors de cette intervention, et pour des raisons médicales d'après le chirurgien, il avait été nécessaire de procéder à l'ablation du prépuce du cavalier. Puis il avait remis le document au malade, qui s'en était emparé comme s'il contenait toute sa vie... son honneur !

— Je ne pense pas qu'Alonso puisse remonter un jour, avait fait remarquer don Diego à son laquais, après avoir signé le document public en tant que témoin. Tu sais monter ? avait-il demandé brusquement à Hernando, resté au côté du greffier.

— Oui... avait bredouillé le Maure, face à cette opportunité qu'il désirait tant.

Don Diego avait vérifié cette affirmation en le faisant monter un cheval de quatre ans, prêt à être livré au roi. Dès qu'il avait senti entre ses jambes la puissance de l'animal, tous les conseils d'Abén Humeya avaient résonné un par un dans sa tête : dressé ; droit ; fier, surtout fier ; la main douce ; ce sont les jambes qui commandent ; énergique seulement si c'est nécessaire ; danse ! Danse avec ton cheval ! Sens-le comme s'il faisait partie de toi ! Et il avait dansé avec le cheval, exigeant de lui les mouvements qu'il avait observés pendant des milliers de jours, et que les cavaliers experts obtenaient de leurs montures lorsqu'ils les faisaient travailler dans le patio des chevaux ou sous les arcades, le manège couvert que le roi avait ordonné de construire pour protéger les animaux du climat extrême de l'été et de l'hiver. Lui-même s'était étonné de la réponse du cheval à ses jambes et à sa main, s'extasiant de l'allure et du dressage de cet exemplaire de pure race espagnole.

— Il possède le même instinct, le même talent, que pied à terre avec les poulains, avait commenté don Diego à José et Rodrigo tandis qu'ils contemplaient tous trois les évolutions du cavalier et du cheval. Apprenez-lui tout ce que vous savez.

Et les dresseurs lui avaient transmis tout leur savoir, comme don Julián, dans la bibliothèque de la cathédrale de Cordoue, que le conseil municipal avait décidé de déménager cette même année. Au côté du prêtre, Hernando avait approfondi sa connaissance de la langue sacrée, finissant par dominer l'arabe savant. Il venait la nuit à la mezquita, après avoir travaillé aux écuries, quand les religieux et les fidèles étaient moins nombreux, avant les offices de complies, parfois même après la fermeture des portes du temple. Don Julián était le dernier religieux que les mudéjars d'abord, les Maures ensuite, après que le cardinal Cisneros et les Rois Catholiques eurent ordonné leur expulsion ou leur conversion forcée, avaient réussi à introduire subrepticement dans la grande mezquita cordouane.

— Depuis que le roi Fernando a reconquis Cordoue et que la mezquita est tombée aux mains des chrétiens, lui avait expliqué don Julián de sa voix douce, alors qu'ils étaient assis tous deux, seuls, à une table de la bibliothèque, tête contre tête, face à des documents et à la lueur d'une lampe, il y a presque toujours eu un musulman déguisé sous les habits d'un prêtre. Le but est de prier dans cette enceinte sacrée, même en silence, ainsi que de savoir ce que pense l'Église, ce qu'elle souhaite faire, et d'en avertir nos frères. C'est seulement en étant à l'intérieur de ses églises et de ses conseils qu'on peut obtenir tout cela.

— Vous n'espérez pas me voir ordonné prêtre ! s'était écrié Hernando.

— Non. Bien sûr que non. Malheureusement, infiltrer de nouveaux musulmans parmi les religieux chrétiens est désormais presque impossible. Les formalités de « pureté du sang » et les informations qu'il faut fournir pour accéder à n'importe quelle charge au sein du conseil de la cathédrale se sont compliquées au fil du temps.

Hernando connaissait les formalités de « pureté du sang ». Il s'agissait de procédures administratives au cours desquelles une personne devait prouver qu'il n'existait, parmi ses ancêtres, aucun converti musulman ou juif. La pureté du sang était devenue en Espagne une condition indispensable pour accéder non seulement au clergé mais à n'importe quelle charge publique.

— Le statut de pureté du sang de cette cathédrale, avait continué don Julián, fut approuvé en août 1530, et même s'il ne fut ratifié par bulle papale que vingt ans plus tard, on l'appliqua néanmoins pendant ce laps de temps par ordre de l'empereur Charles Quint. À l'époque où j'ai dû fournir cette preuve, il y a maintenant plusieurs années – le vieux prêtre hocha la tête comme si ce souvenir lui pesait –, le document atteignait une douzaine de pages et l'information était assez sommaire. Aujourd'hui, il compte plus de deux cent cinquante pages, comprenant des investigations précises sur les parents, les grands-parents et d'autres ancêtres ; lieux de résidence, charges, vie… Au fond, le jour où je commettrai une faute, si on ne me découvre pas avant, je doute fortement que nous puissions poursuivre l'imposture. Voilà pourquoi nous devons renforcer ces mécanismes de protection qui ne dépendent pas de notre présence dans les églises. À Grenade seulement c'est différent, avait expliqué le prêtre. Là, l'archevêque se montre indocile dans l'application des procédures de « pureté du sang ». La ville de Grenade est encore peuplée de grandes familles issues de la noblesse musulmane, qui se sont intégrées dans la hiérarchie chrétienne à l'époque des Rois Catholiques : il y a même des prêtres, des jésuites ou des moines qui descendent de Maures. Il est vraiment compliqué d'appliquer dans ce royaume le statut de « pureté du sang »… Mais ils y arriveront, ils finiront par y arriver là-bas aussi.

Pendant les cinq années où il avait travaillé avec don Julián, Hernando avait eu l'occasion de connaître les mécanismes auxquels le prêtre faisait référence et qui s'exerçaient à travers le conseil composé par les trois anciens de la communauté, Jalil, Karim et Hamid, plus don Julián, Abbas et lui-même. Parvenir à rassembler les six hommes était d'une part extrêmement complexe, surtout pour Hamid, à cause de sa condition d'esclave ; d'autre part, cela représentait un grand danger, spécialement pour le clergé, raison pour laquelle Hernando servait de messager entre tous lors de situations exceptionnelles qui exigeaient une décision commune. En plus de l'autorisation de se rendre à la cathédrale tous les soirs, il avait obtenu du greffier des écuries une cédule particulière qui lui accordait une liberté de mouvements dont jouissaient rarement les Maures de Cordoue, et dont il avait bénéficié dès qu'il avait commencé son travail à la bibliothèque.

En 1573, la communauté musulmane avait appris qu'un soulèvement se préparait en Aragon ; les nouvelles parvenaient par l'intermédiaire des monfíes et des muletiers qui se déplaçaient d'un endroit à un autre. Les Maures de ce royaume s'étaient mis en contact avec les huguenots français, leur promettant une aide militaire et économique s'ils envahissaient la province. Dès que la rumeur avait couru, de nombreux hommes, à Cordoue et ailleurs, s'étaient montrés disposés à venir en Aragon pour prendre les armes contre les chrétiens. Le conseil avait décidé d'apaiser les esprits et demandé aux croyants de Cordoue de se tenir prêts sans prendre pour autant de décisions précipitées. Deux ans plus tard, le Français qui avait servi d'intermédiaire entre huguenots et Maures avait été arrêté par l'Inquisition et avait tout avoué sous la torture. Le comte de Sástago, vice-roi d'Aragon, avait également ordonné aux inquisiteurs d'arrêter et de torturer des Maures, choisis au hasard dans les localités du royaume, pour vérifier l'exactitude des informations.

En décembre 1576, les événements s'étaient répétés : des copies d'une lettre du sultan de la Sublime Porte avaient circulé, dans laquelle était annoncée l'arrivée de trois flottes musulmanes qui débarqueraient en même temps à Barcelone, Denia et Murcie. Au mois de mai de l'année suivante, l'Inquisition s'empara d'une lettre du bey d'Alger dans laquelle il prévenait les Maures espagnols que la flotte n'arriverait pas avant début août et que le débarquement coïnciderait avec une invasion depuis la France, invitant les Maures à gagner les montagnes quand cela se produirait.

Cependant, en ce mois d'octobre 1578, il n'était plus question de flottes ou de débarquement.

— Nos frères de foi se soucient seulement de leurs plus proches intérêts, affirma Karim.

C'était un dimanche, après la messe. De manière inhabituelle, ils avaient réussi à se retrouver tous, sauf don Julián, dans la maison de Jalil. Ils étaient assis par terre, sur des nattes, tandis que de jeunes Maures faisaient le guet, calle de los Moriscos, parant à l'éventuelle arrivée de magistrats ou de prêtres. La dure assertion de Karim fit baisser le regard d'Hamid et de Jalil ; Abbas voulut intervenir, mais Karim renchérit :

— Si, Abbas, c'est la vérité. Lors du soulèvement des Alpujarras, ils se sont contentés de nous envoyer des corsaires et des bandits, alors que les troupes qu'ils nous avaient promises attaquaient Tunis et que le sultan envahissait Chypre. Il n'y a pas longtemps que les Algériens occupent à nouveau Tunis et Bizerta, et qu'ils ont réussi à expulser les Espagnols de La Goleta. Quant au sultan…

— Le sultan est arrivé depuis un moment à un accord avec le roi Philippe pour que la flotte turque n'attaque pas les ports de la Méditerranée, l'interrompit Hernando.

Les trois anciens le regardèrent avec surprise, et Abbas lâcha un grognement d'incrédulité.

— Qui vous savez a eu connaissance de ce fait.

Même dans l'intimité, le nom de don Julián n'était jamais prononcé ; eux cinq seulement savaient à Cordoue qui était réellement le prêtre.

— Il s'agit d'accords secrets. Le roi ne veut pas détacher une ambassade formelle et il a envoyé un chevalier milanais pour négocier la paix ; il désire tellement que la négociation soit tenue secrète que le Milanais se déplace dans Constantinople déguisé en esclave. Le roi Philippe ne veut pas que les Français interfèrent dans ses négociations et ne souhaite pas non plus que la chrétienté le considère comme un traître pour avoir pactisé avec les hérétiques, mais c'est ainsi. Les Turcs se sont tournés vers la Perse, contre qui ils sont en guerre, raison pour laquelle ils sont aussi intéressés que les chrétiens par ces accords de paix.

— Cela signifie… commença à dire Karim.

— Que toutes les promesses de libération de notre peuple sont aujourd'hui mensongères, termina Hamid.

Hernando écouta l'uléma avec une boule dans le ventre. Hamid avait dû faire un effort pour parler. Ses mots avaient été fermes, tranchants et secs, mais derrière il semblait vide. Il vieillissait à une vitesse insolite.

Pendant quelques instants, le silence envahit la pièce où ils se tenaient, chacun d'entre eux soupesant les conséquences de ces paroles.

— Il ne faut rien dire ! s'exclama finalement Karim. La communauté ne doit pas connaître ces circonstances…

— À quoi bon ? coupa Hernando.

— Nous ne pouvons pas ôter tout espoir aux nôtres, intervint Jalil, prenant parti pour son compagnon.

Hernando remarqua qu'Hamid acquiesçait.

— C'est tout ce qui nous reste. Les gens parlent des Turcs, des Algériens et des corsaires, les yeux brillants, enflammés. Que pourrions-nous faire sans leur aide ? Nous soulever encore ?

Jalil agita violemment la main en l'air.

— Nous ne possédons pas d'armes et ils contrôlent tous nos mouvements, jusqu'au dernier. Si, sur notre terrain, à l'intérieur de nos montagnes, armés et enthousiastes, nous avons subi une défaite, aujourd'hui ils nous massacreraient ! Si nous dépouillons les gens de l'espoir que suppose ce soutien de la Sublime Porte, ils s'abandonneront à la détresse et se jetteront dans les bras des chrétiens et de leur religion. Ces derniers n'attendent que ça. Nous devons maintenir vivante cette illusion. Toutes nos prophéties l'annoncent ainsi : les musulmans régneront un jour à nouveau sur Al-Andalus !

Hernando se vit obligé d'adopter cette attitude.

— Dieu, qui octroie le pouvoir, qui humilie, conclut-il en croisant le regard d'Hamid, nous protégera.

Hernando et Hamid se parlèrent avec les yeux. Les autres respectèrent ce moment de communion.

— Dieu, susurra alors l'uléma, chantant comme il le faisait dans les Alpujarras, égare l'un et dirige l'autre. Que ton âme, ô Mahomet ! ne s'ajoute pas à l'affliction sur son sort. Dieu connaît ses actions.

Il y eut un autre moment de silence.

— Continuons donc à accepter les promesses d'aide que nous recevons de la part des Turcs, dit finalement Jalil, rompant l'enchantement produit par les paroles d'Hamid. Feignons de les accueillir avec espoir mais veillons dans le même temps à ce que nos hommes ne se rallient pas à des projets illusoires.

La réunion était terminée. Abbas aida Hamid à se lever. Par précaution, ils avaient l'habitude de quitter séparément les lieux où ils se retrouvaient, ménageant un temps d'attente entre le départ des uns et des autres. Hamid claudiqua jusqu'à la porte de la maison.

— Appuie-toi sur moi, proposa Hernando en lui offrant son avant-bras.

— Nous ne devons pas…

— Un fils doit toujours servir son père. C'est la loi.

Hamid céda, avec un sourire forcé, et s'appuya sur le bras du jeune homme. Le fer qui marquait sa condition d'esclave apparaissait dessiné sur son visage, sillonné de milliers de rides.

— Avec le temps ça disparaît, n'est-ce pas ? commenta-t-il une fois dans la rue, conscient qu'Hernando regardait du coin de l'œil ce signe infâmant.

— Oui, admit ce dernier.

— Même l'esclavage ne peut vaincre la mort.

— Mais on peut encore reconnaître nettement le contour de cette lettre, tenta Hernando pour l'animer, tout en prenant congé, d'un geste quasi imperceptible, d'un des garçons qui faisait toujours semblant de jouer calle de los Moriscos.

Hamid marchait lentement, dissimulant la douleur que lui causait sa jambe handicapée. Le ciel était gris et lourd. Ils passèrent derrière l'église de Santa Marina et descendirent par la calle Aceituno et la calle Arhonas pour arriver dans le quartier del Potro, évitant ainsi les rues très fréquentées proches de la calle de la Feria, pavées pour certaines d'entre elles, où, le dimanche, se promenaient les Cordouans. De plus, avait pensé Hernando, dans ce coin de la Ajerquía, ils avaient peu de chance de tomber sur de jeunes nobles qui auraient décidé de faire la cour à une petite demoiselle en toréant sous ses fenêtres. Hamid n'aurait pu s'échapper. Cependant, en cette année 1578, comme la précédente, la sécheresse avait isolé la ville, même encore en octobre, et le manque de pluie provoquait de forts relents de fosses d'aisances, dans un quartier où les égouts n'existaient pas, pestilence à laquelle s'ajoutait la puanteur émanant des nombreux dépotoirs où la population déposait ses ordures. Pour ces raisons, la promenade n'eut rien d'agréable.

— Comment va ta famille ? demanda Hamid.

— Bien, répondit Hernando.

En cinq années de mariage, Fatima lui avait donné deux enfants.

— Francisco – l'aîné, qu'Hernando avait appelé ainsi en l'honneur d'Hamid, sans prénom musulman de peur que les enfants ne l'utilisent – grandit bien, en bonne santé. Et Inés est très belle. Elle ressemble de plus en plus à sa mère ; elle a ses yeux.

— Si en plus elle a son caractère, ajouta l'uléma, reconnaissant les qualités de Fatima, elle sera une grande dame. Et Aisha ? S'est-elle remise de… ?

— Non, le devança Hernando. Elle ne s'est pas remise.

Ils avaient déjà parlé d'Aisha à plusieurs reprises. Quand elle était sortie de prison, après la fuite de Brahim, elle s'était également faite à l'idée, étant donné les circonstances, qu'elle resterait seule, désormais. Alors Hernando lui avait expliqué que si d'ici quatre ans elle n'avait aucune nouvelle de lui, elle serait en droit de demander le divorce au conseil. La loi maure le permettait.

— Il faudrait aussi que je demande à l'évêque, avait-elle objecté. Ce nouveau mariage ne serait pas valable aux yeux des chrétiens. Brahim est un fugitif officiel ; c'est ce que j'ai déclaré lorsqu'on m'a arrêtée, sans penser aux conséquences que cela aurait pour moi. L'évêque ne m'autorisera jamais à me remarier… et je ne me soumettrai jamais à son jugement. Je n'ai pas besoin d'un homme.

Décidée à ce que Shamir ignore la vérité sur son père, Aisha avait ébauché une histoire qu'elle tenait prête pour le moment où il serait en âge de lui poser des questions : un récit où il était le fils d'un héros, mort dans les Alpujarras pendant la révolte des Maures ; un récit où elle restait fidèle à la mémoire de son époux. Et, à partir de ce moment-là, Aisha avait consacré tous ses efforts à tenter de reformer sa famille, de récupérer les fils que les chrétiens lui avaient volés quand elle était arrivée à Cordoue. Elle en avait parlé à Hernando.

— Tu es désormais le chef de famille, lui avait-elle dit. Tu touches un bon salaire et, contrairement à la plupart des Maures, nous avons deux pièces à notre disposition. Maintenant tu travailles à la cathédrale – à la différence de Fatima, Aisha ne savait pas toute la vérité sur ce qu'il faisait à la bibliothèque –, raison pour laquelle personne ne pourrait prétexter que tes frères ne seraient pas instruits dans la foi chrétienne. Ce sont tes frères ! Mes fils ! Je veux les avoir à mes côtés, comme toi et Shamir !

Les fils de ce chien de Brahim ! avait alors songé Hernando. Mais il n'avait rien dit. Les larmes qui coulaient sur les joues de sa mère, et la vision de ses mains entrelacées, tremblantes, dans l'attente de sa décision, avaient suffi pour qu'il lui promette de faire tout son possible afin de les retrouver et les libérer. Musa devait avoir désormais neuf ou dix ans, et Aquil quinze environ. Il avait alors raconté à Fatima qu'il allait tenter de retrouver ses demi-frères ; il ne lui avait pas demandé son avis ni donné la possibilité de discuter. Il avait parlé avec don Julián, lui avait tout expliqué et avait obtenu une recommandation signée par don Salvador, qui s'était révélé être le sous-chantre de la cathédrale, chargé de veiller sur les livres du chœur attachés par des chaînes aux fauteuils de cérémonie ; sa tâche consistait au besoin à les ranger et à en commander de nouveaux. Don Salvador avait contrôlé ses connaissances de la langue arabe et, de temps à autre, parfois de manière voilée, parfois plus franchement, il avait également vérifié qu'Hernando, comme l'avait affirmé Abbas, était bien un bon chrétien. Le sous-chantre de la cathédrale s'était trouvé satisfait des croyances et des connaissances qu'Hernando lui avait exposées avec fermeté et humilité à la fois, toujours à la recherche de ses conseils et de ses explications. Grâce aux prêtres, il avait réussi à obtenir du conseil municipal le nom des familles à qui ses frères avaient été confiés pour leur évangélisation, mais au moment où tout était prêt pour que les deux garçons leur soient rendus, le potier et le boulanger, les pieux chrétiens chargés de leur éducation, avaient annoncé que les enfants s'étaient enfuis et, afin de le prouver, avaient brandi les deux plaintes qu'à l'époque ils avaient déposées auprès du conseil municipal.

En réalité, ainsi que le lui avait expliqué Hamid, ils les avaient vendus, comme tant d'autres. Nombreux avaient été les enfants de tous les royaumes d'Espagne qui, en dépit de leur âge inférieur à celui fixé par le roi Philippe, avaient été réduits en esclavage. Hamid lui avait raconté que certains, parvenus à un âge déterminé, intentaient une action en justice et réclamaient leur liberté, mais le procès était long et cher : la plupart d'entre eux n'essayaient pas, ou ignoraient qu'ils pouvaient le faire. Pour ce qui concernait les fils d'Aisha, à défaut de savoir où ils avaient été emmenés et à qui ils avaient été vendus, il n'y avait plus grand-chose à faire.

Aisha, incapable de supporter la nouvelle, avait plongé dans un désespoir qui, au fil du temps, avait dégénéré en un mode de vie apathique, sans illusion aucune. À Cordoue on lui avait volé deux de ses fils, et à Juviles on avait assassiné ses deux filles ! Même la présence de Shamir ne parvenait pas à la sortir de ses sombres pensées.

— Elle ne s'est pas remise, non, répéta Hernando, et il sentit qu'Hamid lui serrait le bras en signe de soutien.

Ils passèrent devant une grande peinture exposée sur le mur d'un bâtiment, qui montrait un christ crucifié. Plusieurs personnes priaient ; d'autres allumaient des bougies à ses pieds. Un homme qui faisait l'aumône pour l'autel se dirigea vers eux. Hernando lui donna une maille et se signa en murmurant ce que l'homme prit pour une prière. Pourquoi ce Dieu, qu'on disait si bon et si miséricordieux, avait-il permis que quatre de ses demi-frères et sœurs connaissent une telle fin ? Pourquoi avait-on volé la liberté et toutes ses ressources à un peuple entier ? Il vit qu'Hamid l'imitait et se signait également.

Ils reprirent leur chemin.

Ils arrivèrent au croisement des calles Arhonas, de Mucho Trigo et del Potro, où se rejoignaient en fait cinq rues formant une petite place, et marchèrent en silence jusqu'à la maison close.

— Et toi ? osa finalement demander Hernando à quelques mètres de la porte du bordel. Comment vas-tu ?

— Bien, bien, bafouilla Hamid.

— Que se passe-t-il ? insista Hernando.

Il s'arrêta et pressa la main décharnée qui reposait sur son bras, pour lui faire comprendre qu'il ne le croyait pas.

— Je me fais vieux, mon fils. C'est tout.

— Francisco !

Le cri fit sursauter Hernando. Il se tourna vers la porte du lupanar et vit alors une grande et forte femme aux cheveux gras, en sueur, les manches retroussées au-dessus des coudes.

— Où étais-tu ? continua à crier la femme, alors qu'ils se trouvaient à quelques mètres d'elle. Tu sais le travail qu'il y a ? Viens !

Hamid fit mine d'obéir, mais Hernando l'arrêta.

— Qui est-ce ? lui demanda-t-il.

— Alors, Maure ? insista la femme.

— Personne...

Hernando pressa à nouveau la main qu'il tenait toujours.

— La nouvelle esclave qui s'occupe des femmes, finit par avouer Hamid.

— Ce qui signifie... ?

— Je dois y aller, mon fils. La paix soit avec toi.

Hamid lâcha la main d'Hernando et clopina jusqu'au bordel sans plus le regarder. La femme l'attendait, les poings sur les hanches. Hernando le regarda avancer, avec ses mouvements lents et posés ; il fronça les sourcils et serra les poings au souvenir des rictus de douleur qu'il avait vu se dessiner sur ses traits.

Quand l'uléma passa à côté de la femme, elle le poussa dans le dos.

— Dépêche-toi, vieillard ! cria-t-elle.

Hamid trébucha et faillit tomber par terre.

Hernando eut envie de vomir. Il demeura là, immobile, avec cette sensation désagréable, jusqu'à ce que la porte de l'établissement se referme derrière la femme. Alors il crut entendre d'autres cris et imprécations. Une nouvelle esclave : Hamid ne leur servait plus à rien !

Des hommes qui passaient calle del Potro le bousculèrent.

Qu'adviendrait-il d'Hamid ? s'interrogea-t-il en se remettant à marcher, sans but. Depuis combien de temps vivait-il cette situation ? Comment était-il possible qu'il n'ait rien remarqué, qu'il n'ait pas compris la signification de la douleur et de la résignation que montrait son... père ? Le bonheur l'aveuglait-il tant qu'il ne percevait plus la souffrance d'autrui ?

— Ingrat !

L'exclamation surprit un aubergiste de la plaza del

Potro, où Hernando était arrivé sans l'avoir voulu. L'homme observa quelques instants le nouveau venu, comme s'il l'évaluait : bien habillé, avec ses brodequins de cavalier, un de ces personnages bariolés qui traînaient dans le quartier.

— Égoïste ! se reprocha Hernando.

L'aubergiste fit une grimace.

— Un verre de vin ? lui proposa-t-il. Ça soigne le chagrin.

Hernando se tourna vers l'homme. Quel chagrin ? Il n'avait jamais été plus heureux ! Fatima l'adorait et il le lui rendait bien. Ils discutaient et riaient, faisaient l'amour à la moindre occasion, et travaillaient tous deux pour la communauté ; rien ne leur manquait, ils se sentaient comblés et satisfaits, fiers ! Ils regardaient grandir leurs enfants en bonne santé, joyeux et affectueux. Et pendant ce temps, Hamid... Un verre de vin, pourquoi pas ?

L'aubergiste remplit une deuxième fois le verre, après qu'Hernando eut avalé le premier d'un seul coup.

— Le vieux Maure du bordel ? l'interrogea-t-il quand Hernando, les sens troublés par les deux verres de vin qu'il avait bus, lui parla d'Hamid.

Il hocha tristement la tête.

— Oui, le vieux Maure...

— Il est à vendre. Ça fait un moment que l'alguazil veut s'en débarrasser, pour économiser les restes de nourriture qu'il est obligé de lui donner. Chaque soir il le propose à tous ceux qui passent par El Potro.

On essayait de le vendre ! Et ça faisait longtemps ! Pourquoi Hamid ne lui avait-il rien dit ? Pourquoi, tous ces soirs, pendant que l'alguazil marchandait à son sujet, avait-il permis que son fils dorme tranquillement au côté de son épouse, remerciant Dieu pour tout ce qu'Il lui avait donné ?

— Personne ne veut l'acheter ?

L'aubergiste éclata de rire et lui resservit un verre.

— Il n'est plus bon à rien !

Hernando reposa le verre qu'il avait mécaniquement porté à ses lèvres et renonça à une gorgée supplémentaire. Que disait cet homme ? Il était en train de parler d'un maître ! « Les enfants, Hamid m'a appris… » Combien de fois avait-il entamé une conversation avec Francisco et Inés par cette phrase ! Ils étaient tout petits, mais il aimait leur raconter cela. Et, dans ces instants-là, Fatima prenait sa main et l''étreignait avec une immense tendresse. Puis sa mère laissait ses souvenirs errer vers ce petit village de la montagne des Alpujarras. Et ses enfants le regardaient les yeux grands ouverts, attentifs à ses paroles. Leur âge, peut-être, ne leur permettait pas de comprendre ce qu'il voulait leur transmettre, mais Hamid était toujours là, avec eux, dans les moments les plus intimes, les grands bonheurs, avec la famille unie, en bonne santé, bien nourrie, sans nécessité particulière. Et l'on disait qu'il n'était plus bon à rien ? Comment pouvait-il ne rien avoir remarqué ? se reprocha-t-il une fois encore. Comment avait-il pu être si aveugle ?

— Pourquoi t'intéresses-tu à ce vieil invalide ?

La question de l'aubergiste le surprit.

Hernando leva le visage et le regarda dans les yeux. Il sortit de l'argent qu'il posa sur le comptoir, secoua la tête et s'apprêta à quitter les lieux.

— Combien l'alguazil demande-t-il pour l'esclave ?

L'homme haussa les épaules.

— Une misère, répondit-il en agitant indolemment la main.

— Il nous a demandé…, il nous a ordonné de ne rien te dire, lui expliqua Abbas.

Dès qu'il eut passé le portail d'entrée des écuries, après sa discussion avec l'aubergiste, Hernando s'était dirigé vers la forge.

— Pourquoi ? demanda-t-il presque en criant.

510

Abbas lui fit signe de baisser la voix.

— Pourquoi ? répéta-t-il sur un autre ton. La communauté continue à libérer des esclaves. Moi-même j'y contribue. Pourquoi pas lui ? On m'a dit qu'il coûte une misère. Tu te rends compte ? Une misère pour un saint homme !

— Parce qu'il ne le veut pas. Il veut qu'on libère les jeunes. Et cette misère dont tu parles, ce serait le cas, en effet, si l'alguazil le vendait à un chrétien. Mais s'il apprend que c'est nous qui prétendons le libérer, le prix ne sera pas le même. Tu sais que c'est toujours ce qui se passe : pour n'importe lequel de nos frères, nous payons un prix bien supérieur au prix de vente.

— Qu'importe si ça coûte de l'argent ? Il a passé toute sa vie à travailler pour nous. Si quelqu'un mérite d'être libéré, c'est Hamid.

— Je suis d'accord avec toi, concéda Abbas. Mais il faut respecter sa décision, ajouta-t-il avant qu'Hernando ne renchérisse. Il ne veut pas qu'on s'occupe de lui.

— Mais…

— Hamid sait ce qu'il fait. Tu l'as dit toi-même : c'est un saint homme.

Hernando quitta la forge sans dire au revoir. Il ne laisserait pas faire ça ! Certains chrétiens, surtout des femmes pieuses, libéraient leurs esclaves quand ceux-ci ne leur étaient plus utiles, mais cette attitude ne serait pas celle de l'alguazil de la maison close : l'homme garderait Hamid tant que personne ne lui offrirait de l'argent pour lui, quelle que soit la somme. Le trafic de chair humaine était un des commerces les plus prospères et les plus rentables dans la Cordoue de ce siècle, et non seulement pour les marchands professionnels, mais pour quiconque possédait un esclave. Tous négociaient leurs esclaves et en tiraient de gros bénéfices. Et celui qui acquerrait Hamid, même boiteux, vieux et fatigué, ne le ferait certainement pas pour le maintenir inactif ; il l'obligerait à travailler afin de rentabiliser son investissement… et peut-être dans un lieu éloigné de Cordoue. Il avait beau dire, l'uléma ne méritait pas un tel sort à la fin de ses jours. Et lui non plus ne le méritait pas, reconnut-il en son for intérieur, tandis qu'il montait à l'étage pour rentrer chez lui. Il avait besoin d'Hamid ! Il avait besoin de le voir et de discuter avec lui, même si c'était seulement de temps en temps. Il avait besoin de ses conseils et, surtout, de savoir qu'il était là, toujours, pour les lui dispenser. Il avait besoin de trouver en Hamid le père qu'il n'avait pas eu pendant son enfance.

Il en parla avec Fatima, qui l'écouta attentivement. Ensuite, elle lui sourit et caressa sa joue.

— Libère-le, murmura-t-elle. Quel que soit le prix. Tu gagnes bien ta vie maintenant. On s'en sortira.

Ainsi en serait-il, se dit Hernando alors qu'il traversait le pont romain en direction de la tour de la Calahorra. Ces pensées en tête, indifférent, il montra sa cédule spéciale aux alguazils qui contrôlaient le trafic sur le pont. Sa paie avait été augmentée jusqu'à trois ducats mensuels, plus dix fanègues de bon blé par an ; c'était moins que ce que touchaient les dresseurs plus anciens, et même Abbas comme maréchal-ferrant, mais pour eux cela représentait un salaire plus que généreux. Fatima épargnait pièce après pièce, comme si cette période faste pouvait s'arrêter à tout moment.

Les jours de fête, le campo de la Verdad était envahi par les Cordouans qui se promenaient sur les rives du fleuve pour contempler les trois moulins situés sur les berges du Guadalquivir, un peu plus bas que le pont romain, ou pour rechercher le calme des champs qui s'étendaient au-delà du quartier extra-muros. À cause de cette affluence, que ce fût ou non dimanche, les maquignons venaient montrer leurs bêtes à vendre, au cas où un citoyen aurait eu l'intention d'en acheter une.

Juan, le muletier, était courbé, ce qui le faisait paraître

plus petit qu'il ne l'était. Il sourit à Hernando, lui montrant des gencives décharnées. Il n'avait plus toutes ces dents noires comme à l'époque où le jeune homme l'avait connu.

— Le grand cavalier maure ! s'exclama-t-il en guise de salut.

Hernando parut surpris.

— Ça t'étonne ? ajouta Juan en lui frappant affectueusement dans le dos. Je sais plein de trucs sur toi. D'ailleurs, je ne suis pas le seul.

Hernando n'avait jamais pensé à cette éventualité. Que pouvaient bien savoir les gens sur lui ?

— Ce n'est pas habituel qu'un Maure finisse par monter les chevaux du roi… et travaille à la cathédrale. Certains marchands avec qui tu as été en affaires, expliqua Juan en lui faisant un clin d'œil, utilisent ton nom pour attirer les acheteurs. Ce cheval a été dressé par Hernando, le cavalier maure des écuries royales ! prétendent-ils quand ils voient les gens intéressés. J'avais pensé dire que tu avais aussi monté mes mules, mais je ne sais pas si ça aurait marché.

Tous deux se mirent à rire.

— Comment ça va pour toi, Juan ?

— *La Vierge fatiguée* a fini par mourir, lui dit-il à l'oreille, prenant son bras avec familiarité. Elle a coulé, lentement et solennellement, comme il se doit pour une dame, mais par chance près de la rive, et on a pu récupérer les barils.

— Tu as continué ce trafic après que… ?

— Regarde-moi cette mule ! s'écria Juan sans tenir compte de la question.

Hernando examina l'individu qu'il lui montrait. En apparence il s'agissait d'un bon animal, les pattes impeccables, fort, avec de bons os. Quel défaut pouvait-il cacher ?

— L'écuyer royal voudrait peut-être acheter une bonne mule ? plaisanta le marchand.

— Tu voudrais gagner deux mailles ? lui lança alors Hernando, se rappelant la proposition, identique, que lui avait faite un jour le muletier.

Juan porta une main à son menton, méfiant, et exhiba une nouvelle fois ses gencives décharnées.

— Je commence à me faire vieux, s'excusa-t-il. Je ne peux plus courir...

— Et les femmes, tu ne peux plus... non plus ? Et ce bordel aux Barbaresques ?

— Ah mon garçon, tu m'offenses ! Tout bon Espagnol qui se respecte paierait pour finir ses jours monté sur une bonne femelle.

Devant une cruche de vin, dans une taverne proche de la cathédrale, ils conclurent un marché : Hernando couvrirait les frais des plaisirs du muletier. Juan s'était montré prêt à collaborer, surtout lorsque le jeune homme lui avait expliqué les raisons de son intérêt pour le vieil esclave impotent de la maison close.

— C'est mon père, lui avait-il dit.

— Dans ces conditions, ce sera gratuit, avait rétorqué le muletier. Mais tu mérites de payer ton impertinence au sujet de ma virilité. Il ne doit plus rester le moindre doute à ce propos, avait-il ironisé.

— Comment pourrais-je savoir que tu ne me trompes pas et qu'en réalité tu ne t'es pas contenté de dormir comme un bébé sur le giron d'une de ces femmes ? Je ne serai pas là, répondit Hernando, plaisantant à son tour.

— Mon petit, tiens-toi plaza del Potro, à côté de la fontaine, et même de loin, et malgré le bruit alentour, tu pourras entendre les gémissements de plaisir...

— Il y a beaucoup de femmes dans le bordel, beaucoup de chambres. Et si ce n'est pas la tienne qui... ?

— Mon nom, mon garçon. Tu l'entendras crier mon nom.

Hernando se souvint de lui, quand il ramait sur *La*

Vierge fatiguée, au retour, la barque pleine d'eau, et la distance parcourue entre chaque coup de rame qui paraissait toujours plus courte et plus lourde. Il était déjà petit et maigre et, pourtant, ils finissaient bien par atteindre la berge ! Il hocha la tête avant de poursuivre, comme s'il reconnaissait la vitalité de Juan.

— L'alguazil ne doit pas soupçonner que tu es intéressé par... l'esclave. Il veut le vendre et le donnera pour n'importe quel prix. Bien entendu, il ne doit pas apprendre qu'il y a des Maures derrière l'opération. Et mon père... mon père non plus ne doit rien savoir.

Le muletier fronça les sourcils.

— Il ne veut pas que nous dépensions de l'argent pour un vieux comme lui, expliqua-t-il. Mais je ne suis pas d'accord. Tu me comprends ?

— Oui. Je te comprends. Laisse-moi faire.

Juan leva son verre de vin.

— Pour un monde meilleur ! trinqua-t-il.

Le lundi, à la tombée de la nuit, Juan le muletier entra dans la maison close avec une bourse contenant plusieurs couronnes en or, que lui avait données Hernando, se vantant d'avoir conclu, ce jour, la meilleure opération de sa vie. L'alguazil célébra sa fortune et rit avec lui tout en lui vantant les mérites des femmes qui travaillaient dans les petites pièces des deux côtés de l'impasse ; certaines attendaient aux portes tout en s'exhibant. Le muletier se décida pour une jeune fille brune bien en chair et disparut en sa compagnie à l'intérieur d'une chambre comprenant un lit, deux chaises et un meuble avec une cuvette.

De son côté, Hernando s'excusa auprès de don Julián et, ce soir-là, il erra de nouveau parmi la foule qui traînait toujours sur la plaza del Potro, éprouvant une certaine nostalgie à entendre les cris, les plaisanteries, les paris, et même à assister aux querelles habituelles.

Depuis un peu plus d'un an, la plaza del Potro et ses

environs étaient plus peuplés que jamais. Aux vagabonds habituels, joueurs de cartes invétérés, aventuriers, soldats sans commandant ou commandants sans soldats – toutes sortes de gens désœuvrés attirés par elle comme par un phare –, aux pauvres et aux malheureux qui y faisaient halte pour la nuit, sur leur route, par le chemin de las Ventas, pour la riche et luxueuse cour de Madrid afin d'obtenir quelque prébende, et à ceux qui se dirigeaient vers Séville avec l'intention d'embarquer pour les Indes afin d'y chercher fortune, s'était ajouté un très grand nombre d'indésirables que le vice-roi de Valence avait expulsés sans ménagement de leurs terres, et qui avaient émigré en Catalogne, en Aragon, à Séville – où rares étaient ceux qui pouvaient encore survivre – et à Cordoue.

Hernando se mit dans la peau d'un de ces personnages.

— Tu fais confiance au muletier ? lui avait demandé Fatima en lui remettant les quinze ducats en or jalousement gardés au fond du coffre, dans une bourse près du Coran.

Lui faisait-il confiance ? Voilà des années qu'il n'avait plus affaire à lui.

— Oui, répondit-il, convaincu par les souvenirs qui cognaient dans sa tête.

Il faisait davantage confiance à ce débauché qu'à n'importe quel chrétien de Cordoue. Ensemble, ils avaient vécu le danger, la tension et l'incertitude. C'était un lien difficile à rompre.

Juan savoura les plaisirs que lui procura Angela, la jeune brune, puis, une fois repu, il renversa intentionnellement une cruche de vin sur les draps du lit.

— Qu'on les change ! brama-t-il en feignant d'être saoul.

— Tu n'en as pas eu assez ? s'étonna la jeune fille.

— Ma petite, quand il faudra s'arrêter, je te le dirai. Ce n'est pas moi qui paie, peut-être ?

Angela s'enveloppa dans un châle et passa une tête par la porte.

— Tomasa ! cria-t-elle, d'une voix bien plus rustre que celle qu'elle utilisait avec les clients. Des draps propres !

Hernando avait informé le muletier de l'existence de cette femme, mais il ne lui avait pas dit que Tomasa faisait une tête de plus que lui et pesait probablement le double de son poids. Quand la grosse matrone apparut à la porte avec le linge de rechange, Juan eut un instant de doute, et se sentit ridicule avec ses chausses râpées pour tout vêtement.

Il avait pensé l'amadouer pour l'obliger à appeler le père d'Hernando – il avait besoin d'être avec lui dans la seconde partie de son plan –, mais à la seule vision des bras puissants, aux manches retroussées, de la femme, il hésita. Une gifle de Tomasa faisait certainement plus mal que la ruade d'une mule.

La femme se pencha pour enlever les draps tachés, lui présentant son cul immense. Allez, il fallait se lancer ! Si elle finissait d'arranger le lit…

Pour Hernando !

Il serra les quelques dents qui lui restaient et des deux mains saisit les fesses de la femme.

— Deux femelles ! s'écria-t-il en même temps. Par Santiago ! s'exclama-t-il au dur contact de l'arrière-train de Tomasa.

Angela éclata de rire. Tomasa se retourna et lança une gifle en direction du muletier, mais Juan s'y attendait et l'esquiva. Alors il sauta sur elle et enfonça le visage entre ses énormes seins. On aurait dit une tique : accroché bras et jambes à la grosse femme, sans parvenir à entourer entièrement sa taille géante. Angela riait aux éclats, tandis que Tomasa essayait en vain de se débarrasser de Juan qui collait à son corps et fouinait avec la bouche entre ses seins. Trouvant l'un de ses tétons, il le mordit.

L'effet fut révulsif : Tomasa le repoussa si fort que le

517

muletier voltigea droit dans le mur. Offusquée, le sein douloureux, la femme tenta de rajuster son corsage en piteux état, car Juan l'avait presque déchiré en cherchant violemment son téton.

— Ma beau… beauté ! hoqueta Juan, suffoquant après le coup qu'il s'était pris contre le mur.

Plusieurs filles s'étaient rassemblées à la porte, riant elles aussi à l'instar d'Angela. Toute rouge, Tomasa laissait errer son regard du muletier aux filles.

Le muletier fit alors ce qui lui sembla être le dernier effort possible de sa vie et, en se pourléchant libideusement la lèvre supérieure, se dirigea vers Tomasa. La femme l'attendait, sourcils froncés, s'efforçant de retrousser encore davantage ses manches, prête à frapper.

— Ça suffit ! Je savais bien qu'avec une femme pour s'occuper des filles, ce genre de choses arriverait un jour, entendit-on à la porte.

Juan ne put s'empêcher de pousser un soupir de soulagement devant l'apparition de l'alguazil du bordel.

— Dehors ! cria-t-il à Tomasa. Dis à Francisco de venir s'occuper du lit.

Alerté par le scandale, Hamid ne tarda pas à arriver. Les autres filles étaient déjà parties quand le vieil esclave, traînant la jambe, entra dans la pièce où il ne restait plus qu'Angela.

— Un Maure ? brailla le muletier en dévisageant Hamid. Comment osez-vous m'envoyer un Maure pour toucher les draps dans lesquels je vais m'allonger ? ajouta-t-il en se tournant vers Angela. Va chercher l'alguazil !

La fille obéit et courut après l'alguazil. À présent, c'était la partie la plus compliquée de son plan, songea le muletier. Il avait seulement quinze ducats pour acheter l'esclave. Il n'avait pas voulu briser les espoirs d'Hernando, ni éteindre l'éclat de ses yeux bleus quand il lui avait confié cette somme, laquelle constituait à coup sûr toute sa fortune, mais les esclaves de plus de cinquante ans se vendaient sur le marché trente-deux ducats, malgré le faible rendement qu'on pouvait attendre d'hommes de cet âge. À combien se montait la misère qu'espérait obtenir l'alguazil et dont lui avait parlé Hernando ?

Hamid s'étonna qu'après la violence avec laquelle l'avait accueilli le muletier, celui-ci reste à présent pensif et silencieux, immobile devant lui comme s'il n'existait pas. Il voulut passer derrière lui pour faire le lit, mais Juan l'arrêta.

— Ne touche à rien, lui ordonna-t-il.

Que cet homme soupçonne ce qui allait se passer et qui était derrière tout cela, qu'est-ce que cela changerait ?

— Reste où tu es et en silence, compris ?

— Pourquoi devrais-je… ? commença Hamid.

Angela et l'alguazil entrèrent dans la chambre.

— Un Maure ? se remit à crier Juan. Tu m'as envoyé un Maure !

Le muletier, d'un doigt, martela la poitrine d'Hamid.

— Et, le comble, c'est qu'il m'a insulté ! Il m'a traité de chien chrétien et d'adorateur d'images !

Hamid, perdant la contenance qui le caractérisait, leva les mains.

— Je n'ai…, tenta-t-il de se défendre.

— Personne ne me traite de chien chrétien !

Juan le gifla.

— Laisse-le, s'interposa l'alguazil.

— Fouette-le ! exigea Juan. Je veux voir comment tu le châties. Fouette-le à l'instant même !

Le fouetter ? songea l'alguazil. Le pauvre Francisco ne supporterait pas plus de trois coups de fouet.

— Non, s'opposa-t-il.

— Dans ce cas j'irai voir l'Inquisition, menaça Juan. Tu possèdes dans ton établissement un Maure qui insulte les chrétiens et qui blasphème, ajouta-t-il en commençant à ramasser ses habits. L'Inquisition le punira comme il le mérite !

Hamid demeurait figé derrière l'alguazil qui regardait Juan se rhabiller en grommelant. Si le muletier le dénonçait à l'Inquisition, Francisco ne survivrait même pas quinze jours dans ses geôles. Le vieil esclave n'arriverait jamais en vie au prochain autodafé. Ce qui signifiait qu'il n'en tirerait même pas un misérable réal.

— S'il te plaît, supplia-t-il. Ne le dénonce pas. Il ne s'est jamais comporté comme ça.

— Je ne le dénoncerai pas si tu le punis. Tu es son propriétaire. Si cet esclave hérétique était à moi je…

— Je te le vends ! s'écria l'alguazil.

— Et qu'est-ce que j'en ferais ? Il est vieux… et boiteux… et malpoli. À quoi me servirait-il ?

— Il t'a insulté, tenta de le provoquer l'alguazil. En quoi seras-tu satisfait si c'est l'Inquisition qui le châtie ? Il se repentira, comme font tous ces lâches, il sera pardonné et simplement condamné au san-benito. Tu vois bien comme il est vieux.

Juan feignit de réfléchir.

— S'il était à moi…, marmonna-t-il dans sa barbe, je lui ferais ramasser la merde des mules toute la journée…

— Quinze ducats, proposa l'alguazil.

— Tu es fou !

Juan obtint Hamid pour cinq ducats, somme dans laquelle, par ailleurs, il se permit d'exiger que soient inclus les services d'Angela. Il décida de ne pas attendre le lendemain : en présence de deux clients du bordel comme témoins, il paya avec les couronnes en or qu'il avait dans sa bourse et quitta la maison close accompagné d'Hamid. Toutefois, il prit rendez-vous avec l'alguazil pour notifier officiellement les documents de vente dès que le jour serait levé.

Hernando écoutait distraitement l'histoire de l'assaut et de la prise de la ville de Haarlem, survenus cinq ans plus tôt. Un soldat mutilé des régiments d'infanterie des

Flandres, qui y avait participé et que la foule, satisfaite, invitait à boire, la racontait entre deux gorgées. Presque aveugle, le soldat portait orgueilleusement les haillons avec lesquels il avait combattu sous les ordres de don Fadrique de Toledo, fils du duc d'Albe, et il évoquait le moment où, lors du difficile assaut de la ville fortifiée, pendant lequel les régiments avaient subi de nombreuses pertes, le noble avait songé à renoncer à sa conquête. Il avait alors reçu un message de son père.

— Le duc d'Albe lui disait, raconta le soldat d'une voix puissante, que s'il levait le camp sans prendre la ville, il ne le considérerait plus comme son fils, mais que si, au contraire, il mourait lors de l'assaut, il irait lui-même, bien que malade et alité, en personne prendre sa place.

Le chœur autour du soldat était un havre de silence comparé au brouhaha régnant sur le reste de la plaza del Potro.

— Il ajouta qu'au cas où ils échoueraient l'un et l'autre, sa mère quitterait l'Espagne pour faire la guerre que son fils et son mari n'avaient eu ni le courage ni la patience de gagner.

Du chœur s'élevèrent des murmures d'approbation et un applaudissement. Le soldat en profita pour avaler le vin qui restait dans son verre. Il attendit qu'on le lui remplisse une fois de plus, et se lança dans le récit de la prise de la ville, sanglante et définitive. Hernando sentit que quelqu'un passait dans son dos et lui donnait un petit coup.

Il se retourna et vit Hamid, qui boitait tête basse derrière le muletier ; dans sa main, il tenait un ballot pas plus grand que celui de Fatima le jour de leur mariage. Juan avait réussi ! Un frisson parcourut tout son corps et, la gorge nouée, il les regarda se diriger lentement vers le haut de la place.

— Par ordre de son père, s'exclama le soldat à ce moment-là, don Fadrique exécuta plus de deux mille cinq cents Wallons, Français et Anglais…

— Hérétiques !

— Luthériens !

Les insultes à la résistance des citoyens de Haarlem ne parvinrent pas à intéresser Hernando qui, au même moment, crut entendre le frottement de la chaussure usée qu'Hamid traînait sur le pavé, cette étrange cadence qui l'avait accompagné toute son enfance. Il porta les doigts à ses yeux pour sécher ses larmes. Les deux silhouettes continuèrent à s'éloigner de lui, indifférentes aux gens et au vacarme, aux bagarres et aux rires, au monde entier ! Un petit muletier, courbé et édenté, vaurien et escroc. Un vieux boiteux, fatigué de la vie, sage et saint. Il fit un effort pour dominer les sentiments mêlés qui l'assaillaient. Il serra les poings et agita les bras presque sans les bouger, réprimant sa force, sentant la tension dans tous ses muscles, irrité par la lenteur de l'uléma à traverser la place.

Il les vit dépasser la calle de los Silleros, puis celle de los Toqueros ; ils tournèrent ensuite et passèrent devant l'hôpital de la Charité. Alors Hernando scruta la foule, certain que, comme lui, tout le monde avait les yeux rivés sur ce couple magique qui avait disparu calle de Armas. Mais ce n'était pas le cas : personne ne semblait leur avoir prêté la moindre attention, et ses voisins les plus proches suivaient toujours attentivement le récit du mutilé.

— Ils nous devaient plus de vingt mois de solde et nous ont empêchés de piller la ville ! Tout l'argent que la ville a déboursé pour éviter le pillage, c'est le roi qui l'a gardé ! criait l'aveugle en frappant du poing sur la table posée dans la rue.

Il renversa son verre de vin. Excité, il trouva des excuses à la mutinerie que provoquèrent les soldats des régiments d'infanterie après la prise de Haarlem.

— Et, en représailles, les malades et les blessés comme moi n'ont pas touché leurs arriérés !

Que lui importait cet aveugle et quel avait été son sort au cours de cette autre guerre religieuse qu'entretenait le roi catholique Philippe ? pensa Hernando en traversant la place, s'obligeant à ne pas courir.

Ils l'attendaient quelques mètres plus loin, calle de Armas, à peine éclairés tous deux par le reflet des bougies au pied d'une Vierge de la Conception grandeur nature, qui se trouvait sur une belle grille ouvragée. La rue était déserte. Juan le vit arriver. Hamid, non : il gardait la tête basse, vaincu.

Hernando s'arrêta devant lui et se contenta de lui prendre les mains. Il ne parvenait pas à dire un mot. Sans dévier le regard du sol, l'uléma observa les mains qui avaient saisi les siennes, puis les brodequins qu'Hernando portait toujours depuis qu'il avait été nommé écuyer des écuries royales. Ce matin même, il avait marché à ses côtés.

— Hamid ibn Hamid, murmura-t-il, levant enfin le visage.

— Tu es libre, réussit à articuler Hernando.

Et, avant que l'uléma puisse répliquer, il se jeta dans ses bras et éclata d'un sanglot nerveux.

Le lendemain matin, alors qu'Hamid se trouvait déjà aux écuries, aux bons soins de Fatima, Juan et l'alguazil notifièrent devant le greffier public l'acte de vente de l'esclave de la maison close dénommé Francisco. Comme s'il s'agissait d'une simple et vulgaire bête, l'alguazil précisa qu'il ne le vendait pas en bonne santé et détailla au greffe, un par un, tous les défauts physiques dont souffrait Hamid, des plus apparents au moins visibles. De son côté, Juan renonça à faire une réclamation pour les défauts et les vices présents ou futurs de l'esclave ; ensuite acheteur et vendeur conclurent le marché devant deux témoins, et le greffier signa le document correspondant.

Un peu plus tard, en présence d'un autre greffier et de deux autres témoins, pour que l'alguazil ne l'apprenne pas, Juan dicta la lettre de manumission en faveur de son esclave Francisco ; il lui accordait la liberté et renonçait à tout patronat que les lois pouvaient lui octroyer sur son serf affranchi.

Hernando embrassa la lettre de manumission que Juan lui remit en sortant du cabinet du greffier. Alors il voulut récompenser son ami d'une couronne en or, mais le muletier la refusa.

— Mon garçon, lui dit-il, nous nous sommes trompés en fantasmant sur les femmes des Barbaresques. Aucune d'elles, certainement, ne possède le cul qu'hier j'ai réussi à peloter, mais que j'ai été incapable de goûter. Tu avais raison, ajouta-t-il en posant une main sur son épaule : je me fais vieux.

— Non… voulut s'opposer Hernando.

— Tu sais où tu peux me trouver, conclut le muletier en prenant congé sans cérémonie.

Hernando le regarda partir. Et tandis qu'il s'éloignait, Hernando pensa qu'il marchait un peu plus fièrement que la veille.

38.

Roses, fleurs d'oranger, iris, giroflées… Des fleurs par milliers ! Le petit patio de la maison où vivaient Hernando et sa famille invitait à s'abandonner au mélange sensuel de parfums pendant les nuits de ce mois de mai 1579. Le sol du patio était en granit, traversé dans sa totalité par le dessin d'une étoile composée de tout petits galets, au centre de laquelle se dressait une fontaine en pierre, simple, sans ornements, d'où coulait en permanence une eau cristalline. Car, si Cordoue avait des problèmes avec les eaux résiduelles et son réseau d'égouts, à l'origine des épidémies fréquentes de typhus et d'innombrables maladies endémiques gastro-intestinales qui affectaient surtout les quartiers les plus modestes de la Ajerquía, elle bénéficiait par ailleurs de trente-neuf sources et de nombreux puits qui profitaient de l'eau de montagne, inépuisable et précieuse. La ville, l'ancienne médina, avec ses rues et ses ruelles enchevêtrées, était la zone la plus privilégiée en matière de répartition de l'eau cordouane. Et c'était précisément là, dans la médina, calle de los Barberos, qu'Hernando loua une petite maison appartenant au conseil de la cathédrale, comme tant d'autres récupérées par l'Église au fil des ans.

La maison de la calle de los Barberos possédait toutes les caractéristiques qui avaient défini les *domus* romaines dont s'inspiraient les demeures cordouanes et que, par la suite, les musulmans avaient prises pour modèles : une oasis de fleurs et d'eau ; des paradis isolés de l'extérieur. Encaissé entre deux édifices similaires, le patio rectangulaire était fermé d'un côté par un mur aveugle, mitoyen avec le patio voisin ; les trois autres côtés étaient entourés d'allées donnant accès aux pièces. Entre les allées et le patio, une galerie couverte par des poutres en bois menait à un étage, où elle était protégée par une balustrade, également en bois, qui donnait sur le patio ; le tout était recouvert d'un toit aux petites tuiles de forme concave ou convexe, disposées alternativement afin de servir de gouttières et recueillir les eaux de pluie. L'accès à la demeure s'effectuait à travers un frais vestibule, presque aussi grand qu'une pièce, dallé d'azulejos colorés jusqu'à mi-hauteur. Le vestibule était fermé sur la rue par une porte en bois, et sur le patio central de la maison mitoyenne par une grille en fer. Au rez-de-chaussée se trouvaient la cuisine, une salle, les latrines et une pièce minuscule. À l'étage, où l'on accédait par la galerie qui donnait sur le patio, il y avait quatre autres pièces.

L'idée de déménager dans une maison indépendante trottait dans la tête d'Hernando depuis que son salaire avait augmenté et qu'Hamid avait été libéré. L'uléma avait fini par accepter sa liberté et consenti à la protection que lui offrait Hernando, conséquence naturelle de ce qu'ils considéraient tous deux si fort comme leur relation familiale. Cependant, à la différence d'Aisha, qui avait insisté pour aller travailler à la soierie, Hamid s'était reclus dans l'appartement au-dessus des écuries, où il priait, méditait et lisait le Coran, profitant de l'intimité que lui fournissait ce lieu dont l'unique religion était les chevaux. Il avait également considéré comme son devoir d'instruire les trois enfants, les deux d'Hernando et Shamir, le fils d'Aisha.

Mais, si tous ces arguments étaient déjà suffisants en soi pour chercher une nouvelle maison, un autre, égoïstement supérieur aux autres, avait poussé Hernando à s'atteler à cette recherche. Le couple avait envie d'un autre enfant ; ils le désiraient très fort, et leur intimité s'était vue troublée par cette promiscuité forcée. Fatima et Hernando continuaient de faire l'amour, mais cachés sous les draps, réprimant leurs ardeurs et retenant leurs halètements de plaisir. Tous deux regrettaient la possibilité de jouir l'un de l'autre en toute liberté. Gênée par la présence de l'uléma, Fatima évitait l'usage des essences et des parfums qui rendaient les accouplements si délicieux. Ils avaient également cessé de folâtrer avant d'atteindre l'extase, ne se touchaient plus, ne se caressaient plus, ne s'embrassaient plus, ne se léchaient plus, et les mille positions qu'ils avaient essayées sans pudeur se limitaient désormais à celles qu'ils pouvaient dissimuler sous les draps. Fatima ne tombait pas enceinte.

— Mon vagin est incapable d'aspirer ton membre, s'était-elle lamentée un jour. Je ne suis pas tranquille. J'ai besoin de pouvoir attraper ton pénis en moi, de le serrer et de l'emprisonner jusqu'à gober toute la vie que tu es prêt à m'offrir.

Il avait trouvé la maison. Aisha, Fatima, les enfants et lui s'installèrent à l'étage, tandis qu'Hamid, au grand soulagement de son épouse, prenait la petite pièce supplémentaire du rez-de-chaussée.

De la calle de los Barberos, toute droite, consacrée plus loin, à l'endroit où était placé un tableau de la Vierge des Douleurs, au chef musulman Almanzor, car l'un de ses palais y avait été édifié, on pouvait voir sans difficulté la tour d'entrée de la cathédrale, l'ancien minaret, qui dominait orgueilleusement les autres édifices. Grâce à cette référence et à la consultation sommaire des étoiles depuis le patio, Hamid avait calculé avec précision la direction de la qibla et opéré une incision microscopique dans le mur de sa chambre vers laquelle diriger ses prières.

Le salaire d'Hernando aux écuries leur permettait de vivre sans soucis, mais il n'aurait jamais pu opter pour cette maison sans une réduction notable du loyer, obtenue grâce à la médiation de don Julián devant le conseil de la cathédrale. Le prêtre le remerciait ainsi de ses efforts désintéressés à copier le Coran, dont les bénéfices servaient directement la cause.

— Qui perd la langue arabe perd sa loi, lui avait-il rappelé un jour dans l'intimité de la bibliothèque.

Cette maxime déjà invoquée pendant la guerre des Alpujarras s'était imposée comme un objectif prioritaire pour les diverses communautés maures réparties dans tous les royaumes espagnols, s'opposant en cela à l'acharnement, généralement stérile, des chrétiens désireux que les Maures abandonnent l'usage de l'arabe dans leur vie quotidienne. Les nobles de ces royaumes, intéressés par les misérables salaires qui satisfaisaient les Maures, toléraient, las, l'emploi de la langue arabe sur leurs terres seigneuriales, mais les conseils municipaux, l'Église et l'Inquisition, par ordre royal, s'étaient approprié cette maxime dont ils avaient fait un de leurs étendards. Les mosquées avaient réagi et organisé en secret des madrasas ou écoles coraniques mais, surtout, avaient fourni aux musulmans des exemplaires interdits et sacrilèges du livre divin. C'est pourquoi, dans toute l'Espagne, un réseau de copistes s'était développé.

— Enfin nous l'avons, dit une nuit don Julián en posant devant Hernando, sur le bureau où il travaillait, une feuille de papier vierge.

Ils étaient seuls dans la bibliothèque. Il se faisait tard ; les offices de complies étaient terminés depuis deux heures et la cathédrale débarrassée des personnages divers et variés qui la peuplaient le jour, parmi lesquels les voyous qui se réfugiaient dans l'enceinte sacrée et passaient la journée à l'abri de la justice ordinaire dans les galeries du jardin d'accès, où les alguazils n'avaient pas le droit d'entrer ni de les arrêter. Hernando s'était diverti de nombreuses situations pittoresques qu'il avait eu l'opportunité de contempler, et avait souri en entendant les efforts des gardiens pour expulser du lieu sacré des chiens et même, cette nuit, un cochon.

Avant de prendre la feuille, Hernando l'effleura du bout des doigts. Il s'agissait d'un papier grossier, excessivement satiné, très épais, à la surface irrégulière et sans aucun filigrane à l'eau qui aurait révélé sa provenance.

— J'en ai pas mal d'autres, sourit le prêtre, triomphant, alors qu'Hernando soupesait une feuille sensiblement plus longue et plus large. Ne sois pas surpris, ajouta-t-il devant l'attitude de son élève, c'est du papier fabriqué artisanalement, en secret, dans les maisons des Maures de la région de Xátiva.

Xátiva était une des grandes localités du royaume de Valence, dont le quart des citoyens était composé de Maures ou de nouveaux-chrétiens. Cependant, comme c'était le cas pour de nombreux endroits de ce royaume méditerranéen, elle était entourée de petits villages dont la quasi-totalité des habitants était maure. Depuis plus de quatre siècles, à Xátiva, suivant les progrès techniques musulmans pour son élaboration, on fabriquait du papier. Les Rois Catholiques avaient octroyé des privilèges à l'*aljama* de Xátiva et protégé cette industrie afin que de nombreux Maures se consacrent à la fabrication de papier à l'intérieur de leurs maisons, utilisant comme matière première de vieux vêtements et du linge usé. Ces industries domestiques étaient à présent celles qui subrepticement fournissaient la communauté maure en papier, même de basse qualité, car acheter du papier en quantité suffisante pour faire des copies de livres était une tâche bien trop ardue et toujours suspecte.

Bien que l'imprimerie eût été inventée depuis plus d'un siècle, du fait que la capacité d'éditer des livres était concentrée entre les mains d'un petit nombre de personnes, on continuait à copier des manuscrits. Le peuple, analphabète dans sa grande majorité, n'avait ni accès à la lecture ni d'intérêt pour l'édition, et les grands seigneurs, propriétaires du capital nécessaire pour couvrir les frais d'une imprimerie, refusaient de salir leur honneur en consacrant de l'argent à des activités mercantiles indignes de leur statut personnel. Dans la décennie des années 1680, comme il n'existait à Cordoue qu'une seule imprimerie, portative, utilisée presque artisanalement par un imprimeur, le commerce de papier était pratiquement inexistant. Le conseil de la cathédrale commandait lui-même l'édition de ses livres religieux à des imprimeries d'autres villes, telle Séville.

— Comment l'as-tu obtenu ? interrogea Hernando.

— Par Karim.

— Et la douane du pont ?

Don Julián lui fit un clin d'œil.

— Il est assez facile, bien que coûteux, de cacher des feuilles de papier sous les montures des mules ou des chevaux.

Hernando acquiesça et caressa à nouveau du bout des doigts le grossier papier. Il fallait qu'il soit payé pour son travail : c'est ce que lui avait dit le prêtre, mais Hernando investissait tout cet argent dans des projets comme la libération des esclaves maures. Pour rien au monde il n'aurait voulu s'enrichir en propageant sa foi.

C'est pourquoi, depuis qu'il avait terminé son apprentissage, Hernando reproduisait le Coran, en arabe savant mais avec la calligraphie propre aux copistes, privilégiant la qualité et la rapidité sur l'esthétique. Dans le même temps, sous l'arabe, il écrivait en interligne la traduction des sourates en aljamiado, pour que tous les lecteurs puissent comprendre. Il cachait ensuite les feuilles parmi les nombreux volumes de la bibliothèque de la cathédrale, et les exemplaires qu'ils produisaient étaient distribués par Karim dans tout le royaume de Cordoue, en manque de guides religieux dont disposaient en revanche les aljamas valenciennes, catalanes ou aragonaises, qui n'avaient pas souffert de l'exode grenadin.

Tandis qu'Hernando se consacrait à la transcription interdite du livre révélé, Fatima, de son côté, se chargeait de transmettre la culture de son peuple, de façon verbale, aux Mauresques, afin que celles-ci fassent de même avec leurs enfants et leurs époux.

Aidée patiemment par Hernando et Hamid, qui l'avaient écoutée et corrigée tendrement, elle avait appris par cœur certaines sourates du Coran, les préceptes de la Sunna et les prophéties maures les plus connues de la communauté.

Chaque jour, avec son beau voile blanc brodé qui lui couvrait les cheveux, elle se rendait au marché puis à ce qui n'étaient apparemment que d'innocentes réunions de petits groupes de femmes oisives cancanant dans une de leurs maisons autour d'une citronnade.

Parfois elle quittait la maison en même temps qu'Hernando, et tous deux passaient alors un long moment à se dire au revoir avant que leurs chemins ne se séparent. Ensuite, comme s'il s'agissait d'un jeu, l'un des deux tournait la tête et contemplait avec orgueil la façon dont l'autre allait remplir son devoir, que Dieu leur imposait et dont leur peuple leur savait gré. Quelquefois, ce dernier regard entre eux coïncidait : alors ils se souriaient et s'encourageaient d'imperceptibles gestes de la main.

— Nous sommes appelées, nous les femmes, à transmettre les lois de notre peuple à nos enfants, disait Fatima, exhortant les Mauresques. Nous ne pouvons pas les laisser les oublier, comme le prétendent les prêtres. Les hommes travaillent et rentrent, épuisés, chez eux, quand leurs enfants dorment déjà. De plus, un enfant ne dénoncera jamais sa mère aux chrétiens.

Et devant toutes petites assemblées de femmes attentives à ses paroles, elle récitait, encore et encore, certains préceptes du Coran, que les Mauresques répétaient en murmurant. Enfin, elle ajoutait l'interprétation qu'Hamid lui avait donnée.

Jour après jour, Fatima répétait son enseignement à différents auditoires. Et chaque fois, après avoir traité d'un précepte coranique, les femmes lui demandaient de leur réciter un *gufur*, une des prophéties auxquelles elles croyaient, dictées pour leur peuple, pour les musulmans d'Al-Andalus, qui prédisaient le retour de leurs coutumes, de leur culture et de leurs lois. Leur victoire !

— Les Turcs marcheront avec leurs armées sur Rome, et aucun chrétien n'en réchappera, sauf ceux qui se convertiront à la loi du Prophète ; les autres seront faits prisonniers ou tués, récitait-elle alors. Vous comprenez ? Ce jour est déjà venu : les chrétiens nous ont vaincus. Pourquoi ?

— Parce que nous avons oublié notre Dieu, avait répondu une fois, abattue, une matrone d'un certain âge, qui connaissait la prophétie.

— Oui, avait confirmé Fatima. Parce que Cordoue est devenue un lieu de vice et de péché. Parce que tout Al-Andalus est tombé dans la luxure de l'hérésie.

Beaucoup baissaient alors la tête. N'était-ce pas vrai ? N'y avait-il pas eu du relâchement dans l'accomplissement de leurs obligations ? Tous les Maures se sentaient coupables et acceptaient le châtiment : l'occupation de leurs terres par les chrétiens, l'esclavage et l'ignominie.

— Mais ne vous inquiétez pas, tentait de les encourager Fatima. La prophétie continue ; le livre divin le dit : vous n'avez pas vu par hasard les chrétiens vaincre sur un bout de terre et, après avoir vaincu, être eux-mêmes vaincus en quelques jours ? Ce jugement est celui de Dieu : avant et après, les croyants ont été victorieux. Il aide celui qui le sert, et de la promesse de Dieu il ne manquera pas un point.

Et, peu à peu, elles regardaient à nouveau Fatima. Sur leur visage, l'espoir était revenu.

— Nous devons lutter ! les haranguait-elle. Nous ne pouvons pas nous résigner au malheur. Dieu nous observe. Les prophéties s'accompliront !

Un soir de printemps, Hernando rentrait, épuisé, chez lui. Pendant la journée, ils avaient dû préparer le voyage de plus de quarante chevaux au port de Carthagène, où un navire les attendait pour les emmener à Gênes et, de là, en Autriche. Le roi Philippe avait décidé d'offrir ces fougueux chevaux à son neveu l'empereur et aux archiducs, le duc de Savoie et le duc de Mantoue. Conformément à l'ordre du roi, on avait d'abord choisi ceux qui devaient être envoyés à Madrid pour son usage personnel et celui du prince, puis les exemplaires qui seraient offerts. Don Diego López de Haro avait passé toute la journée aux écuries. Il avait sélectionné certains animaux et écarté les autres ; il avait hésité et changé d'avis, se laissant conseiller par les écuyers, parmi lesquels Hernando, au sujet des bêtes qui seraient les meilleures pour le monarque.

— Sauront-ils conserver la race ? avait demandé le jeune homme à la vue d'un magnifique étalon de cinq ans, altier, à la robe pommelée, qui se déplaçait en levant les antérieurs et les postérieurs avec élégance, et que l'écuyer royal avait désigné comme l'un de ceux qui partiraient en Autriche.

— Je suis sûr que oui, avait répondu don Diego devant lui, sans se retourner, toute son attention fixée sur l'animal. Dans cette cour il y a de grands cavaliers et des experts en chevaux. Je suis certain qu'à partir de ces étalons ils obtiendront des individus qui deviendront la fierté de Vienne.

Vraiment, y parviendront-ils ? s'interrogeait Hernando quand, étonné, il trouva la porte de sa maison fermée. Au mois de mai et à cette heure, elle était habituellement ouverte jusqu'à la grille en fer qui donnait sur le patio. Était-il arrivé quelque chose ? Il frappa à la porte avec force, plusieurs fois. Le sourire de son épouse l'accueillit et le rassura…

— Pourquoi… ? commença-t-il à demander en la voyant une fois de plus barricader la porte.

Fatima mit un doigt sur ses lèvres et le pria de rester silencieux. Elle le conduisit ensuite jusqu'au patio. Hamid avait désobéi à l'ordre strict d'Hernando d'enseigner exclusivement à l'intérieur de la maison, dans les chambres, pour que personne ne puisse les entendre parler en arabe. Au lieu de cela, l'uléma se tenait dans le patio où, assis par terre, dans la galerie, sur de simples nattes, les enfants l'écoutaient leur enseigner les mathématiques.

Hernando voulut faire un reproche à Fatima, mais elle avait de nouveau posé son doigt sur ses lèvres, et il se résigna au silence.

— Hamid a dit, lui expliqua-t-elle alors, que l'eau est l'origine de la vie. Que les enfants ne peuvent apprendre à l'intérieur d'une chambre alors qu'ils entendent l'eau couler dehors. Qu'ils ont besoin du parfum des fleurs, du contact avec la nature, pour jouir de leurs sens et apprendre ainsi plus facilement.

Hernando soupira. Il se retourna et vit les trois petits qui l'observaient en souriant. Hamid aussi l'observait, à la dérobée, comme un grand enfant.

— Et il a raison, dit-il finalement. Nous ne pouvons pas les priver du paradis.

Il prit la main de Fatima et s'avança vers l'endroit où se trouvaient élèves et professeur. Jour après jour, Hamid recouvrait son caractère, et cet accès de rébellion… au fond, lui faisait plaisir.

Il salua ses enfants et Shamir en arabe. Dès qu'ils l'entendirent, les enfants eux-mêmes le supplièrent de baisser la voix. Il s'assit sur la natte de Francisco, où il restait de la place, et se tourna vers Hamid.

— La paix, dit-il en hochant la tête.

— La paix soit avec toi, Ibn Hamid, lui répondit l'uléma.

Jusqu'au moment où le dîner, préparé par Aisha et

Fatima, fut prêt, Hernando garda le silence. Il écouta les explications d'Hamid et observa les progrès des enfants. Shamir lui rappelait Brahim : sauvage, intelligent mais, à l'inverse de son père, montrant un grand cœur à l'intention des plus petits. Francisco, son fils, à qui il dut demander à plusieurs reprises de ne pas se mordre la langue pendant qu'il griffonnait des chiffres avec son petit bâton sur une planchette de feuilles durcies maintes fois utilisée, était un enfant vif et sympathique, mais toujours prévisible : ses yeux bleus, hérités de son père, et sa spontanéité annonçaient ce qu'il avait l'intention de faire, le dénonçant irrémédiablement quand il commettait un mauvais coup. Francisco était incapable de mentir. Il ne savait même pas cacher la vérité.

Après lui avoir touché d'un doigt le bout de la langue qui apparut derechef face à la difficulté d'une addition pour se cacher aussitôt, rapidement, comme un serpent, Hernando fixa son attention sur Inés, conscient qu'Hamid faisait de même, comme s'il avait su ce qu'il pensait. Elle était vraiment comme sa mère... si belle ! La fillette s'appliquait à écrire des chiffres et ses immenses yeux noirs semblaient près de traverser la planchette. Inés posait des questions sur tout, s'intéressait aux choses, réfléchissait aux réponses qu'on lui donnait et, parfois aussitôt, parfois au bout de deux jours, revenait au même point avec insistance. Ses raisonnements n'étaient pas aussi vifs et immédiats que ceux des deux garçons mais, à la différence de ceux-ci, ils étaient toujours fondés. Inés resplendissait par ses seuls mouvements.

Hernando hocha la tête en signe de satisfaction, puis il croisa le regard d'Hamid. Oui, ils étaient dans un paradis, avec la porte de la rue fermée aux intrusions extérieures, le bruit de l'eau qui coulait dans la fontaine et l'intense parfum des fleurs, un paradis splendide à cette heure de la soirée où le soleil se couchait et la fraîcheur faisait revivre les plantes, excitant les sens. Comme dans la Sierra

Nevada, se dirent-ils en silence, quand l'un et l'autre, le petit garçon maure et l'uléma, se retrouvaient à l'intérieur de la misérable cabane de ce dernier, perdue dans les contreforts.

Soucieux de ne pas perturber la concentration des enfants, Hamid le fixa sans rien dire, reconnaissant la valeur de son premier élève, à qui il avait transmis toutes ses connaissances, dans le même secret qu'aujourd'hui avec ses enfants. Le chemin avait été long pour Hernando : la condition d'orphelin, la guerre, l'esclavage aux mains d'un corsaire et l'exil sur des terres hostiles où il n'avait rencontré que haine et malheur. La pauvreté et le dur labeur à la tannerie ; les erreurs et le retour à la communauté ; la fortune aux écuries, pour finir par devenir le membre le plus important parmi les siens, et maintenant... Hamid et lui posèrent ensemble le regard sur les trois enfants et un frisson de satisfaction parcourut la colonne vertébrale d'Hernando : ses enfants !

À ce moment-là, Aisha les appela pour le dîner.

Hernando aida l'uléma à se lever. Hamid accepta son aide et s'appuya sur lui. Ils traversèrent le patio, seuls tous les deux, car les enfants étaient partis en quatre enjambées, Hamid toujours agrippé au bras d'Hernando.

— Te souviens-tu de l'eau des montagnes ? demanda l'uléma lorsqu'ils passèrent à côté de la petite fontaine, près de laquelle ils s'arrêtèrent un instant.

— J'en rêve.

— J'aimerais retourner à Grenade, murmura Hamid. Finir mes jours sur ces sommets...

— Là-bas se cache une épée sacrée que quelqu'un, un jour, devra empoigner de nouveau au nom du Dieu unique. Ce jour-là, l'esprit de notre peuple renaîtra dans les montagnes, et principalement le tien, Hamid.

Si Hamid leur inculquait la Vérité, Hernando s'efforçait d'enseigner aux enfants l'indispensable doctrine chrétienne afin qu'ils puissent prouver leur évangélisation le dimanche à la cathédrale ou lors des visites hebdomadaires obligatoires du curé de Santa María. Le magistrat de la paroisse et le superintendant avaient cessé leurs contrôles, peut-être parce que Hernando, de manière spécifique, dépendait juridiquement de l'écuyer royal, mais don Álvaro, le prébendier de la cathédrale qui se trouvait à la tête de la paroisse, toujours impeccablement vêtu de ses habits noirs et de son bonnet, continuait à se présenter chez lui chaque semaine, comme s'il s'agissait de n'importe quel autre nouveau-chrétien, même si tout le monde soupçonnait que son intérêt se portait davantage sur le bon vin et les délicieux gâteaux d'Aisha qui l'attendaient lors de ses longues visites destinées à vérifier la catholicité de la famille. Dans tous les cas, entre deux gorgées et deux bouchées, don Álvaro s'installait sur une chaise dans la galerie et interrogeait les enfants, les écoutant chaque fois avec obstination réciter les prières et les doctrines qu'ils avaient apprises, comme s'il craignait qu'ils les eussent oubliées. La farce se déroulait toujours devant une famille apeurée à l'idée qu'un des petits laisse échapper une phrase ou une expression en arabe. Dès qu'il le pouvait, Hernando prenait l'initiative de s'asseoir à côté du prêtre pour le distraire et parler avec lui de différents thèmes, et principalement de l'autre mouvement hérétique qui menaçait l'Empire espagnol et qui l'intéressait réellement : le luthérianisme.

Hamid, de son côté, dès que don Álvaro franchissait la grille du patio, feignait d'être indisposé et s'enfermait dans sa petite pièce. Hernando était persuadé que c'était pour prier, dans une sorte de défi à la présence du prêtre.

— C'est une œuvre de charité, se justifiait Hernando pour répondre à l'interrogation de don Álvaro au sujet de cet invisible vieillard qui, selon les registres de la paroisse, était recensé dans la maison. Il s'agit d'un vieux malade qui vivait dans notre village des Alpujarras et, en bon chrétien, je ne pouvais pas le laisser mourir dans la rue. Il souffre de fièvres récurrentes. Voulez-vous le voir ?

Le prêtre buvait une gorgée de vin, balayait du regard le charmant jardin et, pour sa tranquillité, hochait négativement la tête. Pourquoi se serait-il approché d'un vieillard fiévreux ?

Ainsi donc, après que don Álvaro eut vérifié une fois de plus la bonne mémoire des enfants, les conversations se poursuivaient entre Hernando et lui dans la galerie, en tête à tête. De l'autre côté du patio, Aisha ou Fatima veillait à ce qu'ils ne manquent ni de vin ni de gâteaux. Récemment, un exemplaire des *Institutions* de Calvin, édité en Angleterre dans la langue espagnole, était arrivé entre les mains d'Hernando et de don Julián. Nombreux étaient les livres protestants publiés en castillan en Angleterre, Hollande ou Zélande, qui voyageaient clandestinement dans les royaumes de Philippe II. Le roi et l'Inquisition luttaient de toutes leurs forces pour maintenir pure et intouchable la foi catholique, libre de toute influence hérétique, au point que depuis vingt ans le monarque avait interdit aux étudiants espagnols de fréquenter les universités étrangères à l'exception, bien sûr, de celles, pontificales, de Rome et Bologne.

Beaucoup de Maures voyaient d'un œil bienveillant les doctrines protestantes, surtout les Aragonais, à cause de leur proximité géographique avec la France et le Béarn, où ils fuyaient pour se convertir au christianisme, mais en reniant le catholicisme. Les attaques des protestants contre le pape et les abus du clergé, le commerce des bulles et des indulgences, la condamnation de l'utilisation d'images comme objets de culte ou de dévotion, le pouvoir de n'importe quel croyant d'interpréter les textes sacrés en marge de la hiérarchie ecclésiastique et la vision rigide de la prédestination constituaient des points d'union entre deux religions minoritaires qui luttaient pour résister aux attaques de l'Église catholique.

Hernando en avait discuté avec don Julián, et aussi avec Hamid, et tous déploraient ce rapprochement entre les musulmans et ceux qui, en définitive, restaient malgré tout des chrétiens, en dépit de la sympathie qu'ils pouvaient éprouver envers cette tendance.

— Au bout du compte, alléguait le prêtre, les protestants cherchent à se retrouver, avec les Écritures, au sein du christianisme, et les Maures convertis ne prétendent à aucune réforme, mais à leur simple destruction. Les positions syncrétiques entre les doctrines luthériennes et musulmanes, qu'on commence à percevoir dans certains écrits polémiques des croyants eux-mêmes, réussissent seulement à fragiliser le véritable objectif de la communauté maure.

Dès que don Álvaro quittait la maison, après avoir renié les luthériens et les attaques qu'ils formulaient à l'encontre du mode de vie du clergé catholique, Hamid sortait de sa chambre, indigné, et, invariablement, renversait le reste du vin dans le canal d'écoulement.

— Ça coûte de l'argent, protestait Hernando.

Cependant il lui permettait cette petite vengeance, s'efforçant de cacher son sourire.

Déjà depuis l'époque de l'empereur Charles Quint, les finances de la monarchie se trouvaient toujours en faillite. Cela faisait alors cinq ans que le royaume avait suspendu ses paiements ; les immenses fortunes d'or et d'argent, qui arrivaient du Nouveau Monde, ne parvenaient même pas à couvrir les frais des armées espagnoles, auxquels s'ajoutait le coût démesuré de la luxueuse cour de Bourgogne, dont l'empereur avait adopté le protocole. L'Espagne disposait de quantités considérables de matières premières, dont elle ne tirait pas les bénéfices dus : la précieuse laine mérinos de Castille était vendue brute à des commerçants étrangers, qui la travaillaient et la revendaient ensuite en Espagne dix ou vingt fois plus cher. C'était pareil pour le fer, la soie et beaucoup d'autres matières premières ; et l'or, à cause des guerres ou du commerce, sortait d'Espagne à profusion. Les intérêts payés par le roi à ses banquiers dépassaient quarante pour cent, et la vente de bulles et d'indulgences, grâce auxquelles se finançaient aussi bien Rome que l'Espagne, ne suffisait pas. Les hidalgos, le clergé et de nombreuses villes ne payaient pas d'impôts et la totalité du coût fiscal retombait sur les campagnes, les travailleurs ou les artisans, ce qui les appauvrissait davantage et empêchait le développement du commerce, en un cercle vicieux où la solution semblait hors de portée.

En 1580, la situation économique s'aggrava : après la mort à Alcazarquivir du roi Sébastien du Portugal lors d'une vaine tentative pour conquérir le Maroc, son oncle, le roi Philippe d'Espagne, réclama ses droits successoraux au trône du Portugal et, comme le bras populaire s'opposait à son couronnement, il prépara l'invasion du royaume voisin avec une armée commandée par le vieux duc d'Albe, qui avait alors soixante-douze ans. En plus du Brésil, le Portugal dominait la route commerciale des Indes orientales et régnait sur toute la côte africaine, de Tanger à Mogadiscio. Avec l'union du Portugal, l'Espagne deviendrait le plus grand empire de l'histoire.

Toutes ces énormes dépenses affectaient les écuries royales qui, alors que Philippe II continuait à s'offrir à lui-même ainsi qu'à ses favoris et aux cours étrangères de magnifiques exemplaires de la nouvelle race, souffraient d'un manque de fonds que don Diego López de Haro ne cessait de réclamer à la junte des Travaux et Forêts, chargée de les leur fournir.

Pour cette raison, une partie du salaire due aux écuyers et aux employés avait été payée sous la forme de poulains rejetés des écuries. La seule condition posée était que si, en grandissant, ils intéressaient le roi, ils lui seraient rendus, ce qui se passait rarement étant donné la quantité de chevaux qui naissaient chaque année, et le fait que les employés ne tardaient pas à les vendre pour obtenir de l'argent. Avec la seule vente de huit chevaux des écuries du roi, on acquerrait trente bons exemplaires de guerre pour l'armée cantonnée sur la place d'Oran !

Mais Hernando n'était pas disposé à vendre Azirat, le cheval qu'on lui avait donné contre une partie de son salaire ; son mode de vie était austère et ses besoins réduits. Dans les pâturages, quand on avait ferré les poulains au feu et qu'on les avait recensés dans le livre de registre, on l'avait appelé Andarín[1] pour l'élégance de ses mouvements, mais il était né avec une robe d'un rouge ardent, brillant, qui ne convenait pas aux goûts des courtisans ; la robe alezane n'était pas admise dans la nouvelle race.

Andarín, avec cette couleur de feu qui révélait colère, impétuosité et vitesse, avait captivé Hernando dès l'instant où il l'avait vu bouger.

— Je vais l'appeler Azirat, avait-il confié à Abbas sans prononcer le « z » espagnol.

Il avait employé la cédille et marqué le « t » : *açiratt*.

Abbas avait froncé les sourcils, tandis qu'Hernando confirmait d'un hochement de tête. Le pont de l'açiratt ; le pont d'accès au ciel, long et mince tel un cheval, qui s'étendait au-dessus de l'enfer et que les bienheureux franchiraient comme un rayon alors que les autres tomberaient dans le feu.

— Non seulement ça porte malheur de changer le nom d'origine d'un cheval, avait répliqué le maréchal-ferrant, mais dans certains cas ça peut même être puni de mort. Les étrangers qui commettent ce délit sont condamnés à la peine capitale.

— Je ne suis pas un étranger et ce cheval serait capable de galoper sur un long cheveu délicat, avait-il rétorqué,

1. Littéralement qui marche beaucoup, avec grâce et plaisir. *(N.d.T.)*

négligeant l'avertissement de son ami. Sans tomber ni le rompre. On dirait qu'il ne touche pas le sol… Qu'il flotte dans l'air !

À vingt-six ans, Hernando était le chef d'un clan familial et l'un des membres les plus considérés et les plus influents de la communauté maure. Il vivait toujours entouré de gens, tourné vers les autres. Azirat lui offrit des moments de liberté dont il n'avait jamais bénéficié au cours de son existence. Ainsi, dès qu'il en avait l'occasion, il équipait son cheval et sortait dans la campagne en quête de solitude, chevauchant parfois les pâturages au pas, tranquillement, pensif ; en revanche, d'autres fois, il laissait Azirat montrer sa rapidité et sa puissance. Il lui arrivait aussi de chercher les pâturages où paissaient des taureaux, afin de les toréer sans les blesser, jouant avec leurs dangereuses cornes qui n'atteignaient jamais les flancs du cheval : Hernando esquivait agilement leurs charges, les excitait grâce à la queue fournie d'Azirat que les taureaux poursuivaient en donnant de puissants coups de tête dans le leurre constitué par le long crin.

En revanche, il ne se dirigea jamais vers le nord, la Sierra Morena, où campaient Ubaid et les monfíes. Abbas lui avait assuré que le muletier de Narila ne lui causerait pas d'ennuis, que la communauté lui avait transmis un message avec cette exigence, mais Hernando n'avait pas confiance.

Le dimanche, il faisait monter avec lui Francisco et Shamir, qui avaient grandi comme des frères, et leur laissait les rênes quand il n'y avait pas de danger. S'il recherchait la solitude lorsqu'il sortait à cheval, s'efforçant de ne pas trop parader devant les chrétiens, avec les enfants il n'allait pas dans la campagne et se contentait de se promener juste aux alentours de Cordoue. Un jour, en fin d'après-midi, il traversa le pont romain avec les garçons, fiers et souriants. Francisco se tenait devant, à califourchon ; Shamir s'agrippait à son dos.

— Regardez, père ! s'écria soudain Francisco alors qu'ils venaient de passer la Calahorra et arrivaient au Campo de la Verdad. C'est Juan le muletier.

Au loin, Juan les salua d'un geste fatigué. Chaque fois qu'ils passaient par là, le dimanche, Hernando le trouvait prématurément vieilli ; cette fois il ne lui restait même plus les quelques dents avec lesquelles il avait mordu le téton de la femme du bordel.

— Pied à terre, les garçons, dit Juan aux petits d'une voix pâteuse, quand ils furent à sa hauteur.

Hernando se montra surpris, mais le muletier lui fit signe de se taire.

— Allez voir les mules. Damian m'a dit que vous leur manquiez depuis la dernière fois où vous les avez caressées.

Damian était un petit garnement que Juan avait dû engager pour l'assister. Francisco et Shamir coururent vers le troupeau, et les deux hommes se retrouvèrent face à face. Juan retroussa ses lèvres, se préparant à parler.

— Il y a quelqu'un, un nouveau-chrétien parmi les tiens, qui pose des questions, s'intéresse… – Hernando attendit que le muletier s'assure que personne ne les écoutait – … à la contrebande de feuilles de papier.

— Qui est-ce ?

— Je ne sais pas. Il ne s'est pas adressé à moi. Mais j'ai entendu qu'il a demandé à un muletier.

— Tu es sûr ?

— Mon garçon, je suis au courant de tout ce qui entre et sort illégalement de Cordoue. Je ne peux plus faire grand-chose maintenant, à part tendre l'oreille et me sucrer au passage ici et là.

Hernando mit la main à sa bourse et sortit quelques pièces. Juan ne les refusa pas.

— Les affaires ne vont pas fort ? demanda le Maure.

— Il n'est pour voir que l'œil du maître, commença à réciter Juan en faisant un geste de mépris à l'égard de

543

Damian. Les laquais et les valets d'écurie gâchent les chevaux, les détruisent... C'est pareil pour les mules, sauf que je n'ai plus le choix. Et pour ce qui est de traficoter... Aujourd'hui je n'arriverais même plus à soulever une des rames de *La Vierge Fatiguée* !

— Tu peux compter sur moi si tu as besoin de quelque chose.

— Tu ferais mieux de faire attention à toi, mon garçon. Ce Maure, et l'Inquisition aussi, j'imagine, sont après tous ceux, comme vous, qui se servent de ce papier.

— Comme nous ? Comment peux-tu supposer... ?

— J'ai beau être vieux et faible, je ne suis pas un imbécile. Ni l'Église ni les greffiers n'ont besoin de faire entrer toutes ces quantités de papier de contrebande. On raconte que le papier est de basse qualité et vient de Valence. Le muletier que le Maure a interrogé était de là-bas. Et il ne s'agit pas non plus du papier qu'utilisent les hidalgos pour écrire, pas plus que celui de l'imprimeur.

Hernando soupira.

— Tu ne pourrais pas savoir qui est ce Maure ?

— Si un jour le muletier de Valence revient... mais j'en doute, maintenant qu'il sait que quelqu'un ici pose des questions gênantes. Vous pouvez le trouver sur ses terres... Mais ne perds pas une minute, lui conseilla Juan en le pressant.

— Les enfants ! cria Hernando, mettant son pied gauche à l'étrier et passant lestement sa jambe droite par-dessus la croupe de son cheval. On rentre.

Il les souleva l'un après l'autre pour les faire monter.

— Si tu apprends quoi que ce soit... ajouta-t-il alors à l'intention de Juan.

Le muletier hocha la tête avec un sourire qui découvrit ses gencives.

— Azirat est malade, dit-il à Francisco qui se plaignait de ne pas continuer la promenade.

Autour de sa taille, il sentit la pression des mains de

Shamir, comme s'il ne croyait pas à cette excuse adressée au petit.

— Tu ne voudrais pas qu'il soit encore plus malade, n'est-ce pas ? insista-t-il cependant pour tâcher de calmer Francisco.

Aux écuries, pendant que les deux garçons aidaient le valet à déharnacher le cheval, Hernando alla prévenir Abbas de ce qu'il venait d'apprendre, puis il courut calle de los Barberos.

— Je ne veux pas voir une seule feuille de papier dans cette maison ! ordonna-t-il à Fatima, à sa mère et surtout à Hamid, qu'il pointa du doigt.

Ils s'enfermèrent à l'abri des enfants, dans une des pièces de l'étage, et Hernando expliqua aux autres, troublé, ce que Juan lui avait raconté. L'uléma tenta de protester, mais Hernando l'en empêcha :

— Pas une seule, Hamid, tu m'entends ? Nous ne pouvons pas courir ce risque, ni pour nous ni pour eux, ajouta-t-il avec un geste en direction du patio, où l'on pouvait entendre les rires des petits. Ni pour tous les autres.

Fatima intervint alors :

— Et le Coran ?

Ils possédaient toujours l'exemplaire que leur avait donné Abbas.

Hernando réfléchit quelques instants.

— Brûle-le !

Tous trois le regardèrent, abasourdis.

— Brûle-le ! insista-t-il. Dieu ne nous en tiendra pas rigueur. Nous travaillons pour Lui et nous ne Lui servirons plus à rien si nous sommes arrêtés.

— Pourquoi ne pas le cacher loin de… ? tenta Aisha.

— Brûlez-le ! Et faites disparaître les cendres. À partir de maintenant… dès que vous aurez tout brûlé, se corrigea-t-il, je veux voir la porte du vestibule ouverte. Nous suspendrons les classes des enfants jusqu'à nouvel ordre.

Et toi, Fatima, cache ton collier où personne ne pourra le trouver. Je ne veux pas non plus d'encoches dans les murs en direction de La Mecque.

— Je ne peux pas les enlever, allégua Hamid.

— Alors fais-en d'autres, plein d'autres, dans toutes les directions. Je suis sûr que tu te rappelleras toujours quelle est la bonne. Je dois aller à la mezquita... mais il faut également prévenir Karim et Jalil, en particulier Karim.

Il observa les trois autres. Pouvait-il avoir confiance en eux ? Être certain qu'ils suivraient ses instructions et n'essaieraient pas aussi de cacher ce Coran qu'ils avaient lu tant de nuits ?

— Viens, dit-il à Fatima en lui tendant la main.

Ils sortirent de la pièce et s'appuyèrent sur la balustrade de la galerie située à l'étage. Les enfants jouaient en bas, autour de la fontaine. Ils riaient, couraient et essayaient de s'attraper les uns les autres tout en s'aspergeant d'eau. Ils restèrent à les contempler en silence, jusqu'au moment où Inés perçut leur présence ; elle tourna le visage vers eux, montrant ses yeux noirs fendus, identiques à ceux de sa mère. Aussitôt, Francisco et Shamir l'imitèrent et, comme s'ils avaient conscience de la transcendance du moment, les trois enfants soutinrent leurs regards. Pendant quelques minutes, de la même façon que montaient, mêlés, la fraîcheur du patio et le parfum des fleurs, un courant de vie et de joie, d'innocence, se déplaça du patio à la galerie supérieure. Hernando serra la main de Fatima alors que sa mère, derrière lui, posait la sienne sur son épaule.

— Nous avons souffert de la faim et de tant de pénuries avant d'arriver ici, dit-il, rompant l'enchantement. Nous ne pouvons pas commettre d'erreurs maintenant.

Il se redressa soudain. Il devait se fier à eux !

— Tâchez de ranger la maison, ordonna-t-il à l'attention de Fatima et d'Aisha. Père, ajouta-t-il en s'adressant à Hamid, j'ai confiance en toi.

Il arriva à la cathédrale avant la fin des offices chantés des vêpres. La musique de l'orgue et les cantiques des novices qui étudiaient chez les jésuites inondaient l'enceinte, s'insinuant entre les milliers de colonnes de la mezquita. Hiérarchiquement placés dans leurs fauteuils de cérémonie correspondants, au sein du chœur, comme c'était leur devoir à chaque office, les membres du conseil en plénière participaient aux cantiques. L'odeur d'encens gifla Hernando : après avoir respiré le frais arôme des fleurs et des plantes du patio, cette odeur écœurante lui rappela pour quelle raison il était là. Il se joignit aux paroissiens qui assistaient à l'office ; une fois l'acte terminé, il se dirigea vers un gardien pour lui demander de chercher don Julián et lui dire qu'il l'attendait.

Il se tenait devant la grille de la bibliothèque qui, à ce moment-là, était en travaux. Après la mort de l'évêque frère Bernardo de Fresneda, dont le siège était vacant, le conseil de la cathédrale avait décidé de transformer la bibliothèque en une nouvelle et somptueuse chapelle du Sanctuaire, dans le style de la chapelle Sixtine, car le sanctuaire qui se trouvait dans la chapelle de la Cène était désormais trop petit. Une partie des livres avait été transférée dans le palais de l'évêque ; le reste cohabitait avec les travaux, en attendant que soit construite la nouvelle bibliothèque, près de la porte de San Miguel.

— Bien, commenta le prêtre, tentant de rassurer Hernando, après avoir écouté ses explications enflammées. Demain, passé l'office de vigile, j'ordonnerai que tous nos livres et papiers soient transférés au palais de l'évêque.

— Au palais de l'évêque ? s'étonna Hernando.

— Quel meilleur endroit ? sourit don Julián. C'est sa bibliothèque privée. Il y a des centaines de livres et de manuscrits, et c'est moi qui m'en occupe. Ne t'inquiète pas pour cela, je les cacherai bien. Frère Martín a beau prétendre lire beaucoup de livres, il ne parviendra jamais à accéder aux nôtres ; par ailleurs, de cette façon, quand la situation sera plus tranquille, nous pourrons continuer notre travail.

Pourrait-il lui aussi, pensa Hernando, profiter du stratagème de don Julián et cacher son coran dans la bibliothèque de frère Martín de Cordoue ?

— J'ai peut-être encore chez moi un coran et des calendriers lunaires…

— Si tu me les apportes avant l'office de vigile…

Don Julián interrompit ses paroles pour répondre au salut de deux prébendiers qui passèrent à côté de lui. Hernando pencha la tête et murmura quelques mots.

— Si tu me les apportes, répéta-t-il quand les prêtres se furent éloignés, je m'en occuperai.

Hernando scruta le vieux prêtre : son aplomb… était-il réel ou pure imposture ? Don Julián devina ses pensées.

— La nervosité peut seulement nous conduire à l'erreur, précisa-t-il. Nous devons surmonter cette difficulté et continuer notre travail. As-tu cru à un moment donné que ce serait simple ?

— Oui… admit Hernando en bredouillant, au bout de quelques instants.

Et c'était une impression qu'il avait eue dernièrement. Au début, quand il pénétrait dans la cathédrale, il sentait tous ses muscles se tendre, et il sursautait au moindre bruit. Mais ensuite, peu à peu…

— L'excès de confiance n'est pas de bon conseil. Nous devons toujours être en alerte. Il faut que nous trouvions cet espion avant qu'il ne nous trouve. Karim saura qui est le muletier valencien. Il faudra aller à sa recherche et apprendre comment s'appelle celui qui l'a interrogé.

Karim s'était chargé de tout. Les autres avaient essayé de le convaincre d'accepter leur aide, mais le vieillard avait refusé, et ils avaient dû reconnaître qu'il avait raison. « Qu'un seul de nous prenne des risques, cela suffit », soutenait l'ancien. Karim s'occupait d'acquérir le papier et de traiter avec les Maures valenciens et les muletiers ;

il s'arrangeait ensuite pour le faire passer à Hernando et à don Julián, et c'était lui qui recevait les livres et les documents déjà écrits pour, après les avoir reliés à l'aide d'une presse qu'il possédait chez lui, les distribuer dans Cordoue. Hormis les réunions sporadiques qu'ils maintenaient, et que peu de gens auraient pu prouver, rien ni personne ne pouvait lier les autres membres du conseil aux copies et aux ventes d'exemplaires du Coran.

Ils quittèrent la cathédrale par la porte de San Miguel. Quand ils montèrent dans la calle del Palacio, il faisait nuit noire. Comme presque tous les religieux de Cordoue, don Julián vivait aussi dans la paroisse de Santa María, calle de los Deanes, non loin de chez Hernando. Au croisement de los Deanes avec Manriques, là où se formait une petite place, un homme robuste leur barra soudain le passage. Hernando porta la main au couteau qu'il avait à la ceinture, mais une voix connue arrêta son geste.

— Du calme ! C'est moi, Abbas.

Ils reconnurent le maréchal-ferrant, qui alla droit au but :

— Les familiers de l'Inquisition viennent d'arrêter Karim, annonça-t-il. Ils ont fouillé sa maison et trouvé deux exemplaires du Coran, d'autres documents qu'ils ont saisis, ainsi que la presse, les couteaux à rogner et tous ses outils de reliure.

39.

Il s'appelait Cristóbal Escandalet, originaire de Mérida, il était arrivé à Cordoue deux ans plus tôt avec sa femme et ses trois jeunes enfants. Vendeur de beignets, il sillonnait la ville en proposant de délicieuses pâtisseries maures à la farine, frites dans l'huile : cornes de gazelle, beignets de seringat, allongés, compacts et cannelés, beignets au miel.

Hamid avait localisé la maison où il vivait, avec quatre autres familles entassées, dans le pauvre quartier de San Lorenzo, près de la porte de Plasencia, à l'extrémité occidentale de la ville.

Il l'avait suivi pendant deux jours. Il avait étudié sa façon de parler et de se comporter avec les gens, de gagner leur confiance grâce à une sympathie exubérante et excessive, d'enjôler les clients potentiels, vieux ou nouveaux-chrétiens. Âgé d'environ trente ans, de taille moyenne, nerveux et mince, il se déplaçait toujours avec vivacité, flanqué de son matériel à frire. Hamid avait remarqué que sa poêle brillait et que sa passoire, qu'il avait aperçue quand le marchand servait les beignets, était neuve.

— Le prix de la trahison de Karim ! s'exclama-t-il, furieux, observant à une certaine distance la manière dont Cristóbal vantait les bienfaits de ses pâtisseries en ce jour de marché, devant la croix du Rastro, à l'endroit où la calle de la Feria rejoignait la rive du Guadalquivir.

Une femme qui passait à côté de lui se retourna, surprise. Hamid soutint froidement son regard, et la femme continua son chemin. L'uléma se concentra de nouveau sur le vendeur de beignets, ses bras fébriles, son cou droit et fort. Il fallait le lui trancher et c'était lui, Hamid, qui s'en chargerait ! Il était le seul à pouvoir le faire ! Tel était le châtiment pour tout musulman qui reniait la loi et il n'y avait, pour Cristóbal, aucun pardon possible : il avait trahi ses frères de foi. Mais comment le vieillard boiteux, faible et désarmé qu'il était, pourrait-il exécuter la sentence de mort qu'il avait lui-même dictée dès qu'il avait appris le nom du traître ?

La détention et l'emprisonnement de Karim dans les geôles de l'Inquisition avaient bouleversé la communauté maure de Cordoue. Pendant plusieurs jours, il n'y eut d'autre sujet de conversation parmi ses membres ; l'identité de celui qui avait trahi le vieil homme respecté était toujours inconnue. Beaucoup de Maures connaissaient les activités de Karim : ceux qui faisaient le guet devant sa maison lors des réunions du conseil ; ceux qui achetaient des exemplaires du Coran, des prophéties, des calendriers lunaires ou des écrits polémiques ; et ceux qui profitaient de leur travail aux champs pour sortir des livres de Cordoue et les distribuer aux autres aljamas du royaume. La suspicion envahit la communauté et plusieurs de ses membres durent défendre leur innocence, confrontés à des regards en coin ou à des accusations directes. Afin de ne pas aggraver les soupçons au sein du groupe, les membres du conseil décidèrent de ne pas révéler que c'était précisément un Maure qui avait interrogé le muletier valencien. Ils n'avaient pas la possibilité d'enquêter sur son identité : Karim était inaccessible dans la prison de la Suprême et sa femme, âgée et très affectée par ce qui s'était passé, n'était au courant de rien, comme elle l'avait raconté à Abbas quand le maréchal-ferrant avait enfin réussi à la voir, une fois que les familiers de l'Inquisition eurent réalisé l'inventaire des maigres biens appartenant à Karim et les eurent saisis au profit du Saint-Office.

La délation était, de loin, le plus infâme et le plus exécrable des délits que pouvait commettre un Maure. Depuis l'époque de l'empereur Charles Quint, les édits de grâce s'étaient succédé de la part de l'Inquisition espagnole, tous soutenus par des bulles papales. Le roi comme l'Église étaient conscients des difficultés inhérentes à la prétendue évangélisation d'un peuple entier, baptisé de force ; le manque de prêtres suffisamment compétents et prêts à mener à bien une telle tâche était un fait avéré. L'Église n'ignorait pas que, dans ce contexte, le nombre de relaps susceptibles de finir inévitablement sur le bûcher était si élevé que la fonction d'exemplarité de cette peine n'avait plus ni sens ni effet. C'est pourquoi, pendant un siècle, elle s'était efforcée d'accueillir en son sein les Maures qui simplement se confessaient et se convertissaient, même secrètement, en cachette de leurs frères, étendant son pardon aux relaps récidivistes, à qui elle proposait certains avantages comme la non-confiscation de leurs biens.

Mais ces confessions étaient soumises à une condition : la dénonciation des membres de la communauté maure qui pratiquaient l'hérésie. Aucun édit de grâce n'avait eu de succès. Les membres de la communauté maure ne se dénonçaient pas entre eux.

D'un autre côté, le peuple haïssait les Maures. Leur application au travail, à l'inverse des artisans chrétiens qui rivalisaient avec les nobles et les hidalgos par leur hostilité envers tout type d'activité professionnelle, exaspérait les gens qui voyaient les Maures, une fois surmonté le choc produit par la déportation des Grenadins, s'enrichir de nouveau, lentement, ducat après ducat. De nombreuses plaintes émanant des populations étaient également portées devant les conseils royaux, au sujet de la considérable fertilité des Maures, non appelés dans les armées royales qui, année après année, décimaient les campagnes et les provinces espagnoles.

Comme l'avait deviné Hernando, Fatima et Hamid n'avaient pas brûlé le Coran et les autres documents : ils les avaient cachés dans le patio, sous les carreaux de la terrasse.

— Vous êtes bien naïfs, avait-il reproché après leur avoir extorqué la vérité. Les officiers de l'Inquisition n'auraient pas mis longtemps à les trouver.

Il avait tout brûlé sauf le Coran et, avant le lever du jour, après une nuit passée à veiller, redoutant d'entendre les pas des officiers de la Suprême se diriger vers sa maison, il avait enfoui le livre divin sous sa tunique et s'était rendu à la cathédrale, afin d'arriver avant l'office de vigile, comme le lui avait dit don Julián.

Il descendit la calle de los Barberos et celle de Deanes jusqu'à la porte du Pardon. Il faisait froid, mais sa tunique était doublée au niveau des bras. Il tenait le Coran serré contre son corps. Il tremblait. Après avoir franchi le grand arc de la porte du Pardon, il comprit seulement que ce n'était pas le froid qui provoquait en lui ces petites convulsions. Qu'était-il en train de faire ? Il n'avait même pas réfléchi : il avait pris le livre pour le confier à don Julián, comme si c'était normal, et il se trouvait maintenant dans le patio de la cathédrale, entouré de prêtres qui venaient assister à l'office de vigile. Hormis l'évêque qui accédait à la cathédrale par le pont qui la reliait à son palais, les autres entraient par la porte du Pardon : les dignitaires du conseil, identifiables à leurs luxueux vêtements, et plus d'une centaine de chanoines et de chapelains, auxquels s'ajoutaient organistes et musiciens, enfants de chœur, vigiles, sacristains, gardiens… Soudain il se vit plongé dans une mer de religieux et d'artisans en tout genre de la cathédrale. Certains bavardaient, les plus nombreux marchaient en silence, à moitié endormis, l'air renfrogné. Un terrible frisson longea sa colonne vertébrale. Il était dans un des lieux les plus sacrés de toute l'Andalousie, un coran sous le bras ! Il s'arrêta, obligeant trois enfants de chœur qui le suivaient à l'éviter. Il serra le livre contre son corps et, feignant une indifférence qu'il ne ressentait pas, il vérifia que sa tunique le cachait bien. Il observa comment la marée d'hommes en habits noirs et bonnets confluait vers la porte de l'arc des Bénédictions, par laquelle on accédait à l'intérieur de l'enceinte. Alors il prit sa décision et fit demi-tour pour s'échapper de là. Il cacherait le Coran dans un autre…

— Hé !

Hernando entendit l'exclamation derrière lui et pria pour qu'elle ne lui soit pas adressée.

— Toi !

Il regarda devant lui et pressa le pas.

— Arrête-toi !

Une sueur froide courut tout à coup dans son dos. L'arc de la porte du Pardon était seulement à…

— Halte !

Deux gardiens, lui barrant le passage, l'empêchèrent de continuer.

— Tu n'entends pas que l'inquisiteur t'appelle ?

Hernando bredouilla une excuse et regarda au-delà de la porte, en direction de la rue. Il pouvait se mettre à courir et s'enfuir. Que fallait-il décider ? Fuir ? On l'avait sans doute reconnu, et avant qu'il n'arrive jusqu'à Fatima, jusqu'aux enfants…

— Tu es sourd ? cria l'autre gardien.

Hernando se retourna vers le patio. Un prêtre grand et mince l'attendait. Il savait qu'une des sinécures du conseil de la cathédrale était réservée à un représentant de l'Inquisition. Une nouvelle fois, il hésita. Il sentit derrière lui la respiration des gardiens, et pourtant… le chanoine était seul. Nul familier ni alguazil de la Suprême ne l'accompagnait.

Se sentant rassuré, il respira profondément.

— Mon père, le salua-t-il en inclinant la tête, après

avoir parcouru la distance qui le séparait de l'inquisiteur. Pardonnez-moi, mais jamais je n'aurais pu supposer que Votre Excellence s'adressait à moi, un simple…

L'inquisiteur l'interrompit et lui tendit sa main, flétrie, afin qu'Hernando procède à la génuflexion de rigueur. Par réflexe, il allait la lui prendre, mais le livre sous son bras droit… De son bras gauche il le bloqua par-dessus la tunique et le colla à sa poitrine tout en parvenant à s'agenouiller et à s'assurer que rien n'était visible. L'inquisiteur le pria de se relever. Hernando replia la tunique sur son bras pour l'empêcher de remarquer la présence du livre. Le prêtre l'examina de haut en bas. Il serra le Coran contre sa poitrine. C'était là qu'était contenue la révélation divine ! C'était ce livre qui aurait dû être à l'intérieur de la mezquita, conservé dans le mihrab, à la place de tous ces ecclésiastiques chrétiens avec leurs cantiques et leurs images ! Une vague de chaleur surgit de l'endroit où il cachait le livre divin, près de son cœur, et s'étendit dans tout son corps. Il se redressa et banda ses muscles. Quand l'inquisiteur mit fin à l'inspection, il se sentait fort, confiant en son Dieu et en sa parole.

— Hier, dit alors l'homme d'une voix sifflante, nous avons arrêté un hérétique qui s'employait à copier, relier et distribuer des écrits diffamatoires et contraires à la doctrine de notre sainte mère l'Église. Il n'y aura pas de période de grâce pour sa confession spontanée. Aujourd'hui même, étant donné la gravité du cas et la nécessité d'arrêter ses éventuels complices avant qu'ils ne s'enfuissent, nous commencerons les interrogatoires au siège du tribunal. Les livres sont écrits dans un arabe que notre traducteur habituel n'arrive pas à comprendre. Le conseil m'a transmis d'excellentes références sur toi. C'est pourquoi tu devras te présenter ici à l'heure de tierce afin d'assister aux interrogatoires et de traduire tous ces écrits.

Hernando fléchit. Toute sa force disparut dès l'instant où il s'imagina face à Karim, assistant à son interrogatoire et peut-être à la torture que... pendant qu'il traduirait ce qu'il avait lui-même écrit !

— Je..., tenta-t-il de s'excuser en bafouillant. Je dois travailler aux écuries...

— La persécution de l'hérésie et la défense de la chrétienté passent avant tout autre travail ! le coupa l'inquisiteur.

Les cantiques se mirent à retentir à l'intérieur de la cathédrale. Les voix parvenaient jusqu'au patio. Le prêtre tourna le visage vers la porte de l'arc des Bénédictions et se hâta d'entrer. Il courut comme s'il glissait, sans faire de bruit.

— À tierce, rappelle-toi, insista-t-il avant de le laisser seul.

Hernando effectua la courte distance qui le séparait de chez lui complètement sonné, s'efforçant de ne penser à rien, murmurant des sourates, le Coran pressé contre sa poitrine.

L'alcázar des Rois, ancienne résidence des Rois Catholiques devenue siège du tribunal inquisitorial, était une forteresse construite par le souverain Alphonse XI sur les ruines d'une partie du Palais califal. Cependant, depuis longtemps déjà, tout l'argent qui arrivait au tribunal pour la conservation du lieu était détourné par les inquisiteurs pour leurs frais personnels. C'est pourquoi les installations s'étaient progressivement dégradées et, à l'endroit où il aurait dû y avoir des pièces, des salles, des secrétariats et des archives, se trouvaient des poulaillers, des pigeonniers, des écuries et même des blanchisseries dont les domestiques des inquisiteurs vendaient, sans honte aucune, les produits et le linge à la porte qui donnait sur le Campo Real. Les conditions hygiéniques de l'alcázar, entre animaux et saleté, cachots insalubres et deux étangs d'eau stagnante et croupie au bord du Guadalquivir, avaient fini par nourrir la légende que quiconque y entrait tombait malade et mourait.

À tierce, comme on le lui avait ordonné, Hernando se présenta à la porte qui donnait sur le Campo Real, sous la tour du Lion.

— Tu dois faire le tour, lui indiqua, de mauvais gré, un vendeur de linge. Traverse le cimetière et entre par la porte del Palo, à la tour de la Vela, à côté du fleuve.

La porte del Palo s'ouvrait sur un patio muré, avec des peupliers et des orangers donnant sur le Guadalquivir. Deux vigiles le questionnèrent comme si c'était lui qu'on allait juger. Puis l'un d'eux, d'un geste brusque, lui signala une petite porte sur le côté sud. Dès qu'il la franchit et qu'il traversa les arbres du patio, Hernando sentit l'humidité malsaine de l'endroit imprégner son corps. Il accéda à un couloir lugubre qui menait à la salle du tribunal ; sur sa gauche se trouvaient les cellules, disposées de manière inextricable pour profiter de l'espace ; il savait que les prisonniers y étaient entassés, mais le silence était si terrifiant que ses pas résonnèrent tout au long du couloir.

La salle du tribunal était rectangulaire, avec de hauts plafonds voûtés. Sur un côté, étaient déjà installés, derrière des bureaux, plusieurs inquisiteurs, parmi lesquels celui qui lui avait parlé dans la cathédrale, le promoteur fiscal du Saint-Office, et le notaire. Ils lui demandèrent de jurer de respecter le caractère confidentiel de tout ce qu'il entendrait dans la « salle du secret » et de s'asseoir à une table plus basse que les autres, à côté du notaire. Devant eux étaient posés trois exemplaires mal cousus du Coran et d'autres documents épars.

Karim était chargé d'assembler les feuilles avant de les distribuer. Alors que les inquisiteurs murmuraient entre eux, indifférents à sa présence, Hernando reconnut chaque exemplaire du livre divin. Le regard rivé sur les volumes, il se souvint exactement à quel moment il avait écrit chacun d'eux, puisqu'il n'avait pratiquement pas eu besoin de les copier ; les difficultés qu'il avait rencontrées pour l'un ou l'autre ; les erreurs commises ; les plumes qu'il avait dû couper, et à quelle sourate il l'avait fait ; l'encre qui lui avait manqué ; les observations et les commentaires de don Julián ; les plaisanteries et les inquiétudes au moindre bruit étranger et imprévu ; l'illusion et l'espérance d'un peuple représentées dans chaque caractère qu'il avait tracé sur ces feuilles de papier trop satiné et de basse qualité qui leur parvenait, si difficilement, de Xátiva.

Hernando se sentit rapetisser sur sa dure chaise en bois lorsque Karim apparut dans la salle du tribunal ; sale et dépenaillé, faible et tassé. Qu'allait penser le vieillard ? Qu'il était, lui, le délateur ? Un bref instant, pendant lequel le regard de Karim se posa sur lui, suffit pour le convaincre qu'une telle hypothèse était très loin des pensées du vieux Maure.

— Je te pardonne ! s'écria Karim une fois qu'il fut au centre de la salle, sans s'adresser à quelqu'un en particulier, interrompant le début de la lecture du notaire.

Les inquisiteurs s'agitèrent.

— Qu'as-tu à pardonner, toi, hérétique ? s'exclama l'un d'eux.

Hernando fit abstraction des imprécations qui s'ensuivirent. Ces paroles lui étaient adressées. Je te pardonne ! Karim avait évité de regarder quiconque quand il les avait prononcées, et il avait parlé au singulier. Je te pardonne ! Hernando avait vacillé en le voyant entrer, puis il s'était ressaisi. Le matin même, il s'était senti fort avec le Coran serré contre sa poitrine ; après, cependant, il avait été désespéré lorsqu'il avait su qu'il devrait assister au procès de Karim. Fatima, Aisha et Hamid, tête basse, l'avaient assailli de questions auxquelles il avait été incapable de répondre. Et maintenant Karim lui pardonnait, s'engageant à endosser toute la responsabilité.

Au cours de cette longue matinée, Karim fut soumis à l'interrogatoire de rigueur.

— Tous les chrétiens ! répondit-il à la question : « As-tu des ennemis connus ? » Ceux qui ont bafoué le traité de paix qu'avaient signé vos rois ; ceux qui nous insultent, nous maltraitent et nous haïssent ; ceux qui nous volent nos cédules pour que nous soyons arrêtés, ceux qui nous empêchent de suivre nos lois…

Ensuite, d'une voix tremblante, Hernando traduisit une partie du contenu des livres, que Karim reconnut, à la satisfaction des inquisiteurs, comme étant les siens. L'ancien avoua : il s'était procuré le papier, l'encre et les avait lui-même écrits. Il était, lui et lui seul, le responsable de tout !

— Vous pouvez me conduire sur le bûcher, les défia-t-il en pointant l'index sur tous les présents. Je ne me convertirai jamais à votre religion.

Hernando retint ses larmes, conscient, par ailleurs, du léger tremblement de ses lèvres.

— Chien hérétique ! éclata l'un des inquisiteurs. Tu nous prends peut-être pour des imbéciles ? Nous savons pertinemment qu'un vieillard comme toi n'est pas capable d'agir tout seul. Nous voulons connaître le nom de ceux qui t'ont aidé et qui possèdent les autres livres.

— Je vous ai dit qu'il n'y a personne d'autre, insista Karim.

Hernando l'observa, seul, debout, au centre de la grande salle, affrontant le tribunal : un esprit immense dans un petit corps. En vérité il n'y avait personne d'autre ; personne d'autre n'était nécessaire, pensa-t-il alors, pour défendre le Prophète et le Dieu unique.

— Mais si, il y en a d'autres.

L'affirmation, tranchante, catégorique, surgit de la voix sifflante du chanoine de la cathédrale.

— Et tu nous diras leurs noms.

Ces dernières paroles flottèrent dans l'air, puis l'inquisiteur ordonna la suspension de l'acte jusqu'au lendemain.

Cet après-midi-là, Hernando ne se présenta pas aux écuries. Les alguazils emmenèrent Karim, les inquisiteurs quittèrent leurs places, et Hernando tenta de se désister pour la session suivante : il avait déjà traduit une partie des documents. De plus, les interlignes des corans étaient en aljamiado.

— Pour cette raison précise, objecta le chanoine. Nous ignorons si ces traductions dans les interlignes sont correctes ou s'il s'agit d'un stratagème pour nous abuser. Tu seras avec nous tout au long du procès.

Et d'un geste désagréable de la main, il prit congé de lui.

Hernando ne déjeuna pas, ne dîna pas. Pas plus qu'il ne parla. Il s'enferma dans sa chambre et, en direction de la qibla, pria jusqu'à la tombée du jour, ainsi qu'une partie de la nuit, avant de tomber, épuisé.

Personne ne le dérangea ; les femmes veillèrent à ce que les enfants restent silencieux.

À tierce, le lendemain, Hernando se rendit seul à la salle du secret. Par le même couloir qui menait au tribunal, il descendit quelques marches jusqu'à une pièce voûtée, sans fenêtres, où se tenaient déjà les inquisiteurs. Ils chuchotaient entre eux, installés tout autour d'instruments de torture des plus variés : de grosses cordes qui pendaient du plafond, un chevalet et un tas d'outils en fer pour briser, immobiliser ou démembrer les prisonniers.

La puanteur à l'intérieur de la pièce, chaude et poisseuse, était insupportable. Hernando eut un haut-le-cœur à la vue de tout ce matériel macabre.

— Assieds-toi ici et attend, lui ordonna le chanoine en lui désignant un bureau sur lequel étaient déjà placés les corans et les dossiers du notaire.

Ce dernier était en grande discussion avec les inquisiteurs, le médecin et le bourreau.

— Il est trop vieux, commentait un prêtre. Nous devons faire attention.

— Ne vous en faites pas, assura le bourreau, un homme chauve et robuste. Je prendrai soin de lui, ironisa-t-il.

Certains d'entre eux sourirent.

Hernando s'obligea à détourner le regard de ce groupe d'hommes. Il aurait également voulu ne rien entendre. Il posa les yeux sur le bureau, les dossiers du notaire. « Mateo Hernández, nouveau-chrétien maure », disait la première page écrite avec la calligraphie appliquée du notaire de l'Inquisition. S'ensuivaient la date, la description du lieu et des faits sur lesquels était fondé le commencement du procès, la relation des inquisiteurs présents et, à la dernière ligne de cette première page, la précision suivante :

À Cordoue, le vingt-trois janvier de l'année mille cinq cent quatre-vingt de Notre-Seigneur, devant le licencié Juan de la Portilla, inquisiteur du tribunal de Cordoue et dans la salle du Saint-Office, a comparu afin de dénoncer l'hérésie le dénommé…

La dernière ligne de la première page se terminait là. Hernando leva la tête vers les inquisiteurs : ils continuaient à discuter entre eux en attendant l'arrivée du prisonnier. Le 23 janvier ! Cela faisait plus d'un mois. Qui était donc l'homme qui avait comparu devant l'inquisiteur plus d'un mois auparavant et dont la dénonciation était à l'origine de ce procès ? Cela pouvait seulement être… Soudain, le silence se fit et Karim entra dans la salle de tortures, flanqué de deux alguazils. Au moment précis où tous les inquisiteurs portaient leur attention vers le détenu, Hernando tourna la page. Un simple coup d'œil lui suffit : Cristóbal Escandalet. Les poings serrés, il résista à l'impulsion de vérifier que personne n'avait remarqué son geste, et attendit que le notaire prenne place à ses côtés.

Cristóbal Escandalet, marmonna Hernando, comme s'il voulait graver en lettres de feu ce nom dans sa mémoire. C'était le nom du traître !

Karim nia une nouvelle fois avoir des complices. Le ton assuré de sa voix, qui força Hernando à le regarder, contrastait avec son aspect fatigué et loqueteux. Le bourreau lui arracha sa chemise, découvrant son torse glabre et flasque.

— Engage l'interrogatoire, ordonna Juan de la Portilla, debout comme les autres inquisiteurs, alors que le notaire commençait à esquisser avec sa plume des traits sur le papier.

Ils allongèrent le prisonnier à plat ventre, l'immobilisèrent sur le chevalet, les bras dans le dos, et attachèrent ses pouces avec une cordelette liée à une grosse corde, elle-même fixée à un treuil suspendu au plafond. Karim refusa de nouveau de répondre aux questions de l'inquisiteur et le bourreau se mit à tirer sur l'extrémité de la grosse corde.

S'ils avaient espéré l'entendre hurler, ils s'étaient trompés. Le vieillard appuya son visage sur le chevalet et laissa échapper de sourds grognements qui bouleversèrent Hernando ; gémissements brisés seulement par les questions insistantes de l'inquisiteur.

— Comment se nomment ceux qui sont avec toi ? répétait-il en criant, de plus en plus énervé par le silence de Karim.

Le bourreau hocha négativement la tête. Les inquisiteurs arrêtèrent la séance et détachèrent le vieillard du chevalet : ses pouces étaient retournés sur le dos de ses mains, arrachés de leur base. Il avait le visage congestionné, la respiration moribonde, les yeux exténués, aqueux, et des filets de sang coulaient de sa lèvre inférieure ; le bourreau l'agrippait pour le faire tenir debout. Le médecin s'avança vers Karim et examina ses pouces, qu'il mania sans délicatesse, sans précaution, et Hernando contempla sur le visage de son ami des signes de douleur qu'il avait cachés jusque-là.

— Il se porte bien, annonça le médecin.

Puis, il se dirigea vers le licencié Portilla et lui parla à l'oreille. Pendant ce temps, Hernando lut ce que le notaire consignait dans son rapport : *Le prisonnier se porte bien.*

— La séance est suspendue jusqu'à demain, déclara l'inquisiteur quand le médecin eut fini de lui parler.

— Tu dois manger, lui susurra Fatima après avoir pénétré dans la chambre où Hernando s'était enfermé pour prier depuis qu'il était rentré à la maison.

Il était plus de minuit.

— Karim ne mange pas, répondit-il.

Fatima s'approcha de son époux qui, à ce moment-là, était assis sur ses talons, le torse nu. La peau de ses bras et de sa poitrine apparaissait griffée, égratignée par endroits, conséquence de la vigueur avec laquelle il s'était lavé et frotté, comme s'il avait voulu s'arracher la peau afin de se défaire de la puanteur du cachot qui, malgré tout, restait imprégnée sur son corps.

— Il fait froid. Tu devrais te couvrir.

— Laisse-moi, femme !

Fatima obéit et posa la gamelle de nourriture et l'eau dans un coin.

— Dis à Hamid de venir, ajouta-t-il sans se tourner vers elle.

L'uléma accourut aussitôt.

— La paix…

Hamid interrompit son salut devant l'aspect d'Hernando, qui n'avait pas changé de position.

— Tu ne devrais pas te punir ainsi, murmura-t-il.

— Le traître s'appelle Cristóbal Escandalet, énonça Hernando en guise de réponse. Dis-le à Abbas. Il saura quoi faire.

Il aurait voulu le tuer de ses propres mains, l'étrangler

lentement et contempler ses yeux à l'agonie, lui causer la même douleur que subissait Karim mais, se trouvant à la disposition du tribunal, il avait décidé qu'il valait mieux qu'Abbas s'occupe de ce chien. Et le plus tôt serait le mieux.

— Le châtiment pour celui qui trahit notre peuple est sans appel. Abbas saura certainement quoi faire. Ce qui m'inquiète…

Hamid laissa ses paroles flotter dans l'air ; il attendait une réaction de la part d'Hernando, mais celui-ci fit mine de reprendre ses prières.

— Ce qui m'inquiète, insista alors l'uléma, c'est si toi tu sais ce que tu dois faire.

— Que veux-tu dire ? interrogea Hernando après quelques instants d'hésitation.

— Karim se sacrifie pour nous…

— Il me protège, l'interrompit Hernando, qui lui tournait toujours le dos.

— Ne sois pas présomptueux, Ibn Hamid. Il nous protège tous. Toi… tu n'es qu'un instrument de plus dans notre combat. Karim protège aussi ton épouse et les mères à qui elle enseigne la parole révélée, et celles-ci qui la transmettent à leurs enfants, et les petits qui l'apprennent en secret à condition de ne pas l'utiliser hors de leurs foyers… Il nous protège tous.

Hamid perçut un léger tremblement dans le corps d'Hernando.

— Ma vie est entre ses mains, dit-il à la fin, tournant la tête vers l'uléma, qui craignit que son élève ne s'écroule.

Il s'avança vers lui et se prosterna, difficilement, à ses côtés.

— Tu as peut-être raison… Sûrement ! Il nous protège tous, mais tu ne peux pas imaginer la panique qui m'envahit quand je vois ce corps si faible, flétri, brisé par la torture, soumis à la question. Combien de temps un vieillard comme lui peut-il tenir ? J'ai peur, Hamid, oui. Je tremble. Je ne peux pas contrôler mes genoux et mes mains. J'ai peur que, dans la folie de la douleur, il ne finisse par me dénoncer.

L'uléma ébaucha un triste sourire.

— La force ne réside pas dans notre corps, Ibn Hamid. La force est dans notre esprit. Aie confiance en Karim ! Il ne te dénoncera pas. Le faire signifierait trahir son peuple.

Tous deux échangèrent un regard.

— Tu as déjà prié ? lui demanda l'uléma, à sa surprise, rompant l'enchantement.

Hernando crut entendre l'écho de ces mêmes paroles dans la vieille cabane de Juviles. Il se pinça les lèvres dans l'attente des suivantes :

— La prière de la nuit est la seule que nous pouvons pratiquer avec une certaine sécurité. Les chrétiens dorment.

Hernando faillit répondre comme il le faisait toujours, une boule dans la gorge à cause de la nostalgie, mais Hamid l'en empêcha.

— Comme nous avons lutté depuis, n'est-ce pas mon fils ?

En réalité, Hamid n'avait pas transmis le message à Abbas. Le maréchal-ferrant était jeune et fort. Karim mourrait, pendant la torture ou brûlé comme hérétique. Jalil était aussi vieux que Karim, don Julián était âgé également, et il devait toujours agir dans la clandestinité, sans la possibilité de se mouvoir parmi les Maures. Quant à lui, Hamid... sa vie s'achèverait bientôt, il le sentait. Abbas ne devait pas prendre de risques. Mais comment pourrait-il, lui, tuer ce chien de traître ? se demanda-t-il encore en le regardant vendre avec insouciance ses beignets à la croix du Rastro.

Pendant ces journées d'incessante torture, Karim eut les bras disloqués sur le chevalet, mais il resta muré dans son silence comme Hernando dans son jeûne et sa prière.

Fatima et Aisha étaient inquiètes. Même les enfants pressentaient que quelque chose de terrible se préparait.

— Boit-il l'eau que tu lui laisses ? demanda Hamid à Fatima.

— Oui, répondit-elle.

— Dans ce cas… il tiendra.

Hamid vit le vendeur de beignets déplacer son matériel, à la recherche d'un coin où s'était rassemblé un grand nombre de personnes. Il le suivit du regard, jusqu'au moment où il s'arrêta près d'un coutelier. Alors, l'homme se mit à proposer à grands cris ses produits, pressant dans la passoire les beignets de seringat qui tombaient en formant des cercles dans la poêle et crépitaient dans l'huile bouillante avant qu'il les coupe pour les offrir au public. Des couteaux ! Mais la distance entre Cristóbal et le coutelier était trop grande pour qu'Hamid puisse, dans le cas où il aurait réussi à s'emparer de l'un d'eux, surprendre le vendeur de beignets et le poignarder. Les cris du coutelier, très sûrement, le mettraient en garde. Par ailleurs, il fallait qu'il lui coupe la tête ! Comment… ?

Brusquement, Hamid serra la mâchoire.

— Allah est grand, marmonna-t-il entre ses dents en boitant en direction du marchand.

Cristóbal le vit avancer vers lui, le regardant droit dans les yeux. Il cessa de vanter ses beignets et fronça les sourcils, mais quand l'uléma arriva à sa hauteur, il sourit. Ce n'était qu'un vieillard estropié !

— Tu en veux un, grand-père ?

Hamid hocha négativement la tête.

— Quoi alors ? demanda Cristóbal.

À ce moment-là, Hamid saisit la poêle à deux mains. Tous les gens autour purent entendre siffler la peau de ses doigts, grillée par le métal brûlant. Sans même ciller, il jeta l'huile bouillante au visage du commerçant. Quelques personnes bondirent sur le côté. Cristóbal hurla et porta les mains à son visage, avant de se tordre de douleur sur le sol. La poêle toujours entre les mains, alors que l'odeur de chair brûlée envahissait la place, l'uléma se dirigea vers l'étal du coutelier. Les gens s'écartèrent sur son passage. Le coutelier fit de même, devant cet homme devenu fou, capable de lui lancer l'huile qui restait. Alors Hamid jeta la poêle, saisit un couteau, le plus grand parmi tous ceux exposés à la vente, et revint à l'endroit où le marchand continuait à gémir.

La plupart des gens observaient la scène, immobiles, à distance ; un homme courut chercher les alguazils.

Hamid s'agenouilla au côté de Cristóbal, qui donnait des coups de pied et hurlait, sur le dos, le visage caché entre ses mains. Puis il lui sectionna les bras, et cette nouvelle douleur obligea le vendeur de beignets à découvrir sa gorge. L'uléma fit glisser son couteau sur le cou du délateur : un coup franc, profond, de toute la force d'une communauté outragée et trahie. Un jet de sang jaillit et Hamid se releva, trempé, l'immense couteau toujours dans la main. Il tomba nez à nez avec un alguazil qui avait dégainé son épée.

— Chiens chrétiens ! cria-t-il, menaçant, laissant échapper toute la rancœur qu'il avait réprimée au long de sa vie.

L'alguazil lui enfonça son épée dans le ventre.

Les Alpujarras, les sommets blancs de la Sierra Nevada, les rivières et les ravins, les minuscules terrasses de terres fertiles gagnées sur la montagne, une à une, le travail aux champs et les prières nocturnes… tout apparut avec clarté à l'esprit d'Hamid. Il ne sentait aucune douleur. Hernando, son fils !… Aisha, Fatima, les petits… Il ne souffrit pas davantage quand l'alguazil tira sur son arme pour l'extraire de son corps. Le sang se mit à sourdre de ses entrailles. Hamid l'observa : c'était le sang versé par des milliers de musulmans qui avaient décidé de défendre leur loi.

L'alguazil demeurait debout face à lui, certain que le

vieillard allait s'écrouler à l'instant même. Les gens les entouraient en silence.

— Il n'y a pas d'autre Dieu que Dieu, et Mahomet est l'envoyé de Dieu, entonna Hamid.

Ils ne devaient pas le capturer. Ils ne devaient pas savoir qui il était. En aucune façon l'uléma ne voulait mettre en danger sa famille. Il leva le couteau et boita jusqu'au fleuve, près de la croix du Rastro. La foule s'écartait sur son passage. L'alguazil le suivit. Il allait bien tomber ! Une traînée de sang subsistait derrière lui et, pourtant, tous s'arrêtèrent, saisis par le spectacle magique de ce vieil homme qui clopinait avec sérénité jusqu'au fleuve.

— Non ! cria l'alguazil lorsqu'il comprit enfin ses intentions.

Hamid se laissa tomber dans le Guadalquivir et disparut dans ses eaux.

Hernando était incapable d'en supporter davantage. Il revenait de l'alcázar des Rois Chrétiens, où les séances de torture à l'encontre de Karim n'étaient que cruauté pure. Et inutile : le vieillard persistait à ne pas dévoiler l'identité de ses complices. Même le bourreau avait osé se tourner vers les inquisiteurs pour leur indiquer d'un geste de la main qu'il était absurde d'insister.

— Continue ! avait hurlé le licencié Portilla, coupant court à ses doutes.

Et Hernando était tenu d'assister à cette barbarie. Les paroles d'Hamid l'avaient poussé à puiser sa force dans sa foi, dans l'esprit qui les faisait lutter pour leurs lois et leurs coutumes, et c'est fort de ces résolutions qu'il tâchait de se présenter devant le tribunal, mais une fois dans les cachots, quand Karim était torturé et qu'on exigeait de lui le nom de ses complices, la peur revenait l'assaillir. C'était son nom, celui que l'ancien taisait si obstinément ! À seulement deux mètres de lui, Karim était sauvagement torturé ; il sentait son sang et son urine ; il contemplait les convulsions qui gagnaient ses muscles, contractés par l'intense douleur ; il écoutait ses cris étouffés, pires que le plus terrible des hurlements ; ses halètements et ses sanglots lors des pauses. Parfois il s'enorgueillissait de la victoire de Karim sur les inquisiteurs. Il défendait son peuple, sa loi ! Mais à d'autres moments il ressentait un atroce sentiment de culpabilité… Et ses sueurs froides se mêlaient à la puanteur de la geôle à la seule pensée que Karim pût céder et le désigner : lui, c'est lui que vous cherchez ! Alors il se faisait petit sur sa chaise, terrorisé, l'estomac retourné, imaginant les alguazils et les inquisiteurs se jeter sur lui. Il pouvait être le suivant sur le chevalet. Et personne ne saurait reprocher à un homme, quelle que fût sa condition, sous une telle profusion de tortures, de craquer et de déclarer tout ce qu'on exigeait de lui. Orgueil, culpabilité, panique… Hernando était traversé par une foule de sentiments contraires qui le secouaient comme un pantin, tandis qu'alternaient devant lui, sans trêve, les questions, les coups sur la grosse corde, les cris…

Il venait de rentrer chez lui quand un jeune garçon envoyé par Jalil lui raconta ce qu'Hamid venait de faire. Fatima et Aisha éclatèrent en sanglots, blotties par terre, contre le mur, serrant leurs enfants dans leurs bras.

Il n'en supporterait pas davantage ! Tant de douleur…

— Le vendeur de beignets qui est mort… interrogea Hernando, la voix brisée. Il s'appelait Cristóbal Escandalet ?

— Oui, confirma le jeune garçon.

Hernando hocha la tête. Hamid n'avait donc rien dit à Abbas ?

— Cet homme était un espion et un traître, affirma-t-il alors en s'adressant de nouveau au jeune Maure. C'est lui qui a dénoncé Karim à l'Inquisition. Que tous nos frères apprennent pourquoi notre meilleur uléma a commis une telle action ! Il l'a jugé, a dicté sa sentence et l'a lui-même exécutée. Que l'apprenne aussi la famille du vendeur de beignets !

Il pleura seulement une fois dans sa chambre, désireux de s'abandonner une fois encore à la prière et au jeûne. Qui utiliserait désormais la petite pièce du rez-de-chaussée ? Et l'entaille en direction de la qibla, qui se prosternerait devant à partir de maintenant ? Il la lui avait montrée comme un enfant qui aurait accompli une bonne action, avec orgueil et innocence, dans l'attente de son approbation. Hamid, qui lui avait tout appris, qui lui avait donné son nom ! Hamid ibn Hamid, le fils de Hamid !

Une larme altéra sa vision et l'éloigna de la réalité. Alors un cri terrible résonna au cœur de la nuit, dans tout le quartier de Santa María :

— Père !

Les alguazils firent entrer Karim en le traînant par les aisselles. Sa tête pendait et ses pieds, brisés par la torture, glissaient derrière lui sur le sol, comme s'ils n'étaient plus reliés à ses chevilles.

Devant le licencié Portilla, les alguazils tentèrent de le redresser, et le bourreau tira sur les quelques cheveux blancs qui restaient sur la tête du vieillard afin de relever son visage. L'inquisiteur fit claquer sa langue et balaya l'air de sa main. Il abandonnait la partie.

Hernando observa les yeux violacés du vieux Maure, gonflés, perdus bien au-delà des murs du cachot ; contemplant peut-être la mort, le paradis. Qui méritait plus le paradis que ce bon croyant ?

Alors les lèvres desséchées de Karim remuèrent.

— Silence ! clama l'inquisiteur.

Dans la pièce, comme une rumeur lointaine, on put entendre les balbutiements de Karim : il délirait en arabe.

— Que dit-il ? vociféra l'inquisiteur à l'encontre d'Hernando.

Le Maure tendit l'oreille, se sachant observé par le licencié Portilla.

— Il appelle sa femme, crut-il entendre.

Amina, faillit-il ajouter.

— Ana, mentit-il. Apparemment, elle s'appelle Ana.

Karim ne cessait de murmurer.

— Tant de verbiage pour sa femme ? objecta l'inquisiteur, soupçonneux.

— Il récite des poésies, précisa Hernando.

Il lui sembla en reconnaître une très ancienne, de celles qui apparaissaient, gravées, sur les murs de l'Alhambra de Grenade.

— Elle ressemble à l'épouse… qui se présente à l'époux, parée de sa beauté tentatrice, récita-t-il.

— Demande-lui pour ses complices. Peut-être maintenant…

— Qui furent tes complices ? interrogea Hernando, obéissant, sans pouvoir lever les yeux.

— En arabe, imbécile !

— Qui… ? commença-t-il à traduire avant de s'arrêter soudain.

Personne dans cette geôle, à l'exception de Karim, ne pouvait le comprendre.

— Dieu a rendu sa justice, lui annonça-t-il en arabe. Celui qui a trahi notre peuple a été égorgé, conformément à notre loi. Hamid de Juviles s'en est occupé. Tu retrouveras le saint uléma au Paradis.

Portilla tourna le regard vers le Maure, étonné par la longueur de son intervention. À ce moment-là, un éclat quasi imperceptible apparut dans les yeux du vieillard, en même temps que ses lèvres se contractaient en un rictus qui se voulait être un sourire. Et il expira.

— Il sera brûlé en effigie lors du prochain autodafé, déclara l'inquisiteur, une fois que le médecin, après avoir examiné Karim, eut certifié ce que tous savaient déjà. Que lui as-tu dit ? demanda-t-il à Hernando.

— Qu'il devait être un bon chrétien, affirma-t-il sans ciller, sûr de lui. Qu'il devait confesser ce qui vous intéressait et se réconcilier avec l'Église pour obtenir le pardon de Notre-Seigneur et le salut éternel de son âme…

Le licencié porta ses doigts à ses lèvres, qu'il frotta.

— C'est bien, conclut-il.

40.

Le 15 avril 1581, les Cortes portugaises, réunies dans la ville de Tomar, déclarèrent Philippe II d'Espagne roi du Portugal. La péninsule Ibérique était ainsi unifiée sous une même couronne, et le Roi Prudent obtenait le contrôle des territoires qui la composaient, ainsi que le commerce avec le Nouveau Monde, réparti entre l'Espagne et le Portugal à la suite du traité de Tordesillas.

C'est précisément au Portugal que, pour la première fois, l'éventualité d'exterminer en masse les Maures espagnols fut évoquée. Le roi, le comte de Chinchón et le vieux duc d'Albe rétabli, dont le caractère ne s'adoucissait pas avec l'âge, étudièrent la possibilité d'embarquer tous les Maures à destination des Barbaresques et de saborder les navires, une fois en pleine mer, afin de les faire périr noyés.

Par chance, peut-être parce que l'armée était occupée à d'autres tâches, le massacre de tout un peuple n'eut pas lieu.

Mais au mois d'août de cette même année, du Portugal, le roi adopta une autre décision qui allait directement affecter Hernando. Cet été-là, la sécheresse avait fait des ravages dans la campagne cordouane : les juments ne trouvaient pas assez de fourrage dans les pâturages, et l'argent manquait pour les nourrir avec des céréales excessivement chères qui, de toute façon, étaient réclamées par les habitants. L'évêque de Cordoue en personne avait dû accepter du blé importé. Pour cette raison, le roi écrivit à l'écuyer royal don Diego López de Haro et au comte d'Olivares pour les informer que le troupeau de juments devait être conduit à Séville, dans les pâturages de la réserve royale du Lomo del Grullo, sur lequel le comte avait juridiction.

Plus d'une année avait passé depuis que Karim était mort entre les mains du bourreau de l'Inquisition et qu'Hamid avait disparu dans les eaux du Guadalquivir après avoir vengé la trahison faite à la communauté maure. Hernando avait vécu cette période en pénitence permanente, car chaque fois qu'il se rappelait le silence obstiné de Karim dans la salle de torture de l'alcázar des Rois Chrétiens, un sentiment de culpabilité l'envahissait, qu'il croyait seulement tromper au moyen du jeûne et de la prière.

— Il serait mort dans tous les cas, tentait de le convaincre Fatima, préoccupée par l'apparence de son époux : amaigri, émacié, avec de grands cernes noirs qui éteignaient le bleu intense de ses yeux. Même s'il avait avoué, il ne se serait jamais réconcilié avec l'Église et il aurait été exécuté de toute façon.

— Peut-être que oui…, répondait Hernando, pensif. Peut-être que non… On ne peut pas le savoir. Ce qui est sûr, ce que je sais avec certitude, puisque je l'ai vécu seconde après seconde, c'est qu'il est mort dans la douleur et la cruauté pour avoir gardé le secret de mon nom.

— Celui de tous, Hernando ! Karim a caché le nom de tous ceux qui continuent à croire au Dieu unique. Pas seulement le tien. Tu ne peux pas assumer seul cette responsabilité.

Mais le Maure refusait d'entendre les paroles de sa femme.

— Donne-lui du temps, ma fille, avait recommandé Aisha à Fatima, qui pleurait.

Don Diego annonça à Hernando qu'il devait accompagner le troupeau de juments à Séville et rester à ses côtés jusqu'à son retour à Cordoue. Fatima et Aisha se réjouirent, persuadées que ce voyage et ce séjour parviendraient à distraire Hernando et à l'arracher à l'inconsolable tristesse qui l'avait envahi et ne le quittait plus, même lors de ses balades quotidiennes sur le dos d'Azirat.

Début septembre, près de quatre cents juments, les poulains de un an et ceux nés au printemps se mirent en marche en direction des riches pâturages des marais du bas Guadalquivir. El Lomo del Grullo se trouvait à une trentaine de lieues de Cordoue par le chemin d'Ecija et de Carmona à Séville d'où, après avoir franchi le fleuve, ils devaient se diriger vers Villamanrique, localité enclavée à côté de la réserve de chasse royale. Dans des circonstances ordinaires, le voyage pouvait être effectué en quatre ou cinq journées, mais Hernando et les autres écuyers qui l'accompagnaient comprirent vite qu'il leur en faudrait au moins le double. Don Diego avait engagé du personnel en plus pour aider les palefreniers qui s'occupaient des juments et avançaient à côté du troupeau, s'efforçant de maintenir unie et compacte une si grande manade, peu habituée aux déplacements sur de longues distances, à l'inverse des moutons qui transhumaient, non loin, par la draille de la Mesta. À ce contingent d'hommes et de chevaux se joignit, comme s'il s'agissait d'un pèlerinage, un groupe de nobles cordouans, désireux de plaire au roi, qui n'arrêtaient pas de gêner le travail des palefreniers et des écuyers.

Comme l'avaient prévu Fatima et Aisha, Hernando finit par sortir de son marasme, se concentrant sur ses chevauchées avec Azirat pour récupérer les juments ou les poulains qui s'éloignaient du troupeau, ou pour regrouper davantage encore les animaux lorsqu'il fallait franchir un passage étroit ou compliqué. Le rouge brillant de la robe d'Azirat se détachait de l'endroit où il se trouvait et son agilité, ses caracoles et sa fière allure suscitaient l'admiration parmi les voyageurs.

— D'où sort ce cheval ? demanda un noble obèse, plus affalé que monté sur une grande selle en cuir repoussé, rehaussée de décorations en argent, à deux autres hommes qui l'accompagnaient, un peu à l'écart de la manade afin d'éviter le nuage de poussière qu'elle soulevait du chemin sec.

Hernando venait de rattraper un poulain, qu'il avait poursuivi avec Azirat. Le cheval s'était cabré devant lui, dressé sur ses pattes arrière, sans bouger ses pattes avant, et avait obligé l'indocile à faire demi-tour.

— Vu sa robe colorée, ça ne peut être qu'un rebut des écuries royales, supposa l'un des interpellés. Un vrai gâchis, conclut-il, impressionné par les mouvements de l'animal et de l'écuyer. C'est sûrement un de ces chevaux avec lesquels Diego paie une part du salaire de ses employés.

— Et le cavalier ? interrogea le premier homme.

— Un Maure, précisa cette fois le troisième noble. J'ai entendu Diego parler de lui. Il lui fait extrêmement confiance et, à l'évidence, ses qualités…

— Un Maure…, répéta pour lui-même le noble obèse sans plus s'intéresser à d'autres explications.

Les trois hommes observaient à présent Hernando qui se dirigeait au galop vers la tête du troupeau. Quand il passa à ses côtés, le comte d'Espiel se redressa sur les étriers d'argent de son luxueux équipement et fronça les sourcils. Où avait-il déjà vu cette tête maure ?

Le roi les avait pourvus d'ordres pour solliciter l'aide des gens et des corregidors de tous les villages qu'ils traverseraient sur leur route. Cependant, avant de clore chaque journée, les écuyers devaient trouver le bon endroit pour réunir et alimenter tant de bétail, et obtenir des céréales ou de la paille si les pâturages choisis ne suffisaient pas. Pendant ce temps, les nobles recherchaient le confort du village le plus proche.

Le soir, exténué, après s'être occupé d'Azirat, avoir

soupé du bouillon que le cuisinier préparait sur un feu de camp et bavardé un moment avec les autres hommes, Hernando s'écroulait. Lors des tours de garde dans ces pâturages ouverts et inconnus aussi bien du bétail que des hommes, alors seulement il se souvenait des événements qui avaient marqué cette dernière année.

Ce fut au cours de ces moments silencieux, monté sur Azirat, qu'Hernando réussit à se réconcilier avec lui-même. Sur le dos de son cheval, tandis qu'il écoutait un animal s'ébrouer et rompre le silence, ou en asticotait doucement un autre qui, tout ensommeillé, s'éloignait de la manade, le Maure recouvra peu à peu sa tranquillité. Comme ces heures étaient différentes de celles emplies du vacarme de plus d'un demi-millier de bêtes sur les chemins ! Hennissements, ébrouements, ruades et coups de dents ; l'immense poussière qu'elles soulevaient à leur passage et qui empêchait Hernando de voir à plus de quelques pas. La nuit il pouvait contempler un gigantesque ciel étoilé, net et brillant, différent de celui qu'il parvenait à voir de sa maison à Cordoue, encastrée parmi tant d'autres bâtiments. Là, dans les champs, seul, il finit par se sentir comme dans les Alpujarras. Hamid ! Il s'était sacrifié pour eux. Dès que sa gorge se nouait au souvenir du vieil uléma, Hernando tapotait le cou d'Azirat, à la recherche d'un contact avec un être vivant. Il pensait aussi à Karim, mais cette fois il laissait les scènes douloureuses qu'il avait vécues dans les geôles de l'Inquisition ressurgir les unes après les autres à sa mémoire, sans se réfugier dans la prière ou le jeûne pour les éloigner de lui. Il revit à plusieurs reprises les souffrances du vieillard, les éprouvant dans sa chair, comme si on les avait torturés Karim... et lui... à cet endroit et à cette heure mêmes. Peu à peu, son visage congestionné et ses hurlements de douleur réprimés dans sa lutte pour n'accorder aucune victoire ou satisfaction à ses bourreaux, et son corps chaque fois plus disloqué se présentaient à ses yeux avec une telle crudité qu'Hernando se recroquevillait sur sa monture. Et là, dans l'immensité de l'Andalousie où, protégé par la nuit, il pouvait fuir n'importe où pour s'éloigner de tous ces souvenirs, il commença à apprendre à vivre avec sa douleur et à l'affronter.

Il contempla le ciel, la lune qui jouait à dessiner les silhouettes, il vit une étoile filante, puis une autre... et d'autres encore, comme si les deux anciens l'observaient et lui parlaient du Paradis.

Brahim aussi aperçut les étoiles filantes, et son interprétation fut bien différente de celle d'Hernando. Sept ans avaient passé depuis qu'il avait monté ses premières embarcations et quatre depuis qu'il dirigeait personnellement les attaques sur la côte. Plusieurs fois il avait failli être arrêté par les milices urbaines, et il avait décidé de céder sa place sur les bateaux à Nasi, devenu fort et cruel comme son maître, se contentant de gérer son argent et de mener son commerce d'une main de fer en en tirant de juteux bénéfices.

Au côté de Nasi, il s'était installé dans un petit palais de la médina de Tétouan, où il avait vécu dans la luxure et entouré de femmes. Afin de réaliser une alliance intéressante, il s'était remarié, cette fois avec la fille d'un chef de la ville, qui lui avait donné deux filles, mais il avait bien pris soin, au moment d'arranger et de conclure le mariage, de prévenir la famille de la mariée que celle-ci ne serait que sa seconde épouse ; la première était retenue en Espagne et, un jour ou l'autre, elle reviendrait auprès de lui pour occuper la place qui lui correspondait.

Car à mesure que l'ancien muletier des Alpujarras acquérait fortune, prestige et respect, ses souvenirs humiliants de Cordoue ne cessaient de le ronger ; là-bas se trouvait l'extrémité de son bras droit, souffrance permanente, surtout lors des chaudes nuits de l'été nord-africain au cours desquelles il se réveillait, trempé de sueur, à cause

des élancements douleureux de cette main qui lui manquait. Ensuite, les heures passaient jusqu'au matin dans
une sorte de demi-sommeil. Plus grand était son pouvoir,
plus grand son désespoir. À quoi lui servaient ses esclaves
s'il n'arrivait pas à oublier l'esclavage auquel il avait lui-
même été condamné à Cordoue ? Pourquoi vouloir ces
fabuleuses richesses si on lui avait volé la femme qu'il
désirait parce qu'il était incapable de l'entretenir ? Et chaque fois qu'il punissait un homme de vol et le condamnait
à avoir la main tranchée, il se revoyait dans la Sierra
Morena, immobilisé par les monfíes qui avaient tendu son
bras afin de permettre à l'alfange de sectionner cette main
que lui-même ordonnait alors de couper.

Le confort et l'abondance, en plus de l'absence de tout
autre type de préoccupation, développèrent chez Brahim
une obsession pour son passé. Chaque prisonnier chrétien
ou fugitif maure était interrogé sur ce qui se passait à
Cordoue ; sur un monfí de la Sierra Morena surnommé le
Manchot ; sur Hernando, Maure de Juviles, qui vivait à
Cordoue et qu'on appelait le nazaréen ; sur Aisha et
Fatima. Surtout Fatima, dont les yeux noirs fendus demeuraient vifs dans le souvenir et le désir chaque fois plus
maladif du muletier. L'intérêt du riche corsaire, qui récompensait avec une grande générosité la moindre information, fut vite connu, et rares étaient les hommes de ses
navires qui ne partaient pas à la chasse aux renseignements. D'une façon ou d'une autre ils les obtenaient au
retour de leurs incursions. Ainsi Brahim finit par apprendre qu'El Sobahet était mort et qu'Ubaid avait pris sa
place.

— Vous connaissez Cordoue ?

Brahim posa la question directement en aljamiado, coupant sans considération la parole aux deux moines
capucins qui le saluaient, venus jusqu'à lui avec la mission
de racheter des esclaves. Que lui importaient les formalités ?

Les religieux, tonsurés, vêtus de leurs habits, avec leur croix sur la poitrine, furent surpris et se consultèrent du regard. Ils se trouvaient dans la magnifique salle de réception du palais de la médina de Brahim, debout devant leur hôte, qui les interrogeait, allongé sur une multitude de coussins en soie. Le jeune Nasi était à ses côtés.

— Oui, Excellence, répondit frère Silvestre. J'ai passé plusieurs années dans le couvent de Cordoue.

Brahim ne put dissimuler sa satisfaction. Il sourit et fit signe aux moines de prendre place auprès de lui, donnant des tapes nerveuses sur les coussins disposés alentour. Tandis que le corsaire ordonnait qu'on fasse venir un esclave pour les servir, frère Enrique échangea un regard complice avec son compagnon : ils devaient profiter de la bonne disposition du grand corsaire de Tétouan afin d'obtenir ses faveurs et un meilleur prix pour les âmes qu'ils étaient venus sauver.

Au côté d'autres ordres qui s'employaient à racheter des esclaves, les moines capucins se consacraient plus particulièrement à ceux de Tétouan, alors que les carmélites œuvraient pour ceux d'Alger. Dans ce but, frère Silvestre et frère Enrique venaient de visiter la forteresse Sidi al-Mandri, résidence du gouverneur et étape obligée dans toute mission de rachat d'esclave : d'abord, après avoir payé des impôts au moment du débarquement sous les insultes et les crachats des gens, il fallait libérer les prisonniers, propriété du gouverneur de l'endroit ; comme d'habitude, ce dernier n'avait pas respecté les conditions convenues lors de l'accord difficile et complexe selon lequel il accordait son autorisation et sa sauvegarde aux moines, et il avait exigé d'eux un prix plus important et un plus grand nombre d'esclaves de sa propriété à libérer. Pour cette raison, le fait de se retrouver avec un chef corsaire bien disposé, qui les invitait à s'asseoir et leur offrait de la nourriture et de la boisson que leur servait déjà toute une armée d'esclaves noirs, constituait une circonstance dont ils devaient profiter. Ils avaient de l'argent, pas mal d'argent, provenant directement des familles des captifs, des aumônes qu'ils demandaient constamment dans tous les royaumes, et surtout des dons et des legs que les pieux chrétiens effectuaient sur leurs testaments. Près de soixante-dix pour cent des testaments espagnols instituaient des legs pour le rachat d'âmes ! Néanmoins, tout l'argent du monde était insuffisant pour libérer les milliers de chrétiens retenus sous terre, dans les silos de Tétouan, car la ville était construite sur un terrain calcaire et, près de la forteresse, il existait d'immenses galeries souterraines naturelles qui traversaient toute la ville et dans lesquelles des milliers de prisonniers chrétiens étaient enfermés.

Les moines revenaient de ces tunnels encore tout étourdis par la puanteur et l'ambiance malsaine. Des milliers d'hommes s'entassaient dans les souterrains, affamés, nus et malades. Il n'y avait ni lumière naturelle ni air ; l'unique ventilation provenait de meurtrières grillagées qui donnaient directement sur les rues de la ville. Là, les chrétiens attendaient leur libération ou leur mort, attachés à des chaînes, à des anneaux, les pieds entravés entre de longues barres de fer qui leur interdisaient de bouger.

— Racontez-moi, racontez-moi ! les exhorta Brahim, tirant les deux religieux du souvenir des conditions sauvages dans lesquelles étaient maintenus leurs compatriotes captifs.

Frère Silvestre avait entendu parler d'Hernando, le Maure employé par don Diego aux écuries royales et qui se promenait le dimanche dans Cordoue sur un magnifique cheval alezan avec deux enfants à califourchon sur sa monture. On lui avait dit aussi qu'il prêtait ses services au conseil de la cathédrale, mais il ignorait tout ce qui avait trait à sa famille. En revanche, bien sûr, il savait qui était le monfí sanguinaire connu de tout le monde comme le Manchot – le religieux dut faire un effort pour détourner

le regard du moignon de Brahim –, lequel, après la mort
d'El Sobahet, était devenu un vrai roitelet au cœur de la
Sierra Morena. Aucun des deux n'osa demander pourquoi
le corsaire s'intéressait à ces personnages et, entre deux
gorgées de citronnade, des dattes et des pâtisseries, ils
parlèrent de Cordoue avant de traiter directement de la
rançon des esclaves qu'ils étaient venus libérer et dont
Brahim laissa à Nasi, au grand désespoir des moines, la
responsabilité de la négociation.

Peu à peu, Brahim avait rassemblé l'information qu'il
désirait. Cependant, malgré l'audace des corsaires qui les
amenait à s'aventurer en territoire chrétien jusqu'à des
localités assez éloignées des côtes, Cordoue, à plus de
trente lieues par les voies principales, restait trop enfoncée
dans les terres éloignée pour qu'ils se risquent à aller
jusque-là. De plus, qu'aurait-il fait une fois rendu dans
l'ancien siège des califes ?

À présent, dans un pâturage proche de Carmona, Brahim contemplait ces mêmes étoiles filantes qu'Hernando
voulait interpréter comme un message céleste de ses chers
disparus. Le corsaire avait réussi à résoudre, non sans
risques, les problèmes qui jusqu'alors l'avaient empêché
d'assouvir sa vengeance. La solution était venue de la
jeune et belle doña Catalina, épouse et fils de don José de
Guzmán, marquis de Casabermeja, riche propriétaire ter-
rien de Málaga, et de son petit Daniel, que ses hommes
avaient fait prisonniers tandis qu'ils voyageaient au côté
d'une petite escorte, lors d'une incursion dans les environs
de Marbella.

Doña Catalina et son fils Daniel constituaient une proie
d'une immense valeur. Pour cette raison, le corsaire les
avait immédiatement accueillis dans son palais et leur avait
accordé toutes les attentions nécessaires jusqu'à l'arrivée
des négociateurs du marquis. Les nobles, en effet, n'attendaient pas qu'une mission de moines obtienne les fonds

ainsi que les autorisations nécessaires et compliquées du gouverneur de Tétouan et du roi Philippe, toujours réticent à cette fuite de capitaux vers ses ennemis musulmans, même s'il se voyait finalement toujours obligé d'abdiquer. Dès que les familles des nobles et des chevaliers savaient où se trouvaient leurs parents, ce dont se chargeaient de les informer les corsaires en personne, elles entraient rapidement en négociation sur le montant de la rançon.

Doña Catalina et son fils avaient été bien traités, et Brahim n'avait pas tardé à recevoir la visite de Samuel, célèbre marchand juif de Tétouan avec qui le muletier avait déjà été plusieurs fois en affaires quand il s'agissait de vendre des marchandises saisies sur des bateaux chrétiens.

— Je ne veux pas d'argent, avait coupé Brahim dès que le juif s'était mis à négocier. Je veux que le marquis se débrouille pour me rendre ma famille et me permette de me venger de deux hommes des Alpujarras.

La dernière étoile filante traça une parabole dans le ciel limpide de Cordoue et Brahim sourit au souvenir du visage surpris de Samuel quand il avait écouté ses conditions pour la libération de doña Catalina et de son fils.

— Dans le cas contraire, Samuel, avait-il dit en mettant un terme à la conversation, je tuerai mère et fils.

Brahim contempla le ciel du balcon de la chambre où il était logé, à l'auberge du Montón de la Tierra, dernier établissement sur le chemin de las Ventas depuis Tolède, à seulement une lieue de Cordoue. Huit ans auparavant, il était passé par là avec Aisha et Shamir quand il cherchait El Sobahet pour lui proposer le marché qui lui avait finalement fait perdre sa main droite. Ubaid ! marmonna-t-il. Il caressa la poignée de l'alfange accrochée à sa taille ; il avait appris à utiliser l'arme de sa main gauche. Sur lui, il portait un document souscrit par le secrétaire du marquis qui lui garantissait la libre circulation en Andalousie et, à la porte de sa chambre, un laquais du noble se tenait posté afin que personne ne vienne l'ennuyer pendant qu'il attendait ce qui devait se passer. Depuis le balcon il balaya du regard le rez-de-chaussée de l'auberge, une cour carrée éclairée par des torches clouées aux murs, autour de laquelle se trouvaient la cuisine et la salle à manger, le pailler, le logement de l'aubergiste et de sa famille ainsi que les écuries. Plusieurs soldats de la petite armée recrutée par le marquis lambinaient dans la cour, dans l'attente tout comme lui. Une grosse quantité d'argent avait été donnée à l'aubergiste pour acheter son silence et fermer l'établissement à tout autre voyageur.

Il regarda de nouveau le ciel et tenta de se laisser gagner par la sérénité qu'il dégageait. Depuis des années il rêvait de ce jour. Il frappa à plusieurs reprises la balustrade en bois sur laquelle il appuyait le poing de sa main gauche, et deux soldats levèrent le visage vers le balcon.

Une fois de plus, quatre jours plus tôt, Nasi avait essayé de le convaincre de ne pas débarquer sur les côtes de Malága.

— Mais pourquoi à Cordoue ? Le marquis peut tous te les ramener ici, même Ubaid. Il pourrait te le livrer là, enchaîné comme un chien. Tu ne courrais aucun risque…

— Je veux assister à tout depuis le premier instant, avait répondu Brahim.

Le marquis, jeune noble aussi fier et altier que l'annonçait sa magnifique présence, ne le comprit pas davantage. Il avait exigé des garanties pour que le corsaire tienne sa parole une fois qu'il aurait, lui, rempli sa part du marché. Et, à sa surprise, Brahim en personne s'était présenté comme garantie.

— Si je ne revenais pas, chrétien, l'avait menacé l'ancien muletier, tu ne peux pas imaginer les souffrances que subiraient ta femme et ton fils avant de mourir.

À ce sujet, il avait parlé avec Nasi.

— Au cas où ça se passerait mal, ma femme et mes

filles hériteront de moi, comme l'impose la loi, avait-il dit à son jeune assistant au moment de le saluer, mais le commerce sera à toi.

Il savait qu'il risquait sa vie… mais il avait besoin d'être sur place, de voir l'expression de Fatima et du nazaréen, d'Aisha, d'Ubaid : sa vengeance ne serait pas complète s'il était privé de ces moments.

Cette nuit-là, sept hommes du marquis de Casabermeja, d'une loyauté totale et d'une fidélité éprouvée envers le noble, se dirigèrent vers la porte d'Almodóvar, à l'ouest des remparts qui entouraient Cordoue. Au cours de la journée, ils avaient vérifié que les informations reçues au sujet de la maison d'Hernando étaient correctes. Ils n'avaient pas réussi à voir le nazaréen, mais deux voisins, de vieux-chrétiens bien disposés dès qu'il s'agissait de dire du mal des Maures, leur avaient confirmé que c'était bien là que vivait l'écuyer des écuries royales. Ils avaient aussi donné une bonne somme d'argent à l'alguazil qui devait les laisser passer à la porte d'Almodóvar. Cette nuit-là, la porte s'entrouvrit, et le marquis, le visage masqué, au côté de deux laquais à la figure également couverte, et de sept soldats, entra dans Cordoue. Dehors, cachés, deux hommes les attendaient avec des chevaux pour tous. Les dix hommes descendirent en silence la calle déserte d'Almanzor jusqu'à celle de los Barberos, où l'un d'eux se posta. Le marquis, le visage toujours dissimulé, se signa devant la peinture de la Vierge des Douleurs qui apparaissait sur la façade de la dernière maison de la calle d'Almanzor, avant d'ordonner qu'on éteigne les bougies qui éclairaient la scène, seul éclairage de la rue. Pendant que les laquais s'exécutaient, le reste de la troupe s'avança vers la maison, dont la grosse porte en bois demeurait close. L'un d'eux continua plus loin, jusqu'au croisement de la calle de los Barberos avec celle de San Bartolomé, d'où il siffla pour signaler qu'il n'existait aucun danger ;

personne ne se promenait dans ce quartier de Cordoue à une heure pareille, et seuls quelques bruits sporadiques brisaient la tranquillité.

— Allons-y ! commanda alors le noble sans se soucier qu'on puisse l'entendre.

Sous la lumière de la lune, qui luttait pour parvenir jusqu'aux étroites ruelles de la Cordoue musulmane, un des hommes enleva sa cape et, aidé par deux autres qui le poussèrent vers le haut, se hissa avec une agilité étonnante jusqu'à un balcon du deuxième étage. Une fois rendu, il lança une corde par laquelle grimpèrent ses deux complices.

Le chevalier gardait son visage caché et les hommes qui l'accompagnaient empoignèrent leurs épées, prêts à attaquer dès qu'ils virent leurs trois compagnons serrés sur le petit balcon de la maison d'Hernando.

— Maintenant ! cria le marquis.

Deux puissants coups de pied contre le volet en bois qui fermait la fenêtre résonnèrent dans les rues de la médina. Aussitôt après, au premier cri qui retentit à l'intérieur de la maison, les hommes du balcon s'élancèrent contre le pauvre volet, le mirent en miettes et firent irruption dans la chambre de Fatima. Les hommes qui attendaient en bas se déplacèrent, nerveux, près de la porte fermée. Le marquis, hiératique, ne tourna même pas la tête. Les cris et le remue-ménage d'hommes et de femmes qui couraient dans la maison, les pleurs des enfants et les pots de fleurs qui tombaient par terre précédèrent l'ouverture de la porte donnant sur la rue. Les hommes qui attendaient en bas pénétrèrent l'un après l'autre, épée dégainée, dans le vestibule.

Dans les maisons voisines, une certaine agitation commença à se faire sentir. La lumière d'une lanterne brilla d'un balcon proche.

— Au nom du Manchot de la Sierra Morena, cria l'un

des soldats postés dans la ruelle, éteignez vos lumières et restez chez vous !

— Au nom d'Ubaid, monfí maure, fermez portes et fenêtres si vous ne voulez pas avoir de problèmes ! renchérit un autre en courant dans la calle de los Barberos.

Le marquis de Casabermeja demeurait immobile devant la façade de la maison. Peu après, ses hommes sortirent en traînant Aisha et Fatima, pieds nus et en chemise de nuit, ainsi que les trois enfants qui pleuraient.

— Il n'y a personne d'autre, Excellence, dit l'un d'eux au marquis. Le Maure n'est pas là.

— Que voulez-vous ? cria alors Fatima.

L'homme qui la tenait par le bras la gifla, alors que son acolyte, qui traînait Aisha, secoua celle-ci pour l'empêcher de crier. Atterrée, Fatima eut le temps de lancer un dernier regard vers son foyer. Les sanglots de ses enfants l'obligèrent à tourner la tête dans leur direction. Deux hommes les portaient sur leurs épaules ; un autre tirait Shamir, qui tentait de se dégager en envoyant de vains coups de pied. Inés, Francisco... qu'allaient-ils devenir ? Elle se débattit une fois de plus, inutilement, dans les bras puissants de l'homme qui l'immobilisait. Quand enfin elle s'avoua vaincue, un cri rauque surgit de sa bouche, de colère et de douleur, que l'homme étouffa de sa grosse main. Ibn Hamid ! murmura alors Fatima pour elle-même, le visage baigné de larmes. Ibn Hamid...

— Allons-y, ordonna le noble.

Ils rebroussèrent chemin vers la porte d'Almodóvar, non loin, en traînant les deux femmes, les enfants dans les bras de ceux qui les avaient sortis de chez eux.

En quelques instants seulement, ils montèrent à cheval, les femmes posées sur le cou de leur monture comme de simples sacs, les enfants agrippés par les cavaliers. Pendant ce temps, calle de los Barberos, les voisins se rassemblaient devant les portes ouvertes de la maison d'Hernando, hésitant à entrer. Le marquis et ses hommes partirent au galop en direction de l'auberge du Montón de la Tierra.

L'enlèvement de cette famille constituait seulement une partie de l'accord passé avec Samuel le juif, accord qui incluait également de mettre aux pieds de Brahim le monfí de la Sierra Morena connu comme le Manchot, pensait le marquis, préoccupé de n'avoir pas trouvé Hernando, tout au long du trajet jusqu'à l'auberge.

Prendre d'assaut une maison maure à Cordoue avait été pour le marquis de Casabermeja une entreprise relativement facile. Il fallait juste compter sur des hommes loyaux, entraînés, et laisser tomber une poignée d'écus d'or ici et là ; personne n'allait s'inquiéter pour quelques chiens maures. Le cas du monfí était différent : il s'agissait de repérer sa bande à l'intérieur de la Sierra Morena, de s'en approcher et, très certainement, de se battre avec ses hommes pour le capturer. La chasse au monfí avait commencé plusieurs jours auparavant. Quand le marquis apprit que ses hommes l'avaient trouvé, alors seulement il avertit Brahim, et ce dernier décida de venir à une lieue de Cordoue. Tout devait être fait en même temps : le corsaire ne voulait pas demeurer sur la terre espagnole plus de jours que nécessaire, et le marquis de Casabermeja ne désirait courir le risque qu'on les arrête.

Pour s'emparer du monfí, le marquis avait engagé une armée de bandits d'honneur valenciens commandés par un noble de rang inférieur, aux faibles ressources économiques, dont les terres côtoyaient les siennes dans le royaume de Valence. Il n'était pas le seul hidalgo à faire appel aux bandits d'honneur ; il existait de véritables armées dirigées par des nobles et seigneurs qui, protégés par leurs prérogatives, utilisaient ces criminels, moyennant salaire, pour des missions de pur pillage ou dans le but de régler en leur faveur un conflit sans nécessité de passer par une justice toujours lente et coûteuse.

L'administrateur des terres du marquis à Valence jouissait de bonnes relations avec le baron de Solans. Ce dernier entretenait une petite armée de près de cinquante bandits d'honneur qui fainéantaient dans un château en ruine, et il accepta de bon cœur l'argent que lui offrit l'administrateur pour se débarrasser d'une bande de Maures. À l'exception du Manchot, qu'il fallait livrer vivant à l'auberge du Montón de la Tierra, les autres devaient mourir : le marquis ne souhaitait pas de témoins. Le baron de Solans abusa les monfíes de la Sierra Morena en faisant parvenir à Ubaid un message où il l'invitait à s'allier à lui étant donné sa connaissance des montagnes, dans le but par la suite de se consacrer, ensemble, à des missions de plus grande envergure dans les environs de la riche Tolède. Quand les deux bandes se rencontrèrent dans la montagne, un combat inégal s'engagea : cinquante criminels expérimentés bien armés contre Ubaid flanqué d'une douzaine d'esclaves maures fugitifs.

Dès qu'il entendit les hommes s'agiter en bas, Brahim courut jusqu'au balcon qui donnait sur le patio. Il arriva juste à temps pour voir les portes de l'auberge s'ouvrir et laisser passer un groupe de cavaliers. Les doigts de sa main gauche se crispèrent sur la balustrade en bois quand, parmi les ombres et le scintillement des torches, il distingua la silhouette de deux femmes que les hommes laissèrent tomber de leurs montures une fois les portes refermées derrière eux.

Aisha et Fatima tentèrent de se mettre debout. La première s'appuya sur l'échine d'un cheval et retomba quand celui-ci, inquiet, caracola. Fatima avança à quatre pattes et chancela à plusieurs reprises avant de réussir à lever les yeux vers les cavaliers, cherchant les enfants dont les pleurs lui parvenaient avec netteté malgré le vacarme que faisaient les animaux. Au-dessus d'eux, Brahim, lui, avait bien distingué les petits, mais… son regard se fit plus perçant. Il se pencha sur la rampe.

— Et le nazaréen ? hurla-t-il du balcon. Où est ce fils de pute ?

Aisha porta les mains à son visage et s'écroula entre les pattes d'un cheval ; elle laisser échapper un cri, un seul, qui résonna au-dessus du cliquetis des sabots, des ébrouements des animaux et des ordres des cavaliers. Fatima se redressa. Tremblante, tous les muscles de son corps tendus, elle tourna lentement la tête, comme si elle avait voulu se donner le temps d'identifier la voix qui venait de percer ses tympans. Puis elle leva ses immenses yeux noirs vers le balcon. Leurs regards se croisèrent. Brahim sourit. Instinctivement, Fatima tenta de cacher ses seins, nus sous sa simple chemise de nuit. Des glousse-ments surgirent parmi les cavaliers qui se trouvaient le plus proches d'elle, et dont certains avaient déjà mis pied à terre.

— Couvre-toi, chienne ! cria le corsaire. Et vous, ajouta-t-il à l'attention des hommes qui, pour la première fois, semblaient se rendre compte de la quasi-nudité des femmes, détournez vos sales yeux de mon épouse !

Fatima sentit ses yeux se remplir de larmes. « Mon épouse » ! Il l'avait appelée « mon épouse » !

— Où est le nazaréen, marquis ?

Le noble était le seul homme resté à cheval, le visage masqué ; l'éclat des torches flamboyait sur les plis de sa capuche. Il ne répondit pas. Un de ses laquais le fit à sa place.

— Il n'y avait personne d'autre dans la maison.

— Ce n'était pas le marché, rugit le corsaire.

Pendant quelques instants, on n'entendit que les pleurs des enfants.

— Dans ce cas, il n'y a pas de marché, le défia le noble d'une voix ferme.

Brahim encaissa la réplique du marquis sans mot dire.

Il observa Fatima, recroquevillée sur elle-même, toute petite, tête basse, et un frisson de plaisir parcourut sa colonne vertébrale. Puis il tourna de nouveau la tête vers le noble : si le marché était annulé, sa mort était assurée.

— Et le Manchot ? interrogea-t-il, laissant entendre qu'il passait sur l'absence d'Hernando.

Comme si tout était prévu, au même moment deux violents coups de heurtoir résonnèrent sur la vieille porte en bois desséché de l'auberge. L'administrateur du marquis avait été clair dans ses instructions. « Tenez-vous prêts avec le monfí. Cachez-vous aux alentours de l'auberge, et dès que vous verrez mon seigneur entrer, venez. »

Ubaid pénétra dans le patio en traînant les pieds, les bras attachés au-dessus de son moignon, entre deux partisans du baron. Le noble valencien, âgé mais encore robuste et coriace, était suivi de tous ses hommes. Il chercha le marquis de Casabermeja et, sans hésiter un instant, se dirigea vers le cavalier masqué.

— Voici votre homme, marquis, lui dit-il en attrapant Ubaid par les cheveux pour l'obliger à s'agenouiller aux pieds du cheval.

— Je vous remercie, seigneur, répondit Casabermeja.

Pendant que le marquis parlait, un de ses laquais mit pied à terre et remit une bourse au baron, qui l'ouvrit et se mit à compter les écus en or correspondant au prix dont ils étaient convenus.

— C'est moi qui vous remercie, Excellence, renchérit le Valencien qui s'estimait satisfait. J'espère que lors de votre prochaine visite dans vos États de Valence, nous irons à la chasse ensemble.

— Vous serez invité à ma table, baron.

Le marquis accompagna ses mots d'un hochement de la tête.

— Je m'estime très honoré, dit le baron pour terminer.

D'un geste, il fit signe aux deux hommes qui l'accompagnaient de se diriger vers la porte.

— Que Dieu soit avec vous, lui souhaita le marquis.

Le baron répondit à ces paroles d'adieu avec la révérence qu'il devait à un chevalier de plus haut rang que le sien. Et il marcha vers la sortie. Avant qu'il atteigne la porte, le marquis avait déjà reporté son attention vers le balcon où, quelques instants plus tôt, se tenait Brahim. Mais le corsaire était descendu dans le patio. Sans prononcer un seul mot il jeta sur Fatima une couverture pouilleuse qu'il avait trouvée dans la chambre et se dirigea, hors de lui et soufflant comme un bœuf, vers le muletier de Narila.

— Ne t'approche pas de lui, le menaça le laquais qui avait payé le baron, faisant mine d'empoigner son épée.

Parmi les hommes qui l'entouraient, plusieurs dégainèrent la leur dès qu'ils perçurent l'attitude du serviteur de leur seigneur.

— Que… ? commença à gronder Brahim.

— Nous ne t'avons pas entendu donner ton accord au nouveau traité, l'interrompit le laquais.

— D'accord, céda immédiatement le corsaire, avant d'écarter violemment le valet de son chemin.

Ubaid était resté à genoux aux pieds du cheval du marquis, s'efforçant de ne pas perdre la face, jusqu'au moment où il entendit la voix de Brahim, tourna la tête et reçut un puissant coup de pied dans la bouche.

— Chien ! Porc marrane ! Sale fils de pute !

Fatima, enveloppée dans la couverture sale et râpeuse dont l'avait recouverte Brahim, et Aisha tentèrent d'observer la scène entre les ombres dansantes nées du feu des torches, des hommes et des chevaux : Ubaid !

Brahim avait envisagé mille façons différentes de jouir de la mort lente et cruelle qu'il réservait au muletier de Narila, mais la moue méprisante que celui-ci lui renvoya depuis le sol, la bouche ensanglantée, l'irrita de telle manière qu'il en oublia toutes les tortures dont il avait rêvé. Tremblant de colère, il dégaina l'alfange et l'engagea à travers le corps du monfí, perçant son estomac sans provoquer sa mort. Seul le marquis demeura immobile à sa place ; les autres hommes s'écartèrent à la hâte d'un homme devenu fou qui, tout en proférant des insultes quasi incompréhensibles, s'acharnait sur Ubaid, pelotonné sur lui-même, qu'il ne cessait de blesser de son alfange, aux jambes, à la poitrine, aux bras ou à la tête.

— Il est mort, fit remarquer le marquis sur son cheval, profitant d'un instant où Brahim marquait une pause pour reprendre son souffle. Il est mort ! cria-t-il cette fois en voyant que le corsaire s'apprêtait à recommencer.

Brahim s'arrêta, haletant, tremblant des pieds à la tête, et abaissa son arme pour demeurer immobile au côté du cadavre déchiqueté d'Ubaid. Sans regarder personne, il s'agenouilla et, avec le moignon de sa main droite, retourna la masse de chair de ce qui avait été son dos. Beaucoup des hommes présents, y compris le marquis – même si son visage dissimulé ne le montrait pas –, pourtant endurcis aux horreurs de la guerre, détournèrent le regard quand Brahim laissa tomber l'alfange et empoigna une dague avec laquelle il ouvrit la poitrine du monfí, en quête de son cœur. Puis il fouilla à l'intérieur de son corps et l'arracha. À genoux, il le regarda : l'organe paraissait encore palpiter. Il cracha dessus et le jeta à terre.

— Nous partirons à l'aube, dit Brahim en s'adressant au marquis.

Il s'était relevé, trempé de sang.

Le noble se contenta d'acquiescer. Alors Brahim se dirigea vers l'endroit où se tenait Fatima et lui saisit le bras. Il avait encore une partie de ses rêves à réaliser. Mais auparavant, cependant, il devait parler à Aisha.

— Femme !

Aisha leva le visage.

— Dis à ton fils, le nazaréen, que je l'attends à

Tétouan. S'il veut retrouver ses enfants, il faudra qu'il vienne les chercher aux Barbaresques.

Tandis que le corsaire faisait demi-tour en entraînant Fatima, Aisha croisa le regard de celle-ci. Un regard qui la suppliait : « Non ! Ne lui dis rien ! »

Jusqu'à l'heure où le ciel commença à changer de couleur, nul ne dérangea Brahim, enfermé avec Fatima dans la chambre à l'étage de l'auberge.

41.

À l'aube, quand les cortèges respectifs de Brahim et du marquis disparurent dans le lointain, Aisha quitta l'auberge du Montón de la Tierra. Les laquais du marquis avaient enterré le cadavre d'Ubaid près de l'établissement afin d'effacer toute trace. Aisha avait passé la nuit blottie dans un coin, auprès de Shamir et de ses petits-enfants, s'efforçant de les rassurer, luttant pour refouler ses larmes. Elle savait qu'elle était sur le point de perdre un autre fils… Que lui avait réservé Dieu ?

Avant de partir, Brahim était descendu de sa chambre, satisfait, suivi de près par Fatima, qui marchait avec douleur, enveloppée des pieds à la tête dans une couverture ; seuls ses yeux apparaissaient, à travers un trou qu'elle maintenait à moitié fermé.

Les hommes du marquis préparaient les chevaux et l'activité dans le patio était considérable.

— Tu es Shamir, n'est-ce pas ? avait demandé Brahim en s'approchant de son fils.

Aisha avait perçu chez son époux un soupçon de tendresse. L'enfant, le regard perdu, avait laissé le corsaire lui toucher la tête. Il ignorait qui était Brahim. Pour lui, comme le lui avaient toujours affirmé Aisha et Fatima, son père était mort dans les Alpujarras.

— Tu sais qui je suis ?

Shamir avait hoché négativement la tête et Brahim avait transpercé Aisha du regard.

— Femme, lui avait-il dit, tu as de la chance que j'aie

besoin de toi pour le message dont je t'ai chargée hier ; sinon je te tuerais à l'instant même.

Puis il avait relevé le visage de Shamir en le tenant par le menton, jusqu'à ce que les yeux de l'enfant se posent sur lui.

— Écoute-moi bien, mon garçon : je suis ton père et tu es mon seul fils.

À ces mots, Francisco, piqué par la curiosité, s'était avancé vers Shamir.

— Va-t'en ! avait craché Brahim, repoussant de son moignon l'enfant qui tomba par terre.

— Ne le touche pas ! avait bondi Shamir.

Et, se libérant de la main de Brahim, il s'était élancé sur ce dernier.

Brahim avait éclaté de rire devant les coups que l'enfant lui donnait dans le ventre. Il l'avait laissé faire un moment avant d'en finir par une gifle. Shamir avait atterri à côté de Francisco.

— J'aime ton caractère, avait dit Brahim, amusé. Mais tant que tu t'emploieras à défendre le fils du nazaréen, avait-il ajouté comme s'il allait cracher sur Francisco, tu encourras le même sort que lui. Quant à elle, avait-il ajouté en direction d'Inés, elle servira d'esclave à mes deux filles. Et le jour où le nazaréen se présentera à Tétouan…

Seule sur le chemin de Cordoue, traînant les pieds, Aisha éprouva de nouveau dans tout son corps le même frisson que dans le patio au souvenir de cette phrase que Brahim avait laissée en suspens : le jour où le nazaréen se présenterait à Tétouan… Fatima aussi avait frémi sous sa couverture. Les deux femmes avaient échangé ce qui allait être, pressentaient-elles, leur dernier regard, et Aisha avait perçu la même supplique que la veille : « Ne lui dis rien ! Il le tuera ! »

Il le tuera ! C'est pleine de cette certitude qu'Aisha arriva à Cordoue, par la porte du Colodro. Mais cette fois, à la différence de ce qui s'était passé des années plus tôt, quand elle avait effectué le même trajet avec Shamir dans les bras, après que Brahim l'eut obligée à le suivre dans la montagne, elle réussit à tromper la vigilance des alguazils. Elle franchit la porte en cachette, comme une âme en peine, les pieds ensanglantés, vêtue de sa seule chemise de nuit. Elle se rendit calle de los Barberos, où elle trembla à la vue de la porte du vestibule et de la grille en fer forgé qui donnait sur le patio, toutes deux grandes ouvertes. Le volet de la fenêtre d'un balcon se referma soudain, alors qu'il faisait jour, et l'une de ses voisines, deux maisons plus loin, qui à ce moment-là s'apprêtait à sortir, se jeta en arrière et rentra chez elle. Quand Aisha pénétra dans sa maison, elle comprit pourquoi : ses voisins chrétiens l'avaient pillée pendant la nuit. Il ne restait rien à l'intérieur, pas même les pots de fleurs ! Aisha regarda la fontaine : ils ne pouvaient pas avoir volé l'eau quand même ! Puis elle tourna les yeux vers l'endroit où, sous une dalle, ils cachaient leurs économies. La petite dalle avait été soulevée. Elle examina la suivante : elle était à sa place. Hernando avait eu raison. Un sourire mélancolique apparut sur ses lèvres au souvenir des paroles de son fils.

— Sous celle-ci nous dissimulerons notre argent.

Il avait alors disposé la petite dalle de façon à ce que n'importe quel observateur un peu attentif remarque qu'elle avait été déplacée. Sous la dalle voisine, bien fixée, il avait caché le Coran et la main de Fatima.

— Si un voleur entre ici, avait-il affirmé, il trouvera l'argent, mais il aura du mal à imaginer que sous cette dalle-là, si près, se cache un autre trésor, notre véritable trésor.

Hernando pensait alors à l'Inquisition ou à la justice cordouane. Il n'avait jamais songé à ses voisins.

— Que s'est-il passé, Aisha ? Et Fatima, et les enfants ?

Aisha se retourna. Abbas se tenait là, près de la grille en fer forgé.

— Je... balbutia-t-elle en ouvrant les mains. Je ne sais...

— Les gens disent que cette nuit, Ubaid et ses hommes...

Aisha n'en écouta pas davantage. « Ne lui dis rien ! Il le tuera ! » La supplique de Fatima ressurgit à sa mémoire. On lui avait volé un autre garçon. Elle n'avait plus que ce fils aux yeux bleus qui réclamait tant sa tendresse à Juviles, la nuit, à l'abri des regards. Quelle allait être leur existence désormais ? Elle n'était pas prête à mettre en danger la vie du seul enfant qui lui restait ! Fatima elle-même l'avait implorée du regard. Pendant la nuit, à l'auberge, Aisha avait entendu les commentaires des hommes du marquis au sujet de Brahim. Tous savaient pourquoi ils étaient là. Par eux, elle avait appris que son mari était devenu l'un des plus importants corsaires de Tétouan ; qu'il vivait dans une forteresse, embellie par l'imagination des hommes, et possédait une véritable armée à ses ordres. Il ne laisserait jamais Hernando s'approcher à nouveau de Fatima !

— Ils les ont tous tués ! Ubaid et ses hommes, ils les ont tous tués ! cria-t-elle à l'attention d'Abbas. Mon Shamir, Fatima et Francisco... La petite Inés !

Aisha se laissa tomber par terre et éclata en sanglots. Elle n'eut pas besoin de se forcer pour pleurer, tant la douleur la tenaillait. En réalité, peut-être... Peut-être aurait-il mieux valu qu'ils soient tous morts plutôt qu'aux mains de Brahim. Elle hurla vers le ciel en pensant à Shamir. Que deviendrait son petit ? Et Fatima ? Quels malheurs leur avait réservés Dieu ?

Abbas ne put la consoler. Son corps robuste fléchit et il dut s'agripper à la grille pour rester debout, s'efforçant de trouver l'air qui lui manquait soudain. Il avait promis à son ami que le monfí ne lui causerait aucun problème, pour eux, pour les Maures. Mais il lui avait également promis de veiller sur sa famille pendant son séjour à Séville. Hernando le lui avait demandé avant son départ, et le maréchal-ferrant lui avait répondu presque sèchement :

— Que peut-il arriver ? se rappelait-il avoir dit.

Pendant quelques instants, seule la rumeur permanente de l'eau qui coulait et tombait dans la fontaine de ce beau patio cordouan, à présent désolé, accompagna Aisha et Abbas.

Abbas suivit le même chemin que le troupeau de juments en direction de la réserve royale du Lomo del Grullo : une journée jusqu'à Ecija avec une pause à l'auberge Valcargado ; une autre jusqu'à Carmona, en s'arrêtant à Fuentes ; une troisième jusqu'à Séville, où il se reposa à l'auberge de Loysa, et une dernière ensuite de Séville à Villamanrique. Il s'obligeait à marcher. Il forçait ses jambes à avancer, pas à pas, et observait ses pieds se rapprocher tristement et douloureusement d'un destin qu'il ne voulait pas aborder. Qu'allait-il dire à Hernando ? Comment lui annoncer que son épouse et ses enfants avaient été assassinés par Ubaid ? Comment lui avouer qu'il avait failli à sa parole ?

Il avait essayé de se mettre en contact avec le Manchot lorsqu'il attendait l'autorisation de l'écuyer royal pour partir vers le Lomo del Grullo : il aurait voulu savoir pourquoi, il aurait même voulu l'affronter, le tuer, mais aucun des intermédiaires qu'il utilisait habituellement pour communiquer avec le monfí n'avait obtenu de renseignements positifs : le Manchot et sa bande avaient disparu. Peut-être s'étaient-ils enfoncés davantage dans la montagne et réapparaîtraient-ils un jour, mais personne ne semblait avoir la moindre nouvelle d'Ubaid. Pour quelle raison avait-il tué Fatima et les enfants ?

— Mais pourquoi ? s'était également exclamé don Diego quand il avait remis à Abbas le sauf-conduit lui permettant de se déplacer jusqu'à Séville. N'est-il pas maure lui aussi ?

— Hernando et lui ont eu des problèmes dans les Alpujarras, avait précisé Abbas.

— Au point de tuer une femme et trois enfants sans défense ? avait répliqué le noble en agitant le document qu'il tenait à la main. Sainte Vierge !

Abbas avait seulement pu hausser les épaules. Don Diego avait raison. Et il n'avait même pas été capable de retrouver les corps pour les enterrer dignement, puisque Aisha refusait de parler. Dès que le maréchal-ferrant s'intéressait à un détail concret, lui demandait d'être plus précise sur l'endroit où le massacre avait eu lieu, Aisha ânonnait comme unique réponse « quelque part dans la montagne », et éclatait en sanglots avant de terminer invariablement par ces mots :

— Je t'en supplie. Va chercher mon fils.

Abbas en était là, avançant pas à pas sous le soleil d'Andalousie, l'estomac retourné, la bile au bord des lèvres et les larmes aux yeux, réfléchissant à la façon d'annoncer à son meilleur ami que son épouse et ses deux enfants avaient été sauvagement assassinés au cœur de la Sierra Morena.

Toutes les phrases auxquelles il avait songé s'effacèrent de son esprit à la vue d'Hernando, qui abandonna le troupeau et sauta avec agilité d'Azirat pour courir jusqu'à lui, hâlé par le soleil, ses yeux bleus plus brillants que jamais, ses dents éclatantes en un large sourire sincère.

La vue d'Abbas s'embua ; la manade se transforma en une simple masse informe. Cependant, il réussit à percevoir qu'Hernando s'arrêtait brusquement à quelques pas de lui. Sa présence se confondit avec les mille taches sombres des juments derrière lui, et les paroles d'Hernando lui parurent lointaines, comme transportées par le vent depuis un lieu très reculé.

— Que se passe-t-il ?

— Ubaid…, murmura Abbas.

— Quoi Ubaid ?

Hernando le transperçait de ses yeux bleus, remplis à présent d'une inquiétude croissante.

— Il est arrivé quelque chose ? Les miens… vont bien ? Parle !

— Il les a tués, parvint à articuler le maréchal-ferrant, sans pouvoir lever le regard. Tous, sauf ta mère.

Hernando resta muet. Pendant quelques instants, il demeura immobile, comme si son cerveau refusait d'admettre ce qu'il venait d'entendre. Puis, très lentement, il porta les mains à son visage et hurla en direction du ciel. Fatima ! Les enfants !

— Fils de pute ! s'exclama-t-il soudain à l'attention d'Abbas.

Il frappa le maréchal-ferrant, qui tomba par terre, et se jeta sur lui.

— Chien ! Tu m'avais promis qu'ils étaient en sécurité ! Je t'avais chargé de veiller sur eux, de les protéger !

Hernando cognait Abbas, inerte, incapable d'esquiver les coups.

Avant de perdre connaissance, le maréchal-ferrant sentit que des hommes emportaient Hernando, qui criait des paroles inintelligibles.

Ils n'étaient pas encore à Séville quand Azirat refusa de continuer à galoper au rythme que lui avait infligé Hernando depuis leur départ du Lomo del Grullo. Le jeune homme planta une fois de plus ses éperons dans les flancs du cheval, comme il l'avait fait tout au long des sept lieues qu'ils avaient parcourues à vive allure. Mais l'animal était incapable de tenir davantage la cadence et son galop, malgré le châtiment, se fit plus lent et plus lourd. Il finit par s'arrêter.

— Allez ! cria Hernando, éperonnant l'animal et jetant son corps en avant.

Mais Azirat, simplement, chancela.

— Allez, gémit-il en secouant frénétiquement les rênes.

Le cheval tomba à genoux sur le chemin.

— Dieu ! Non !

Hernando sauta à terre. Azirat était plein de bave ; les flancs ensanglantés, les naseaux démesurément ouverts dans son effort pour respirer. Hernando posa la main sur son cœur : on aurait dit qu'il allait exploser.

— Qu'ai-je fait ? Toi aussi tu vas mourir ?

La mort ! La frénésie du galop dans laquelle il avait tenté de se réfugier s'évanouit devant l'animal brisé, et la douleur transperça de nouveau Hernando. En larmes, il tira sur les rênes, obligeant Azirat à se relever et à marcher. Le cheval titubait comme un ivrogne. Non loin, un ruisseau coulait. Hernando attendit que le cheval ait un peu récupéré avant de s'en approcher. Il ne le laissa pas boire seul : il lui offrit de l'eau dans ses mains jointes, qu'Azirat fut incapable de lécher. Hernando retira sa selle, ses brides, et se servit de sa propre tunique comme éponge pour lui frotter tout le corps avec de l'eau fraîche. Le sang sur ses flancs, qu'il avait fait couler avec les pointes de ses éperons, s'associa dans l'imagination du jeune homme à la brutalité d'Ubaid. Il répéta plusieurs fois l'opération, puis obligea l'animal à avancer, sans cesser de lui offrir de l'eau avec ses mains. Au bout de deux heures, Azirat tendit le cou pour boire directement au ruisseau ; alors Hernando prit son visage entre ses mains et s'abandonna au chagrin.

Ils passèrent la nuit à la belle étoile, près du ruisseau. Azirat broutait l'herbe. Hernando pleurait, inconsolé ; les images de Fatima, de Francisco et d'Inés dansaient devant lui. Il frappa la terre à s'en écorcher les mains, croyant entendre leurs voix et leurs rires innocents ; il hurla de douleur au souvenir de leur odeur, de la chaleur et de la douceur de leurs petits corps près de lui, tentant de chasser la scène inimaginable de leur mort entre les mains d'un Ubaid qui lui apparaissait triomphant, brandissant le cœur palpitant de Gonzalico.

Il continua à pied la journée suivante. Tous ceux qui les croisèrent, Azirat et lui, se demandèrent si c'était l'homme qui tirait le cheval ou l'animal qui traînait une ombre humaine accrochée à sa bride. Hernando attendit l'aube du troisième jour pour se risquer à monter de nouveau, et ce fut seulement deux jours plus tard, alors que l'animal montrait des signes évidents de récupération, qu'il passa la Calahorra et franchit le pont romain.

Hernando n'obtint pas plus de résultats qu'Abbas lorsqu'il voulut s'informer plus amplement auprès de sa mère.

— Pourquoi veux-tu le savoir ? finit-elle par crier le soir même de l'arrivée de son fils à Cordoue quand, après d'incessantes visites de condoléances, ils se retrouvèrent seuls tous les deux. Je les ai vus ! Je les ai tous vus mourir ! Tu veux que je te raconte ? J'ai réussi à m'échapper ou peut-être… peut-être qu'ils ne voulaient pas me tuer. Ensuite j'ai erré toute la nuit dans la montagne avant de trouver un sentier et de rentrer à Cordoue. Je te l'ai déjà dit.

Aisha se laissa tomber sur une chaise, tête basse, épuisée. Elle avait dû mentir mille fois au long de la journée ; à chaque question des visiteurs, chaque témoignage de sympathie, chaque silence, elle avait hésité à avouer toute la vérité à son fils devant la terrible douleur qu'elle percevait sur son visage. Non ! Il ne le fallait pas. Hernando se précipiterait à Tétouan. Elle le connaissait ; elle en était sûre. Et elle perdrait le seul fils qui lui restait…

— Pourquoi ? gronda Hernando, qui faisait les cent pas dans la galerie, les mains crispées. J'ai besoin de savoir, mère ! J'ai besoin de les enterrer ! J'ai besoin de retrouver le fils de pute qui les a assassinés et... !

Aisha leva le visage en entendant l'effroyable colère contenue dans la voix de son fils. Elle ne l'avait jamais vu ainsi ! Pas même... dans les Alpujarras ! Elle faillit dire quelque chose, mais se tut, épouvantée, en voyant Hernando s'érafler cruellement le dos de la main.

— Et je jure que je le tuerai, termina-t-il, alors que de profonds sillons de sang apparaissaient sur sa main.

— Ubaid !

Le cri brisa le paisible silence de cette matinée de la fin août et résonna dans la montagne.

— Ubaid ! hurla encore Hernando en direction des bois accidentés qui s'étendaient à ses pieds.

Il s'était arrêté tout en haut d'une colline de la Sierra Morena, debout sur ses étriers, comme s'il prétendait se dresser sur le sommet le plus élevé, s'offrant au regard de celui qui aurait pu être caché parmi la végétation. Seul le bruit des animaux surpris, s'ébrouant, battant des ailes, lui répondit.

— Sale chien ! continua-t-il à hurler. Viens ici. Je te tuerai ! Je te trancherai l'autre main, je te découperai en morceaux, que je distribuerai moi-même à la vermine !

Ses cris se perdirent dans l'immensité de la Sierra Morena. Et le silence revint. Hernando s'affaissa sur sa monture. Comment allait-il trouver le Manchot dans ces montagnes ? pensa-t-il. C'était le monfí qui devait répondre à ses provocations ! Il dégaina son épée et la leva au ciel.

— Porc répugnant ! hurla-t-il encore. Assassin !

Sur le dos d'Azirat, il avait quitté Cordoue dès qu'il avait pu. Il avait dit au revoir à sa mère après avoir tenté, une fois de plus, de lui soutirer un renseignement, le plus petit indice pour commencer sa recherche. En vain.

— Où vas-tu ? lui avait demandé Aisha.

— Accomplir ce que tout homme digne de ce nom doit accomplir, mère : me venger d'Ubaid et retrouver les corps des miens.

— Mais…

Hernando l'avait laissée là, les mots au bord des lèvres. Puis il s'était dirigé vers la maison de Jalil ; le vieillard lui avait promis qu'il lui fournirait ce dont il avait besoin : une bonne épée, une dague et une arquebuse qu'on lui remettrait, en cachette, sur le chemin de las Ventas.

— Qu'Allah t'accompagne, Ibn Hamid, lui avait-il dit solennellement en prenant congé de lui, se redressant autant que le lui permettait son corps.

Hernando s'était rendu ensuite aux écuries où il avait cherché l'administrateur. Pendant quelques instants, au cours desquels le Maure avait expliqué ses intentions, l'homme, derrière son bureau, l'avait examiné : son visage émacié et des cernes violacés révélaient la nuit qu'il avait passée sans dormir, pleurant, frappant les meubles et les murs, clamant vengeance.

— Va, avait murmuré l'administrateur. Trouve le meurtrier de ta famille.

Ce premier jour, après avoir espéré en vain qu'Ubaid lui réponde, Hernando obligea Azirat à descendre de la colline. Jusqu'au coucher du soleil, il avait sillonné des plantations de canne à sucre, franchi des ruisseaux et grimpé des sommets du haut desquels il avait de nouveau défié Ubaid. Il avait interrogé les aubergistes, ainsi que les gens croisés sur son chemin : personne n'avait su lui dire où se trouvaient les monfíes : cela faisait un moment qu'on n'avait plus aucune nouvelle d'eux.

De retour à Cordoue, il cacha ses armes dans des buissons afin de pouvoir franchir la porte du Colodro sans problème. Il laissa Azirat aux écuries, mais avant de rentrer chez lui il se rendit auprès des bancs en pierre du couvent de San Pablo pour voir si les frères de la Miséricorde avaient eu plus de chance que lui et avaient découvert les cadavres de sa famille. Parmi les gens qui lambinaient avec curiosité, animé de sentiments contraires, il s'approcha des corps qui apparaissaient, décomposés : il priait pour qu'il y ait ceux des siens, afin de pouvoir les enterrer, mais il ne voulait pas que cela se passe là, à cet endroit, entouré de chrétiens, de marchandises volées et d'alguazils, de rires et de plaisanteries.

— Je le trouverai ! Je jure que je le dénicherai, même si je dois parcourir toute l'Espagne pour cela !

Ce fut tout ce qu'il dit à sa mère quand celle-ci l'accueillit le soir, avant de s'enfermer dans sa chambre pour souffrir, avec le parfum de Fatima qui flottait encore à l'intérieur.

Le lendemain, avant même le lever du jour, Hernando se prépara à partir. Il voulait disposer de toutes les heures de soleil ! Il rentra à Cordoue les mains vides. Il en fut de même le jour suivant, puis tous les autres.

Aisha le regardait revenir, vaincu chaque fois davantage. Et elle pleurait elle aussi en entendant les sanglots provenant de la chambre de son fils, dans le silence de la nuit. Elle songea une fois encore à lui avouer la vérité, ne fût-ce que pour le revoir sourire. Mais elle ne le fit pas. Le regard suppliant de Fatima et la terreur d'envoyer le seul fils qui lui restait vers une mort certaine, l'en empêchèrent. Elle avait déjà perdu cinq enfants. Pourquoi Hernando ne surmonterait pas lui aussi ce malheur ? Les enfants mouraient par centaines avant d'atteindre la puberté. Quant à Fatima… Il rencontrerait sûrement une autre femme. De plus… Aisha avait peur ; elle avait peur de rester seule.

Hernando continua à se rendre dans les montagnes, chaque jour plus amaigri ; il ne parlait plus, ne clamait même plus vengeance ! La nuit, on entendait seulement le murmure de ses constantes prières.

« Il s'en remettra, se disait Aisha. Il a un bon travail,

se répétait-elle pour tenter de se convaincre. Et il est bien considéré. C'est le meilleur dresseur des écuries du roi ! Abbas le dit, tout le monde l'affirme. Il y a des dizaines de filles jeunes et saines qui seraient prêtes à se marier à un homme comme lui. Il retrouvera le bonheur. »

Mais au bout de vingt jours, elle comprit que cet acharnement allait détruire la vie de son fils, qu'il n'abandonnerait jamais. Devait-elle lui raconter la vérité ? Aisha éprouva une angoisse insupportable ; ses genoux tremblaient. Non seulement elle l'avait trompé, mais elle l'avait laissé se torturer pendant tout ce temps. Comment réagirait Hernando ? C'était un homme, un homme devenu fou. S'il ne la frappait pas, comme il la haïrait ! Autant qu'il haïssait celui qui avait tué, croyait-il, sa famille. Que pouvait-il lui faire ? Elle imagina Hernando l'insultant, et les coups de Brahim lui parurent plus cléments. C'était son fils ! Le seul qui lui restait ! Elle ne pouvait pas le perdre !

Le matin suivant, après qu'Hernando se fut traîné une fois de plus à la recherche du monfí, Aisha quitta elle aussi Cordoue par la porte du Colodro. Elle marchait tête basse et portait un baluchon. Le soleil de la fin août était toujours aussi lourd. Elle parcourut la lieue qui séparait la ville de l'auberge du Montón de la Tierra, ainsi qu'elle l'avait fait ce funeste matin. À la vue de l'établissement, la douleur l'assaillit au point de presque lui paralyser les jambes et de l'empêcher de poursuivre son chemin. Et si ça se passait mal ? Elle se tuerait, décida-t-elle sans hésiter.

Elle se souvint des quatre hommes du marquis de Casabermeja, sortis de l'auberge pour enterrer le cadavre du monfí après que Brahim l'eut assassiné et se fut enfermé avec Fatima dans la chambre du premier étage. Elle lutta pour chasser de son esprit le regard lascif de son époux ; pour oublier les paroles qu'il lui avait adressées en passant près d'elle, alors qu'il emmenait la jeune femme : « Dis à ton fils le nazaréen que je l'attends à Tétouan. S'il veut récupérer ses enfants, il devra venir les chercher aux Barbaresques. » Les hommes du marquis ! C'était ça qui l'intéressait, et elle s'efforça de se concentrer. Cependant, le regard suppliant de Fatima l'implorant de ne rien dire à Hernando ressurgit à sa mémoire avec une force inhabituelle.

Aisha s'arrêta, s'accroupit au bord du chemin, prit son visage entre ses mains et éclata en sanglots. Hernando ! Shamir ! Fatima et les enfants !

Au bout d'un moment, elle parvint à se ressaisir. C'était sa dernière chance.

— Les hommes du marquis, murmura-t-elle pour elle-même.

Ils étaient assez vite revenus à l'auberge. Ils n'avaient emporté ni pelles ni outils, crut-elle se souvenir. Le cadavre du bandit n'était sans doute pas loin. Elle balaya du regard les alentours de l'établissement. Où pouvaient-ils l'avoir enterré ? Tandis qu'elle tâchait de revivre la scène, elle leva les yeux vers le soleil ardent, comme s'il pouvait l'aider. Où… ?

— Vous êtes sûrs que personne ne le trouvera ?

Les paroles du laquais du marquis, lorsque les hommes partis enfouir le corps d'Ubaid étaient revenus, résonnèrent distinctement à ses oreilles. Elle n'y avait alors pas prêté attention.

— Vous savez que Son Excellence désire que son cadavre disparaisse ; personne ne doit savoir que ce n'est pas le monfí qui…

— Ne craignez rien, avaient répondu négligemment les soldats. Là où on l'a laissé…

Laissé ! Ils avaient dit « laissé ». Les soldats n'aimaient pas travailler, faire un effort. Elle marcha autour de l'auberge, examinant les buissons. Non, pas là. Elle observa les arbres et leurs racines, se rappelant ceux des Alpujarras dans les trous desquels pouvait tenir un homme à cheval. Elle donna des coups de pied dans des monticules de terre sèche et creusa même, avec une petite pelle qu'elle avait emportée dans son baluchon, dans un tumulus qui lui sembla approprié. Il était largement plus de midi et le soleil était de plomb. Aisha transpirait. À la fin elle tomba sur un canal à sec abandonné. Elle observa son cours et son regard s'arrêta à l'endroit où le petit canal en croisait un autre. Il était bouché par des pierres. Elle n'eut aucune hésitation. Elle se hâta et n'eut qu'à pousser quelques pierres avant de creuser la terre en dessous : l'odeur putréfiée du cadavre l'assaillit. Le bandit était là !

Aisha essuya la sueur qui coulait sur son visage, se redressa et regarda alentour. À cette heure de grosse chaleur, juste après manger, il n'y avait personne dehors. Elle continua de déterrer le cadavre et Ubaid apparut, identifiable, son cœur, arraché par Brahim, posé sur son ventre. Elle le regarda un long moment. Puis elle sortit de son baluchon le délicat voile blanc brodé de Fatima, l'embrassa tristement et le macula de terre sèche. Elle l'avait retrouvé le lendemain de l'enlèvement, oublié lors du pillage de leurs voisins chrétiens à côté d'un pot de fleurs brisé, et elle l'avait conservé pour le donner à Hernando. Puis elle y avait renoncé, afin de ne pas l'attrister davantage. Elle s'agenouilla près des restes d'Ubaid et attacha le voile autour de son cou. Elle se leva et examina de nouveau les environs : seul le bourdonnement des insectes qui s'élançaient à présent sur le corps du monfí troublait le silence. Le plus important restait encore à faire. Le chemin de las Ventas était proche. Elle saisit le cadavre sous les aisselles et se mit à le tirer derrière elle. Elle décida de passer par le canal qui menait au chemin. Le cœur du bandit tomba par terre. Aisha mit un bon moment à accomplir sa tâche : à chaque pas, elle devait marquer une pause et vérifier que personne ne maraudait dans le coin. Mais elle finit par réussir. Dans un dernier effort elle le traîna jusqu'au bord du chemin. Quand elle le lâcha, elle sentit de terribles élancements de douleur dans tous ses muscles. Elle laissa échapper une larme devant le voile noué au cou du monfí et se cacha à une certaine distance, derrière des arbres, attendant que quelqu'un découvre le cadavre. Lorsque la chaleur commença à faiblir, Aisha vit un groupe de marchands s'arrêter à côté d'Ubaid. Alors elle sortit d'entre les arbres et rentra à Cordoue.

— Il paraît qu'on a trouvé le cadavre du Manchot de la Sierra Morena, Ubaid, sur le chemin de las Ventas, près de l'auberge du Montón de la Tierra, dit-elle à l'un des gardes de la porte du Colodro. Vous êtes au courant ?

L'homme ne s'abaissa pas à répondre à une Mauresque, mais Aisha esquissa une triste moue en le voyant courir à la recherche de son sergent. Quelques instants plus tard, plusieurs soldats partaient au galop en direction de l'auberge.

Hernando fut étonné par la foule qui s'entassait autour de la porte du Colodro. Il hésita même à emprunter cet accès : que lui importait ce qui se passait ? Il venait de vivre une nouvelle journée infructueuse de cris, de menaces et d'insultes au néant entre les sommets de la montagne. Il avait même dû fuir lorsqu'il avait croisé les dogues d'un groupe de chasseurs qui poursuivaient un ours. Il éperonna Azirat vers les gens et, tandis qu'il approchait, il distingua parmi eux un grand nombre de gardes et de soldats, ainsi que des nobles richement vêtus ; il lui sembla même reconnaître le corregidor.

Il s'apprêtait à laisser le gros de la foule et à se frayer un passage entre les curieux qui se tenaient le plus à l'écart afin de franchir la porte quand, de son cheval, par-dessus la tête des autres, il entrevit le cadavre d'un homme attaché à un bâton planté dans le sol, à la façon dont la sainte Confrérie exécutait les bandits qu'elle capturait hors de la ville. Un frisson parcourut sa colonne vertébrale. Ce cadavre… était manchot. Il n'eut pas besoin de s'approcher

davantage, juste de plisser les yeux et de respirer fortement. Ubaid !

Il tira sur les rênes d'Azirat et, sans prêter attention aux
gens qui se demandaient s'il s'agissait bien du terrible
monfí de la Sierra Morena, le regard cloué sur le muletier
de Narila, il se dirigea vers le poste.

— Et où crois-tu aller à cheval ? l'arrêta un soldat,
alors qu'hommes et femmes étaient forcés de s'écarter de
sa route aveugle.

Hernando mit pied à terre et confia les rênes au soldat,
qui les prit avec perplexité. Il avança, à présent parmi les
nobles et les marchands, jusqu'au cadavre d'Ubaid. La
Confrérie, encore dans le doute quant à son identité, l'avait
criblé de flèches, bien que déjà mort.

Soudain, les gens le laissèrent passer. Don Diego López
de Haro, présent, leur avait demandé, d'un geste de la
main, de s'écarter.

— C'est le monfí ? demanda-t-il au jeune homme en
s'approchant de lui. Tu le connaissais. C'est bien l'assassin
de ta femme et de tes enfants ?

Hernando acquiesça en silence.

Un murmure courut dans la foule.

— Il ne pourra plus commettre de crime maintenant,
affirma le chef de la Confrérie.

Hernando demeurait silencieux, le regard rivé sur le
voile de Fatima qui entourait le cou du bandit.

— Rentre chez toi, mon garçon, lui conseilla l'écuyer
royal. Repose-toi.

— Ce voile, parvint à articuler Hernando. C'était…
celui de mon épouse.

Le chef de la Confrérie en personne détacha avec précaution le fin tissu et le remit à Hernando.

Malgré la saleté, Hernando crut sentir la douceur du
voile. Il tomba à genoux et pleura, le visage enfoui dans
le tissu. Toutefois, ces sanglots étaient différents de ceux
qui l'avaient assailli jusque-là : ils étaient libérateurs.

Ubaid était mort, pas de ses mains, mais sa misérable existence avait pris fin.

Aisha ne trouva pas la tranquillité qu'elle recherchait quand, cachée parmi la foule, elle regarda Hernando, le voile fortement serré dans une main, saisir de l'autre les rênes d'Azirat que lui ramena le garde. Elle l'avait vu arriver et, à chaque pas qui rapprochait son fils du cadavre, elle avait souffert au plus profond de son être. Comme si Dieu était intervenu, elle avait éclaté en larmes au moment précis où Hernando avait caressé le délicat tissu.

« Je veillerai sur toi, mon fils », sanglota-t-elle en l'observant traverser à pied la porte du Colodro, tirant son cheval derrière lui.

À partir de ce moment, en effet, Hernando laissa sa mère veiller sur lui. Son obsession des journées précédentes laissa place à la mélancolie et à la tristesse. Pourquoi chercher les corps des siens après tant de jours ? Si on les avait abandonnés dans la montagne, ils avaient déjà été dévorés par les charognards. Il l'avait constaté lors de ses cavalcades dans les bois : rien n'était laissé à l'abandon ; des milliers d'animaux étaient à l'affût de la moindre erreur, du plus petit aliment, pour se jeter dessus. Cependant, il continua à venir voir les bancs en pierre du couvent de San Pablo.

Quelques jours après la découverte du cadavre d'Ubaid, Hernando reçut un message de don Diego qui l'enjoignait de reprendre le travail : bien que le troupeau de juments fût à Séville, il restait encore des poulains dans les écuries.

Aisha crut percevoir chez son fils un changement d'attitude lorsqu'il rentra à la maison après s'être occupé des animaux, et elle reprit espoir. Mais elle ne se doutait pas à quel point ses désirs étaient loin de la réalité.

42.

— Tu vas devoir céder ton cheval au comte d'Espiel, annonça un matin don Diego López de Haro à Hernando, alors que ce dernier venait juste d'arriver aux écuries.

Hernando secoua la tête pour repousser ses paroles.

— Le roi le lui a offert, entendit-il pourtant continuer l'écuyer royal.

— Mais… je… Azirat…

Sa tentative de protestation se réduisit en absurdes gesticulations.

— Je sais tout ce que tu as donné à cet animal et je sais aussi que, malgré sa robe, c'est l'un des meilleurs exemplaires nés dans ces écuries. Je t'autoriserai à en choisir un autre, même un non rejeté, du moment qu'il ne soit pas destiné au roi…

— Mais c'est celui-ci que je veux ! Je veux Azirat. Il est à moi… !

Aussitôt, il regretta ses paroles. Don Diego se tendit, fronça les sourcils et laissa passer quelques instants avant de répondre :

— Il n'est pas à toi et il ne le sera jamais. Peu importe ce que tu veux ou peux vouloir. Tu savais quel était le marché quand tu as choisi un cheval en échange d'une partie de ton salaire : il serait toujours à disposition du roi. Le comte a réussi à obtenir de don Philippe ce cheval, qu'apparemment il a demandé avec insistance. Il faut exaucer les désirs de Sa Majesté.

— Il le détruira ! Il ne sait ni monter ni toréer !

Don Diego le savait parfaitement. Hernando l'avait lui-même entendu le dire. Il l'avait entendu se moquer de l'obèse comte d'Espiel, toujours avachi sur sa monture.

— Tu n'es pas en mesure de juger la manière dont un noble monte à cheval, lui répondit néanmoins brusquement l'écuyer. Un seul de ses brodequins contient plus d'honneur et de services rendus à ces royaumes que n'en rendra jamais toute ta communauté. Tais-toi.

Décomposé, le jeune homme laissa retomber ses bras le long de son corps devant l'écuyer royal.

— Pourrais-je… ? bredouilla-t-il.

Que voulait-il lui demander ?

— Pourrais-je le monter une dernière fois ?

Don Diego hésita.

— Je ne sais pas… si je mérite cette faveur. J'aimerais le sentir sous mes jambes une fois encore, Excellence. La dernière chevauchée. Vous êtes un grand cavalier. Vous connaissez les épreuves terribles que je viens de subir…

« Changer le nom d'origine d'un cheval porte malheur. » Comme Abbas avait eu raison quand il lui avait dit cela ! songeait Hernando tandis qu'il serrait la sangle de sa monture. Le souvenir du maréchal-ferrant le troubla. Depuis ce qui s'était passé au Lomo del Grullo, ils s'étaient croisés aux écuries, mais ils ne s'étaient pas parlé ; ils ne s'étaient même pas salués. Hernando était incapable de lui pardonner ! Il sauta sur Azirat, qui réagit nerveusement à la violence avec laquelle le cavalier s'installa sur lui : Hernando pensait à Abbas, la colère le tenaillait. Azirat le sentait ! Il sentait qu'il se passait quelque chose de mauvais ; il le devinait au seul contact avec son cavalier grâce à ce sixième sens propre aux bêtes nobles, et il rongeait incessamment son frein, comme s'il avait voulu communiquer avec son maître à travers les tractions répétées et inhabituelles qu'il exerçait sur les rênes.

Hernando lui tapota le cou et Azirat répondit en s'ébrouant, sous le regard de don Diego, resté debout dans la grande cour ouverte des écuries, la main posée sur les lèvres, le pouce sous le menton, reconsidérant peut-être sa décision. Mais Hernando ne lui en laissa pas le temps et quitta les écuries au trot. Lorsqu'il passa devant l'écuyer royal, il inclina légèrement la tête.

Et maintenant on lui prenait Azirat ! Quel péché avait-il commis ? Pourquoi Dieu le punissait-il de cette manière ? En un peu plus d'un an il avait perdu tous les êtres qui lui étaient chers : Hamid, Karim, Fatima et les enfants… Le jeune homme s'essuya les yeux avec la manche de sa tunique. Azirat avançait au pas, libre. À présent, c'était au tour de son cheval ! Abbas, un autre de ses amis… Il n'avait pas tenu sa promesse !

Le comte d'Espiel avait réussi à convaincre le roi de lui offrir son cheval. Pour le noble, cela n'avait été qu'une simple formalité. De Séville, où il avait quitté le troupeau pour se diriger vers las Marismas, il avait envoyé son secrétaire sur les terres portugaises avec cette demande formulée à l'attention du souverain : lui offrir ce cheval coloré qui caracolait et galopait avec superbe sur le chemin de Cordoue à Séville. Et le roi avait accédé avec plaisir à la sollicitude d'un aristocrate qui lui demandait juste un cheval rejeté de ses écuries. Il se souvint de sa première rencontre avec Espiel, quand le noble avait cité le taureau de façon si maladroite que le cheval avait inévitablement été encorné. Par la suite il l'avait vu toréer à d'autres occasions, avec le même résultat, malheureux pour les chevaux. Azirat sentit trembler les jambes de son cavalier et trotta de nouveau, inquiet. Hernando avait également assisté aux joutes sur la place de la Corredera. Il avait remarqué qu'au moment où les autres nobles s'exhibaient avec agilité et prestance, au son des timbales et des trompettes, dans des combats simulés, projetaient les lances, théoriquement inoffensives, et les arrêtaient avec leurs boucliers, le comte avait quant à lui des problèmes dès le début du spectacle et constituait un handicap pour l'équipe que le tirage au sort lui avait désignée. Le public conspuait la cuadrilla à laquelle appartenait le noble lorsque, pour couvrir la distance que devait couvrir sa lance, il s'avançait bien plus que les règles de la chevalerie et de la courtoisie le permettaient.

Pourquoi le comte avait-il choisi Azirat, qui n'était rien d'autre qu'un rebut des écuries ? À cause de lui ? À cause de ce qui s'était passé au cours de cette première course de taureaux ? En vérité, le noble était cruel et vindicatif. Hernando l'avait entendu, de la bouche même de celui qui, à l'instant, lui avait reproché de remettre en cause les qualités de cavalier du comte d'Espiel. C'était il y avait deux ans environ :

— Vous connaissez la dernière du comte d'Espiel ? avait demandé don Diego à un groupe de nobles qui chevauchaient à ses côtés pour tester les chevaux du roi, en compagnie d'Hernando et des laquais de l'écuyer royal.

— Raconte, raconte, l'avait encouragé un cavalier, le sourire déjà aux lèvres.

— Figurez-vous que depuis deux semaines il a de la fièvre, et le médecin l'a obligé à s'aliter. Comme il s'ennuie de ne pas pouvoir monter ou chasser, il a eu l'idée de le faire de son lit…

— Il tire des flèches de sa fenêtre sur les petits oiseaux ? avait plaisanté un autre noble.

— Allons donc ! s'était exclamé don Diego sans pouvoir se retenir de rire. Si l'un de ses domestiques commet une faute, et les serviteurs du comte en commettent un grand nombre, il lui attache un coussin sur les fesses et l'oblige à courir et à sauter partout dans sa chambre pendant que lui, de son lit, essaie de l'atteindre d'une flèche dans le cul.

Tous les cavaliers avaient explosé de rire. Même Hernando avait souri en imaginant le comte en chemise de nuit, obèse et en sueur, nerveux et excité, tâchant de viser avec son arbalète un serviteur n'arrêtant pas de bondir par-dessus chaises et meubles, un coussin attaché au cul. Mais son sourire s'était effacé dès que son regard avait croisé celui de José Velasco qui, en tant que serviteur de don Diego, s'agitait nerveusement sur sa monture.

— On dit…, avait bafouillé don Diego entre deux éclats de rire, qu'il est devenu le plus sévère des major-domes de sa propre maison et qu'à tout moment… – l'écuyer royal dut marquer une pause avant de se redresser, une main sur le ventre – … il enquête sur le travail de tous ses domestiques et esclaves, à propos d'éventuelles fautes qu'ils auraient commises, afin de pouvoir les lâcher ensuite dans sa chambre comme des lièvres.

— Et la comtesse ? était parvenu à articuler entre deux gloussements l'un des hommes.

— Hou ! Très inquiète !

Don Diego était à nouveau plié de rire.

— Elle a donné aux malheureux des coussins en coton, à la place de ceux en soie, pour ne pas se retrouver sans domestiques… et sans mobilier !

Les rires avaient éclaté une nouvelle fois au sein du groupe de cavaliers.

Tel était l'homme qui allait monter son cheval ! pensa Hernando, croyant entendre encore les rires des nobles bourdonner à ses oreilles.

Il stimula Azirat d'un simple claquement de langue, et le cheval partit au galop. C'était une magnifique journée d'automne. Il pourrait s'enfuir ! Il pourrait galoper jusqu'à… où ? Et sa mère ? Elle n'avait plus que lui ; il n'avait plus qu'elle. Il galopait tranquillement depuis une demi-lieue, sans but précis, quand il sentit Azirat se raidir : à leur droite s'étendait un pâturage où paissaient des taureaux. Le cheval semblait vouloir jouer avec eux, comme tant d'autres fois.

Hernando ne réfléchit pas davantage. Il raccourcit les rênes, baissa les talons et serra les genoux afin d'être bien fixé à sa monture. Il entra dans le pâturage et, pendant un bon moment, goûta de nouveau au bonheur. Il cria et rit en caracolant devant les cornes des taureaux, s'autorisant même à effleurer leurs pointes de ses doigts lors des esquives. Azirat était agile et rapide, freinant doucement, soumis à ses jambes et à ses mouvements comme il ne l'avait jamais été. C'était le meilleur ! Malgré sa couleur rouge, c'était le meilleur cheval parmi les centaines passées par les écuries du roi. Et ce magnifique exemplaire allait tomber entre les mains du pire cavalier, du plus prétentieux de toute l'Andalousie.

À un moment précis, Azirat s'arrêta face à un immense taureau noir zain ; les deux bêtes se mesurèrent de loin, le taureau baissant la tête et le cheval piaffant sur place.

Alors Hernando crut entendre les sifflets et les huées des spectateurs à l'encontre du comte d'Espiel, sur la place de la Corredera.

Le cheval donnait des coups de tête et de pattes, comme si lui-même appelait son ennemi. C'est étrange, pensa Hernando. Il sentait entre ses jambes la respiration accélérée d'Azirat.

Soudain, le taureau chargea, furieux. Hernando tira sur les rênes et pressa les flancs d'Azirat afin de le tenir prêt à bondir. Mais il remarqua que le cheval ne répondait pas. En une fraction de seconde, les huées qui résonnaient encore dans sa tête se transformèrent en applaudissements et en hourras de la foule. Alors, devant les yeux enragés du taureau zain, il lâcha les rênes d'Azirat pour le laisser choisir son destin. Le cheval se cabra sur ses pattes avant et offrit sa poitrine aux cornes du taureau.

L'impact fut mortel et Hernando se retrouva projeté à plusieurs mètres tandis que le taureau, au lieu de s'acharner sur le cheval étendu par terre, se retirait fièrement, obéissant peut-être à la loi qui régit les animaux, en hommage à celui des siens qui avait décidé de ne pas fuir devant ses coups.

Par la suite, José Velasco, chargé par don Diego de

suivre et de surveiller discrètement le jeune Maure, affirmerait à qui voudrait l'entendre, en jurant sur tout ce qu'il avait de plus cher, que le cheval lui-même, comme s'il l'avait voulu, s'était livré à une mort certaine après avoir dominé, avec une élégance et un art jamais vus, les taureaux qu'il avait affrontés au cours de cette matinée d'automne.

Mais la bonne foi du laquais – pur délire pour tous ceux qui prêtèrent attention à son histoire – ne suffit pas pour empêcher qu'Hernando, malgré ses blessures, soit arrêté et incarcéré, ainsi que l'ordonna aussitôt, et selon la juridiction qui lui incombait, don Diego López de Haro, abusé d'avoir par faiblesse accordé au jeune homme cet ultime désir qu'il lui avait imploré d'exaucer. Déçu, l'écuyer royal s'inquiétait aussi de la réaction violente, certaine et inévitable, du comte d'Espiel quand il apprendrait la mort de son cheval.

— On t'a donné ta chance et tu n'en as pas profité, dit don Diego à Hernando devant tous les employés des écuries, parmi lesquels se trouvait Abbas, quand le jeune homme fut littéralement traîné jusque-là par José Velasco depuis le pâturage. Je ne peux plus rien faire pour toi. Tu seras à la disposition de la justice et tributaire de ce que le comte d'Espiel, propriétaire du cheval que tu as tué, voudra faire de toi.

Mais Hernando n'écoutait pas, et ne réagit pas aux paroles de don Diego. Il était encore plongé dans la magie de ce moment où Azirat, animé de sa propre volonté, avait décidé de son destin. Aucun des chevaux qu'il avait montés n'avait jamais fait une chose pareille !

— Emmenez-le en prison, ordonna le noble à ses laquais. Telle est ma décision, moi, don Diego López de Haro, écuyer royal de Sa Majesté don Philippe II.

Hernando tourna la tête vers le noble. En prison ! Azirat avait-il prévu cela ? Peut-être aurait-il dû mourir lui aussi, songeait-il en avançant sur le Campo Real, devant le siège de l'Inquisition, escorté par José Velasco et deux autres hommes. Sa vie n'avait plus de sens. À part sa mère, pensa-t-il tristement. Ils se dirigeaient vers la rue de la prison. Hernando claudiquait, meurtri. José Velasco le tenait par le bras, encore troublé par la scène à laquelle il avait assisté dans le pâturage et les raisonnements logiques de ceux qui avaient écouté ses explications, refusant d'y croire. Mais il l'avait vu ! José et Hernando se regardèrent, et une grimace inintelligible apparut sur les lèvres du laquais. Ils traversèrent le pont de la cathédrale et descendirent en silence la calle de los Arquillos, la mezquita à leur droite. Les gens qu'ils croisaient contemplaient avec curiosité le cortège ainsi formé.

Seul Dieu pouvait avoir guidé les pas d'Azirat, comme il le faisait avec les croyants, conclut Hernando. Mais puisqu'il s'en était sorti indemne, à quoi servait le sacrifice du cheval ? Pour qu'il finisse en prison, à la disposition de l'homme à cause duquel Azirat avait donné sa vie ? « Le diable n'entrera jamais dans une tente où se trouve un cheval arabe », avait écrit le Prophète pour élever les chevaux au rang de défenseurs des croyants. Que prétendait lui dire Dieu à travers Azirat ? Le doute fit ralentir Hernando. José Velasco le tira par le bras. Quel était le message divin caché dans ce qui s'était passé ce matin ? continua-t-il à se demander.

— Avance ! ordonna l'un des hommes en le poussant rudement.

Il sentit le coup dans son dos, un des plus forts qu'il ait jamais reçus. Azirat n'avait pas souhaité qu'il soit emprisonné ! Mais comment l'éviter ? Il pourrait courir quelques mètres tout au plus ; les hommes étaient armés, alors que lui…

— Obéis !

Un nouveau coup faillit l'envoyer par terre.

José Velasco lui lâcha le bras et le regarda de manière étrange.

— Hernando, ne rends pas les choses plus difficiles, lui demanda-t-il.

La porte de los Deanes, qui donnait sur le verger de la mezquita, était seulement à deux pas de l'endroit où ils se trouvaient. Le jeune Maure ne put s'empêcher d'y jeter un coup d'œil. José Velasco aussi.

— N'essaie pas de… l'avertit le laquais.

Mais, malgré la douleur qu'il sentait dans tout son corps, Hernando courait déjà vers la mezquita.

Il franchit la porte de los Deanes au moment où les trois hommes se jetaient sur lui ; tous tombèrent à l'intérieur de l'orangeraie de la cathédrale. Hernando résista et envoya des coups de pied pour se dégager de ses assaillants, mais ses muscles ne répondaient plus. Les gens qui se tenaient dans le verger les entouraient déjà. José Velasco réussit à l'immobiliser, tandis que ses compagnons, qui s'étaient déjà relevés, l'attrapaient par les chevilles et les poignets pour le sortir comme un sac du patio des orangers.

— Crie le mot ! dit alors un homme qui observait la scène.

Quel mot… ? songea Hernando.

— Dis-le, l'encouragea quelqu'un d'autre.

Que devait-il dire ?

Les hommes de l'écuyer royal l'avaient déjà soulevé du sol. Hernando, tel un animal, pendait dans le vide.

— Sacré ! prononça une voix de femme.

— Sacré ! cria le jeune Maure, se rappelant alors combien de fois il avait entendu cette supplique lors de ses visites à la cathédrale. Je demande l'asile !

Sur le seuil intérieur de la porte de los Deanes, les hommes qui le portaient hésitèrent une seconde, puis ils entreprirent de le sortir de la cathédrale.

— Que prétendez-vous faire ?

Un prêtre leur barra la route.

— Vous n'avez pas entendu que cet homme a demandé l'asile ? Lâchez-le ipso facto sous peine d'excommunication !

Hernando sentit que la pression sur ses mains et ses pieds se relâchait.

— Cet homme… voulut expliquer José Velasco.

— Il est sacrilège de violer l'immunité et le droit d'asile d'un lieu sacré ! insista le religieux, l'interrompant brusquement.

Le laquais fit un geste aux hommes qui l'accompagnaient. Ceux-ci lâchèrent Hernando, qui tomba à leurs pieds.

— Tu ne pourras pas te reclure longtemps dans la cathédrale, menaça José Velasco, lequel redoutait déjà le châtiment que lui infligerait son seigneur pour avoir laissé le détenu s'échapper. Dans trente jours, on te jettera d'ici.

— Cela, c'est le grand vicaire qui en décidera, le coupa de nouveau le prêtre.

José et les deux autres hommes, qui affichaient le même visage préoccupé que le laquais, froncèrent les sourcils.

— Quant à toi, ajouta-t-il alors en s'adressant à Hernando, va chercher le vicaire pour lui communiquer les circonstances qui t'ont conduit à demander le droit d'asile.

43.

Des hommes applaudirent la conduite du prêtre, tandis qu'Hernando, blessé, tentait de se relever. Il était déjà mal en point auparavant, mais à présent, après l'incartade avec José et ses compagnons, sans parler du terrible coup qu'il avait reçu dans les reins en tombant par terre, il se voyait incapable de bouger. Un garçon blond aux cheveux frisés et aux yeux bleus comme les siens s'avança pour l'aider.

— Silence ! cria alors le prêtre. Quiconque fait du tapage perdra son droit d'asile et sera expulsé du temple !

Les applaudissements cessèrent immédiatement, mais les moqueries et les plaisanteries à l'encontre des hommes de l'écuyer royal, contraints de céder devant le sacré, éclatèrent une fois de plus dès que le prêtre fut suffisamment loin pour ne pas les entendre ou, du moins, pour ne pas s'embarrasser à revenir sermonner le groupe nombreux de délinquants et de malheureux reclus dans la cathédrale afin d'échapper à la justice séculière. Le prêtre en effet, sans même se retourner, hocha la tête d'un air las en entendant les éclats de rire fuser dans son dos.

— Je m'appelle Pérez, dit le blond qui avait aidé Hernando à se relever en lui tendant la main.

— Mais on le surnomme « le Plongeur », intervint un homme au torse presque nu malgré le froid d'octobre, en se joignant à eux.

— Hernando, se présenta le jeune Maure.

— Pedro, dit à son tour l'homme au torse nu.

— Allons voir le vicaire, recommanda le Plongeur.

— Ce n'est pas la peine que tu m'accompagnes, dit Hernando.

— Ça ne me dérange pas, insista le blond qui se dirigeait déjà vers l'intérieur de la cathédrale. Ici, on n'a rien à faire : jouer aux cartes, c'est interdit. On ne peut même pas applaudir, comme tu l'as vu.

Hernando voulut lui emboîter le pas, mais la douleur l'obligea à clopiner. Pérez l'attendit et tous deux entrèrent dans le temple.

— Lui, il s'est battu avec le vicaire, expliqua le blond à Hernando en faisant un geste en direction du dénommé Pedro, resté dans le verger. Apparemment il a eu un problème avec un collier de grande valeur, ajouta-t-il alors qu'ils avançaient déjà entre les colonnes de l'ancienne mosquée. Mais il ne veut pas nous le raconter en détail ; pas plus qu'il n'a voulu le dire au vicaire.

La sacristie, comme Hernando le savait bien, était adossée au mur sud de la cathédrale, à côté du trésor, dans une chapelle construite entre le mihrab et la bibliothèque, toujours en travaux pour agrandissement. Pérez s'étonna du sourire avec lequel don Juan, le vicaire, reçut le nouveau reclus sitôt qu'ils eurent, du seuil de la porte, humblement demandé l'autorisation d'entrer.

— Le comte d'Espiel est un mauvais ennemi, affirma don Juan après avoir entendu l'explication du jeune Maure.

Pérez avait écouté l'histoire avec attention pendant que le vicaire prenait des notes sur des dossiers.

— Je transmettrai tous ces renseignements au grand vicaire et nous verrons ce qu'il décidera à ton sujet. J'espère pouvoir te donner rapidement une réponse… et je suis désolé pour ta famille, ajouta-t-il au moment où les deux jeunes gens quittaient déjà la sacristie.

— Comment se fait-il qu'il te connaisse ? demanda le blond à Hernando dès qu'ils furent sortis. C'est ton ami ? Comment… ?

— Allons à la bibliothèque, l'interrompit Hernando.

Don Julián allait et venait parmi les derniers volumes qui restaient encore dans la pièce. La nouvelle étagère, près de la porte de San Miguel, était de plus petite taille et la plupart des livres et parchemins avaient atterri dans la bibliothèque privée de l'évêque, où se dissimulaient également des corans et des prophéties arabes.

— Je peux entrer ? demanda Hernando depuis la grille qui séparait désormais les échafaudages et les ouvriers du reste de la mezquita.

— Tu connais aussi le bibliothécaire ? chuchota le Plongeur, surpris par le sourire avec lequel don Julián avait accueilli le jeune Maure, sourire empli de tristesse depuis la disparition de Fatima et des enfants.

Ils marchèrent entre les mille colonnes de la mezquita, le Plongeur sur les talons, et Hernando dut répéter l'histoire qu'il venait de raconter quelques instants plus tôt au vicaire.

— Le comte d'Espiel ! soupira don Julián avec le même pessimisme que l'ecclésiastique. Dans tous les cas, le grand vicaire plaidera en ta faveur : la famille d'Espiel est une des familles nobles qui se sont le plus opposées à la construction de la nouvelle cathédrale jusqu'à ce que l'empereur Charles Quint l'autorise. Avec les travaux, les Espiel ont perdu leur chapelle. Par la suite, défiant le conseil de la cathédrale, ils ont financé une autre église pour laquelle ils ont obtenu le patronat de leur sanctuaire. Depuis, les relations ne sont pas bonnes entre le comte et l'évêque.

— Alors à quoi ça me servira d'avoir le grand vicaire de mon côté ?

— En tant que juge ecclésiastique, c'est lui qui doit décider si ta demande d'asile est conforme aux normes canoniques et aux conciles. En principe, tu n'es ni un assassin ni un bandit de grand chemin ; et d'après ce que tu m'as dit, ton délit peut être inclus parmi ceux qui pourraient bénéficier du droit à l'asile ecclésiastique. Mais il y a une autre donnée importante : le droit d'asile n'est pas indéfini, sinon les temples finiraient par être des lieux d'hébergement pour délinquants. Ici, à Cordoue, on applique un délai maximal de trente jours au cours desquels le reclus est supposé entreprendre les démarches nécessaires pour minimiser les conséquences de sa faute. Connaissant le comte d'Espiel, tu n'y arriveras pas.

Hernando hocha tristement la tête.

— Le comte ne cédera pas d'un pouce. Il n'accordera même pas une peine sans châtiments corporels, ce qui est une façon courante d'en finir avec l'asile : l'Église exige de la justice séculière qu'elle s'engage à traiter le criminel avec bienveillance et, en cas d'accord, elle livre celui-ci. C'est là que le rôle du grand vicaire se révèle déterminant car, à défaut d'un accord, il peut prolonger sans limites la durée de l'asile.

— Que gagnerait le comte à ne pas s'entendre avec l'Église ? Il ne pourra pas me faire sortir de la cathédrale et n'obtiendra aucune satisfaction pour mon… délit ?

— La majorité des chrétiens n'ose pas s'opposer au sacré, le contredit don Julián. La simple menace d'excommunication ipso facto à l'encontre de quiconque attente au droit d'asile suffit à effrayer leurs pieuses consciences.

Instinctivement, Hernando porta la main à ses reins et se souvint de la rapidité avec laquelle, à cette seule mention, Juan Velasco et ses hommes l'avaient lâché.

— Mais le comte d'Espiel, comme beaucoup d'autres nobles, reprit le prêtre, peut employer des gens pour agir en son nom, afin de ne pas être excommunié. Ne fais confiance à personne. Dès qu'il apprendra que tu es ici, ses hommes se posteront à chaque entrée pour empêcher qu'on te fasse parvenir de la nourriture, qu'on te rende visite ; en résumé : pour te rendre la vie impossible. Méfie-toi de quiconque t'approche dans le verger, et même ici à l'intérieur. Ils pourraient t'enlever et te faire disparaître dans une geôle des États du comte.

— Cela signifie que, si on ne m'enlève pas…, murmura Hernando, je serai obligé de rester ici toute ma vie ?

Don Julián s'arrêta et, se tournant vers le Plongeur, il lui fit signe, de manière autoritaire, de s'écarter.

— Cela signifie, chuchota don Julián après s'être assuré que Pérez se trouvait deux colonnes plus loin, que le moment est peut-être venu pour toi de fuir aux Barbaresques.

— Et ma mère ?

Ce fut la seule question qui lui vint à l'esprit.

— Elle peut venir avec toi.

Les deux hommes se regardèrent. Tant d'illusions partagées ensemble ! Tant de travail !

— Je vais commencer à préparer ton voyage, ajouta don Julián, tandis qu'Hernando réfléchissait en silence, favorable à cette idée.

— Dans ce cas, n'oublie pas que je dois d'abord passer par les Alpujarras, par le château de Lanjarón…

— L'épée ?

— Oui, confirma-t-il, le regard perdu dans la forêt de colonnes. L'épée de Mahomet.

— Ce sera risqué, mais possible, j'imagine, considéra le prêtre. En dépit de l'interdiction et des nouvelles déportations qui ont eu lieu à Grenade, de nombreux Maures reviennent dans ce royaume.

Don Julián sourit.

— Quelle attraction magique possèdent ses crépuscules flamboyants ! De Grenade tu pourrais rejoindre les côtes de Málaga ou d'Almería et embarquer sur un navire maure de Vélez, Tétouan, Larache ou Salé.

À la nuit tombée, Hernando quitta la cathédrale et sortit dans le verger. Don Julián lui avait promis qu'il s'occuperait de tout ; aussi bien de préparer sa fuite que d'intercéder pour lui auprès du grand vicaire. Il retrouva Aisha qui l'attendait. Don Julián avait donné l'ordre qu'on la prévienne.

— Nous allons partir aux Barbaresques, lui annonça-t-il dans un murmure, après avoir une nouvelle fois expliqué ce qui s'était passé.

Dans la pénombre, il fut incapable de percevoir que le visage de sa mère se décomposait.

— Je suis trop vieille pour ce genre d'aventure…, s'excusa Aisha.

— J'ai vingt-six ans, mère. Tu m'as eu à quatorze ans, donc tu n'es pas si âgée ! Nous irons d'abord à Grenade et de là, ou de Málaga, nous n'aurons aucun mal à traverser jusqu'à Tétouan.

— Mais…

— Nous n'avons pas d'autre solution, mère, sauf si tu veux que je tombe aux mains du comte. Et ce ne sera pas facile, avait-il conclu avec don Julián. Nous devrons attendre que les jours passent et que les hommes du comte d'Espiel se fatiguent et relâchent la surveillance à laquelle, sans aucun doute, ils vont me soumettre. Tu dois te tenir prête.

Malgré la hâte et le choc causé par la nouvelle, Aisha avait veillé à lui apporter un peu à manger : du pain, de l'agneau et des fruits ; quant à l'eau, elle ne manquait pas à la source du verger. Les offices de complies venaient de se terminer lorsque Aisha prit congé de son fils. Les gardiens fermaient les portes d'accès à la cathédrale et tous ceux qui s'y étaient réfugiés, ou qui se contentaient de marauder à l'intérieur, s'installèrent dans le grand verger. Certains partirent ; les reclus ou demandeurs d'asile se regroupèrent aux endroits qu'ils gagnaient peu à peu, à coups de poing, les uns sur les autres. À l'exception de la porte du Pardon, du clocher et d'une partie destinée au consistoire de l'archidiacre, les trois galeries qui fermaient le jardin étaient à la disposition des reclus qui, pendant les nuits froides, y cherchaient refuge.

— C'était ta mère ?

Hernando se retourna et tomba sur le Plongeur qui, devant les contacts évidents du nouveau locataire du verger avec la hiérarchie ecclésiastique, avait décidé de l'inclure dans sa bande, au cas où il pourrait leur être utile.

— Oui.

— Viens avec nous. On a un peu de vin.

Hernando accepta et, flanqué du Plongeur, traversa le verger jusqu'à la galerie du mur sud, depuis la porte du Pardon, où il avait quitté sa mère. Il la vit passer sous la grande arcade, affligée, malgré ce projet de fuite aux Barbaresques dont il lui avait fait part. Pourquoi était-elle si accablée ? se demanda-t-il.

— Plongeur ? interrogea-t-il quelques mètres plus loin, posant enfin la question qui l'avait intrigué toute la journée.

— Oui. C'est ce que je suis, sourit le blond. Plongeur. Je travaille... je travaillais, corrigea-t-il, pour un capitaine basque qui avait la permission royale de récupérer les navires coulés et les trésors près des côtes espagnoles. On s'est disputés à propos de pièces d'or que j'ai trouvées loin de l'épave que nous étions en train de repêcher à Cadix, dit-il en claquant la langue. Je suis parti en courant et j'ai réussi à me réfugier ici au moment où ils étaient sur le point de me dévaliser.

Pérez eut beau lui donner des tas d'explications, avec mots et gestes, lorsqu'ils arrivèrent à la galerie Hernando n'était toujours pas parvenu à comprendre comment fonctionnait toute cette fantastique mécanique en bronze sous laquelle s'enfouissaient les plongeurs et qui leur permettait de récupérer des trésors perdus en mer.

— Ne t'en fais pas, lui dit un homme répondant au nom de Luis, aux traits droits et au nez cassé, qui cachait sa tête sous un foulard coloré attaché à la nuque. Aucun de nous n'a jamais réussi à comprendre. Le plus probable, c'est que c'est un mensonge.

Pérez lui décocha un coup de pied que l'autre esquiva en riant.

À la lumière des grosses torches placées dans les arcs des galeries qui donnaient sur le verger, six autres hommes étaient assis par terre, autour d'une gourde de vin et de la nourriture fournie par leurs parents ou amis.

— Bienvenue à la galerie des Enfants, le salua un blond aux cheveux raides, en lui faisant une place à ses côtés.

Hernando examina la galerie de long en large. Il distingua seulement des groupes semblables à celui-ci.

— Des enfants ? s'étonna-t-il en s'asseyant.

— Il y a quelques années cette galerie recueillait les enfants trouvés de Cordoue, lui expliqua Juan, un chirurgien qui avait essayé de compléter les revenus de sa profession par des moyens illégaux.

La plainte déposée à son encontre par plusieurs veuves dont il avait nettoyé le corps… et la bourse l'avait conduit à demander l'asile.

— Ils dormaient dans des berceaux ici même, ajouta-t-il en faisant un grand geste de la main. Jusqu'à ce qu'une nuit un troupeau de porcs dévore plusieurs nourrissons. Alors le pieux doyen de la cathédrale finança un hôpital pour enfants trouvés et laissa la galerie aux reclus. C'est pour ça qu'on l'appelle galerie des Enfants.

Le souvenir de Francisco et d'Inés revint hanter Hernando. Comme sa vie avait changé en si peu de temps ! Et maintenant Azirat, sa détention… Soudain il remarqua que les six hommes le regardaient fixement.

— Bois du vin, lui recommanda Pedro, toujours torse nu malgré le froid de la nuit.

Hernando refusa la gourde que lui offrait Pedro. Les san-benito accrochés sur les murs de toutes les galeries du verger paraissaient trembler dans la nuit, sous le scintillement des torches. Ils étaient des centaines, rappelant les condamnés de l'Inquisition, conférant à l'endroit une image macabre.

— Donne-le-moi !

Le garçon à côté de lui, prénommé Mesa, brun et aux traits orientaux, lui prit la gourde des mains et en versa directement le contenu dans sa gorge, buvant compulsivement. Les gorgées de vin étaient comptées, mais personne ne freina Mesa.

— La rumeur court qu'ils vont le jeter d'ici et le livrer à la justice, susurra un homme appelé Galo à Hernando. On ne sait pas pourquoi, mais les curés le détestent. En réalité, il a juste volé une cédule pour pouvoir travailler… Ce sera le premier du groupe à être expulsé.

— Un jour ou l'autre ce sera pareil pour nous tous… Ils nous livreront. Profitons-en tant que nous pouvons.

Celui qui venait de parler s'appelait également Juan, comme le chirurgien. C'était un armurier récemment arrivé des Indes, et qui avait eu des problèmes relatifs à la mystérieuse disparition d'une partie des arquebuses.

— Non…, commença à s'opposer Pérez.

— Qui est Hernando ?

Le cri résonna dans le verger. La silhouette d'un homme, les poings sur les hanches, se dessina à la lueur du feu près de la porte de Santa Catalina, à l'endroit où débutait la galerie des Enfants.

— Tais-toi ! Ne bouge pas ! lui ordonna le chirurgien alors qu'Hernando faisait mine de se lever.

— Quel est le fils de pute qui s'appelle Hernando ? cria l'homme une nouvelle fois depuis la porte.

— Et pourquoi tout ce tapage ? questionna Pérez, que chacun connaissait, en se redressant. Si tu continues comme ça, tu vas alerter les curés. Que se passe-t-il avec cet Hernando ?

— Il se passe que la cathédrale est entourée d'hommes du comte d'Espiel, qui sont à sa recherche. Il se passe qu'ils m'ont menacé et m'ont dit que si nous essayions de

sortir, ils nous arrêteraient et nous livreraient à la justice…
sauf si nous leur livrons ce Maure.

Malgré le risque de perdre leur droit d'asile, la plupart
des hommes reclus s'aventuraient dans la nuit cordouane.
El Potro était tout près, avec ses cartes, ses dés et ses
paris ; le vin, les bagarres et les femmes. Les alguazils et
les magistrats étaient dans l'impossibilité de surveiller en
permanence les abords de la cathédrale. Par ailleurs, peu
à peu, après être convenus des conditions les plus bien-
veillantes, les délinquants étaient remis au conseil, peu
disposé à perdre le sommeil pour un troupeau de voyous
qui tôt ou tard tomberait entre ses mains. Mais si, en
revanche, le comte payait des gardes, empêchant ainsi les
reclus de jouir de la nuit, l'affaire se compliquait.

Plusieurs locataires de la cathédrale, qui se trouvaient
dans d'autres galeries, s'avancèrent vers la porte de Santa
Catalina. Dans celle du nord, la galerie des Enfants, certains se mirent debout.

— C'est vrai. J'ai vu des soldats armés traîner dans les
rues, confirma l'un d'eux.

— On dirait que tu es encore plus mal barré que moi,
observa Mesa avec un rictus, après avoir bu une autre
gorgée de vin. Et ça ne fait même pas un jour que tu es
là.

Hernando, inquiet, hésitait et s'agitait.

— Tiens-toi tranquille ! marmonna le Plongeur.

— Qui est cet Hernando ? demanda quelqu'un dans la
galerie sud.

— Il faut le livrer aux soldats du comte ! entendit-on
crier.

Dans l'obscurité, plusieurs reclus traversèrent le verger
en direction de la porte de Santa Catalina.

— Imbéciles ! cria Luis à l'attention de tous. Que vous
importe qui c'est ? Hernando, c'est moi !

— Et moi ! renchérit le chirurgien, comprenant l'intention de son compagnon.

— Moi aussi je m'appelle Hernando ! renchérit le Plongeur. Si nous collaborons avec eux, aujourd'hui ce sera Hernando, mais demain ce pourra être n'importe lequel d'entre nous. Toi, ajouta-t-il en désignant un homme tout proche. Ou toi. Nous avons tous quelqu'un à nos trousses. Ils n'ont peut-être pas l'argent du comte pour engager une armée de soldats, mais s'ils apprennent qu'on livre nous-mêmes les nôtres… De plus, il est sacrilège d'attenter au droit d'asile, et pour qui que ce soit. Demain, l'évêque en personne nous jetterait dehors si nous le dénoncions ! Et Son Illustrissime serait bien content de pouvoir tous nous chasser d'ici.

— Tu auras peut-être de la chance, dit Mesa à Hernando alors que le doute semblait envahir tous les hommes présents.

Ils étaient les deux seuls du groupe à être restés assis, entre les jambes de leurs camarades.

— Mais on ne peut pas sortir, insista quelqu'un.

Le murmure qui succéda à ses paroles fut interrompu par des imprécations.

— Livrons-le ! L'évêque ne le saura même pas.

— Peut-être que si, corrigea Mesa sur un ton moqueur, en reprenant la gourde.

— Non. Nous ne pouvons pas faire ça, trancha Luis en s'adressant à tous. Ceux qui veulent sortir, faites-le en groupes importants, et par plusieurs portes en même temps, pour les forcer à se diviser. Les soldats du comte ne voudront pas risquer leur vie si vous leur montrez que cet homme n'est pas dans le groupe. Ils ne gagnent rien avec nous ; personne ne va les payer pour qui que ce soit. Montrez-leur vos dagues et poignards.

— N'importe lequel d'entre nous peut régler leur sort à trois d'entre eux ! s'exclama quelqu'un avec orgueil.

Un autre murmure surgit, d'approbation cette fois, et un groupe se rassembla près de la porte, les armes à la main. D'autres s'approchèrent et constatèrent en effet que les soldats du comte, effrayés de voir plusieurs hommes sortir ensemble, les laissaient poursuivre leur chemin une fois qu'ils s'étaient assurés que le Maure recherché n'était pas parmi eux. L'information circula entre les reclus et un nouveau groupe se pressa en direction de la porte des Doyens.

— Ce coup-ci, on dirait bien que tu t'en es tiré, sourit Mesa quand les autres s'assirent.

— Je vous remercie... commença à dire Hernando.

— Demain, l'interrompit le chirurgien, tu intercéderas pour Mesa auprès du bibliothécaire.

Le Maure regarda le voleur de cédules. Ses yeux fendus, troublés par le vin, l'interrogeaient.

— La fortune est capricieuse, plaisanta Hernando.

Ses nouveaux amis eurent beau lui promettre qu'il était en sécurité, Hernando ne parvint pas à trouver le sommeil pendant le reste de la nuit, attentif à tout ce qui l'entourait ; il était toujours en danger, conscient que deux couronnes en or seraient largement suffisantes pour que beaucoup de reclus, qui entraient et sortaient, se battaient ou plaisantaient, en dépit du risque de sacrilège et d'excommunication qu'ils encouraient, soient disposés à le jeter hors de la cathédrale. Une seule pensée parvenait à apaiser ses tourments et il s'accrocha à elle, chassant le souvenir de sa famille morte ou de la vie qu'il avait perdue : les Barbaresques !

Le carillon appelant à laudes réveilla tous les groupes de reclus du verger. Hernando s'étira et rejoignit les autres avant que le flot de prêtres, musiciens, chanteurs et le reste du personnel de service de la cathédrale ne se mettent à envahir la zone. Mais il s'arrêta quand il vit lambiner ses compagnons de nuit.

— Vous ne vous levez pas ? demanda-t-il au chirurgien, couché à côté de lui.

— Nous préférons commencer la journée d'une meilleure manière. Jamais aux ordres des sonneurs de cloches. Attends et tu vas voir. Je parie une maille ! s'exclama-t-il ensuite.

— Tenu, répliqua le Plongeur.

— Deux qu'il rate ! misa Luis.

— Tenu ! lança à son tour Mesa.

— Regarde, indiqua le chirurgien à Hernando, en lui montrant un homme devant eux, immobile, à trois ou quatre mètres de l'endroit où ils se trouvaient, parmi les orangers, à mi-chemin entre la galerie et le verger.

Hernando l'observa : il était chauve, les yeux entrouverts et les lèvres pincées comme s'il avait voulu les cacher, même si une de ses incisives ressortait ; il était debout, figé comme une statue, un petit carreau en marbre en équilibre sur sa tête.

— Que fait-il ?

— Palacio ? Attends et tu vas voir.

En même temps que les gens qui pénétraient dans le verger, des porcs éparpillés étaient aussi entrés et pas mal de chiens qui poursuivaient les prêtres, reniflant l'odeur du petit déjeuner que certains curés tenaient encore entre leurs mains, prêts à lécher le carrelage sur lequel les reclus avaient dîné. Hernando remarqua que les chiens fuyaient en courant, la queue entre les jambes, à la simple vue du dénommé Palacio.

— Pourquoi… ?

— Silence ! l'interrompit le Plongeur. Il y en a toujours un qui ne le connaît pas et qui mord à l'hameçon.

Il se concentra de nouveau sur la scène. Et en effet, un épagneul tout sale, la queue en boule, s'approcha et se mit à flairer les chaussures et les chausses rouges déguenillées de l'homme. Le chien chercha une position en remuant avec inquiétude, et quand finalement il leva la patte, disposé à pisser sur la jambe de Palacio, ce dernier calcula la trajectoire et pencha la tête pour laisser le carreau glisser tout seul et tomber lourdement sur le dos de l'animal, qui s'arrêta brusquement de pisser et partit en hurlant de douleur. Toujours immobile, comme s'il saluait son auditoire, Palacio esquissa un sourire, dévoilant son incisive saillante[1].

— Bravo ! crièrent Mesa et le chirurgien, tendant les mains pour récupérer leurs paris gagnés.

— Il fait toujours ça ? questionna Hernando.

— Tous les jours ! Immuable comme un coup de cloche, lui répondit le Plongeur. Et parfois c'est lui qui est obligé de courir devant le maître du chien, quand il en a un. C'est ce qu'on parie, à dix contre un, que le maître du chien va apparaître, ajouta-t-il en riant.

La nuit suivante, Hernando ne dormit pas dans le verger.

— Hier soir, probablement en même temps qu'il ordonnait à ses hommes de surveiller les rues entourant la cathédrale, le comte a demandé audience à l'évêque, lui avait expliqué don Julián, à la fin de l'office de laudes, après avoir écouté le Maure lui raconter les événements de la veille. J'ai cru savoir qu'il était fou de rage. Je ne pense pas que l'évêque acceptera de le recevoir, c'est pourquoi le comte d'Espiel fera tout ce qui est en son pouvoir pour te détenir, et s'il doit envoyer une armée pour te séquestrer, il le fera. J'en suis sûr.

— Pour lui c'était un simple cheval, don Julián ! Un rebut des écuries du roi ! Pourquoi cet acharnement ?

— Ne t'y trompe pas : ce n'est pas une question de cheval, mais d'honneur ! Un Maure a souillé son nom et son droit ; il n'existe pas de plus grand affront pour un noble.

L'honneur ! Hernando s'était rappelé comment, plu-

---

1. Avec mon admiration et ma gratitude au maître du roman, Miguel de Cervantès, à qui j'ai emprunté le « fou de Cordoue », personnage de la deuxième partie de *Don Quichotte*. *(N.d.A.)*

sieurs années plus tôt, cet hidalgo qui prétendait descendre des Varus romains en était venu à jouer sa vie sur le simple soupçon que quelqu'un ose tacher son lignage. Combien d'argent avait-il alors soutiré à l'imbécile et remis ensuite à Fatima ! Sa Fatima… !

— Comme tu le sais bien, avait continué don Julián, coupant court à ses pensées, en plus d'être bibliothécaire, je suis le chapelain de la chapelle de San Barnabé, une des trois petites chapelles derrière le maître-autel. Cette nuit je te donnerai un des jeux de clés de ses grilles et, pendant que les gardes fermeront le temple et feront sortir les gens, tu te cacheras dans une armoire encastrée à l'intérieur et que je vais vider aujourd'hui. Laisse passer un bon moment ; puis sors et cache-toi ailleurs pour dormir, mais fais attention : même quand la cathédrale est fermée, il y a des vigiles, surtout près du trésor.

— Tu ne dois pas prendre tant de risques. Si on me découvre…

— Je suis vieux. Et tu as encore beaucoup à faire pour les nôtres, même depuis les Barbaresques. Tu as beaucoup souffert, Dieu seul sait pourquoi. Mais l'espérance de notre peuple repose sur des personnes comme toi.

Les reclus ne s'inquiéteraient pas de ses absences nocturnes, avait tenté de le convaincre le prêtre. Quant à l'intercession en faveur de Mesa, le voleur de cédules, qu'Hernando n'avait pas oublié, elle avait été accueillie par le prêtre avec un geste désolé et la promesse qu'il ferait son possible. De son côté, le comte d'Espiel avait accentué la pression dans les rues et, en dépit du fait que c'était sacrilège et cause d'excommunication – ce qui avait fini par persuader Hernando de la nécessité de se réfugier la nuit à l'intérieur de la mezquita –, Aisha avait été dépouillée de la nourriture qu'elle transportait par les sbires du comte qui surveillaient les alentours. Pendant ce temps, don Julián, avec l'aide d'Abbas – qui avait demandé au prêtre de laisser Hernando ignorer son inter-

637

vention –, s'efforçait de trouver une route de sortie vers les Barbaresques, mais le comte, conscient que c'était la seule issue du Maure, s'agitait aussi dans cette direction : ses espions, bourrés d'argent et sans scrupules, payaient ou effrayaient tous ceux qui se consacraient à de telles activités.

Malgré la relative facilité avec laquelle Hernando réussit à tromper les gardes alors que ces derniers faisaient sortir les gens encore dans la cathédrale après l'office de vêpres, à aucun moment il ne cessa de sentir la palpitation frénétique de son cœur, la sueur sur ses mains et le tremblement qui fit tinter le jeu de clés qu'il tenait, l'obligeant à tourner la tête dans tous les sens devant ce qui lui semblait être un beau tapage. Don Julián avait veillé à graisser la serrure et les gonds de la grande grille de la chapelle de San Barnabé, excessivement haute pour le tout petit sanctuaire.

— Sortez du temple ! exigeaient les gardes en haussant la voix, sans toutefois crier.

Il referma la grille. À sa gauche, derrière un magnifique tapis, se cachait l'armoire mentionnée par don Julián.

Hernando était fasciné par les reflets que la lumière des lampes à huile qui pendaient du plafond de la cathédrale, ainsi que des milliers de bougies scintillant dans les chapelles des autels, arrachait au marbre blanc de l'intérieur de la chapelle. Il était passé d'innombrables fois devant cette chapelle mais soudain, alors qu'il effleurait du bout des doigts le marbre de l'autel et du retable qui couvrait la totalité du mur de devant, il percevait la différence entre elle et toutes les autres. La chapelle de San Barnabé était un bijou dans ce style roman si difficile à introduire sur des terres régies par le roi Philippe, catholiques jusqu'au paroxysme. Les différentes scènes des retables de marbre blanc avaient été sculptées par un maestro français, et elles rivalisaient avec la profusion de couleurs, les moulures dorées et les images sombres ou apocalyptiques qui ornaient le reste de la cathédrale.

Hernando respira profondément, dans une tentative pour s'imprégner de la sérénité et de la beauté qui régnaient à cet endroit. Il entendit que les gardes, après avoir fermé les portes d'accès à la cathédrale, revenaient et vérifiaient les grilles des chapelles. Il entendit leurs rires et leurs commentaires, bondit jusqu'au tapis et s'enferma dans l'armoire au moment où les hommes apparaissaient devant la chapelle.

Cette nuit-là, il resta dans sa cachette. Vaincu par la fatigue, par les nombreuses nuits peuplées de douloureux cauchemars, il se pelotonna par terre et s'abandonna au sommeil. Le vacarme qui se produisit à l'aube dans la cathédrale le réveilla, et il ne lui fut pas difficile de sortir de la petite armoire : les offices de prime se déroulaient sur le maître-autel et dans le chœur, de l'autre côté de la grande construction derrière laquelle se trouvait la chapelle. Pour qu'on ne l'attrape pas avec, il cacha les clés, qu'il attacha avec un fil de fer sous le barreau inférieur de la grille.

Craignant d'être découvert, il ne quitta pas non plus l'armoire tout au long des nuits suivantes : il dormait à moitié assis, jambes ramassées, sommeillant debout ou simplement pleurant Fatima, ses enfants, Hamid et tous ceux qu'il avait perdus. Il avait ensuite toute une journée d'ennui pour récupérer des forces. Il s'était éloigné de ses compagnons de la première nuit sans plus d'explications, indifférent à leur curiosité et un matin, à l'écart des autres, se sachant observé, il vit qu'on expulsait définitivement Mesa, le voleur de cédules, pour le livrer à la justice séculière, dont les alguazils étaient postés, aux aguets, devant la porte du Pardon. Aisha avait fait appel à des frères fidèles de la communauté pour apporter à manger à Hernando et, chaque jour, un Maure arrivait dans le verger avec des aliments. Aisha avait dû également trouver refuge auprès des Maures quand, sans ménagement, le conseil de la cathédrale l'avait chassée de la maison de la calle de los Barberos pour loyer impayé.

— Pour couvrir tous les loyers en retard, ils ont saisi tout ce que nous avaient donné nos frères, sanglota-t-elle. Les paillasses, les casseroles…

Hernando ne l'écoutait plus. Il sentait que le dernier fil qui le reliait encore à sa vie antérieure venait de se rompre ; le lieu où il avait trouvé un bonheur qui, apparemment, était interdit aux partisans de la foi unique.

— Et le Coran ? l'interrompit-il soudain, parlant fort, sans prudence.

Aisha, surprise, regarda d'un côté puis de l'autre pour voir si quelqu'un avait entendu son fils.

— Je l'ai donné à Jalil dès qu'on m'a prévenue de l'expulsion.

Aisha marqua une pause.

— Ce que je ne lui ai pas donné, c'est ça.

À cet instant, discrètement, elle fit glisser entre les doigts de son fils la main de Fatima, le petit bijou en or que sa femme portait juste à la naissance des seins. Hernando caressa le joyau, et l'or lui sembla terriblement froid au toucher.

Cette nuit-là, caché dans l'armoire de la chapelle de San Barnabé, les larmes aux yeux, il embrassa mille fois la main de Fatima. Le parfum de son épouse était encore vif à son esprit et ses mots résonnaient à ses oreilles, des mots que Fatima avait prononcés ici même, dans la maison des croyants.

— Ibn Hamid, n'oublie jamais ce serment que tu viens de faire et respecte-le, quoi qu'il arrive.

Il lui avait juré, par Allah, qu'un jour ils prieraient le Dieu unique dans ce lieu sacré. Il serra le bijou en or dans sa main. « Honore-le, quoi qu'il arrive ! » avait insisté Fatima avec gravité. Il embrassa plusieurs fois le collier et remarqua le goût salé des larmes qui mouillaient ses mains et l'or. Je le jure par Allah ! Il lui avait aussi juré de mettre les chrétiens à ses pieds… et maintenant Fatima était morte. Il devait honorer ce serment !

Il quitta son refuge et sortit à la faible lueur des lampes et des bougies. Il tenta de se faire une idée du temps écoulé, mais à l'intérieur de l'armoire il perdait la notion de tout. Quoi qu'il arrive ! ne cessait-il de se répéter. Le temple était silencieux, à l'exception des rumeurs de voix en provenance de la sacristie del Punto, au mur sud, où l'on gardait les ustensiles pour célébrer les messes non chantées, près du trésor et des reliques de la cathédrale. À droite de la sacristie del Punto était située la sacristie principale, puis le sanctuaire, dans la chapelle de la Cène du Seigneur et, à côté, la chapelle de San Pedro, où se trouvait le fantastique mihrab construit par al-Hakim II, à présent profané et transformé en simple et vulgaire sacristie.

Il contourna le maître-autel et le chœur, construits au centre de la cathédrale, le cœur battant la chamade, un œil fixé en permanence sur l'entrée de la sacristie del Punto, d'où lui parvenaient les voix des gardiens. Il arriva derrière la chapelle de Villaviciosa, dans la nef où était le mihrab. Il contourna également cette chapelle afin de se placer, plaqué au mur sud, juste en face du lieu sacré des croyants, à seulement neuf colonnes de distance.

« Je te jure qu'un jour nous prierons le Dieu unique dans ce lieu saint. » Le serment qu'il avait fait à Fatima retentit à ses oreilles. Quoi qu'il arrive ! avait-elle exigé. Soudain, abrité par la forêt de colonnes érigée en hommage à Allah, il se sentit étrangement tranquille, et les murmures des gardiens cédèrent la place aux cantiques des milliers de croyants qui avaient prié à l'unisson dans ce même lieu pendant des siècles. Un frisson lui parcourut le dos.

Il n'avait rien pour se purifier : ni eau propre, ni sable. Il se déchaussa et, avec les larmes qui coulaient dans ses mains, il se frotta le visage. Il fit de même ensuite avec ses mains, qu'il frotta jusqu'aux coudes et, après les avoir passées sur sa tête, il les rabaissa vers ses pieds pour continuer à se frotter jusqu'aux chevilles.

Ensuite, indifférent à tout, il se prosterna et pria.

Chaque jour, à l'abri du regard des gens, avant la fermeture des portes de la cathédrale, il prenait soin de se purifier convenablement avec l'eau de la source du verger, entre les orangers. La nuit, il répétait ses prières, s'efforçant à travers elles de rejoindre Fatima et ses enfants.

À plusieurs occasions, les gardiens étaient sortis de leur ronde depuis la sacristie del Punto, mais chaque fois, comme si Dieu l'avait averti, Hernando s'en était aperçu à temps : il s'était contenté de coller son dos au mur de la chapelle de Villaviciosa et de rester immobile, presque sans respirer, alors que les gardiens déambulaient dans la cathédrale en bavardant distraitement.

Ses compagnons de la première nuit avaient disparu les uns après les autres. Seul Palacio continuait chaque matin, avec plus ou moins de chance, à essayer d'atteindre les malheureux chiens attirés par l'odeur de ses chausses et de ses chaussures.

Et pendant que le juge ecclésiastique décidait de son sort et que don Julián, sans succès, tentait de surmonter en prévision de son évasion les difficultés liées à la surveillance constante et aux manigances du comte d'Espiel, Hernando vivait seulement pour les moments où il se prosternait en direction de la qibla, sentant que, dans ce lieu tant de fois profané par les chrétiens, on pouvait encore percevoir le battement de la véritable foi.

Nuit après nuit il s'appropria le temple. C'était sa mosquée ! La sienne et celle de tous les croyants, et personne ne parviendrait à la lui arracher.

— Laissez passer !

Derrière trois gardes du corps, plus d'une demi-douzaine de laquais armés, vêtus d'une livrée rouge brodée d'or et de chausses colorées à crevés sur les cuisses, firent irruption dans le verger par la porte du Pardon, le premier jour de l'hiver, au matin de la Toussaint.

L'évêque de Cordoue en personne, luxueusement habillé et entouré d'une grande partie des membres du conseil de la cathédrale, attendait à la porte de l'arc des Bénédictions.

— Aujourd'hui, avant les offices solennels, avait commenté don Julián à Hernando le matin même devant le va-et-vient déployé dans la cathédrale, il est prévu que le duc de Monterreal, don Alfonso de Córdoba, qui rentre du Portugal, vienne honorer ses morts.

Le jeune homme haussa les épaules.

— D'accord, admit le prêtre, ça ne te concerne pas beaucoup, mais je te conseille de ne pas rester à l'intérieur du temple pendant sa visite. Le duc est un grand d'Espagne ; en tant que descendant du Grand Capitaine, il appartient à la maison des Fernández de Córdoba, et ses laquais n'aiment pas beaucoup les curieux autour de lui. Il ne manquerait plus que tu te mettes à dos un autre grand d'Espagne !

— Écartez-vous ! cria l'un des laquais du duc, en poussant avec violence une vieille femme qui tomba par terre.

— Fils de pute ! laissa échapper Hernando au moment où il essayait en vain d'agripper la femme, sans parvenir à l'empêcher de s'affaler sur le sol.

Tandis qu'il l'aidait à se relever, il perçut le silence autour de lui. Plusieurs personnes s'étaient écartées. Accroupi, il tourna la tête.

— Qu'as-tu dit ? s'écria le laquais, stoppé dans sa course.

Dans cette position, la vieille femme à moitié relevée, toujours agrippée à sa main, Hernando soutint son regard.

— Ce n'est pas lui, affirma alors la femme. Ça m'a échappé à moi, Excellence.

Hernando trembla de rage face au sourire cynique avec lequel l'homme accueillit ses paroles. Il était à l'abri du comte d'Espiel, mais il vivait prisonnier, attendant de l'aide de ses frères de foi, recevant jour après jour comme un mendiant la nourriture qu'ils pouvaient lui procurer, écoutant les malheurs que sa mère lui rapportait. Et à présent c'était une vieille femme fragile qui accourait à sa défense.

— Fils de pute ! marmonna-t-il alors que le laquais, apparemment satisfait, faisait mine de reprendre son chemin. J'ai dit fils de pute, répéta-t-il en se redressant, après avoir lâché la femme.

Le laquais se retourna brusquement et porta la main à sa dague. Tous ceux qui ne s'étaient pas encore écartés d'Hernando le firent à la hâte. Plusieurs laquais qui entouraient le premier suspendirent leurs pas et se rapprochèrent. Pendant ce temps, l'escorte du duc continuait d'entrer dans le verger par la porte du Pardon.

— Rengaine ton arme ! ordonna au laquais un prêtre qui avait observé la scène. Tu es dans un lieu sacré !

— Que se passe-t-il ici ? intervint l'un des compagnons du duc.

Le laquais avait maintenu sa dague sur la poitrine d'Hernando, que deux autres hommes immobilisaient.

Précédé par un domestique portant en l'air un estoc, le duc en personne, en retrait derrière son majordome, son chancelier, son secrétaire et son chapelain, fut contraint de s'arrêter. Du coin de l'œil, Hernando parvint à distinguer entre tous ses gens les luxueux habits de l'aristocrate. Derrière le duc, plusieurs femmes, pomponnées elles aussi pour l'occasion, attendaient.

— Cet homme a insulté un serviteur de Votre Excellence, répondit un alguazil de la cour du noble.

— Rengaine ta dague, dit le chapelain du duc au laquais en s'avançant près du groupe avec des gestes de la main pour écarter de ses yeux les cordons de son chapeau vert. Est-ce vrai ? interrogea-t-il Hernando.

— C'est vrai et je demande l'asile sacré, rétorqua orgueilleusement le Maure.

Au bout du compte, un ou deux nobles, que lui importait ?

— Tu ne le peux pas, répliqua le chapelain avec parcimonie. Ceux qui commettent un délit dans un lieu sacré ne peuvent pas bénéficier de l'asile.

Hernando fléchit et sentit ses genoux mollir. Les laquais qui le tenaient commencèrent à l'emmener.

— Conduisez-le devant l'évêque, ordonna l'alguazil tandis que le chapelain leur tournait le dos afin de réintégrer l'escorte. Son Illustrissime décidera l'expulsion de ce délinquant.

Si on le chassait de la cathédrale, il serait d'abord puni par le duc, puis par le comte d'Espiel. Qu'adviendrait-il de lui… et de sa mère ? Les Barbaresques ! Ils devaient fuir aux Barbaresques. Don Julián travaillait à cela. La seule solution était de feindre d'implorer la clémence. Il se laissa tomber à genoux comme s'il avait un malaise, et au moment où les laquais s'accroupissaient pour mieux l'attraper, il leur échappa et se mit à courir vers l'homme qu'il pensait être le duc.

— Pitié ! supplia-t-il en s'agenouillant devant lui pour baiser ses chaussures en velours. Par Dieu et la Très Sainte Vierge… !

Plusieurs hommes bondirent sur Hernando, le soulevèrent et le poussèrent hors du chemin du duc, qui n'avait même pas ralenti.

— Par les clous de Jésus-Christ ! cria-t-il en donnant des coups de pied et en se démenant entre les laquais.

Lorsqu'il entendit cette dernière expression, la surprise apparut sur le visage du noble et, pour la première fois, il s'intéressa au plébéien qui causait tant de dérangement. Alors Hernando croisa son regard.

— Arrêtez ! Lâchez-le ! ordonna don Alfonso à ses hommes.

Le cortège s'arrêta. Plusieurs personnes pointèrent la tête. Les membres du conseil commencèrent à se rapprocher et même l'évêque releva les yeux pour voir ce qui se passait.

— J'ai dit lâchez-le ! insista le noble.

Sale, en haillons, Hernando se retrouva debout devant l'imposant duc de Monterreal. Tous deux s'observèrent, stupéfaits. Questions et vérifications ne furent pas nécessaires : les souvenirs du noble et du Maure les ramenèrent en même temps à la tente de Barrax, le capitaine corsaire, dans les environs d'Ugíjar, où Abén Aboo avait établi son camp après la défaite de Serón.

— Et la Vieille ? demanda soudain Hernando.

Un alguazil crut à une impertinence et voulut le gifler, mais don Alfonso, sans cesser de regarder Hernando, l'en empêcha d'un mouvement autoritaire de la main.

— Elle a rempli son devoir, comme tu me l'avais assuré.

Le chancelier et le secrétaire, hommes austères et sévères, sursautèrent en constatant l'amabilité avec laquelle leur seigneur traitait ce gueux. D'autres membres de l'escorte échangèrent des murmures.

— Elle m'a conduit près de Juviles. En chemin, nous avons croisé des soldats du prince qui m'ont transporté, presque inconscient, à Grenade, puis à Séville pour me soigner. Malheureusement, je ne sais pas ce qu'elle est devenue.

— J'étais sûr que la Vieille ne me trahirait pas, affirma Hernando.

Tous deux sourirent.

Entre les gens les rumeurs enflèrent.

— As-tu retrouvé ton épouse et ta mère ? demanda à son tour le noble, oubliant tous ceux qui l'entouraient.

— Oui, soupira Hernando.

Il avait retrouvé Fatima, en effet, mais à présent il l'avait perdue pour toujours...

Les paroles du duc interrompirent ses pensées :

— Vous tous, sachez, proclama-t-il en élevant la voix, que je dois la vie à cet homme qu'on surnomme le nazaréen, et qui, à partir d'aujourd'hui, jouira de ma faveur, de mon amitié et de ma gratitude éternelle.

AU NOM DE LA FOI

« … Comme les hommes m'avaient appelé Dieu et fils de Dieu, mon Père, ne voulant pas que ce fût au jour du Jugement dernier un objet de moquerie pour les démons, préféra que ce soit sur terre un sujet d'affront à cause de la mort de Judas sur la croix… Et cet affront durera jusqu'à la mort de Mahomet qui, lorsqu'il viendra sur terre, sortira d'une telle erreur ceux qui croient en la loi de Dieu. »

Évangile de Barnabé

44.

Cordoue, 1584

Hernando observait les travaux de peinture et de rénovation réalisés dans la bibliothèque de la cathédrale, vidée cette fois de tous ses ouvrages et destinée à devenir la chapelle du Sanctuaire. Le lieu l'attirait fortement et il s'y rendait régulièrement. À part se promener à cheval et lire, enfermé, dans la grande bibliothèque du palais du duc de Monterreal, sa nouvelle demeure, il n'avait pas grand-chose à faire. Le duc avait réglé ses problèmes avec le comte d'Espiel par un pacte dont Hernando n'avait jamais réussi à connaître les détails. Par ailleurs, dans le style des hidalgos espagnols, il lui avait interdit de travailler, lui attribuant une généreuse pension mensuelle qu'Hernando ne savait même pas comment dépenser. C'eût été un affront pour la maison de don Alfonso de Córdoba qu'un de ses protégés s'abaisse à exercer un travail, quel qu'il fût !

Toutefois, et malgré l'estime que lui portait le duc, Hernando demeurait exclu des activités sociales auxquelles s'employaient tous ces oisifs hidalgos. Le duc avait ses propres devoirs et obligations à la cour, en plus de celles imposées par ses domaines, riches et étendus, qui l'obligeaient à s'absenter de Cordoue pendant de longues périodes. Même s'il lui avait sauvé la vie, Hernando restait un Maure, péniblement toléré par l'orgueilleuse société cordouane.

Et il se passait la même chose avec ses frères de foi.

La nouvelle qu'il avait libéré le duc lors de la guerre des Alpujarras et les faveurs que cet acte lui rapportaient étaient le sujet de conversation de toute la communauté. Avec l'espoir que ses coreligionnaires finiraient par comprendre et n'accorderaient pas plus d'importance à cet événement ancien, il avait accepté la protection du noble. Mais lorsqu'il voulut se justifier, l'histoire circulait dans tout Cordoue et les Maures se référaient à lui avec mépris, utilisant ce surnom haï qui l'avait poursuivi depuis l'enfance : le nazaréen.

— Ils ne veulent plus de ton argent. Ils ne veulent pas accepter quelque chose d'un chrétien, l'informa un jour Aisha, alors qu'il voulait lui remettre une somme importante pour le rachat d'esclaves.

En plus de l'argent destiné à cette cause, Hernando donnait à sa mère tout ce dont elle avait besoin pour vivre convenablement dans la maison qu'elle partageait avec plusieurs familles maures.

Le jeune homme partit à la recherche d'Abbas, le seul membre du conseil encore en vie après l'épidémie de peste qui avait dévasté la ville deux ans plus tôt, causant près de dix mille morts, le cinquième de la population, parmi lesquels Jalil et le bon don Julián. Il le trouva aux écuries royales.

— Pourquoi n'acceptez-vous pas mon aide ? lui demanda-t-il seul à seul, dans la forge, après avoir murmuré un salut presque inintelligible en arrivant.

La réaction violente qu'avait eue Hernando à l'égard du maréchal-ferrant à l'annonce de la mort de Fatima et des enfants avait troublé leur amitié.

— Fatima et moi avons été les premiers à contribuer à la libération d'esclaves maures, et nous l'avons fait plus encore que les autres membres de la communauté, tu t'en souviens ?

Pendant quelques instants, Abbas détourna son attention des outils sur lesquels il s'affairait.

— Les gens ne veulent pas de dons du nazaréen, lui répondit-il sèchement avant de reprendre ses activités.

— Précisément, toi plus que quiconque, tu devrais savoir que ce n'est pas vrai, que je ne suis pas chrétien. Le duc et moi nous sommes contentés d'unir nos forces pour échapper à un corsaire renégat qui…

— Je ne veux pas entendre tes explications, l'interrompit Abbas sans cesser de travailler. Beaucoup de choses ne sont pas vraies, nous le savons, et pourtant… Tous les Maures ont juré fidélité à leur roi, c'est pourquoi ils sont humiliés. C'est pourquoi ils ont perdu la guerre. Toi aussi tu avais juré d'être loyal à la cause, et pourtant tu as aidé un chrétien. Si tu as pu briser un tel serment, pourquoi juges-tu si durement ceux qui, à un moment donné, n'ont pas pu tenir leurs promesses ?

Après avoir prononcé ces paroles, le maréchal-ferrant se dressa face à lui, imposant. « Pourquoi continues-tu à me juger ? » interrogeaient ses yeux. « Je n'ai rien pu faire pour éviter la mort de ton épouse », semblaient-ils vouloir lui signifier.

Hernando garda le silence. Il posa les yeux sur l'enclume où les fers prenaient forme. Ce n'était pas la même chose : Abbas lui avait promis de veiller sur sa famille ; Abbas l'avait assuré qu'Ubaid ne leur ferait aucun mal ; Abbas… l'avait trahi ! Et Fatima, Francisco, Inés et Shamir étaient morts. Les siens ! Existait-il un pardon pour cela ?

— Je n'ai fait de mal à personne, répliqua Hernando.

— Ah non ? Rendre la vie et la liberté à un grand d'Espagne. Comment peux-tu réellement affirmer que tu n'as fait de mal à personne ? Le résultat des guerres dépend d'eux, de tous et de chacun d'entre eux ; de leurs pères et de leurs frères, des pactes auxquels ils peuvent aboutir si un membre de leur famille est fait prisonnier. Cette même ville sainte, continua Abbas en levant la voix, a pu être reconquise par les chrétiens parce qu'un seul noble, un seul, don Lorenzo Suárez Gallinato, a convaincu le roi Abenhut qu'il était posté avec une grande armée à Ecija, à seulement sept lieues d'ici ! Et qu'il devait aller aider Valence au lieu de venir secourir Cordoue.

Abbas soupira. Hernando ne savait que dire.

— Un seul noble a changé le destin de la capitale musulmane d'Occident ! Et tu continues à prétendre que tu n'as fait de mal à personne ?

Ils ne se dirent même pas au revoir.

La récrimination d'Abbas poursuivit Hernando plusieurs jours durant. Sans cesse, il essayait de se convaincre que le corsaire Barrax avait seulement capturé don Alfonso afin d'obtenir une rançon pour lui. Sa liberté ne pouvait pas avoir eu une influence sur le déroulement de la guerre des Alpujarras ! se répétait-il avec insistance, mais les paroles du maréchal-ferrant n'arrêtaient pas de revenir à son esprit dans les moments les plus inopportuns. Pour cette raison, il aimait visiter la chapelle du Sanctuaire de la cathédrale, l'ancienne bibliothèque qui lui rappelait tant de souvenirs. Là, il recouvrait une certaine tranquillité en contemplant Cesare Arbasia, le maestro italien engagé par le conseil, peindre et décorer la chapelle du sol à la voûte, en passant par les murs et les doubles arcs. Peu à peu, ce décor de tons ocre et rouges se remplissait d'anges et d'écus. La main de l'artiste s'immisçait dans le moindre recoin. Même les chapiteaux des colonnes étaient recouverts d'une couche dorée !

— Le grand maestro Léonard de Vinci a dit que les croyants préfèrent voir Dieu en image plutôt que de lire un écrit faisant référence à la divinité, lui avait expliqué un jour l'Italien. Cette chapelle se fera à l'image de la chapelle Sixtine de Saint-Pierre de Rome.

— Qui est Léonard de Vinci ?

— Mon maître.

Hernando et Cesare Arbasia, homme de quarante-cinq

ans, sérieux, nerveux et intelligent, étaient devenus amis. Le peintre avait remarqué ce Maure, toujours impeccablement habillé à la castillane, comme il se devait à la cour du duc, la troisième fois où il l'avait vu assis dans la chapelle depuis des heures en train de contempler son travail. Ils avaient tous deux facilement sympathisé.

— Peu t'importent les images, pas vrai ? lui avait-il demandé un jour. Je ne t'ai jamais vu les observer, ni avec dévotion, ni même avec curiosité. C'est plutôt le processus de la peinture qui t'intrigue.

C'était exact. Ce qui attirait le plus Hernando, c'était la méthode qu'utilisait l'Italien, si différente de celle qu'il avait vu employer par les maroquiniers et les peintres cordouans pour peindre la chapelle du Sanctuaire.

Le maestro crépissait la partie du mur qu'il souhaitait peindre avec un mélange assez épais, composé de gros sable et de chaux, qu'il étalait ensuite consciencieusement et enduisait de quartz et d'encore plus de chaux. Il pouvait peindre dessus seulement quand c'était encore frais et humide, raison pour laquelle, parfois, lorsqu'il voyait que le crépi allait sécher avant qu'il n'ait pu finaliser son travail, cris et imprécations en italien résonnaient dans toute la cathédrale.

Les deux hommes s'étaient observés en silence pendant quelques instants. L'Italien savait qu'Hernando était un nouveau-chrétien, et il devinait qu'il était resté fidèle à la foi de Mahomet. Le Maure s'était sans problème ouvert à lui. Il était sûr qu'Arbasia aussi dissimulait quelque chose ; il se comportait comme un chrétien, représentait Dieu, la Vierge, les martyrs de Cordoue et les anges ; il travaillait pour la cathédrale, mais ses façons et ses paroles le différenciaient des pieux Espagnols.

— Je suis partisan de la lecture, avait reconnu le Maure. Je ne trouverai jamais Dieu dans de simples images.

— Toutes les images ne sont pas si simples ; nombre d'entre elles reflètent ce que cachent les livres.

Et sur cette énigmatique déclaration du maestro, leur conversation ce jour-là avait pris fin.

Le palais du duc de Monterreal était situé dans le quartier haut de Santo Domingo. Son corps principal datait du XIVe siècle, l'époque où fut conquise la ville de Cordoue, dont un ancien minaret, qui se dressait dans un coin, témoignait encore de la splendeur califale. La maison comprenait deux étages très hauts de plafond, auxquels plusieurs édifications avaient été ajoutées jusqu'à former un labyrinthe compliqué. Elle possédait deux grands jardins et dix patios intérieurs qui reliaient les bâtiments les uns aux autres. Tout l'ensemble occupait une immense étendue de terrain. L'intérieur étalait les richesses propres à un noble : profusion de meubles, sculptures, tapis et maroquins, qui laissaient cependant la place, peu à peu, à des peintures à l'huile ; l'argent et l'or apparaissaient sur la vaisselle et les couverts ; le cuir et la soie brodée étaient partout. Le palais comptait tous les services : multiples chambres et latrines, cuisine, entrepôts et dépendances, chapelle, bibliothèque, intendance, écuries et plusieurs salons pour les fêtes et les réceptions.

En 1584, Hernando avait trente ans et le duc trente-neuf. De son premier mariage il avait un fils de seize ans, et du second, contracté huit ans auparavant avec doña Lucía, noble castillane, deux filles de six et quatre ans et un garçon de deux. À l'exception de Fernando, le fils aîné, envoyé à la cour de Madrid, doña Lucía et ses trois enfants vivaient dans le palais de Cordoue, ainsi qu'onze parents hidalgos désargentés, de différentes branches de la famille et d'âges variés, que don Alfonso de Córdoba, titulaire d'un majorat, avait recueillis et entretenait.

Au sein de cette cour bariolée qui vivait aux dépens du duc, on trouvait aussi bien des hidalgos orgueilleux et arrogants – tel celui qui avait un jour donné quatre réaux à Hernando pour qu'il lui montre l'homme qui avait mis en doute son lignage –, que des parents plus éloignés, reclus et taiseux, comme don Esteban, un sergent des régiments d'infanterie amputé d'un bras, un « pauvre honteux » que don Alfonso avait ramené dans son foyer.

Les « pauvres honteux » étaient une catégorie spéciale de mendiants. Il s'agissait d'hommes et de femmes sans ressources, acceptés par la digne société espagnole, à qui l'honneur interdisait autant de travailler que de mendier publiquement. Comment d'honorables hommes ou femmes auraient-ils pu demander l'aumône ? Pour cette raison, des confréries s'étaient créées afin de répondre à leurs besoins. Elles enquêtaient sur leurs origines et leur condition et, s'ils étaient réellement des « honteux », les membres des confréries en personne allaient, pour eux, demander l'aumône de porte en porte et leur remettaient ensuite en privé le produit de leur quête. Lors d'un séjour en ville, don Alfonso de Córdoba avait présidé la confrérie et appris alors l'existence de son lointain parent ; le lendemain, il lui avait offert l'hospitalité.

Hernando revint au palais. Il avait passé l'après-midi avec Arbasia. Il effectua avec nonchalance la distance qui séparait la cathédrale du quartier de Santo Domingo, s'arrêtant ici et là sans autre objectif que de perdre du temps, comme s'il avait voulu repousser le plus possible l'instant de franchir le seuil du palais. Seulement dans les rares occasions où le duc rentrait à Cordoue et lui demandait de s'asseoir à ses côtés, il parvenait à se sentir à l'aise dans cette belle et paisible demeure ; en l'absence de don Alfonso, en revanche, le traitement qu'il recevait était plein de subtiles humiliations. Plusieurs fois il avait envisagé la possibilité d'abandonner le palais, mais il se voyait incapable de prendre une décision. La mort de Fatima et des enfants lui avait séché le cœur et tari la volonté, le laissant sans forces pour affronter la vie. Nombreuses avaient été les nuits où il avait souffert d'insomnie, accroché à ses souvenirs, et nombreuses celles où les pires cauchemars l'avaient assailli, dans lesquels Ubaid assassinait sa famille, encore et encore, sans qu'il puisse rien faire pour l'en empêcher. Puis, peu à peu, ces terribles images qui hantaient ses rêves avaient cédé la place à d'autres souvenirs plus joyeux qui envahissaient son esprit pendant qu'il dormait : Fatima avec sa toque blanche, souriante ; Inés, sérieuse, l'attendant à la porte de la maison, et Francisco, concentré à écrire les chiffres que lui dictait la voix chérie d'Hamid. Hernando s'était réfugié dans ces évocations et attendait la fin des interminables journées, la nuit, pour retrouver les siens, ne fût-ce qu'en rêve. Le reste importait peu : apparemment sa place n'était pas avec les chrétiens, et elle n'était plus avec les Maures. Il ne savait rien faire d'autre que monter à cheval. Son travail aux écuries royales avait pris fin après le triste incident avec Azirat ; il n'avait plus d'amis. Quel avenir l'attendait s'il quittait le palais ? Retourner à la tannerie ? Affronter le mépris de ses frères de foi ? À une occasion, persuadé qu'un travail l'aiderait à sortir de sa mélancolie, il s'était risqué à insinuer à don Alfonso qu'il pourrait dresser ses chevaux. Mais la réponse de ce dernier avait été tranchante :

— Tu ne voudrais pas que les gens croient que je ne suis pas généreux avec celui qui m'a sauvé la vie ?

Ils se trouvaient dans le bureau du duc. Don Alfonso lisait un document tandis que de nombreuses personnes attendaient dans l'antichambre.

— N'as-tu pas tout ce que tu veux ici ? avait-il ajouté sans lever les yeux du papier. N'es-tu pas bien traité ?

Comment aurait-il pu avouer au duc que c'était sa propre épouse qui l'humiliait ? La gratitude de don Alfonso de Córdoba était sincère. Hernando le savait, et il ne percevait pas chez lui le moindre soupçon d'imposture, mais doña Lucía…

— Eh bien ? avait insisté le noble.

— C'était une sottise, s'était rétracté Hernando.

Quoi qu'il arrive, il ne retournerait jamais à la tannerie, se dit-il ce jour-là, une fois de plus, en arrivant aux portes du palais. Le gardien le fit attendre un peu avant de lui ouvrir. Il le reçut en silence, sans la révérence avec laquelle il saluait les autres hidalgos. À l'entrée, le Maure lui tendit sa cape.

— Dieu soit avec toi, lui dit-il, tandis que l'homme, sans le regarder, prenait son vêtement.

Conscient que le gardien l'observait, Hernando lui tourna le dos, réprima un soupir et se trouva face à l'immensité du palais : dès lors, et jusqu'au moment où il pourrait se réfugier dans la solitude de la bibliothèque, commençait une infinité de petits affronts. Le dîner était sur le point d'être servi et Hernando vit plusieurs domestiques s'agiter dans le palais, en silence, à la hâte. Plus de cent personnes servaient les ducs, leur famille et tous ceux qui pullulaient autour d'eux.

Hernando avait dû apprendre à distinguer tout ce personnel. Le chapelain, le majordome, le secrétaire, le valet de chambre du duc et celui de la duchesse, figuraient à la tête d'une longue liste. Ils précédaient le maître d'hôtel, le grand écuyer, l'intendant et le trésorier. Derrière eux : le voyer, le caviste, l'officier de salle et l'officier de l'argent ; l'acquéreur, le dépensier, le livreur et le greffier. Les gouvernantes des enfants et leurs professeurs. Et encore des dizaines d'autres domestiques, hommes pour la plupart ; certains libres, d'autres esclaves, avec parmi eux plusieurs Maures. Pour finir, une demi-douzaine d'enfants pages.

Doña Lucía avait exigé qu'Hernando soit instruit selon les usages de la cour, principalement ceux de la table, une des cérémonies les plus importantes où les chevaliers devaient se distinguer. La dame avait pris cette décision après le premier repas d'Hernando à la longue table où étaient assis les ducs, le chapelain et les onze hidalgos. Ce jour-là, les pages et les officiers de table avaient servi en premier plat chapons et pigeonneaux, mouton, chevreau et cochon de lait. Ensuite, le traditionnel potage chrétien, composé de viande de poule, mouton, bœuf et légumes, le tout préparé avec des livres de lard pour le bouillon. Après cela, le blanc-manger : cuisses de poule cuites à feux doux dans une sauce au sucre, lait et farine de riz ; et, pour finir, feuilletés et fruits. Assis à la droite du duc, face au chapelain, Hernando s'était retrouvé avec des fourchettes, des couteaux et des cuillères en argent doré savamment disposés ; assiettes et tasses, coupes et verres de cristal, salières, serviettes de table et un récipient avec de l'eau que lui avait apporté un page. Sous le regard narquois des hidalgos et du chapelain, Hernando avait entrepris de porter le récipient à ses lèvres pour boire l'eau quand il avait vu avec effroi le duc lui faire un clin d'œil avant de se laver les mains avec.

Doña Lucía ne pensait pas pouvoir tolérer à sa table ce manquement aux usages. À la fin du repas, le Maure avait été convoqué dans un petit salon privé où les ducs l'attendaient ; don Alfonso assis dans un fauteuil, le regard un peu bas, gêné, comme s'il avait dû se plier aux exigences de son épouse avant l'entrée du Maure. À l'inverse, doña Lucía l'attendait debout, hautaine, vêtue de noir jusqu'au col d'où sortaient de délicates petites pointes blanches. Hernando n'avait pu s'empêcher de la comparer aux femmes musulmanes, qui se cachaient devant les étrangers. Contrairement à elles, et à l'instar de toutes les nobles chrétiennes, doña Lucía se montrait devant les gens, même si, comme toute femme réservée, elle s'efforçait de dissimuler ses attraits : elle bandait sa poitrine, qu'elle enserrait dans de fines lamelles de plomb, et tâchait de donner à sa peau une teinte hâve, ingérant dans ce but régulièrement de l'argile.

— Hernando, nous ne pouvons pas… !

Le duc s'était raclé la gorge. Doña Lucía avait soupiré et pris un ton affable.

— Hernando… le duc et moi-même aimerions beaucoup que tu apprennes les bons usages.

On lui avait assigné le plus âgé des parents qui vivaient dans le palais, un hidalgo tiré à quatre épingles prénommé Sancho, cousin du duc, qui avait accepté la mission à contrecœur. Pendant presque un an, don Sancho lui avait appris à utiliser l'argenterie, à se comporter en public, à s'habiller ; il s'était même employé à corriger sa diction en aljamiado qui, à l'instar de tous les Maures, souffrait de certains défauts phonétiques, parmi lesquels la tendance à transformer les « s » en « x », et inversement.

Il avait supporté stoïquement les cours que lui avait donnés chaque jour don Sancho. À cette époque, l'apathie d'Hernando était telle qu'il n'avait même pas l'impression d'être humilié, traité comme un enfant. Il obéissait simplement sans réfléchir, jusqu'au jour où, joyeusement, comme si cela lui faisait plaisir, l'hidalgo s'était proposé de lui apprendre à danser.

— Pas jetés, sauts, avait-il annoncé à voix haute tout en marchant avec affectation dans le salon où ils étudiaient. Entrechats, pas chassés, avait récité don Sancho qui bondissait maladroitement et traçait un cercle avec son pied. Cabrioles.

Au moment des cabrioles, Hernando lui avait tourné le dos et avait quitté la pièce en silence.

— Balancés, fouettés…, avait continué l'hidalgo.

À partir de ce jour, doña Lucía avait considéré que le Maure pouvait désormais vivre avec eux. Elle avait compris qu'il serait très difficile d'améliorer son art de la danse, et avait estimé son instruction terminée. Malgré cela, ses nouvelles manières n'avaient pas infléchi le rejet dont il était victime dans le palais dès que don Alfonso s'absentait.

Le soir du vendredi où Hernando avait avoué à Arbasia qu'il ne pouvait pas trouver Dieu dans ses images, ils dînèrent au palais du poisson frais apporté par les pêcheurs du Guadalquivir. Les jours d'abstinence, les conversations des quatorze commensaux étaient plus sobres et sérieuses que lorsqu'ils dégustaient de la viande et du lard. Il était de notoriété publique que beaucoup d'entre eux, parmi lesquels il fallait inclure le prêtre, se rendaient ensuite aux cuisines pour s'empiffrer de pain, de jambon et de boudin. Au cours du dîner, Hernando ne prêta aucune attention aux paroles qu'échangèrent les hidalgos, le chapelain ou doña Lucía, qui présidait majestueusement la longue table. En retour, eux non plus ne firent grand cas de lui.

Il avait envie de se rendre à la bibliothèque, où il se réfugiait tous les soirs entre les trois cents et quelques livres entassés par don Alfonso, et c'est ce qu'il fit, dès que la duchesse déclara le repas terminé. Par chance pour lui, il avait été exclu des longues veillées nocturnes au cours desquelles on chantait ou lisait à voix haute. Il traversa différentes pièces et deux patios avant d'arriver à ce qu'on appelait le patio de la bibliothèque, derrière lequel se trouvait la grande salle de lecture. Depuis plusieurs jours il était plongé dans la lecture de *La Araucana*, dont la première partie avait été publiée quinze ans plus tôt, mais ce soir-là il n'avait pas l'intention de poursuivre la lecture de ce livre si passionnant. Les paroles qu'avait prononcées Arbasia pendant l'après-midi, citant Léonard de Vinci et parlant de trouver Dieu dans les images, lui avaient rappelé celles qu'un jour don Julián lui avait adressées dans le silence de cette même chapelle :

— Lis, puisque ton Seigneur est le plus généreux. C'est Lui qui a appris à l'homme à se servir de la plume.

— Que signifient ces versets du Coran ? avait alors interrogé Hernando.

— Ils établissent la relation divine entre les croyants et Dieu à travers la calligraphie. Nous devons honorer la parole révélée. Au moyen de la calligraphie nous avons permis la visualisation de la Révélation, de la parole divine. Tous les grands calligraphes se sont efforcés d'embellir la Parole. Les fidèles doivent pouvoir trouver la Révélation écrite sur leurs lieux de prière pour s'en souvenir toujours et l'avoir sous les yeux. Et plus elle est belle, mieux c'est.

Au long de ces journées où tous deux avaient recopié des exemplaires du Coran, don Julián lui avait parlé des différents types de calligraphie, principalement la coufique, choisie par les Omeyyades à Cordoue pour sacraliser la mezquita, ou la cursive nasride utilisée à l'Alhambra de Grenade. Mais même lorsqu'ils s'amusaient à commenter les traits ou les magnifiques ensembles obtenus par certains calligraphes en employant des couleurs variées, ils ne recherchaient pas la beauté dans les écrits ; plus ils pouvaient offrir d'exemplaires du Coran à la communauté, mieux ça valait, et la rapidité n'allait guère de pair avec la perfection.

Ce soir-là, après être entré dans la bibliothèque et avoir mouché les lampes, Hernando n'avait qu'un objectif en tête : prendre une plume et un papier, et se livrer à Dieu, comme le faisait Arbasia à travers ses peintures. Il visualisait déjà la première sourate du Coran soigneusement calligraphiée en arabe andalou : les verticales des lettres rectilignes se prolongeant ensuite en forme circulaire ; les lettrines en noir, rouge ou vert. Y avait-il des encres de couleur dans la bibliothèque ? Ni le secrétaire, ni le greffier de don Alfonso n'en utilisaient dans leurs écrits. Dans ce cas, il faudrait qu'il en achète. Où pourrait-il en trouver ?

Avec ces pensées en tête, il s'assit à un bureau, entouré

de livres rangés sur des étagères en bois noble finement travaillé. Comme il s'y attendait, il n'y avait pas d'encres colorées. Hernando observa les plumes, l'encrier et les feuilles de papier. Il pouvait d'abord s'entraîner, décidat-il. Il mouilla alors une plume et, avec délicatesse, s'appliquant au tracé, il dessina une grande lettre, l'*alif*, la première de l'alphabet arabe, longue, aux courbes sensuelles, comme le corps humain, ainsi que l'avait défini l'Antiquité. Il dessina la tête et le front, la poitrine et le dos, le ventre…

Des rires dans le patio le firent sursauter. Il frissonna. Qu'était-il en train de faire ? À cause de la sueur apparue sur les paumes de ses mains, il faillit renverser l'encrier ; il saisit la feuille et la plia rapidement avant de la cacher sous sa chemise. Alors que son cœur battait la chamade, il entendit les rires et les pas s'éloigner de l'autre côté du patio. Il n'y avait même pas pensé ! se reprocha-t-il tandis que les battements de son cœur se calmaient. Il ne pouvait se consacrer à la calligraphie arabe dans la bibliothèque d'un duc chrétien où, à tout moment, risquait d'entrer un hidalgo ou un domestique ! Mais il ne pouvait pas non plus s'enfermer dans sa chambre, songea-t-il en envisageant cette possibilité. Depuis deux ans il se rendait régulièrement à la bibliothèque après dîner, pendant que les autres lisaient ou chantaient en attendant que doña Lucía se retire dans ses appartements, ce dont ils profitaient alors pour sortir en quête des plaisirs que les nuits cordouanes proposaient. Ce changement d'habitude susciterait la méfiance. Par ailleurs, où rangerait-il son matériel pour écrire et ses papiers ? Les domestiques… et peut-être n'étaient-ils pas les seuls, fouillaient dans ses affaires. Il l'avait remarqué dès le début, même celles qu'il conservait dans son coffre, fermé à clé ; quelqu'un en possédait un double, avait-il déduit lorsque, pour la troisième fois, il avait constaté qu'on avait fouiné dans ses affaires. Depuis le premier jour il avait caché la main en or de Fatima, son unique trésor, dans le pli d'une tapisserie colorée qui représentait une scène de chasse au cochon sauvage dans la montagne ; elle était à l'abri. Mais dissimuler des plumes, un encrier et du papier… C'était impossible !

Où pouvait-il écrire sans courir le risque d'être découvert ? Du regard, Hernando parcourut la grande bibliothèque : c'était une pièce rectangulaire avec une porte à chaque extrémité. Entre les rayons de livres et les fenêtres grillagées qui donnaient sur la galerie et le patio, il y avait une longue table avec des chaises et des lampes pour la lecture, ainsi que trois bureaux indépendants. Aucune possibilité de se cacher. Il remarqua une troisième porte au fond de la pièce, encaissée dans la bibliothèque, et qui donnait accès à l'ancien minaret adossé à un coin du palais. Une fois il était allé fouiller à l'intérieur du minaret, nostalgique à l'idée d'imaginer le muezzin appelant à la prière. Il n'avait rien trouvé d'autre : il s'agissait d'une grosse tour carrée, simple, étroite, avec un pilier central autour duquel s'enroulait l'escalier qui menait en haut. Il fallait qu'il trouve un endroit où écrire, même si cela exigeait qu'il change ses habitudes ou qu'il le fasse ailleurs, à l'extérieur du palais. Pourquoi pas ? Il tira la feuille sous sa chemise et contempla l'alif. La lettre lui sembla différente de toutes celles qu'il avait pu écrire jusque-là. Il sentit en elle une dévotion dont les autres avaient manqué. Il s'apprêta à déchirer le papier, mais se repentit : c'était la première lettre qu'il écrivait en tentant d'y représenter Dieu, comme le faisait Arbasia avec ses images sacrées.

Où pouvait-il cacher ses travaux ? Il se leva, prit une lampe et déambula dans la bibliothèque, écartant d'éventuelles cachettes. Finalement il se retrouva au pied de l'escalier du minaret. Personne ne semblait y venir souvent ; les marches étaient couvertes de ce sable qui tombait des vieux fauteuils. La tour n'avait pas été réparée depuis des siècles, peut-être à cause du symbole qu'elle représentait pour les chrétiens. S'appuyant sur le pilier central, il commença à monter. Certaines pierres bougeaient. Et s'il parvenait à cacher ses feuilles derrière l'une d'elles ? Il les palpa avec détermination, dans le but d'en trouver une qui lui serait utile. Soudain, à la moitié de son ascension, une pierre céda. Hernando approcha la lampe : il ne s'agissait pas juste d'une pierre mais de deux, alignées, qui venaient de laisser apparaître une fente presque invisible. De quoi s'agissait-il ? Il poussa fortement et les pierres bougèrent : on aurait dit une petite porte secrète, ouvrant sur un trou étroit creusé dans le pilier.

Il éclaira l'intérieur ; la lampe tremblait dans sa main. Il découvrit un petit coffre : tout ce qui pouvait tenir dans cet espace réduit. Un coffre en cuir repoussé et poinçonné, très différent des coffres et des coffrets qu'on pouvait trouver dans le palais, la plupart de style mudéjar, marquetés d'os, d'ébène et de buis, ou fabriqués à Cordoue et ornés de maroquin. Il le tira pour le sortir, s'agenouilla sur les marches et approcha la lampe pour l'examiner : le cuir était très travaillé, et parmi plusieurs motifs végétaux il distingua ce qui ressemblait à un alif, semblable à celui qu'il venait de dessiner. Mais oui ! C'était bien un alif !

Il se rapprocha le plus possible et souffla la poussière qui se trouvait sur le cuir. Il toussa puis il avança la flamme de la lampe près des dessins qu'il venait de nettoyer et parcourut les lettres usées du bout des doigts, tout en déchiffrant : *Muham... Ibn Abi Amir*. Al-Mansûr ! murmura-t-il avec révérence. Il était difficile d'en lire davantage. Il frissonna. C'était un coffret musulman de l'époque du caudillo al-Mansûr ! Que faisait-il caché là ? Il s'assit par terre. Si seulement il pouvait l'ouvrir !

Il examina la serrure unie par deux plaques en fer qui sillonnaient le centre du coffret. Comment l'ouvrir ? Alors que ses doigts jouaient dessus, la veine de fer se détacha doucement du cuir, vieux et pourri, auquel elle était cousue, avec un léger bruit. Hernando se retrouva la serrure à la main. Il hésita quelques instants, puis s'agenouilla de nouveau et ouvrit solennellement le couvercle.

Alors il éclaira l'intérieur, et découvrit plusieurs livres écrits en arabe.

45.

Cesare Arbasia vivait seul dans une maison près de la cathédrale, dans l'ancien quartier des marchands de soie. Le soir où il invita Hernando à dîner, il eut la courtoisie d'éviter le lard, ainsi que les radis, les navets ou les carottes, alimentation que les Maures détestaient, l'associant à celle des marranes.

— Ce que je n'ai pu obtenir, lui avoua le peintre avant de passer à table, alors qu'ils sirotaient tous deux une citronnade dans la galerie donnant sur un patio merveilleusement entretenu, c'est que le mouton soit sacrifié selon vos lois.

— Cela fait bien longtemps que nous ne pouvons plus nous permettre cela. Nous avons vécu protégés par la *taqiya*. Dieu le comprendra. À de rares occasions seulement, dans la solitude des fermes isolées dans les campagnes, certains de nos frères parviennent à respecter la tradition.

Les deux hommes croisèrent leurs regards en silence. Le parfum des fleurs de cette nuit de printemps embaumait. Hernando but une gorgée de citronnade et se laissa emporter par les fragrances, vers le souvenir d'un autre patio semblable et les rires de ses enfants qui jouaient avec l'eau. Le matin même, il avait découvert le dernier visage qu'Arbasia avait peint sur la fresque de la sainte Cène ornant la chapelle du Sanctuaire. La peinture apparaissait sur le fronton de la niche destinée à garder le corps du Christ, le lieu principal. Hernando n'avait pu quitter des

yeux le personnage assis à gauche du Seigneur, qui l'étreignait. On aurait dit… une femme !

— Il faut que je te parle, avait-il dit à Arbasia, les yeux
rivés sur la silhouette de cette femme.

— Attends. Pas ici, avait répondu le peintre, qui avait
suivi le regard du Maure et deviné son trouble.

C'est alors que, pour la première fois, il l'avait invité
à dîner chez lui.

Bercés par la rumeur constante de la fontaine, ils bavardèrent un moment avant que le maestro prenne l'initiative :

— De quoi voulais-tu me parler ? C'est au sujet de ma
peinture ?

— Je croyais que, lors du dernier repas, seuls les douze
apôtres étaient présents. Pourquoi as-tu représenté une
femme qui serre Jésus dans ses bras ?

— Il s'agit de saint Jean.

— Mais…

— C'est saint Jean, Hernando, n'insiste pas.

— D'accord, céda Hernando. Alors écoute-moi, car je
veux te raconter quelque chose. Il y a un mois environ,
j'ai trouvé dans l'ancien minaret du palais du duc les
copies en arabe de plusieurs livres, ainsi que la note d'un
scribe de la cour des califes. Depuis deux ans que je vis
dans la maison du duc, j'ai beaucoup lu. Al-Mansûr, que
les chrétiens appellent Almanzor, fut caudillo du calife
Hisham II et le plus grand général musulman de l'histoire
de la Cordoue musulmane. Il a fini par attaquer Barcelone
et même Saint-Jacques-de-Compostelle, où il a laissé son
cheval s'abreuver à l'intérieur de la cathédrale. De là il a
fait transporter les cloches jusqu'à Cordoue, sur les
épaules des chrétiens, afin de les fondre et de les transformer en lampes pour la mezquita ; plus tard, le roi Ferdinand le Saint vengea cet affront.

Arbasia écoutait attentivement en buvant sa citronnade.

— Mais al-Mansûr fut aussi un religieux fanatique, ce
qui le poussa à commettre des actes de violence à l'encon-

tre de la culture et de la science. Le père du calife, al-Hakam II, avait été un des califes les plus sages de Cordoue. Une de ses préoccupations avait été de rassembler à Cordoue le savoir de l'humanité. Il avait envoyé des émissaires aux confins du monde pour qu'ils achètent tous les livres et les traités scientifiques qu'ils pouvaient trouver. Il réunit une bibliothèque de plus de quatre cent mille volumes. Tu imagines ? Quatre cent mille volumes ! Plus de livres que dans la bibliothèque d'Alexandrie ou celle qui se trouve aujourd'hui dans la Rome des papes.

Hernando fit une pause pour boire et s'assurer de l'effet que ses paroles produisaient sur le maestro, qui acquiesçait légèrement, comme s'il imaginait une telle merveille de savoir.

— Eh bien, continua-t-il, hormis les livres relatifs à la médecine et aux mathématiques, al-Mansûr ordonna de brûler tous ceux qui s'écartaient d'un millimètre de la parole révélée, ou n'avaient pas de rapport avec elle : livres d'astrologie, de poésie, de musique, de logique, de philosophie... De tous les arts et sciences connus ! Des milliers de livres uniques, au savoir intransmissible, brûlèrent ainsi à Cordoue ! Le caudillo en personne les jetait sur le bûcher.

— Quelle sauvagerie ! Quelle folie ! marmonna le peintre.

— Sur la note que j'ai trouvée dans le coffret, le scribe explique tout ce que je viens de te raconter et comment il a essayé de sauver pour la postérité le contenu de certains livres, à l'encontre des croyances d'al-Mansûr, qui méritaient selon lui de survivre, même sous forme de copies qu'il écrivit à toute vitesse, d'un tracé rapide, sans corrections ni règles.

— Quatre cent mille volumes ! gémit Arbasia en soupirant.

— Oui, confirma Hernando. Apparemment, seuls les

670

catalogues de la bibliothèque comptaient déjà quarante-quatre tomes de cinquante pages chacun.

Les deux hommes s'accordèrent une pause. Puis Arbasia fit signe à son invité de reprendre.

— Depuis lors, chaque soir je me consacre à la lecture de ces copies que je cache à l'intérieur de grands volumes chrétiens : de magnifiques poésies et des traités de géographie ; un autre sur la calligraphie, bien que la rapidité du copiste ait nui à l'ensemble.

Arbasia ouvrit les mains, comme s'il ne comprenait pas pourquoi Hernando avait voulu parler de toute urgence avec lui.

— Attends, l'implora Hernando. Un de ces livres est la copie d'un évangile chrétien ; un évangile attribué à l'apôtre Barnabé.

En entendant ce nom, le peintre se redressa sur son siège.

— Sur la couverture de cette copie, le scribe affirme que les ulémas désignés par al-Mansûr, parmi les plus inflexibles, pour choisir quels livres devaient être détruits, n'eurent aucune hésitation en voyant un évangile chrétien, mais lui cependant considère que le texte de Barnabé, bien qu'écrit par un disciple du Christ et antérieur au Coran, ne fait rien d'autre que confirmer la doctrine musulmane. Il termine en disant qu'il accorde une telle importance à la doctrine de Barnabé qu'il va essayer, en plus d'en faire la copie, de sauver l'original du bûcher, et de le cacher quelque part à Cordoue, mais, bien entendu, il ne dit précise pas dans son texte s'il a ou non réussi.

— Que dit cet évangile ?

— En gros, il soutient que le Christ n'est pas le fils de Dieu mais un homme et un prophète parmi d'autres.

Hernando crut voir chez Arbasia un quasi imperceptible geste d'assentiment.

— Il affirme qu'il n'a pas été crucifié et que c'est Judas qui l'a remplacé sur la croix. Il nie qu'il est le Messie et annonce la venue du vrai Prophète, Mahomet, et la future Révélation. Il affirme aussi la nécessité des ablutions et de la circoncision. Il s'agit d'un texte écrit par quelqu'un ayant vécu à l'époque de Jésus, qui l'a connu et a vu ses actions mais, contrairement aux autres évangiles, il confirme les croyances de notre peuple.

Le silence se fit entre les deux hommes. Il restait peu de citronnade et une servante apparut de l'autre côté du patio avec une nouvelle cruche. Arbasia lui fit signe de se retirer.

— On sait que les papes ont manipulé la doctrine des évangiles, ajouta Hernando.

Il attendit une réaction d'Arbasia à ses dernières paroles mais celui-ci demeurait impassible, excessivement peut-être.

— Pourquoi me racontes-tu tout cela ? demanda-t-il finalement, avec une certaine rudesse. Pourquoi cette urgence à vouloir me parler ? Qu'est-ce qui te fait penser que… ?

— Aujourd'hui, le coupa Hernando, devant ton œuvre, j'ai trouvé que tu avais peint Jésus comme un homme normal, un être humain qui serre dans ses bras une… personne avec tendresse, aimable, souriant même. Ce n'est pas le Jésus-Christ Fils de Dieu, omniscient et tout-puissant, souffrant et blessé, couvert de sang, qu'on peut voir dans tous les coins de la cathédrale.

Arbasia ne répondit pas ; il porta une de ses mains à son menton et resta pensif. Hernando respecta son silence.

— Tu es musulman, finit-il par dire. Je suis chrétien…

— Mais…

Le maestro lui demanda le silence.

— Il est difficile de savoir qui possède la vérité… Vous ? Nous ? Les juifs ? Et maintenant les luthériens, qui se sont séparés de la doctrine officielle de l'Église. Ont-ils raison ? Beaucoup de chrétiens n'acceptent pas non plus la doctrine officielle.

Arbasia interrompit son discours un instant.

— Ce qui est certain, reprit-il, c'est que nous croyons tous en un Dieu unique, qui est toujours le même : le Dieu d'Abraham. Les musulmans ont envahi ces terres parce que d'autres chrétiens, les ariens, considérés aujourd'hui comme hérétiques, les avaient appelés ; mais les Castillans étaient ariens. Les ariens étaient aussi en Afrique du Nord, et c'est seulement longtemps après qu'ils comprirent que ces Arabes venus à leur aide étaient musulmans. Tu te rends compte ? L'arianisme, qui était simplement une forme de christianisme, et l'islamisme, étaient identiques. L'islam était une religion semblable à l'arianisme : toutes deux niaient la divinité de Jésus-Christ. Telle fut la raison pour laquelle tous ces royaumes ont été conquis en seulement trois ans. Tu crois qu'il aurait été possible de conquérir toute l'Hispanie en trois ans si ceux qui vivaient sur ces terres n'avaient pas adopté ces croyances sans abandonner leur propre foi ? C'est un Dieu unique, Hernando, celui d'Abraham. À partir de là, nous le voyons tous d'une manière ou d'une autre. Il vaut mieux ne pas insister sur ce sujet. L'Inquisition…

— Mais si les chrétiens eux-mêmes, ceux qui ont connu Jésus-Christ, soutiennent qu'il n'est pas le fils de Dieu…, tenta d'insister Hernando.

— Ce sont nous, les hommes, qui nous sommes séparés, qui avons interprété, qui avons choisi. Dieu est toujours le même ; ça, je crois que personne ne dit le contraire. Allons dîner, ajouta-t-il en se levant brusquement. Le mouton doit être prêt.

Au cours du dîner, Arbasia refusa de revenir aux peintures de la chapelle du Sanctuaire et à l'évangile de Barnabé. Il fit glisser la conversation sur des thèmes plus triviaux. Hernando ne s'obstina pas.

— Que la chance et la sagesse t'accompagnent, dit-il au Maure en prenant congé de lui à la porte de sa maison.

Que devait-il faire de cet évangile ? se demanda Hernando une fois de retour au palais. Aisha, qu'il voyait très souvent, lui avait appris qu'Abbas s'était entouré d'hommes violents et impétueux, animés par la rancœur et la haine à l'égard des chrétiens. Il n'y avait plus moyen de fournir à la communauté des exemplaires de la parole révélée ; le nouveau conseil misait avec détermination sur le combat, et les rumeurs relatives à des révoltes et des tentatives de soulèvement allaient bon train dans Cordoue, ce qui contribuait à exacerber l'animosité entre Maures et chrétiens. La dernière tentative avait eu lieu un an auparavant, entraînant une réaction immédiate du Conseil d'État, qui avait demandé une enquête détaillée à l'Inquisition. Il s'agissait d'une conjuration entre les Turcs et le roi de Navarre Éric III, huguenot et ennemi acharné de Philippe II, pour envahir l'Espagne avec la complicité des Maures.

— Ce sont des hommes incultes, assurait Aisha en parlant des nouveaux membres du conseil. Apparemment aucun d'entre eux ne sait lire ni écrire.

Hernando était conscient qu'il serait mal reçu par Abbas et ses partisans. Que feraient ces hommes avec la copie de l'évangile ? Probablement comme al-Mansûr en son temps : le livre avait beau soutenir les doctrines coraniques, il serait taxé d'hérésie et condamné, puisqu'il avait été écrit par un chrétien. De plus, bien qu'ancienne, il était seulement question d'une copie. À coup sûr ils s'en méfieraient. Le scribe avait-il réussi à sauver l'original du bûcher ?

Hernando soupira ; il avait une seule certitude : la violence n'améliorerait pas la situation de son peuple. Les Maures seraient toujours écrasés par une force plus grande, comme cela s'était produit par le passé, qui trouvait dans les rébellions un bon prétexte pour laisser libre cours à leur haine profonde des Maures. Existait-il, alors, une autre voie pour que les uns et les autres puissent ensemble vivre en paix ?

Huit jours après le dîner chez Arbasia, Hernando fut convoqué par le duc, qui, sur la route entre Séville et Madrid, faisait un bref passage à Cordoue. On vint le prévenir dans les écuries du palais, alors qu'il s'apprêtait à sortir en balade sur le dos de Volador, le magnifique cheval pommelé que le duc lui avait offert, marqué au fer du « R » de la nouvelle race créée par Philippe II. Quoi qu'il arrive, ce cheval était à lui, lui avait assuré don Alfonso, informé de ce qui s'était passé avec Azirat. Pour preuve, il lui avait remis un document en sa faveur, écrit par son secrétaire et signé de sa propre main.

Il confia Volador au valet d'écurie et suivit le jeune page chargé de lui transmettre la requête du duc.

Ils durent traverser cinq patios, tous fleuris, chacun avec une fontaine au centre, avant d'arriver à l'antichambre, où de nombreuses personnes attendaient d'être reçues par l'aristocrate. Dès qu'ils avaient appris le retour du noble, beaucoup de gens s'étaient empressés de solliciter une audience. Sur les bancs des visiteurs, appuyés aux murs latéraux du salon, étaient assis des prêtres, un membre du conseil de Cordoue, deux magistrats, plusieurs visages inconnus d'Hernando et trois hidalgos qui vivaient dans le palais. Sur un autre banc se tenaient les domestiques, chargés de s'occuper des visiteurs pendant leur attente et, à côté d'eux, une banquette basse où le page qui avait conduit le Maure s'assit dès que le maître d'hôtel prit la relève.

Hernando sentit sur lui les regards haineux des visiteurs lorsqu'il traversa la salle : il passait devant tout le monde. Et à la différence de ceux qui attendaient, vêtus de leurs plus beaux habits, il portait une tenue de cavalier : brodequins jusqu'aux genoux, simples chausses, chemise et tunique cintrée, sans fioritures. Le garde qui surveillait l'accès au bureau du duc frappa doucement à la porte dès qu'il vit s'approcher Hernando et le maître d'hôtel, puis il les laissa passer sans qu'ils aient besoin de marquer un arrêt.

— Hernando !

Le duc, afin d'accueillir le Maure comme un ami, quitta le bureau derrière lequel il était assis.

Le secrétaire et le scribe froncèrent les sourcils.

— Don Alfonso, saluant le Maure, accepta avec un sourire sa main tendue.

Ils se dirigèrent vers deux fauteuils en cuir à l'autre extrémité de la pièce, à l'écart du secrétaire et du greffier. Le duc lui posa alors de nombreuses questions sur sa vie, auxquelles Hernando répondit. Le temps passait et les gens attendaient dehors, mais don Alfonso ne semblait pas en tenir compte. Tandis que le duc s'épanchait à son aise, pointant les volumes de sa bibliothèque, s'ébaucha le thème de la conversation :

— J'aimerais pouvoir disposer d'autant de temps que toi pour me consacrer à la lecture, soupira-t-il à un moment donné. Profite, car bientôt tu ne le pourras plus.

L'expression surprise d'Hernando n'échappa pas au duc.

— Ne t'inquiète pas, tu pourras emporter avec toi les livres que tu veux. Silvestre, dit-il alors à l'attention de son secrétaire, apporte-moi la cédule. Tu vas comprendre, ajouta-t-il, le document entre les mains. Comme tu le sais, j'ai l'honneur de faire partie du Conseil d'État de Sa Majesté. En réalité, je vais te parler d'un problème qui concerne le Conseil des finances, mais ses fonctionnaires se montrent tellement incapables d'obtenir les fonds dont le roi a besoin que don Philippe est très remonté contre eux. Les Alpujarras ! lâcha alors don Alfonso en lui tendant le document. Tu ne m'as pas demandé quelque chose à faire ? sourit-il. Presque tous les lieux qui composent les Alpujarras appartiennent à la Couronne, et Sa Majesté est en colère car ils ne rapportent pas ce qu'ils devraient, bien que ses habitants soient exemptés d'impôts sur leurs ventes et autres profits. Même ainsi, le tiers royal que devraient obtenir les finances du royaume ne correspond pas à ce qu'on attend. Don Philippe est très irrité, et alors j'ai pensé que peut-être toi, qui connais la région, tu pourrais enquêter pour que Sa Majesté compare ton rapport avec ceux du tribunal de la ville de Grenade et du Conseil des finances. Le roi a accepté de bon cœur ma proposition. Il aimerait donner une leçon aux membres du Conseil.

Les Alpujarras ! susurra Hernando. Don Alfonso lui proposait de partir dans les Alpujarras ! Dressé sur son fauteuil, mal à l'aise, il feuilleta le document remis par Silvestre et regarda le secrétaire patibulaire, demeuré derrière le duc. Il fut tenté de rompre la cire qui cachetait la cédule, mais le discours de don Alfonso réclamait son attention.

— Après l'expulsion des nouveaux-chrétiens des Alpujarras, le roi a envoyé des agents en Galice, dans les Asturies, à Burgos et à León afin de trouver des colons pour repeupler ces terres. On a donné des maisons et des fermes aux nouveaux habitants et, comme je te l'ai dit, en plus de leur fournir des aliments et des bêtes pour favoriser la culture des terres, on leur a accordé des avantages en matière d'impôts. Sa Majesté est consciente que la repopulation n'a pas été complète et que de nombreux endroits sont restés inhabités, mais quoi qu'il en soit… les terres ne rapportent pas ce qu'elles devraient. Tu devras donc voyager dans la région comme l'un de mes envoyés, jamais comme un envoyé du roi, compris ? Sa Majesté ne veut pas que le juge de paix des Alpujarras et le procureur général croient qu'Elle ne leur fait plus confiance.

— Et… ? interrogea Hernando.

— Un autre privilège concédé à ces gens est qu'ils n'ont pas besoin du consentement royal pour conduire leurs juments à l'étalon. C'est sans doute pourquoi le troupeau chevalin a considérablement augmenté ces dernières années. Ta mission, qui figure dans cette cédule, sera de trouver de bonnes juments pour mes écuries. Tu connais les chevaux. Évidemment, aucun ne te satisfera vraiment. Je ne crois pas que sur ces terres il puisse exister des animaux de qualité, mais si tu considères que l'un d'eux vaut vraiment la peine, sourit-il, n'hésite pas à l'acheter.

Hernando réfléchit quelques instants : les Alpujarras, sa terre ! Pourtant un frisson d'effroi l'envahit soudain.

— Là-bas, il y a certainement encore des chrétiens qui ont connu la guerre. Comment recevront-ils un nouveau-chrétien… ?

— Personne n'osera lever la main sur un envoyé du duc de Monterreal ! répliqua don Alfonso en haussant le ton.

Toutefois, l'indécision qui se reflétait sur le visage d'Hernando l'obligea à reformuler son assertion.

— Tu étais chrétien. Tu savais prier. Tu l'as fait avec moi, tu t'en souviens ? Ensemble nous avons prié la Vierge. Tu continues à le faire. Tu dois bien avoir des amis qui pourraient témoigner de ta condition si quelqu'un la mettait en doute.

Hernando perçut que Silvestre, toujours derrière don Alfonso, se tendait et se rapprochait pour écouter sa réponse. Quels amis chrétiens avait-il à Juviles ? Andrés, le sacristain ? Il le haïssait probablement à cause de ce que sa mère avait fait au curé. Qui d'autre ? Il ne parvenait pas à citer un nom, mais il ne fallait pas l'avouer au duc ; il ne pouvait révéler que sa libération avait seulement été le fruit du hasard.

— Tu en as ou pas ? interrogea Silvestre.

Don Alfonso laissa son secrétaire intervenir.

— J'ai promis au roi que cette investigation serait menée à bien, insista le noble.

— Oui… oui, bredouilla Hernando. J'en ai.

— Qui ? Comment s'appellent-ils ? bondit le secrétaire.

Hernando croisa le regard de Silvestre. L'homme, qui

678

paraissait connaître la vérité, le transperçait des yeux. Comme s'il avait attendu ce moment avec anxiété : le moment où serait révélée la véritable foi de celui qui recevait tant de faveurs de son seigneur. Il lui avait même offert un cheval de la nouvelle race !

— Qui ? répéta Silvestre devant l'hésitation du Maure.

— Le marquis de los Vélez ! déclara alors Hernando d'une voix forte.

Don Alfonso se redressa sur son fauteuil. Silvestre recula d'un pas.

— Don Luis Fajardo ? s'exclama le duc avec étonnement. Quel lien as-tu avec don Luis ?

— Comme je l'ai fait avec vous, expliqua Hernando, j'ai aussi sauvé la vie d'une fillette chrétienne qui s'appelait Isabel. Je l'ai confiée au marquis et à son fils don Diego aux portes de Berja. J'ai sauvé plusieurs personnes, mentit-il en regardant effrontément Silvestre, dont le visage s'était décomposé.

Le duc l'écoutait avec attention.

— Mais il fallait que j'aie l'air maure, sinon cela aurait été impossible. Certains ont fini par savoir qui j'étais vraiment, d'autres non. Isabel, oui, le savait, et comme c'était une petite fille, je l'ai amenée à l'endroit où se trouvait los Vélez. Vous pouvez leur demander.

— Tu parles du deuxième marquis de los Vélez, le « Diable Tête de Fer », qui a combattu dans les Alpujarras. Il est mort peu après, lui apprit le duc. L'actuel marquis, le quatrième, s'appelle également Luis.

Hernando soupira.

— Rassure-toi, réagit aussitôt don Alfonso, comme s'il avait compris la raison de ce soupir. Nous avons les moyens de vérifier ton histoire. Son fils Diego, à ses côtés à Berja, chevalier de l'ordre de Saint-Jacques, vit toujours et il est, par ailleurs, l'un de mes parents éloignés. Le Diable s'était marié avec une Fernández de Córdoba.

Le duc marqua une courte pause.

— Je t'admire pour ce que tu as fait pendant cette maudite guerre, ajouta-t-il ensuite. Et je suis sûr que tous ceux qui vivent dans cette maison partagent ce sentiment, n'est-ce pas, Silvestre ?

Don Alfonso ne daigna pas se retourner vers son secrétaire, mais le ton impératif de ses paroles suffit pour que Silvestre comprenne le message : son seigneur ne tolérerait pas davantage de murmures ou de suspicions à l'égard de son ami maure.

— Bien sûr, Excellence, répondit le secrétaire.

— Alors prends contact avec don Diego Fajardo de Córdoba et retrouve cette fillette chrétienne. Je te crois, Hernando, déclara-t-il en s'adressant à lui. Je n'ai pas besoin de vérifier ton histoire, mais je veux que, lorsque tu sillonneras les Alpujarras à cheval, tu sois accueilli tel que tu le mérites : comme un chrétien qui a risqué sa vie pour d'autres chrétiens. Le roi ne doit pas croire ses intérêts en danger à cause d'une éventuelle méfiance de la part des vieux-chrétiens qui habitent là-bas.

Le duc considéra l'audience terminée. Elle avait duré beaucoup plus longtemps que les autres, qu'il avait expédiées rapidement, malgré l'importance des thèmes abordés.

— Continuons avec les autres suppliants, ordonna don Alfonso.

Aussitôt, surgissant de nulle part, un page se précipita pour prévenir le maître d'hôtel.

— Ce n'est pas la peine, dit le duc en interrompant la course du petit.

L'enfant s'arrêta et, surpris, interrogea le scribe du regard. Silvestre lui fit signe de retourner vers un petit banc situé dans un coin sombre et caché, où était assis un autre jeune page. Le duc en personne, rompant le protocole, raccompagna Hernando jusqu'à la porte, qu'il ouvrit. Alors, devant les visiteurs surpris, toujours à l'affût du va-et-vient des pages avec leurs instructions et leurs messages, il l'étreignit et l'embrassa sur les deux joues en guise d'au revoir. Beaucoup de gens, qui n'avaient pas caché leur mépris à l'arrivée du Maure, baissèrent les yeux lorsque celui-ci retraversa l'antichambre en direction des écuries.

Sans attendre la confirmation du fils du marquis de los Vélez, la rumeur qu'Hernando avait aidé pendant la révolte une fillette chrétienne ainsi que plusieurs autres chrétiens, dont le nombre grossissait de jour en jour, se propagea dans les deux communautés, maure et chrétienne. Les esclaves maures du duc s'étaient chargés de le faire savoir à Abbas et aux membres du conseil, qui trouvèrent dans ces informations la preuve de toutes les accusations à l'encontre du traître.

— Comment est-ce possible ? s'écria Aisha.

Hernando et elle marchaient le long du Guadalquivir en direction du moulin de Martos, près des tanneries, là même où, plusieurs années auparavant, il avait embarqué sur *La Vierge fatiguée*. Le conseil municipal avait décidé de transformer ce coin en un lieu de distraction pour les Cordouans. Aisha, ignorant totalement les gens qui circulaient autour d'eux, parlait sur un ton offensé et triste.

— Tu nous as tous trompés ! Ton peuple ! Hamid !

— Ce n'était qu'une enfant, mère. Ils voulaient la vendre comme esclave ! N'écoute pas les racontars…

— Une enfant comme tes sœurs ! Tu te souviens d'elles ? Les chrétiens les ont tuées sur la place de Juviles, avec plus de mille femmes. Plus de mille, Hernando ! Et celles qui n'ont pas été assassinées ont été vendues aux enchères sur la place de Bibarrambla à Grenade. Des milliers et des milliers de nos frères ont été exécutés ou réduits en esclavage. Hamid lui-même ! Tu te souviens de lui ?

— Comment pourrais-je ne pas me souvenir de… ?

— Et Aquil et Musa !…, l'interrompit sa mère en gesticulant violemment. Que sont-ils devenus ? À peine sommes-nous arrivés dans cette ville maudite qu'on nous les a volés. Ils ont été vendus comme esclaves, alors qu'ils n'étaient que des enfants. Aucun chrétien ne les a défendus ! Des enfants, oui, comme cette… Isabel dont tu parles.

Ils marchèrent un moment en silence.

— Je ne comprends pas, gémit Aisha, la voix brisée.

Ils étaient près du moulin qui utilisait le courant du fleuve pour moudre le grain.

— J'ai déjà eu du mal à accepter le noble, mais là… Tu as trahi ton peuple !

Aisha se tourna vers son fils ; son visage exprimait une fermeté qu'il avait rarement vue chez elle auparavant.

— Tu as beau être le chef de la famille… d'une famille qui n'existe plus ; tu as beau être tout ce qui me reste au monde, je ne veux plus te voir. Je ne veux plus rien avoir à faire avec toi.

— Mère…, balbutia Hernando.

Aisha fit demi-tour et prit la direction du quartier de Santiago.

46.

Hernando se souvenait de chaque instant qu'il avait vécu là, quatorze ans plus tôt, lorsqu'il avait parcouru ce même chemin en direction de Cordoue, en haillons, pitoyable, au côté de milliers de Maures. Il sentit de nouveau le poids des vieillards qu'il avait dû porter et entendit l'écho des lamentations des mères, enfants et malades.

Le cœur lourd, il ordonna une halte pour la nuit à l'abbaye d'Alcalá la Real, toujours en construction.

— Nous pourrions continuer encore un peu, se plaignit don Sancho. Au printemps, les journées sont longues.

— Je sais, répondit Hernando, dressé sur Volador. Mais nous nous arrêterons ici.

Don Sancho, l'hidalgo désigné par le duc pour accompagner Hernando au cours de son voyage, fit la grimace à l'écoute des instructions impératives de celui qui, récemment encore, était son pupille. Les quatre serviteurs armés qui les suivaient, et surveillaient l'attelage de mules chargées de leurs affaires, échangèrent un regard complice : c'était une nouvelle démonstration d'autorité, parmi les nombreuses qui s'étaient produites au cours des journées précédentes.

Hernando aurait préféré voyager seul.

Le cortège s'installa dans l'abbaye. Le soleil commençait à se coucher et le Maure demanda qu'on harnache à nouveau Volador. Puis, seul, au pas, observé par tous, il redescendit de la colline où s'élevaient la forteresse et l'abbaye. À ses pieds s'étendaient des champs cultivés, et dans le lointain se profilait la Sierra Nevada. Dès qu'il eut quitté la médina et se retrouva en plein champ, il éperonna Volador. Le cheval bondit de joie, heureux de ce galop réclamé par son cavalier après les longues, lentes et ennuyeuses journées où il avait dû régler son pas sur celui des mules.

Hernando retrouva sans difficulté la plaine où ils avaient passé la nuit lors de leur exode à Cordoue, mais pas le canal où Aisha avait lavé le petit Humam après l'avoir arraché des bras de Fatima. Il ne pouvait être très loin du campement. Il chevaucha dans les champs, attentif aux canaux qui les irriguaient. Ils n'avaient pas signalé la tombe du bébé ; ils l'avaient enterré à même la terre, enveloppé seulement par le silence triste de Fatima et le fredonnement d'Aisha.

Il crut reconnaître l'endroit, près d'un filet d'eau qui coulait comme à l'époque. Il devait le faire, pensa-t-il. Pour Fatima et ses enfants, qu'il n'avait même pas pu enterrer ; pour lui-même. La tombe de cet enfant mort était tout ce qui lui restait de son épouse et de ses petits qui, comme Humam, étaient nés du ventre de Fatima. Hernando mit pied à terre face à un tumulus de pierres que le temps n'avait pas réussi à cacher, certain que sous cette terre reposait le cadavre du fils de Fatima. Il regarda de tous côtés : il n'y avait personne ; on entendait juste la respiration du cheval derrière lui. Il attacha Volador à des buissons et se dirigea vers le canal, où il se lava lentement et soigneusement. Il contempla les éclats rougeâtres du soleil crépusculaire, ôta sa cape et se prosterna dessus, mais au moment où il commençait ses prières, une boule se forma dans sa gorge et il éclata en sanglots. Il pleura tout en essayant de chanter les sourates, jusqu'à ce que la couleur cendrée du ciel lui indique qu'il était temps d'achever la prière du soir.

Alors il se leva, fouilla dans ses habits et sortit une lettre écrite avec une encre orangée : la « lettre de la mort », qui devait récompenser le défunt à l'heure où ses actions seraient pesées sur la balance divine.

Il gratta la terre à l'endroit où il supposa que se trouvait la tête de l'enfant et enfouit la lettre.

— Nous n'avons pas pu accompagner ta mort avec cette lettre, murmura-t-il en l'enfonçant dans la terre. Dieu le comprendra. Permets-moi d'y inclure des prières pour ta mère, ainsi que pour ton frère et ta sœur que tu n'auras jamais connus.

Devant la forteresse en ruines de Lanjarón, Hernando n'avait pu s'empêcher de penser à l'épée de Mahomet, enterrée au pied de la tour. Comme chaque village qu'ils avaient traversé depuis, Ugíjar, capitale des Alpujarras, était quasiment vide. Les Galiciens et Castillans venus remplacer les Maures expulsés n'étaient pas assez nombreux pour repeupler la région, et près d'un quart des villages était à l'abandon. La sensation de liberté qu'Hernando éprouvait à sillonner la vallée, avec les sommets de la Sierra Nevada à sa gauche et la Contraviesa à sa droite, était troublée à la vue de ces maisons fermées et à moitié démolies.

Toutefois, malgré l'aspect désolé du village, Hernando savourait avec nostalgie chaque arbre, chaque animal, chaque ruisseau et chaque pierre du chemin ; ses yeux balayaient continuellement le paysage et les souvenirs cognaient dans sa tête, tandis que don Sancho et les domestiques ne cessaient de se plaindre, sans cacher la répugnance que leur inspiraient ces gens et ces terres pauvres.

Près de deux mois avaient passé entre le jour où le duc lui avait proposé cette mission et le départ. Pendant cette période, Hernando avait parlé à Juan Marco, le maître tisserand chez qui travaillait Aisha. Ils se connaissaient. Hernando était venu à plusieurs reprises à l'atelier et avait discuté avec lui ; c'était un tisserand spécialisé dans le velours, le satin et le damas, arrogant, qui se considérait

au-dessus des membres de sa corporation : soyeux, dra-
piers, fileurs, y compris les tisserands « mineurs », qui
travaillaient le taffetas. Le maître ne cachait pas son intérêt
à compter un jour parmi ses clients la maison du duc de
Monterreal.

— Augmente le salaire journalier de ma mère, lui avait
demandé Hernando un soir.

Il avait attendu, caché dans un coin non loin de l'atelier,
que la silhouette d'Aisha disparaisse dans la rue. Depuis
leur dispute, elle n'admettait plus aucune aide de son fils.

— Et pourquoi ? avait répliqué le maître. Ta mère
connaît les produits, comme toutes les femmes de Grenade, mais elle n'a jamais tissé. Les ordonnances m'inter-
disent de lui donner un autre travail que…

— Peu importe, augmente-la. De toute façon, ça ne te
coûtera rien, avait ajouté Hernando en lui mettant dans la
main trois écus en or.

— Facile à dire ! Tu ne sais pas comment sont ces
femmes : si j'augmente le salaire de l'une, les autres vont
se jeter sur moi comme des louves…

Hernando avait soupiré. Le tisserand se faisait prier.

— Personne ne doit le savoir ; juste elle. Si tu fais cela,
j'intercéderai auprès du duc pour qu'il s'intéresse à tes
produits, avait assuré Hernando en le regardant droit dans
les yeux.

La promesse d'Hernando, ajoutée aux écus en or, avait
fini par convaincre le tisserand qui, toutefois, avait encore
posé une dernière question :

— Entendu, mais… pourquoi ?

— Ça me regarde. Contente-toi de faire ce que tu dois.

Hernando avait résolu un problème, mais il lui en restait
un autre. Comme il avait peu de préparatifs à effectuer
avant ce voyage ! avait-il pensé le lendemain soir en allant
frapper à la porte d'Arbasia. Deux ! Importants, mais seulement deux. La bonne qui ouvrit la porte le fit attendre
dans le vestibule, en pleine pénombre. La dernière fois

qu'il avait dû partir en voyage, il avait laissé sa maison aux mains de Fatima et demandé à Abbas de veiller sur les siens...

— Que me vaut cette visite, Hernando ? Il est tard, avait dit Arbasia, l'air fatigué, coupant court à ses pensées.

— Pardonne-moi, maestro, mais je dois m'absenter et je crois qu'il existe une seule personne à Cordoue en qui je peux avoir confiance.

Il lui avait alors tendu un rouleau en cuir à l'intérieur duquel était dissimulée la copie de l'évangile de Barnabé. Arbasia l'avait deviné, et il n'avait pas esquissé un geste pour le prendre.

— Tu me mets dans l'embarras. Que va-t-il se passer si l'Inquisition trouve ce document en ma possession ?

Hernando tendait toujours le bras.

— Tu jouis de la faveur de l'évêque et du Conseil. Personne ne te causera de problèmes.

— Pourquoi ne le replaces-tu pas où tu l'as trouvé ? Il est resté là pendant des années, et personne ne l'a découvert...

— Ce n'est pas la question. Évidemment, je pourrais le cacher dans beaucoup d'endroits. Mais ce que je veux, c'est qu'au cas où il m'arrive quelque chose, ce précieux document ne soit pas perdu. Je suis sûr que tu sauras quoi en faire dans ce cas.

— Et ceux de ta communauté ?

— Je ne leur fais pas confiance, avait avoué Hernando.

— Eux non plus apparemment. J'ai entendu des rumeurs...

— Je ne sais quoi faire, César. J'ai risqué ma vie en combattant pour nos lois et notre religion. Pour cette cause, on m'a dit que je devais avoir l'air plus chrétien que les chrétiens. Et maintenant on me rejette. Toute ma communauté me méprise... et pense que je suis un traître. Même ma mère !

Hernando avait aspiré un bol d'air avant de poursuivre.

— Et ce n'est pas tout : d'après ce que j'ai entendu, pour mes frères la violence semble être la seule manière de sortir de l'oppression.

Arbasia avait pris l'évangile.

— Ne cherche pas la reconnaissance de tes frères, lui avait conseillé le peintre. C'est juste de l'orgueil. Recherche seulement celle de Dieu. Continue à lutter pour ce que tu sens, mais conserve à l'esprit que le seul chemin est celui de la parole, de la compréhension, jamais de l'épée.

Arbasia avait gardé le silence quelques instants avant de lui dire au revoir.

— La paix, Hernando.

— Merci, maestro. Que la paix soit également avec toi.

Le maire d'Ugíjar avait été prévenu de l'arrivée d'Hernando. Pendant que le Maure prenait certaines mesures avant son départ, le duc avait ordonné à son secrétaire d'envoyer un message au maire de la capitale des Alpujarras, dans lequel il lui demandait, grâce aux renseignements que pourraient lui fournir los Vélez, de retrouver cette fillette, devenue femme, qui répondait au prénom d'Isabel.

Hernando et ses compagnons arrivèrent sur la place de l'église. Le temple avait été restauré. Monté sur Volador, le Maure balaya l'endroit du regard. Combien d'expériences avait-il vécues sur cette place et ses alentours ! Lorsqu'elle avait été envahie par les hommes de l'armée d'Abén Humeya… Et le marché, les janissaires, les Turcs qu'il avait vus là pour la première fois. Fatima, Isabel, Ubaid, Salah le commerçant, l'arrivée de Barrax et de ses mignons…

— Soyez les bienvenus !

Plongé dans ses souvenirs, Hernando n'avait pas remarqué la présence d'un petit cortège mené par le maire, petit homme rustre, aux cheveux aussi noirs que son habit, flanqué de deux alguazils. Hernando, imitant don Sancho, mit pied à terre. Le maire se dirigea vers l'hidalgo, mais celui-ci lui fit signe avec brusquerie de s'adresser à l'autre cavalier.

— Au nom du corregidor de Grenade, reprit l'homme, cette fois en face du Maure, je vous souhaite la bienvenue.

— Merci, dit Hernando, et il serra la main que le maire lui tendait solennellement.

— Le duc de Monterreal a pris des mesures auprès du corregidor pour votre séjour. Nous vous avons préparé un logement.

Plusieurs curieux s'approchèrent du groupe. Hernando, gêné par cet accueil, commença à s'agiter nerveusement. Puisqu'il fallait suivre le maire jusqu'à la maison mise à leur disposition, il fit un pas en avant. Mais l'homme continua son discours.

— Je dois également vous souhaiter la bienvenue au nom de Son Excellence, don Ponce de Hervás, magistrat à la Chancellerie royale de Grenade…

Hernando fit un signe d'ignorance.

— Il s'agit, expliqua le maire, de l'époux de doña Isabel, la fillette qui était aux mains des hérétiques et que vous avez courageusement sauvée de l'esclavage. Le juge, son épouse et toute sa famille souhaiteraient vous remercier personnellement et, par l'intermédiaire de mon humble personne, ils vous prient, une fois terminée la mission qui vous amène dans les Alpujarras, de vous rendre à Grenade, où vous serez reçus et honorés dans la maison de Son Excellence.

Hernando laissa échapper un sourire. Isabel vivait. Ici même, sur cette place, il avait tiré sur la corde qui la maintenait prisonnière, s'efforçant d'esquiver les marchands du souk et de rejeter les offres qu'ils lui lançaient. Il aurait pu obtenir plus de trois cents ducats pour elle ! lui avait crié un janissaire aux portes de la maison d'Abén Humeya, se rappelait-il.

— Que dois-je lui dire ? demanda le maire.

— À qui ? répondit Hernando, perdu dans ses souvenirs.

— Au juge. Il attend une réponse à son invitation. Que dois-je lui dire ?

— Dites-lui oui. J'irai chez lui.

Le duc avait raison : les juments nées dans les Alpujarras n'étaient pas de bonne qualité. Il s'agissait de bêtes courtes sur pattes, gauches, avec de petits cous rigides et de grandes têtes qui semblaient peser à l'excès. Hernando sillonna des villages et différents endroits en demandant à voir les chevaux, seul – décision que ni don Sancho ni les domestiques n'avaient discutée –, monté sur Volador qui suscitait l'admiration des petites gens. Ces derniers l'approchaient pour essayer de lui vendre un animal. Personne ne reconnut en lui l'un des Maures qui s'étaient soulevés quatorze ans plus tôt. Il était habillé à la castillane, avec un luxe qui l'embarrassait ; ses yeux bleus et sa peau, plus pâle que celles de beaucoup d'habitants des Alpujarras, empêchaient d'éveiller le moindre soupçon. S'estimant un traître pour les siens, il mit à profit les leçons que lui avait données don Sancho et tenta de parler sans utiliser la phonétique caractéristique aux Maures. Tout cela lui procura une liberté de mouvements. Il se rendit à Juviles. Plusieurs localités de la taa étaient abandonnées et, dans le village où il avait vécu ses premières années, il ne restait pas plus de quarante personnes.

Empli de sentiments contradictoires à la vue des maisons du village, de l'église et de la place, Hernando suivit le maire jusqu'au lieu où celui-ci possédait quatre chevaux qui, peut-être, pourraient l'intéresser. En traversant la place, il ferma les yeux et, aussitôt, il entendit le bruit des arquebuses et les cris des femmes. Il sentit l'odeur de la poudre, du sang et de la peur. Mille femmes étaient mortes sur cette place ! Il respira profondément, tâchant de se ressaisir… Cette nuit-là, il avait vu Fatima pour la première fois ; cette nuit-là, ses demi-sœurs étaient mortes. Cette nuit-là, il était devenu un héros pour sa mère, qui aujourd'hui le rejetait...

Dès que l'homme se dirigea vers la sortie du village et son ancienne maison, Hernando comprit qu'il se servait de l'ancien enclos de ses mules pour établer ses chevaux. Il marchait au côté du maire, tenant Volador à la main et, à mesure qu'ils approchaient, le bruit de ses sabots s'évanouit pour laisser place au souvenir du cliquetis de la Vieille lorsqu'elle rentrait seule au village, annonçant l'arrivée imminente du troupeau. Il ne put s'empêcher de songer à la peur bleue qu'il ressentait alors, à l'idée de retrouver son beau-père, Brahim... Qu'était-il devenu ? Pût-il être mort !

Hernando examina les quatre chevaux du maire, feignant plus d'intérêt qu'il n'en éprouvait, et il en profita pour regarder ici et là. Il découvrit, dans un coin, l'enclume sur laquelle il réparait les fers, et certains objets qui lui rappelèrent une partie de son enfance. La maison était inhabitée ; elle servait d'entrepôt et, comme l'avoua le maire, d'endroit pour l'élevage de vers à soie, qu'il exploitait lui-même avec sa femme.

— Les chambres à l'étage étaient déjà toutes prêtes, avec des rangées de claies collées aux murs destinées aux cocons, expliqua-t-il. Cela m'a épargné beaucoup d'efforts. Je n'ai eu qu'à profiter du travail des hérétiques ! rit-il.

Mais quand Hernando refusa de lui acheter la seule jument qu'il possédait, le maire commença à s'énerver.

— Vous ne trouverez rien de mieux dans toute la Sierra, lança-t-il.

Et il cracha par terre.

— Je suis désolé, répondit Hernando. Je ne crois pas que cet animal corresponde à ce que recherche le duc pour ses écuries.

À la seule mention du noble, l'homme s'agita avec

inquiétude, comme s'il avait insulté ce dernier avec son crachat.

Il laissa le maire avec ses rosses et ses cocons, et grimpa à flanc de montagne. Toutes les petites terrasses gagnées sur la roche pendant des années – aussi bien celle qu'il avait lui-même travaillée, que celle d'Hamid et de nombreux autres, ces Maures besogneux qui fécondaient les pierres à coups de houe –, étaient en friche et envahies par la mauvaise herbe. Les murets en pierres qui supportaient les terrasses et escaladaient les versants de la Sierra apparaissaient éboulés à maints endroits, et la terre tombait d'un peu partout sans la moindre entrave ; les canaux qui irriguaient les champs et les vergers, cassés et abandonnés, laissaient s'échapper l'eau, source de toute vie.

Des paresseux, des indolents et des fainéants ! Voilà ce qu'étaient les nouveaux habitants de ces terres qui, jadis, avaient appartenu aux siens. Inaptes à la culture et incompétents avec le bétail, conclut Hernando. Chacun des nouveaux habitants possédait trois fois plus de terres que les Maures et, pourtant, mouraient de faim. Les paysans tentèrent de se justifier :

— Toutes ces terres sont propriété du roi, lui expliqua un gros Galicien, entouré de villageois, lors d'une halte qu'effectua Hernando dans une auberge. Et cependant elles dépendent directement du corregidor de Grenade, comme celles de haute montagne, où le bétail se nourrit d'un peu d'herbe, de touffes et de plantes pendant l'été. Comme il s'agit de pâturages communaux, beaucoup de propriétaires de la ville, amis du corregidor, envoient leurs troupeaux paître dans les Alpujarras et laissent, avec indolence, les animaux détruire les récoltes et les mûriers. De plus, lorsqu'il faut les récupérer ou les faire changer de pâturage, ils emploient des hommes armés qui choisissent les meilleurs, même si ce ne sont pas les leurs.

— Ils nous volent, Excellence ! cria, suffoquant, un

autre homme. Le maire d'Ugíjar ne fait rien pour nous défendre.

Mais Hernando ne les écoutait pas. Il se souvenait avec nostalgie comment, enfant, il devait recomposer les troupeaux, une fois dispersés, pour échapper à la dîme.

— Ferez-vous quelque chose, Excellence ? insista le Galicien en s'accrochant au bras de Hernando.

Cependant son geste fut brutalement interrompu par un vieil homme qui se trouvait à ses côtés.

— Je suis seulement venu acheter des chevaux, répondit Hernando assez brusquement.

Que savaient ces chrétiens des vols et des violations de droits ? Que savaient-ils de l'impunité dont les Maures étaient victimes ? pensa-t-il face à ceux qui l'interrogeaient. Ils ne payaient même pas d'impôts sur les ventes, ils en étaient exemptés. Travaillez ! faillit-il leur crier.

Il avait désormais compris pourquoi les rentes royales étaient si maigres, et il était certain qu'il ne dénicherait aucune jument méritant d'être acquise pour les écuries de don Alfonso. Pourtant, Hernando décida de prolonger son séjour dans les Alpujarras. L'irritation de don Sancho et des domestiques, contraints de vivre dans une petite maison sans confort, au fond d'un village perdu, justifiait ce choix à elle seule. Le frustre maire et le curé d'Ugíjar, ainsi que certains des six chanoines, constituaient les seules personnes avec qui l'hidalgo pouvait se permettre un brin de conversation. À cheval, Hernando quittait le village à l'aube, après la messe. Il aimait contourner l'ancienne maison de Salah le marchand, à présent habitée par une famille chrétienne, et parcourir tous ces endroits qu'il avait connus pendant le soulèvement. Il étudiait la situation commerciale et parlait avec les gens afin de connaître les vraies raisons pour lesquelles l'activité de cette région, où tant de Maures avaient vécu et réussi à faire vivre leurs familles, s'était réduite. Parfois il trouvait refuge la nuit dans une maison et dormait loin d'Ugíjar. Il monta aussi jusqu'au château de Lanjarón, mais n'osa pas déterrer l'épée de Mahomet. Qu'en aurait-il fait ? Au lieu de cela, seul et à genoux, il pria.

Mais le vieux don Sancho, tout fourbu, s'ennuyait tellement qu'un jour il insista pour accompagner Hernando lors d'une sortie.

— Êtes-vous sûr ? lui demanda le Maure. Songez que les endroits où je vais sont extrêmement sauvages.

— Tu doutes de mes compétences à cheval ?

Ils partirent un matin au lever du jour ; l'hidalgo s'était habillé comme pour une chasse à courre royale. Hernando savait que des chevaux paissaient aux abords du col de la Ragua, et il prit la direction de Válor afin de monter dans la Sierra par des sentiers ou à travers champs. C'était à présent à lui d'apprendre des choses au cousin du duc.

— Je connais l'objet de ta mission, cria l'hidalgo depuis l'autre rive d'un ruisseau que Volador avait sauté sans problème.

Don Sancho aiguillonna son cheval, qui sauta à son tour. Hernando dut reconnaître que l'hidalgo se défendait sur sa monture avec une aisance peu commune pour son âge.

— Je ne crois pas que ce parcours soit vraiment nécessaire pour savoir pourquoi le roi n'obtient pas assez de rentes…

— Vous connaissez les terres, ce qu'on cultive et où ? lui demanda Hernando.

Don Sancho hocha négativement la tête.

— Alors vous avez peur ?

L'hidalgo fronça les sourcils et fit claquer sa langue pour faire avancer son cheval.

C'était une journée splendide de fin mai, ensoleillée et fraîche. Ils continuèrent à monter, Hernando ouvrant le chemin. Ils franchirent des ravins, descendirent des gorges et surmontèrent tout type d'obstacle. Les deux cavaliers étaient concentrés sur leurs montures et le sol qu'ils foulaient, rivalisant sans se parler, seulement à l'écoute du souffle des animaux et des paroles d'encouragement avec lesquelles l'un et l'autre les stimulaient. Soudain Hernando se retrouva face à un mur presque vertical derrière lequel l'on devinait un sentier pour chèvres. Sans réfléchir, il se dressa sur ses étriers et, d'une main, agrippa le crin du cheval, presque au chanfrein de l'animal ; alors il l'éperonna avec force. Le cheval entreprit l'ascension et Hernando, tirant le crin d'une main et tenant les rênes de l'autre, colla son corps au cou de Volador, qui regardait pratiquement le ciel.

Le cheval monta par petits sauts successifs, sans s'arrêter un instant, incapable de se déplacer normalement sur ce mur vertical. Les cailloux du sentier dévalaient le précipice et ce fut seulement à la moitié du chemin, lorsque Volador glissa et dérapa sur une courte distance vers le bas, assis sur sa croupe et hennissant, qu'Hernando prit conscience du risque qu'il courait : s'il perdait l'équilibre, si Volador penchait juste un tout petit peu, ils tomberaient irrémédiablement dans le vide.

— Monte ! cria-t-il tout en plantant ses éperons quasiment dans la croupe de l'animal. Allez !

Volador se releva sur ses pattes et bondit de nouveau vers le haut. Hernando faillit être désarçonné.

— Tu vas te tuer ! cria don Sancho au bord du précipice.

— *Allahu Akbar !* hurla Hernando à l'oreille de Volador, entre le bruit des pierres qui tombaient, les sabots du cheval qui glissaient sur la terre et ses ébrouements.

Il gardait le corps allongé sur le cou de l'animal et la tête pratiquement entre ses oreilles.

— Allah est grand ! répétait-il à chaque saut que le cheval parvenait à effectuer.

À la fin, Volador dut presque escalader la gorge. Ses pattes arrières ne pouvaient plus continuer à le pousser vers le haut. Hernando sauta de sa monture et courut devant pour tirer sur les rênes et aider son cheval. Bête et cavalier, en sueur, accédèrent en tremblant, hors d'haleine, à une petite plaine couverte de fleurs.

À genoux, Hernando se pencha dans le vide. Il était à bout de souffle, incapable de contrôler ses tremblements.

— À présent, c'est mon tour ! cria don Sancho en voyant apparaître la tête du Maure au bord du ravin.

Il ne pouvait pas faire moins bien que lui !

— Santiago !

— Non ! s'écria Hernando.

L'hidalgo stoppa juste avant d'attaquer l'ascension. Hernando réussit à se lever.

— C'est de la folie ! hurla-t-il d'en haut.

Don Sancho obligea son cheval à reculer pour parvenir à voir le Maure.

— Je suis hidalgo…, commença à réciter don Sancho.

Il va se tuer, pensa Hernando. Et c'est moi qu'on accusera. On dira que je l'ai incité.

— Par Dieu et la Très Sainte Vierge ! Un chevalier espagnol est tout à fait capable de passer là où est passé un… !

— Vous, oui, l'interrompit Hernando avant qu'il ne mentionne sa condition de Maure. Mais pas votre cheval !

L'hidalgo réfléchit un instant et observa le ravin. Son cheval s'agitait, inquiet. Il leva les yeux, caressa doucement sa monture et fit marche arrière à contrecœur, cédant aux conseils d'Hernando.

— Vous montez vraiment bien, reconnut Hernando après être redescendu de la plaine en contournant le pic sur lequel elle se trouvait, et avoir rejoint don Sancho.

Volador transpirait à grosses gouttes et saignait à l'endroit où Hernando l'avait éperonné.

— Je sais, répliqua l'hidalgo, s'efforçant de cacher son soulagement de n'avoir pas eu à suivre les pas du Maure.

— Retournons à Ugíjar, proposa Hernando, fier de se sentir supérieur à l'Espagnol.

Le soir même, il annonça qu'ils partiraient le lendemain à Grenade.

— Apparemment, lui raconta don Sancho pendant le voyage, doña Isabel a été recueillie par le marquis de los Vélez.

Ils chevauchaient tous deux au trot, devant les domestiques et les mules.

— Comment le savez-vous ?

— Par l'abbé supérieur d'Ugíjar. C'est ce qu'il m'a expliqué à plusieurs reprises, je t'assure, pendant que tu traînais par là.

Hernando haussa les sourcils, comme s'il ne comprenait pas.

— Oui, continua don Sancho. Doña Isabel est entrée dans la maison du marquis, où elle est devenue la dame de compagnie de ses filles. Elle a tout appris d'elles et s'est tellement fait aimer que l'héritier du Diable Tête de Fer a offert une confortable dot pour son mariage. Alors elle a épousé un magistrat qui a prospéré grâce à l'aide de los Vélez et qui, par l'entremise d'un autre Fajardo de Córdoba, juge à Séville, a fini par être nommé juge lui-même d'une des salles de la chancellerie de Grenade.

— C'est un poste important ?

Don Sancho laissa échapper un sifflement avant de répondre.

— La chancellerie de Grenade, avec celle de Valladolid, est le tribunal le plus important du royaume de Castille. Il y en a d'autres en Aragon. Au-dessus, et exclusivement pour certaines affaires, se trouve seulement le conseil de Castille en représentation de Sa Majesté. Donc oui, c'est un poste important. Don Ponce de Hervás est juge d'une salle du civil. Tous les procès d'Andalousie finissent entre ses mains ou celles d'un de ses compagnons. Cela donne beaucoup de pouvoir… et d'argent.

— C'est bien payé ?

— Ne sois pas naïf. Tu sais ce que disait le duc d'Albe de la justice dans ce pays ?

Hernando, sur sa monture, se retourna vers don Sancho.

— Qu'il n'existe aucune cause, civile ou criminelle, qui ne se vende pas comme la viande à la boucherie, et que la plupart des conseillers se vendent quotidiennement à qui veut les acheter. Ne fais jamais de procès à un puissant.

— Ça aussi c'est ce que disait le duc ?

— Ça, c'est un conseil que je te donne.

Ils passèrent la nuit à Padul, à un peu plus de trois lieues de Grenade, car ils ne voulaient pas arriver chez leurs hôtes à une heure intempestive. Le lendemain matin, Hernando surprit don Sancho en insistant pour se rendre à l'église avant de partir. C'était là qu'il s'était marié avec Fatima, selon l'édit du prince don Juan d'Autriche. Une fausse union, juste valable aux yeux des chrétiens, mais qui pour lui avait constitué une lueur d'espoir. Fatima… L'église, vide à cette heure, lui donna l'impression d'un espace froid, aussi glacé que son âme. Il ferma les yeux, à genoux, et feignit de prier, mais sur ses lèvres seuls naissaient les mots suivants : « La mort est une longue espérance. » Cette phrase le poursuivait, semblait avoir scellé son destin depuis le jour où il l'avait prononcée pour elle. Pourquoi, Dieu ? Pourquoi Fatima… ? Il dut essuyer ses larmes avant de se relever et, malgré l'étonnement de don Sancho, il garda un silence tenace jusqu'à la ville de l'Alhambra. Ils entrèrent dans Grenade en milieu de matinée par la porte du Rastro. Ils traversèrent le Darro dans un quartier où l'on vendait du bois de toute variété. Une tête de mort, enfermée dans une cage en fer oxydée qui pendait d'un arc de la porte de la ville, les accueillit avec son lugubre présage. Des paysans et des marchands qui tentaient de passer rouspétèrent quand Hernando s'arrêta pour lire l'inscription au-dessus de la cage :

CETTE TÊTE EST CELLE DU GRAND CHIEN ABÉN ABOO,
DONT LA MORT A MIS FIN À LA GUERRE

— Tu l'as connu ? murmura don Sancho, tandis que les gens, de mauvaise humeur, doublaient les mules et les chevaux pour éviter ces deux cavaliers arrêtés au beau milieu de la route.

Abén Aboo ? Ce chien castré qui l'avait vendu comme esclave à Barrax et avait donné Fatima en mariage à Brahim ?

Hernando cracha.

— Je vois que oui, conclut l'hidalgo.

Et il éperonna son cheval derrière Hernando qui filait déjà, loin de la tête de mort du roi d'Al-Andalus.

Ils suivirent le cours du Darro, qui traversait la ville, et arrivèrent jusqu'à la plaza Nueva, longue et bouillonnante d'activités, où la rivière disparaissait avant de réapparaître derrière l'église de Santa Ana. À droite, le chemin qui montait à l'Alhambra, dominant Grenade ; à gauche, un grand palais presque achevé.

— Comment trouverons-nous la maison de don Ponce ? demanda Hernando.

— Je pense que ce ne sera pas difficile.

Don Sancho se dirigea vers un alguazil armé, posté en face du palais en construction.

— Nous cherchons la résidence de don Ponce de Hervás, l'informa-t-il avec autorité, du haut de son cheval.

L'alguazil nota aussitôt le langage pressant des nobles.

— En ce moment, Son Excellence est ici, à l'intérieur, répondit-il en montrant l'édifice devant lequel il montait la garde. C'est la Chancellerie. Mais il habite une villa dans l'Albaícin. Désirez-vous que je lui fasse porter un message ?

— Nous ne voulons pas le déranger, dit don Sancho. Nous souhaitons juste nous rendre chez lui.

L'alguazil balaya la place du regard et appela deux garçonnets qui jouaient.

— Vous connaissez la villa du juge don Ponce de Hervás ? leur cria-t-il.

Hernando, don Sancho, les domestiques et les mules s'enfoncèrent dans le labyrinthe de ruelles qui constituait l'Albaicín de Grenade et s'élevait sur l'autre versant de la vallée du Darro, en face de l'Alhambra. Beaucoup de petites maisons, appartenant aux Maures, étaient fermées et abandonnées. Comme à Cordoue, sur l'ancien emplacement d'une mosquée apparaissait à présent une église, un couvent ou l'un des nombreux hôpitaux de la ville. Ils gravirent un long chemin, étroit et sinueux, et en descendirent un autre, beaucoup plus court et pentu, jusqu'à la grosse porte à deux battants d'une maison. Après avoir mis pied à terre et laissé son cheval en compagnie des mules aux mains des domestiques, Hernando donna une pièce aux garçons tandis que don Sancho frappait à la porte en bois avec un heurtoir en forme de tête de lion.

Un portier en livrée les reçut. Dès qu'il entendit le nom d'Hernando, son visage s'altéra. Il conduisit rapidement les deux cavaliers dans les jardins qui s'ouvraient derrière la porte d'entrée et courut prévenir sa maîtresse. Hernando et don Sancho s'appuyèrent contre l'une des nombreuses balustrades travaillées, délimitant les jardins et vergers, longs et étroits, qui descendaient sur le versant en guise de terrasses, sous la demeure, jusqu'à la villa suivante ou jusqu'à l'une des habitations maures, simples et modestes, avec lesquelles les résidences nobles se partageaient le territoire de l'Albaícin. Enivrés, tous deux contemplèrent le paysage : entre la fragrance des fleurs et les arbres fruitiers, le murmure de l'eau des innombrables fontaines, l'Alhambra se dressait de l'autre côté de la vallée du

Darro, magnifique, sublime, les invitant à tendre leurs mains dans sa direction.

— Hernando…

Il avait entendu une voix timide et brisée dans son dos.

Il mit du temps à se retourner. À quoi ressemblait aujourd'hui la fillette aux cheveux pâles et aux yeux noisette toujours apeurés ? Ce fut sa chevelure blonde, ramassée en un chignon, contrastant avec sa robe noire, qu'Hernando remarqua en premier. Isabel était devenue une belle femme dont les yeux, bien que brouillés par les larmes, brillaient vivement.

— La paix soit avec toi, Isabel.

La femme pinça ses lèvres et hocha la tête, se souvenant de l'instant où Hernando l'avait laissée à Berja avant de repartir au galop, hurlant et faisant tourner son alfange au-dessus de sa tête. Isabel portait dans ses bras un bébé. À ses côtés se tenaient deux autres enfants, l'un accroché à sa robe et l'autre un peu plus grand, d'environ six ans, immobile près d'elle. Elle poussa le plus âgé pour l'obliger à avancer.

— Mon fils Gonzalico, présenta-t-elle tandis que le petit tendait, honteusement, sa main droite.

Hernando, ignorant sa main, s'accroupit devant lui.

— Ta mère t'a-t-elle parlé de ton oncle Gonzalico ?

L'enfant fit oui de la tête.

— C'était un garçon très, très courageux.

Hernando sentit une boule se former dans sa gorge et il toussota avant de continuer.

— Es-tu aussi courageux que lui ?

Gonzalico regarda sa mère, qui acquiesça d'un sourire.

— Oui, affirma-t-il.

— Un jour, nous sortirons nous promener à cheval, d'accord ? Le mien appartient aux écuries du roi Philippe, le meilleur d'Andalousie.

Les yeux du petit s'écarquillèrent. Son frère lâcha la robe de sa mère et s'approcha d'eux.

— Lui, c'est Ponce, dit Isabel.

— Comment s'appelle-t-il ? demanda Gonzalico.

— Le cheval ? Volador. Vous voudriez le monter ?

Les deux enfants secouèrent vigoureusment la tête.

Hernando leur ébouriffa les cheveux et se releva.

— Mon compagnon, don Sancho, indiqua-t-il en désignant l'hidalgo qui, après s'être avancé d'un pas, s'inclina devant la main que lui présenta Isabel.

Hernando observa la jeune femme, tandis qu'elle répondait aux questions courtoises et empressées de don Sancho. La fillette terrorisée de jadis était devenue une femme superbe. Pendant quelques instants, il la contempla. Se sachant observée, elle souriait et bougeait avec grâce. Lorsque l'hidalgo se retira d'un pas et qu'Isabel posa de nouveau le regard sur Hernando, ses yeux noisette lui renvoyèrent des milliers de souvenirs. Hernando frissonna. Et, comme s'il voulait se débarrasser de ces sensations, il la pressa de lui raconter quelle avait été sa vie au cours de toutes ces années.

47.

Le juge don Ponce de Hervás, au caractère austère et réservé, exprima à Hernando une telle gratitude qu'elle surprit jusqu'aux domestiques de la maison. C'était un petit homme au visage rond, aux traits mous, bien en chair, toujours vêtu de noir et qui mesurait une tête de moins que son épouse, pour laquelle il montrait de l'adoration. Il logea son invité dans une chambre dépouillée au deuxième étage de la villa, près des appartements du couple, avec accès à une terrasse qui donnait sur les jardins, face à l'Alhambra. Don Sancho fut installé au même étage, non loin des enfants, à l'autre bout d'un long couloir plein de détours qui traversait la demeure.

Cependant, la présence d'Hernando ne modifia en rien les habitudes de don Ponce, qui se consacrait à son travail comme s'il y trouvait une reconnaissance non obtenue auprès de la protégée d'un grand d'Espagne qui, d'un seul geste de la main, d'un mot ou d'un sourire, éclipsait le petit juge. Don Sancho, de son côté, demanda l'autorisation à Isabel de rejoindre des parents et des connaissances à lui dans Grenade. Hernando, par conséquent, se retrouva seul dans la villa, passant ses journées au côté d'Isabel et de ses enfants.

Avec l'aval du magistrat, Hernando utilisa les premiers jours le bureau de ce dernier, au rez-de-chaussée, pour écrire au duc et l'informer du résultat de son enquête.

« Il faudrait établir sur place un commerce de la soie », proposa-t-il après l'avoir averti du caractère paresseux des gens et des problèmes qu'il avait rencontrés lors de ses investigations dans les Alpujarras. « Ainsi, les habitants ne seraient plus contraints de brader leurs soies à Grenade, comme c'est apparemment le cas aujourd'hui, et économiseraient des frais de déplacement jusqu'à la ville. De toute façon, les nombreux métiers à tisser de Grenade n'en seraient pas affectés, puisqu'ils se fournissent en soie ailleurs que dans les Alpujarras... »

Des rires d'enfants le tirèrent de son travail. Hernando se leva du bureau en bois ouvragé du juge et s'approcha d'une porte-fenêtre, entrouverte pour laisser entrer la brise provenant du jardin principal de la villa, mince et long, qui courait sur un côté du bâtiment au niveau du rez-de-chaussée. En son centre, un bassin alimenté de fontaines disposées autour par intervalles occupait toute son étendue. Le jardin était couvert de treilles soutenues par des arcs. En cette saison printanière, elles étaient resserrées et formaient un tunnel frais et agréable qui s'achevait sur une gloriette. Au pied des treilles se trouvaient disposés des bancs sculptés d'où l'on pouvait contempler les nombreux jets d'eau qui jaillissaient en l'air avant de retomber dans le bassin.

Hernando s'appuya contre l'un des battants de la porte. Isabel était assise sur un banc, une broderie sur les genoux. En souriant elle regardait courir ses enfants, qui tentaient d'échapper à la surveillance de leur gouvernante. Un rayon de soleil, passant à travers la treille, éclairait son visage dans l'ombre du tunnel touffu. Hernando la contempla. Elle portait son habituelle robe noire ; ses cheveux clairs, qui avaient attiré son attention des années plus tôt et l'avaient sauvée de l'esclavage, faisaient ressortir des traits doux et beaux, des lèvres charnues, un long cou sous sa chevelure attachée, et des seins généreux luttant contre le vêtement qui les opprimait ; une taille fine et de belles hanches : le corps voluptueux d'une jeune mère de trois enfants. Le soleil se refléta sur la main qu'Isabel tendit pour faire signe à Gonzalico de ne pas s'approcher si près du bassin. Hernando suivit le mouvement de cette main blanche et délicate, et ne put s'en détacher. Puis il observa l'enfant, mais celui-ci, sans écouter sa mère, courait à nouveau devant sa gouvernante. Hernando sentit un inquiétant picotement dans son dos au moment où Isabel se tourna et où ses yeux noisette se fixèrent dans les siens. Il perçut que la poitrine d'Isabel s'agitait sous le corset qui l'emprisonnait, et sa respiration s'accéléra. Que se passait-il ? Troublé, il soutint quelques instants son regard, certain qu'elle détournerait son attention vers ses enfants ou son ouvrage. Mais elle n'en fit rien. Alors, sentant le picotement descendre jusqu'à son entrejambe, il quitta brusquement le lieu, à la recherche d'un domestique à qui il ordonna d'harnacher Volador.

Une semaine plus tard, don Ponce et son épouse organisèrent une fête en l'honneur de leur invité. Pendant ces sept jours, travaillant le matin, Hernando, dos à la porte-fenêtre, s'était efforcé de se concentrer sur son rapport au duc, sans tenir compte des rires qui semblaient l'appeler du jardin.

Établir une foire annuelle pour que les habitants des Alpujarras puissent vendre leurs marchandises... Aménager un col... Planter des mûriers et des vignes... Autoriser les paysans à vendre les terres adjugées... Organiser la justice dans la région... Réprimant l'instinct qui le poussait à se retourner vers le jardin pour voir Isabel, Hernando développa chacune des idées qui lui venaient pour promouvoir le commerce dans la région et augmenter ainsi les rentes royales. Mais, à la vérité, se sentant fatigué, il travaillait avec lenteur. Il ne dormait pas bien. La nuit, chaque bruit provenant de la chambre de doña Isabel résonnait dans la sienne. Malgré lui, il se retrouvait à tendre l'oreille, retenant sa respiration pour écouter les murmures de l'autre côté du mur ; il crut même entendre le frôlement des draps et le craquement du bois du lit, sûrement encastré, quand Isabel changeait de position. Car c'était forcément elle ; à aucun moment de ses nuits tortueuses il n'imagina que ce pût être le juge. Parfois il pensait à Fatima et son ventre se nouait, comme la première fois après sa mort où il était allé au bordel. Mais au bout de quelques instants il se remettait à guetter le moindre bruit venant de la chambre contiguë. Toutefois, la journée, à la lumière du soleil, il faisait tout pour éviter Isabel, à la fois honteux et mal à l'aise.

Le matin même de la fête il réussit à mettre un point final à son rapport dans lequel, sur une lettre à part, il informait le duc de son séjour dans la maison de don Ponce de Hervás et de son épouse Isabel. Comme il ne disposait pas de sceau, il demanda au juge de le cacheter avec le sien et, profitant d'une expédition qui, d'après don Ponce, allait partir en direction de Madrid, il dépêcha un domestique avec son courrier.

La fête était prévue dans la soirée. Hernando et don Sancho se virent offrir de nouveaux habits par le juge, en accord avec le faste que celui-ci voulait donner à l'événement. Debout à l'entrée de la villa, comme le leur avait demandé don Ponce, l'hidalgo et Hernando attendaient les invités afin de leur être présentés. Don Sancho ne pouvait cacher sa nervosité.

— Tu aurais dû apprendre à danser, dit-il à Hernando, en s'examinant avec vanité.

— Cabriole ! plaisanta ce dernier en bondissant légèrement.

— L'art de la danse… commença à répliquer le noble.

Des applaudissements forcés interrompirent ses paroles.

— Tu sais aussi danser ? demanda une voix de femme.

Hernando se retourna. Isabel, droite et fière, cessa d'applaudir et se dirigea vers eux. Elle marchait à petits pas en raison de ses chaussures à la semelle de liège ornée d'incrustations en argent, haute de quatre pouces, qu'on apercevait sous son jupon. Elle avait échangé son habituelle robe noire pour une tenue en satin vert sombre à deux pièces, dont les manches à crevés étaient piquées de tissus de différents tons de la même couleur. La pièce supérieure, débutant par une collerette qui lui cachait le cou jusqu'aux oreilles, avait la forme d'un cône inversé, dont la pointe descendait sur la jupe bouffante s'ouvrant en cloche depuis la taille. Le cône cachait un corset qui lui enserrait les seins, peut-être plus que de coutume, occultant la volupté naturelle qu'on devinait les autres jours. Ses pommettes ressortaient, colorées avec du papier teint en rouge, et ses yeux apparaissaient brillants, soulignés par un mélange d'antimoine dilué dans de l'alcool. Un magnifique collier de perles rehaussait l'ensemble. Don Sancho détourna le regard d'Isabel, blâmant imperceptiblement sa propre attitude lorsqu'il s'aperçut que son attention dépassait les limites de la courtoisie. Il tenta en vain de prévenir Hernando en posant sa main sur son bras : le Maure, bouche bée, contemplait, captivé, la jeune femme qui marchait vers eux.

— Tu sais danser ? répéta Isabel une fois à ses côtés.

— Non… bredouilla-t-il, enveloppé du parfum qui accompagnait cette silhouette magique.

— Il n'a pas voulu apprendre, intervint l'hidalgo, réussissant à rompre l'enchantement, conscient des regards que leur jetaient à la dérobée certains domestiques en livrée colorée, qui attendaient les invités.

Isabel répondit à don Sancho par une légère inclinaison de tête et un bref sourire. Un pas seulement séparait son visage de celui d'Hernando.

— C'est dommage, murmura la jeune femme. Je suis sûre que de nombreuses dames auraient voulu ce soir que tu les invites à danser.

Il y eut un silence épais, presque palpable, que don Sancho brisa soudain.

— Don Ponce ! s'exclama l'hidalgo.

Isabel se retourna, effrayée.

— J'avais cru le voir, s'excusa don Sancho devant l'expression de son hôtesse quand elle s'aperçut que son mari n'était pas là.

— Pardonnez-moi, dit Isabel, cachant son trouble derrière une certaine brusquerie. J'ai encore à faire avant l'arrivée des invités.

— Que cherches-tu à regarder ainsi une dame ? reprocha ensuite don Sancho à Hernando dès qu'Isabel se fut éloignée. C'est l'épouse du juge !

Hernando haussa les épaules. Que cherchait-il ? se demanda-t-il à son tour. Il l'ignorait. Il savait juste que, pour la première fois depuis plusieurs années, il se sentait envoûté.

Hernando et don Sancho, au côté du juge et d'Isabel, surmontèrent l'épreuve du baisemain et des présentations auprès d'une centaine de personnes qui avaient accepté, enchantées, l'invitation du riche et important juge grenadin : collègues de don Ponce, chanoines de la cathédrale, inquisiteurs, prêtres et moines, le corregidor de Grenade et plusieurs membres du conseil municipal, chevaliers de différents ordres, nobles, hidalgos et scribes. Hernando reçut les félicitations et les remerciements de chacun des convives qui passèrent devant lui. Don Sancho demeurait près de lui, essayant en vain d'intervenir dans les conversations, jusqu'au moment où le Maure, conscient du désespoir de l'hidalgo, lui tendit la perche :

— Voici don Sancho de Córdoba, cousin du duc de Monterreal, annonça-t-il à l'homme qu'on lui avait présenté, curé de l'église de San José.

Le prêtre salua l'hidalgo d'un hochement de tête et se désintéressa aussitôt de lui.

— Je suis heureux, affirma-t-il en s'adressant à Hernando, de rencontrer celui qui a sauvé doña Isabel du martyre aux mains des hérétiques. Je n'ignore pas non plus ce que vous avez fait pour don Alfonso de Córdoba et tant d'autres chrétiens.

Hernando tenta de cacher sa surprise. Depuis son arrivée à Grenade, les rumeurs qu'il avait libéré des tas de prisonniers chrétiens, en plus des deux seuls qu'on pouvait véritablement lui attribuer, étaient nombreuses.

— Doña Isabel, continua l'ecclésiastique en attirant l'attention de celle-ci, est l'une de mes paroissiennes les plus pieuses, je pourrais même dire la plus pieuse, et nous vous sommes tous très reconnaissants d'avoir sauvé son âme pour le Seigneur.

Hernando regarda Isabel, qui acceptait les compliments avec humilité.

— J'ai parlé avec certains chanoines de la cathédrale, poursuivit le prêtre, et nous aimerions vous faire une proposition. Je suis sûr que le doyen qui, d'après ce que j'ai compris, sera à votre table, vous en parlera.

Tandis que d'autres personnages défilaient devant lui, Hernando demeurait troublé par le discours du curé de San José. De quoi s'agissait-il ? Que pouvaient vouloir de lui les membres du conseil de la cathédrale ?

Il l'apprit sans tarder. En effet, il fut invité à occuper la place d'honneur à la longue table principale, installée sous une treille du grand jardin, entre don Ponce et le corregidor de la ville ; en face de lui étaient assis Juan de Fonseca, doyen de la cathédrale, et deux des vingt-quatre membres du conseil municipal de Grenade qui portaient avec ostentation les titres de marquis et de comte. Plus loin, le reste des invités, placés par ordre de prééminence. De l'autre côté du bassin on avait disposé une table jumelle où Hernando aperçut don Sancho, qui parlait avec animation à deux autres convives. Beaucoup d'autres tables, en plus de ces deux principales, étaient réparties dans les jardins et vergers en terrasses de la villa, qui descendaient sur le versant de la colline. À certaines étaient placés les hommes, la plupart vêtus d'un noir rigoureux, selon les normes de Trente, et à d'autres les femmes, rivalisant entre elles de luxe et de beauté. Dans la gloriette qui fermait le jardin principal, un orchestre composé d'un trombonne à coulisse, d'un cornet à pistons, d'un chalumeau, de deux flûtes, d'une timbale et d'une *vihuela*[1], égayait la nuit fraîche, claire et étoilée.

Tandis qu'on servait le premier plat, perdrix et chapons farcis, Hernando dut satisfaire la curiosité des hôtes de don Ponce qui l'assaillirent de questions sur la captivité et la fuite du duc don Alfonso de Córdoba, et d'interrogations, plus modérées et prudentes, sur l'épouse du juge.

— J'ai cru comprendre, intervint l'un des Vingt-Quatre en attaquant une aile de perdrix, qu'en plus du duc et de doña Isabel, vous avez aidé d'autres chrétiens.

La question resta en suspens à l'instant précis où la vihuela jouait solo, accompagnant une chanson sentimentale. Hernando écouta les tristes arpèges de l'instrument, semblables à ceux des luths qui divertissaient les fêtes maures.

— Vous rappelez-vous leurs noms ? demanda le corregidor en se tournant vers lui.

— Oui, mais pas de tous, mentit Hernando.

Sa réponse était prête depuis qu'il avait appris les rumeurs courant sur ses prouesses imaginaires.

Le membre du conseil municipal arrêta de mâchouiller son aile, et un silence gênant s'installa.

— Qui ? insista le doyen de la cathédrale.

— Je préférerais ne pas le dire.

À ce moment-là, même don Ponce, concentré sur une cuisse de chapon, se tourna vers lui. Pourquoi ? semblaient interroger ses yeux. Hernando se racla la gorge avant de s'expliquer :

— Certains ont dû abandonner des personnes de leur

---

1. Instrument espagnol à cordes, de la même famille que la guitare, très en vogue au XVIe siècle. *(N.d.T.)*

famille, ou des amis. Je les ai vus pleurer pendant qu'ils fuyaient ; l'amour et la panique s'affrontaient à leur conscience tandis qu'ils luttaient pour leur survie. L'un d'eux, alors qu'il était déjà libre et caché, renonça à s'échapper, préférant revenir en arrière pour être exécuté avec ses enfants.

Plusieurs commensaux, qui l'écoutaient, hochèrent la tête avec une expression sérieuse, les lèvres serrées, certains les yeux fermés.

— Je ne dois pas dévoiler leur identité, répéta-t-il. Cela ne sert plus à rien maintenant. Les guerres… conduisent les hommes à oublier leurs principes et à agir selon leurs instincts.

Ses paroles déclenchèrent d'autres signes d'approbation et un silence prolongé, qui permit d'entendre dans la nuit les dernières lamentations de la vihuela. Puis les convives s'animèrent de nouveau.

— Vous avez raison de vous taire, trancha alors le doyen Fonseca. L'humilité est une grande vertu, et l'on peut excuser ceux qui ont choisi de fuir, à cause de la peur de la mort ou de la torture. Cependant, j'espère que votre silence ne s'étendra pas aux hérétiques qui ont versé tant de sang chrétien et commis tant de sacrilèges et de profanations.

Hernando fixa ses yeux bleus sur le doyen.

— L'archevêque de Grenade mène actuellement une enquête sur les martyrs des Alpujarras. Nous disposons de renseignements et des centaines de déclarations des veuves qui ont perdu leurs époux et leurs enfants au cours des différents massacres, mais il va de soi que la collaboration de quelqu'un comme vous, un bon chrétien qui a vécu cette tragédie du côté des Maures, mélangé à eux, constituerait une source précieuse et indispensable. Nous avons besoin que vous nous aidiez dans cette investigation sur les martyrs. Que s'est-il passé ? Quand ? Où ? Comment ? Qui a ordonné et qui a exécuté ?

— Mais… bredouilla Hernando.

— Grenade doit accréditer ces martyrs à Rome, l'interrompit le corregidor. Cela fait presque cent ans, depuis que la ville a été reconquise par les Rois Catholiques, que nous cherchons les restes de son patron, San Cecilio, mais tous les efforts sont inutiles. Cette ville devrait pouvoir être comparée aux autres sièges chrétiens des royaumes : Saint-Jacques, Tolède, Tarragone… Grenade a été la dernière ville arrachée aux Maures, et elle manque de martyrs chrétiens comme l'apôtre Jacques ou San Ildefonso. Ce sont précisément ces courageux chrétiens qui rendent leurs villes plus grandes. Sans saints, sans martyrs, sans histoire chrétienne, une ville n'est rien.

— Vous savez que je vis à Cordoue, dit Hernando.

C'était la seule excuse qui lui venait à l'esprit, face aux regards des commensaux rivés sur lui.

— Cela ne pose aucun problème, s'empressa de répliquer le doyen, espérant fermer ainsi la porte à toute autre impossibilité. L'archevêque vous octroiera les cédules et l'argent nécessaires à vos déplacements.

— Je savais que pour une si sainte et juste cause, nous pourrions compter sur vous, renchérit alors don Ponce en lui tapant sur l'épaule. Dès que j'ai appris l'intérêt de l'Église grenadine à votre participation, j'ai écrit au duc de Monterreal pour demander sa permission, mais ce n'était pas nécessaire.

Quelqu'un leva son verre de vin et, aussitôt, les invités les plus proches d'Hernando trinquèrent avec lui.

Le dîner prit fin et les musiciens se déplacèrent à l'intérieur de la maison, dans le salon principal, préalablement vidé de tous ses meubles. Une partie des convives se dispersa en groupes dans les jardins ou sur la grande terrasse qui, du salon, s'élevait au-dessus du lit du Darro, en face de l'Alhambra, avec l'Albaícin à ses pieds ; une autre se prépara à danser. Hernando vit don Sancho qui lambinait dans la pièce, attendant la musique, et envia son allégresse et son insouciance. Il ne lui manquait plus que cette mission pour l'archevêque ! Sa propre mère lui avait tourné le dos et maintenant il fallait qu'il travaille pour l'Église… qu'il dénonce ses frères !

Il écouta la musique et observa les hommes et les femmes qui dansaient, en cercles ou en rangs, en couples ou en groupes, s'approchant les uns des autres, souriant, se courtisant parfois, sautant tous ensemble, comme l'avait fait l'hidalgo dans le palais de don Alfonso. Il reconnut Isabel avec sa robe verte et ses chaussures, qui ressortaient vivement dès que son jupon se soulevait du sol mais qui, malgré leur hauteur, ne l'empêchaient pas de danser avec élégance. Il remarqua à plusieurs reprises qu'elle le regardait à la dérobée.

Pendant le bal, il dut bavarder avec de nombreuses personnes qui vinrent le saluer, et répondre à leurs questions, même si ses pensées étaient ailleurs.

Toute sa vie s'était déroulée de la même manière, songea-t-il tandis qu'une dame vêtue de bleu, à qui il ne prêtait guère attention, lui faisait la conversation. Il avait passé son existence entière ballotté entre chrétiens et musulmans. Fils d'un prêtre qui avait violé une Mauresque, accusé d'être chrétien, on avait voulu le tuer, enfant, dans l'église de Juviles ; plus tard, Abén Humeya l'avait distingué comme le sauveur du trésor de ses frères, mais il avait ensuite été réduit en esclavage, taxé une fois encore de chrétien, et il avait dû refuser de renier une religion qui n'était pas la sienne pour ne pas devenir le mignon de Barrax. À Cordoue, dans la cathédrale, il avait travaillé pour le conseil religieux et recopié des milliers de fois le Livre révélé, alors qu'au même moment l'Inquisition le forçait à assister, en tant que bon chrétien qui collaborait avec le Saint-Office, à la torture et à la mort de Karim. Et à présent qu'il venait de trouver l'étrange et mystérieux évangile de Barnabé, l'Église réapparaissait pour lui imposer une nouvelle collaboration. Pourtant, il savait qui était son Dieu, l'Unique, le Miséricordieux… Qu'aurait pensé de lui le bon Hamid en le voyant dans cette situation ?

— Je suis désolé, je ne sais pas danser, dit-il, sans réfléchir, devant le visage interrogateur de la dame en bleu qui, toujours à ses côtés, semblait attendre une réponse.

Il n'avait pas entendu sa question. La réponse fournie n'était peut-être pas la bonne, conclut-il face à l'air offensé de la femme, qui lui tourna le dos sans un mot.

Le bal se prolongea jusque tard dans la nuit. Don Sancho ressurgit, en sueur, sur la terrasse, lorsque la musique s'arrêta à la demande de don Ponce. Les danses étaient terminées.

— Pour clore la fête, cria le juge du haut de la petite estrade où avaient joué les musiciens, je vous invite à venir voir le feu d'artifice que nous avons préparé en l'honneur de notre invité. Je vous prie de vous rendre sur les terrasses et dans les jardins.

Don Ponce chercha son épouse et alla trouver Hernando.

— Accompagnez-nous, s'il vous plaît, le pria-t-il.

Ils s'installèrent au premier rang, sur la balustrade qui délimitait la terrasse du salon principal. Isabel tournait le dos à Hernando et au doyen Fonseca. Quelqu'un émit un signal lumineux depuis la villa, et une partie des remparts de l'Alhambra s'éclaira d'un feu jaune intense. Les gens, entassés les uns derrière les autres, se répandirent en exclamations dès que des boules de feu sillonnèrent le ciel étoilé. Sans le vouloir, ils se pressèrent tous contre la balustrade pour mieux assister au spectacle. Une succession de rayons traversa le ciel nocturne et Hernando sentit la chaleur du corps d'Isabel. Le fracas des explosions de poudre se confondit en lui avec la respiration chaude, entrecoupée, d'Isabel à son oreille. La jeune femme ne bougeait pas, n'esquivait pas le contact. Les invités étaient absorbés par le feu d'artifice ; nul ne remarqua le geste, mais Hernando sentit une main effleurer la sienne. Il tourna la tête. Isabel ébaucha un sourire timide. Alors il pressa doucement cette main. Collés dans la foule des invités regroupés sur la terrasse, ils s'amusèrent à entremêler leurs doigts, approchèrent leurs corps l'un contre l'autre, jusqu'au moment où un chapelet de pétards conclut le feu d'artifice. Alors, applaudissements et vivats éclatèrent.

Puis les invités commencèrent à quitter la villa. Cette fois, Hernando n'eut plus aucun doute : au milieu des personnes qui prenaient congé, Isabel soutint son regard lorsqu'il rechercha le sien.

48.

— Que s'est-il passé à Juviles ?

Le notaire du conseil religieux s'était empressé de formuler cette question, une fois les présentations formelles effectuées, prêt à retranscrire dès que possible la réponse d'Hernando. Ils se trouvaient dans une petite pièce, près des archives de la cathédrale.

C'était au lendemain de la fête. À la première heure, alors que la maison dormait encore – à l'exception du juge, que rien ni personne n'aurait fait manquer à ses obligations –, Hernando avait dû se rendre à la convocation du doyen. Monté sur Volador et flanqué d'un serviteur, il avait traversé l'Albaícin jusqu'à la calle de San Juan. Il était passé près de l'ermitage de San Gregorio et, de là, était arrivé à la calle de la Cárcel, qui longeait la cathédrale. Cette dernière, comme celle de Cordoue, se trouvait alors en travaux : ceux du sanctuaire étaient terminés et on s'attaquait aux tours. Seulement, à la différence de celui de Cordoue, le temple grenadin n'était pas érigé sur l'ancienne grande mosquée, mais à ses côtés. La Grande Mosquée de Grenade avec son minaret avait été reconvertie en sacristie et on y trouvait, en plus, plusieurs chapelles et services. Hernando avait parcouru le lieu de prière des musulmans grenadins d'antan, aux plafonds bas, l'attention posée sur les colonnes en pierre blanche achevées par des arcs qui supportaient la toiture en bois et divisaient les cinq nefs de la mosquée. De là, un prêtre l'avait accompagné jusqu'au bureau du notaire.

Que dire de Juviles ? se demanda-t-il alors que

l'homme, plume à la main, attendait sa réponse. Que sa mère avait poignardé à mort le prêtre de la paroisse ?

— Il est difficile et vraiment douloureux pour moi, commença-t-il, essayant d'éluder la question, de vous parler de Juviles et des horreurs auxquelles j'ai été obligé d'assister là-bas. Mes souvenirs sont confus.

Le notaire hocha la tête et fronça les sourcils.

— Peut-être… serait-il plus pratique que vous me laissiez réfléchir à tout cela, que je mette moi-même par écrit mes idées. Je vous les ferai parvenir.

— Vous savez écrire ? s'étonna le notaire.

— Oui. Précisément, c'est le sacristain de Juviles qui m'a appris, Andrés.

Qu'était-il devenu ? pensa-t-il alors. Il n'avait plus eu de nouvelles de lui depuis son arrivée à Cordoue…

— J'ai le regret de vous dire qu'il est mort récemment, annonça le notaire comme s'il avait deviné ses pensées. Nous avons su qu'il s'était installé à Cordoue et nous l'avons cherché pour qu'il témoigne, mais…

Hernando respira profondément, tout en s'agitant avec inquiétude sur la chaise en bois, dure et branlante, où il restait assis face au bureau. Pourquoi ne pas en finir avec cette farce ? Il était musulman ! Il croyait en un Dieu unique et dans la mission prophétique de Mahomet.

Alors qu'il se posait toutes ces questions, le notaire ferma le dossier qui reposait sur la table.

— J'ai beaucoup de travail, allégua-t-il. Vous me feriez gagner un temps précieux si vous écriviez vous-même ce rapport.

En accomplissant ainsi tout le travail à sa place… songea Hernando tandis que l'homme s'était levé et lui tendait la main. Le soleil brillait déjà haut et Grenade bouillonnait d'activité. Hernando monta sur Volador et eut envie de congédier le serviteur et de se perdre dans la ville ; faire un tour dans le quartier voisin des marchands de soie, ou bien chercher une auberge pour méditer sur tout ce qui lui arrivait. La veille au soir, après le départ des invités, il avait prié sans cesser de penser à Isabel, excité, sentant la chaleur de son corps et les caresses de ses doigts. Pourquoi avait-elle cherché sa main ? Volador piaffait, inquiet, devant l'indécision de son cavalier. Le domestique attendait ses ordres avec une certaine froideur. Et maintenant, Juviles. Soudain, Hernando tira brutalement sur les rênes de l'animal. Il se souvint des chrétiens du village, nus, les mains attachées dans le dos, en file indienne, attendant la mort dans un champ, pendant que les Maures, dont sa mère, exécutaient le curé et le bénéficier. Beaucoup d'entre eux avaient survécu grâce à la clémence du Zaguer, qui avait stoppé le massacre, contrariant ainsi la volonté de Farrax. Qu'avaient-ils ensuite raconté ? Personne n'avait pu ignorer la cruauté d'Aisha ni son hurlement en direction du ciel, appelant Allah, la dague ensanglantée entre les mains, sa vengeance accomplie. Ferait-on le lien entre elle et lui ? La mère d'Hernando, meurtrière de don Martín ! Sans doute pas, parvint-il à se rassurer. On l'avait plus probablement associée à Brahim, le muletier du village, pas à un garçon de quatorze ans. Pourtant il y avait toujours la possibilité…

— Rentrons à la villa, ordonna-t-il au domestique, le devançant sans l'attendre.

Hernando trouva don Sancho qui prenait son petit déjeuner, seul.

— Bonjour, le salua-t-il.

— Je vois que tu t'es levé aux aurores, lui répondit l'hidalgo.

Hernando s'assit à sa table et lui rapporta la demande du doyen, ainsi que sa propre réponse. Don Sancho écouta son histoire en mangeant.

— Moi aussi j'ai une mission pour toi. Hier j'ai dîné à côté de don Pedro de Granada Venegas, annonça-t-il.

Hernando fronça les sourcils. Que lui voulaient encore les chrétiens ?

— Régulièrement, continua don Sancho, les Granada Venegas réunissent des amis dans leur maison de los Tiros, où don Pedro a tenu à nous inviter.

— J'ai beaucoup de travail, s'excusa le Maure. Allez-y, vous.

— Il nous a invités tous les deux… En réalité, je crois que c'est toi qu'il veut connaître, avoua-t-il.

Hernando soupira.

— C'est quelqu'un d'important, insista l'hidalgo. Don Pedro est seigneur de Campotéjar et maire du Generalife. Son profil ressemble au tien : musulman d'origine qui a embrassé le christianisme ; c'est peut-être pour cela qu'il désire te rencontrer. Son grand-père, descendant de princes maures, a rendu de grands services lors de la conquête de Grenade, puis à l'empereur. Son père, don Alonso, a collaboré avec le roi Philippe II pendant la guerre des Alpujarras, où il s'est presque ruiné, et le roi lui a octroyé une modeste pension de quatre cents ducats pour compenser ses pertes. Des gens très intéressants fréquentent ces réunions. Tu ne peux pas dédaigner ainsi un noble grenadin apparenté aux grandes maisons espagnoles ; mon cousin don Alfonso serait contrarié de l'apprendre.

— Vous, vous passez votre temps à faire pression sur moi en évoquant un éventuel déplaisir du duc, répliqua Hernando. Nous en reparlerons, don Sancho.

Il se leva de table, mettant fin à la conversation avec l'hidalgo.

— Mais…

— Plus tard, don Sancho, plus tard.

Il hésita à sortir dans les jardins et choisit finalement de se réfugier dans sa chambre. Isabel, Juviles, le conseil de la cathédrale, et maintenant cette invitation chez un noble musulman renégat qui avait collaboré avec les chrétiens pendant la guerre des Alpujarras. Tout semblait devenir fou ! Il avait besoin d'oublier, de se calmer, et pour cela rien de mieux que de s'enfermer afin de prier le restant de la matinée. Il passa devant la chambre d'Isabel au moment où sa cámeriste en sortait, après avoir aidé sa maîtresse à s'habiller. La domestique le salua et Hernando tourna la tête pour lui répondre. Par la porte entrouverte il aperçut alors Isabel, qui lissait le jupon de sa robe noire. La main sur la poignée, la femme de chambre attendit un moment avant de refermer la porte, assez pour qu'Isabel, cambrée au centre de la pièce, tandis que le soleil entrait à flots par la grande baie vitrée qui donnait sur la terrasse, fixe ses yeux sur lui.

— Bonjour, balbutia Hernando sans s'adresser à l'une des deux femmes en particulier, assailli par une soudaine bouffée de chaleur.

La cámeriste esquissa un sourire discret et inclina la tête ; Isabel n'eut pas le temps de répondre avant que la porte se referme. Hernando continua jusqu'à sa chambre avec le souvenir du corps chaud d'Isabel collé à lui, respirant avec agitation. Troublé, il parcourut la pièce du regard : le magnifique lit à baldaquin déjà fait ; le grand coffre en marqueterie ; les tapisseries aux motifs bibliques accrochées aux murs ; la table avec la vasque pour se laver et les serviettes en tissu soigneusement pliées à côté ; la porte-fenêtre qui donnait sur la même terrasse que les appartements du juge et de sa femme, avec vue sur l'Alhambra.

L'Alhambra ! « Malheureux celui qui l'a perdue ! » Le regard fixé sur l'alcázar, Hernando se souvint de la phrase prononcée, racontait-on, par l'empereur Charles Quint. Quelqu'un avait répété au monarque les paroles qu'avait adressées Aisha, la mère de Boabdil, dernier roi musulman de Grenade, à celui-ci lorsqu'il avait dû abandonner en larmes la ville aux Rois Catholiques : « Pleure comme une femme ce que tu n'as pas eu le courage de défendre comme un homme. »

« La mère du roi a eu raison », avait commenté l'empereur, rapportait-on. « Car à sa place j'aurais préféré prendre l'Alhambra pour sépulture plutôt que de vivre sans royaume dans les Alpujarras. »

Ébloui par les contours rouges du palais, Hernando sursauta en voyant la silhouette d'Isabel qui, depuis sa chambre, s'était avancée jusqu'à la petite balustrade en pierre taillée délimitant la terrasse du deuxième étage de la villa, sur laquelle elle s'appuya avec sensualité pour contempler le grand alcázar nasride. De la pièce où il logeait, Hernando contempla la chevelure blonde de la jeune femme relevée dans un filet ; il scruta son cou svelte et se perdit dans la volupté de son corps.

Hernando fit deux pas jusqu'à la terrasse ; Isabel tourna la tête en l'entendant ; ses yeux étincelaient.

— Il est difficile de choisir entre deux beautés, dit Hernando en montrant la jeune femme et l'Alhambra.

Isabel se redressa et se dirigea vers lui, le regard tremblant, jusqu'à ce que leurs souffles se confondent. Alors elle chercha ses doigts, les caressa.

— Mais tu peux n'en posséder qu'une, murmura-t-elle.

— Isabel…

— Des milliers de nuits j'ai rêvé du jour où j'ai chevauché avec toi…

La jeune femme posa la main du Maure sur son ventre.

— Des milliers de nuits j'ai frissonné, comme je l'ai fait, enfant, au contact de ta main.

Isabel l'embrassa. Un long, doux et brûlant baiser qu'Hernando reçut les yeux fermés. Isabel s'écarta et Hernando l'entraîna à l'intérieur de sa chambre. Il vérifia que la porte était barricadée et ferma celle qui donnait sur le balcon.

Ils s'embrassèrent de nouveau au centre de la chambre. Hernando glissa ses mains dans son dos, luttant contre les baleines de sa robe qui l'empêchaient de toucher son corps. Malgré ses baisers passionnés et sa respiration haletante,

Isabel gardait ses mains immobiles, posées sur la taille d'Hernando, sans exercer de pression. Le Maure tâta maladroitement les lacets du haut de sa robe.

Isabel tourna le dos pour lui permettre de la déboutonner.

Tandis qu'Hernando se battait avec les agrafes, les doigts tremblants, Isabel ôta ses manches, indépendantes de sa tenue. Après avoir réussi à dégrafer la partie supérieure de son vêtement, qui tomba en avant, libérant les seins de la jeune femme de l'emprise du corset, le Maure s'attaqua aux lacets qui serraient le jupon à la taille, pour parvenir à débarrasser Isabel de ses habits. Il finit par enlever le haut de sa tenue tout en cherchant ses seins avec les mains, par-dessus sa chemise, et en l'embrassant dans le cou. Isabel fit mine de s'écarter, mais Hernando se plaqua contre son dos. Il soupira à son oreille et glissa une main vers ses cuisses ; le bas de sa longue chemise était replié sous son pubis et ses fesses, couvrant ses parties intimes. Il défit gauchement les nœuds.

— Non… s'opposa Isabel en sentant les doigts d'Hernando dans son entrejambe humide.

Le Maure stoppa ses caresses et Isabel se dégagea de son étreinte. Elle se tourna, excitée et agitée, les joues rouges.

— Non, répéta-t-elle une nouvelle fois.

Avait-il été trop rapide ? se demanda Hernando.

Mais elle tendit les mains vers son torse et, à la surprise du Maure, au lieu de déboutonner son pourpoint, elle l'embrassa et le dirigea vers le lit où elle s'allongea, vêtue de sa chemise, les jambes légèrement écartées.

Hernando demeura immobile au pied du lit, observant les seins de la jeune femme qui montaient et descendaient au rythme accéléré de sa respiration.

— Prends-moi, l'implora-t-elle en ouvrant un peu plus les jambes.

« Prends-moi » ? C'était tout ? Avec sa chemise ? Il

n'avait même pas réussi à la voir nue, folâtrer avec elle, la caresser pour lui procurer du plaisir, connaître son corps. Il se renversa sur le lit, près de ses cuisses. Il voulut soulever la chemise et découvrir le triangle sombre qu'il devinait au travers, mais Isabel se redressa et lui saisit la main.

— Prends-moi, répéta-t-elle, agitée, après l'avoir encore embrassé.

Hernando se releva et commença à se dévêtir. Il se mit complètement nu, au pied du lit, le membre dressé, mais Isabel tourna la joue sur le lit, le regard perdu, et soupira en écartant davantage les jambes. Sa chemise glissa jusqu'en haut de ses cuisses.

Hernando la regarda. Elle le désirait, c'était évident : elle soupirait et gigotait, inquiète, sur le lit, attendant qu'il la possède, cependant… elle ne connaissait pas d'autre position ! Péché ! Jouir de l'amour était péché ! En un éclair l'image de Fatima lui réapparut, nue, couverte de henné et d'huile, de bijoux, cherchant la position la plus excitante pour tous les deux, se tordant entre ses jambes, dirigeant sans honte ses caresses. Fatima ! Un gémissement d'Isabel le ramena à la réalité. Chrétiens ! marmonna-t-il pour lui-même avant de s'allonger sur elle, gêné par la chemise de la jeune femme.

Isabel ne se libéra pas davantage de ses préjugés pendant qu'Hernando bougeait en rythme, lentement, fermement accouplé à elle, poussant son membre avec douceur. Elle lui agrippait le dos, le visage toujours tourné sur le lit, comme si elle n'osait pas le regarder, mais Hernando ne sentit pas ses ongles se planter dans sa peau.

— Abandonne-toi au plaisir, murmura-t-il à son oreille.

Isabel se mordit les lèvres et ferma les yeux. Hernando continua, essayant de comprendre la signification des gémissements étouffés de la jeune femme.

— Libère-toi ! insista-t-il tandis que la lumière qui

entrait dans la chambre enveloppait leurs corps. Ouvre-toi. Sens-moi. Sens-toi. Écoute ton corps. Laisse-toi aller, mon amour. Abandonne-toi au plaisir, par Dieu !

Hernando atteignit l'extase sans cesser d'exhorter Isabel à se livrer. Il resta au-dessus d'elle, haletant. Isabel chercherait-elle une deuxième étreinte ? s'interrogea-t-il. Voudrait-elle… ? La réponse surgit à travers un mouvement embarrassé que fit la jeune femme sous son corps, comme pour lui indiquer qu'elle souhaitait se dégager. Hernando la libéra de son poids en s'appuyant sur les mains et chercha ses lèvres, qui le reçurent sans passion. Alors il se leva, suivi par Isabel, qui dissimulait son regard.

— Tu ne dois pas avoir honte, tenta-t-il de la rassurer en lui prenant le menton.

Mais elle résista à lever le visage et, pieds nus, vêtue de sa seule chemise, elle s'enfuit en toute hâte vers la terrasse pour rejoindre sa chambre.

Hernando fit claquer sa langue et s'accroupit pour ramasser ses vêtements, entassés au pied du lit. Isabel le désirait, il n'en doutait pas, pensa-t-il en remettant sa chemise, mais le sentiment de culpabilité, de péché et de honte l'avait dominée. « La femme est un fruit qui offre son parfum seulement quand on la frotte avec la main », lui avait expliqué Fatima de sa voix douce, se référant aux enseignements des livres sur l'amour. « Comme le basilic, comme l'ambre, qui retient son arôme tant qu'il n'est pas chaud. Si tu n'excites pas la femme par des caresses et des baisers, en suçant ses lèvres et en buvant à sa bouche, en lui mordant l'intérieur des cuisses et en pressant ses seins, tu n'obtiendras pas ce que tu veux quand tu partageras sa couche : le plaisir. Elle non plus ne gardera aucune tendresse pour toi si elle n'atteint pas l'extase, si, au bon moment, son vagin n'aspire pas ton pénis. » Comme les pieuses chrétiennes étaient loin de ces enseignements !

La nuit suivante, de l'autre côté du détroit qui séparait l'Espagne et les Barbaresques, allongée dans la pénombre de sa chambre, au sein du luxueux palais de la médina de Tétouan que Brahim avait bâti pour elle, Fatima n'arrivait pas à trouver le sommeil. Elle entendait à côté d'elle la respiration de l'homme qu'elle haïssait le plus au monde, sentait le contact de sa peau et ne pouvait s'empêcher de frissonner de dégoût. Comme toutes les nuits, Brahim avait rassasié son désir ; comme toutes les nuits, Fatima avait dû se pelotonner à côté de lui pour qu'il puisse enfouir le moignon de son bras droit entre ses seins et atténuer ainsi la douleur que lui causait toujours la blessure ; comme toutes les nuits, les plaintes des prisonniers chrétiens dans les cellules souterraines de la médina faisaient écho aux mille questions sans réponse qui peuplaient les pensées de la jeune femme. Qu'était devenu Ibn Hamid ? Pourquoi n'était-il pas venu la délivrer ? Était-il encore en vie ?

Depuis trois ans qu'elle était aux mains de Brahim, Fatima n'avait jamais cessé d'espérer que l'homme qu'elle aimait viendrait la libérer. Mais, à mesure que le temps avait passé, elle avait compris qu'Aisha avait obéi à sa muette supplique. Qu'avait-elle pu dire à son fils pour qu'il ne se lance pas à leur recherche ? Il n'y avait qu'une possibilité : ils étaient tous morts. Sinon... Ibn Hamid les aurait suivis et se serait battu pour eux. Elle en était sûre ! Cependant, même si Aisha lui avait affirmé qu'ils étaient morts, pourquoi Ibn Hamid n'était-il pas venu se venger de Brahim ? Dans le silence des nuits, elle s'était souvenue des cris des hommes du marquis de Casabermeja quand ils les avaient séquestrés : « Au nom d'Ubaid, monfí maure, fermez portes et fenêtres si vous ne voulez pas d'ennuis. » Tout le monde à Cordoue pensait que c'était Ubaid qui les avait tués, et si Aisha se taisait... Ibn Hamid ignorait ce qui s'était vraiment passé. C'était cela ! Dans le cas contraire il aurait remué ciel et terre pour les venger. Elle n'avait aucun doute. Vengeance ! Ce sentiment qu'au bout de plusieurs mois, lorsqu'elle avait été convaincue qu'Ibn Hamid ne viendrait pas les chercher, Fatima avait réussi à apaiser chez Brahim.

— Ce n'est rien d'autre qu'un lâche, répétait l'ancien muletier en parlant d'Hernando. S'il ne vient pas à Tétouan récupérer sa famille, j'enverrai des hommes pour le tuer.

Fatima avait veillé à lui taire qu'il ne viendrait pas, qu'elle-même avait supplié Aisha du regard de ne pas lui révéler la vérité.

— Si tu abandonnes cette idée de vouloir le tuer, je serai à toi, lui proposa-t-elle une nuit après qu'il l'eut montée comme un animal. Tu jouiras de moi comme si j'étais vraiment ton épouse. Je me donnerai à toi. Sinon, je me tuerai.

— Et tes enfants ? la menaça-t-il.

— Ils resteront aux mains de Dieu, murmura-t-elle.

Le corsaire réfléchit quelques instants.

— D'accord, consentit-il.

— Jure-le sur Allah, exigea Fatima.

— Je le jure sur le Tout-Puissant, assura-t-il, sans s'engager réellement.

— Brahim, ajouta Fatima d'une voix ferme, en fronçant les sourcils, n'essaie pas de me tromper. Ton sourire, ton humeur suffiront à m'indiquer que tu n'as pas tenu parole.

À partir de ce jour, Fatima avait rempli sa part du contrat et, nuit après nuit, elle avait conduit Brahim à l'extase. Elle lui avait donné deux autres filles et le corsaire n'avait plus rendu visite à sa seconde épouse, reléguée dans une aile à l'écart du palais. Shamir et Francisco – rebaptisé Abdul –, circoncis tous deux dès leur arrivée à Tétouan, se préparaient à lever l'ancre un jour sous les ordres de Nasi, qui assumait de plus en plus de responsabilités dans le domaine de la navigation, comme s'il était le véritable héritier de Brahim, tandis que ce dernier s'employait à faire fructifier son commerce, obsédé uniquement par les bénéfices qu'il tirait des pillages et d'autres affaires. Nasi, le gamin pouilleux que le corsaire avait recueilli à son arrivée à Tétouan, n'avait eu aucun mal à occuper la place qui aurait dû correspondre au fils de son patron : Shamir refusait de reconnaître en Brahim le père qu'il n'avait jamais eu. Au début, apeuré, pleurant nuit et jour sa mère restée en Espagne, il avait repoussé son affection, se réfugiant auprès de Fatima et de Francisco. Aisha lui avait dit que son père était mort dans les Alpujarras ! Brahim, s'étant senti méprisé, avait répondu avec sa brutalité habituelle. Il avait arraché l'enfant des bras de Fatima, l'avait frappé et insulté dès que celui-ci avait tenté de lui échapper. Francisco, également maltraité, était devenu son inséparable compagnon d'infortune. Nasi avait profité de la situation et, témoignant fidélité et loyauté à Brahim, il s'était encore rapproché du corsaire à qui il rappelait subtilement tout ce qu'il avait souffert pour en arriver là. De son côté, la petite Inés, désormais appelée Maryam, avait subi le sort que Brahim lui avait annoncé dans l'auberge du Montón de la Tierra, et elle s'était retrouvée au service de sa deuxième épouse, jusqu'au moment où Fatima avait donné naissance à leur première fille. Alors, après une nuit de passion, elle avait réussi à le faire changer d'avis : Maryam ne serait-elle pas la mieux placée pour s'occuper de sa demi-sœur, Nushaima, qui venait de naître ?

Les ronflements de Brahim, ponctués par les lamentations qui montaient du sous-sol, brisèrent le fil de ses souvenirs. Fatima réprima son besoin de bouger, de sortir du lit, de s'écarter du moignon de Brahim et de son corps.

Elle était prisonnière… dans une prison dorée.

Une esclave de plus parmi les nombreuses autres qui servaient et travaillaient dans le luxueux palais que, dans le style andalou, comme une grande maison patio, Brahim avait construit dans la médina, près des bains publics, de la casbah et de la mosquée de Sidi-al-Mandari, érigée par le refondateur de la ville, un exilé grenadin. Elle n'avait jamais vécu avec des esclaves. Des hommes et des femmes qui obéissaient, toujours prêts à satisfaire le moindre désir de leurs maîtres. Elle avait observé leurs visages inexpressifs, comme si on leur avait volé âme et sentiments ; elle les avait examinés et avait vu en eux son reflet : obéissance et soumission.

Le nouveau palais que le grand corsaire avait ordonné de bâtir s'élevait dans la calle Al-Metamar, au-dessus des grottes calcaires souterraines, immenses et inextricables, du mont Dersa, sur lequel la ville de Tétouan était située. C'étaient ces grottes qui servaient de cachots à des milliers de détenus chrétiens. La journée, quand elle sortait faire des courses en compagnie des esclaves, et qu'elle se dirigeait vers l'une des trois portes de la ville où se postaient les paysans avec leurs produits des champs qui s'étendaient extra-muros, Fatima voyait les captifs travailler sous le fouet, pieds nus, enchaînés aux chevilles et vêtus d'une simple blouse en laine. Près de quatre mille chrétiens au service permanent de la ville.

Entourée d'esclaves et de prisonniers, elle avait vite compris qu'elle ne trouverait pas davantage de réconfort lors de ses promenades. Tétouan avait suivi le modèle des villages d'Al-Andalus, mais sans aucune influence chrétienne. Les maisons semblaient être l'exemple même de l'inviolabilité du foyer familial, fermées aux rues, sans fenêtres, balcons ni ouvertures. Le système héréditaire régnant imposait aux bâtiments divisions et subdivisions jusqu'à un tracé chaotique : les rues n'étaient que la projection extérieure de la propriété privée, raison pour laquelle leur espace était anarchiquement occupé par des tentes, tout type d'activité et d'édification. Certaines constructions surplombaient les rues au moyen de tinaos[1],

1. *Cf.* note 1, p. 101.

d'autres les coupaient ou les interrompaient par des extensions inopportunes, convenues entre voisins, généralement de la même famille, sans l'intervention des autorités.

Dans son luxueux palais, Fatima était une simple esclave, mais il n'existait pas non plus d'endroit au-dehors, dans le bastion corsaire, qui aurait pu lui permettre d'échapper à sa fatale condition, même spirituellement, même quelques instants. Dieu paraissait l'avoir oubliée. Sur les places seulement, où confluaient trois rues et parfois plus, elle trouvait, à défaut d'un calme mental, un peu de distraction au spectacle des saltimbanques qui chantaient, récitaient des légendes au rythme du luth, ou vendaient de petits papiers sur lesquels d'étranges lettres étaient écrites, promettant la guérison de tous les maux. Elle aimait aussi les charmeurs de serpents qui, en échange de quelques pièces de monnaie mendiées auprès du public, portaient des reptiles autour de leur cou ou dans leurs mains, tout en faisant danser des singes ridicules. Certaines fois, elle leur avait donné de l'argent. Mais la nuit, lorsqu'elle sentait le moignon de Brahim entre ses seins, elle entendait avec une netteté terrible les pleurs et les plaintes des milliers de chrétiens qui dormaient sous le palais, se faufilant à l'extérieur par les trous qui servaient de ventilation aux cachots souterrains, sous une grande partie de la médina. « Un jour, je serai libre, pensait-elle alors. Un jour, nous serons de nouveau ensemble, Ibn Hamid. »

49.

Hernando céda finalement à l'insistance de don Sancho et se rendit à la maison de los Tiros, où les Granada Venegas tenaient leurs réunions entre amis. Un jour du mois de juin, en fin d'après-midi, les deux cavaliers sur leurs montures descendirent de l'Albaícin jusqu'au Realejo, l'ancien quartier juif dont s'étaient emparés les Rois Catholiques après la prise de Grenade et l'expulsion de leurs habitants, qui s'étendait sur la rive gauche du Darro, sous l'Alhambra. La maison de los Tiros était située en face du couvent des franciscains et de leur église, près d'une autre série de palais et de maisons nobles construits sur les terrains du quartier juif en ruines.

Tout au long du trajet, Hernando n'écouta pas une seconde la conversation que lui servait l'hidalgo ravi. Au cours des jours précédents, il avait essayé de tenir sa promesse faite au notaire du conseil de la cathédrale et de rédiger un rapport sur les événements survenus à Juviles pendant le soulèvement. Non seulement il n'avait pas trouvé de mots pour excuser les crimes monstrueux de ses frères, mais dès qu'il s'efforçait de se concentrer, ses pensées volaient vers Isabel et se mélangeaient aux souvenirs du jour où sa mère avait poignardé don Martín.

— Je n'aime pas les voir mourir, se rappelait-il avoir dit à Hamid, devant la file de chrétiens nus et attachés qui se dirigeaient vers leur fin. Pourquoi faut-il les tuer ?

— Moi non plus, lui avait répondu l'uléma. Mais nous devons le faire. Ils nous ont obligés à devenir chrétiens sous peine d'exil, ce qui est une autre façon de mourir, loin de sa terre et de sa famille. Ils n'ont pas voulu reconnaître le Dieu unique ; ils n'ont pas saisi l'opportunité qu'on leur offrait. Ils ont choisi la mort.

Comment aurait-il pu retranscrire les paroles d'Hamid dans un rapport destiné à l'archevêque ? Quant à Isabel, elle semblait avoir surmonté la honte avec laquelle elle avait abandonné sa chambre après leur seule étreinte, allant et venant dans la maison avec une feinte désinvolture. Cependant, le doute assaillait Hernando dès qu'il rencontrait le regard de la jeune femme : parfois elle soutenait le sien quelques instants, parfois elle baissait rapidement les yeux. Sa jeune camériste en revanche était moins discrète ; elle s'était même permis de lui sourire d'un air coquin. C'est elle qui avait dû ramasser les vêtements de sa maîtresse.

Le matin même du jour où Hernando devait se rendre chez les Granada Venegas, il s'était une fois de plus retrouvé en même temps qu'Isabel sur la terrasse. Un désir mutuel les avait envahis tandis qu'un silence gênant s'installait entre eux. Mais Hernando, malgré la passion qu'il ressentait, ne voulait pas répéter une expérience qui avait seulement satisfait son côté le plus instinctif, sans lui faire atteindre l'extase espérée.

— Tu dois apprendre à jouir de ton corps, avait-il murmuré à la jeune femme, la sentant frissonner à ses paroles.

Isabel avait rougi, mais elle n'avait pas protesté et s'était laissé conduire une deuxième fois dans la chambre d'Hernando.

Il aurait voulu lui dire qu'on pouvait accéder à Dieu par le plaisir, mais il s'était contenté de lui en donner, tâchant de ne pas l'effrayer dès qu'elle s'était tendue, retenant ses gémissements. Isabel lui avait permis de caresser ses seins, sans toutefois les découvrir, lui tournant le dos, cambrée, se mordant la lèvre inférieure chaque fois qu'il pinçait ses tétons dressés. Mais elle s'était échappée, comme si elle avait fui le diable, abandonnant de nouveau ses habits quand Hernando avait glissé sa main entre ses jambes.

— Nous sommes arrivés, dit l'hidalgo, interrompant les pensées du Maure.

Hernando se trouvait devant une grosse tour carrée, surmontée de créneaux, avec deux balcons et, sur plusieurs niveaux, cinq sculptures représentant de plain-pied des personnages de l'Antiquité. Derrière la tour qui donnait sur la rue s'étendait un bâtiment noble, dont les nombreux salons étaient distribués sur différents étages, autour d'un patio comptant six colonnes aux chapiteaux nasrides et un jardin à l'extrémité opposée. Après avoir laissé leurs chevaux aux mains des domestiques, ils pénétrèrent dans le palais et suivirent un portier dans un étroit escalier qui menait à un grand salon au deuxième étage.

— On l'appelle la « Salle dorée », murmura don Sancho à Hernando alors que le domestique ouvrait les portes sur les battants desquelles on pouvait voir des bustes couronnés.

Dès qu'il entra, le Maure comprit pourquoi : la pièce était inondée de reflets dorés provenant du superbe arc à caissons du plafond, vert et or, où apparaissaient des personnages masculins sculptés.

— Bienvenue.

Don Pedro de Granada s'écarta du groupe d'hommes avec qui il discutait et tendit la main à Hernando.

— Nous avons été présentés lors de la fête que le juge don Ponce a donnée en votre honneur, mais nous n'avons pu échanger qu'un bref salut. Soyez le bienvenu chez moi.

Hernando accepta la main du noble, qui garda la sienne un peu plus longtemps que nécessaire. Il en profita pour examiner son hôte – mince, un grand front dégarni, une barbe noire soignée et une expression intelligente – et s'efforça de ne pas afficher ses préjugés : don Pedro et ses aïeux avaient renoncé à la véritable religion et collaboré avec les chrétiens.

Après avoir salué l'hidalgo, le seigneur de Campotéjar les présenta tous deux aux personnes qui se trouvaient dans la Salle dorée : Luis Barahona de Soto, médecin et poète ; Joan de Faría, avocat et rapporteur à la chancellerie ; Gonzalo Mateo de Berrío, poète, et d'autres gens encore. Hernando n'était pas à l'aise. Pourquoi avait-il cédé à l'insistance de don Sancho ? De quoi pourrait-il bien parler avec tous ces inconnus ? Dans un coin du salon se tenaient deux hommes qui bavardaient, un verre de vin à la main. Don Pedro les conduisit jusqu'à eux.

— Don Miguel de Luna, médecin et traducteur, dit-il en commençant les présentations.

Hernando salua le premier homme.

— Don Alonso del Castillo, continua don Pedro, faisant référence à l'autre homme, élégamment vêtu. Également médecin et traducteur officiel de l'arabe au service de l'Inquisition de Grenade, et à présent du roi Philippe II.

Don Alonso lui tendit la main, les yeux fixés dans les siens. Hernando soutint son regard et lui rendit la politesse.

— Je souhaitais vous rencontrer.

Hernando tressaillit. Le traducteur lui parlait en arabe, tout en lui serrant sensiblement davantage la main.

— J'ai entendu parler de vos exploits dans les Alpujarras.

— Il ne faut pas leur accorder une grande importance, répondit Hernando en castillan.

Encore la libération de chrétiens !

— Don Sancho de Córdoba, continua-t-il avec un geste en direction de l'hidalgo, se dégageant ainsi de la main du traducteur.

— Cousin de don Alfonso de Córdoba, duc de Monterreal, fanfaronna don Sancho comme il le faisait auprès de tous ceux qu'il saluait.

— Don Sancho, intervint Pedro de Granada, je crois que je ne vous ai pas encore présenté au marquis.

L'hidalgo se dressa à la simple mention du titre.

— Venez avec moi.

Hernando voulut suivre les deux hommes, mais Castillo l'attrapa par le bras et le retint. Miguel de Luna se rapprocha également de lui. Les trois hommes, groupés, restèrent dans le coin de la Salle dorée.

— J'ai aussi entendu dire, reprit le traducteur, cette fois en castillan, que vous collaboriez avec l'évêché dans l'enquête sur le martyrologe des Alpujarras.

— C'est exact.

— Et que vous avez travaillé dans les écuries royales de Cordoue, ajouta cette fois Miguel de Luna.

Hernando fronça les sourcils.

— C'est également exact, admit-il avec une certaine brusquerie.

— À Cordoue, poursuivit le premier sans tenir compte de la froideur d'Hernando, dont il serait toujours le bras, vous avez servi de traducteur à la cathédrale…

— Messieurs, le coupa Hernando en se dégageant, m'auriez-vous invité pour me soumettre à un interrogatoire ?

Les deux hommes ne perdirent pas contenance.

— Là-bas, dans la cathédrale de Cordoue, à la bibliothèque, réattaqua don Alonso en saisissant à nouveau doucement le bras d'Hernando, comme s'il ne voulait pas lui laisser la possibilité de s'échapper, travaillait un prêtre… don Julián.

Hernando fit la grimace et se dégagea encore une fois. Tous trois restèrent silencieux quelques instants, se jaugeant, puis Miguel de Luna reprit la parole :

— Nous savons tout sur don Julián, bibliothécaire du conseil municipal de Cordoue.

Hernando tituba et s'agita, inquiet. Dans le reste du salon, les gens bavardaient avec animation, par petits groupes, certains debout, d'autres assis dans de luxueux fauteuils disposés autour de tables basses en marqueterie, couvertes de cruchons de vin et de pâtisseries.

— Écoutez, intervint Castillo, Miguel et moi, de même que don Pedro de Granada, descendons de musulmans. Après la guerre des Alpujarras, pendant laquelle j'ai d'abord travaillé comme traducteur pour le marquis de Mondéjar et ensuite pour le prince don Juan d'Autriche, j'ai été appelé par le roi Philippe pour m'occuper des livres et manuscrits arabes de la bibliothèque du monastère de l'Escorial : je devais les traduire, les classer… Une autre mission que m'a confiée le roi fut de chercher et d'acquérir de nouveaux livres en arabe. J'en ai trouvé quelques-uns à Cordoue, deux exemplaires du Coran, sans intérêt pour la bibliothèque royale, ainsi que des copies de prophéties et de calendriers lunaires.

Le traducteur s'arrêta. Hernando n'essayait plus de fuir. Ses pensées tournaient à toute vitesse. Que prétendaient ces deux renégats ? Ils collaboraient tous avec les chrétiens ! Leurs pères avaient livré Grenade aux Rois Catholiques et ils reconnaissaient sans vergogne qu'ils avaient eux-mêmes été du côté chrétien lors de la guerre des Alpujarras. C'étaient des nobles, érudits, médecins ou poètes, vendus à l'évangélisation, comme don Pedro de Granada. Castillo travaillait pour l'Inquisition ! Et si cette invitation n'était qu'une ruse pour le démasquer ?

— Finalement, je ne les ai pas achetés.

Cette déclaration soudaine du traducteur mit Hernando sur ses gardes.

— Ils étaient écrits sur du papier grossier et interlignés en aljamiado, comme si…

— Pourquoi me racontez-vous tout cela ? le coupa le Maure.

— Que racontez-vous à mon invité ?

Hernando se retourna et se retrouva nez à nez avec don Pedro de Granada.

— Nous discutions du travail d'Alonso à la bibliothèque du roi, expliqua Luna. Et du fait que nous avions connu don Julián, le bibliothécaire de la cathédrale de Cordoue.

— Quelqu'un de bien, appuya le noble. Voué au service de la religion…

Le seigneur de Campotéjar laissa flotter ses dernières paroles. Hernando sentit sur lui l'attention des trois hommes. Que voulait-il dire ? Don Julián, le bibliothécaire, était un musulman caché sous les habits d'un prêtre.

— Oui, mentit-il. C'était un bon chrétien.

Don Pedro, Luna et Castillo échangèrent des regards. Le noble hocha la tête en direction de Castillo, comme s'il lui donnait son consentement. Le traducteur, avant de parler, s'assura que personne ne pouvait les entendre.

— Don Julián m'a raconté que c'était vous qui copiiez les exemplaires du Coran, lâcha-t-il alors, le visage sérieux. Pour les distribuer dans Cordoue.

— Je n'ai pas… commença à nier Hernando.

— Il m'a raconté aussi, ajouta-t-il en pressant plus fort son bras, que vous jouissiez de la confiance du conseil des anciens au côté de Karim, Jalil et… comment s'appelait-il déjà ? Ah oui, Hamid, l'uléma de Juviles.

Hernando était entouré par les trois hommes. Il ne savait que faire, que dire, où regarder.

— Hamid, intervint alors don Pedro, était un descendant de la dynastie nasride. Nous avions une certaine parenté. Sa famille a choisi un autre chemin : l'exil dans les Alpujarras, avec Boabdil. En revanche, ils n'ont pas suivi le Petit Roi aux Barbaresques.

Hernando tira sur son bras pour se dégager définitivement de Castillo.

— Messieurs, dit-il en faisant mine d'abandonner le groupe, je ne comprends pas de quoi vous parlez, mais…

— Écoutez, l'interrompit brusquement Castillo, tout en s'écartant pour le laisser passer, comme s'il n'avait pas l'intention de l'obliger à rester avec eux. Vous croyez peut-être que don Julián, le bibliothécaire, aurait été capable de vous trahir et de raconter tout ce que nous venons de vous révéler à de simples renégats, car c'est ce que vous pensez de nous à cet instant ?

Hernando s'arrêta net. Don Julián ? Mille souvenirs revinrent en un éclair à sa mémoire. Jamais il n'aurait fait cela ! Y compris sous la torture, comme Karim. Même l'Inquisition n'avait pas réussi à faire avouer au vieillard le nom qu'elle voulait et qui n'était autre que le sien : Hernando Ruiz, de Juviles ! Les vrais musulmans ne se dénonçaient pas entre eux.

— Réfléchissez, entendit-il lui dire Luna.

— Je sais beaucoup de choses sur votre compte, insista Castillo. Don Julián avait beaucoup d'estime pour vous et la plus haute considération.

Pourquoi le prêtre leur aurait-il parlé de lui ? continuait à s'interroger Hernando. Peut-être parce que ces trois hommes luttaient pour la même cause que lui. Mais luttait-il encore pour quelque chose ? Sa propre mère venait de le répudier.

— Je n'ai plus rien à voir avec tout cela, affirma-t-il d'une petite voix. La communauté de Cordoue m'a rejeté dès qu'elle a appris l'aide que j'ai apportée aux chrétiens pendant la guerre…

— Nous jouons tous à ce jeu-là, objecta don Pedro de Granada. Moi le premier. Regardez, ajouta-t-il en montrant un grand coffre situé derrière Miguel de Luna, qui se poussa pour lui laisser le champ libre. Vous voyez l'écu d'armes ? C'est le blason des Granada Venegas ; ces armes se sont trouvées du côté des rois chrétiens lors des guerres contre notre peuple, mais distinguez-vous leur emblème ?

— Lagaleblila, lut Hernando à haute voix. Qu'est-ce que cela veut… ?

Il se tut. Il venait de comprendre la signification : *Wa la galib illa Allah.* Il n'y a pas d'autre vainqueur que Dieu ! La devise de la dynastie nasride ; la devise qu'on répétait dans toute l'Alhambra en l'honneur et pour la glorification du Dieu unique : Allah.

— Les conseils d'anciens des communautés maures ne nous intéressent pas, reprit alors Castillo. D'une façon ou d'une autre, ils misent tous sur la confrontation armée, quand ce n'est pas pour la conversion totale : ils attendent l'intervention des Turcs, des Arabes ou des Français. Nous pensons que ce n'est pas la solution. Personne ne viendra nous aider, et dans le cas contraire, si un peuple se décidait, les chrétiens l'anéantiraient ; nous, les Maures, serions les premiers à tomber. Pendant ce temps, à cause de cette attitude, la cohabitation dégénère et devient chaque jour de plus en plus difficile. Les Maures valenciens et aragonais sont agités, quant aux grenadins… c'est un peuple sans terre ! Il y a six mois, près de quatre mille cinq cents Maures, revenus subrepticement dans leur ancien foyer, ont de nouveau été expulsés de Grenade. Nombreuses désormais sont les voix qui s'élèvent pour exiger l'expulsion de tous les Maures d'Espagne, ou l'adoption de mesures beaucoup plus cruelles et sanguinaires. Si nous continuons comme ça…

— Quoi ? coupa Hernando. Je sais bien que nous n'avons pas les moyens d'un affrontement armé contre les Espagnols et que, sauf miracle, personne ne viendra à notre aide, mais dans ce cas il ne nous reste que la conversion voulue par les chrétiens.

— Non ! affirma catégoriquement Castillo. Il existe une autre possibilité.

— Nous devons rentrer à Cordoue !

Don Sancho fit irruption dans le bureau où Hernando, pour la énième fois, s'évertuait à rédiger son rapport sur les faits survenus à Juviles pendant le soulèvement. Quelques jours plus tôt, il avait rejeté et déchiré tout ce qu'il avait écrit. Il leva les yeux d'une feuille, restée blanche depuis plus d'une heure qu'il était assis derrière le bureau, et vit l'hidalgo marcher vers lui, le visage altéré.

— Pourquoi ? Que se passe-t-il ? s'inquiéta-t-il.

— Que se passe-t-il ? cria don Sancho. C'est à toi de me le dire ! Tous les domestiques de la maison parlent de toi. Tu as souillé l'honneur d'un magistrat de la royale chancellerie de Grenade ! Si don Ponce l'apprend... Comment as-tu osé ? La rumeur pourrait se répandre dans la ville. Je ne veux même pas y penser. Un juge !

Don Sancho secoua les quelques cheveux blancs qu'il avait sur la tête.

— Nous devons partir d'ici, rentrer à Cordoue à l'instant même.

— Que raconte-t-on ? demanda Hernando, feignant l'indifférence, alors qu'il s'efforçait de gagner du temps.

— Tu devrais le savoir mieux que moi : Isabel !

— Asseyez-vous, don Sancho.

L'hidalgo agita une main en l'air et resta debout, faisant les cent pas devant le bureau.

— Je vous vois contrarié et je n'en comprends pas la raison. Isabel et moi n'avons rien fait de mal, tenta de le persuader Hernando. Je n'ai souillé l'honneur de personne.

Don Sancho s'arrêta, posa ses poings sur la table et observa Hernando, comme l'aurait fait un maître à l'égard de son élève. Puis il détourna le regard vers le jardin, derrière le Maure, et demeura pensif quelques instants. Isabel ne s'y trouvait pas.

— Ce n'est pas ce qu'elle dit, mentit-il alors.

Hernando pâlit.

— Vous avez... parlé avec Isabel ? bredouilla-t-il.

— Oui. Tout à l'heure.

— Et que vous a-t-elle raconté ?

Sa voix trahissait l'assurance qu'il avait essayé de simuler.

— Tout ! se retint de crier don Sancho.

Il respira profondément et s'obligea à baisser la voix.

— Son visage m'a tout raconté. Son embarras est une confession suffisante. Elle est au bord de l'évanouissement !

— Et quelle réaction attendez-vous d'une pieuse chrétienne si vous l'accusez d'adultère ? se défendit Hernando.

Du poing, Don Sancho frappa sur la table.

— Cesse d'être cynique ! Je sais tout. Une des domestiques chrétiennes a demandé à un esclave maure de lui donner le plaisir qu'apparemment tu procures à sa maîtresse ; elle voulait être prise « à la mauresque », d'après ce qu'elle a dit.

Hernando ne put réprimer une moue quasi imperceptible de satisfaction. Il lui avait fallu des jours et maintes rencontres furtives pour qu'Isabel commence à céder et à s'abandonner à ses caresses.

— Satyre ! l'insulta l'hidalgo en constatant la complaisance avec laquelle le Maure se délectait de ses dernières paroles. Non seulement tu as abusé de l'innocence d'une femme, probablement tombée entre tes griffes par gratitude, mais tu l'as pervertie de manière obscène et impudique, à l'encontre de tous les préceptes de la Sainte Église !

— Don Sancho…

— Tu ne te rends pas compte ? l'interrompit une nouvelle fois l'hidalgo, parlant cette fois avec lenteur. Le juge te tuera. De ses propres mains.

Hernando se passa la main sur le menton ; dans son dos, les rayons de soleil traversaient les portes qui donnaient sur le jardin.

— À quoi penses-tu ? insista don Sancho.

Que ce n'était pas le moment de partir, aurait-il voulu lui répondre. Les yeux d'Isabel enfin languissaient et ses soupirs étaient de plus en plus profonds tandis qu'il la caressait et la mordillait, signe sans équivoque que son corps désirait s'accoupler au sien. À chacune de leurs rencontres, Isabel faisait un pas de plus à l'encontre de ses habitudes, de sa culpabilité, de ses préjugés et de son enseignement chrétien ; elle était presque prête à atteindre une extase qu'elle n'avait même jamais imaginée. Et lui, à travers le plaisir de ce corps, toucherait peut-être de nouveau le ciel, comme il l'avait touché avec Fatima. Hernando sentit son membre en érection sous ses chausses. Il revit Isabel nue, désirable, voluptueuse, empressée et attentive à ses doigts et à sa langue, avide de découvrir ce monde.

— Il me semble que je ne peux pas repartir maintenant à Cordoue, répliqua-t-il à l'hidalgo. L'évêché attend mon rapport et vos amis de la maison de los Tiros réclament ma présence. Vous le savez.

— Et toi, tu dois savoir, rugit don Sancho, que selon la loi, après t'avoir tué, don Ponce a l'obligation de la tuer, elle.

— Il ne tuera ni l'un ni l'autre.

L'hidalgo et le Maure se mesurèrent du regard, pardessus le bureau.

— Je vais écrire à mon cousin pour lui raconter ce qui se passe, menaça le noble.

— Vous feriez mieux de ne pas mettre en doute la vertu d'une dame.

— Que vaut cette femme pour que tu risques ta vie pour elle ? lança don Sancho avant de quitter la pièce sans lui donner l'opportunité de répondre.

« Que vaut ma vie ? » s'interrogea Hernando après que l'hidalgo eut claqué la porte. Tout ce qu'il possédait, c'était un bon cheval. Où aurait-il pu aller ? Il n'avait nulle part ni personne, pas même sa propre mère ! Le duc ne l'autorisait pas à travailler, mais il l'envoyait en voyage dans l'intérêt du roi qui avait humilié et expulsé son peuple de Grenade. Il avait accepté de travailler pour l'évêché. « Continue avec le martyrologe », lui avait conseillé Castillo lors d'une réunion. « Nous devons avoir l'air plus chrétien que les chrétiens », avait-il ensuite ajouté. La même recommandation que lui avait faite un jour Abbas ! Que valait la vie de quelqu'un qui feignait toujours d'être ce qu'il n'était pas ? Quel était son objectif ? Se laisser vivre confortablement grâce à la générosité du duc, à l'instar de ses parents profiteurs ?

Dès qu'ils eurent mieux fait connaissance, don Pedro de Granada, Castillo et Luna lui avaient révélé leur nouveau plan : persuader les chrétiens de la bonté des musulmans qui vivaient en Espagne, afin de les faire changer d'avis sur les Maures. Luna était en train d'écrire un livre intitulé *La Véritable Histoire du roi Rodrigue*, à travers lequel, partant des récits extraits d'un manuscrit arabe imaginaire de la bibliothèque de l'Escorial, il racontait la conquête d'Espagne du point de vue des musulmans arrivés des Barbaresques comme une libération des chrétiens soumis à la tyrannie de ses rois goths. Après la conquête, huit siècles de paix et de cohabitation avaient régné entre les deux religions.

— Pourquoi cette cohabitation ne pourrait-elle se répéter maintenant ? avait lancé Luna sans attendre de réponse.

— Nous devons combattre l'image que les chrétiens ont des Maures, était intervenu don Pedro. Eux, leurs écrivains et leurs prêtres croient faussement que notre peuple est extrêmement fécond parce que les Mauresques se marient lorsqu'elles sont fillettes et ont beaucoup d'enfants. Ce n'est pas vrai ! Elles en ont autant que les chrétiennes. Ils disent que nos femmes sont adultères et couchent avec tout le monde. Que parce que les hommes maures ne sont pas recrutés par l'armée et n'entrent pas au service de l'Église, la population de nouveaux-chrétiens augmente démesurément et amasse de l'or, de l'argent et tout type de biens, ruinant le royaume. Faux ! Que nous sommes pervers et assassins. Que nous profanons en secret le nom de Dieu. Mensonges ! Mais à force d'être répétés, criés dans les sermons ou publiés dans les livres, les gens les croient. Nous devons lutter avec leurs propres armes et les convaincre du contraire.

— Ce n'est pas tout, avait alors renchéri Castillo. Quand un Arabe traverse le détroit pour venir vivre en Espagne et se convertir au christianisme, il est accueilli à bras ouverts. Personne ne soupçonne ces nouveaux convertis, alors que leurs intentions ne sont pas, loin s'en faut, de vouloir embrasser la religion des papes. Pourtant, depuis presque un siècle, on n'accorde pas les mêmes privilèges aux Maures baptisés. Nous devons faire changer ces concepts tellement enracinés dans cette société. Et pour cela nous avons besoin de personnes comme toi, cultivées, qui sachent lire, écrire, et qui nous accompagnent dans cette mission.

C'était l'histoire de sa vie depuis Juviles, quand les siens lui confiaient, enfant, leurs marchandises et leur bétail pour éviter la dîme, parce qu'il savait écrire et compter. La même chose s'était passée à Cordoue. Et à quoi lui servait tout cela ? Convaincre les chrétiens lui paraissait un projet aussi insensé que d'essayer de les écraser par une nouvelle révolte armée.

Il lâcha la plume qu'il avait toujours à la main sur la feuille blanche.

— Oui, don Sancho, murmura-t-il en direction de la porte fermée du bureau. Cela vaut probablement la peine de risquer une vie absurde, ne fût-ce que pour un seul moment de plaisir avec une femme comme celle-là.

Dans tous les cas, songea-t-il, il devait désormais être prudent.

Ce soir-là, après le dîner, don Ponce de Hervás se retira dans son bureau pour travailler. Peu après, un domestique qui espérait gagner un peu d'argent en échange d'une information capitale pour son seigneur frappa timidement à sa porte. Le juge écouta les bégaiements de l'homme, le visage identique à celui qu'il adoptait à la chancellerie face aux parties plaidantes : impassible.

— Tu es sûr de ce que tu avances ? lui demanda le magistrat, une fois qu'il eut terminé sa délation.

— Non, Excellence. Je vous répète seulement ce qu'on dit dans les cuisines, au jardin, dans les chambres de service ou les écuries de Votre Excellence, mais je ne peux rien vous garantir. Malgré tout, je croyais que cela vous intéresserait.

Don Ponce le renvoya avec sa récompense et la mission de continuer à l'informer. Puis il froissa avec violence la feuille sur laquelle il écrivait. Les mains crispées, il se mit à trembler convulsivement, assis à l'endroit même où Hernando, quelques heures plus tôt, avait choisi de risquer sa vie pour atteindre l'extase avec Isabel. Toutefois, habitué à prendre des décisions, le juge refoula sa rage et l'impulsion qui le poussait à se lever, à aller tabasser sa femme dans sa chambre et à tuer le Maure.

Le silence de la nuit envahit la villa, tandis que don Ponce se martyrisait en imaginant Isabel entre les bras du Maure. « Ils cherchent le plaisir, lui avait raconté le domestique. Non… ils ne forniquent pas », était-il parvenu à articuler ensuite, courbé devant le magistrat, les doigts de la main si tendus qu'ils en étaient tout blancs. Pute ! marmonna don Ponce dans la nuit. Comme une vulgaire prostituée de bordel ! Il savait de quoi parlait le serviteur : le plaisir interdit qu'il recherchait lui-même lorsqu'il se rendait à la maison close. Pendant des heures il imagina Isabel comme la jeune fille blonde avec laquelle il jouissait dans un autre lit : obscène, maquillée à outrance et parfumée, exhibant son corps à ce chien de Maure qui l'embrassait et la caressait. Au bordel il avait choisi cette fille pour sa ressemblance avec Isabel, et maintenant le Maure profitait du plaisir qu'il n'obtenait pas avec son épouse. Il songea à les tuer tous les deux.

À l'aube, le corps en sueur apaisé par la fraîcheur nocturne qui venait du jardin, don Ponce décida de ne pas adopter une mesure aussi drastique que l'exécution des amants. S'il tuait Isabel, il perdrait la dot importante que lui avait accordée los Vélez pour leur mariage, mais aussi, et c'était le plus important, son influence dans l'entourage du monarque et de ses divers conseils dont il ne voulait pas faire abstraction : compter sur la protection de quelques grands d'Espagne comme los Vélez lui convenait bien. Seuls les très riches, les très pauvres ou les fous pouvaient se permettre de tout perdre pour leur honneur. Il n'appartenait à aucune de ces catégories. Accuser d'adultère la protégée des marquis lui apparut alors comme un pari beaucoup trop risqué, sans parler de la honte. Toutefois, il n'était pas question non plus de laisser sa maison abriter le vice… Maudit Maure, fils de pute ! Il l'avait traité comme un hidalgo, avait organisé une fête en son honneur… Et il était impossible qu'il se venge de lui sans que cet acte légitime donne prise à de mordants commentaires. Aux yeux de tous, le Maure était un héros ! Le sauveur des chrétiens ! Le protégé du duc de Monterreal… Cette nuit-là, don Ponce ne put trouver le sommeil, mais au matin sa décision était prise : Isabel ne quitterait plus sa chambre. Le juge prétendit qu'elle était alitée, souffrante. La jeune femme resta donc recluse jusqu'au moment où, le matin même, appelée en urgence, se présenta à la villa doña Angela, cousine de don Ponce, veuve austère, sèche et patibulaire, qui, dès qu'elle eut franchi la porte, se chargea de la surveillance d'Isabel.

Après une brève conversation avec le juge, doña Angela se mit au travail : la jeune camériste d'Isabel disparut dans la journée. Quelqu'un raconta ensuite l'avoir vue dans les geôles de la chancellerie, accusée de vol. L'après-midi, sous prétexte qu'elle lui avait manqué de respect, la veuve ordonna le fouet pour la domestique qui avait exigé des plaisirs d'un esclave maure. Et qu'un autre serviteur soit privé d'une partie de son salaire car il ne travaillait pas de manière satisfaisante.

Une seule journée suffit pour que tous les domestiques comprennent le message clair du magistrat et de sa cousine. Ils étaient impuissants : la loi établissait que, à moins d'être expressément congédié, aucun d'entre eux, sous peine de vingt jours d'emprisonnement et d'un an d'exil, ne pouvait quitter la villa sans l'autorisation de don Ponce pour servir dans une autre maison de Grenade ou de ses environs. Celui qui le faisait, qui s'en allait sans le consentement du juge, n'avait plus qu'à émigrer ou à trouver une place de journalier. Et, à la vérité, dans la maison du magistrat, on ne manquait jamais de nourriture.

Mais les serviteurs ne furent pas les seuls à subir le caractère rébarbatif de la cousine de don Ponce : don Sancho et Hernando ne purent ignorer non plus le bouleversement. Doña Angela s'arrangea afin que toutes ses décisions soient suffisamment publiques pour être perçues du Maure. En fin d'après-midi, juste avant le coucher du soleil, elle ordonna à Isabel de quitter sa chambre, vêtue de noir, tout comme elle, et la promena dans les jardins de la villa aux yeux de tous, mais principalement d'Hernando, lui annonçant ainsi qu'il ne pourrait jamais plus s'approcher de la jeune femme en privé.

Lorsque, à l'instar d'Hernando, don Sancho vit Isabel sous la stricte vigilance de doña Angela, il comprit que l'affaire était arrivée aux oreilles du juge. Par deux fois il avait croisé don Ponce dans la villa et celui-ci non seulement n'avait pas eu la courtoisie de répondre à son salut, mais il avait détourné le visage. Don Sancho n'attendit pas une minute de plus pour affronter Hernando.

— Nous partirons demain matin, sans discussion, lui ordonna-t-il.

Hernando restait pensif.

— Tu ne comprends pas ? cria l'hidalgo. Que crois-tu ?

Pour le peu de respect ou… quel que soit le sentiment que tu éprouves pour cette femme, tu dois t'éloigner d'elle. Tu ne la reverras plus en tête à tête. Ne te rends-tu pas compte ? Le juge a tout découvert et il a pris des mesures.

Le noble laissa passer quelques instants.

— Si ta vie ne semble guère t'importer, reprit-il ensuite, pense qu'en persistant dans ce comportement, tu brises celle d'Isabel.

Hernando se surprit à acquiescer au discours de son compagnon. Comme sa détermination avait peu duré ! Mais l'hidalgo avait raison. Comment pourrait-il encore s'approcher d'Isabel ? Sa silhouette, vêtue de noir et déambulant tête basse dans les jardins cet après-midi, contrastant avec le port altier et défiant de doña Angela, l'avait convaincu. De plus, si les rumeurs étaient parvenues aux oreilles du juge… C'était de la folie !

— D'accord, céda-t-il. Nous partirons demain matin.

Cette nuit-là, Hernando commença à préparer ses affaires pour le voyage. Parmi ses habits, il retrouva ceux que le juge lui avait achetés pour la fête ; le soir où il les avait portés, Isabel… Cela avait été une erreur, tenta-t-il de se persuader. De quel droit pouvait-il, comme le disait don Sancho, briser la vie d'une femme digne ? Certes, il sentait qu'elle le désirait, chaque fois davantage, mais peut-être en effet avait-il abusé d'un être qui lui devait sa gratitude. Il regarda autour de lui ; oubliait-il quelque chose ? Et ces vêtements-là ? Il les attrapa et les jeta par terre, loin de lui, dans un coin de l'alcôve. C'était faux, il n'avait pas profité de l'ingénuité d'Isabel, ainsi que le lui reprochait don Sancho ! C'était elle qui s'était collée contre lui pendant le feu d'artifice et lui avait pris la main. Dans tous les cas, ça ne changeait rien : il rentrerait à Cordoue.

Hernando se laissa tomber dans un fauteuil orné de fils d'argent. Son regard se perdit sur l'Alhambra et le jeu de lumières dorées et d'ombres qu'arrachaient aux pierres les torches et la lune. Il était plus de minuit. La villa était silencieuse ; l'Albaicín était silencieux ; tout Grenade semblait l'être ! Une brise capricieuse rafraîchissait l'atmosphère et parvenait à faire oublier la chaleur suffocante de la journée. Hernando s'abandonna, ferma les yeux et respira profondément.

— Ce sera la première fois que la lune nous accompagnera.

Il sursauta. Isabel, dans une simple chemise de nuit, se trouvait sur la terrasse, belle, sensuelle, l'Alhambra se découpant derrière elle.

— Que fais-tu ici… ? Et ton mari ?

Hernando se leva du fauteuil.

— Je l'ai entendu ronfler de ma chambre. Et doña Angela s'est retirée depuis longtemps.

Toujours sur la terrasse, Isabel fit glisser de ses épaules sa chemise et apparut entièrement nue. Hernando la contempla : intrépide, fière, l'invitant à jouir d'elle. Il en resta paralysé. Même la lune, avec ses reflets, paraissait caresser ce corps splendide !

— Isabel… murmura le Maure, sans pouvoir quitter des yeux ses seins, ses hanches, son ventre, son pubis…

— Tu pars demain, m'a dit Ponce. Il ne nous reste que cette nuit.

Hernando s'avança vers elle et tendit la main pour la faire entrer dans sa chambre. Il ramassa sa chemise et ferma les portes de la terrasse. Puis il se tourna vers elle et voulut lui dire quelque chose, mais la jeune femme posa ses doigts sur ses lèvres pour l'en empêcher. Elle l'embrassa, doucement. Il la caressa. Isabel prit ses mains et les écarta de son corps.

— Laisse-moi faire, le supplia-t-elle.

C'était leur dernière nuit ! Elle commença à dégrafer

sa chemise. Elle voulait prendre l'initiative, elle ! Elle désirait ce plaisir que lui avait tant promis Hernando. Elle se surprit à remarquer la fermeté de ses propres mains lorsqu'elles caressèrent les épaules du Maure pour faire glisser sa chemise dans son dos. Puis elle embrassa son torse et dirigea les doigts vers ses chausses. Elle hésita un instant et s'agenouilla devant lui.

Hernando soupira.

Isabel l'embrassa, le lécha, puis ils avancèrent vers le lit. Pendant un long moment, la douce lumière d'une simple lampe éclaira les silhouettes d'un homme et d'une femme, brillants de sueur, qui se parlaient par murmures tout en s'embrassant, se caressant et se mordant sans hâte. C'est Isabel qui lui demanda de la pénétrer, comme si elle était prête, comme si elle avait enfin compris le sens de toutes ces paroles qu'Hernando lui avait tant de fois répétées. Et ils ne firent plus qu'un seul corps. Les gémissements assourdis d'Isabel augmentèrent. Hernando les fit taire d'un long baiser, sans cesser d'aller et venir en elle. Et il sentit à l'intérieur de la jeune femme, étouffée par ses baisers, un hurlement guttural qu'Isabel, en extase, n'aurait jamais imaginé laisser surgir de ses entrailles, et qui se confondit avec son propre orgasme. Ensuite, longtemps, ils restèrent immobiles, rassasiés, l'un sur l'autre, unis, silencieux.

— Je pars demain, dit finalement Hernando.

— Je sais.

Le silence s'imposa de nouveau entre eux. Puis Isabel fit un discret mouvement de la tête et s'écarta d'Hernando.

— Isabel…

— Tais-toi, le supplia la jeune femme. Je dois retourner à ma vie. Deux fois tu es entré en elle et deux fois j'ai ressuscité. Je dois partir.

Assise, Isabel caressa le visage d'Hernando du revers de la main.

— Mais…

Elle posa une fois de plus ses doigts sur ses lèvres, lui implorant le silence.

— Que Dieu soit avec toi, chuchota-t-elle en retenant ses larmes.

Puis elle quitta la chambre sans se retourner.

Hernando ne voulut pas la voir partir et resta allongé sur le lit, le regard perdu sur le plafond à caissons. À la fin, appelé par la nuit grenadine, il se leva et se rendit sur la terrasse, où il se perdit une fois de plus dans la contemplation de l'Alhambra. Pourquoi n'insistait-il pas ? Pourquoi ne courait-il pas après elle en lui promettant un bonheur éternel ? Malgré le danger et les avertissements de don Sancho, il avait risqué sa vie pour cette femme. Le simple fait de prendre du plaisir avec elle était-il suffisant ? Était-ce de l'amour ? se demanda-t-il, troublé et agité. Le temps s'écoula avant que la splendide forteresse rouge qui s'ouvrait de l'autre côté de la vallée du Darro ne semble lui répondre : là-bas, il y avait longtemps, dans les jardins du Generalife, il avait rêvé de danser avec Fatima. Fatima ! Non ! Ce n'était pas de l'amour qu'il ressentait pour Isabel. Les grands yeux noirs fendus de son épouse lui ramenèrent le souvenir de leurs nuits d'amour. Où était cet esprit repu, de félicité absolue, de milliers de promesses silencieuses, par lequel elles s'achevaient toutes ?

Hernando consacra le peu de temps qui lui restait jusqu'au matin à terminer les préparatifs de son départ. Puis il descendit aux écuries, à la surprise du valet, qui n'avait pas encore retiré le fumier des litières des chevaux.

— Nettoie et harnache Volador, lui ordonna-t-il. Ensuite, prépare aussi le cheval de don Sancho et les mules. Nous partons.

Il se dirigea vers la cuisine, où il affola les domestiques qui s'étiraient et prenaient leur petit déjeuner. Il saisit un morceau de pain dur et mordit dedans.

— Prévenez don Sancho que nous rentrons à Cordoue, dit-il à l'un d'eux. Soyez prêts quand je reviens. Je dois aller à la cathédrale.

Il descendit de l'Albaicín. Grenade se réveillait et les gens commençaient à sortir ; Hernando chevauchait, altier, sans regarder rien ni personne. Dans la cathédrale, il ne trouva pas le notaire, mais un prêtre qui l'assistait et le reçut de mauvaise grâce. Il avait besoin d'une cédule pour rentrer à Cordoue et pouvoir se déplacer dans les royaumes, comme celle fournie en son temps par l'évêché de Cordoue afin qu'il puisse déambuler dans la ville.

— Informez le notaire que je dois rentrer à Cordoue, dit Hernando au prêtre après un froid salut dont il se serait passé, et qu'il m'est difficile de travailler ici à Grenade, dans un lieu si mêlé aux événements que je dois raconter. Je lui apporterai moi-même mon rapport et tous ceux qui pourraient intéresser le doyen ou l'archevêque. Dites-lui aussi qu'en tant que Maure j'aurai besoin d'une cédule de l'évêché, ou de qui que ce soit, qui m'autorise à me déplacer librement sur les routes. Qu'il me la fasse parvenir à Cordoue, au palais du duc de Monterreal.

— Une autorisation… tenta de s'opposer l'ecclésiastique.

— Oui. Sans cela, pas de rapport. Vous avez compris ? Je ne vous demande pas d'argent pour mon travail.

— Mais…

— Ne me suis-je pas exprimé clairement ?

Il lui restait encore une chose à faire avant d'entreprendre son voyage de retour. Les Grenadins avaient envahi les rues et le quartier des marchands de soie, près de la cathédrale, attirait des flots de personnes intéressées par l'achat ou la vente de tissus précieux ou ordinaires. Don Pedro de Granada serait levé, pensa Hernando.

Le noble le reçut seul, dans la salle à manger où il dévorait un chapon.

— Qu'est-ce qui t'amène si tôt par ici ? Assieds-toi et

accompagne-moi, l'invita-t-il en faisant un geste en direction des autres plats posés sur la table.

— Merci, Pedro, mais je n'ai pas faim, répondit-il en s'asseyant près du noble. Je rentre à Cordoue, et auparavant il faut que je te parle.

Hernando désigna du regard les deux domestiques qui servaient à table. Don Pedro leur ordonna de quitter la pièce.

— Je t'écoute.

— J'ai besoin que tu me rendes un service. J'ai eu un différend avec don Ponce.

Don Pedro arrêta de manger et acquiesça, comme s'il n'était pas surpris.

— Comme tous les petits magistrats, c'est un homme retors, affirma-t-il.

— Je crains qu'il ne cherche à se venger de moi.

— L'affaire est si grave ?

Hernando hocha la tête.

— Mauvais ennemi, conclut l'aristocrate.

— J'aimerais que tu sois au courant de ce qu'il fait, de ce qu'il dit à mon sujet, et que tu me tiennes informé. Il pourrait essayer de me nuire auprès du conseil de la cathédrale. J'ai pensé que tu devais le savoir.

Le seigneur de Campotéjar posa les coudes sur la table, puis le menton sur ses mains, les doigts croisés.

— Je serai attentif. Ne t'en fais pas, promit-il. Puis-je connaître la cause du problème ?

— Elle n'est pas difficile à imaginer… quand on vit sous le même toit qu'une beauté comme l'épouse du juge.

Le noble flanqua un coup de poing sur la table, renversant deux verres de vin. Alors qu'il en assénait un second, don Pedro éclata de rire. Les serviteurs entrèrent, étonnés, mais l'aristocrate les renvoya entre deux hoquets.

— Cette femme était aussi imprenable que l'Alhambra ! Combien ont essayé, sans succès ! Moi-même…

— Je te supplie d'être discret, le coupa Hernando pour

le calmer, tout en se demandant s'il avait bien fait de lui raconter ses amours.

— Bien sûr. Enfin quelqu'un a remis le juge à sa place, rit-il de nouveau, en le touchant à l'endroit le plus douloureux. Sais-tu qu'une grande partie de la fortune de don Ponce provient des spoliations qu'ont subies les Maures quand les greffes ont ressorti d'anciens procès et exigé d'eux les titres de propriété des terres qui leur appartenaient depuis des siècles ? Son père travaillait alors comme greffier à la chancellerie et, à l'instar de beaucoup d'autres, il en a profité. Désormais il a de l'argent et brigue le pouvoir à travers la protégée de los Vélez. Un scandale de ce type ne l'arrange pas.

— Je ne t'attirerai pas d'ennuis ?

Le visage de don Pedro s'altéra.

— Nous en avons tous, n'est-ce pas ?

— Oui, confirma Hernando.

— Tu resteras en contact avec nous ?

— N'aie aucun doute là-dessus.

50.

« Quelles reliques désirez-vous, en plus de celles que vous avez dans ces montagnes ? Prenez une poignée de terre, pressez-la et le sang des martyrs coulera. »

Le pape Pie IV à l'archevêque de Grenade,
Pedro Guerrero, qui sollicitait
des reliques pour la ville

Quand il rentra de Grenade, Hernando gardait encore l'espoir que la communauté maure de Cordoue ait adouci sa position à son égard. Mais cet espoir s'évanouit aussitôt : grâce à la lettre envoyée par le juge à don Alfonso, la nouvelle de sa participation à l'étude des martyrs chrétiens des Alpujarras l'avait précédé. La sollicitude de l'archevêque avait été commentée parmi la cour de gens entretenus par le duc, et elle était rapidement parvenue aux oreilles d'Abbas par l'entremise des esclaves maures du palais.

Quelques jours après son retour, cédant à l'insistance d'Hernando, sa mère consentit à lui parler. Il la trouva vieillie et abattue.

— Tu es l'homme, déclara-t-elle sur un ton inexpressif lorsque Hernando se présenta à la soierie. La loi exige que j'obéisse malgré moi.

Ils se retrouvèrent tous deux dans la rue, à quelques pas de la fabrique où travaillait Aisha.

— Mère, supplia Hernando, ce n'est pas ton obéissance que je recherche.

— C'est bien toi qui as fait augmenter mon salaire journalier, n'est-ce pas ? Le maître n'a pas voulu me donner d'explications.

Aisha fit un geste vers la porte. Hernando se retourna et vit le tisserand, qui le salua de loin et resta sur le seuil à les observer, comme s'il attendait son tour pour lui parler.

— Pourquoi ne pourrions-nous pas retrouver notre… ?

— J'ai cru comprendre que tu travaillais maintenant pour l'archevêque de Grenade, l'interrompit Aisha. C'est exact ?

Hernando tituba. Comment pouvait-on déjà le savoir ?

— On raconte qu'à présent tu te consacres à trahir la mémoire de tes frères des Alpujarras…

— Non ! protesta-t-il, le visage en feu.

— Tu travailles pour les papes, oui ou non ?

— Oui, mais ce n'est pas ce qu'on croit.

Hernando se tut. Don Pedro et les traducteurs avaient exigé le secret absolu autour de leur projet, et ils l'avaient fait jurer au nom d'Allah.

— Fais-moi confiance, mère, l'implora-t-il.

— Comment le pourrais-je ? Plus personne ne te fait confiance !

Tous deux demeurèrent silencieux. Hernando aurait voulu la prendre dans ses bras. Il tendit la main vers elle, mais Aisha s'écarta.

— Tu veux autre chose, mon fils ?

Pourquoi ne pas tout lui raconter ?

« Jamais à une femme ! s'était écrié don Pedro quand il avait évoqué auprès de lui la possibilité de se confier à sa mère. Elles parlent. Elles n'arrêtent pas de piailler sans retenue. Même ta mère. » Il l'avait ensuite obligé à prêter serment.

— La paix soit avec toi, mère, dit-il finalement en retirant sa main.

La gorge nouée, il la regarda s'éloigner dans la rue, très

lentement. Puis il toussota et se dirigea vers l'endroit où l'attendait le maître tisserand. Après les saluts de rigueur, celui-ci lui demanda de tenir sa promesse : la maison du duc devait lui acheter de la marchandise.

— Je t'ai promis d'intercéder pour que le duc s'intéresse à tes produits, lui répondit Hernando. Qu'il achète ou non ne dépend pas de moi.

— S'il vient, il achètera, affirma le maître en montrant l'intérieur de sa boutique.

Hernando jeta un coup d'œil : c'était un bon établissement. La lumière, comme l'obligeait la loi, entrait à flots par les fenêtres ouvertes, sans volets ni stores, afin que les acheteurs apprécient avec netteté la marchandise : les pièces de velours, satin ou damas étaient exposées au public sans aucune réclame ou ruse qui puisse induire en erreur.

— J'en suis certain, approuva Hernando. Je te remercie de ce que tu as fait pour ma mère. Dès que je verrai le duc…

— Ton seigneur, coupa le tisserand, peut mettre des mois à revenir à Cordoue.

— Ce n'est pas mon seigneur.

— Parle avec la duchesse alors.

L'expression d'Hernando fut assez éloquente pour que le maître fronce les sourcils.

— Nous avons fait un marché. J'ai tenu parole. À ton tour.

— Je le ferai.

Il n'avait pas le choix, se dit-il dès qu'il tourna le dos au tisserand. Sa mère n'accepterait pas un seul réal de sa poche. Et il ne pouvait pas consentir à la laisser vivre dans la misère alors qu'il disposait d'une rente considérable. Elle était la seule personne qui lui restait, même si elle le repoussait. Un jour il pourrait lui dire la vérité, tenta-t-il de se réconforter tandis qu'il passait devant les bancs de pierre adossés au mur aveugle du couvent de San Pablo.

Le cadavre d'une jeune femme trouvé dans les champs par les frères de la Miséricorde, entouré par un groupe de gamins qui le contemplaient bouche bée, lui rappela l'époque où jour après jour il venait là, le souffle coupé, redoutant de voir exposé au public le corps de Fatima ou d'un de ses enfants.

Fatima était revenue à sa mémoire avec une force inaccoutumée. Quelques jours plus tôt, lorsqu'il avait quitté Grenade, Hernando avait fait une halte dans la vega et s'était retourné pour contempler la ville des rois nasrides. Isabel restait là-bas. Cependant, les nuages qui se dessinaient au-dessus de la montagne, avec leurs formes et couleurs capricieuses où les anciens avaient puisé tant de prédictions, lui avaient montré le visage de Fatima.

Quelqu'un, peut-être don Sancho, avait fait du bruit dans son dos, afin d'attirer son attention pour qu'ils reprennent leur chemin ; l'hidalgo se montrait sec et distant avec lui. Hernando n'avait pas bougé. Ses yeux étaient rivés à ce nuage qui semblait lui sourire.

— Allez-y. Je vous rejoindrai, avait-il dit.

Trois ans avaient passé depuis qu'Ubaid avait assassiné Fatima et les enfants, avait songé Hernando. Il venait de connaître une autre femme, avec laquelle il avait essayé d'atteindre ce ciel qui s'étendait au-dessus des nuages, mais c'était Fatima qui y apparaissait, comme si Isabel, dans cette Grenade qu'il aurait presque pu toucher, l'avait libéré et lui avait permis d'ouvrir les vannes d'un sentiment qu'il gardait enfermé en lui. Trois ans. À cette vision céleste, Hernando n'avait pas pleuré comme il l'avait fait après la mort de son épouse ; ni les larmes ni la douleur n'avaient enseveli le rire de Fatima, les douces paroles d'Inés ou les yeux bleus coupables de Francisco. Il avait regardé le nuage et suivi son parcours jusqu'à un autre nuage. Il avait ensuite tapoté le cou de son cheval et l'avait obligé à se retourner. L'hidalgo et les domestiques s'étaient éloignés. Il avait failli éperonner Volador pour les rejoindre, mais il avait finalement préféré les suivre de loin, au pas.

Le valet de chambre du duc de Monterreal s'appelait José Caro et avait près de quarante ans, dix de plus qu'Hernando. C'était un homme tiré à quatre épingles, sérieux, et qui remplissait scrupuleusement sa tâche, comme il seyait à quelqu'un qui, enfant, avait déjà servi de page au père de don Alfonso. Le valet de chambre, situé dans la hiérarchie au-dessous du chapelain et du secrétaire, était chargé de veiller à la garde-robe, accessoires et autres effets personnels du duc, en plus de tout ce qui correspondait à l'ornementation et à l'entretien du palais. José Caro était la personne qu'Hernando devait persuader de s'intéresser aux soies du maître tisserand, mais depuis trois ans qu'il vivait au palais il n'avait pas échangé plus de douze mots avec lui.

Un soir, Hernando l'aperçut dans un des salons, impeccablement vêtu de sa livrée. Il surveillait un charpentier qui réparait un buffet abîmé. À ses côtés, une jeune domestique balayait la sciure des copeaux avant même qu'elle atteigne le sol.

Hernando s'arrêta à l'entrée du salon. « J'ai besoin que vous alliez acheter de la marchandise dans la boutique du maître Juan Marco… » s'imagina-t-il lui dire. « J'ai besoin ? J'aimerais…, je vous prie… » Pourquoi ? Que lui répondrait-il si le valet posait cette question ? Et il la poserait certainement. « Parce que je suis un ami du duc, pourrait-il répondre. Je lui ai sauvé la vie. » Il serait alors obligé de répéter cet argument devant doña Lucía. Immédiatement, il écarta cette éventualité. Don Sancho lui avait appris plein de choses, mais il n'était jamais parvenu à lui donner une leçon sur la façon de s'adresser aux domestiques avec cette autorité naturelle qu'ils avaient tous. Il avait d'ailleurs songé demander conseil à l'hidalgo, mais celui-ci ne lui parlait plus depuis l'affaire d'Isabel.

Soudain, il se sentit observé. Le regard du valet de chambre était fixé sur lui. Depuis combien de temps se tenait-il immobile sur le seuil de la porte ?

— Bonjour, José, le salua-t-il en ébauchant un sourire.

La jeune domestique arrêta de balayer et se retourna avec étonnement. Le valet de chambre lui répondit d'un léger hochement de tête et reporta aussitôt toute son attention sur le maître charpentier.

La surprise qui s'était reflétée sur le visage de la jeune fille troubla Hernando. Il différa son projet. En vérité, il avait été peu expansif à l'égard des employés du palais durant les trois années passées. Il fit demi-tour et lambina dans les patios de la résidence jusqu'au moment où il vit passer la servante.

— Approche, lui demanda-t-il en fouillant dans sa bourse. Tiens !

Il lui donna une pièce de deux réaux. La domestique accepta l'argent avec méfiance.

— Je veux que tu surveilles le valet de chambre et que tu me préviennes quand il sort du palais le soir. Tu m'as compris ?

— Oui, don Hernando.

— Il sort le soir ?

— Seulement quand Son Excellence n'est pas là.

— Bien. Tu auras une autre pièce la prochaine fois. Tu me trouveras dans la bibliothèque, après le dîner.

La jeune fille acquiesça, elle le savait déjà.

Hernando allait chevaucher tous les jours. Il s'arrangeait pour se lever tôt, avant les hidalgos qui ne le faisaient pas avant le milieu de la matinée, mais surtout afin d'éviter ainsi doña Lucía. Il était certain que don Sancho avait raconté à la duchesse ses amours avec Isabel, puisque le mépris qu'elle lui témoignait avait laissé place à une haine qu'elle ne pouvait plus cacher. Les rares fois où ils s'étaient croisés dans le palais, doña Lucía avait tourné la tête, et aux heures des repas Hernando était assis en bout de table, d'où il pouvait à peine accéder aux aliments. Les hidalgos souriaient en voyant les efforts qu'il devait produire pour pouvoir manger.

Il prenait donc un abondant petit déjeuner et sortait de Cordoue se perdre dans les pâturages et profiter de la matinée. Souvent il passait des heures parmi les taureaux, à distance, sans les appeler ni les toréer. Le souvenir d'Azirat s'élançant sur les cornes de l'un d'eux le hantait ; il n'allait pas non plus voir les nobles toréer en ville. Quelquefois il croisait les écuyers des écuries royales et, avec une certaine nostalgie, il les regardait batailler contre les poulains de l'année. Après le repas, il s'enfermait dans la bibliothèque, où il avait pas mal d'occupations. L'une d'elles était de retranscrire l'évangile de Barnabé, qu'il avait récupéré chez Arbasia ; un jour il serait probablement forcé de partager cette découverte, et il n'était pas disposé à confier le manuscrit original. Il avait lu ses chapitres et ses préceptes en arabe, mais c'était seulement en les transcrivant qu'il comprenait leur véritable signification. Dans l'Annonciation, l'ange Gabriel ne dit pas à Marie qu'elle donnera naissance à un être divin, mais à quelqu'un qui indiquera le chemin. Vers où ? s'était demandé Hernando en s'arrêtant d'écrire. Vers qui ? Le véritable Prophète, s'était-il lui-même répondu. À l'instar des musulmans, Jésus et sa mère ne pouvaient pas boire de vin ni manger de choses immondes, et les anges n'avaient pas annoncé aux bergers la naissance du Sauveur, mais celle d'un Prophète de plus. À l'encontre des récits des évangiles postérieurs, Barnabé affirmait que Jésus-Christ en personne, qu'il avait connu personnellement, ne s'était jamais appelé lui-même Dieu ou fils de Dieu, ni même Messie. Il se considérait comme un nouvel envoyé de Dieu qui annonçait la venue du véritable Prophète : Mahomet.

Une autre tâche d'Hernando consistait à préparer le mémoire autour des événements survenus à Juviles pour l'archevêque de Grenade, qui lui avait rappelé sa promesse en lui faisant parvenir la cédule spéciale à son nom. Hernando n'avait nullement l'intention de trahir son peuple, en dépit de ce que pensaient Abbas, ses compagnons et même sa mère. C'était un Maure, El Zaguer, avait-il écrit, qui avait empêché l'exécution de tous les chrétiens du peuple ; de plus, le vrai massacre qui s'était produit à Juviles avait été celui de plus de mille femmes et enfants maures aux mains des soldats chrétiens, avait-il ajouté, se souvenant avec douleur comme il avait cherché désespérément sa mère et sauvé par hasard Fatima et son petit Humam, entre les éclairs et la fumée des arquebuses dans l'obscurité de la place du village.

Entre ces deux activités, tenant parole, il collaborait avec Castillo, communiquant avec lui par l'intermédiaire de l'immense réseau de muletiers maures, pour le livre sur don Rodrigue, le roi goth, que préparait Luna. Sa contribution consistait à fournir des renseignements sur la cohabitation entre chrétiens et musulmans dans la Cordoue des califes. Il s'agissait de démontrer qu'à l'époque où les musulmans avaient gouverné, les chrétiens, appelés alors mozarabes, avaient pu vivre sur leurs terres et, c'était le plus important, pratiquer leur foi dans une certaine tolérance. Hernando avait vérifié : les mozarabes avaient conservé leurs églises et leurs temples, leur organisation ecclésiastique et même leur justice. À l'inverse, combien de mosquées étaient encore debout sur les terres du Roi Prudent ? Les mozarabes n'avaient pas été obligés de se convertir ; les Maures, si.

Il apporta des informations sur les églises de San Acisclo et San Zoilo, San Fausto, San Cipriano, San Ginés et Santa Eulalia ; toutes étaient restées debout, à l'intérieur de la ville de Cordoue, pendant l'occupation musulmane. Et il se garda de parler de la situation de soumission dans laquelle s'étaient retrouvés les mozarabes – qui au moins avaient pu conserver leurs croyances, argumenta-t-il pour lui-même – à la terrible époque du vizir Almanzor.

Lorsqu'il était fatigué de toutes ces tâches et désirait se détendre, il se consacrait à l'art de la calligraphie. Le traité qu'il avait trouvé dans le coffret avec l'évangile était une copie de *Typologie des scribes*, écrite par Ibn Muqla, le plus grand de tous ceux qui furent au service des califes de Bagdad. Alors, dans l'écriture, il recherchait la perfection du trait et se plongeait dans un état de spiritualité qu'il ne pouvait atteindre qu'au moment de la prière.

— Tu as offensé Dieu avec tes images de la parole sacrée, se reprocha-t-il un jour dans le silence de la bibliothèque, conscient de l'imperfection de son écriture et de l'absence de magie dans les caractères qu'au lieu de dessiner il griffonnait sur les exemplaires du Coran qu'il copiait.

Il fallait qu'il déniche des plumes et apprenne à tailler leur pointe, longue et légèrement courbée vers la droite, comme l'indiquait Ibn Muqla ; les plumes chrétiennes n'étaient pas assez bonnes pour servir Dieu. Il n'aurait aucun mal à trouver des roseaux, pensa-t-il.

Toutefois, il devait aussi cacher son travail chaque fois plus prolifique, ce qui l'obligeait à de fréquentes visites dans la tour du minaret. Il profitait de l'obscurité, craignant d'être vu, conscient que la moindre faute d'inattention pourrait entraîner des conséquences fatales. Dans la cavité du mur de la tour, à l'intérieur du coffret qu'il avait découvert, il avait caché la main de Fatima, qu'il avait sortie de la tapisserie lorsqu'il était tombé sur cette cachette avec l'évangile et sa copie. Quant à ses essais calligraphiques, il les brûlait pour qu'il n'en reste pas une trace. Il ne laissait sur le bureau que le mémoire pour le conseil de Grenade, qui ne tarda pas à être inspecté. Un jour, le chapelain du palais le rejoignit à l'heure du déjeuner, fort intéressé par l'opinion d'Hernando, si contraire à la cause des martyrs des Alpujarras.

— Comment oses-tu comparer un malheur, le résultat d'un malentendu qui a causé la mort de quelques Mauresques sur la place du village de Juviles, à l'assassinat vil et prémédité de chrétiens ? lui demanda-t-il un jour avec impudence.

— Je vois que vous espionnez mon travail.

Hernando continua de manger. Il ne se retourna même pas vers le prêtre.

— Travailler pour Dieu exige tout type d'effort. Le marquis de Mondéjar a déploré, déjà, ces assassinats, insista le chapelain. Il a rendu justice.

— El Zaguer a fait davantage que le marquis, argumenta Hernando. Il a évité les meurtres, empêché la mort des chrétiens de Juviles.

— Mais elle a eu lieu illégalement.

— Vous voulez comparer ? questionna le Maure avec audace.

— Ce n'est pas à toi de le faire.

— Ni à vous, répliqua Hernando. Mais à l'archevêque.

Un soir, alors qu'il terminait son travail sur le mémoire, la servante se présenta dans la bibliothèque.

— Le valet de chambre de Son Excellence vient de sortir du palais, annonça-t-elle sur le seuil de la porte.

Hernando rassembla ses feuilles, se leva du bureau, chercha la pièce promise et la lui remit.

— Porte ces documents dans ma chambre, dit-il en lui tendant le mémoire. Et merci, ajouta-t-il.

La jeune fille lui adressa un sourire timide. Hernando remarqua qu'elle avait un joli visage.

— Tu as une idée de ce qu'il fait, où il va ? demanda-t-il alors.

— On dit qu'il aime bien jouer aux cartes.

— Merci encore.

Il se hâta vers la sortie. Lorsqu'il traversa le patio, sur lequel donnait le salon préféré de la duchesse, il entendit un hidalgo qui lisait à voix haute pour les autres. Il s'arrangea pour aller vite et ne pas être vu. Dans l'ombre des galeries latérales, il sortit. C'était une nuit fraîche d'automne, et il n'avait pas eu le temps de prendre une cape. Il n'avait pas mis les pieds dans un tripot depuis plus de dix ans et ne voulait pas perdre le valet de chambre dans l'obscurité des rues cordouanes. Existaient-ils encore ceux pour lesquels il avait travaillé comme rabatteur, et où il conduisait des pigeons prêts à être plumés ? Dans tous les cas, le domestique avait dû se diriger vers les quartiers de la Corredera ou du Potro ; pour cela il fallait franchir les anciens remparts arabes qui séparaient la médina de la Ajerquía, et il y avait seulement deux chemins : par la porte du Salvador ou par celle de Corbache. Hernando opta pour la première. Il eut de la chance et aperçut la silhouette du valet de chambre au moment où celui-ci était abordé par les pauvres qui se réfugiaient sous l'arc royal pour y passer la nuit. À la lumière des bougies qui éclairaient en permanence un ecce homo placé sous l'arc, dans une niche fermée, il distingua José Caro entouré d'un groupe qui lui demandait l'aumône tout en l'empêchant de passer. Il prépara une maille, et une fois que le domestique réussit à se débarrasser des mendiants afin de poursuivre son chemin vers la porte du Salvador, il avança à son tour vers l'arc royal.

Il eut droit au même assaut. Hernando leva la pièce en l'air et la jeta derrière lui. Pendant que quatre mendiants s'élançaient sur la maille, il put facilement se dégager des deux derniers qui imploraient une autre pièce.

José Caro avait pris la direction du quartier del Potro. Où sinon ? songea Hernando, qui le suivait à une certaine distance, écoutant ses pas dans l'obscurité ou entrevoyant sa silhouette dans l'ombre quand le valet passait devant un autel éclairé. Il faillit perdre sa piste lorsqu'il se retrouva parmi la foule, l'agitation et la vie qui débordaient de la place. Depuis combien de temps n'avait-il pas passé une soirée sur la plaza del Potro ? Il chercha le valet de chambre. Il fit un pas, mais un jeune garçon s'interposa sur son chemin.

— Votre Excellence cherche une maison de jeu où gagner pas mal d'argent ? Je peux vous indiquer la meilleure…

Hernando sourit.

— Tu vois cet homme ? le coupa-t-il en lui montrant le domestique qui tournait dans la calle de Badanas.

Le garçon hocha la tête.

— Si tu me dis où il va, je te donnerai une pièce.

— De combien ?

— Il va t'échapper, le prévint le Maure.

Le garçon partit en courant et Hernando se laissa emporter par ses souvenirs : la maison close et Hamid ; Juan le muletier ; Fatima brisée, crachant la soupe qu'Aisha essayait de lui introduire dans la bouche ; lui-même courant après les clients des tripots…

— Il est entré chez Pablo Coca. Mais je peux vous emmener dans un meilleur endroit ; dans celui-ci ils ne sont pas très honnêtes…

Les paroles du garçon le ramenèrent à la réalité.

— Parce qu'il y a des tripots honnêtes ? ironisa-t-il.

Il ne connaissait pas celui de Coca ; à l'époque où il fréquentait le quartier, l'établissement n'existait pas.

— Bien sûr ! Je vous emmène…

— Ne te fatigue pas. Nous irons chez Pablo Coca.

— Nous ? interrogea le garçon étonné.

— Dans un moment. Tu me montreras où c'est. Alors je te paierai.

Ils attendirent. La rencontre devait avoir l'air d'être le fruit du hasard. Hernando paya le garçon, qui lui indiqua une entrée sombre et étroite. À la porte, Hernando donna deux écus en or aux vigiles, et il se glissa à l'intérieur d'un lieu aux dimensions considérables, dissimulé dans l'arrière-boutique d'un fabricant de brosses à carder. Près d'une cinquantaine de personnes, parmi lesquelles professionnels invétérés, tricheurs, curieux, croupiers et autres joueurs de cartes ou de dés s'accrochaient à plusieurs tables de jeu, courant de l'une à l'autre. Sans le brouhaha qui régnait dans le quartier del Potro, les cris à l'intérieur du local auraient réussi à traverser les murs de la chambre du corregidor de la ville en personne.

Il balaya la pièce du regard et aperçut le valet de chambre, installé à une table et déjà flanqué de curieux dans son dos. Était-il un joueur averti ou un pigeon ingénu qu'on laissait quelquefois gagner pour le plumer une fois qu'il avait plein d'argent ? Une jeune fille offrit un verre de vin à Hernando, qu'il accepta. La maison invitait, c'était convenu ; celui qui entrait avec des pièces d'or était autorisé à boire et à s'asseoir pour jouer. Il contourna les tables et s'intéressa aux différents jeux : dés, trente-et-quarante, *primera de Alemania* ou *andaboba*[1]. Il arriva à celle de José Caro et se plaça de l'autre côté. Il observa une partie de vingt-et-un. Hernando comprit rapidement que José Caro n'était qu'un pigeon. Derrière le valet de chambre du palais s'était posté un observateur, vêtu d'un pourpoint et d'un ceinturon où luisaient de petites pièces en métal poli, décoratives. Le tricheur en face de lui, qui servait de banque, jetait des coups d'œil aux miroirs du pourpoint et du ceinturon de son complice, où se reflétaient les points de José Caro. Hernando hocha négativement la tête, de façon quasi imperceptible ; tous les autres joueurs de la table étaient de mèche et chacun toucherait une récompense pour avoir aidé le professionnel à plumer le valet ! Le domestique découvrit son jeu, un as et une tête : vingt et un ! Il gagna une bonne main. Les autres voulaient le mettre en confiance.

— Si l'on m'avait dit que je te reverrais !

1. Jeux de cartes de l'époque, aujourd'hui disparus. *(N.d.T.)*

Hernando se retourna vers l'homme qui lui parlait et fronça les sourcils, s'efforçant de le reconnaître.

— Tu as disparu, et j'ai cru qu'il t'était arrivé malheur, mais on dirait que non. Te voilà de retour, habillé comme un noble et avec des pièces en or.

— Palomero !

Plusieurs joueurs de la table, y compris le valet de chambre, levèrent les yeux vers le nouveau venu qui traitait ainsi le patron du tripot. Pablo Coca lui fit signe d'éviter ce surnom.

— À présent je suis le chef, susurra-t-il. Je dois veiller à ma réputation.

— Pablo Coca, murmura Hernando pour lui-même.

Il n'avait jamais su le nom de ce jeune garçon, capable d'embobiner les plus indociles. Les joueurs reprirent leur partie. Intrigué par la présence du Maure, José Caro le regardait à la dérobée.

— Tu as une bonne maison, ajouta-t-il. Ça doit te coûter une sacrée somme en pots-de-vin aux magistrats et aux alguazils.

— Comme toujours, se mit à rire Pablo. Viens, laisse cette piquette. On va déguster un bon vin.

Hernando le suivit dans un coin reculé où, derrière un bureau rudimentaire, un homme, protégé par deux autres à la mine patibulaire et portant une arme à la ceinture, faisait les comptes. Pablo servit deux verres de vin et ils trinquèrent.

— Que fais-tu par ici ? lui demanda-t-il alors.

— Je voudrais obtenir une faveur du joueur de vingt-et-un… lui avoua Hernando sans détour.

— Le valet de chambre du duc ? l'interrompit Pablo. C'est une des oies les plus blanches parmi toutes celles qui viennent ici. Si tu ne te dépêches pas d'aller lui parler, ils vont lui prendre jusqu'à son dernier réal et il ne sera guère disposé aux faveurs.

Hernando observa la table. Le domestique était en train

de payer une mise à la banque. Un joueur discutait vivement de la partie et en vint aux poings avec un autre. Aussitôt, deux hommes s'élancèrent vers la table, les séparèrent et leur ordonnèrent de se calmer. Le Maure ne voulut pas penser combien, à ce moment même, il était éloigné de la loi musulmane, buvant de l'alcool dans une maison de jeu... Pourquoi était-il si difficile d'être fidèle à ses croyances ?

— Si tu préfères qu'il soit de bonne humeur, laisse-le perdre un peu plus. On t'a vu avec moi. Quand tu t'assiéras, les joueurs changeront et tu pourras faire ce que tu veux. Tu sais tricher ? C'est comme ça que tu as gagné ta vie ? À Séville ?

— Non. Je sais juste ce qu'un jour, il y a longtemps, m'a raconté un copain...

Hernando lui fit un clin d'œil.

— Ça n'a pas dû changer beaucoup, n'est-ce pas ? À partir de là, que la chance tourne...

— Ingénu, dit Pablo.

Ils bavardèrent encore un bon moment et Hernando lui raconta sa vie. Puis ils se dirigèrent vers la table où le valet de chambre avait presque tout perdu. Pablo fit un signe au joueur assis à sa droite, qui se leva pour laisser sa place au Maure. José Caro allait faire de même quand Hernando l'arrêta en posant sa main sur son bras, l'obligeant à se rasseoir.

— À partir de maintenant tu vas pouvoir jouer seulement contre le hasard, lui chuchota-t-il à l'oreille.

Certains joueurs se levèrent également ; de nouveaux s'assirent.

— Que veux-tu dire ? lui répondit le domestique pendant le changement de joueurs. J'ai fait bien attention, il n'y a pas eu de triche.

— Je ne veux pas être désagréable. Ce que j'essaie de te dire, c'est qu'ici ce n'est pas comme jouer avec la duchesse, cartes sur table. Ne t'assoie jamais devant un homme qui porte des miroirs.

Hernando lui désigna du menton l'homme au pourpoint, resté derrière lui pendant la partie et qui, à l'écart, recevait sa récompense des mains du vainqueur. D'autres joueurs, qui avaient assisté en silence au stratagème, attendaient leur tour.

Énervé, le valet de chambre faillit donner un coup de poing sur la table, mais Hernando l'arrêta.

— Ça ne sert plus à rien maintenant. La partie est terminée.

— Que veux-tu ? Pourquoi m'aides-tu ?

— Parce que je veux que tu t'intéresses aux marchandises du maître tisserand Juan Marco. Tu connais sa boutique ?

Le domestique acquiesça. Il voulut dire quelque chose mais Hernando l'en empêcha.

— Tu n'es pas obligé d'acheter. Je veux juste que tu lui rendes visite.

La table se recomposa et neuf joueurs s'assirent autour. L'un prit les cartes et s'apprêta à distribuer, mais Hernando le stoppa.

— Nouveau jeu, exigea-t-il.

Pablo lui en avait préparé un. Hernando prit le vieux, que le joueur avait jeté sur la table avec dégoût, et il le donna au valet de chambre.

— Garde-le. Plus tard je t'apprendrai une chose ou deux.

Le changement de cartes découragea l'homme s'apprêtant à distribuer et un autre joueur, qui abandonnèrent la partie. En présence de Pablo Coca, ils jouèrent au vingt-et-un, deux cartes à chaque joueur contre un qui tenait la banque. Celui qui s'approchait plus que la banque de vingt et un points – l'as comptant indistinctement un ou onze, les têtes dix et les autres cartes leur propre valeur – gagnait la mise. La chance tourna et José Caro récupéra ce qu'il avait perdu ; il invita même Hernando, qui se maintenait sans gagner ni perdre, à boire un verre de vin.

À un moment, Hernando hésita sur la somme à miser. Il commençait à être las de ses cartes anodines et agita son jeu dans sa main. Il regarda la banque. Pablo était posté derrière le joueur, droit et sérieux, contrôlant le jeu, mais le lobe de son oreille droite bougea soudain de manière quasi imperceptible. Hernando réprima un geste de surprise et misa gros. Il gagna. Amusé, il se rappela alors ce que disait le patron : ils avaient ça dans le sang !

— Je vois que tu as fini par apprendre le secret de Mariscal, commenta Hernando à Pablo Coca à la fin de la partie, lorsque le valet de chambre et lui se disposaient à partir.

Le Maure avait gagné une somme considérable. Quant au domestique, il avait réussi à compenser un peu ses pertes antérieures.

— Qui est Mariscal ? intervint José Caro.

Les deux hommes échangèrent un regard complice, mais aucun d'eux ne répondit. Hernando sourit au souvenir des grimaces permanentes et grotesques du jeune Palomero quand il essayait de faire bouger le lobe de son oreille. Il lui tendit la main. Le valet de chambre fit de même et s'éloigna de quelques pas.

— Je me demande si cet argent est bien propre, dit alors Hernando à Pablo, tandis qu'il soupesait sa bourse.

— Ne te torture pas. Ne crois pas qu'il n'y a pas eu tricherie. Tous ont essayé à un moment ou à un autre. Mais tu n'es rien d'autre qu'un simple pigeon, comme ton compagnon, et tu n'as rien remarqué. Les temps ont changé et les façons de tricher sont de plus en plus sophistiquées.

— À présent je ne peux pas… Je te donnerai ce que je te dois un autre jour, dit Hernando en désignant le valet de chambre qui l'attendait quelques mètres plus loin.

— J'espère bien. C'est la loi de la table, tu le sais.

Reviens quand tu veux. Mariscal et son associé sont morts depuis un moment, emportant leur secret dans la tombe. Ce qui fait que le truc de l'oreille, nous sommes seulement deux, toi et moi, à le connaître. Je n'ai jamais voulu le dire à personne, ni l'utiliser. Jamais je ne serais arrivé à posséder un bon tripot. Personne ne peut nous choper. J'en ai bavé pour l'apprendre, soupira-t-il.

Hernando lui dit une nouvelle fois au revoir et rejoignit le domestique. Tous deux reprirent la direction du palais.

— Tu iras voir le tisserand ? demanda-t-il à José Caro lorsqu'ils traversèrent la plaza del Potro, pleine de cette même agitation qu'il avait connue.

— Dès que tu m'auras appris tous les trucs de ce jeu de cartes.

51.

Cette année-là, la reine d'Angleterre, Isabelle Tudor, « autorisa » l'exécution de la reine d'Écosse, la catholique Marie Stuart. Indigné et s'instaurant défenseur de la foi véritable, Philippe II se résolut définitivement à armer une grande flotte sous le commandement d'Álvaro de Bazán, marquis de Santa Cruz, afin de conquérir l'Angleterre et de soumettre les hérétiques protestants. Malgré l'intervention de Sir Francis Drake, l'intrépide pirate anglais qui, en avril, avait conduit une attaque surprise dans la baie de Cadix, coulant et incendiant près de trente-six navires espagnols, puis était resté dans la région pour intercepter les nombreuses chaloupes et caravelles qui transportaient du matériel pour la flotte du roi espagnol, Philippe II poursuivit son entreprise.

La Grande et Très Heureuse Armada que, par la volonté de Dieu, selon son ambassadeur à Paris, le roi Philippe devait diriger contre les hérétiques, exacerba également la religiosité du peuple et de la noblesse espagnols, toujours avides de combattre au nom de Dieu de vieux ennemis comme les Anglais, qui se révélaient être par ailleurs les alliés des luthériens des Pays-Bas dans leur guerre contre l'Espagne. Ainsi, don Alfonso de Córdoba et son fils aîné, âgé de vingt ans, se disposèrent à embarquer pour la nouvelle croisade au côté du marquis de Santa Cruz.

Au milieu des préparatifs de guerre contre l'Angleterre surgirent des nouvelles préoccupantes pour les Maures.

Depuis l'assemblée célébrée au Portugal six ans auparavant, au cours de laquelle Philippe II avait étudié la possibilité de les embarquer tous pour les couler en pleine mer, plusieurs rapports avaient été rédigés, qui conseillaient de les emprisonner et de les envoyer aux galères. Or, pendant cette année de préparatifs guerriers s'éleva l'une des voix les plus autoritaires du royaume de Valence, celle de l'évêque de Segorbe, don Martín de Salvatierra, qui, soutenu par différents personnages du même acabit, rédigea un mémoire au conseil dans lequel il proposait ce qui, d'après lui, constituait la seule solution : la castration de tous les Maures de sexe masculin, adultes ou enfants.

Hernando frissonna et serra les jambes. Il venait de lire la lettre envoyée par Alonso del Castillo de l'Escorial, qui lui communiquait le contenu du rapport de l'évêque Salvatierra.

— Maudits chiens ! marmonna-t-il, dans le silence et la solitude de la bibliothèque du palais du duc.

Les chrétiens seraient-ils capables un jour d'en venir à un acte aussi horrible ? « Oui, pourquoi pas ? » répondait Castillo à cette même question dans sa lettre. Quinze ans seulement s'étaient écoulés depuis que Philippe II en personne, instigateur de révoltes et protecteur de la cause catholique en France, avait réagi avec enthousiasme en apprenant le massacre de la Saint-Barthélemy, au cours duquel les catholiques avaient assassiné plus de trente mille huguenots. Si, lors d'un conflit religieux entre chrétiens, argumentait le traducteur dans sa lettre, le roi Philippe n'avait pas hésité à afficher publiquement sa joie et sa satisfaction pour l'exécution de milliers de personnes – peut-être pas catholiques, mais chrétiennes tout de même –, quelle miséricorde pouvait-on attendre de lui puisque les condamnés n'étaient qu'un troupeau de Maures ? Le monarque n'avait-il pas envisagé la possibilité de les noyer tous en pleine mer ? Le roi catholique bougerait-il le petit doigt si le peuple se soulevait et, suivant les conseils du rapport, s'employait à castrer tous les Maures de sexe masculin ?

Hernando relut la lettre avant de la déchirer avec violence. Puis il la brûla, comme il le faisait chaque fois qu'il recevait une communication du traducteur. Les castrer ! Quelle était cette folie ? Comment un évêque, chef de cette région qu'ils taxaient eux-mêmes de clémente et pieuse, pouvait-il conseiller une telle barbarie ? Soudain, son travail pour Luna et Castillo lui parut insignifiant ; l'Histoire les rattrapait à un rythme vertigineux, et lorsque Luna aurait mis fin à son panégyrique sur les conquistadores musulmans, qu'il aurait obtenu la licence nécessaire pour sa publication et que le texte serait enfin porté à la connaissance des chrétiens, les Maures auraient déjà été exterminés, d'une manière ou d'une autre. Et si Abbas et les autres Maures, partisans d'une révolte armée, avaient finalement raison ?

Il se leva du bureau et déambula dans la bibliothèque, faisant les cent pas, offusqué, les mains crispées, marmonnant des grossièretés. Il aurait aimé pouvoir commenter ces nouvelles avec Arbasia, mais le maestro avait quitté Cordoue depuis plusieurs mois pour peindre dans le palais del Viso, à la demande de don Álvaro de Bazán, marquis de Santa Cruz. Il avait laissé derrière lui une majestueuse chapelle du Sanctuaire dans laquelle se détachait cette silhouette énigmatique pour Hernando, qui s'appuyait sur Jésus-Christ pendant la Cène.

— Lutte pour ta cause, Hernando, l'avait-il exhorté, déjà à dos de mule.

Mais comment lutter contre le projet de castrer tous les Maures ?

— Chiens hypocrites ! s'écria-t-il dans le silence de la bibliothèque.

Lors d'une discussion, Arbasia lui avait décrit le roi Philippe II comme un menteur. « Votre pieux roi n'est qu'un fourbe », avait-il dit sans ambages à Hernando.

— Peu de gens savent, lui avait-il raconté, que le monarque possède une série de tableaux érotiques qu'il a commandés lui-même au grand maestro Titien. J'ai eu l'occasion de voir l'un d'eux à Venise, une œuvre d'art représentant Vénus nue, lascivement enlacée à Adonis. Nombreux sont les tableaux que Titien a peints pour le roi chrétien, représentant des déesses nues dans différentes positions. « Pour qu'elles soient plus agréables à la vue », a écrit le maestro à ton roi. Aucune femme chrétienne n'oserait se jeter sur son époux comme le fait la Vénus du Titien.

Pendant un instant, Hernando avait laissé errer ses souvenirs du côté d'Isabel.

— À quoi penses-tu ? avait demandé le peintre en le voyant pensif.

— Aux femmes chrétiennes. À leur situation…

— Vous autres n'avez aucune considération pour les femmes. Elles sont seulement vos prisonnières, incapables de faire quoi que ce soit pour elles-mêmes. N'est-ce pas ce qu'a dit votre Prophète ?

Hernando avait acquiescé en silence.

— Oui, avait renchéri le peintre après réflexion, les deux religions les ont écartées. En cela nous nous ressemblons. À tel point que nous sommes même d'accord sur la Vierge Marie : chrétiens et musulmans croient en elle de façon similaire. Mais c'est comme si le fait de s'accorder sur la même femme, bien qu'il s'agisse de la mère de Jésus, n'avait aucune importance…

Au souvenir de cette conversation avec Arbasia, Hernando arrêta ses pénibles allées et venues dans la bibliothèque du palais. La Vierge Marie ! C'était véritablement un point d'union entre chrétiens et musulmans. Pourquoi se démener à démontrer la bienveillance des conquistadores arabes à l'encontre des chrétiens, comme le prétendait Luna, alors qu'ils disposaient d'un élément de parenté indiscutable entre les deux communautés ? Quel meilleur argument que celui-ci ? Même l'évangile de Barnabé coïncidait avec la version des autres évangiles manipulés par les papes et que les chrétiens considéraient comme véritables ! Pourquoi ne pas entreprendre ce chemin d'union qui permettrait la cohabitation des religions à travers l'unique personne sur laquelle tout le monde semblait être d'accord ? L'Espagne entière vivait une époque de dévotion mariale proche du fanatisme ; les exigences vis-à-vis de Rome étaient constantes pour que soit déclarée dogme de foi la conception immaculée de Marie. Même Dieu, identique pour les deux religions, le Dieu d'Abraham, ne pourrait arriver à susciter la même unanimité : les chrétiens l'avaient dénaturé avec leur doctrine de la Très Sainte-Trinité.

Pendant plusieurs jours, Hernando ne put se concentrer sur ses tâches. Il avait envoyé à Grenade son rapport sur les massacres de Juviles et, à sa surprise, car il croyait qu'après l'avoir lu le conseil de la cathédrale renoncerait à leur collaboration, ce dernier lui avait demandé des informations sur les événements survenus à Cuxurio, où Ubaid avait arraché le cœur de Gonzalico. Quelles excuses trouverait-il à ce carnage ? Là-bas, aucun chef maure n'avait arrêté la tuerie. Il mit de côté sa transcription de l'évangile de Barnabé, ainsi que ses écrits pour Luna, et se plongea dans la calligraphie. Il avait réussi à se procurer de bons roseaux pour fabriquer des plumes, la pointe légèrement inclinée sur la droite, selon les recommandations d'Ibn Muqla ; néanmoins, il avait du mal à trouver le point exact à partir duquel il devait tailler cette courbe, et le matin, tandis que Volador broutait dans les pâturages, il s'adossait à un arbre et s'employait à tailler les pointes des roseaux qu'il testerait ensuite dans la bibliothèque.

Mais la calligraphie ne parvenait pas plus à apaiser son angoisse. Il n'était pas dans la disposition d'esprit nécessaire pour atteindre Dieu à travers ses dessins. Dès qu'il avait cru trouver la solution avec Maryam, le doute l'avait envahi. Comment faire ? Avait-il raison ? Comment obtenir l'écho nécessaire auprès des chrétiens ? Comment pouvait-il, lui seul, soutenir un tel projet ?

La réalité était là. Depuis le jour où il avait suivi dans le tripot de Pablo Coca le valet de chambre, qui avait tenu parole et s'était présenté à l'établissement du maître tisserand après avoir écouté les explications d'Hernando sur les trucs utilisés par les tricheurs pour marquer les cartes – les salissant de minuscules taches, ou employant des cartes d'une taille imperceptiblement différente à celle du reste du jeu –, Hernando était retourné jouer plusieurs fois. Parfois seul, parfois avec le valet de chambre. Il savait qu'il enfreignait le commandement interdisant le jeu, mais combien de commandements se voyait-il contraint de bafouer sur ces terres ?

Un soir, il s'efforça d'ajuster la taille des lettres à un alif préalablement dessiné. Il entoura la première lettre de l'alphabet arabe d'un cercle dont l'alif constituait le diamètre, et s'entraîna à tracer les autres selon le canon qui marquait cette circonférence. Au bout d'une demi-heure il constata que, malgré ses efforts, il ne parvenait pas à circonscrire la lettre *b*, horizontale et recourbée, aux mesures de cette circonférence idéale, ni à la position qu'elle devait occuper sur le plan par rapport à l'alif.

Il déchira les feuilles, se leva et décida d'aller jouer chez Pablo Coca, même s'il perdait depuis deux soirs et que Pablo lui avait annoncé qu'il devait perdre encore.

— Tu ne peux pas toujours gagner, l'avait-il prévenu. Il est possible que personne ne remarque notre truc, mais tout le monde pensera qu'il se passe quelque chose d'étrange si tu gagnes toujours, et on ne tardera pas à t'associer à moi. J'ai beau aller d'une table à une autre, on sait que tu es mon ami. Sacrifie quelques pièces.

À partir de là, Pablo lui indiquait les jours où il obtiendrait des gains, de toute façon toujours largement supérieurs aux pertes subies. Malgré cela, Hernando se distrayait à la maison de jeu. Tout ce qu'il avait appris ne lui servait pas beaucoup, il jouait comme un vrai pigeon et misait sans aucune logique, sauf aux moments où le lobe de l'oreille du patron remuait. Et quand il sortait du tripot, il en profitait pour faire un tour à la maison close, où il prenait du plaisir avec une jeune rousse au corps exubérant et sensuel.

Avant de quitter le palais il demanda au valet de chambre s'il voulait l'accompagner. Il aimait bien l'avoir à ses côtés les jours où il perdait ; au moins il pouvait parler avec quelqu'un. Le duc était loin, à la cour, préparant l'invasion de l'Angleterre. José Caro accepta sa proposition avec empressement.

— Tu n'as pas l'air de bonne humeur, lui dit-il après qu'ils eurent cheminé un long moment en silence.

— Je suis désolé, s'excusa Hernando.

Leurs pas résonnaient dans les ruelles désertes du quartier de Santo Domingo. Ils marchaient avec énergie. Le domestique laissait volontairement les chaînons et le fourreau de sa dague s'entrechoquer et retentir, afin d'avertir toutes les ombres dissimulées dans l'obscurité des nuits cordouanes du passage de deux hommes forts et armés. Hernando cachait un simple poignard dans sa tunique, violant l'interdiction faite aux Maures de porter une arme.

Non, il n'était pas de bonne humeur. L'idée d'utiliser la Vierge Marie pour rapprocher les deux communautés continuait à lui tourner dans la tête, mais il ignorait toujours comment la développer. Et il n'avait personne avec qui en parler. Un des nombreux autels qui illuminaient Cordoue dans la nuit apparut au bout de la rue où ils s'étaient engagés. Si, le jour, les nombreux retables, niches et images des rues de la ville attiraient les prières et les suppliques des dévots chrétiens, ils s'érigeaient la nuit en véritables fanaux semblant indiquer un chemin au-delà des ténèbres. Il s'agissait d'un retable sur la façade d'une maison, avec des bougies allumées, des fleurs et une série d'ex-voto à ses pieds. Hernando s'arrêta devant la peinture : la Vierge du Carmen.

— Très Sainte Vierge, murmura José Caro.

— Immaculée, susurra Hernando, répétant inconsciemment les paroles du Prophète, contenues dans les prophéties.

— Oui, renchérit le valet de chambre en se signant : pure et immaculée, conçue sans péché.

Ils reprirent leur chemin. Hernando était plongé dans ses pensées. Ce chrétien aurait-il pu imaginer que son assertion sur l'Immaculée Conception provenait de la Sunna, la compilation des pensées du Prophète ? Que penserait cet homme si on lui expliquait que la reconnaissance de l'Immaculée Conception en tant que dogme, pour laquelle les chrétiens luttaient tellement, figurait déjà dans le Coran ? Comment réagirait-il si on lui disait que c'était le Prophète qui avait affirmé que la Vierge n'avait jamais été touchée par le péché ? Et devant la considération que le Prophète portait à Maryam ? « Tu seras la première des femmes du Paradis... » avait annoncé Mahomet à sa fille Fatima quand il sentit que sa mort était proche. « Après Maryam. »

Hernando accéléra le pas. Tel était le chemin qu'ils devaient suivre pour rapprocher les religions et obtenir le respect auquel aspiraient don Pedro et ses amis pour les Maures ! Il fallait qu'il réussisse !

Obsédé par cette idée, Hernando apprit que cette même année 1587 une autre conjuration entre Maures de Séville, Cordoue et Écija, qui voulaient profiter de l'absence de défenses de la capitale pour s'emparer de la ville sévillane pendant la nuit de la Saint-Pierre, avait été déjouée. Les meneurs avaient été exécutés de façon sommaire ; Abbas ne se trouvait pas parmi eux, mais plusieurs Cordouans connurent ce sort. Les armes ! Avec les armes ils ne réussiraient qu'"à monter davantage les chrétiens et leur roi contre eux, pensa Hernando. Ils voulaient les castrer ! La communauté maure, les sages et les anciens qui la dirigeaient ne s'en rendaient-ils pas compte ?

Hernando avait fini par ébaucher un plan : les Grenadins cherchaient des martyrs et des reliques, ils en avaient besoin pour faire de leur ville le berceau de la chrétienté et pouvoir se comparer aux grands centres espagnols de pèlerinage comme Tolède, Saint-Jacques-de-Compostelle, Séville... Pourquoi ne pas les leur fournir ? C'est ce qu'il proposa à Castillo dans une longue lettre.

Nous croyons au même Dieu, celui d'Abraham, écrivit-il. Pour nous, leur Jésus-Christ est le Messie, la Parole de Dieu et l'Esprit de Dieu, ainsi l'affirme le Coran, plusieurs fois. Isa est l'Envoyé ! a dit Mahomet, que le salut soit avec Lui. Les chrétiens savent-ils cela ? Ils nous jugent comme de simples chiens, comme des mules ignorantes ; aucun d'eux ne s'est préoccupé de connaître quelles sont nos véritables croyances et les polémistes, les nôtres et les leurs, dans leurs écrits et leurs discours, accentuent davantage ce qui nous sépare que ce qui pourrait nous unir. Nous savons tous que trois cents ans après sa mort, la nature divine de Jésus fut falsifiée par les papes. Lui, Isa, ne s'est jamais appelé Dieu ou Fils de Dieu ; il n'a jamais rien défendu d'autre que l'existence d'un Dieu, seul et unique, comme nous le faisons. Mais ce fut différent avec la nature de sa mère. Son statut de femme la relégua peut-être au second plan, et les papes ne s'intéressèrent pas à elle ; aujourd'hui encore, malgré les réclamations du peuple, ils résistent à élever au rang de dogme de foi l'Immaculée Conception. C'est pourtant en Marie que nos deux religions continuent de coïncider, et c'est peut-être à travers elle que nous pourrions rapprocher nos deux communautés. Les polémiques sur la Vierge tournent autour de sa généalogie, pas de sa considération. Si le peuple et ses prêtres, qui aujourd'hui nous considèrent comme des chiens hérétiques, comprennent que nous vénérons, comme eux, la mère de Dieu, ils changeront peut-être d'attitude. La dévotion mariale se trouve à fleur de peau chez l'homme de la rue ; il ne peut haïr ceux qui partagent ses sentiments ! Voilà peut-être le principe de l'entente que nous cherchons avec tant d'acharnement.

Puis Hernando révéla à Castillo, comme s'il venait de la découvrir, l'existence de la copie de l'évangile de Barnabé.

À coup sûr, un document comme l'évangile serait immédiatement taxé d'apocryphe, d'hérétique et de contraire aux principes de la sainte mère l'Église, si on le sortait au grand jour sans stratégie préalable. Commençons par apprendre aux chrétiens quelles sont nos croyances et quelle est la réalité ; préparons-les à la découverte de cet évangile et un jour nous pourrons le leur montrer afin, au moins, de semer en eux le doute et d'obtenir un traitement plus bienveillant et miséricordieux.

Le traducteur royal ne tarda pas à lui répondre. Un matin, un muletier venu spécialement de l'Escorial lui fit signe en passant aux abords de Cordoue et lui remit une lettre. Hernando galopa jusqu'aux pâturages, chercha un endroit caché, mit pied à terre et lut la réponse de Castillo.

Au nom d'Allah le Clément, le Miséricordieux, qui indique le droit chemin. Beaucoup de nos frères, pour contrarier les chrétiens, ont oublié tout ce que tu dis dans ta lettre. Mais tu as raison : avec l'aide de Dieu, cela pourrait être un bon chemin pour essayer de nous rapprocher les uns les autres, et faire régner la paix entre nos deux peuples. J'espère vivement pouvoir lire cet évangile dont tu parles. Dans le décret gélasien du VIe siècle sur les « livres approuvés et non approuvés », l'Église fait déjà référence, le qualifiant d'apocryphe, à un évangile de saint Barnabé. Je suis d'accord avec toi sur le fait que la révélation de ce texte, sans préparation préalable, ne nous mènerait nulle part. Il faut commencer par Grenade. Donne-leur des preuves de cette tradition chrétienne qu'ils recherchent si désespérément et profites-en pour semer tout ce qui un jour peut les conduire à la Vérité. La Vierge, certes, mais souviens-toi aussi de san Cecilio, premier évêque de Grenade, probablement martyrisé à l'époque de l'empereur Néron. San Cecilio et son frère, san Tesifón, étaient arabes. Utilise notre langue divine ; que les chrétiens trouvent leur passé à travers la langue universelle, mais fais-le de manière ambiguë, de sorte que tes écrits se prêtent à différentes interprétations. Rappelle-toi qu'aux premiers temps on n'utilisait ni les voyelles ni les signes diacritiques dans l'écriture. Quand tu seras prêt, fais-moi signe. Que la paix soit avec toi et que Dieu te guide.

Hernando déchira la lettre et monta sur Volador. Le ciel était menaçant. Un orage approchait. Comment faire ? Il avait passé sa vie à tromper des tas de gens. Jeune garçon, en gagnant de l'argent pour échanger Fatima contre une mule, et encore maintenant, en misant au moment où Pablo bougeait une oreille… Mais abuser tout un royaume, l'Église catholique ! Une pluie fraîche se mit à tomber avec insistance. Hernando continua au pas. Il commençait une grande partie, tout seul, qu'il devrait jouer avec intelligence ; il ne s'agissait pas de tricher aux cartes. C'était une grande partie d'échecs : lui d'un côté de la table, et la chrétienté entière de l'autre.

Ce soir-là, il se fit excuser au palais. Il avait besoin d'être seul. Le verger de la mezquita n'avait pas changé : des centaines de san-benito, sur lesquels étaient inscrits les noms des pénitents, étaient accrochés aux murs du cloître entourant le patio ; quelques délinquants recueillis sur le territoire sacré erraient dans l'enceinte, à l'abri de la pluie ; d'autres s'efforçaient de s'y réfugier. Hernando se demanda ce qu'étaient devenus ses compagnons d'asile. Il y avait aussi des prêtres, par dizaines, jeunes et vieux, parmi la multitude de paroissiens ; beaucoup couraient pour échapper à l'averse. Hernando entra dans la cathédrale et, en passant près de la grille de la chapelle de saint

Barnabé, il s'arrêta un instant. Il s'accroupit, comme s'il avait perdu quelque chose : les clés de la chapelle étaient toujours cachées à l'endroit où il les avait laissées, attachées sous la grille. Saint Barnabé ! murmura Hernando. Son évangile ! Avait-il besoin d'un autre signe ? Il les prit, se demandant si la serrure avait été changée. Il ne le saurait qu'après avoir essayé, une fois que les gardiens auraient fermé la cathédrale. Il l'examina avant de reprendre son chemin vers la sacristie. Était-ce la même serrure ? Pour le moment, il attendit, s'extasiant devant les peintures d'Arbasia dans la nouvelle sacristie et la silhouette qui accompagnait Jésus lors de la sainte Cène. Pourquoi ? s'interrogea-t-il pour la énième fois.

Les clés ouvrirent la chapelle de saint Barnabé et Hernando se glissa comme il le put à l'intérieur de l'armoire pleine. À ses pieds étaient entassés les ustensiles qui servaient à célébrer la messe. Puis il attendit.

Dans la nuit, alors que la cathédrale était vide et que les vigiles étaient postés dans la lointaine chapelle del Punto, l'orage se déchaîna sur Cordoue et les éclairs illuminèrent, de manière fugace, à plusieurs reprises, la silhouette d'un homme prosterné devant le mihrab de la plus merveilleuse mosquée du monde. Un homme dont l'esprit était absorbé par le projet de réussir enfin, un jour, à rapprocher les deux religions.

52.

Invité par don Pedro de Granada, Hernando fut logé dans la maison de los Tiros. Il avait quitté Cordoue sous prétexte de rendre visite au conseil de la cathédrale à propos de l'enquête sur les martyrs des Alpujarras et, pourvu de sa cédule personnelle, il s'était élancé sur le macabre chemin qui avait causé tant de morts pendant l'exode de la population musulmane. Comme il voyageait seul, il avait envisagé la possibilité de modifier son parcours afin d'éviter les souvenirs douloureux, mais les alternatives doublaient la distance. Le mois de mars ramenait la vie aux champs et, lorsqu'il s'était recueilli sur la tombe du petit Humam, où pour lui était enterrée sa propre famille, les odeurs d'une nuit fraîche avaient accompagné ses prières. À Grenade, prévenus de son arrivée, Luna et Castillo l'attendaient. Ce dernier venait juste d'arriver de l'Escorial.

Ils s'enfermèrent dans la Salle dorée. Hernando leur montra alors un coffret en plomb goudronné. Il l'ouvrit et sortit solennellement un tissu, un petit tableau avec l'image de la Vierge, un os et un parchemin qu'il plaça sur une table basse en marqueterie.

Les quatre hommes demeurèrent quelques instants silencieux, debout autour de la table, le regard fixé sur les objets.

— J'ai trouvé ce parchemin ancien, commença à expliquer Hernando, dans le minaret du palais du duc. Il doit dater de l'époque des califes, au temps où al-Mansur terrorisait la Péninsule, ajouta-t-il en souriant à Luna. Je n'ai eu qu'à découper la partie écrite pour obtenir un fragment bien net.

Il déplia le parchemin et, le tenant par les coins supérieurs, il le présenta à ses compagnons.

— C'est comme un grand échiquier, murmura-t-il.

Dans la partie centrale du parchemin deux tableaux apparaissaient l'un sur l'autre. Le premier était composé de quarante-huit colonnes et de vingt-neuf rangées, dont chaque case contenait une lettre arabe ; le second comprenait quinze colonnes et dix rangées, avec des cases beaucoup plus larges et un mot arabe dans chacune. Presque aucune des lettres ou mots, écrits alternativement à l'encre rouge ou marron, ne comportait de voyelle ou de signe diacritique, ainsi que le constatèrent à l'unisson Luna et Castillo, se penchant sur le parchemin pour l'examiner avec attention.

— Prophétie de l'apôtre Jean, énonça à voix haute Castillo, lisant l'introduction écrite en arabe, dans la marge supérieure des tableaux, sur la destruction et le jugement des peuples, et sur les persécutions qui continueront après, jusqu'au jour connu dans son évangile exalté, déchiffré du grec par le lettré et saint serviteur de la foi, Dionysos l'Aréopagite.

Le traducteur se redressa.

— Excellent ! Que disent les autres inscriptions ? reprit-il en désignant des lignes au bas du parchemin et d'autres dans les marges.

— Si l'on combine lettres et mots, on fait apparaître une supposée prophétie que Dionysos, archevêque d'Athènes, aurait communiquée à san Cecilio, qui l'aurait traduite du grec. Elle prédit l'avènement de l'islam, le schisme des luthériens et les souffrances que subira la chrétienté, laquelle finira par se disperser en une multitude de sectes. Cependant, de l'est arrivera un roi qui dominera le monde, imposera une seule religion et châtiera tous ceux qui l'ont remplie de vices.

— Bravo ! applaudit Pedro de Granada.

— Et la signature au bas du parchemin ? demanda Luna.

— Celle de san Cecilio, évêque de Grenade.

— Et tout le reste ? interrogea à son tour Castillo, avec un geste en direction des autres objets qui reposaient sur la table.

— Selon le parchemin, voici le voile de la Vierge Marie, expliqua-t-il en montrant le tissu, avec lequel elle sécha les larmes du Christ lors de sa passion ; un petit tableau de la Vierge et un os de saint Stéphane.

— Dommage ! s'écria don Pedro. Les chrétiens n'auront pas les reliques de san Cecilio, qu'ils désirent tant.

— San Cecilio ne pouvait pas écrire et fournir un de ses os en même temps, rétorqua Hernando avec un sourire.

— C'est un voile simple, constata Castillo en palpant le tissu.

Hernando acquiesça.

— Puis-je savoir comment tu as obtenu tout cela ?

— J'ai emprunté le tableau à un ex-voto qui se trouvait à Cordoue, au pied d'un autel consacré à la Vierge. Ensuite, je l'ai enveloppé de tissu et je l'ai mis dans un trou avec du fumier dans les champs, pour qu'il prenne un aspect ancien…

— Bonne idée, reconnut Luna.

— Je connais tous les effets du fumier sur n'importe quel objet, précisa Hernando. Quant à l'os et au tissu… j'ai payé des malheureux del Potro pour exhumer des cadavres des fosses communes du campo de la Merced…

— Ils pourraient t'identifier ? l'interrompit Castillo.

— Non. C'était la nuit et je suis resté masqué en permanence. Ils ont cru qu'il s'agissait de sorcellerie. Personne ne peut mettre ça en relation avec notre projet. Je suis parti avec des tas d'os !

— Et maintenant ? questionna don Pedro.

— Maintenant, répondit Castillo, nous devons trouver le moyen de faire parvenir notre premier message aux chrétiens. Il s'agit seulement là du premier pas d'un plan beaucoup plus ambitieux, n'est-ce pas ?

Hernando opina du chef.

— Nous verrons comment réagira l'Église quand elle verra son évêque vénéré et patron de Grenade s'exprimer en arabe…

— Et devant la prophétie, ajouta Hernando.

— Ils l'interpréteront à leur convenance. Sois-en certain.

— Tu m'as recommandé d'être ambigu.

— Oui. C'est indispensable. L'important est de semer le doute. Certains l'interpréteront en faveur de l'Église, mais d'autres ne l'entendront pas ainsi et des discussions seront entamées. Sur ces terres, nous avons cette tendance. Il suffit que l'un dise une chose pour que l'autre soutienne le contraire, simplement pour avoir le dernier mot. À coup sûr, Miguel et moi serons appelés pour traduire le parchemin ; ce que nous ferons nous aussi à notre convenance. Si nous étions trop précis et envoyions un message clair en faveur de l'islam, il serait taxé d'hérétique dès le début et il n'y aurait pas de débat. Beaucoup de gens connaissent l'arabe. Ce message, le contenu de cet évangile que tu as découvert… L'as-tu apporté ? J'aimerais le lire.

— Non, je suis désolé, s'excusa Hernando. Je n'ai pas encore fini de le transcrire et je préfère ne pas courir de risques avec l'original.

— Tu as raison. Comme je vous le disais, ce message, la Vérité, doit arriver au moment où nous aurons semé le plus de doutes possible. Nous devons préparer consciencieusement son apparition. Le problème reste donc : que fait-on de cela ?

Castillo montra les objets posés sur la table.

— Comment les cacher de façon que les chrétiens les trouvent ?

— Ils sont en train de démolir la Torre Vieja, la Turpiana, indiqua don Pedro.

— Ce serait le lieu idéal pour nous, approuva Luna : l'ancien minaret de la Grande Mosquée.

— Quand ? intervint Castillo.

— Demain, c'est la fête de l'archange Gabriel, sourit Hernando.

Tous quatre se regardèrent. Gabriel était Yibril, l'ange le plus important pour les musulmans, chargé de transmettre au Prophète la Parole révélée.

— Dieu est avec nous. Aucun doute, se félicita don Pedro.

Castillo chercha de quoi écrire, puis demanda l'autorisation d'Hernando qui la lui accorda d'un geste de la main. Il ajouta alors sur le parchemin des phrases en latin et en castillan, qui précisaient de le cacher en haut de la Torre Turpiana.

Les autres l'observèrent en silence.

— De nouvelles données pour les chrétiens, annonçat-il en terminant, tandis qu'il soufflait pour sécher l'encre. Demain soir, nous irons à la tour.

Comme pour la Turpiana, le clocher de l'église de San José, dans l'Albaicín, avait été le minaret de la plus ancienne mosquée de Grenade, la Almorabitin. Mais contrairement à la Turpiana, la mosquée avait été démolie et le minaret conservé. Le jour se leva, annonçant soleil et chaleur. Hernando se réveilla tôt et partit se promener aux abords du temple. La veille au soir, avant de se retirer, il avait demandé à don Pedro, à l'écart des autres, des nouvelles de don Ponce de Hervás : il voulait savoir si ses amours avec Isabel avaient eu des conséquences.

— Aucune, avait répondu le noble. Comme je te l'avais

annoncé, le juge ne provoquera aucun scandale. Tu peux être tranquille.

Hernando se divertit de la composition que formaient les pierres de taille inégales et les pierres plates disposées en dessins bosselés du minaret. Une merveilleuse fenêtre en fer à cheval, manifestement musulmane, conservée dans un mur, attira son attention. Il tenta d'imaginer les temps anciens, quand les musulmans étaient appelés à la prière depuis ce minaret. Tout à ses pensées, il faillit ne pas reconnaître les deux femmes qui, parmi les paroissiens, quittaient l'église après la messe. Cependant, la chevelure blonde d'Isabel resplendissait sous le soleil, même entre la délicate dentelle de la mantille noire qui couvrait sa tête et encadrait son visage. Hernando frissonna en l'observant, fière, altière, inaccessible. Doña Angela évoluait à ses côtés, méfiante et hostile. Aucune des deux femmes ne le remarqua. Regardant droit devant, elles marchaient en silence. Hernando demeura caché sur le seuil de la petite porte d'une maison maure et les vit descendre en direction de la villa. La nuit précédente, la vision de l'Alhambra éclairé avait fait renaître sa passion. Les yeux rivés sur Isabel, il suivit les deux femmes à une certaine distance, parmi la foule. Que pouvait-il faire ? Doña Angela ne lui permettrait pas de parler avec Isabel, et quand elle arriverait à la villa, il ne pourrait plus l'approcher. Il croisa quatre petits gamins qui traînaient dans la rue et sortit un réal de sa poche. Immédiatement, les garçons l'entourèrent.

— Vous voyez ces deux femmes ? leur demanda Hernando, s'arrangeant pour qu'aucune des personnes qui déambulaient autour d'eux ne remarque ses intentions. Je veux que vous couriez jusqu'à elles et que vous bousculiez la plus petite. Puis que vous la distrayiez un bon moment. Quant à l'autre, vous ne touchez pas un seul de ses cheveux, compris ?

Les quatre garçons acquiescèrent, pendant que l'aîné

s'emparait du réal. Ils partirent en courant, sans même ébaucher de plan. Hernando descendit la rue en pressant le pas, évitant hommes et femmes. Il se demanda s'il n'était pas allé un peu loin ; la cousine du juge était une personne âgée…

Le cri d'une femme retentit dans la petite rue. Doña Angela s'affala à plat ventre par terre, de tout son long. Hernando secoua la tête. Il n'avait plus le choix ! Les gamins n'eurent pas besoin de distraire doña Angela : un chœur de passants se forma autour des deux femmes tandis qu'ils s'enfuyaient sous les imprécations et autres calottes. Hernando s'approcha du groupe ; deux personnes s'efforçaient d'aider doña Angela à se relever ; d'autres regardaient et deux hommes gesticulaient en direction des quatre garçons, déjà loin. Isabel était penchée sur doña Angela. Alors qu'on soulevait l'accidentée, la jeune femme parut sentir que quelqu'un l'observait et se redressa. Scrutant les gens, elle vit Hernando qui se tenait juste en face, entre un homme et une femme arrêtés là pour contempler la scène.

Ils se regardèrent avec intensité. Isabel resplendissait. Hernando hésita entre lui sourire, lui lancer un baiser, fendre la foule, l'attraper par le bras et l'emmener loin de là, ou simplement crier qu'il la désirait. Mais il ne fit rien. Elle non plus. Ils gardèrent leurs yeux fixés l'un sur l'autre jusqu'à ce que doña Angela réussisse à tenir debout toute seule. Hernando remarqua qu'une femme s'employait à frotter les habits couverts de sable de la cousine du juge, mais que cette dernière refusait son aide, comme si elle avait hâte d'en finir avec cette situation. Regardant de nouveau Isabel, il vit qu'elle avait les yeux remplis de larmes ; son menton et sa bouche tremblaient. Hernando esquissa un mouvement vers elle, mais Isabel pinça les lèvres et hocha négativement la tête, de façon presque imperceptible, avec une moue expressive qui pénétra le Maure jusqu'au plus profond. Puis, accompagnées par la femme qui avait essayé de nettoyer les vêtements de doña Angela, les deux dames reprirent leur chemin. La cousine boitait et gémissait ; Isabel retenait ses larmes.

Hernando s'écarta des gens qui se dispersaient, et les suivit à quelques pas. Isabel tourna la tête et le vit.

— Continuez, ma cousine, dit-elle tout en faisant signe à l'autre femme, sur laquelle s'appuyait doña Angela, de poursuivre en direction de la villa. Je crois que dans la confusion j'ai perdu une épingle de ma mantille. Je vous rejoins immédiatement.

Hernando la vit s'avancer vers lui, tâchant de distinguer sur son visage le moindre signe de joie. Mais quand elle fut à ses côtés, il constata que les larmes affleuraient au bord de ses yeux.

— Que fais-tu ici, Hernando, murmura-t-elle ?

— Je voulais te voir. Parler avec toi, sentir…

— C'est impossible, le coupa-t-elle d'une voix brisée. Ne reviens pas dans ma vie. J'ai tellement souffert pour t'oublier. Tais-toi, par Dieu ! le pria-t-elle alors qu'Hernando s'approchait pour lui dire quelque chose à l'oreille. Ne me fais pas souffrir de nouveau. Laisse-moi, je t'en supplie.

Isabel ne lui donna pas l'opportunité de répliquer. Elle lui tourna le dos et se dépêcha de rejoindre doña Angela.

L'attitude d'Isabel hanta Hernando toute la journée. À la nuit tombée, don Pedro, Castillo, Luna et lui contournèrent le quartier des marchands de soie jusqu'à la porte de los Jelices, d'où l'on apercevait les travaux de la cathédrale. Près de deux cents boutiques s'entassaient dans les rues étroites du quartier où personne ne vivait la nuit. Les dix portes étaient fermées et un gardien surveillait les magasins et le bâtiment de la douane où l'on payait les taxes du commerce de la soie.

Devant la porte de los Jelices s'élevait la Turpiana, l'ancien minaret de la Grande Mosquée de Grenade. La mosquée était devenue un sanctuaire chrétien et sa tour carrée, d'un peu plus de trois aunes de haut, le clocher de la cathédrale. Mais en janvier de cette même année la construction d'une majestueuse tour de trois étages, destinée à être un clocher, avait été finalisée et la Turpiana, désormais inutile, gênait la poursuite des travaux de la cathédrale épiscopale.

De la porte où se trouvaient les quatre hommes, on pouvait apercevoir tout le quartier, faiblement éclairé par les torches des gardiens des travaux, et celles des deux collèges qui se dressaient devant elle. Devant eux s'étendait une place. À gauche, le Collège royal et le collège de Santa Catalina ; à droite, à une certaine distance de la place, la cathédrale, dont pour l'heure seules la rotonde et la nef avaient été construites, ainsi que le nouveau clocher, qui longeait la place et laissait un énorme espace ouvert et désert entre la façade et la nouvelle tour. À quelques mètres, opposés au nouveau clocher, se dressaient l'ancienne mosquée et son minaret.

La Turpiana était démolie avec soin, pierre par pierre, afin de récupérer celles-ci et d'éviter tout dommage dans la toiture du temple. Ils observèrent la tour, attentifs aux conversations et aux rires des vigiles qui leur parvenaient, hors de leur champ de vision, dans la partie centrale de la cathédrale.

— Il ne faut pas qu'ils nous voient, chuchota Castillo. Personne ne doit associer notre présence ici cette nuit avec la découverte du coffret.

— C'est beaucoup trop surveillé, s'inquiéta don Pedro avec un certain découragement. On ne pourra jamais passer inaperçus.

S'ensuivit un silence brisé seulement par les cris des gardiens. Le coffret goudronné dissimulé dans sa cape, Hernando respira l'odeur de la soie qui imprégnait le labyrinthe de ruelles du quartier, semblable à celle qu'il avait tant de fois sentie dans les Alpujarras, quand on faisait bouillir les cocons afin de tisser le précieux produit. « J'ai tellement souffert pour t'oublier », lui avait dit Isabel. Hernando l'imagina une fois de plus entre les bras de don Ponce…

— Hernando ! murmura Castillo à son oreille. Que fait-on ?

Que fait-on ? Il aurait aimé courir jusqu'à la villa du magistrat, escalader le mur et se glisser dans la chambre d'Isabel…

Le traducteur le secoua.

— Que fait-on ? demanda-t-il encore, cette fois en élevant un peu la voix.

Hernando se concentra de nouveau sur la place.

— C'est beaucoup trop surveillé, répéta Castillo.

Un noble et deux intellectuels ! Que pouvait-il attendre d'eux ?

— En effet, confirma Hernando. On dirait qu'il y a pas mal de vigiles, mais ils ne surveillent probablement pas la Turpiana. Elle ne présente aucun intérêt pour eux. Ils sont plus attentifs à la cathédrale. Voici quelle va être votre mission…

Il réfléchit quelques instants.

— Contournez le temple et de l'autre côté, après la calle de la Cárcel, masqués, simulez une dispute. Au moment où j'entendrai vos cris, j'entrerai et je monterai dans la tour.

Les trois hommes, ne cachant pas leur soulagement devant la proposition d'Hernando, se hâtèrent en direction de la plaza de Bibarrambla jusqu'à la calle de la Cárcel, sous la cathédrale. Dès qu'il se retrouva seul, Hernando se remit à penser à Isabel. Ne pourrait-il jamais plus parler avec elle ? Mais, en réalité, désirait-il vraiment la revoir ? Ces sentiments n'étaient-ils pas seulement un mirage provoqué par la lumière ensorcelante de l'Alhambra ? Il ferma les yeux et soupira.

Des cris le ramenèrent sur terre. « Santiago ! » entendit-on dans la nuit. Hernando ne réfléchit pas davantage. Il bondit jusqu'à la façade de la mosquée, se colla dos au mur et se glissa à l'ombre des torches. La tour ne possédait pas d'entrée sur la place. On pouvait certainement y accéder depuis l'édifice. Il dépassa la Turpiana et se retrouva dans l'espace ouvert où l'on construisait le transept et la nef. Plusieurs feux étaient placés près de la façade ouverte du temple, et les gardiens, debout, étaient concentrés sur les cris et le cliquetis des épées en provenance de la calle de la Cárcel. Il contourna la Turpiana et là même, entre les fondations, il découvrit l'accès à la tour. Quasiment de profil, il grimpa par un étroit escalier intérieur d'un peu plus de deux paumes de large et accéda au sommet. Les cris de don Pedro et de ses compagnons continuaient, mais là, tout en haut, il ne les entendit plus. Il pouvait voir l'Alhambra et tout Grenade ! Combien de fois avait-on appelé les fidèles à la prière depuis cet endroit ! « Allah est grand ! » s'exclama-t-il, le coffret dans les mains. À la lumière de la lune il chercha une pierre de taille à part, déjà un peu démontée. Il en trouva une, la déplaça, gratta le plâtre qui unissait les pierres entre elles et introduisit dans le trou le coffret goudronné. Puis il replaça la pierre. Il descendit et reprit le chemin du quartier de la soie, d'où il se dirigea vers la Bibarrambla et la calle de la Cárcel pour mettre fin à la supposée bagarre.

53.

Au début du mois de mai 1588, quelques jours avant que l'armada espagnole ne lève l'ancre depuis Lisbonne à la conquête de l'Angleterre, Philippe II écrivit à l'archevêque de Grenade pour le remercier de son cadeau, cette moitié du voile de la Vierge Marie qu'il lui avait fait parvenir à l'Escorial. Dans le même temps, au nom de ses royaumes, il se félicitait de l'apparition de si précieuses reliques. Peu après que les ouvriers qui démolissaient la Turpiana eurent trouvé le coffret caché par Hernando contenant le parchemin signé par san Cecilio, le voile de la Vierge et la relique de san Esteban, la ferveur chrétienne grenadine explosa. C'étaient les premières nouvelles, si désirées, de san Cecilio. Et la certitude qu'avant l'arrivée des musulmans Grenade était aussi chrétienne que n'importe quelle autre capitale du royaume provoqua dans le peuple une irruption d'extase et de mysticisme que l'Église ne chercha en aucune façon à apaiser. Nombreux furent ceux qui, dès lors, jurèrent avoir assisté à des miracles, des feux mystérieux, des apparitions et à tout type de phénomène prodigieux. La cathédrale de Grenade disposait désormais de ses reliques, et la foi de ses habitants pouvait se nourrir d'autre chose que de mots !

Aisha fut frappée d'étonnement : juste au moment où elle allait lui donner une pièce, un des deux seuls mendiants maures de la ville avait refermé, avec une promptitude étrange, sa main crasseuse et tremblante qui implorait l'aumône aux passants de la calle de la Feria, près de la porte de Corbache. Elle resta avec sa maille entre les doigts, alors que le miséreux crachait à ses pieds et lui tournait le dos. Immédiatement, plusieurs pauvres chrétiens l'entourèrent pour s'emparer de la pièce. Aisha vacilla. La loi du Prophète autorisait l'aumône, mais pas aux chrétiens. Cependant, troublée de voir qu'un peu plus loin l'homme qui avait refusé sa charité mendiait à d'autres personnes, elle laissa tomber sa maille entre toutes ces mains ouvertes qui effleuraient la sienne avec insistance.

Même les mendiants n'avaient plus aucun respect pour elle ! Elle traîna les pieds en direction de l'atelier de Juan Marco. La nazaréenne ! Voilà comme l'appelaient certains depuis qu'on racontait dans Cordoue qu'Hernando trahissait ses frères et collaborait avec l'Église dans une enquête sur les crimes des Alpujarras. Ces dernières années, la situation économique de la communauté grenadine déportée à Cordoue s'était sensiblement améliorée : la nature travailleuse des Maures, si opposée à la paresse chrétienne, leur avait permis d'acquérir une certaine prospérité et beaucoup d'entre eux, obligés de vendre leurs bras pour de misérables salaires journaliers, possédaient désormais leurs propres commerces. La grande majorité complétait ses revenus par la culture de petits champs à l'extérieur de la ville, près du Guadalquivir. À tel point que les corporations cordouanes, comme cela s'était produit dans maints endroits, demandèrent aux autorités d'interdire aux nouveaux-chrétiens de se consacrer au commerce ou à l'artisanat et de limiter leurs activités aux travaux salariés. Mais ces pétitions ne furent pas entendues car les conseils municipaux étaient satisfaits des compétences commerciales des Maures. Pour cette raison, les querelles entre vieux et nouveaux-chrétiens s'aggravaient.

Aisha avait quarante-sept ans et elle se sentait vieille et seule. Surtout seule. Le seul fils qui lui restait n'était qu'un ennemi de la foi, un traître. Qu'avaient pu devenir ses autres enfants ? se demanda-t-elle au moment où elle entrait dans le lumineux établissement du maître tisserand. Shamir. Fatima. Francisco. Inés. Comment se passait leur vie sous la coupe de Brahim ? La nuit, immobile et angoissée, elle s'efforçait de repousser les images qui l'assaillaient : Fatima violée par Brahim ; son propre fils et son petit-fils, fouettés peut-être sur un bateau, contraints de ramer comme des galériens. Mais elles revenaient, dans un mélange confus, l'empêchant de dormir. Musa et Aquil ! On savait que tous les enfants livrés aux chrétiens après le soulèvement avaient été évangélisés ou vendus comme esclaves. Les siens étaient-ils encore vivants ? Aisha porta le bras à ses yeux et sécha les larmes qui affleuraient. Comment ses yeux épuisés pouvaient-ils encore pleurer ?

Elle gagnait un bon salaire. Nul ne semblait ignorer qu'Hernando n'était pas étranger à ce privilège, et depuis que dans sa propre maison on avait commencé à la surnommer la nazaréenne en chuchotant, cet argent ne lui servait plus à grand-chose. Plus personne ne lui parlait. D'abord on lui avait volé un peu de nourriture. Mais elle n'avait rien dit. Puis, à l'endroit où elle conservait ses vivres, elle avait trouvé des quignons de pain sec à la farine de maïs. Elle n'avait toujours rien dit et avait même continué d'acheter des vivres que les autres mangeaient à sa place. Un jour, sa chambre fut envahie par une famille avec trois enfants. Elle ne dit encore rien et continua à payer comme si elle était seule. Et si on la jetait dehors ? Où irait-elle ? Qui voudrait d'elle ? Même avec de l'argent, elle n'était que la nazaréenne. Ici au moins elle avait un toit. Un autre jour, en revenant du travail, elle découvrit ses affaires entassées dans le vestibule, où elle dormait depuis, pelotonnée près de la porte d'entrée de la maison.

Dans l'arrière-boutique de l'atelier, où on tissait le taffetas sur quatre métiers, Aisha se dirigea vers son poste de travail, devant une série de paniers dans lesquels s'amoncelaient les fils de soie préalablement teintés, divisés par couleurs : bleus, verts et de tonalités diverses ; dorés, le fameux rouge d'Espagne, ou les précieux cramoisis, obligatoirement teintés à la cochenille, colorant obtenu d'un puceron qui vivait sur les chênes verts, jamais au brésillet. Elle devait les embobiner, démêler les bouts de fil et préparer ensuite l'ourdissage en rassemblant un à un les fils de même longueur jusqu'à les dévider et les enrouler autour du fuseau en fer utilisé dans les ateliers. Elle prit un tabouret et, après avoir massé ses reins en un geste de douleur, elle s'assit face à un panier. Pourquoi le Tout-Puissant l'avait-il abandonnée ? gémit-elle devant un écheveau de fils colorés.

Au même moment, au-delà du détroit qui séparait l'Espagne et les Barbaresques, dans son luxueux palais de la médina de Tétouan, Fatima dictait une lettre à un commerçant juif. Elle lui avait promis une bonne somme d'argent afin qu'il l'écrive pour elle en arabe, la fasse parvenir à Cordoue par l'intermédiaire de quelqu'un de confiance et lui rapporte une réponse.

— Époux aimé, commença-t-elle, la voix nerveuse. Que la paix et la bénédiction de l'Indulgent et de Celui qui juge avec vérité soient avec toi…

Fatima s'arrêta. Que dire à l'homme qu'elle n'avait pas vu depuis sept ans ? Comment ? Son discours était prêt, elle l'avait médité, entre ses souvenirs heureux et malheureux, mais à l'instant de vérité, les paroles ne venaient pas. Le juif, un vieil homme, patient, leva les yeux de la feuille et regarda la femme : belle, fière et altière, dure et froide, avec un air sévère qui semblait à présent succomber devant le doute. Il l'observa faire les cent pas dans la pièce, passer sous les arcs qui donnaient sur le patio et revenir ; porter ses doigts couverts de bagues à ses lèvres puis les croiser sous sa poitrine ou esquisser un geste en l'air, la main tendue, comme si cette attitude pouvait lui redonner la fluidité verbale qui l'avait quittée.

— Madame, dit avec respect le commerçant, devenu pour un temps écrivain public, puis-je vous aider ? Que voulez-vous dire à votre époux aimé ?

Les yeux noirs de Fatima, brillants et glacés, se posèrent sur le juif. Ce qu'elle voulait dire à Hernando ne tenait pas en une seule lettre, faillit-elle lui répondre. Pourtant c'était simple au fond : Brahim était mort et elle désirait qu'il vienne la retrouver à Tétouan. Rien n'empêchait qu'ils soient de nouveau heureux, et elle l'attendait. Mais s'il s'était remarié ? S'il avait retrouvé, lui, le bonheur ? Sept ans avaient passé…

Sept ans de soumission totale ! Fatima se planta devant le vieux juif qui continuait de l'observer, la plume à la main.

— C'est un cri… murmura-t-elle.

L'homme s'apprêta à mouiller sa plume dans l'encre mais Fatima l'arrêta.

— Non. N'écris pas ça. C'est un cri qui m'a réveillée, qui m'a ramenée à la vie.

L'ancien posa sa plume sur le bureau et se cala sur sa chaise, invitant la dame à poursuivre son histoire. Il savait que Brahim était mort ; tout Tétouan était au courant de son assassinat.

— Sale chien ! reprit Fatima. Voilà ce que j'ai entendu. C'était Shamir qui insultait Nasi. Et alors j'ai compris que ce garçon de seize ans était devenu un homme, aguerri par la mer, les assauts de navires chrétiens et les incursions sur les côtes andalouses. Cela s'est passé dans le patio, ici même, précisa-t-elle en montrant la merveilleuse fontaine qui occupait le centre du patio couvert, au ras du sol, expulsant l'eau d'une mosaïque circulaire composée de minuscules pierres multicolores qui formaient un dessin géométrique. Face à cette offense, Nasi, ce corsaire redouté et cruel, qui avait dix ans de plus que lui, a porté la main à son alfange. J'ai tremblé. Je me suis recroque-villée, comme je l'ai toujours fait depuis que j'ai posé le pied dans cette misérable ville. Mon petit Abdul, avec ses yeux bleus furieux, se tenait au côté de Shamir. Le reflet de la lame de l'alfange de Nasi, qu'il brandissait en direction des garçons, m'a aveuglée et j'ai cru m'évanouir.

Perdue dans ses souvenirs, Fatima se tut. Le juif n'osait pas bouger. Tout à coup, la femme le regarda.

— Tu sais, Efraín ? Dieu est grand. Shamir et Abdul ont reculé de quelques pas, mais pas pour s'enfuir comme je le désirais. Ils ont dégainé leurs armes, tous deux en même temps, ensemble, comme s'ils ne formaient plus qu'un seul être, sans peur. Shamir a ordonné à Abdul de se mettre en retrait, de le laisser seul, et mon petit lui a obéi, se postant derrière lui, dans un mouvement qu'ils paraissaient avoir réalisé des milliers de fois. « Chien ! » a de nouveau crié Shamir à Nasi, en tenant fermement son alfange devant lui. « Porc pouilleux ! » Fou de rage, Nasi s'est élancé sur Shamir, mais celui-ci, comme un félin, a esquivé l'attaque, frappé l'alfange de Nasi et détourné son coup. Je me souviens… que le bruit des fers s'entrecho-quant a fait trembler les colonnes du patio. Ce fut comme un signal pour que mon petit Abdul, à son tour, intervienne et assène un autre coup sur l'alfange de Nasi, dont l'arme est alors tombée des mains. En une seconde, les garçons ont repris leur position, dagues pointées, souriant. Ils sou-riaient ! Comme si le monde était à leurs pieds. « Si tu ne veux pas mourir comme le marrane que tu es, reprends ton arme et essaie de combattre comme un vrai croyant », a dit Shamir au corsaire…

Fatima se tut et regarda le patio. Elle revivait la scène.

— Madame…, continuez, l'enjoignit le juif devant son silence prolongé.

Fatima sourit avec nostalgie.

— Le tumulte a alerté Brahim, reprit-elle, qui est alors apparu dans le patio en traînant des pieds, afin d'arrêter la bagarre et de châtier Shamir et Abdul. « Comment osez-vous affronter mon lieutenant dans ma propre maison ? » a-t-il crié. « Racaille », a-t-il ajouté en crachant par terre. Mais j'avais vu l'univers qui s'ouvrait sous les yeux de mon fils et de Shamir, ce monde auquel ils souriaient, altiers et sûrs d'eux, comme les hommes qu'ils étaient devenus… Jour après jour, grâce à la force de mes garçons, j'ai recouvré mon amour-propre, et quelques soirs plus tard, alors qu'ils dînaient tous les quatre, désarmés, assis sur des coussins autour d'une table basse, je suis entrée dans la salle à manger et j'ai renvoyé domestiques et esclaves. Je me rappelle le regard surpris de Brahim. Il ne pouvait deviner ce qui allait se passer. « Je dois traiter d'une affaire urgente avec vous », ai-je dit avec aplomb. Alors j'ai sorti deux dagues que j'avais cachées sous mes vêtements. J'en ai lancé une à Shamir et j'ai empoigné l'autre. Nasi s'est levé rapidement, mais Brahim a été incapable de réagir et, avant que son lieutenant ne parvienne jusqu'à moi, j'ai enfoncé la lame dans sa poitrine.

À ce moment-là, Fatima défia le juif du regard. Sa voix était froide, sans expression.

— Shamir n'a pas tout de suite compris ce qui arrivait, mais ensuite il a intercepté Nasi en le menaçant de sa dague. Abdul aussi a fondu sur lui.

Fatima se tut quelques instants. Quand elle reprit la parole, sa voix, qui avait baissé d'un ton, n'était plus qu'un murmure. Le vieux commerçant la contemplait, impassible. Quels autres secrets cachaient ces beaux yeux noirs ?

— Brahim n'est pas mort de cette première blessure. Je suis seulement une femme faible et inexpérimentée. Mais mon coup de couteau avait suffi pour le faire tellement souffrir qu'il ne pouvait plus se défendre. Je l'ai frappé une deuxième fois à la bouche pour l'empêcher de crier, puis j'ai sectionné son moignon avant d'y enfoncer la dague presque jusqu'au coude. Il a mis du temps à se vider de son sang. Beaucoup de temps… susurra-t-elle. Il suppliait. Toute une vie de souffrance m'est revenue en mémoire pendant que je regardais la sienne s'échapper. Je ne l'ai pas quitté des yeux jusqu'à ce qu'il expire. Il est mort saigné, comme les porcs.

— Mère ! Qu'as-tu fait ? s'était écrié Abdul.

Les yeux écarquillés, le garçon contemplait Brahim qui s'était affalé sur les coussins, la main gauche sur sa poitrine, le sang giclant de sa blessure.

Fatima n'avait pas répondu. Elle s'était contentée d'esquisser un geste de la main pour qu'ils gardent le silence tandis que Brahim agonisait sur les luxueux coussins en soie qui recouvraient le sol de la pièce.

— Shamir, avait-elle dit d'une voix ferme quand son époux haï avait expiré, à partir d'aujourd'hui tu es le chef de la famille. Tout est à toi.

Le jeune garçon, qui pressait toujours sa dague sur le cou de Nasi, n'arrivait pas à détacher les yeux de son père. De son côté, Abdul retenait sa respiration, regardant alternativement, avec angoisse, Brahim et Shamir.

— Ce n'était pas quelqu'un de bien, avait ajouté Fatima devant le silence de Shamir. Il a détruit la vie de ta mère, la mienne. Les vôtres...

Le souvenir d'Aisha avait fait réagir le garçon.

— Que fait-on maintenant ? avait-il demandé, tout en accentuant la pression sur le cou de Nasi avec la lame de sa dague, comme s'il voulait faire courir au lieutenant le même sort que celui de son patron.

— Vous deux, avait répondu Fatima en s'adressant à Shamir et Abdul, prenez la fortune de Brahim et cachez-vous dans le port avec tous les hommes. Que les bateaux soient prêts à lever l'ancre. Vous attendrez là-bas mes instructions. Toi, reprit-elle en s'approchant de Nasi, tu vas immédiatement te rendre à la maison du gouverneur, Muhammad al-Naqsis, et tu lui transmettras que Shamir, fils du corsaire Brahim de Juviles, à présent chef de sa famille, lui jure loyauté et se met à sa disposition avec tous ses bateaux et ses hommes.

— Et si je refuse ? avait craché l'homme.

— Tue-le ! avait répondu Fatima en lui tournant le dos.

Le bruit étouffé mais immédiat de la dague qui tranchait le cou du lieutenant l'avait surprise. Elle s'était attendue à entendre le corsaire la supplier, mais Shamir ne le lui avait pas laissé la moindre opportunité. Fatima s'était retournée à l'instant où Nasi, égorgé, s'effondrait par terre.

— Ce n'était pas quelqu'un de bien, avait simplement dit Shamir.

— Tout à fait d'accord, avait renchéri Fatima. Cela ne change rien. Faites ce que je vous ai dit.

À l'aube, Shamir et Abdul étaient partis en direction du port avec tout l'or, les bijoux et les documents de Brahim. Fatima avait ordonné à deux esclaves de préparer les cadavres et de nettoyer la salle à manger. Pendant la nuit elle s'était rendue dans l'aile du palais où vivait reléguée la seconde épouse de Brahim, qu'elle avait informée de la mort de son mari sans lui donner plus de détails, mais en soulignant que Shamir était désormais le nouveau chef de famille ; l'autre avait baissé les yeux et s'était tue. Elle savait qu'elle dépendait à présent de la générosité de ce jeune garçon qui aimait Fatima comme sa mère.

Au matin, une fois habillée, Fatima s'était dirigée vers la maison de Muhammad al-Naqsis. Au cours du XVIᵉ siècle, la ville avait appartenu au royaume de Fez, conquis ensuite par celui du Maroc. Après une période d'indépendance, elle avait été à nouveau soumise. Le pouvoir central était faible et d'insistantes rumeurs, parvenues jusqu'au palais de Brahim, disaient que la famille al-Naqsis avait l'intention de se déclarer indépendante. Brahim lui-même avait commenté cette éventualité, irrité à l'idée que ses ennemis commerciaux puissent prendre le contrôle de la cité. En dépit de sa condition de femme, Fatima avait été reçue par le gouverneur. Les al-Naqsis étaient en mauvais termes avec Brahim à cause du partage du marché corsaire, et l'étrange visite de l'épouse de leur adversaire avait suscité la curiosité du chef de famille.

— Et Brahim ? avait demandé Muhammad al-Naqsis après que Fatima, au nom de Shamir, lui eut juré fidélité.

— Mort.

Le gouverneur, sans dissimuler son admiration, avait examiné Fatima de la tête aux pieds. Il avait devant lui la femme la plus belle, et maintenant la plus riche de tout Tétouan.

— Son lieutenant ? avait-il interrogé, feignant de se contenter de la succincte réponse.

— Également décédé, avait répondu Fatima, sur un ton ferme bien que les yeux au sol, conformément à ce que devait être l'attitude de la femme musulmane.

« Décédé ? avait pensé le gouverneur. C'est tout ? Et qu'as-tu à voir avec ces deux morts ? »

L'homme avait regardé Fatima avec un certain respect. Elle avait continué de parler : un discours bref, sans détours. Il avait hésité seulement quelques instants à ne pas poser de questions et à accepter l'aide que cette généreuse veuve semblait disposée à déposer à ses pieds pour lui permettre d'obtenir l'indépendance.

Le lendemain, Fatima, entourée de pleureuses, toutes vêtues d'habits simples et le visage gris de suie, avait écouté des vers et des chansons en l'honneur des défunts. Après chaque vers, chaque chanson, les femmes, s'arrachant les cheveux, criaient, se lacéraient la poitrine et les joues jusqu'au sang. Ces rites funéraires s'étaient poursuivis pendant sept jours.

Le vieux juif leva le regard et croisa celui de Fatima. Tous deux savaient que la confession qu'elle venait de prononcer ne serait jamais répétée, nulle part. Il avait appris depuis longtemps à voir, à écouter et à se taire. Son peuple avait survécu et s'était enrichi grâce à la vertu de la discrétion. Surtout quand cette discrétion était très bien récompensée.

— Madame… murmura-t-il en lui montrant la feuille encore blanche.

Fatima soupira. Oui… L'heure était venue. D'une voix ferme, elle recommença à dicter :

— Époux aimé. Que la paix et la bénédiction de l'Indulgent et de Celui qui juge avec vérité soient avec toi.

54.

« Dieu souffla et ils furent dispersés. »

Insigne royale d'Isabelle Ire d'Angleterre

Après deux mois passés dans le port de La Coruña, et en dépit de plusieurs négociations de paix et de réunions au cours desquelles l'entreprise avait été déconseillée, la Grande Armada leva définitivement l'ancre à la conquête de l'Angleterre sous le commandement du duc de Medina Sidonia, qui avait repris le poste du marquis de Santa Cruz après le décès brutal de ce dernier.

Don Alfonso de Córdoba et son fils aîné, flanqués de vingt serviteurs parmi lesquels se trouvait le valet de chambre José Caro, et de dizaines de malles contenant leurs affaires, habits, livres ainsi que deux services complets d'argenterie, partirent sur un des vaisseaux amiraux.

Les nouvelles de la flotte qui parvinrent peu à peu en Espagne ne furent pas celles que l'on espérait de la miséricorde de Dieu, pour qui cette guerre contre l'Angleterre avait été déclenchée. L'objectif de l'armada était de retrouver les régiments d'infanterie du duc de Parme à Dunkerque, de les embarquer et d'envahir l'Angleterre. Cependant, après avoir mouillé à Calais, à seulement vingt-cinq lieues de l'endroit où les attendaient les troupes du duc de Parme, les Espagnols découvrirent que les Hollandais avaient bloqué la baie de Dunkerque ; le duc n'avait plus les moyens d'embarquer ses soldats, d'éviter le blocus hollandais et de rejoindre la flotte. Lord Howard, l'amiral anglais, ne manqua pas de saisir cette occasion que lui offrait la flotte ennemie regroupée et immobilisée à Calais, et il l'attaqua aux brûlots.

La nuit du 7 août, les Espagnols virent huit bateaux d'approvisionnement sans équipage, en flammes, poussés par le vent et la marée, arriver dans leur direction. C'étaient les redoutés « feux de l'enfer » ! Deux d'entre eux purent être déviés de leur trajectoire grâce à de longs bâtons manipulés depuis des chaloupes, mais les six autres pénétrèrent entre les navires espagnols, tirant indistinctement de leurs canons, et explosèrent en flammes au milieu. Aussitôt, les capitaines durent larguer les amarres, lever l'ancre et fuir à vive allure, brisant la formation en demi-lune qu'ils avaient adoptée pendant toute la traversée. En voyant que l'armada ennemie perdait sa formation habituelle et sûre, les Anglais attaquèrent et un affrontement sanglant se produisit, au terme duquel les Espagnols furent poussés par le vent vers le nord du canal de la Manche. Le duc de Medina Sidonia tenta vainement, en dépit des conditions atmosphériques, de revenir et de se rapprocher des côtes flamandes. Pendant ce temps, les Anglais, sans livrer bataille, se contentèrent de surveiller l'éventuel retour de leurs ennemis.

Quelques jours plus tard, l'amiral espagnol ordonna de jeter par-dessus bord tous les animaux que transportait la flotte. Puis, dans des conditions précaires, avec de l'eau contaminée et des vivres pourries à cause de la mauvaise qualité des barils fabriqués au moyen de cercles métalliques et de douves, en remplacement de ceux brûlés par Drake l'année précédente, alors que ses embarcations étaient détruites et que ses membres d'équipage mouraient les uns après les autres du typhus ou du scorbut, il prit la route de l'Espagne par le nord, en contournant les côtes irlandaises inconnues.

Le 21 septembre, le bateau du duc de Medina Sidonia, entièrement maintenu par trois grands cordages qui l'empêchaient de tomber en morceaux, amarrait comme un présent macabre à Santander au côté de huit galions, son amiral agonisant sur une couchette. Trente-cinq navires seulement, sur les cent trente qui formaient la Grande Armada, réussirent à accoster dans différents ports. Certains avaient été coulés lors de la bataille dans le canal de la Manche ; d'autres, les plus nombreux, sombrèrent près des côtes irlandaises, où les tempêtes s'acharnèrent sur des navires disloqués, parsemant de naufrages toute la côte ouest de l'Irlande. Beaucoup de bateaux, néanmoins, demeuraient dans des lieux inconnus. Quelques jours plus tard, un courrier se présenta à Cordoue : le navire sur lequel naviguaient don Alfonso et son fils n'avait accosté nulle part.

Lorsqu'elle apprit la nouvelle, doña Lucía ordonna que tous ceux qui habitaient au palais, hidalgos, domestiques et esclaves, sans oublier Hernando, assistent aux trois messes quotidiennes que le prêtre de la chapelle du palais ordonna aussitôt. Le reste de la journée, le silence était juste interrompu par le murmure des rosaires que devaient réciter à chaque heure les hidalgos et la duchesse, rassemblés dans la pénombre d'un salon. Un jeûne strict fut établi ; on interdit la lecture, les danses et la musique. Personne n'osait plus quitter le palais, sauf pour se rendre à l'église ou aux prières publiques et processions permanentes organisées partout en Espagne depuis qu'on avait appris le désastre de l'armada et la disparition de tant de navires et d'équipages.

— *Marie, Mater Gratiae, Mater Misericordiae...*

Tous à genoux, derrière la duchesse, priaient sans relâche. Hernando murmurait mécaniquement l'interminable cantilène, mais autour de lui il entendait les voix des fiers et altiers courtisans s'élever avec une véritable dévotion. Il observait sur leurs visages l'inquiétude et l'angoisse : leur avenir dépendait de la vie et de la générosité de don Alfonso, et si celui-ci mourait...

— Soyez rassurée, ma cousine, dit un jour don Sancho à l'heure du repas.

La table était sobre, avec du pain noir et du poisson, sans vin ni aucune de ces viandes appréciées, servies habituellement au palais.

— Si votre époux et son fils aîné ont été capturés sur les côtes irlandaises, leurs ravisseurs les respecteront. Ils représentent une extraordinaire rançon pour les Anglais. Personne ne leur fera de mal. Ayez confiance en Dieu. Ils seront bien traités jusqu'au paiement de la somme ; c'est la loi de l'honneur, la loi de la guerre.

Aux paroles du vieil hidalgo, une lueur d'espoir brilla dans les yeux de la duchesse. Mais, à mesure que les mauvaises nouvelles arrivaient à la Péninsule, elle disparut bien vite pour laisser place à des larmes. Sir William Fitzwilliam, alors commandant général des forces anglaises d'occupation en Irlande, disposait seulement de sept cent cinquante hommes pour protéger l'île face aux autochtones qui défendaient toujours leur liberté. C'est pourquoi il n'était pas disposé à autoriser le débarquement d'un nombre si élevé de soldats ennemis. Ses ordres furent catégoriques : arrêter et exécuter immédiatement tout Espagnol trouvé en territoire irlandais, qu'il fût noble, soldat, domestique ou simple galérien.

Les espions de Philippe II et les soldats qui, avec l'aide de seigneurs irlandais, étaient parvenus à s'échapper en passant par l'Écosse, racontèrent en détail les épouvantables massacres d'Espagnols ; les Anglais, sans la moindre compassion ou esprit de chevalerie, tuaient même ceux qui se rendaient.

Alors Hernando, inquiet pour la vie de celui qui l'avait traité comme un ami, commença également à trembler pour son propre avenir. Ses relations avec la duchesse avaient empiré depuis que celle-ci avait eu vent de ses amours avec Isabel. À l'instar de don Sancho, doña Lucía ne lui adressait pas la parole ; l'altière noble ne le regardait même pas, et Hernando paraissait n'être plus qu'un obstacle imposé par celui dont on ignorait le sort. En d'autres circonstances il n'y aurait sans doute pas attaché la moindre importance : il haïssait l'hypocrisie de ce type de vie oisive, mais il ne voulait ni ne pouvait renoncer aux faveurs du duc, à sa bibliothèque et aux dizaines de livres auxquels il avait accès, ainsi qu'à la possibilité de se consacrer entièrement à la communauté maure après le succès spectaculaire de la découverte du parchemin dans la Torre Turpiana, malgré un séjour qui devenait de plus en plus inconfortable dans le palais. Le conseil de la cathédrale de Grenade avait précisément chargé Luna et Castillo de la traduction. Quant à Hernando, il venait enfin de réussir à trouver, à la pointe des plumes, le point subtil de courbure vers la droite. Comme si sa main servait Dieu, il était parvenu à dessiner sur le papier les plus merveilleuses lettres qu'il eût jamais imaginées.

En septembre de cette année-là, alors que toute l'Espagne, derrière son roi, pleurait la déroute de la Grande Armada, un jeune juif de Tétouan, pourvu de cédules falsifiées qui l'accréditaient comme marchand d'huiles de Málaga, arriva à Cordoue en même temps qu'une caravane à laquelle il s'était joint à Séville.

Après avoir passé la douane à la tour de la Calahorra, tandis qu'il franchissait le pont romain à pied, au côté de quelques mules, le jeune juif fixa du regard la grande œuvre qui s'étendait juste devant eux, au-delà du pont et de la porte d'accès à la ville. Il se souvint des paroles de son père :

— Devant le pont tu verras la Grande Mezquita sur laquelle les chrétiens construisent leur cathédrale, lui avait expliqué ce dernier avant son départ, non sans lui avoir répété les indications de Fatima.

Il lui avait parlé en espagnol afin de lui rappeler la seule langue qu'il convenait d'utiliser pour traiter avec les chrétiens.

Et maintenant il était là !

Le fils d'Efraín, qui portait le même nom que son père, ralentit le pas devant la structure monumentale qui s'élevait au-dessus du toit bas de la mezquita, avec ces majestueux arcs-boutants dans l'attente du ciborium et de la coupole qui devaient couronner le temple.

— Sur la façade principale de la cathédrale, de l'autre côté du fleuve, où s'élève le clocher, avait continué son père, il y a une rue qui monte jusqu'à la calle de los Deanes, puis à une rue appelée d'abord la calle de los Barberos et ensuite calle d'Almanzor...

La voix du vieux juif avait tremblé.

— Que se passe-t-il, père ? s'était inquiété Efraín, posant sa main sur son bras.

— Ce quartier où tu dois aller, avait-il expliqué après s'être raclé la gorge, est précisément l'ancien quartier juif de Cordoue, d'où nous ont expulsés les chrétiens il n'y a pas un siècle.

La voix de l'ancien s'était remise à trembler. Fatima lui avait expliqué où était située la maison dans laquelle ils vivaient et il l'avait écoutée avec patience. Combien de fois avait-il entendu la description de ces rues de la bouche de son grand-père !

— C'est là que sont tes racines, mon fils. Respire-les et rapporte-moi un peu de leur parfum !

La femme qui le reçut dans la maison ne lui donna aucune nouvelle de cet Hernando Ruiz, nouveau-chrétien de Juviles, à qui il devait remettre la lettre qu'il cachait sous sa chemise. Mais en plus, quand le garçon insista sur le fait qu'une famille maure avait vécu auparavant dans cette demeure, elle le renvoya sans ménagement.

— Aucun hérétique n'a jamais foulé le sol de cette maison ! cria-t-elle.

Et elle referma la porte qui donnait sur le patio.

« Si pour une raison ou une autre tu ne le trouves pas, lui avait indiqué son père, tu devras aller aux écuries royales. Selon la dame, là-bas on te donnera certainement des nouvelles de lui. » Efraín demanda son chemin, fit marche arrière, passa devant l'alcázar et parvint aux écuries.

— J'ignore de qui tu me parles, lui répondit un garçon rencontré dès qu'il eut franchi le portail d'entrée, mais s'il s'agit d'un nouveau-chrétien, demande au maréchal-ferrant. Jerónimo saura certainement de qui il s'agit ; il travaille ici depuis des années.

Efraín passa l'entrée, la grande salle des box, et atteignit le manège central où plusieurs écuyers dressaient des poulains. Le jeune juif s'arrêta quelques instants. Comme ces animaux étaient différents des petits chevaux arabes de sa terre ! De l'entrée, le garçon attira son attention et lui fit signe de continuer vers la forge. Pourquoi ce Jerónimo détiendrait-il des informations sur un nouveau-chrétien ? se demanda-t-il en allant à sa rencontre. Les traits arabes du maréchal-ferrant lui donnèrent la réponse. Ce dernier le reçut avec un sourire, qui s'effaça aussitôt dès qu'il sut la raison de sa visite.

— Que lui veux-tu, à Hernando ? cracha-t-il.

Efraín hésita. Pourquoi ce ressentiment ? Parmi les enclumes, le four allumé, les outils et les barres en fer, le maréchal-ferrant se dressa devant lui de toute sa hauteur, respirant bruyamment avec son gros nez.

— Tu le connais ? interrogea le jeune juif avec fermeté.

Cette fois, ce fut au tour du maréchal-ferrant d'hésiter.

— Oui, avoua-t-il finalement.

— Tu sais où je peux le trouver ?

Jerónimo fit un pas vers lui.

— Pourquoi ?

— C'est mon affaire. Je te demande seulement si tu sais où je peux trouver cet Hernando. Si c'est le cas, tant mieux ; sinon, je n'ai pas l'intention de t'ennuyer et je le chercherai ailleurs.

— Je ne sais rien de lui.

— Merci, dit Efraín en prenant congé.

Il était persuadé que l'Arabe lui mentait. Mais pourquoi ?

Abbas n'avait pas l'intention de donner la moindre information au sujet d'Hernando, mais peut-être était-il opportun d'en savoir un peu plus sur les intentions de ce visiteur.

— En revanche, je sais où tu peux trouver sa mère, rectifia-t-il.

Efraín s'arrêta. « La dame exige que tu remettes cette lettre en mains propres à Hernando ou à sa mère. Elle s'appelle Aisha. Tu ne dois la donner à personne d'autre », l'avait prévenu son père.

Que se passait-il dans cette famille ? s'interrogeait Efraín quand il arriva devant la porte de la maison d'Aisha, dans une ruelle étroite du quartier de Santiago, à l'autre bout de la ville. Il était évident que Jerónimo lui avait menti ; ses yeux sombres le trahissaient. Lorsqu'il demanda après Aisha à des femmes qui allaient et venaient avec des pots et des fleurs dans le patio de la demeure, celles-ci le regardèrent avec dédain. Efraín était un jeune homme costaud, sans doute pas autant que le maréchal-ferrant, mais certainement plus que le Maure qui accourut à l'appel des femmes. Et il était fatigué. Il avait marché pendant des jours entiers depuis le port de Séville, où il avait accosté sur un bateau portugais qui avait levé l'ancre à Ceuta, et il avait passé la journée d'un endroit à un autre à chercher cet Hernando Ruiz ou sa mère, conscient que la moindre altercation pouvait entraîner sa détention et révéler sa condition de juif ou sa fausse cédule de vendeur d'huiles.

— Que lui veux-tu à Aisha ? l'interrogea le Maure avec mépris.

C'était plus qu'assez ! Efraín, oubliant toute prudence, fronça les sourcils et avança la main vers la poignée de la dague qu'il portait à sa ceinture. Le Maure ne put empêcher son regard de suivre le mouvement de la main du jeune juif.

— Cela ne te regarde pas, répondit-il. Elle vit ici ou non ?

Le Maure tituba.

— Vit-elle ici, oui ou non ? explosa Efraín, faisant mine de dégainer sa dague.

Elle vivait et dormait ici même, juste derrière l'endroit où se tenait Efraín, dans le vestibule d'entrée. Le jeune juif jeta un coup d'œil à la couverture froissée que lui désigna le Maure d'un mouvement du menton. Cependant, à cette heure, elle n'était pas encore rentrée de l'atelier du tisserand chez qui elle travaillait.

Efraín attendit dans l'impasse qui conduisait à la maison. Un moment plus tard, il devina que la femme qui se dirigeait vers lui, lentement, courbée, le regard rivé au sol, avec de grands morceaux de tissu qui pendaient de ses épaules, était la personne qu'il recherchait.

— Aisha ? demanda-t-il quand elle passa à côté de lui.

Elle acquiesça, laissant voir des yeux tristes, enfoncés dans des orbites violacées.

— La paix soit avec toi, la salua Efraín.

Cette politesse parut la surprendre. On aurait dit un animal sans défense et blessé. Qu'arrivait-il à tous ces gens ?

— Je m'appelle Efraín et j'arrive de Tétouan…, murmura-t-il en s'approchant d'elle.

Aisha réagit avec une énergie insoupçonnée.

— Silence ! lui ordonna-t-elle en faisant un geste vers la maison.

Efraín se retourna. Dans le vestibule, plusieurs visages

étaient attentifs à leur conversation. Sans dire un mot, Aisha prit la direction du fleuve. Efraín la suivit, s'efforçant d'accorder son pas à celui, si lent, de la femme.

— Je viens… reprit-il une fois qu'ils furent assez loin de la demeure, mais Aisha lui fit à nouveau signe de se taire.

Ils arrivèrent au Guadalquivir par la porte de Martos, devant le moulin qui appartenait à l'ordre de Calatrava. Là, sur la berge du fleuve, Aisha s'adressa à lui.

— Tu apportes des nouvelles de Fatima ? interrogea-t-elle dans un filet de voix.

— Oui. J'ai…

— Que sais-tu de mon fils, Shamir ? l'interrompit-elle, l'obligeant à s'arrêter.

Efraín crut percevoir un éclair de vie dans ses yeux éteints.

— Il va bien.

Avant qu'il parte, son père lui avait expliqué la situation.

— Mais je n'en sais pas plus, précisa-t-il. Je t'apporte une lettre de la señora Fatima. Elle s'adresse à ton fils, Hernando, mais elle est aussi pour toi.

Efraín fouilla à l'intérieur de ses habits.

— Je ne sais pas lire, dit Aisha.

Le jeune juif tenait la lettre à la main.

— Donne-la à ton fils, il te la lira, argumenta-t-il en lui tendant la lettre.

Aisha laissa échapper un triste sourire. Comment pourrait-elle avouer à son fils qu'elle lui avait menti et que Fatima, Francisco et Inés étaient vivants ?

— Lis-la, toi.

Efraín hésita. « À Hernando ou à sa mère », se rappela-t-il. On entendait au fond le bruit incessant des pierres du moulin qui pilait le blé au passage des eaux du Guadalquivir.

— D'accord, céda-t-il, et il gratta le sceau cacheté.

Époux aimé, lut-il ensuite. *La paix et la bénédiction de l'Indulgent et de Celui qui juge avec vérité soient avec toi...*

Le soleil se couchait lentement, dessinant leurs deux silhouettes sur la rive du fleuve. Concentré sur sa lecture, Efraín ne perçut pas le sourire d'Aisha au moment où la lettre racontait la mort de Brahim, saigné comme un porc. Le jeune juif dut toussoter à plusieurs reprises tandis qu'il lisait le récit si détaillé de l'assassinat, qui apparaissait sous l'écriture familière de son père.

Ton fils va bien. Il est devenu un homme intelligent et s'est endurci lors des combats en mer contre les chrétiens. Comment va ta mère ? Je suis certaine que la force et le courage avec lesquels elle a veillé sur moi et m'a soutenue lui ont servi pour supporter toutes les épreuves auxquelles Dieu nous a soumis. Dis-lui que Shamir aussi est un homme à présent et qu'il est désormais riche et puissant depuis la mort de son père maudit. Tous deux, courageux et fiers, au nom du Dieu unique, du véritable, du Fort et du Ferme, de Celui qui fait vivre et mourir, sillonnent les mers, affrontent les chrétiens et leur portent préjudice, ces chrétiens qui nous ont fait tant de mal. Inés grandit en bonne santé. Époux aimé : j'ignore ce que t'a dit ta mère au sujet de l'enlèvement de ton fils, d'Inés et de l'esclave que je suis pour toi, mais je suppose qu'elle t'a raconté que nous étions morts, sinon je suis persuadée que tu serais venu à notre secours. Les garçons ne l'ont jamais su et ils ont attendu longtemps ton arrivée. J'ai hésité à le leur dire, mais j'ai décidé que cette possibilité, cette espérance, les aiderait sur un chemin qui fut pour eux cruel et difficile. Il est trop tard aujourd'hui pour que je leur avoue la vérité. Toi-même tu pourras leur dire et ils te pardonneront, j'en suis sûre, comme tu pardonneras à ta mère ; c'est moi qui lui ai demandé d'agir ainsi, de t'empêcher de nous suivre jusqu'à ce repère de corsaires où Brahim t'attendait avec toute une armée pour te tuer.

Les sanglots d'Aisha interrompirent la lecture d'Efraín. Le jeune homme évita de regarder la femme, saisie par une douleur qu'elle ne faisait rien pour dissimuler.

— Continue, le pressa Aisha d'une voix tremblante.

Hernando, nous avons de nombreuses nuits à rattraper. Tétouan sera notre paradis. Ici nous pouvons vivre sans problèmes et dans la foi véritable, sans nous cacher de rien ni de personne. Mais peut-être t'es-tu remarié ? Je ne te le reprocherais pas, ce serait compréhensible. Dans ce cas, viens avec ta nouvelle épouse et tes enfants si tu en as. En tant que bonne musulmane qu'elle est sûrement, ton épouse comprendra et acceptera la situation. Qu'Aisha vienne aussi : Shamir a besoin d'elle. Nous avons tous besoin de vous ! Que Dieu guide le porteur de cette lettre, te trouve en bonne santé et te ramène à mes bras et à ceux de tes enfants.

Aisha demeura immobile un long moment, le regard perdu dans les eaux déjà presque noires du Guadalquivir.

— La lettre se termine ici, ajouta Efraín devant son silence.

— Il faut une réponse ? demanda Aisha, se dressant face au jeune juif.

— Oui, bredouilla Efraín devant son attitude. C'est ce qu'on m'a dit.

— Je ne sais pas écrire non plus…

— Ton fils…

— Mon fils n'écrit plus en arabe ! répliqua Aisha, la voix brisée par la rancœur. Écoute bien ce que je vais te dire et rapporte-le à Fatima : l'homme qu'elle a aimé n'existe plus. Hernando a abandonné la foi véritable et trahi son peuple ; plus aucun des nôtres ne lui parle ni le respecte. Son sang nazaréen a vaincu. Dans les Alpujarras, il a aidé des chrétiens et, en cachette, il a sauvé certaines de leurs misérables vies. À présent il vit dans le palais d'un noble cordouan, un de ceux qui ont tué tant de nos frères, comme s'il était l'un d'entre eux, livré à l'oisiveté. Au lieu de copier des exemplaires du Coran ou des prophéties, il travaille pour l'évêque de Grenade, célébrant les louanges des martyrs chrétiens des Alpujarras, qui nous volaient, nous crachaient dessus... ou nous outrageaient.

Aisha se tut. Efraín la vit trembler, et il distingua des larmes qui luttaient pour sortir de ses yeux furieux et tristes.

— Hernando n'est plus mon fils, et il n'est pas digne de toi ni de mes petits-enfants, murmura-t-elle. C'est Aisha qui te le dit, qui l'a conçu après avoir été violée, qui l'a porté en elle et l'a mis au monde dans la douleur... toute la douleur du monde. Fatima, ma Fatima chérie, que la paix soit avec toi et avec les tiens.

Aisha saisit la lettre que le jeune juif tenait toujours dans ses mains, la déchira en plusieurs morceaux, qu'elle jeta dans l'eau.

— Tu as compris ? demanda-t-elle en lui tournant le dos.

— Oui.

Efraín dut faire un effort pour articuler cette simple syllabe, avalant le peu de salive qui lui restait dans la bouche.

— Et toi ? Que vas-tu faire ? La lettre disait...

— Je n'ai plus de forces. Dieu ne peut prétendre me faire entreprendre un si long voyage. Retourne à ta terre et transmets mon message à Fatima. Que Dieu t'accompagne.

Puis, sans le regarder, elle fit demi-tour et s'éloigna, de sa démarche très lente, sur le chemin qu'elle avait pris un jour avec Hernando, près de ce fleuve qui avait englouti Hamid.

Plusieurs jours avant le 18 octobre, fête de San Lucas, les alguazils de Cordoue apposèrent dans toute la ville des affiches qui annonçaient la grande procession pour le retour des navires de l'armada, dont on était toujours sans nouvelles. Il en manquait encore soixante-dix ! Dans le même temps, des crieurs publics du conseil municipal lurent dans les endroits les plus fréquentés l'édit qui convoquait tous les Cordouans à assister à la procession, après s'être confessés et avoir communié, chacun avec sa croix, sa discipline ou son arme. Le défilé devant partir des portes de la cathédrale à une heure de l'après-midi, les Cordouans passèrent la matinée à se confesser et à communier comme pour le Jeudi saint.

Dans le palais du duc de Monterreal, doña Lucía, ses filles et le benjamin de ses enfants étaient prêts, vêtus d'un noir rigoureux, chacun tenant un cierge entre les mains. Les hidalgos et Hernando, tout en noir également, s'étaient procuré des flambeaux pour suivre la procession, et ils commencèrent à se rassembler dans le salon de doña Lucía, attendant que carillonnent toutes les cloches de la ville. L'évêque avait ordonné de faire sonner même celles des couvents, des ermitages de montagne et des lieux proches. Une doña Lucía émaciée, assise au côté de ses enfants, murmurait des prières tout en égrenant son rosaire ; les autres étaient plongés dans une attente tendue. Alors apparut don Esteban, pieds et torse nus, portant une grande croix en bois sur son épaule. Il avança vers la duchesse et la salua d'un léger hochement de tête. Le vieux sergent infirme arborait encore un torse musclé, strié de nombreuses cicatrices, de simples lignes pour certaines, plus ou moins épaisses et mal recousues ; d'autres, comme celle qui partait de son épaule gauche, constituaient des sillons qui lui traversaient le dos. Doña Lucía répondit au salut du sergent, ses fines lèvres pincées et ses yeux soudain humides. Aussitôt, un hidalgo sortit de la pièce en quête d'une autre croix à porter. Les autres se regardèrent entre eux et finalement lui emboîtèrent le pas.

— Maintenant, recommande-toi à Dieu, tu peux à nouveau sauver la vie de don Alfonso, dit don Sancho qui s'adressait pour la première fois depuis longtemps à Hernando. Ou cela t'est-il égal qu'il meure ?

Voulait-il que le duc meure ? Non. Hernando se souvint des jours qu'ils avaient passés dans la tente de Barrax et de leur fuite commune. C'était un chrétien, mais c'était son ami ; peut-être le seul sur qui il pouvait compter dans tout Cordoue. Par ailleurs ne défendait-il pas, lui, Hernando, l'existence d'un dieu unique, le dieu d'Abraham ? Il suivit l'hidalgo, décidé à faire pénitence pour don Alfonso. Qu'est-ce que cela changerait ? Ses frères de foi étaient convaincus de sa trahison, rien de ce qu'il ferait ne pourrait renforcer le mépris qu'ils lui témoignaient.

— Comment allons-nous nous procurer une croix en bois maintenant ? demanda un hidalgo. Nous n'avons pas le temps de…

— Utilisons nos épées, des barres de fer ou de simples bâtons que nous fixerons dans notre dos auxquels nous attacherons nos bras. Ce sont nos bras qui formeront la croix, répondit un deuxième.

— Ou bien trouvons une pénitence, intervint un troisième : un fouet ou un cilice.

Les épées ne manquaient pas au palais du duc. Cependant Hernando se souvint de la grande et vieille croix en bois suspendue dans un coin des écuries. D'après ce qu'il savait, le duc avait décidé de remplacer le magnifique christ en bronze qui surplombait l'autel de la chapelle du palais par une croix travaillée en acajou précieux rapporté de l'île de Cuba. Et la vieille croix, sans figure désormais, se retrouvait dans les écuries.

C'était un jour ensoleillé mais froid. Au son de toutes les cloches de la ville et des environs, la grande procession sortit de la cathédrale de Cordoue par la porte de Santa Catalina : elle tourna en direction du fleuve et traversa le pont entre l'évêché et la cathédrale jusqu'au palais de l'évêque, où celui-ci la bénit de son balcon. La procession était conduite par le corregidor de la ville et le grand maître de la cathédrale, suivis des vingt-quatre membres et jurés du conseil municipal pourvus de leurs bannières. Derrière eux, en compagnie des membres du conseil de la cathédrale, des prêtres et des bénéficiers, se trouvait le Saint Christ del Punto sur un char ; les moines des nombreux couvents de la ville portaient des chars avec des images de leurs églises, certaines sous un dais. Plus de deux mille personnes tenant des cierges ou des torches allumées entre les mains, avec Doña Lucía et ses enfants en tête du défilé, consolés par les nobles qui s'étaient fait une place au côté de la famille du duc.

Derrière, la procession avait rassemblé près d'un millier de pénitents. Portant sa croix, Hernando les observa tandis qu'ils attendaient de se mettre en marche. Comme lui, presque tous étaient pieds nus et le torse découvert. Autour de lui il vit d'autres hommes avec une croix sur l'épaule. D'autres avaient les bras en croix, attachés à une épée, à une barre en fer. Il y avait des pénitents avec des cilices aux jambes et à la taille, des hommes à la poitrine enveloppée de ronces et d'orties, ou avec des cordes autour du cou, que d'autres pénitents s'apprêtaient à tirer pendant le parcours. Les murmures des prières résonnèrent à ses oreilles et Hernando éprouva un inquiétant vide intérieur. Que penseraient les Maures qui le verraient ? Parmi toute cette foule, peut-être ne le reconnaîtrait-on pas ? Dans tous les cas, se répéta-t-il, qu'est-ce que ça pouvait faire désormais ?

La procession, au passage de laquelle les Cordouans tombaient à genoux, parcourut le trajet prévu dans les rues de la ville devant églises et couvents. Quand elle croisait un temple aux dimensions suffisantes, elle entrait à l'intérieur, accompagnée par les cantiques du chœur. Le cortège était si long que la tête se trouvait à plusieurs heures des pénitents. Dans les temples aux dimensions plus petites, la procession était accueillie par la communauté religieuse sortie dans la rue avec les images, et qui, de la porte, entonnait des miserere ; les sœurs faisaient de même, mais cachées dans les miradors des couvents.

Après avoir effectué une bonne partie de la marche qui, selon l'édit, devait se prolonger jusqu'à la nuit, Hernando commença à sentir que le poids de la croix sur son épaule augmentait de manière insupportable. Pourquoi ne s'était-il pas contenté de défiler les bras en croix, comme les autres hidalgos ? Plus encore, que faisait-il là, s'égratignant les pieds dans des flaques de boue et de sang, à prier et à chanter des miserere ? Le vieux sergent des régiments d'infanterie qui marchait devant lui, employant son seul bras valide, se tut soudain quand l'extrémité de la croix qu'il traînait pénétra dans un trou de la chaussée. Don Esteban eut beau tirer dessus, il fut incapable de la sortir de la fondrière. Les pénitents le dépassèrent, sauf ceux qui, portant une croix, furent contraints de s'arrêter. Un jeune qui assistait à la procession parmi le public bondit et souleva le bout de la croix. Le sergent se tourna vers lui et le remercia d'un sourire. Le cortège continua, avec don Esteban et le jeune homme à ses côtés. Bientôt il faudrait qu'on l'aide lui aussi, craignit Hernando lorsqu'il reprit la marche, faisant un effort pour tirer sur le bois lourd. Il en avait encore pour tout l'après-midi !

— Je vous salue Marie, pleine de grâce, le Seigneur est avec vous…, murmura Hernando à l'unisson.

Ave Maria, pater noster, credo, salve… le bourdonnement des prières était incessant. Que faisait-il là ? Des miserere chantés. Des milliers de bougies, cierges et flambeaux. Encens. Bénédictions. Saints et images de toutes parts. Hommes et femmes agenouillés sur son passage, certains criant et suppliant, les bras tendus vers le ciel dans des élans mystiques. Tout autour de lui, des flagellants, le dos ensanglanté. Soudain il ne se sentit pas à sa place… Il était musulman !

Les pieux paroissiens de Cordoue avaient été convoqués par voie d'affiches et d'annonces. Mais pas la communauté maure. Plusieurs jours avant la fête de San Lucas, prêtres, sacristains et vicaires, magistrats et alguazils s'étaient emparés des recensements détaillés des nouveaux-chrétiens et, maison par maison, leur avaient ordonné d'assister à la procession. Comme pour un dimanche, le jour de San Lucas, à la première heure de la matinée, les recensements entre les mains, ils se postèrent aux portes des églises afin de vérifier qu'il ne manquait personne pour se confesser et communier. Nul n'avait le droit de rester chez soi ; tous devaient venir voir la procession et prier pour le retour des navires disparus de la Grande Armada. L'Espagne entière priait en chœur !

— Qu'attends-tu, la vieille ?

Le boulanger maure secoua Aisha, couchée dans l'entrée. De nombreux hommes l'avaient pressée de se lever du vestibule au moment où ils avaient quitté la maison pour aller se confesser ou communier. Mais elle n'avait pas bougé. Que lui importaient les répugnants bateaux du roi chrétien ? Le dernier à sortir, le vieux boulanger, se mit en colère.

— C'est une procession de nazaréens, lui cria-t-il lorsqu'il vit Aisha se blottir, par terre, sous sa couverture. Comme toi et ton fils ! Les magistrats contrôlent que nous sommes tous à la procession. Tu veux peut-être que le malheur s'abatte sur cette maison et sur nous tous ? Debout !

Deux autres Maures qui vivaient dans la maison et se trouvaient déjà dans la rue revinrent sur leurs pas.

— Que se passe-t-il ? demanda l'un d'eux.

— Elle ne veut pas se lever.

— Si elle ne vient pas se confesser, cette maison sera soupçonnée. Nous aurons les magistrats sur le dos pendant toute l'année.

— C'est ce que je lui ai dit.

— Écoute, nazaréenne, dit le troisième homme en s'agenouillant près d'Aisha. Soit tu viens de ton plein gré, soit on t'emmène de force.

Aisha atteignit la paroisse de Santiago en trébuchant entre deux jeunes Maures qui la traînaient sans ménagement. Le sacristain, après avoir reculé et l'avoir regardée avec appréhension, biffa son nom sur la porte de l'église.

— Elle est malade, s'excusèrent les jeunes.

Mais ils ne purent l'obliger à se confesser et osèrent encore moins l'approcher de l'autel pour lui faire manger l'hostie. Par chance, l'affluence des paroissiens, le désordre et les files d'attente près des confessionnaux étaient tels que nul ne s'en aperçut. Les magistrats validèrent sa présence à l'église. Ensuite, sous la surveillance d'un gouverneur, les Maures du quartier de Santiago se postèrent dans la calle del Sol, entre l'église de Santiago et le proche couvent de Santa Cruz, dans l'attente du passage de la procession. Aisha se trouvait parmi eux, recroquevillée, indifférente. Elle dut rester plusieurs heures dans la rue avant que la procession, sur son chemin de retour à la cathédrale, arrive dans le quartier de Santiago, près des remparts de l'est.

Aisha ne parla avec personne. Depuis plusieurs jours elle n'ouvrait plus la bouche, même à l'atelier, où elle supportait en silence, le regard perdu, les réprimandes du maître Juan Marco devant les fils de soie qu'elle avait mal embobinés ou les couleurs ou les mesures mal mélangées. Elle pensait à Fatima et à Shamir. Fatima avait réussi ! Elle avait subi des années d'humiliations, mais elle s'était tue et avait tenu bon ; sa volonté et sa constance lui avaient parmis d'obtenir une vengeance qu'elle n'aurait jamais imaginée. Un paradis ! disait la lettre, se souvint-elle. Elle vivait dans un paradis. Et elle, qu'était-elle devenue ? Elle était vieille, malade et seule. Elle observa ses voisins qui l'entouraient, comme s'ils voulaient la cacher. Ils mangeaient. Du pain de maïs, des galettes, des gâteaux aux amandes, et des beignets qu'ils s'étaient procurés. Aucun d'entre eux ne lui en offrit, bien que de toute façon elle eût refusé. Il lui manquait quelques dents et ses cheveux tombaient par poignées ; elle devait émietter le pain dur qu'on lui laissait chaque soir. Quel grand péché avait-elle pu commettre pour que Dieu la châtie de cette manière ? Hernando trahissait les musulmans et Shamir vivait loin, aux Barbaresques ; ses autres enfants... avaient été assassinés ou vendus comme esclaves. Pourquoi, Dieu ? Pourquoi ne l'emportait-Il pas une fois pour toutes ? Elle désirait la mort ! Elle l'appelait chaque nuit, lorsqu'elle devait s'allonger sur le sol froid et dur du vestibule. Mais elle ne venait pas. Dieu ne se décidait pas à la libérer de ses malheurs.

Au moment où le Christ del Punto passa devant elle, Aisha avait mal aux jambes. Les Maures s'agenouillèrent. Quelqu'un tira sur sa jupe pour qu'elle fasse de même, mais elle résista et resta debout, silencieuse, sans prier, courbée comme une vieille femme, à genoux entre les hommes. Au bout d'un bon moment les pénitents arrivèrent. Après avoir parcouru toute la ville, un grand nombre d'entre eux tombaient sous le poids des croix et les gens se voyaient obligés d'aller les aider. Ce n'était pas le cas d'Hernando, mais le sergent, qui marchait à côté de lui, avait laissé sa croix après la Corredera, et il avançait parmi le groupe de pénitents, tête basse, abattu, libéré d'un poids dont s'étaient chargés deux jeunes gens. Ceux qui portaient des disciplines avaient le corps ensanglanté ; les chrétiens fervents qui assistaient à la procession étaient bouleversés par ces démonstrations de passion et s'unissaient aux cris et aux hurlements de douleur qui surgissaient de la gorge des pénitents. Les religieuses de Santa Cruz commencèrent à entonner le Miserere, élevant la voix pour se faire entendre au milieu du vacarme, afin d'encourager le millier d'hommes brisés.

— *Miserere mei, Deus, secundum magnam misericordiam tuam*, tonna le lugubre cantique dans la calle del Sol.

Aisha regardait passer avec indifférence tous ces malheureux quand parmi eux, portant une immense croix, le dos en sang à cause des blessures occasionnées par le frottement du bois sur son épaule nue et le visage congestionné, elle vit son fils qui traînait les pieds auprès du reste des pénitents : son image lui rappela les centaines de christs que montraient les églises et les autels des rues cordouanes.

— Non ! cria-t-elle.

Les doigts de ses mains se crispèrent. Le boulanger se retourna vers elle et remarqua que les veines bleu pâle du cou de la vieille femme étaient devenues énormes sous son menton. Ses yeux irradiaient de la haine.

— Non ! cria-t-elle de nouveau.

Un autre Maure se tourna vers elle. Un troisième tenta de la faire taire, ce qui attira l'attention de l'alguazil, mais à sa surprise Aisha se dégagea avec la force née de la colère.

— Allah est grand, mon fils ! hurla-t-elle alors, tandis que l'alguazil se dirigeait vers elle.

— *Et secundum multitudinem miserationum tuarum, dele iniquitatem meam*, pleuraient les religieuses de Santa Cruz.

Les Maures s'écartèrent d'Aisha.

— Écoute, Hernando ! Fatima est en vie ! Tes enfants aussi ! Retourne auprès des tiens ! Il n'y a d'autre Dieu que Dieu et Mahomet est l'env…

Elle ne put terminer la profession de foi. L'alguazil s'élança sur elle et la fit taire d'une gifle qui lui brisa deux autres dents.

Non loin, fou de douleur, entre cris et hurlements, Hernando répétait pour lui-même ces cantiques plaintifs qu'il avait entendus toute la journée : *Amplius lava me ab iniquitate mea*. Et il portait sa croix, ces lourds morceaux de bois, uniquement concentré sur cette tâche. Il ne remarqua pas le tapage parmi les Maures. Il ne tourna même pas la tête vers l'attroupement qui s'était formé autour de sa mère.

55.

À la fin du mois d'octobre, le roi Philippe s'adressa à tous les évêques du royaume afin de les remercier pour les processions, mais de leur demander également de les suspendre ; il estimait impossible que deux mois et demi après que l'armada eut pénétré dans les eaux de l'Atlantique, un autre navire revienne encore. Quelques jours plus tard, le roi en personne écrivit une lettre émouvante à l'épouse de son cousin, le duc de Monterreal, grand d'Espagne, pour l'informer de la mort de don Alfonso de Córdoba et de son fils aîné, aux mains des Anglais sur les côtes d'Irlande, où leur bateau avait fait naufrage.

Deux marins qui avaient échappé au massacre grâce à l'aide des rebelles irlandais, et qui avaient réussi à fuir d'abord en Écosse puis en Flandre, avaient raconté dans le moindre détail l'assassinat du duc et de son fils. Selon leur récit, une brigade de l'armée anglaise avait arrêté le duc et ses hommes alors que ceux-ci erraient sur la terre irlandaise, après avoir gagné la côte à la nage. Sans tenir compte de la qualité de don Alfonso, qui avait tenté de faire valoir sa condition de noble devant le shérif, les Anglais avaient forcé tous les Espagnols à se déshabiller et les avaient pendus sur une colline, comme de vulgaires délinquants.

Hernando n'était pas présent le matin où le secrétaire du palais, don Silvestre, lut la lettre devant tous les hidalgos, après l'avoir fait en privé devant doña Lucía. Voilà deux jours qu'il se rendait à l'alcázar des Rois Chrétiens dans le but de solliciter une audience auprès du rapporteur, du notaire, ou de l'inquisiteur lui-même. Il lui avait fallu presque dix jours pour apprendre que sa mère avait été arrêtée par l'Inquisition. Il en fut informé quand Juan Marco, le maître tisserand, lui renvoya l'argent que lui faisait parvenir chaque mois le Maure puisque, disait-il dans son message, sa mère ne venait plus travailler à l'atelier. L'apprenti, un simple enfant, lui rapporta l'argent en présence de plusieurs domestiques du palais, lui crachant l'information avec rancœur.

— Ta mère a invoqué le Dieu des hérétiques au passage des pénitents de la procession.

Les pièces roulèrent entre les doigts d'Hernando et tombèrent par terre en produisant un étrange tintement. Il sentit ses jambes flageoler. Elle avait dû le voir ! Il ne pouvait en être autrement.

— C'est un sacrilège ! s'exclama l'enfant quand le bruit des pièces s'arrêta.

Un des serviteurs approuva les paroles du garçon :

— Elle mérite la peine maximale prévue par le Saint-Office : le bûcher sera trop doux encore pour quelqu'un capable de blasphémer devant une procession sacrée.

L'Inquisition accepta son argent pour la nourriture d'Aisha. C'est tout ce qu'obtint Hernando. Il ne savait pas que sa mère avait décidé de ne plus manger et repoussait les rations maigres et infectes que les geôliers jetaient dans sa cellule.

Don Esteban fut le premier à tomber à genoux quand le secrétaire eut terminé la lecture de la lettre du roi. Don Sancho se signa plusieurs fois tandis que les autres hidalgos imitaient le vieux sergent des régiments d'infanterie. Le murmure des prières isolées envahit la salle avec désolation. Soudain, la voix puissante du chapelain s'éleva :

— Comment le Christ aurait-il pu entendre nos suppliques puisqu'au moment où nous priions pour son intercession, la mère de celui que don Alfonso gratifiait de ses faveurs et de son amitié invoquait le faux dieu de la secte des musulmans ?

Doña Lucía, qui jusqu'alors était restée prostrée dans un fauteuil, releva le visage. Son menton tremblait.

— À quoi sert une procession où sont commis des sacrilèges ?

La duchesse porta ses yeux larmoyants vers l'hidalgo qui venait de s'exprimer en de tels termes. Elle acquiesçait à ses paroles quand un troisième homme attaqua à son tour Hernando.

— La mère et le fils avaient tout préparé ! J'ai vu le Maure faire un signe…

À partir de ce moment-là, la cour de nobles oisifs se déchaîna contre Hernando.

— Blasphème !

— Dieu s'est senti offensé !

— C'est pourquoi il nous a refusé sa grâce.

Les yeux de doña Lucía se fermèrent en fines lignes. Elle ne permettrait pas que le fils d'une sacrilège qui avait outragé la procession continue de vivre au palais et de jouir de la faveur de celui qui ne pouvait plus la lui accorder !

Le soir même, quand Hernando, qui ignorait encore la mort de don Alfonso, revint dépité du tribunal de l'Inquisition après avoir attendu en vain toute la journée d'être reçu, le secrétaire l'accosta à la porte du palais.

— Demain matin, lui annonça don Silvestre, tu devras quitter cette maison. Ainsi l'ordonne la duchesse. Tu n'es pas digne de vivre sous ce toit. Son Excellence, le duc de Monterreal, et son fils sont morts en défendant la cause du catholicisme.

Le claquement des chaînes qui emprisonnaient ses chevilles lorsque don Alfonso, blessé, avait abattu sur elles son fer tolédan, près d'un ruisseau des Alpujarras, résonna de nouveau dans sa tête. Hernando cilla. Le duc, par sa mort, le libérait une nouvelle fois d'une servitude à laquelle il n'osait mettre fin.

— Transmettez mes condoléances à la duchesse, dit-il.

— Je ne crois pas que ce soit opportun, rétorqua le secrétaire avec perfidie.

— Au contraire, répliqua Hernando. Ce seront peut-être les plus sincères de toutes celles qu'elle recevra dans cette maison.

— Qu'insinues-tu ?

Hernando esquissa un geste vague de la main.

— Que puis-je emporter ? interrogea-t-il.

— Tes habits. La duchesse ne veut plus les voir. Le cheval...

— Le cheval et son équipement sont à moi. Je n'ai nul besoin que quelqu'un m'autorise à les prendre, dit Hernando avec fermeté. Quant à mes écrits...

— Quels écrits ? questionna le secrétaire avec goguenardise.

Hernando poussa un soupir de lassitude. L'humilierait-on jusqu'au bout ?

— Vous le savez bien, répondit-il. Ceux que je rédige pour l'archevêque de Grenade.

— D'accord. Ils t'appartiennent.

La mort de don Alfonso l'affligeait. Il avait fini par croire à son prompt retour. Il appréciait sincèrement le duc, qui avait tant fait pour lui. Il aurait également voulu compter sur son aide pour qu'il intercède en faveur de sa mère auprès de l'Inquisition. Cent fois il avait mentionné son nom afin d'être reçu, mais le Saint-Office semblait faire peu de cas des nobles ou grands d'Espagne. Personne, quelle que fût sa qualité, n'était au-dessus de l'Inquisition et ne pouvait exercer de pression sur ses membres ! Il se dirigea à la hâte vers la tour du minaret où il avait caché l'évangile de Barnabé et ses autres secrets. Comme Silvestre était capable de le fouiller à la sortie du palais, il décida d'emporter peu de choses. Il prit la main en or de

Fatima… Il la serra dans sa paume quelques instants, tâchant de se rappeler comme elle brillait juste à la naissance des seins de son épouse, qu'elle accompagnait dans leur balancement. Le bijou avait noirci avec la mort de Fatima, pensa-t-il, de même que sa vie. En ce qui concernait les livres et les écrits, sa décision fut vite prise : il ne prendrait que la copie en arabe de l'évangile de Barnabé ; tout le reste, y compris la transcription de l'évangile qu'il avait réalisée, serait détruit. Le traité de calligraphie d'Ibn Muqla connaîtrait le même sort. Il ne pouvait pas courir le risque d'être arrêté en sa possession, d'autant qu'il le savait par cœur. Les images des lettres et les dessins de leurs proportions apparaissaient devant ses yeux dès qu'il approchait la plume du papier.

Il retourna ensuite à ses appartements et ouvrit le coffre pour prendre la bourse dans laquelle il gardait ses économies, mais il ne la trouva pas. Il fouilla parmi ses quelques affaires. On la lui avait volée. Chiens chrétiens ! murmura-t-il. Ils n'avaient pas mis longtemps à le piller, comme dans les Alpujarras. Il ne lui restait que l'argent qu'il portait sur lui.

Se maudissant de ne pas avoir mis ses économies dans une bonne cachette, il prépara un baluchon avec ses habits et dissimula les parchemins de l'évangile parmi ses écrits sur le martyrologe. Là, ils passeraient inaperçus. Il posa la main ternie de Fatima au-dessus de ses vêtements. Il cacherait le bijou sur son corps. Enfin il se lava pour prier. À la fin de ses prières, il resta immobile au centre de la chambre. Qu'allait-il devenir maintenant ?

— J'ai besoin d'argent.

Pablo Coca n'exprima aucun trouble. Hernando se tenait devant lui. Le tripot était vide. Une esclave noire guinéenne faisait le ménage et remettait de l'ordre après une nuit de jeu.

— Comme nous tous, mon ami, lui répondit-il. Que se passe-t-il ?

Hernando se souvint de l'enfant qui grimaçait pour parvenir à faire bouger le lobe de son oreille, comme Mariscal, et il décida de lui faire confiance. Il lui raconta sa situation, sans mentionner toutefois comment le matin même il avait réussi à tromper l'inspection à laquelle l'avait soumis Silvestre.

— Et ça ? avait demandé le secrétaire en montrant les documents qu'Hernando tenait dans sa main droite, bien en vue.

Silvestre venait de fouiller son baluchon, le traitant comme un vulgaire voleur devant les domestiques qui allaient et venaient dans le patio des écuries.

— Mon rapport pour le conseil de la cathédrale de Grenade.

Le secrétaire fit un geste vers les documents. Hernando se contenta d'approcher les feuilles, sans les lâcher.

— C'est confidentiel, Silvestre, dit-il en le laissant lire néanmoins le contenu de la première page, où étaient racontés les massacres de Cuxurio. Je te préviens, c'est pour l'église de Grenade, insista-t-il alors, lui reprochant sa curiosité. Si l'archevêque l'apprend…

— D'accord ! céda le secrétaire.

— Et maintenant, tu vas me déshabiller ? ironisa Hernando en pensant à la main de Fatima cachée dans ses chausses. Ça te plairait peut-être ? le provoqua-t-il, faisant mine d'écarter les bras.

Silvestre rougit.

— Ne t'inquiète pas, je suis arrivé pauvre dans ce palais et j'en sors aussi pauvre.

Hernando sourit cyniquement au secrétaire. Était-il le voleur ?

— Misérable, comme vous dites.

Le valet d'écurie refusa catégoriquement d'harnacher Volador, exprimant ainsi toute la rancœur accumulée pendant des années où il avait dû servir un Maure. Hernando brida lui-même son cheval et se rendit à l'auberge del Potro, où il chercha un logement. Parmi la multitude d'auberges situées sur la place et ses environs, c'était celle-ci qu'il avait choisie car le patron ne le connaissait pas. Volador, marqué du fer des écuries royales, deux fois plus grand que les mules et les ânes qui reposaient dans la cour de l'auberge, ainsi que les habits qu'il portait, lui procurèrent la meilleure chambre de l'établissement, une pièce pour lui tout seul. Un lit, deux chaises et une table constituaient tout son mobilier. Il paya d'avance, comme un homme riche, et il s'aperçut alors qu'il lui restait seulement une poignée de pièces de deux réaux. Ensuite, sur des feuilles blanches qu'il avait prises au palais, il écrivit une lettre à don Pedro de Granada Venegas, lui expliquant sa situation, celle de sa mère, et implorant son aide. Il ne pourrait plus faire grand-chose pour eux, pour la cause maure, annonçait-il, s'il tombait dans la misère. À l'auberge même del Potro il fit la connaissance d'un muletier qui se rendait à Grenade et lui donna ses dernières pièces.

— L'essentiel de l'argent que j'avais, termina d'expliquer Hernando à Pablo Coca, je l'ai donné au geôlier de l'Inquisition pour qu'il nourrisse ma mère et prenne soin d'elle. Le reste…

— Ce soir tu pourras faire des bénéfices, l'encouragea l'animer l'ancien rabatteur.

Hernando eut un geste de dégout.

— Tu en auras besoin pour t'en sortir, insista Pablo. Au moins tu auras de quoi payer l'auberge.

— Palomero, argumenta Hernando, utilisant son surnom de jeunesse, j'ai besoin de beaucoup d'argent, tu comprends ? Je vais devoir acheter plein de gens à l'alcázar des Rois Chrétiens.

— L'argent ne te servira à rien avec l'Inquisition. Quand, pour l'affaire des sorcières, les Camachas, don

Alonso de Aguilar, de la maison de Priego, un Aguilar ! a été arrêté, l'argent n'a pas suffi à le faire libérer. Même les archevêques…

— Ma mère n'est qu'une vieille Mauresque sans importance, Pablo.

Coca réfléchit quelques instants, faisant tourner son doigt sur le bord d'un verre. Ils étaient assis tous deux autour d'une cruche de vin que leur avait servie la Guinéenne.

— Quelquefois, on m'appelle pour organiser des parties importantes, commenta-t-il avec scepticisme.

Hernando reposa le verre qu'il allait porter à sa bouche et se pencha au-dessus de la table.

— Je n'aime pas ça. Parfois j'accepte et j'y vais, mais… Il y a des nobles, des scribes, des alguazils, des magistrats, des fils de grandes familles, altiers et prétentieux, et même des curés ! Il s'agit de parties où l'on risque gros, où l'on joue beaucoup d'argent et très vite ; rien à voir avec les petites pertes qu'on peut subir dans les tripots. Tous les participants sont aussi tricheurs que n'importe lequel des malheureux qui entrent chez moi, mais prêts à dégainer l'épée dès qu'on leur reproche une de leurs entourloupes ou de leurs ruses ingénues. C'est comme si l'honneur dont ils se vantent tant suffisait à excuser une partie de cartes flouée.

— Pourquoi font-ils appel à toi ?

— Ils sollicitent toujours l'aide d'un professionnel du jeu pour deux raisons. La première, parce qu'ils ne veulent pas s'humilier en fréquentant les tripots ; la seconde, plus importante, parce que toutes les parties, comme tu le sais, sauf celles qui sont jouées pour manger ou dont les mises sont inférieures à deux réaux, sont interdites. Il y a encore quelques années, le joueur malheureux d'une partie clandestine pouvait réclamer dans un délai de huit jours la somme qu'il avait perdue. À présent c'est impossible, ce qui est perdu est perdu, mais si quelqu'un dénonce une partie illégale, c'est la prison pour tout le monde, et les gagnants doivent payer une amende équivalente à ce qu'ils ont empoché plus un pourcentage réparti ensuite entre le roi, le juge et le délateur. C'est là que nous intervenons, nous, les professionnels du jeu : tous ceux qui s'assoient à une table clandestine ou connaissent son existence savent pertinemment que s'ils en viennent à dénoncer une partie, leur vie ne vaut plus grand-chose. N'importe quel professionnel du jeu de Cordoue, de Séville, de Tolède ou de n'importe où exécutera cette sentence, même s'il n'était pas lui-même l'organisateur de la partie. Telle est notre loi, et nous avons les moyens de la faire respecter, personne n'en doute, et celui qui joue… un jour ou l'autre réapparaît à une table.

— Dans tous les cas, dit Hernando après avoir réfléchi quelques instants aux paroles de Pablo, tu n'aimerais pas profiter d'eux ?

Coca sourit.

— Bien sûr ! Mais je joue mon commerce si on nous découvre. Nous, les professionnels, courons un double risque : même si la partie n'est pas dénoncée, un alguazil rancunier après avoir perdu pourrait me rendre la vie impossible ; un membre du conseil municipal vexé me ruiner. Exploiter un tripot peut conduire à une peine de deux ans d'exil, et si l'on est pris avec des jeux de dés on encourt la confiscation de tous ses biens, cent coups de fouet et cinq ans de galères. Dans ma maison il y a des dés : ils me rapportent pas mal d'argent…

— Ils n'ont pas à savoir que nous jouons ensemble. Je gagne, tu perds, et on partage après. Palomero, apprendre le truc de Marsical t'a coûté beaucoup d'efforts pour ne pas en profiter. Souviens-toi des illusions que nous avions alors.

— Parfois le sang coule, hésita Pablo.

— Prenons-leur leur argent ! insista Hernando.

— Tu penses vivre du jeu ? demanda Coca. Au bout

du compte, d'une façon ou d'une autre, ils feront le lien entre nous. Tu ne peux pas toujours gagner à mes tables.

— Je n'ai pas l'intention de devenir un tricheur professionnel. Dès que j'aurai réglé l'affaire de ma mère, je quitterai cette ville. Nous irons… à Grenade, probablement.

Pablo Coca but une longue gorgée de vin.

— J'y réfléchirai, dit-il finalement.

Ce soir-là le lobe de l'oreille de Pablo Coca remua discrètement et Hernando empocha des gains confortables. Il rentra à l'auberge del Potro mais, avant de monter dans sa chambre, il alla faire un tour aux écuries pour vérifier l'état de Volador. Le cheval sommeillait, attaché à une longue mangeoire, se distinguant entre deux petites mules. Les muletiers et les voyageurs incapables de payer les chambres de l'étage dormaient avec les animaux. Volador sentit sa présence et s'ébroua. Hernando s'approcha pour lui tapoter l'échine.

— Que fais-tu là, petit ? s'exclama-t-il en voyant un garçonnet roulé en boule, couché sur la paille, à proximité des sabots avant de Volador.

L'enfant, qui n'avait pas douze ans, fixa sur Hernando ses immenses yeux marron, mais ne se leva pas.

— Je veille sur votre cheval, seigneur, répondit-il d'une voix tranquille, avec une sérénité peu commune pour son âge.

— Il pourrait t'écraser pendant que tu dors.

Hernando lui tendit la main pour qu'il se lève. Le garçonnet ne la saisit pas.

— Il ne le fera pas, seigneur. Volador… je vous ai entendu l'appeler ainsi quand vous êtes entré, précisa-t-il, est un bon animal et nous sommes devenus amis. Il ne m'écrasera pas. Je veillerai sur lui pour vous.

Comme s'il avait compris les paroles de l'enfant, Volador baissa la tête pour toucher de ses lèvres la tignasse sale du garçon. La tendresse de la scène contrastait avec les cris, les menaces, les ruses, les mises et la cupidité de rigueur dans les tripots, qui collaient encore aux habits d'Hernando. Le Maure hésita.

— Viens. Il pourrait te blesser, décida-t-il. Les chevaux dorment aussi, et même sans le vouloir il pourrait…

Il se tut soudain. Après avoir esquissé une moue de tristesse, le garçon s'efforçait de se lever en s'agrippant à l'une des pattes du cheval, comme s'il voulait se hisser grâce à elle. Ses deux jambes ne formaient qu'une masse informe : elles étaient brisées de toutes parts. Hernando s'accroupit pour l'aider.

— Mon Dieu ! Que t'est-il arrivé ?

L'enfant réussit à tenir debout, les mains posées sur les épaules d'Hernando.

— Le plus difficile, c'est de rester comme ça, dit-il avec un sourire, exhibant des dents cassées et des trous dans les gencives. Si vous me donniez ces béquilles, là, je pourrais…

— Que t'est-il arrivé aux jambes ? interrogea Hernando consterné.

— Mon père les a vendues au diable, répondit le garçon avec sérieux.

Leurs visages se touchaient presque.

— Que veux-tu dire ? demanda Hernando dans un murmure.

— Mon frère aîné, c'étaient les bras et les mains. Moi, les jambes. José, mon frère aîné, m'a raconté que j'étais encore nourrisson quand mon père m'a brisé les os avec une barre de fer. J'ai beaucoup pleuré. Après ils ont attendu de voir si je survivrais. Les enfants, nous avions tous un handicap. Je me souviens quand mes parents ont aveuglé ma petite sœur en lui passant un fer brûlant sur les yeux alors qu'elle avait deux mois. Elle aussi a beaucoup pleuré, ajouta le garçonnet avec tristesse. On obtient de meilleures aumônes avec un enfant paralysé.

Hernando sentit qu'il avait la chair de poule.

— Le problème, c'est que le roi interdit aux mendiants de faire la charité avec des enfants de plus de cinq ans. Les conseillers généraux et les curés peuvent leur retirer leur autorisation s'ils enfreignent la loi. Moi, ils m'ont laissé continuer un peu parce que j'étais très petit, mais à sept ans ils m'ont abandonné. Voilà le résultat, seigneur : deux jambes contre sept années d'aumône.

Hernando fut incapable d'articuler un mot. Il avait la gorge nouée. Il connaissait les cruels procédés pour arracher une misérable pièce à la compassion des gens, mais il n'avait jamais été confronté de si près la réalité de ces malheureux. « Voilà le résultat, seigneur : des jambes contre sept années d'aumône ! » Ses paroles étaient si tristes… Il sentit une soudaine impulsion de le prendre dans ses bras. Depuis combien de temps n'avait-il plus étreint un enfant ? Il se racla la gorge.

— Tu es sûr que Volador ne t'écrasera pas ? finit-il par demander.

Les dents cassées du petit réapparurent le temps d'un sourire.

— Sûr. Demandez-lui.

À genoux près des pattes du cheval, Hernando tapota la tête de Volador et aida l'enfant à s'allonger devant ses sabots.

— Comment t'appelles-tu ? demanda-t-il alors que le petit se pelotonnait de nouveau sur la paille, fermant déjà les yeux.

— Miguel.

— Surveille-le bien, Miguel.

Cette nuit-là, Hernando ne dormit pas. Après avoir écrit à don Pedro de Granada, il ne lui restait plus qu'une seule feuille de papier vierge, une plume et un peu d'encre. Il s'assit à la grossière table branlante de sa chambre, balaya la couche de poussière accumulée sur le bois et, à la lumière d'une bougie scintillante, il se disposa à écrire, tous les sens en éveil. Sa mère, Miguel, le jeu, cette chambre lugubre et sale, les bruits et les rumeurs des autres clients brisant le silence de la nuit... La plume glissa sur le papier et il rédigea la plus belle lettre qu'il avait jamais écrite jusque-là. Sans réfléchir, comme si Dieu guidait sa main, il écrivit la profession de foi inachevée qui venait de conduire sa mère dans les geôles de l'Inquisition : *Il n'y a d'autre Dieu que Dieu, et Mahomet est l'envoyé de Dieu.* Puis il s'apprêta à continuer avec la prière qu'entonnaient ensuite les Maures. Il trempa la plume dans l'encre, l'image d'Hamid à sa mémoire. Il la lui avait fait réciter dans l'église de Juviles pour prouver qu'il n'était pas chrétien. Et s'il était mort alors ? « Toute personne est obligée de savoir que Dieu... » Il n'aurait pas connu cette vie, si dure, pensa-t-il en mouillant à nouveau sa plume.

Au matin, Volador n'était plus aux écuries. Miguel non plus. Hernando appela l'aubergiste à grands cris.

— Ils sont sortis, lui répondit celui-ci. Le garçon dit que vous lui avez donné votre permission. Un des muletiers qui dormait aux écuries a confirmé que vous l'aviez chargé de veiller sur le cheval.

Hernando se précipita, énervé, plaza del Potro. Le petit l'avait-il trompé ? Et si on lui dérobait Volador ? À peine eut-il franchi le seuil qu'il s'arrêta. Miguel, appuyé sur l'une de ses béquilles, les jambes tordues, regardait le cheval boire au bassin de la fontaine de la place : un monument avec la sculpture d'un poulain[1] qui se cabrait, érigée quelques années plus tôt. Le poil de Volador brillait au soleil encore blafard ; l'enfant l'avait brossé.

— Il avait soif, expliqua le garçonnet tout sourires en voyant Hernando à ses côtés.

Le cheval s'ébroua et bava sur Miguel l'eau qu'il venait

1. *Potro* signifie poulain. *(N.d.T.)*

d'avaler. L'enfant le repoussa du bout d'une béquille. Hernando les observa : ils semblaient bien s'entendre. Miguel devina ses pensées.

— Les animaux m'aiment autant que les gens fuient ma compagnie, assura-t-il alors.

Hernando soupira.

— J'ai à faire, dit-il en lui donnant une pièce de deux réaux que l'infirme serra dans ses mains, les yeux écarquillés. Occupe-toi de lui.

Il s'éloigna vers la calle del Potro et prit la direction de l'alcázar, où sa mère était détenue. Au même moment, il tourna la tête et vit l'enfant qui, à côté de la fontaine, appuyé sur ses béquilles, s'amusait avec Volador, lui jetant un peu d'eau du bout des doigts, indifférents tous deux à ce qui pouvait se passer alentour. Il continua son chemin pendant que Miguel décidait de rentrer aux écuries sans saisir Volador par la bride, se contentant d'accrocher celle-ci à l'une de ses épaules, tandis que le cheval le suivait, libre comme un chien. Le Maure hocha la tête. Il s'agissait d'un pur-sang espagnol, fougueux et altier. Il aurait dû être effrayé par les petits bonds que faisait Miguel pour se déplacer sur ses béquilles, afin d'éviter que ses pieds ne touchent le sol et blessent davantage ses jambes maigres et déformées.

Il arriva à l'alcázar des Rois Chrétiens avec une sensation étrange, liée aux bonds de Miguel et à la docilité de Volador. Encore absorbé par cette scène, Hernando fut surpris de constater que le gardien qui, jusque-là, avait refusé qu'il voie sa mère, acceptait l'écu en or qu'il avait mécaniquement sorti de sa poche, sans aucune conviction. Il l'avait gagné au vingt-et-un, grâce à un as et un roi, déclenchant mille imprécations de la part des joueurs qui avaient parié contre lui.

Étonné, il suivit le gardien jusqu'à un grand patio avec une fontaine, des orangers et d'autres arbres, dont la beauté était ternie par les gémissements surgissant des cellules tout autour. Hernando tendit l'oreille. L'une de ces plaintes provenait-elle de sa mère ? Le gardien lui céda le passage devant une cellule à l'extrémité du patio. Hernando franchit une porte encastrée dans des murs solides et larges. Non. De cette geôle putride et infecte aucun son n'émanait.

— Mère !

Il s'agenouilla par terre près d'une masse immobile. Les mains tremblantes, il tâta parmi les habits qui couvraient Aisha pour chercher son visage. Il eut du mal à reconnaître celle qui lui avait donné la vie. Consumée, la peau de son cou et de ses joues pendait ; ses orbites étaient enfoncées et violacées, ses lèvres sèches, fendues. Ses cheveux n'étaient plus qu'une tignasse sale et emmêlée.

— Que lui avez-vous fait ? marmonna-t-il en s'adressant au gardien.

L'homme ne répondit pas et resta figé sur le large seuil de la porte.

— C'est juste une vieille femme…

Le geôlier s'agita et fronça les sourcils en direction d'Hernando.

— Mère, répéta ce dernier, saisissant entre ses mains le visage d'Aisha et l'approchant de ses lèvres pour l'embrasser.

Aisha ne réagit pas à ses baisers. Son regard était éteint. Un moment, Hernando crut qu'elle était morte. Il la secoua tout doucement.

— Elle est folle, affirma alors le gardien. Elle ne veut pas manger et boit à peine. Elle ne parle pas, ne se plaint pas. Elle reste comme ça toute la journée.

— Que lui avez-vous fait ? questionna de nouveau Hernando, la voix brisée, s'efforçant naïvement de nettoyer une petite tache de terre sur le front d'Aisha.

— On ne lui a rien fait.

Hernando tourna les yeux vers le gardien.

— C'est vrai, assura l'homme en écartant les mains. Le tribunal estime suffisante la déclaration de l'alguazil pour la condamner. Je t'ai dit qu'elle ne parlait pas. Ils n'ont pas voulu la torturer. Elle n'aurait pas résisté.

Hernando tenta une fois de plus, en vain, de faire réagir Aisha.

— Personne ne serait surpris si elle mourait… cette nuit…

Hernando demeura immobile, tournant le dos à l'homme, sa mère entre les bras, inerte. Que voulait-il dire ?

— Elle pourrait mourir, répéta l'homme depuis la porte. Le médecin a déjà prévenu le tribunal. Personne ne s'en préoccuperait. Personne ne viendrait vérifier. Je m'en chargerais moi-même et je l'enterrerais…

Voilà pourquoi il l'avait laissé voir Aisha !

— Combien ? l'interrompit Hernando.

— Cinquante ducats.

Cinquante ? Il avait failli lui en proposer cinq ! Il se mordit la langue. Allait-il marchander la vie de sa mère ?

— Je ne les ai pas, dit-il.

— Dans ce cas…

Le geôlier fit demi-tour.

— Mais j'ai un cheval, murmura Hernando en regardant les yeux inexpressifs d'Aisha.

— Je ne t'entends pas. Qu'as-tu dit ?

— J'ai un bon cheval, dit Hernando en se forçant à parler plus fort. Marqué au fer des écuries royales. Il vaut bien plus que cinquante ducats.

Ils prirent rendez-vous pour le soir même. Hernando échangerait Volador contre Aisha. Que lui importait l'argent ? Il s'agissait, simplement, d'un animal… peut-être sa seule chance de pouvoir enterrer sa mère et qu'elle meure dans ses bras. Dieu lui permettrait d'ouvrir les yeux à ce dernier instant, et il serait là. Il devait être à ses côtés ! Aisha ne pouvait mourir sans qu'ils se soient réconciliés.

Miguel était assis par terre près de Volador, et il regardait le cheval brouter une botte d'herbe qu'il avait placée dans sa mangeoire.

— Je suis désolé, dit Hernando qui s'accroupit pour lui ébouriffer les cheveux. Cette nuit je vais devoir vendre le cheval.

Pourquoi s'excusait-il ? songea-t-il aussitôt. C'était juste un enfant qui...

— Non, répondit Miguel en interrompant ses pensées, sans même se tourner vers lui.

— Comment non ?

Il ne savait pas s'il devait sourire ou se fâcher. Miguel regarda alors Hernando qui s'était relevé et se tenait près du cheval.

— Seigneur, j'ai eu des chiens, des chats, des oiseaux et même un singe. Je pressens toujours quand c'est la dernière fois que je les vois. Vous ne vendrez pas Volador, affirma-t-il avec sérieux. Je le sais.

Hernando baissa le regard vers les jambes brisées du garçon, allongées sur la paille.

— Je ne discuterai pas de cela avec toi. Peut-être as-tu raison. Mais de toute façon, je le crains, tu ne m'accompagneras pas.

Au carillon de complies, Hernando sortit Volador des écuries et prit la calle del Potro en direction de la mezquita. Le geôlier et lui étaient convenus de se retrouver plaza del Campo Real, près de l'alcázar. Il ne voulut pas monter son cheval. Il marchait sans se retourner, tirant sur la bride. À l'écart, Miguel les suivait en bondissant. Hernando atteignit la place et se dirigea vers un coin où, comme presque partout, s'entassaient des ordures ; c'était là, sur ce dépotoir, dépourvu d'autel pour éclairer la nuit, qu'ils procéderaient à l'échange. Miguel s'arrêta à quelques pas de l'endroit où Hernando s'était mis à scruter l'obscurité, espérant distinguer la silhouette du geôlier avec sa mère sur le dos. Le Maure n'accorda pas d'importance à l'étrange position de l'enfant, dont les jambes s'appuyaient bizarrement sur le sol et qui s'accrochait seulement à l'une de ses béquilles ; il tenait l'autre dans sa main droite, levée au-dessus de sa tête. Volador était nerveux : il grondait, piaffait et menaçait de ruer.

— Du calme, essaya de le rassurer Hernando. Du calme.

Le cheval devait sentir, pensa-t-il en lui tapotant le cou, qu'il allait se séparer de lui. À ce moment-là un énorme rat courut entre les jambes d'Hernando et les pattes de Volador en glapissant. D'autres, nombreux, le suivirent. Hernando sauta en l'air. Volador se cabra, se dégagea de la bride et partit au galop, épouvanté. Miguel, en équilibre précaire, chassait les rats à coups de béquille.

Les hennissements de Volador, effrayé, attirèrent l'attention de tous les chevaux entablés dans les écuries royales, près de l'alcázar, qui, à leur tour, se joignirent au tapage. Le vigile des écuries et deux valets sortirent dans la rue qui donnait sur la plaza del Campo et aperçurent alors dans l'obscurité un magnifique cheval pommelé qui galopait librement, la bride lâchée.

— Un cheval s'est échappé ! cria l'un des hommes.

Le vigile allait contester, certain qu'aucun animal ne s'était échappé des écuries, mais il se tut quand, à la lumière d'une torche de l'Inquisition, il distingua sur la hanche de Volador le fer du roi ; c'était sans aucun doute un cheval des écuries royales.

— Courez ! cria-t-il alors.

Hernando aussi courait après Volador. Comment allait-il libérer sa mère dans tout ce capharnaüm ? Le geôlier n'apparaissait pas. Miguel avait réussi à chasser les rats et demeurait immobile, extasié devant la force et la beauté des mouvements du cheval, haïssant ses jambes inutiles. « Il reviendra », murmura-t-il à l'intention d'Hernando. Des gens continuaient de sortir des écuries, mais aussi de l'alcázar, par la porte où les gardiens, le jour, vendaient du linge. Hernando s'arrêta, irrité de voir qu'une demi-douzaine d'hommes avaient acculé Volador contre l'un des murs du Saint-Office.

Cerné, essoufflé, le cheval se laissa attraper par la bride.

— Il est à moi !

Hernando s'avança en marmonnant des grossièretés à l'encontre des rats. Comment avait-il pu ne pas y penser quand le geôlier lui avait proposé cet endroit ?

Le personnel des écuries constata rapidement que l'animal n'était pas un poulain de chez eux.

— Tu devrais faire plus attention, lui reprocha un valet. Il aurait pu se blesser dans la nuit.

Hernando préféra se taire et tendit la main pour saisir la bride. Comment ces malheureux auraient-ils pu savoir ?

— Ce n'est pas toi qui viens tous les jours pour voir la folle ? lui demanda alors l'un des gardiens de l'Inquisition.

Hernando fronça les sourcils sans répondre. Combien de fois avait-il imploré cet homme qu'il lui accorde l'autorisation de voir sa mère, pendant que celui-ci, au lieu de se consacrer à son travail, s'employait à vendre du linge sur la place et refusait de donner suite à sa requête qu'il écoutait nonchalamment ?

— Il était temps que tu viennes la chercher, commenta alors un autre geôlier. Dans deux jours tu la trouvais morte.

La bride de Volador s'échappa de la main d'Hernando, mais avant qu'elle ne touche le sol, une grossière béquille s'interposa sur son chemin. Hernando se tourna vers Miguel, qui lui sourit de ses dents cassées tandis qu'il faisait glisser la corde par la béquille jusqu'à sa main. Le geôlier ne venait-il pas de dire qu'il était temps pour lui de venir chercher sa mère ? Que signifiait cela ?

— Comment… ? bredouilla-t-il. Et la sentence ? Et l'autodafé ?

— Le tribunal a dicté il y a deux jours un arrêt particulier dans la salle des audiences et il l'a condamnée au san-benito et à entendre la messe tous les jours pendant un an... même si, dans l'état où elle se trouve, il est inimaginable qu'elle accomplisse sa peine. Et personne n'a intérêt non plus à ce qu'une folle comme elle fréquente les lieux sacrés, lança un gardien. C'est pour ça qu'ils ont dicté cet arrêt. Le médecin a certifié que ta mère ne tiendrait pas jusqu'au prochain autodafé général, et le tribunal a voulu la condamner avant qu'elle ne meure. Elle est folle ! Emmène-la !

— Donnez-la-moi, réussit à articuler Hernando qui comprenait soudain que l'autre geôlier avait voulu l'abuser.

Peu après, Hernando, sa mère dans les bras, reprit le chemin de l'auberge del Potro.

— Inutile de la conduire à l'église ! lui cria un geôlier.

— Mon Dieu, elle est plus légère qu'une plume ! s'exclama Hernando en direction du ciel étoilé, lorsqu'il passa derrière le mur qui entourait le mihrab de sa mezquita.

Derrière eux Miguel avançait par petits sauts, la bride de Volador posée sur son épaule. Le cheval le suivait tranquillement, sans la moindre intention de le doubler.

56.

Les obsèques du duc de Monterreal et de son fils aîné furent aussi solennelles que tristes. Il était impossible de donner une sépulture chrétienne à leurs dépouilles. Dans la cathédrale, l'évêque vociféra le nom du sherif de Clare, Boetius Clancy, vil assassin, responsable de la mort de don Alfonso et de son fils, et il supplia Dieu de ne jamais le laisser quitter le purgatoire. Courroucé, il annonça qu'il réitérerait cette demande tous les sept ans pour la rappeler au Seigneur.

Aisha non plus ne quittait pas son purgatoire particulier. Hernando était toujours sans nouvelles de don Pedro de Granada Venegas, et il n'osait pas entreprendre un aussi long voyage, en hiver, dans l'état où se trouvait sa mère. Tout le monde pensait qu'elle mourrait. Il avait payé l'épouse et la fille de l'aubergiste pour laver Aisha et lui changer ses vêtements.

— Elle n'a plus que la peau sur les os, lui avait commenté la femme de l'aubergiste en sortant de la chambre. On peut voir à travers. Elle ne tiendra pas longtemps.

La nuit, Hernando jouait aux cartes, avec plus ou moins de chance, se forçant quelquefois à perdre, comme l'exigeait Coca. Pendant la journée, il s'acharnait à faire réagir Aisha, mais celle-ci gardait les yeux révulsés, ne bougeait pas, n'acceptait aucun aliment, dans un silence brisé seulement par sa respiration sifflante. Hernando la bordait et lui parlait en humectant ses lèvres, sans arrêt, avec du bouillon de poule, s'obstinant à lui faire avaler quelque chose. À l'oreille, il lui murmurait ce qu'il faisait pour la communauté, comment il avait caché le parchemin de la Turpiana.

— Il était écrit en arabe, mère, et les chrétiens vénèrent le voile de la Vierge et l'os de san Esteban !

Pourquoi ne lui avait-il pas dit avant ? Pourquoi n'avait-il pas rompu son serment ? Dieu le défiait-Il de sauver la vie de sa mère ? Jamais il n'aurait pu imaginer… C'était sa faute ! Il l'avait abandonnée pour vivre confortablement, comme un parasite, dans le palais d'un duc chrétien.

Mais les jours passaient et Aisha ne réagissait pas davantage. Hernando se consumait au côté de sa mère, pleurant et se maudissant.

— Laissez-moi faire, seigneur, lui proposa Miguel un matin où il le trouva au pied de l'escalier, hésitant à monter, une tasse de bouillon entre les mains.

Le garçon grimpa en s'accrochant à la rampe, les deux béquilles dans une main. Hernando l'accompagna avec le bouillon.

— Mettez-le là, seigneur, près du lit.

Il obéit et se retira vers la porte. Miguel prit place à côté d'Aisha et, tout en introduisant le bouillon dans sa bouche, lui parla comme il le faisait avec Volador, la traitant de la même façon que ces petits oiseaux avec lesquels il prétendait avoir vécu, comme un animal sans défense. Hernando resta un long moment à la porte, observant l'enfant aux jambes brisées qui comprenait si bien le langage des bêtes, et sa mère inerte auprès de lui. Il l'entendit lui raconter des histoires qu'il ponctuait de rires et de mille gestes. D'où cet enfant éclopé, à qui la vie avait tout refusé, pouvait-il tirer tant d'optimisme ? Que lui racontait-il ? Un éléphant ! Miguel poursuivait un éléphant… dans une barque sur le Guadalquivir ! Il le vit imiter la trompe du pachyderme, le bras replié au niveau du coude devant la bouche, et la main qui voltigeait avec la cuiller sous les yeux inexpressifs d'Aisha. Où avait-il entendu l'histoire d'un éléphant ? Il soupira tristement et abandonna la chambre, poursuivi par les rires de Miguel. L'éléphant avait coulé à hauteur du moulin de l'Albolafia ! Et pour la première fois depuis plusieurs jours, Hernando sella Volador et fila vers les pâturages où il se lança dans un galop frénétique.

Vous payerez contre cette lettre de change, à six pour cent d'intérêts, à Hernando Ruiz, nouveau-chrétien de Juviles, habitant de Cordoue, la somme de cent ducats, à raison de trois cent-soixante-quinze maravédis chacun... Hernando contempla la lettre de change que lui avait remise un muletier à l'auberge del Potro de la part de don Pedro de Granada Venegas. Cent ducats représentaient une somme considérable. Il ne pouvait lui faire défaut maintenant, disait le noble dans la lettre qui accompagnait le premier document. Le parchemin de la Torre Turpiana avait été un excellent premier pas. Luna et Castillo traduisaient le damier de lettres à l'avantage de la cause, mais le seul objectif était de révéler l'évangile de Barnabé et de tenter un rapprochement entre les deux religions à travers Marie. Car les rapports contre les Maures continuaient de parvenir au roi avec les propositions les plus effarantes, affirmait don Pedro. Alonso Guttiérez, de Séville, envisageait de les regrouper dans des communautés fermées de moins de deux cents familles chacune, sous le commandement d'un chef chrétien qui contrôlerait jusqu'à leurs mariages et de les marquer au visage afin qu'ils puissent être identifiés partout et leur imposer d'importantes charges fiscales.

Mais il y a pire. Un dominicain nommé Bleda, cruel et intransigeant, va beaucoup plus loin et soutient, s'appuyant sur la doctrine des Pères de l'Église, que le roi pourrait légalement, d'un point de vue moral, disposer de la vie de tous les Maures comme il en a envie, les tuer ou les vendre en qualité d'esclaves à d'autres pays. C'est pourquoi il recommande de les envoyer tous aux galères. De cette façon, argumente le moine, ils pourraient remplacer les nombreux prêtres habituellement condamnés aux galères par leurs supérieurs lorsqu'ils commettent des fautes, dans le seul but d'éviter de les maintenir en prison. Cette Église qui se considère si miséricordieuse prétend assassiner ou réduire en esclavage des milliers de personnes. Nous devons travailler. Toutes ces propositions arrivent aux oreilles des Maures et échauffent les esprits en un cercle diabolique : plus il y a de rapports, plus il y a de tentatives de rébellion et, à mesure qu'on découvre les conspirations, les chrétiens possèdent davantage d'arguments pour adopter une de leurs sanglantes solutions. D'un autre côté, la défaite de la Grande Armada n'est pas anodine. L'Angleterre est devenue forte, et son aide aux armées qui combattent en Flandre augmentera ; en France, la Ligue chrétienne, encouragée et payée par le roi espagnol, se trouve dans de sérieuses difficultés depuis la défaite. Tout cela aura des répercussions sur nous, Hernando, n'en doute pas. Plus les Espagnols perdront du pouvoir en Europe, plus ils craindront que les Maures ne s'allient à une puissance étrangère, et ils prendront des mesures. Le temps joue contre nous. Tiens-moi informé de ta situation et compte sur moi ; nous avons besoin de toi.

Il brûla la lettre de don Pedro, sortit de l'auberge et, après avoir demandé à un alguazil où était le bureau de change de don Antonio Morales, établissement à qui le banquier de don Pedro de Granada adressait la lettre de change, il s'y rendit, pourvu du document et de sa cédule personnelle. L'officine de Morales se trouvait près du quartier des marchands de soie et de la halle au blé. Hernando, bien habillé, fut reçu par le cambiste en personne, qui toucha les six pour cent figurant sur la lettre, lui ouvrit un compte d'un montant de quatre-vingt-dix ducats et lui donna le reste sous la forme de sept couronnes en or, plusieurs réaux de huit et des pièces supplémentaires.

Il retourna à l'auberge et paya généreusement le patron,

étouffant de cette manière les soupçons de ce dernier, qui avait appris d'une part qu'il était maure, et d'autre part qu'il fréquentait le tripot. La présence d'une condamnée de l'Inquisition avait en outre compliqué l'affaire.

— Je ne sais pas si vous avez l'autorisation de vivre dans cette paroisse, lui avait-il dit quelques jours plus tôt. Comprenez-moi. Si l'alguazil venait... Les nouveaux-chrétiens ont besoin de la permission des curés pour changer de résidence.

Hernando le fit taire en lui montrant le sauf-conduit expédié par l'archevêque de Grenade.

— Si j'ai le droit de me déplacer librement dans les royaumes d'Espagne, allégua-t-il, comment pourrait-on m'interdire de le faire dans une simple ville ?

— Mais la femme..., insista l'aubergiste.

— Elle est avec moi. C'est ma mère.

Il lui avait répondu avec fermeté, mais lui donna néanmoins quelques pièces en plus.

Cependant, il avait conscience que cette situation ne saurait s'éterniser. Don Pedro lui avait envoyé de l'argent, en effet, mais il lui demandait aussi de travailler à leur projet, et Hernando ne pouvait pas le faire à l'auberge. Le lit étant occupé par Aisha, dont l'état restait stationnaire, et il dormait par terre. Miguel veillait sur elle chaque jour avec affection et tendresse. Il lui parlait, lui racontait des histoires, la caressait et riait sans arrêt, il ne la quittait pas à l'exception des moments où il demandait à la femme et à la fille de l'aubergiste de l'aider à la laver ou à la changer de position afin de lui éviter les escarres.

— Tu as réussi à la faire manger ? questionna un jour Hernando.

— Elle n'en a pas besoin, seigneur, répondit le garçon. Pour le moment je continue à lui donner du bouillon de poule. C'est suffisant pour une femme dans son état. Elle mangera si elle veut.

Hernando hésita et sa main effleura son menton. Il n'osa

lui demander s'il pensait que sa mère reviendrait ou pas. Il se rendit compte que le garçon, immobile sur ses béquilles, face à lui, savait ce qui lui passait par la tête. Il lui souriait sans rien dire.

Hernando comprit qu'avec Aisha dans cet état, il était impossible de quitter Cordoue. En attendant, il devait louer une maison et chercher du travail. Avec des chevaux. Il était bon cavalier. Un noble pourrait peut-être l'engager comme dresseur ou écuyer, voire comme valet d'écurie. Pourquoi pas ? S'il le fallait, il savait aussi écrire et tenir des comptes ; quelqu'un serait peut-être intéressé. Et la nuit il se consacrerait à travailler à l'évangile, qu'il continuait de dissimuler parmi des documents pour lesquels, à l'auberge, à l'inverse de ce qui se passait dans le palais du duc, personne ne semblait s'intriguer de ses absences ; ici, personne ne savait lire.

Ses pensées le conduisirent à l'établissement de Coca. L'esclave guinéenne le laissa entrer. Coca avait peut-être entendu parler d'une maison à louer...

— Tiens, qui voilà ! lança le patron du tripot, qui comptait l'argent gagné la veille. J'allais précisément partir à ta recherche.

Hernando avança vers la table où Coca était assis.

— Tu connaîtrais une maison à louer pas trop cher ? l'interrogea-t-il sans crier gare en se dirigeant vers lui.

Coca haussa les sourcils.

— Mais pourquoi allais-tu partir à ma recherche ? réalisa-t-il soudain.

— Attends.

Coca finit de calculer les bénéfices des tables, prit congé de la Guinéenne et, une fois qu'ils furent seuls, s'adressa avec sérieux à son visiteur.

— Ce soir, il y a une grande partie, annonça-t-il.

Hernando montra une hésitation.

— Ça ne t'intéresse pas ? s'étonna Pablo.

— Si, je crois que si. Je...

Devait-il ou non lui parler des cent ducats qu'il venait de recevoir de don Pedro ? C'est lui qui avait insisté pour participer à cette grande partie, mais à présent... les cent ducats lui offraient une sécurité dont il ne disposait pas jusque-là. C'était l'argent qui lui garantissait les soins pour sa mère, la possibilité de louer une maison... Comment pourrait-il jouer les ducats que son protecteur lui avait envoyés pour qu'il continue de travailler à la cause maure ?

— J'ai cent ducats, avoua-t-il finalement. C'est un ami qui me les a prêtés...

— Je ne veux pas de tes ducats, répliqua Coca à sa surprise.

— Mais...

— Je te connais. Dans ce milieu, j'ai appris à distinguer les gens. Je les sens, je pressens leurs réactions. Tu es venu chez moi parce que tu n'avais pas d'argent. Maintenant que tu en as, tu ne prendras pas le risque de le perdre. Tu n'es pas un joueur.

Coca se baissa et attrapa quelque chose à ses pieds : deux sacs remplis de pièces, qu'il laissa tomber sur la table.

— Voici notre argent, dit-il alors. Sincèrement, dans des circonstances normales je ne serais jamais ton complice, mais tu es le seul à partager mon secret et tu le resteras ; le seul avec qui je puisse l'utiliser et aussi peut-être le seul, de tous les gens que je connais, pour qui j'éprouve de la gratitude et de l'amitié. Je veux gagner cet argent. Beaucoup d'argent. Le plus possible. C'est notre nuit.

— Mais ton argent... s'exclama Hernando, déconcerté. Il doit y avoir ici une fortune !

— Oui. Une fortune. Oublie tout ce que tu as joué jusqu'à maintenant. Il s'agit d'un autre monde. Si tu comptes en réaux on te découvrira... et moi avec. Ce sont des écus d'or ; c'est avec ça qu'on joue. Tu dois te persuader qu'un écu d'or ne vaut pas plus qu'une maille. T'en sens-tu capable ?

Hernando n'hésita pas :

— Oui.

— C'est dangereux. C'est la première chose qu'il faut savoir. Et personne ne doit être au courant de notre amitié.

La partie avait lieu dans la maison d'un riche marchand de tissu, aussi hautain et pédant qu'audacieux au moment des mises.

À la nuit tombée, Hernando parcourut nerveusement la courte distance qui séparait l'auberge del Potro de la calle de la Feria, où vivait le marchand, accroché au gros sac d'argent et aux instructions que lui avait données Pablo Coca. Ils devaient s'asseoir l'un en face de l'autre pour qu'Hernando puisse voir le lobe de son oreille. Il miserait gros, même si Coca ne lui faisait pas signe ; il ne pouvait pas le faire seulement pour gagner.

— Arrange-toi pour ne pas me parler plus qu'à d'autres, lui avait-il recommandé. Mais regarde-moi directement, comme les autres joueurs, comme si tu prétendais deviner mon jeu sur mon visage. N'oublie pas que je ne jouerai pas pour moi, mais pour toi, et que si nous avons de la chance, s'ils utilisent nos cartes, nous les connaîtrons ; sinon je pourrai seulement t'aider avec les miennes. Joue avec décision, et ne les prends pas pour des imbéciles. Ils savent ce qu'ils font et usent généralement d'autant de stratagèmes que les habitués des tripots. Mais souviens-toi d'une chose par-dessus tout : l'honneur de ces gens-là les conduit très rapidement à mettre la main à l'épée, et pour ce qui est des parties interdites, il existe un pacte du silence si un joueur blesse ou tue quelqu'un d'autre.

Un domestique accompagna Hernando dans un salon bien éclairé et luxueusement décoré, avec des tapisseries, des maroquins, des meubles en bois brillant et même une grande peinture à l'huile représentant une scène religieuse qui attira l'attention du Maure. Il y avait déjà huit personnes dans la pièce, debout, parlant à voix basse, par groupes de deux. Pablo était parmi eux.

— Messieurs, dit-il en attirant l'attention de deux groupes qui se tenaient près de la porte par laquelle son compagnon venait d'entrer. Je vous présente Hernando Ruiz.

Un homme grand et fort, dont les luxueux habits tranchaient parmi tous les autres, fut le premier à lui tendre la main.

— Juan Serna, lui présenta Coca. Notre hôte.

— Avez-vous l'argent sur vous, señor Ruiz ? interrogea malicieusement le marchand alors qu'ils se saluaient.

— Oui… dit Hernando, troublé par les rires de trois joueurs qui venaient d'approcher.

— Hernando Ruiz ? demanda à ce moment-là un vieil homme aux épaules affaissées, tout de noir vêtu.

— Melchor Parra, dit Pablo en le lui présentant, écrivain public…

L'ancien fit taire Coca d'un geste autoritaire de la main.

— Hernando Ruiz, répéta-t-il, nouveau-chrétien de Juviles ?

Hernando évita de regarder Pablo. Comment ce vieil homme pouvait-il savoir qu'il était maure ? Et les autres, voudraient-ils jouer avec un nouveau-chrétien ?

— Nouveau-chrétien ? s'intéressa un autre joueur qui s'était avancé pour le saluer.

— Oui, confirma-t-il alors. Je suis Hernando Ruiz, nouveau-chrétien de Juviles.

Pablo voulut intervenir, mais le marchand l'en empêcha.

— As-tu l'argent ? lui redemanda-t-il, comme si c'était tout ce qui lui importait.

— Par ma foi, Juan, il l'a, lâcha l'ancien alors qu'Hernando s'apprêtait à montrer son sac. Il vient d'hériter du duc de Monterreal. Que Dieu veille sur son âme ! C'est moi-même qui ai ouvert et lu son testament il y a quelques jours lors des funérailles. Don Alfonso de Córdoba lui a fait un legs. *À mon ami Hernando Ruiz, nouveau-chrétien de Juviles, à qui je dois la vie*, disait-il. Je m'en souviens comme si je le lisais maintenant. Tu viens jouer ton héritage ? lui demanda-t-il avec cynisme pour terminer.

Ce soir-là, dans la maison du marchand de tissu, Hernando ne réussit pas à se concentrer sur les cartes. Un héritage ! De quoi s'agissait-il ? L'écrivain public ne le lui avait pas dit et il n'avait pas eu non plus l'occasion de le prendre à part pour l'interroger car, dès son arrivée, Juan Serna avait décrété le début immédiat de la partie. Pablo Coca s'était assis à la table, le visage préoccupé. Hernando, qui n'avait même pas cherché une place face à lui, dut se débrouiller tout seul. Cependant, au fil des tours, Coca commença à se détendre : Hernando jouait distraitement, misait gros et perdait quelquefois, mais il pilonnait la table mécaniquement dès qu'il percevait le mouvement du lobe de l'oreille de son complice. La partie se prolongea toute la nuit sans que personne ne soupçonne leur ruse. Ils les plumèrent à tour de rôle. Serna, comme l'écrivain public, perdit presque cinq cents ducats qu'il paya en or à Hernando, exigeant avec une souffrance non dissimulée une revanche. Les autres joueurs, parmi lesquels Pablo, lui payèrent des sommes moins importantes mais tout de même considérables. Un jeune noble prétentieux, qui en était venu au cours de la soirée à insulter Hernando, imperturbable, perdu dans ses élucubrations relatives à l'héritage, dut ravaler son orgueil et poser sur la table son épée à la poignée travaillée en or et pierres précieuses, ainsi qu'un anneau gravé de l'écu d'armes de sa famille.

— Signez-moi un document lu et approuvé qui certifie qu'ils sont désormais à moi, exigea le Maure quand il vit le jeune offensé faire un geste vers l'épée, sur la table.

Le vieil écrivain public dut lui aussi signer un papier,

mais de reconnaissance de dette en faveur d'Hernando, puisqu'il n'avait pas assez d'argent sur lui et qu'on lui avait permis de jouer à crédit. C'est d'une main tremblante qu'il le fit. Il enrageait à propos de la petite fortune qu'il venait de perdre sur la table et demanda du temps pour rembourser sa dette. Hernando hésita. Il savait que les délais de paiement liés au jeu n'étaient pas légaux et qu'aucun juge ne les ferait exécuter, mais Pablo lui fit un très léger signe d'assentiment. Le vieil écrivain paierait.

Ils sortirent de la maison de la calle de la Feria. Le soleil brillait et les Cordouans déambulaient déjà dans les rues. Escorté à une distance prudente par deux vigiles du tripot, armés, que Pablo avait eu la précaution de poster à la porte en prévision de gains importants, Hernando suivit le vieil écrivain. Il le rattrapa près de la plaza del Salvador.

— La chance n'était pas de votre côté cette nuit, don Melchor, dit-il en lui emboîtant le pas.

Le vieil homme, écœuré, marmonna des mots inintelligibles.

— Vous m'avez parlé d'un legs en ma faveur, ajouta-t-il.

— Vois ça avec la duchesse et les commissaires de l'héritage nommés par feu don Alfonso. Qu'il repose en paix ! rétorqua l'ancien de mauvaise humeur.

Hernando l'attrapa par le bras, l'obligeant violemment à s'arrêter puis à se retourner.

Deux femmes qui les croisaient alors les regardèrent avec surprise, avant de reprendre leur chemin en chuchotant. Les vigiles de Pablo Coca se rapprochèrent.

— Écoutez-moi, don Melchor, nous allons procéder autrement : vous allez régler ma situation, et rapidement, vous m'entendez ? Sinon je n'attendrai pas le délai de grâce que je vous ai accordé. En revanche, si vous le faites, j'effacerai votre dette… entièrement.

57.

« Mais l'auteur de cette histoire, qui a cherché avec curiosité les faits auxquels don Quichotte a participé lors de sa troisième sortie, n'a pu en dénicher trace, du moins dans les écrits authentiques ; seule est restée la légende, dans les mémoires de la Manche, que don Quichotte, la troisième fois qu'il est sorti de chez lui, s'en fut à Saragosse, où il se retrouva dans de célèbres joutes qui eurent lieu dans cette ville, et où il lui arriva des choses dignes de son courage et de son jugement. Mais il ne trouva rien sur sa fin, et n'en aurait jamais rien su s'il n'avait eu la chance de rencontrer un vieux médecin qui avait en sa possession une caisse en plomb qui, d'après lui, avait été découverte dans les fondations écroulées d'un ancien ermitage en rénovation. Et cette caisse contenait des parchemins écrits avec des lettres gothiques, mais en vers catalans, qui décrivaient grand nombre de ses prouesses et donnaient des nouvelles de la belle Dulcinée du Toboso, de Rossinante, du fidèle Sancho Panza, et de la sépulture de don Quichotte lui-même avec différents épitaphes de sa vie et de ses habitudes. »

Miguel de Cervantès par la bouche de
Cid Hamet Ben Engeli, Maure,
Don Quichotte, première partie, chapitre LII

Une maison avec patio dans le quartier de Santa María, près de la cathédrale, dans la calle Espaldas de Santa Clara, et un lot de terrains d'irrigation près de Palma del Río, autour d'une petite ferme abandonnée, d'environ quatre cents ducats de rente annuelle, plus une douzaine de poules, cinq cents grenades, autant de noix et trois fanègues d'olives que chaque semaine lui apportaient successivement les fermiers, des prunes et une quantité hebdomadaire de primeurs ou de légumes verts. Tel fut l'héritage, parmi d'autres vœux pieux concernant le paiement de la dot de demoiselles à marier sans ressources ou la rançon de prisonniers, que don Alfonso de Córdoba avait laissé à celui qui lui avait sauvé la vie dans les Alpujarras. Melchor Parra et les notaires du duc lui remirent les documents sans faire d'opposition. Toutefois, l'écrivain public ne put s'empêcher de répéter d'un ton sarcastique à Hernando les insultes inspirées par la jalousie qu'avaient prononcées, selon lui, les nombreux courtisans à qui le duc n'avait pas même légué une maille.

— On dirait qu'aucun d'eux ne te porte grande estime, l'informa le vieil écrivain sans dissimuler sa satisfaction, tandis que le Maure signait ses titres de propriété.

Hernando ne répondit pas. Il termina de signer, se redressa face à l'ancien, chercha la reconnaissance de dette à l'intérieur de ses vêtements et, en présence des notaires, la lui donna.

— Le sentiment est réciproque, don Melchor.

Hernando régla ses comptes avec Pablo Coca, qui s'enticha de l'épée et de l'anneau du jeune noble, effaça le crédit de l'écrivain public et remboursa ses cent ducats à don Pedro de Granada Venegas. Il lui restait une bonne somme d'argent. Il pouvait donc commencer à profiter de sa nouvelle maison et de ses rentes.

La vie prenait un tour inattendu.

— Elle est déjà louée, seigneur, l'informa Miguel. Vous serez obligé d'attendre la fin du contrat de location.

Tous deux se trouvaient devant la maison de la calle Espaldas de Santa Clara. Hernando avait demandé à Miguel de faire le nécessaire pour le transport de sa mère et de conduire Volador à son nouveau domicile.

— Non, s'exclama Hernando, catégorique. Elle te plaît ?

Miguel, en admiration devant le magnifique bâtiment, siffla entre ses dents cassées.

— Alors nous allons faire la chose suivante : je vais retourner à l'auberge et tu iras voir la dame qui habite cette maison. La dame, Miguel, tu m'as bien entendu ?

— On ne me laissera pas entrer. On croira que je viens demander l'aumône.

— Essaie. Dis-leur que tu es le serviteur du nouveau propriétaire.

Miguel, sur ses béquilles, faillit en perdre l'équilibre.

— Oui. Je crois que ni ma mère ni mon cheval ne pourraient trouver meilleur ami que toi. Essaie, je suis sûr que tu vas y arriver.

— Et après ?

— Tu diras à la dame qu'à partir de maintenant elle devra payer le loyer à son nouveau propriétaire : le Maure Hernando Ruiz, de Juviles. Insiste bien sur le fait que je suis maure, grenadin, expulsé des Alpujarras, de ceux qui ont participé, armes à la main, à la révolte, et que je suis son nouveau propriétaire. Répète-le-lui plusieurs fois s'il le faut.

Il ne fallut pas plus d'une semaine aux locataires, opulente famille de négociants en soie, pour mettre la maison à la disposition d'Hernando. Le temps d'avoir confirmation auprès du secrétaire de la duchesse que ce dernier était bien leur nouveau propriétaire. Quel vieux-chrétien bien né aurait accepté de payer un loyer à un Maure ?

Le patio ouvert à la lumière du soleil, le parfum des fleurs qui l'inondaient et l'eau coulant en permanence d'une fontaine parurent faire revivre Aisha. Miguel veillait sur elle, lui racontait des histoires tout en sautant d'un côté à l'autre pour couper des fleurs qu'il déposait sur son ventre. Quelques jours après avoir pris possession de la maison, Hernando observa que sa mère bougeait légèrement la main.

Les mots qu'avait prononcés Fatima le jour où il avait trouvé ses enfants et l'uléma dans le patio en train de faire la classe ressurgirent avec puissance à sa mémoire : « Hamid a dit que l'eau est l'origine de la vie. » L'origine de la vie ! Était-il possible que sa mère se rétablisse ?

Il s'avança, plein d'espoir, vers l'endroit où se trouvait l'étrange couple. Miguel racontait presque en criant l'histoire d'une maison enchantée.

— Les murs vibraient comme des roseaux au vent… disait-il au moment où le Maure arriva auprès d'eux.

Hernando lui sourit, puis il posa le regard sur sa mère, ramassée dans un fauteuil près de la fontaine.

— Vous allez la perdre, seigneur, entendit-il murmurer le petit éclopé à ses côtés.

Hernando se tourna brusquement vers lui.

— Comment… ? Mais elle va mieux !

— Elle s'en va, seigneur. Je le sais.

Ils se mesurèrent du regard. Miguel soutint le sien quelques instants puis il plissa les yeux, confirmant sa prémonition. Il secoua légèrement la tête, comme s'il partageait la douleur d'Hernando, et reprit son histoire.

— Les murs de la chambre où dormait la jeune fille disparurent par magie, señora. Vous imaginez ? Un énorme trou…

Hernando n'écoutait plus la narration. Il s'accroupit devant sa mère et lui caressa un genou. Miguel était-il capable de prédire la mort ? Aisha sembla réagir au contact de son fils et bougea de nouveau la main.

— Mère, chuchota Hernando.

Miguel s'approcha.

— Laisse-nous, veux-tu ? demanda Hernando.

L'enfant se retira dans les écuries et Hernando prit la main décharnée d'Aisha entre les siennes.

— M'entends-tu, mère ? Peux-tu m'entendre ? sanglota-t-il en serrant cette main fragile. Je suis désolé. C'est ma faute. Si je t'avais raconté… Tout cela ne serait pas arrivé. Je n'ai jamais cessé de lutter pour notre foi.

Il lui raconta alors ce qu'il avait fait et le travail dont l'avait chargé don Pedro, ainsi que tout ce qu'ils espéraient obtenir.

Quand il eut terminé, Aisha ne fit aucun mouvement. Hernando enfouit son visage dans son giron et éclata en larmes.

Quatre jours plus tard, le présage du garçonnet s'accomplit ; pendant ces quatre longues journées, en tête à tête avec sa mère, Hernando ne cessa de lui raconter sa vie, tandis qu'Aisha se consumait. Un matin, elle cessa de respirer.

Il refusa de payer un enterrement, des funérailles. Miguel fit une grimace de stupéfaction lorsqu'il entendit Hernando l'annoncer au curé de Santa María, qu'il avait volontairement averti trop tard pour l'extrême-onction. Ce dernier biffa Aisha du recensement des Maures de la paroisse.

— C'était ma mère, mais elle se trouvait sous l'emprise du démon, mon père, déclara-t-il au prêtre, à qui il remit néanmoins quelques pièces pour des services qu'il ne rendrait pas. L'Inquisition l'avait décrété.

— Je le sais, répondit l'ecclésiastique.

— Je ne peux pas t'expliquer, dit-il ensuite à Miguel, qui avait écouté ses paroles avec stupeur.

— Vous avez dit sous l'emprise du démon, seigneur ? glapit l'enfant en perdant l'équilibre. Même dans son silence, votre mère souffrait plus… que moi quand on m'utilisait pour demander l'aumône ! Elle méritait un enterrement…

— Je sais ce que mérite ma mère, Miguel, l'interrompit froidement Hernando.

Il n'aurait pu exécuter son plan s'il avait payé des obsèques chrétiennes et qu'Aisha avait été enterrée au cimetière de la paroisse. Dans les fosses communes du campo de la Merced, où la vigilance était inexistante, il n'y aurait pas de problème. Qui surveillerait des cadavres auxquels leur famille n'était pas disposée à offrir un bel enterrement ?

— Retourne à la maison, ordonna-t-il à Miguel une fois qu'ils eurent regardé les fossoyeurs jeter, sans le moindre respect, le cadavre dans la fosse.

— Et vous, qu'allez-vous faire, seigneur ?

— Va, je te dis.

Hernando partit à la recherche d'Abbas, après qui il demanda aux écuries royales. On le laissa entrer et il se rendit directement dans la forge. Il trouva le maréchal-ferrant vieilli depuis la dernière fois où ils s'étaient parlé, quand la communauté avait refusé ses dons d'argent. Abbas constata lui aussi que l'aspect physique du nazaréen avait accusé le coup.

— Je doute que quiconque accepte de t'aider, grommela-t-il, après qu'Hernando lui eut expliqué la raison de sa visite.

— Si, si c'est toi qui l'exiges. Je paierai bien.

— L'argent ! C'est tout ce qui t'intéresse !

Abbas le regarda avec mépris.

— Tu te trompes, mais je n'ai pas l'intention d'en discuter avec toi. Ma mère était une bonne musulmane, tu le sais. Fais-le pour elle. Si tu refuses, je serai obligé de recourir à des ivrognes chrétiens d'El Potro, et alors nous courrons tous le risque qu'on découvre comment nous enterrons nos morts et que l'Inquisition s'en mêle. Tu peux être sûr que les curés seraient capables de déterrer tout le cimetière.

Cette nuit-là, deux jeunes garçons costauds et une vieille femme maures l'accompagnèrent. Aucun d'eux n'accepta son argent, et ils ne lui adressèrent pas la parole. Ils quittèrent la ville en direction du campo de la Merced par une petite porte abandonnée dans les remparts. À la lumière de la lune, dans le cimetière désert, les deux jeunes exhumèrent le cadavre d'Aisha à l'endroit indiqué par Hernando, et ils le confièrent à la vieille femme tandis qu'ils se mettaient à creuser un long trou étroit dans la terre vierge, haut d'environ la moitié d'un homme.

La vieille Mauresque avait l'habitude : elle déshabilla le corps et le lava, puis le frotta avec des feuilles de vigne détrempées.

— Seigneur ! Pardonnez-lui et ayez pitié d'elle, murmurait-elle sans relâche.

— Amen, répondait Hernando de dos à la femme, les yeux remplis de larmes, tournés vers une Cordoue plongée dans l'obscurité.

La loi interdisait de regarder un cadavre non lavé, et il n'aurait pas osé la transgresser.

— Seigneur Dieu ! pardonnez-moi d'avoir touché le cadavre, pria la vieille Arabe après avoir terminé la purification. Tu as les tissus ? demanda-t-elle à Hernando.

Sans se retourner, il lui remit plusieurs morceaux de lin blanc dans lesquels elle enveloppa le corps minuscule d'Aisha. Les jeunes garçons, une fois le trou creusé, voulurent prendre le cadavre pour l'enterrer, mais Hernando les en empêcha.

— Et la prière pour le défunt ? dit-il.

— Quelle prière ? interrogea l'un d'eux.

Ils avaient peut-être vingt ans, pensa alors Hernando. Ils étaient nés à Cordoue. Tous ces jeunes négligeaient l'étude, la connaissance du Livre révélé ou les prières, qu'ils remplaçaient, simplement, par une haine aveugle envers les chrétiens, suffisante pour tranquilliser leurs âmes. Probablement, à peine savaient-ils la profession de foi, se lamenta-t-il.

— Laissez le corps près de la fosse et, si vous voulez, vous pouvez partir.

Alors, à la lumière de la lune, il leva les bras et commença la longue prière du défunt : « Dieu est très grand. Loué soit Dieu, qui donne la vie et la mort. Loué soit Dieu, qui ressuscite les morts. À Lui la grandeur, la splendeur, le commandement… »

Les jeunes et la vieille femme restèrent immobiles derrière lui, tandis qu'il invoquait le Tout-Puissant.

— C'est lui qu'on appelle le nazaréen ? chuchota l'un d'eux.

Hernando acheva sa prière. Ils installèrent Aisha dans la fosse, de côté, en direction de la qibla. Avant de la recouvrir de pierres, puis de terre afin que rien ne se voie, Hernando introduisit entre les morceaux de lin la lettre de la mort, à la calligraphie parfaite, tracée l'après-midi même avec une encre couleur safran, en communion intime avec Allah.

— Que fais-tu ?

— Demande à ton uléma, répliqua Hernando, d'un ton rébarbatif. Vous pouvez partir. Merci.

Les jeunes et la vieille Mauresque s'en allèrent en grognant et Hernando resta seul au pied de la tombe. Sa mère avait eu une vie vraiment douloureuse. Les souvenirs défilèrent à sa mémoire, non de manière chaotique, mais avec lenteur. Il demeura sur place un bon moment, alternant les larmes et les sourires nostalgiques. À présent elle reposait en paix, tenta-t-il de se rassurer avant de retourner en ville.

En chemin, alors qu'il avait déjà franchi les remparts par le même trou, il perçut un petit tintement dans son dos, sourd mais familier. Il s'arrêta au milieu d'une ruelle.

— Ne te cache pas, dit-il dans la nuit. Viens, Miguel.

L'enfant ne bougea pas.

— Je t'ai entendu, insista Hernando. Viens.

— Seigneur.

Hernando s'efforça de localiser d'où venait la voix. Elle avait l'air triste.

— Quand vous m'avez pris comme serviteur, vous avez dit que vous aviez besoin de moi pour veiller sur votre mère et sur votre cheval. Votre mère est morte et le cheval… Je ne peux même pas le brider.

Hernando sentit un frisson parcourir son corps.

— Tu crois que je pourrai te jeter hors de chez moi juste parce que ma mère est morte ?

Quelques instants passèrent, puis le claquement des béquilles rompit le silence qui s'était installé après la question. Miguel avança jusqu'à lui.

— Non, seigneur, répondit l'infirme. Je ne crois pas que vous feriez ça.

— Mon cheval t'apprécie, je le sais, je le vois. Quant à ma mère…

La voix d'Hernando se brisa.

— Vous l'aimiez beaucoup, n'est-ce pas ?

— Beaucoup, soupira Hernando. Mais pas elle…

— Elle est morte réconfortée, seigneur, assura Miguel. En paix. Elle a entendu vos paroles, vous pouvez être tranquille.

Hernando tenta de distinguer le visage du garçonnet dans la nuit. Que disait-il ?

— À quoi fais-tu allusion ? interrogea-t-il.

— Elle a entendu vos explications et elle a compris que vous n'aviez pas trahi votre peuple.

Miguel parlait tête baissée, sans oser lever les yeux du sol.

— Comment sais-tu tout cela, toi ?

— Vous devez me pardonner, dit l'enfant en posant alors son regard sincère sur Hernando. Je ne suis qu'un mendiant, un miséreux. J'ai passé toute ma vie à dépendre de ce que je pouvais entendre, dans les rues, dans un coin…

Hernando secoua la tête.

— Mais je suis loyal, s'empressa d'ajouter Miguel. Jamais je ne vous dénoncerai, jamais je ne causerai de tort à quelqu'un comme vous, je le jure ! Quand bien même on me briserait les bras.

Hernando laissa passer quelques instants. Quoi qu'il en soit, comment cet enfant pouvait-il certifier que sa mère était morte réconfortée ?

— Souvent j'ai désiré la mort, dit alors le petit invalide, comme s'il devinait ses pensées. Souvent je me suis trouvé à ses portes, dans la rue, malade, méprisé par les gens qui s'écartaient pour ne pas passer à côté de moi. J'ai vécu dans cet état, et j'ai rencontré ainsi des dizaines d'âmes comme celle de madame votre mère, toutes aux portes de la mort ; certaines sont chanceuses et entrent, d'autres, repoussées, doivent continuer à souffrir. Elle a su. Elle vous a entendu. J'en suis sûr. Je l'ai senti.

Hernando demeura silencieux. Il faisait confiance à ce garçon, il croyait en ses paroles. Ou était-ce seulement son propre désir que sa mère soit morte en paix ? Il soupira et entoura de son bras les épaules de l'enfant.

— Rentrons à la maison, Miguel.

— J'ai vérifié, señora.

De retour à Tétouan, Efraín dut élever la voix face aux gémissements incessants et incrédules de Fatima depuis qu'il lui avait rapporté le message d'Aisha. Le vieux juif, qui l'avait accompagné au palais de Brahim, posa sa main sur le bras de son fils pour qu'il se calme.

— J'ai vérifié, répéta Efraín d'une voix plus douce, devant une Fatima qui faisait les cent pas dans la luxueuse pièce donnant sur le patio. Quand j'ai eu terminé de parler avec Aisha, le maréchal-ferrant des écuries royales est venu me voir…

— Abbas ? s'écria Fatima.

— Un certain Jerónimo… C'est lui qui m'avait indiqué où habitait Aisha. Il avait dû me suivre et il a attendu que je finisse de parler avec elle pour me barrer la route et m'assaillir de questions…

— Lui as-tu dit quelque chose à mon sujet ? l'interrompit de nouveau Fatima.

— Non, señora. Je lui ai raconté ce que j'avais préparé au cas où ça tournerait mal : que je cherchais Hernando car je disposais d'un excellent pur-sang arabe, obtenu en échange d'une quantité d'huile, et que je souhaitais qu'il le dresse…

— Et ?

— Il ne m'a pas cru. Il a insisté pour savoir ce qu'il y avait dans la lettre qu'Aisha avait déchirée en mille morceaux et jetée dans le Guadalquivir, mais j'ai tenu bon. Je vous l'assure.

— Que t'a dit Abbas ? interrogea Fatima, dressée face au garçon, tendue à l'extrême.

Elle venait d'écouter ce que lui avait dit Efraín à propos d'Aisha, désormais vieille et malade. Peut-être… était-elle devenue folle ? avait envisagé Fatima. Mais Abbas ne pouvait mentir ! Il était l'ami d'Hernando et ils avaient travaillé au coude à coude, risquant leur vie pour la communauté. Abbas ne pouvait mentir.

Efraín hésita.

— Señora… ce Jerónimo, ou Abbas, comme vous l'appelez, m'a confirmé tout ce que venait de me dire la mère. Ce soir-là, il m'a offert l'hospitalité dans la maison d'un dénommé Cosme, un de ses amis, un homme très respecté dans la communauté maure de Cordoue. Tous deux m'ont répété, avec plus de détails, les paroles d'Aisha. Juste après qu'on vous a crue morte, parce qu'on vous croit morte, señora, vous et vos enfants…

Fatima hocha la tête avec un soupir.

— … moins de un an après, votre époux est allé vivre

dans le palais du duc de Monterreal. Ils suintent de haine envers le nazaréen, señora.

Le père d'Efraín s'agita avec inquiétude à cause du surnom qu'avait employé son fils, mais Fatima ne cilla pas. Son expression se durcit et elle serra les poings plus fortement.

— Toute la communauté maure le déteste pour ses actes et sa trahison. Je l'ai constaté auprès de plusieurs habitants maures de la maison de Cosme. Je suis désolé, ajouta le jeune juif après quelques instants de silence.

Pendant le long voyage d'Efraín de Tétouan à Cordoue, et de Cordoue à Tétouan, Fatima avait eu le temps d'imaginer mille hypothèses : Hernando avait peut-être refait sa vie et refuserait de quitter la capitale des califes. Elle l'aurait compris ! Elle s'était même préparée à l'éventualité de sa mort. Elle savait qu'une terrible épidémie de peste avait décimé la population de Cordoue six ans plus tôt. Peut-être ne voudrait-il pas non plus abandonner son poste d'écuyer aux écuries royales qui le satisfaisait tant, ou déciderait-il tout simplement que la communauté avait besoin de lui là-bas, sur des terres chrétiennes, pour copier le Livre révélé, les calendriers ou les prophéties ?... Ça aussi, elle l'aurait compris ! Mais jamais elle n'aurait pu concevoir qu'Hernando ait trahi ses frères et ses croyances. Elle-même n'avait-elle pas renoncé à sa liberté et donné tout son argent pour le rachat d'un esclave maure ?

— Et tu dis ?...

Fatima vacilla. C'était l'époque où ils vivaient ensemble, les années du soulèvement des Alpujarras, où ils avaient souffert mille maux pour leur Dieu, avec Ubaid et Brahim qui les maltraitaient et les humiliaient. Comment Hernando aurait-il pu trahir en secret ? Il lui avait raconté qu'il s'était échappé de la tente de Barrax avec ce noble chrétien, mais comment pouvait-il lui avoir caché la vérité après les sacrifices qu'elle avait elle-même endurés pour se marier avec lui ? Elle avait perdu son petit Humam dans cette guerre sainte !

— Tu dis qu'il a sauvé la vie de plusieurs chrétiens dans les Alpujarras ?

— Oui, señora. On en a la certitude pour le noble qui l'a ensuite hébergé dans son palais, et pour l'épouse d'un magistrat de la chancellerie de Grenade, mais les gens parlent de beaucoup plus.

Fatima explosa. Les cris et les insultes qui surgirent de sa gorge résonnèrent dans la pièce. Elle marcha furieuse jusqu'au patio, où elle leva les bras au ciel et laissa échapper un hurlement de rage et de douleur. Le vieux juif fit un signe à son fils et tous deux quittèrent le palais.

Quelques jours plus tard, Fatima appela Shamir et son fils, Abdul, et elle leur raconta tout ce qu'elle avait appris au sujet d'Hernando.

— Le chien ! se contenta de marmonner Abdul au moment où sa mère achevait son récit.

Ils se retirèrent, sous les yeux de Fatima, sérieux et décidés, les fourreaux de leurs alfanges tintant au rythme de leurs pas. C'étaient des corsaires ! songea-t-elle, des hommes habitués à vivre la cruauté.

À partir de ce jour, Fatima se consacra à l'administration, d'une main de fer, de l'argent et du patrimoine de sa famille, tandis que les deux garçons naviguaient. Rien ne parvint à la distraire de son travail, même si la nuit, seule, elle pensait toujours à Ibn Hamid avec un mélange de rage et de douleur. Moyennant une dot splendide, elle maria Maryam avec un jeune homme de la famille Naqsis, qui dominait désormais Tétouan. Elle chercha également des épouses adéquates pour Abdul et Shamir. L'alliance qu'elle avait nouée avec la famille Naqsis après la mort de Brahim s'était avérée rentable, et sa condition de femme ne l'empêcha pas de se tailler une place prééminente dans le monde des affaires de la ville corsaire. À Tétouan, elle n'était pas la première à intervenir dans ce domaine. Après avoir été conquise par les musulmans, la ville avait d'abord été gouvernée par une femme borgne, dont le souvenir était encore entretenu et respecté. Comme elle, Fatima était crainte et révérée. Comme elle, Fatima était seule.

AU NOM DE NOTRE-SEIGNEUR

« Et je vous dis que les Arabes sont parmi les peuples les plus excellents, et leur langue parmi les plus excellentes. Dieu les a choisis pour aider sa loi au dernier moment... Comme me l'a dit Jésus, qui a préféré aux fils d'Israël ceux qui parmi eux furent infidèles... Il ne lèvera jamais son sceptre contre eux. Plus encore, les Arabes et leur langue reviendront vers Dieu et sa loi droite, et vers son évangile glorieux et vers son Église sainte le temps venu. »

Livres de plomb du Sacromonte :
Le Livre de l'histoire de la vérité de l'évangile
(éd. de M. J. Hagerthy)

58.

L'aube était froide et nuageuse. Hernando, qui avait désormais quarante et un ans, semblait s'être levé d'une humeur aussi grise que le ciel qu'on voyait du patio. Miguel ne pouvait s'empêcher d'être préoccupé pour son seigneur et ami : il le sentait nerveux, affligé, envahi par une anxiété inhabituelle chez quelqu'un qui, depuis sept ans, montait à cheval tous les matins avant le lever du soleil, puis s'enfermait tranquillement dans une pièce au deuxième étage, convertie en bibliothèque, où les livres, les documents et les écrits s'amoncelaient plus abondamment que les feuilles des arbres sur le sol en hiver.

L'accumulation de ces sept années de travail n'était pas à l'origine de l'angoisse que Miguel observait chez Hernando ces jours-ci. Sept années d'étude ; sept années employées à penser et à ourdir un plan qui pût rapprocher les deux grandes religions : modifier la perception qu'avaient les chrétiens de ceux qui avaient régné sur les royaumes espagnols pendant huit siècles et qu'ils méprisaient à présent. Hernando avait même appris le latin pour pouvoir lire certains textes. Réussir le rapprochement entre les deux religions avait constitué son seul objectif : il avait arrêté de jouer aux cartes et s'autorisait seulement de temps en temps à fréquenter la maison close.

— Les sept apostoliques ! s'était-il exclamé un jour dans le patio, il y avait quelque temps déjà, faisant sursauter Miguel qui s'occupait des plates-bandes et des tuteurs pour les fleurs du printemps. Si j'utilise cette légende comme référence, toutes les pièces s'emboîtent, même celle de san Cecilio dont m'a parlé Castillo.

L'estropié, informé des activités d'Hernando depuis qu'il l'avait entendu se confesser à sa mère avant qu'elle ne meure, partageait avec assez de scepticisme, voire d'indifférence, les plans et les avancées de son seigneur et ami.

— Vous croyez peut-être, seigneur, lui lança-t-il le jour où ils débattirent ensemble du sujet, que je pourrais faire confiance à un dieu ? Un dieu, le vôtre ou un autre, qui permet qu'on brise les jambes des bébés pour obtenir quelques pièces de plus ?

Malgré cela, Hernando continuait à confier à Miguel ses doutes ou ses progrès quotidiens. Il avait besoin d'en parler avec quelqu'un, et Luna, Castillo et don Pedro se trouvaient à des lieues de distance.

— Et qui sont ces sept apostoliques ? avait demandé Miguel d'une voix lasse, juste pour lui faire plaisir.

— Selon la légende que reprennent plusieurs écrits, avait expliqué Hernando, il s'agit de sept apôtres que saint Pierre et saint Paul envoyèrent évangéliser l'ancienne Hispanie : Torcuato, Tésiphonte, Indalecio, Segundo, Eufrasio, Cecilio et Hesicio. Les reliques de quatre d'entre eux ont été découvertes et sont vénérées à différents endroits, mais sais-tu… ?

Hernando avait laissé sa question en suspens. Miguel, qui s'appuyait sur l'une de ses béquilles et arrachait de sa main libre une mauvaise herbe, l'avait regardé avec affection : les yeux bleus de son seigneur brillaient tant qu'il s'était obligé à changer d'attitude et lui avait souri de toutes ses dents cassées.

— Quoi, seigneur ? Dites-moi.

— Que parmi les trois apostoliques qui n'ont toujours pas été découverts, il y a san Cecilio, qui fut, affirme-t-on, le premier évêque de Grenade. Je n'ai qu'à me servir de cette légende et faire apparaître les restes de san Cecilio à Grenade. Cela concorderait même avec le parchemin de la Turpiana ! Je pourrais…

— Seigneur, l'avait coupé Miguel, abandonnant son jardinage et s'appuyant sur sa seconde béquille. Les évêques ne soutiennent-ils pas que c'est saint Jacques qui a évangélisé nos royaumes ? Même moi je le sais, et vous n'avez pas cité saint Jacques parmi les sept.

— C'est vrai, avait reconnu Hernando. Je sais ce que je vais faire. Je vais réunir les deux légendes !

Et il avait grimpé l'escalier, comme s'il avait eu l'intention de réaliser cette tâche à l'instant même. Miguel l'avait vu trébucher sur une marche et tituber avant de se rétablir.

— Je vais réunir les deux légendes, avait répété l'invalide avec sarcasme, en revenant vers la plate-bande d'où écloraient bientôt des roses magnifiques. Je vais réunir les deux religions, avait-il repris encore, comme il l'avait tant de fois entendu dans la bouche d'Hernando, cherchant des tiges mortes à couper. Il n'y a qu'une seule chose qu'il faudrait réunir, avait-il presque fini par crier dans la solitude du patio : les os brisés de mes jambes !

Ce matin glacé de janvier, dans le patio, alors qu'il entendait Hernando réprimander María, la Mauresque qui s'occupait des tâches domestiques, Miguel se rappela ces paroles qu'il avait prononcées dans un accès de frustration. En contemplant les plates-bandes qui, l'année précédente, avaient fleuri, remplissant le patio de roses aromatiques, il éprouva un instant la sensation que la nature se moquait de lui. Pourquoi tout renaissait-il avec beauté à l'exception de ses jambes ? Jamais au cours de sa vie il n'avait tant haï son invalidité que depuis un mois, depuis que Rafaela, leur voisine, posait ses yeux innocents et émus sur ses jambes déformées. La jeune fille, qui était la candeur même, ne pouvait s'empêcher d'y jeter un coup d'œil à la dérobée ; puis, effrayée, elle bafouillait et détournait le regard vers son visage.

Bien qu'il la vît aller et venir dans la maison d'à côté, Miguel n'avait jamais fait attention à elle jusqu'à un certain soir, quelques semaines plus tôt. Cordoue était silencieuse et il s'était rendu aux écuries pour voir comment s'acclimatait le nouveau poulain que venait d'amener l'écuyer de la ferme. Cinq ans auparavant, en constatant que Volador se faisait vieux, Hernando avait décidé de restaurer la petite ferme de Palma del Río, dans l'idée de croiser son cheval avec quelques juments rejetées, achetées aux écuries royales. Il avait également embauché un écuyer, Toribio, qui depuis lors, avec plus ou moins de réussite, avait pris en charge le dressage des poulains. Quand il les estimait prêts, il les transférait aux écuries de la maison de Cordoue.

Ce soir-là, Miguel était descendu voir un poulain du nom d'Estudiante et qui était le petit, de même que César – l'autre cheval établi dans les écuries de la maison –, de Volador et d'une jument de couleur feu. Hernando s'inquiétait pour les poulains ; pour cette raison, à toute heure, Miguel se rendait avec assiduité aux écuries. En vérité, les animaux n'étaient pas bien dressés ; ils étaient farouches, méfiants, et il suffisait de les monter pour s'apercevoir que leur apprentissage de la selle avait été correct, mais violent et sans art. Toribio n'avait aucune sensibilité, avait dû admettre un jour Hernando. Tous ces défauts avaient poussé le Maure à se rapprocher des chevaux pour tenter de les corriger lui-même, labeur auquel il se consacrait chaque matin avant l'aube. Dès lors, Miguel avait remarqué que son seigneur recouvrait l'appétit et que l'air des pâturages où il chevauchait faisait disparaître le teint hâve de son visage, rançon de nombreuses heures d'enfermement dans la bibliothèque.

La nuit où il fit la connaissance de Rafaela, Miguel était allé s'assurer qu'Estudiante était bien tranquille au côté de César. Puis il avait tourné sur ses béquilles, prêt à repartir vers sa chambre, quand un bruit de sanglots étouffés l'avait arrêté. Son seigneur pleurait-il ? Il avait tendu l'oreille et levé les yeux vers la bibliothèque, où Hernando continuait de travailler ; la lumière des lampes filtrait par la fenêtre qui donnait sur le patio. Il avait chassé cette idée. Les pleurs provenaient de l'autre côté, où les écuries étaient attenantes au patio de la maison voisine, celle du magistrat don Martín Ulloa. Miguel faillit partir, mais ces sanglots lourds lui rappelèrent ceux de ses frères pendant la nuit : réprimés pour que leurs parents ne les entendent pas, réprimés par peur de nouveaux coups. Miguel s'approcha du mur de séparation. Quelqu'un pleurait avec désespoir. Les sanglots, qu'il entendait à présent nettement, imploraient le ciel, comme jadis ceux de ses frères… Et les siens.

— Que t'arrive-t-il, petite ?

Il devinait que c'était une fille. Oui, sans nul doute il s'agissait d'une jeune fille.

Personne ne lui répondit. Miguel entendit la jeune fille renifler, s'efforçant de faire taire des gémissements qui, malgré elle, laissèrent place à des sanglots irrépressibles.

— Ne pleure pas, petite, insista Miguel en vain à travers le mur.

Il leva les yeux vers le ciel de Cordoue. Quel âge pouvait avoir sa petite sœur aveugle ? La dernière fois qu'il l'avait vue, elle devait être âgée de cinq ou six ans ; assez pour comprendre que sa vie était différente de celle des autres enfants qui riaient dans les rues. Miguel murmura à la jeune fille les mots qu'il avait dits à sa sœur, des années plus tôt, dans l'obscurité du taudis humide et nauséabond où ils vivaient avec leurs parents :

— Ne pleure pas, petite. Tu sais quoi ? Il était une fois une petite fille aveugle, commença-t-il alors à lui raconter, appuyé contre le mur, se rappelant avec mélancolie, mot pour mot, la première histoire qu'il avait inventée pour sa petite sœur. Une enfant qui tendait ses bras pour toucher ce merveilleux ciel étoilé dont tout le monde lui disait qu'il était au-dessus de sa tête et qu'elle ne pouvait voir…

Ils se parlèrent ainsi plusieurs soirs d'affilée, à travers le mur. Miguel, avec ses histoires, arrachant à la jeune fille des sourires qu'il ne voyait pas, tandis que celle-ci se laissait bercer par une voix qui, pendant un moment, lui faisait oublier ses malheurs.

— Tu es le… susurra-t-elle un soir.

— Le boiteux, confirma Miguel, avec un soupir de tristesse.

Finalement, quelques jours plus tard, ils s'étaient rencontrés. Miguel l'avait invitée à voir les poulains. Il avait réussi à lui raconter des milliers d'histoires sur eux. Rafaela se glissa subrepticement depuis sa maison par une ancienne petite porte qui n'était plus utilisée, donnant dans l'impasse qui finissait devant le portail de sortie des écuries d'Hernando. Les lèvres pincées, Miguel l'attendit, dressé sur ses béquilles. Bien qu'elle eût seulement deux mètres à traverser, elle arriva dans les écuries enroulée dans une cape noire. Le jeune homme ne l'avait jamais vue de près : elle devait avoir dans les seize ou dix-sept ans ; elle avait de longs cheveux châtains qui tombaient sur ses épaules, un regard doux et un petit nez surplombant des lèvres fines. Ce soir-là, enfin, les yeux dans les yeux, elle lui conta la raison de son chagrin. Son père, le magistrat don Martín Ulloa, n'avait pas assez d'argent pour doter ses deux filles et, dans le même temps, payer le train de vie élevé de ses deux fils.

— Ils se prennent pour des hidalgos, commenta Rafaela avec tourment. Et ils ne sont rien que les fils d'un fabricant d'aiguilles dont le père a obtenu par des manigances une magistrature. Mon père, mes frères, et même ma mère agissent comme s'ils étaient des nobles de souche.

C'est pourquoi don Martín avait décidé que sa fille aînée, la timide et sérieuse Rafaela, qui ne lui paraissait pas capable d'attirer un bon parti, entrerait au couvent ; il pourrait ainsi concentrer la dot sur une seule de ses filles, la cadette, plus gracieuse et, de l'avis général, plus jolie. Mais le magistrat n'avait pas non plus de quoi payer les ordres de religieuses avec lesquelles il négociait l'admission de sa fille, et Rafaela pressentait qu'elle allait se retrouver enfermée, en tant que simple domestique, au service des religieuses les plus riches : la seule issue pour une jeune et pieuse chrétienne, célibataire et sans ressources.

— J'ai entendu mon père et mes frères en parler. Ma mère était présente, mais elle ne disait rien, ne s'opposait pas à ce marchandage. Si n'importe lequel d'entre eux dépensait un peu moins... Ils me traitent comme une pestiférée !

Haïssant ses jambes déformées, soir après soir, Miguel avait observé avec surprise que les poulains farouches se laissaient caresser par Rafaela, charmés par ses murmures et ses gestes doux. Un soir, pour la première fois de sa vie, alors que la jeune fille était assise à côté de lui, sur la paille, il ne trouva plus les mots dont il avait l'habitude de peupler ses histoires ; il souhaitait juste s'approcher d'elle et la prendre dans ses bras, mais il n'osait pas ; comment faire avec ses jambes ? Une fois qu'il fut seul, il passa le reste de la nuit à réfléchir. Que pouvait-il tenter, lui, pour cette malheureuse jeune fille qui méritait un meilleur destin ?

59.

Un matin de janvier 1595, Hernando harnacha Estudiante et annonça à Miguel qu'il partait à Grenade.

— Seigneur, ne vaudrait-il pas mieux que vous montiez César ? suggéra ce dernier. Il est plus…

— Non, l'interrompit Hernando. Estudiante est un bon cheval et le voyage lui fera du bien. J'aurai du temps pour l'entraîner et lui enseigner plein de choses. De plus, cela me distraira pendant le trajet.

— Combien de temps serez-vous parti ?

Hernando le regarda, le caveçon à la main, s'apprêtant à mettre le mors à Estudiante. Il sourit.

— N'est-ce pas toi qui possèdes une connaissance innée des animaux et des personnes ? lui dit-il, tel qu'il avait l'habitude de le faire chaque fois qu'il partait en voyage.

Miguel attendait cette réplique.

— Vous savez bien qu'avec vous ça ne marche pas, seigneur. Il y a beaucoup à faire, des décisions à prendre, des loyers à encaisser, j'ai besoin de savoir…

— Sans parler de ta visiteuse nocturne…

Surpris, Miguel rougit. Il voulut s'expliquer, mais Hernando l'en empêcha.

— Je n'y vois aucune objection, mais prends garde à

882

son père : s'il l'apprenait, il serait capable de te pendre à un arbre, et je préférerais te retrouver sain et sauf à mon retour.

— C'est une jeune fille bien malheureuse, seigneur.

Hernando venait de fourrer le mors dans la bouche d'Estudiante, qui répondit en mordant le fer sans relâche.

— Ce Toribio ne comprendra jamais le truc des bâtons de miel, se plaignit-il devant le vice du poulain. Malheureuse ? Qu'arrive-t-il à cette jeune fille ? demanda-t-il alors distraitement.

Le silence qui s'ensuivit l'obligea à s'arrêter, cette fois avec la selle entre les mains. Hernando devina que Miguel avait quelque chose à lui dire ; en vérité, il essayait depuis plusieurs jours, mais son seigneur avait autre chose en tête. Quand il vit son visage triste, Hernando s'approcha de son ami.

— Je te vois préoccupé, Miguel, dit-il en le regardant dans les yeux. À présent je n'ai pas le temps, mais je te promets qu'à mon retour nous en reparlerons.

Le jeune garçon acquiesça en silence.

— Avez-vous terminé ce que vous écriviez, seigneur ?

— Oui. J'ai terminé. Maintenant, ajouta-t-il après une pause, c'est à Dieu d'agir.

Mais Hernando ne se rendit pas à Grenade comme il l'avait dit. Au lieu de sortir de Cordoue par le pont romain, il le fit par la porte du Colodro et prit la route d'Albacete vers la côte méditerranéenne, en direction d'Almansa. De là, il irait vers le nord, jusqu'à Jarafuel. Dès le début, Estudiante se montra revêche et fuyant. Hernando le laissa faire, supportant ses dérobades et ses coups de mors alors qu'il chevauchait sur les chemins autour de Cordoue. Mais un peu plus loin, lorsqu'il eut dépassé le chemin de las Ventas qui menait à Tolède, il l'éperonna pour l'obliger à se lancer au galop dans une course frénétique où il s'imposa par la violence. Deux lieues suffirent. Malgré le froid hivernal, le cheval suait quand il franchit le pont d'Alcolea ; de la vapeur sortait de ses naseaux mais, surtout, il obéissait désormais aux éperons. À partir de ce moment-là, ils avancèrent au pas. Il restait près de soixante lieues jusqu'à Almansa et comme Hernando avait eu l'occasion de le constater quelques mois plus tôt, après un voyage à Grenade pour la question du martyrologe, il s'agissait d'un parcours long et pénible. Le nouvel archevêque, don Pedro de Castro, continuait de lui demander des rapports, comme l'avait fait son défunt prédécesseur.

C'était Castillo qui lui avait conseillé de se diriger vers Jarafuel. Ce village, près de Teresa y Cofrentes, était situé à la frontière occidentale du royaume de Valence, au nord d'Almensa, dans une vallée fertile dont les eaux allaient rejoindre la rivière Jucar ; de l'autre côté de la vallée s'élevait la Muela de Cortes. Tous ces lieux étaient majoritairement maures.

— Je n'ai pas de vieux parchemins, s'était-il plaint lors de son précédent voyage à Grenade, où il s'était réuni avec don Pedro, Miguel de Luna et Alonso del Castillo dans la Salle dorée, sous les reflets verts et or du plafond à caissons. Pour le moment j'écris sur du papier ordinaire, mais…

— Nous ne devrions pas utiliser de parchemins, avait alors coupé Luna, qui venait de publier la première partie de sa *Véritable Histoire du roi Rodrigue*, déclenchant une vive polémique chez les intellectuels de toute l'Espagne.

Malheureusement pour l'écrivain, les opinions les plus défavorables à la vision arabe positive qu'il proposait dans son œuvre avaient été en premier lieu soutenues précisément par un Maure, le jésuite Ignacio de las Casas.

— Certains intellectuels ont prétendu que le parchemin de la Turpiana constituait un faux, sous prétexte qu'il n'était pas ancien…

— Il l'était pourtant, l'interrompit Hernando avec un sourire. À l'époque d'al-Mansûr, du moins.

— D'accord, mais pas assez, intervint Castillo. Employons un autre matériau qui ne soit ni du papier ni du parchemin : de l'or, de l'argent, du cuivre…

— Du plomb, proposa don Pedro. C'est facile à obtenir et on en utilise beaucoup en orfèvrerie.

— Les Grecs écrivaient déjà sur des lames de plomb, renchérit Luna. C'est un bon matériau. Personne ne pourra dire si c'est ancien ou actuel, surtout si on le plonge auparavant dans un bain de fumier, comme l'avait déjà fait notre ami avec le parchemin de la Turpiana.

Hernando sourit, à l'instar de ses compagnons.

— Dans le royaume de Valence, à Jarafuel, dit alors Castillo, je connais un orfèvre qui, malgré l'interdiction, continue de travailler en secret des bijoux maures. Je connais également l'uléma du village. Ils sont tous deux de confiance. Binilit, l'orfèvre, élabore des mains de Fatima et des médailles avec des lunes et des inscriptions en arabe pour le baptême des nouveau-nés. Il fabrique aussi des bracelets, des chaînes et des colliers sur lesquels il cisèle des versets du Coran et de magnifiques gravures maures, comme ceux que portaient nos femmes avant la conquête chrétienne. Je suis sûr qu'il serait disposé à transcrire ces écrits sur des lames de plomb.

— Certains sont en latin, avait alors expliqué Hernando, mais pour les autres, écrits en arabe, j'ai utilisé des caractères pointus compliqués, avec une calligraphie inconnue que j'ai inventée moi-même, en m'inspirant de l'image des pointes de l'étoile du sceau de Salomon : le symbole de l'unité. J'ai préféré m'écarter de tout style postérieur à la naissance du prophète Isa.

Don Pedro avait approuvé avec satisfaction. Luna avait applaudi poliment.

— Je t'assure que le maestro Binilit, avait insisté Castillo, sera assez habile pour ciseler sur du plomb tous les écrits que nous lui présenterons.

Hernando avait pu constater l'adresse de Binilit lors de

sa première visite à Jarafuel. Il avait cherché Munir, l'uléma du village, un homme étonnamment jeune pour la responsabilité qu'il portait sur ses épaules. Ensemble, ils s'étaient rendus au minuscule atelier du vieil orfèvre. Quand ils arrivèrent, Binilit travaillait à une main de Fatima qu'on lui avait commandée pour un mariage : il plaça une feuille d'argent sur un moule en fer refondu et, sur celle-ci, une lame de plomb qu'il martela avec précision pour en extraire le bijou, net et lisse, sur lequel il se mit à ciseler des dessins géométriques. Pendant ce temps, l'uléma, que Castillo avait prévenu, lui expliquait ce qu'on attendait de lui.

— Il s'agit d'un travail secret dont peut dépendre l'avenir de notre peuple sur ces terres, avait conclu Munir.

Binilit hocha la tête, détournant pour la première fois son attention du bijou.

Absorbé par l'art de l'orfèvre, Hernando profita de ce moment pour apprécier son travail. Binilit l'encouragea à prendre la pièce d'argent. Hernando songea qu'elle ressemblait à la main de Fatima qu'il cachait si jalousement dans sa bibliothèque. Il la soupesa. Elle était peut-être plus légère encore. Le bout de ses doigts glissa sur les dessins inachevés. Quelle jeune fille la porterait en secret ? De quelles aventures ce bijou serait-il le témoin ? Ses souvenirs, au côté de Fatima, lui arrachèrent un sourire nostalgique.

— Elle te plaît ? demanda Binilit en le ramenant à la réalité.

— Elle est merveilleuse.

Ils demeurèrent silencieux quelques instants.

— Fais-moi voir ces écrits, dit ensuite l'orfèvre.

Hernando reposa la main de Fatima à sa place et remit à Binilit les documents qu'il avait apportés. Le maestro les examina, d'abord avec une certaine condescendance, puis, lorsqu'il remarqua les sceaux de Salomon représentés sur plusieurs écrits, les caractères pointus avec lesquels étaient tracées les lettres arabes, et qu'il eut déchiffré une phrase ou deux au hasard, il écarquilla les yeux comme s'il on lui jetait un défi.

— Il y a vingt-deux ensembles d'écrits, expliqua Hernando. Certains, comme tu le verras, sur une seule feuille. D'autres sont plus longs.

L'orfèvre scruta longtemps les documents qu'il étendit sur sa petite table de travail, calculant mentalement le travail que cela représenterait, imaginant déjà comment il pourrait ciseler tous ces écrits sur des lames de plomb. Soudain il se concentra sur des feuilles aux caractères illisibles qui n'étaient ni écrites en latin, ni avec l'étrange calligraphie arabe utilisée par Hernando.

— Et ça ? interrogea-t-il.

— Je l'appelle le Livre muet. Il n'a aucun sens. Comme tu le constateras, ses caractères sont totalement indéchiffrables ; j'en ai bavé pour inventer des lettres sans signification. Mais dans ce livre-là, ajouta Hernando en fouillant parmi les documents, *Histoire de la vérité de l'Évangile*, on annonce que le contenu du Livre muet sera connu plus tard ; les deux se complètent.

Hernando faillit lui avouer que ce contenu correspondrait à celui de l'évangile de Barnabé. Il décida finalement de ne pas le faire.

— Mais ce sera le jour où les chrétiens seront prêts à recevoir le véritable message, qui n'aura pas été manipulé par leurs petits papes, et qui prouve qu'il y a seulement un Dieu unique.

Tandis que Binilit acquiesçait dans un murmure, Hernando songea à l'idée qui avait guidé ses pas : ces plombs, qui étaient un ingénieux casse-tête élaboré autour d'une figure centrale, la Vierge Marie, conduisaient les uns après les autres à une conclusion inévitable : le Livre muet, l'Évangile de la Vierge, écrit dans une langue incompréhensible, qui laisserait perplexes tous ceux qui l'étudieraient. Cependant, comme il venait de l'expliquer à Binilit, un des plombs annoncerait l'apparition d'un texte qui éclairerait le mystère. Ce serait l'évangile de Barnabé, qu'il conservait farouchement. Quand les plombs seraient acceptés, et avec eux cet énigmatique Livre muet, l'évangile de Barnabé, plus proche de l'islam dans son contenu, resplendirait comme la seule et indubitable vérité.

— D'accord, avait conclu l'orfèvre en le tirant de ses pensées. Je te ferai prévenir quand ce sera prêt.

Hernando avait mis la main dans sa poche afin de payer le travail, mais le maestro l'avait arrêté.

— Pour mes bijoux je ne touche pas plus que le strict nécessaire afin de pouvoir mener une vie sobre et frugale. Je suis vieux. Tout ce que je veux, c'est que les musulmans puissent continuer à porter les bijoux de leurs ancêtres. Tu me paieras quand les chrétiens accepteront la Parole révélée.

Lors de ce deuxième voyage, Hernando arriva à Jarafuel après quatre jours de voyage au côté de caravanes de marchands ou de muletiers croisés dans des auberges où il avait passé la nuit. Sur ces routes, on pouvait aussi bien rencontrer des bandits d'honneur, mais aussi une ribambelle de gens de tout acabit : moines et prêtres qui se déplaçaient d'un couvent à un autre, saltimbanques qui allaient de village en village pour proposer leurs spectacles, étrangers et Gitans, vauriens, ainsi qu'un nombre incalculable de mendiants expulsés des villes, qui demandaient l'aumône aux voyageurs et aux pèlerins.

Le troisième jour, Hernando passa la nuit à Almansa. C'était là qu'il devait quitter l'ancienne voie romaine, très empruntée, pour s'enfoncer pendant cinq lieues sur des chemins isolés. Et il préférait le faire de jour.

Le lendemain, alors qu'ils s'étaient déjà en route, Estudiante sentit le danger et avertit Hernando. Il avançait au pas sur un sentier solitaire le long de la vallée fertile entourée de hautes montagnes ; le château d'Ayora se dressait sous ses yeux, sur un rocher escarpé, à une lieue de distance. Il n'y avait pas d'autre bruit que les sabots du cheval. Soudain, Estudiante dressa les oreilles et fit mine de ne pas vouloir continuer. Hernando scruta les alentours : il ne perçut aucun mouvement, cependant Estudiante était récalcitrant, aux aguets, tendu ; ses oreilles remuaient, raides, d'un côté à l'autre. Le cheval semblait vouloir lui dire quelque chose. Au moment où Hernando décidait de faire confiance à l'instinct de l'animal, avant même de l'éperonner, Estudiante lança une ruade vers l'arrière et se mit à galoper. Hernando s'aplatit sur son cou. À quelques mètres de là, des deux côtés du chemin avaient surgi plusieurs hommes armés, dont il ne parvint même pas à distinguer les visages. L'un d'eux se planta, défiant, au milieu du sentier, une vieille épée à la main. Hernando cria et éperonna fortement Estudiante. L'homme hésita, mais il choisit de s'écarter d'un bond du galop frénétique de l'animal ; malgré cela, Hernando, le regard fixé sur l'épée rouillée du bandit, interrompit brusquement la course d'Estudiante juste au niveau de son assaillant afin que son cheval s'élance sur lui, l'empêchant ainsi de lui flanquer un coup d'épée au passage. Estudiante répondit avec agilité, comme s'il s'agissait d'esquiver les cornes d'un taureau, et le bandit fut projeté au loin. Puis il reprit son galop et Hernando s'allongea à nouveau sur son cou pour éviter deux tirs d'arquebuse. Les balles de plomb sifflèrent dans l'air, tout près de lui.

— Volador peut être fier de toi, félicita-t-il ensuite son cheval, lui tapotant le cou, alors que le château d'Aroya se profilait juste au-dessus de leurs têtes.

Il continua jusqu'à Jarafuel, où il arriva sans nul autre incident. Il chercha le jeune uléma et, en sa compagnie, se dirigea vers l'atelier de Binilit. Puis ils attachèrent Estudiante dans un petit verger situé à l'arrière de la maison de Munir.

— Tu es venu seul ? lui demanda l'uléma.

— Oui. Et j'ai fait une mauvaise rencontre près d'Aroya…

— Ce n'est pas pour cela que je te pose la question, le coupa l'uléma. Je trouverai quelqu'un pour te raccompagner, au moins jusqu'à Almansa ; d'ailleurs, je peux le faire moi-même. Je me demandais simplement comment tu allais pouvoir emporter tout seul le travail du maestro Binilit. C'est colossal.

Hernando n'avait pas réfléchi au fait qu'on ne transportait pas de la même manière des feuilles de papier et des lames de plomb. À Cordoue, il s'était contenté de prendre des sacs qu'il avait accrochés à la croupe d'Estudiante et fixés sur la partie postérieure de la monture. Une fois dans l'atelier de Binilit, il ne put retenir un sifflement de surprise devant le travail que lui montra l'orfèvre : il devait en effet y avoir cent ou deux cents lames… Peut-être davantage ! Il s'agissait de médaillons de plomb de presque un demi-empan de diamètre, sur lesquels le maestro avait ciselé les écrits que lui avait fournis Hernando. Ils étaient empilés dans un coin de l'atelier. Ce serait impossible de transporter tout ce poids et un tel volume dans de simples sacs !

Il prit un médaillon au hasard, le premier d'une pile : *Le Livre des fondements de l'Église*. Il soupesa l'objet dans sa main et observa ensuite l'œuvre de l'orfèvre. Magnifique ! Binilit avait retranscrit avec précision ses lettres pointues sur cette petite lame.

— Marie n'a pas été touchée par le péché originel, dit alors l'uléma.

Hernando se tourna vers lui.

— J'ai passé de nombreuses journées ici, expliqua-t-il, à lire… ou plutôt à essayer d'interpréter tes écrits. Tu as omis la ponctuation et les voyelles.

— À cette époque on ne les employait pas encore.

L'uléma voulut intervenir, mais Hernando continua. Binilit écoutait avec attention.

— De plus, notre message ne doit pas être direct, mais rester ambigu. Dans le cas contraire, les chrétiens le rejetteraient immédiatement.

— Cependant, les références à Marie sont claires, insista Munir.

— Sur ce point, aucun problème. Les chrétiens accepteront l'intervention de la Vierge sans hésiter, affirma Hernando, catégorique. La figure de Marie est probablement le seul point d'union entre les deux religions qui n'a pas encore été souillé. Par ailleurs, on attend en Espagne que l'Église, une fois pour toutes, élève au dogme de foi la conception sans péché de Marie. Les textes appuient cette idée, donc les chrétiens les utiliseront. Comme tu l'as sans doute constaté, Marie devient l'axe central de tous les livres. Elle est en possession du message divin, qu'elle transmet à saint Jacques et aux autres apôtres après la mort d'Isa ; c'est elle qui ordonne à saint Jacques l'évangélisation de l'Espagne, elle qui lui confie un évangile, le Livre muet, illisible, qui sortira plus tard au grand jour, quand les chrétiens auront compris que leurs papes ont subverti la parole de Dieu. Tout cela arrivera à travers un roi arabe.

— Et si les chrétiens ne comprennent pas le message ? interrogea alors l'orfèvre. Quel est notre intérêt ? Ils pourraient l'interpréter à leur convenance.

— C'est ce qu'ils feront. N'ayez aucun doute là-dessus, répondit Hernando.

Binilit eut un geste d'impuissance en direction des piles de médaillons, comme s'il se sentait floué après tant de travail.

— C'est précisément ce que nous voulons, Binilit, tenta de le rassurer Hernando. Même si les chrétiens interprètent tous ces livres à leur convenance, ils seront obligés de reconnaître qu'aussi bien san Cecilio, le patron de Grenade, que son frère san Tésiphon, étaient arabes ; tous deux sont venus avec saint Jacques pour évangéliser l'Espagne. Le patron de Grenade, un Arabe ! Ils auront beau essayer, ils ne pourront pas prendre une partie des livres et ignorer le reste. Ils devront également reconnaître, comme le dit la Vierge Marie, que la langue arabe est la plus sublime de toutes les langues. Pour profiter du contenu des livres ils seront contraints d'admettre ces idées et beaucoup d'autres qui y figurent. C'est une bonne méthode de rapprochement entre les deux peuples ; peut-être obtiendrons-nous que soit levée l'interdiction de parler dans notre langue. Peut-être davantage : si san Cecilio était arabe, pourquoi cette haine envers notre peuple ?

Munir acquiesça, pensif.

— Nombre d'entre eux seront forcés de reconsidérer leurs écrits et leurs opinions, poursuivit Hernando. Chrétiens et musulmans croient au même Dieu ! La majorité du peuple l'ignore et les prêtres le cachent, méprisant constamment le Prophète. Mais dans tous les cas, Binilit, tout cela n'est qu'un pas après celui de la Turpiana ; non définitif. Au moment où le véritable contenu du Livre muet sera connu, l'évangile qui n'a pas été manipulé par les papes, tous ces aspects ambigus inclus dans le texte de beaucoup de ces livres, comme par exemple les successives professions de foi musulmanes et la nature d'Isa, devront être interprétés selon nos croyances.

— Mais comment parvenir à connaître le contenu d'un livre illisible ? questionna l'orfèvre.

— On ne pourra pas déchiffrer ce texte, expliqua Hernando. Il suffit qu'il soit admis comme l'évangile de la Vierge. Si les chrétiens acceptent les plombs, il faudra qu'ils acceptent aussi l'arrivée de ce roi arabe qui est annoncé et fera découvrir le véritable évangile, qu'aucun pape ou évangéliste n'aura pu falsifier. Et nul ne pourra prétendre que le contenu de cet évangile contredit celui du Livre muet... Ainsi la boucle sera bouclée : l'énigme du Livre muet, ou évangile de la Vierge, sera résolue grâce à cet évangile venu des terres arabes. Personne ne sera en mesure de douter de ce dernier sans remettre en cause tout ce qui précède, qui aura déjà été accepté.

« Personne ne pourra alors douter de l'évangile de Barnabé », se dit-il en son for intérieur.

Hernando passa la nuit dans la maison de Munir, où il eut l'occasion de prier avec un uléma, ce qui ne lui était pas arrivé depuis très longtemps. Ils se plongèrent ensuite dans une intime et profonde conversation qui se prolongea jusque tard dans la nuit. Dans ces régions perdues du royaume de Valence, les musulmans maintenaient plus vivement leurs croyances. Les seigneurs, intéressés seulement par le profit que leur rapportaient les Maures, se montraient indulgents envers leur mode de vie, et il n'y avait pas de prêtres pour les évangéliser.

Au matin, Munir et deux jeunes Maures l'accompagnèrent jusqu'aux abords d'Almansa, où ils arrivèrent à la nuit tombée. Hernando entra dans la ville en quête d'une auberge et de compagnons avec qui entreprendre le voyage jusqu'à Grenade. Les Maures, en dépit du froid de l'hiver, se préparèrent à passer la nuit à la belle étoile, cachés, puisqu'ils ne disposaient pas des cédules nécessaires pour quitter Jarafuel.

— Que Celui qui guide sur le droit chemin t'accompagne et te le révèle, dit l'uléma à Hernando en prenant congé.

Il mit quatre jours pour arriver à Grenade, accompagné tour à tour de marchands, de religieux et de soldats qui se dirigeaient vers Murcia ou vers la ville de l'Alhambra. Il portait dans les sacs plus d'une vingtaine de médaillons en plomb, soigneusement choisis parmi la quantité ciselée par Binilit. Il avait opté pour deux livres : *Les Fondements de l'Église* et *L'Essence de Dieu*, en plus d'une série de plombs qui annonçaient le martyre de plusieurs disciples de saint Jacques, dont celui de san Cecilio, où Hernando avait inclus une référence au texte de la Turpiana, ruse à

travers laquelle il souhaitait octroyer au parchemin la crédibilité dont certains exégètes continuaient de douter.

Avant de partir, il avait promis à l'orfèvre que lui ou
ses amis grenadins se chargeraient de récupérer les plombs
qui restaient. Au cours de ces journées de voyage, il se
vanta en public de son travail pour l'archevêque de Grenade, montrant la cédule qui lui permettait de se déplacer
librement, et certains écrits qu'il qualifia de crimes atroces
des Alpujarras et qu'il avait mis dans les sacs pour dissimuler les plombs. Qui allait fouiner là-dedans sachant
qu'ils contenaient les écrits sur les martyrs des Alpujarras ?

Dans tous les cas, il ne se sépara pas des sacs et, dans
les auberges où il s'arrêta sur la route, il dormit la tête
posée dessus.

Il perdit une journée entière à Huéscar, localité qu'il
atteignit un samedi soir. Le dimanche, il se rendit à la
grand-messe et passa le reste de la matinée à attendre que
le prêtre lui certifie par écrit l'accomplissement de ses
obligations religieuses, document qu'il devrait présenter
au curé de Santa María à son retour à Cordoue. Pendant
qu'il attendait dans l'église, trois frères franciscains
déchaussés, informés par le prêtre qu'il était en route pour
Grenade, lui offrirent leur compagnie puisqu'ils allaient
dans la même direction.

— Comme vous le comprendrez sûrement, allégua-t-il
lorsqu'il évoqua le martyrologe des Alpujarras et que les
franciscains demandèrent à voir les textes, tout est confidentiel. Tant que l'archevêque n'a pas donné son consentement, personne ne doit les lire.

C'est ainsi qu'Hernando effectua la dernière partie de
son voyage au côté de ces trois franciscains qui, malgré
le froid intense, étaient couverts d'un simple habit brunâtre
tissé en laine grossière, couleur terre, symbole d'humilité.
Sur la route, ils lui montrèrent une cédule spéciale et lui
expliquèrent qu'ils devaient obtenir l'autorisation du pro-

vincial de l'ordre pour pouvoir porter des espadrilles ouvertes sur le haut. Au cours des deux journées qu'il passa en leur compagnie, Hernando s'étonna de l'austérité et de l'extrême pauvreté dans lesquelles vivaient les « déchaussés », qui profitaient de la moindre rencontre pour demander l'aumône. Il admira la frugalité de leur alimentation et leur mode de vie stoïque, qui les conduisait à dormir à même le sol.

Il quitta les frères à l'entrée de Grenade, après la porte de Guadix, au-dessus de l'Albaicín. De là, il descendit le long du Darro en direction de la plaza Nueva et la maison de los Tiros. À sa droite se trouvait la colline sur laquelle s'élevaient les villas de Grenade, voilées par la brume en ce jour d'hiver grenadin. Qu'était devenue Isabel ? Il ne l'avait pas revue depuis sept ans. Au cours des voyages sporadiques qu'il avait réalisés à Grenade pendant cette période pour s'entretenir avec don Pedro, Miguel de Luna ou Alonso del Castillo, ou encore pour remettre un écrit sur les martyrs, il n'avait pas voulu insister, respectant le choix douloureux qu'elle lui avait signifié, en larmes, lors de leur dernière rencontre à la sortie de l'église.

Il éperonna Estudiante pour qu'il accélère. Sept ans ! Certes, il prenait du plaisir avec la rousse de la maison close, et même avec d'autres femmes, mais il n'avait jamais réussi à oublier la dernière nuit qu'il avait passée avec Isabel, quand, tous les deux sur le lit, ils avaient failli toucher le ciel. Dans la brume il crut voir la terrasse de la villa du juge qui s'étendait du côté du Darro. Le regard rivé à la terrasse, il sentit une soudaine faiblesse dans tout son corps, et il posa ses mains sur le garrot d'Estudiante. Le cheval, libre, s'arrêta pour brouter l'herbe qui naissait sur le bord du chemin, les eaux du Darro à ses pieds. Hernando avait travaillé durement pour son Dieu, mais que lui restait-il ? Des souvenirs seulement… celui d'Isabel, belle et sensuelle ; celui des êtres chers qu'il avait perdus : sa mère, Hamid… Fatima et les enfants. Sa vie s'était concentrée sur un rêve : réunir les deux religions opposées et démontrer la suprématie du Prophète. Pourquoi ? Pour qui ? Qui le remercierait ? La communauté qui le rejetait ? La deuxième étape, après celle de la Turpiana, était en marche. Et maintenant ? Et s'il échouait ? Fatima ! Les yeux noirs fendus de la jeune fille revinrent à sa mémoire ; son sourire ; son caractère résolu ; le bijou en or qui pendait entre ses seins et les nuits d'amour qu'il avait vécues avec elle. Hernando ne fit rien pour arrêter une larme qui coula sur sa joue pendant que ses souvenirs volaient vers Francisco et Inés. Il les revoyait jouer dans le patio de la maison de Cordoue, étudier avec Hamid, apprendre, rire ou le regarder en silence, attentifs et heureux.

Il fallait qu'il le dise ! Il fallait qu'il s'entende reconnaître la vérité.

— Je suis seul, murmura-t-il alors, la voix brisée, tout en tirant sur les rênes d'Estudiante afin qu'il cesse de brouter et reprenne son chemin.

Pendant ce temps, dans la maison de Cordoue, Miguel continuait de retrouver Rafaela tous les soirs, mais les histoires qu'il lui racontait désormais n'étaient plus peuplées d'êtres fantastiques. Elles comptaient un seul personnage principal : Hernando, son seigneur, l'élégant propriétaire de la maison. Captivée, Rafaela écoutait les récits de l'infirme. Hernando avait été un héros, il avait sauvé des enfants pendant la guerre, il s'était battu et avait survécu à de nombreux dangers. Elle eut les larmes aux yeux quand Miguel lui raconta la mort de son épouse et de ses enfants aux mains de cruels bandits… Et l'éclopé souriait tristement en voyant que la jeune fille, sans s'en rendre compte, était de plus en plus fascinée par le protagoniste de ses récits.

60.

Hernando avait décidé de rester à Grenade juste le temps de livrer les plombs. Après sept années d'étude et de labeur, au moment où il remettait son œuvre à don Pedro, Luna et Castillo, qui l'attendaient dans la maison de los Tiros, il fut assailli par les doutes sur l'utilité de ses efforts et de son travail.

Les trois hommes prirent les médaillons avec solennité et se les passèrent à tour de rôle, absorbés par leur contenu. Hernando s'écarta de quelques pas et se posta devant une fenêtre de la Salle dorée, perdu dans la contemplation du couvent des franciscains qui s'étendait devant le palais de los Tiros. Se faisaient-ils des illusions ? s'interrogea-t-il. Le pays entier était envahi par des légendes, des mythes et des fables. Il les avait lus et étudiés ; il avait recopié des centaines de prophéties maures. Mais tout cela pénétrait seulement les esprits crédules d'un peuple ignorant, qu'il fût chrétien ou musulman, avide de s'adonner à toute sorte de sortilèges et d'enchantements.

Quelques jours plus tôt, à Jarafuel, à la vue de la Muela de Cortes, de l'autre côté de la vallée, alors qu'ils évoquaient l'avenir des Maures en Espagne, Munir lui avait raconté une prophétie, très répandue sur ses terres, qu'Hernando ne connaissait pas : les habitants de la région croyaient qu'un jour le chevalier maure al-Fatimi ou Alfatimi, caché dans les montagnes depuis l'époque de Jacques Ier le Conquérant, soit plus de trois cents ans auparavant, viendrait les délivrer.

— Le seul point de discorde entre les gens, s'était

lamenté le jeune uléma, c'est la couleur verte : correspondelle au cheval ou au cavalier ? Aux deux, pour certains.

Un chevalier vert de plus de trois cents ans qui viendrait les sauver... Les ingénus !

Hernando observa ses compagnons de la Salle dorée qui examinaient les plombs avec minutie. Il hocha négativement la tête avant de regarder à nouveau par la fenêtre. Les plombs étaient différents. Il ne s'agissait pas de simples prophéties. Les plombs étaient appelés à changer le monde des croyances religieuses, à miner les fondements de l'Église chrétienne. Évêques, prêtres, moines et intellectuels, hommes doctes et instruits, étudieraient leur contenu. L'affaire parviendrait certainement jusqu'à Rome ! Hernando n'y avait jamais pensé lorsqu'il travaillait, concentrant son imagination sur des traditions, des histoires et des légendes autour de la Vierge, mélangeant des vies de saints et d'apôtres, voyageant avec ambiguïté entre l'une et l'autre religion, laissant des coquilles ici et là. Qui était-il pour changer le cours de l'Histoire ? Dieu l'avait-il illuminé ? Lui ? L'apprenti muletier d'un humble village des Alpujarras ? Pédant ! Prétentieux ! pensa-t-il. Alors il se souvint de tout ce qu'il avait écrit sur ces petits médaillons et cela lui parut grossier, vulgaire, simple, équivoque...

— Magnifique !

Il sursauta.

Don Pedro, Luna et Castillo souriaient. C'est magnifique ! s'était exclamé Alonso del Castillo. Et les deux autres s'étaient unis à ses éloges. Pourquoi ne parvenait-il pas à partager leur enthousiasme ? Il leur dit qu'il faudrait aller chercher les plombs restants chez Binilit. Il leur dit aussi que les médaillons devaient être accompagnés d'os et de cendres, qu'il n'avait pas pu les rapporter de Cordoue. Il les pria de bien vouloir, en son nom, remettre ses écrits sur les martyrs au conseil de la cathédrale. Castillo lui réclama une fois de plus la copie de l'évangile de

Barnabé, mais il ne l'avait pas. Il l'avait détruite quand on l'avait expulsé du palais du duc, et il ne l'avait pas réécrite ; ce n'était pas, selon lui, le plus important. L'étude et la rédaction des plombs avaient occupé tout son temps.

— Et pourquoi ne pas envoyer l'exemplaire que nous possédons ? Nous devons faire parvenir cet évangile à la Sublime Porte. Le sultan est appelé à le faire connaître, déclara don Pedro avec urgence.

Luna s'efforça de calmer le noble :

— Ce ne sera pas nécessaire avant des années. Pour le moment il reste caché en lieu sûr, mais à présent que tu as terminé ce travail magnifique avec les plombs, Hernando, tu pourrais consacrer ton temps à la transcription de l'évangile afin que nous puissions l'étudier nous aussi. Je meurs d'envie de le lire.

— Je suis d'accord avec Luna, renchérit Hernando. Il ne me semble pas raisonnable de se défaire maintenant de ce document. Nous le ferons seulement quand nous aurons l'assurance que le sultan est prêt à soutenir notre plan. Jusqu'à présent, les Turcs ne se sont pas précisément distingués par leur aide envers notre peuple.

Alors que les trois autres discutaient du moment et de la façon de révéler les plombs à la chrétienté, Hernando annonça qu'il rentrait à Cordoue.

— Tu es resté pensif toute la journée, fit remarquer Castillo. On dirait que tu ne partages pas nos espoirs. Tout cela, ajouta-t-il, c'est le fruit de ton travail, Hernando, des années de travail. Une œuvre exceptionnelle. Que t'arrive-t-il ?

Il n'avait pas préparé de réponse. Il hésita. Se grattant le menton, il regarda ses compagnons dans le blanc des yeux.

— Je suis rempli de doutes. J'ai besoin… Je ne sais pas. Je ne sais pas ce dont j'ai besoin. Mais peut-être vaut-il mieux en ce moment que je n'interfère pas dans votre travail…

— Notre travail ? s'écria don Pedro. Tu en es l'artisan… !

Hernando le pria de se taire d'un geste calme de la main.

— Oui. C'est exact. Et je ne le renie pas, bien entendu, mais j'ai le pressentiment qu'aujourd'hui je ne vous serais pas d'un grand secours.

— Tu es vide, intervint alors Miguel de Luna.

Hernando posa ses yeux bleus sur lui.

— Tu t'es vidé, c'est normal. Tu as travaillé très dur. Repose-toi. Cela te fera du bien. Nous nous chargerons du reste.

— Ma mère est morte à cause de ce projet, avoua alors Hernando à leur grande surprise.

Don Pedro, Miguel de Luna et Alonso del Castillo virent les traits de son visage se contracter. En leur présence, il luttait pour retenir ses larmes. Le noble baissa les yeux, les deux autres se cherchèrent du regard.

— Elle n'a pas pu supporter l'idée que son fils s'était vendu aux chrétiens, et j'avais juré de ne pas dévoiler notre plan.

Il respira profondément et termina d'une voix tremblante :

— Pour l'heure, mes amis, c'est tout ce que ces plombs m'ont rapporté.

Sur la route de Cordoue Hernando fit claquer sa langue pour asticoter Estudiante. Il avait quitté Grenade à l'aube, sans chercher de compagnie pour ce long voyage. Lorsqu'il traversa la vega grenadine, il se mit debout sur ses étriers et, levant les yeux, il observa les sommets blancs de la Sierra Nevada qu'il laissait derrière lui. Il faisait froid. Les villages les plus hauts des Alpujarras, sur l'autre versant, devaient également être couverts de neige.

Juviles. Il avait passé là-bas son enfance, avec sa mère…
et Hamid. Il secoua la tête quand une nuée de grives qui
volait très bas lui frôla la tête. Il les vit remonter comme
si elles se disposaient à atteindre les sommets de la montagne, mais un peu plus loin elles revinrent vers les champs
cultivés. Il s'assit de nouveau sur sa monture et, les rênes
lâchées sur le garrot d'Estudiante, se frotta vigoureusement les mains et souffla dessus. Maisons et fermes étaient
disséminées sur les terres fertiles de la vega. Ici et là on
apercevait des hommes qui travaillaient aux champs. Au
loin, l'un d'eux leva les yeux au passage du cavalier.
Hernando scruta l'horizon et soupira devant le long chemin solitaire qui s'étendait devant lui. Le cliquetis ryth-
mique des sabots d'Estudiante sur la terre durcie par le
froid, qui résonnait à ses oreilles, était sa seule compagnie.

Miguel perçut aussitôt le chagrin et l'affliction de son
seigneur et ami. Il attendait son retour avec inquiétude
pour pouvoir lui parler de Rafaela, comme ils se l'étaient
promis avant son départ, mais lorsqu'il le vit dans cet état,
il n'osa pas. Au cours des jours suivants, il se contenta de
lui faire part des événements survenus pendant son
absence, dans la maison, sur les terres et à la ferme. Il
avait fini par affronter Toribio à propos de sa méthode
violente de dressage, lui expliqua-t-il, furieux, levant avec
menace l'une de ses béquilles.

— Il maltraitait un poulain sans raison ! cria-t-il. Il lui
plantait les éperons et l'animal était incapable de comprendre ce qu'il attendait de lui.

Mais même cet incident n'avait pas réussi à capter
l'intérêt d'Hernando qui, malgré ses sorties à cheval et
quelques escapades nocturnes au bordel, demeurait nostalgique.

— Seigneur, souffla un jour Miguel en bondissant derrière lui dans la galerie qui donnait sur le patio, vous
connaissez l'histoire du chat qui voulait monter à cheval ?

Hernando s'arrêta. Le tintement des béquilles dans son dos cessa également.

— Il s'agit d'un chat brun…

— Je connais l'histoire, l'interrompit Hernando. Je t'ai entendu la raconter à ma mère à l'auberge del Potro. Il s'agit d'un noble chevalier que des méchantes sorcières transforment en chat et qui sera libéré de l'enchantement seulement s'il réussit à monter et à diriger un cheval de guerre. Mais je ne me souviens pas de la fin, peut-être ne l'ai-je pas entendue…

— Dans ce cas, je devrais peut-être vous raconter celle du chevalier qui vivait enfermé dans une tour, toujours seul…

Miguel suspendit sa phrase, à dessein. Hernando soupira. Quelques instants passèrent.

— Je crois que cette histoire ne me plaira pas, Miguel.

— Peut-être, mais vous devriez l'écouter… Le chevalier…

Hernando lui fit signe de se taire.

— Que cherches-tu à me dire, Miguel ? demanda-t-il, le visage sérieux.

— Qu'il n'est pas bon de rester seul ! répliqua celui-ci en élevant la voix. À présent vous avez terminé votre travail. Qu'allez-vous faire ? Passer la journée dans cette pièce, entouré de livres ? Pourquoi ne pas vous remarier ? Avoir des enfants ?

Hernando ne répondit pas. Miguel, d'un geste las, fit demi-tour et s'éloigna en boitillant sur ses béquilles.

Hernando, une fois de plus, trouva refuge dans sa bibliothèque. Dans l'intimité de la pièce il contempla les trente et quelques livres avec lesquels il avait travaillé pendant sept ans sur les plombs, tous soigneusement classés sur les étagères. Il tenta d'en relire certains, sans succès. Il se fatiguait vite. Il essaya aussi de se consacrer à la calligraphie, mais sa plume glissait avec maladresse sur le papier. Comme s'il avait perdu le lien spirituel qui l'unissait à Dieu au moment où il lui fallait dessiner les caractères appelés à l'exalter. Hernando prit avec délicatesse la dernière plume qu'il avait préparée et vérifia sa pointe légèrement courbée ; elle était bien taillée... Soudain, il comprit. Le lien avec Dieu ! Il frappa du poing son bureau. C'était cela !

Le lendemain matin, Hernando prit le chemin de la mezquita. Auparavant, chez lui, il s'était livré aux ablutions obligatoires. Peut-être avait-il oublié son Dieu ? pensa-t-il pendant le cours trajet jusqu'à la porte du Pardon. Il avait passé sept ans à écrire sur la Vierge, l'apôtre Jacques et une pléiade de saints et de martyrs venus dans ces royaumes. Ses intentions étaient bonnes, mais tout ce travail... avait peut-être miné ses propres croyances, la pureté de ses convictions. Il sentait qu'il avait besoin de se placer face au mihrab, même profané par les chrétiens, et de prier, debout, en silence. Si la taqiya leur permettait de cacher leur foi sans qu'on puisse considérer qu'ils péchaient ou reniaient leur religion, pourquoi ne pas prier en cachette dans la mezquita ? Là, derrière le sarcophage du gouverneur principal de la frontière, don Alonso Fernández de Montemayor, se trouvait l'un des plus splendides lieux de culte créés par les partisans du Prophète tout au long de l'histoire. Il franchit la porte du Pardon et traversa le verger. Les murs des galeries qui l'entouraient étaient toujours couverts d'innombrables san-benito des condamnés de l'Inquisition, avec leurs noms et leurs crimes mentionnés dessus, et les réfugiés erraient là, cherchant à s'abriter du froid de cette matinée plombée. La forêt de merveilleux arcs de la mezquita lui apporta un souffle de tranquillité. Il marcha dans le temple le cœur plus léger. Prêtres et fidèles allaient et venaient. Dans les chapelles latérales, on célébrait des messes et des offices. Les travaux du transept et du chœur étaient interrompus depuis des années et restaient en l'état, attendant que soient construits le ciborium, sa coupole, le chœur et la voûte censée le recouvrir. Les chrétiens étaient mesquins avec leur Dieu, pensa Hernando en passant au milieu des travaux inachevés : évêques et rois vivaient dans l'opulence, et ils préféraient gaspiller luxueusement leur argent plutôt que le destiner à leurs temples.

« Oh, vous qui croyez ! », crut-il lire en arrivant devant le mihrab, sous le plâtre qu'avaient badigeonné les chrétiens pour cacher la Parole révélée. Il s'agissait du début des inscriptions coufiques de la cinquième sourate du Coran, écrites sur la corniche qui donnait accès au lieu sacré. Mentalement, il continua à réciter : « Quand vous serez prêts à faire la prière… »

Alors, tandis qu'il priait, il comprit, comme si Dieu récompensait sa dévotion : la vérité, la Parole révélée et ciselée sur un marbre dur et précieux, dissimulée derrière un vulgaire crépi, qui tomberait au moindre coup ! N'était-ce pas la même chose que les plombs ? La vérité, l'unique, la primauté de l'islam cachée derrière les mots et les manipulations des papes et des prêtres ; une fiction qui s'éboulerait avec la révélation du Livre muet, comme pouvait le faire à tout moment le plâtre fragile qui occultait la Parole révélée dans le mihrab de la mezquita de Cordoue. Il leva les yeux vers les doubles arcs qui s'élevaient au-dessus d'arcs simples et reposaient sur de splendides colonnes en marbre : la puissance de Dieu tombait verticalement sur ses fidèles, à l'inverse des chrétiens, qui cherchaient des bases solides. Le poids de la volonté divine sur d'humbles croyants comme lui. Il remplit ses poumons de cette fantastique certitude, réprimant les cris par lesquels il aurait désiré continuer à prier le Dieu unique, et il se mordit les lèvres pour étouffer ses murmures.

Ce même jour, sur la colline de Valparaíso de Grenade, deux chercheurs de trésors, parmi les nombreux qui sillonnaient les terres grenadines en quête des merveilles laissées par les Maures lors de leur départ précipité, trouvèrent dans une des grottes d'une mine abandonnée de la colline, juste au-dessus de l'Albaicín, une étrange lame de plomb écrite dans un latin presque indéchiffrable.

La découverte, inintelligible pour les chercheurs, parvint entre les mains de l'Église et fut confiée à un jésuite qui, dès qu'il en eut fait la traduction, déclara qu'il s'agissait d'un véritable trésor. C'était une inscription funéraire annonçant que les cendres enterrées là étaient celles de san Mesitón martyr, exécuté sous le règne de l'empereur Néron, un des sept apostoliques de la légende, dont les restes n'avaient jamais été retrouvés. Immédiatement, l'archevêque don Pedro de Castro ordonna que les cendres de la grotte soient recueillies et les mines fouillées et nettoyées afin de poursuivre les recherches. Au cours du mois de mars de cette même année, on découvrit une autre lame faisant référence à l'enterrement de san Hiscio, ainsi que des cendres et des os humains calcinés. Avant la fin du mois apparut *Le Livre des fondements de l'Église* et peu après *Le Livre de l'essence de Dieu*. Le 30 avril, en pleine extase religieuse de la Semaine sainte, alors que les Grenadins sentaient dans leur propre chair et dans leur conscience la Passion du Christ, une fillette nommée Isabel trouva la lame qui certifiait le martyre de san Cecilio, patron de Grenade et premier évêque d'Ilíberis. Et près de cette lame, on découvrit enfin les reliques su saint, si désirées et si recherchées.

Grenade tout entière explosa de ferveur religieuse.

Après cette visite à la mezquita, Miguel perçut chez Hernando un changement positif d'attitude. Il souriait à nouveau et ses yeux bleus avaient recouvré l'éclat qui les caractérisait. C'était le bon moment, il fallait qu'il lui parle, la situation de Rafaela était critique : son père, le magistrat don Martín, était sur le point de conclure un arrangement avec l'un des nombreux couvents de la ville. Un après-midi, après manger, Miguel grimpa laborieusement l'escalier jusqu'à la bibliothèque du premier étage. Son seigneur et ami était plongé dans la calligraphie.

— Seigneur, voilà un bout de temps que je voudrais vous parler de quelque chose, dit-il sur le seuil de la porte, respectant cet espace qu'il considérait pratiquement comme sacré.

Il attendit qu'Hernando relève la tête.

— Dis-moi. Que se passe-t-il ?

Miguel se racla la gorge et entra en boitant dans la pièce.

— Vous vous souvenez de la jeune fille dont je vous ai parlé avant votre départ à Grenade ?

Hernando soupira. Il avait complètement oublié sa promesse. Il ignorait ce que Miguel attendait de lui, et pourquoi la fille lui importait tant, mais le visage préoccupé de son ami, d'où l'expression habituellement joyeuse avait disparu, indiquait sans aucun doute que l'affaire était grave.

— Entre et assieds-toi, lui dit-il avec un sourire. Je pressens que l'histoire va être longue… Alors, qu'arrive-t-il à cette jeune fille ? ajouta-t-il tandis que Miguel avançait sur ses béquilles.

Il se laissa tomber sur une chaise.

— Elle s'appelle Rafaela, commença Miguel, et elle est désespérée, seigneur. Son père, le magistrat, veut l'enfermer dans un couvent.

Hernando écarta les mains en signe d'impuissance.

— Beaucoup de filles chrétiennes finissent par prendre l'habit de leur plein gré.

— Mais elle ne le souhaite pas, répliqua aussitôt Miguel.

Ses béquilles étaient posées sur le sol, des deux côtés de la chaise.

— Comme le magistrat ne veut pas donner d'argent au couvent, sa seule perspective est de devenir la domestique des autres religieuses.

Hernando ne savait quoi dire. Son regard fixa le visage consterné de son ami.

— Que veux-tu que je fasse ? Je ne crois pas qu'il soit en mon pouvoir de…

— Épousez-la ! l'interrompit Miguel sans oser le regarder.

— Quoi ?

Le visage d'Hernando reflétait une incrédulité absolue. Devait-il éclater de rire ou se mettre en colère ? Lorsqu'il vit Miguel relever les yeux, brillants des larmes qu'il retenait, il choisit de ne faire ni l'un ni l'autre.

— C'est une bonne solution, seigneur ! reprit l'infirme, encouragé par le silence de son ami. Vous êtes seul, et elle doit se marier si elle ne veut pas se retrouver dans un couvent… Tout s'arrangerait.

Hernando l'écoutait, stupéfait. Était-il possible que Miguel parle sérieusement ? Il comprit que oui.

— Miguel, dit-il lentement. Tu sais mieux que quiconque combien cette question est douloureuse pour moi.

Le jeune garçon soutint son regard, provocateur.

— De plus, reprit Hernando qui s'efforçait de trouver une réponse, si j'étais prêt à épouser cette jeune fille, que je ne connais même pas, crois-tu qu'un prétentieux magistrat de Cordoue consentirait à cela ? Qu'il autoriserait sa fille à se marier avec un Maure ?

Miguel voulut dire quelque chose, comme s'il avait la solution, mais Hernando l'en empêcha.

— Attends…

Soudain il se rendit compte de ce qui se passait réellement. Il avait été si absorbé par ses propres pensées ces derniers temps qu'il n'avait pas remarqué la transformation de Miguel.

— Je crois qu'il existe un autre problème, plus difficile encore à résoudre…

Il planta ses yeux bleus sur celui qu'il pouvait considérer comme son seul ami, et il laissa passer quelques instants.

— Tu… es amoureux de cette jeune fille, n'est-ce pas ?

L'éclopé détourna le regard une poignée de secondes avant d'affronter de nouveau celui d'Hernando avec détermination.

— Je ne sais pas. Je ne sais pas ce que c'est, aimer quelqu'un. Rafaela… apprécie mes histoires ! Elle est rassurée quand elle caresse les chevaux et leur parle. Dès qu'elle entre aux écuries elle arrête de pleurer et oublie ses problèmes. Elle est douce et ingénue.

Miguel baissa la tête, qu'il hocha négativement, et porta la main à son menton. À ce spectacle, Hernando sentit ses forces faiblir et une boule se nouer dans sa gorge.

— Elle… est délicate. Elle est belle. Elle…

— Tu l'aimes, affirma Hernando d'une voix sourde et ferme.

Il toussota plusieurs fois.

— Comment vivrions-nous dans cette maison ? Comment pourrais-je épouser la femme dont tu es à l'évidence amoureux ? Nous passerions la journée à nous croiser, à nous voir. Que penserais-tu, qu'imaginerais-tu pendant la nuit ?

— Vous ne comprenez pas, seigneur.

Miguel avait une fois de plus baissé la tête. Il parlait en chuchotant.

— Je ne pense rien. Je n'imagine pas. Je ne désire pas. Je ne peux pas aimer une femme comme un époux. On ne m'a jamais respecté. Je ne suis qu'un déchet ! Ma vie ne vaut rien.

Hernando voulut intervenir, mais cette fois ce fut Miguel qui l'en empêcha :

— Je n'ai jamais eu d'autre ambition que de pouvoir porter un os ou un quignon de pain pourri à ma bouche. Qu'importe si je l'aime ou non ? Qu'importe ce que je désire ? Au fil des ans, mes désirs se sont toujours perdus, prisonniers de mes jambes. Mais aujourd'hui j'en ai un, seigneur. Et c'est la première fois, au cours de ma misérable existence, qu'il pourrait, grâce à vous, être réalisé. Vous rendez-vous compte ? Depuis dix-neuf ans, c'est l'âge que je dois avoir maintenant, jamais, jamais je n'ai eu l'occasion de voir s'accomplir une seule de mes aspirations. Oui. Vous m'avez recueilli et m'avez donné du travail. Mais à présent je vous parle de mon aspiration, uniquement de cela ! Je veux juste aider cette jeune fille.

— Et elle, elle t'aime ?

Miguel leva le visage et grimaça un sourire amer.

— Un invalide ? Un domestique ? C'est vous qu'elle aime…

— Que dis-tu… ? s'écria Hernando en bondissant de sa chaise.

— Je lui ai tellement parlé de vous que je crois bien, en effet, qu'elle vous aime. Du moins elle vous admire profondément. Vous avez été le chevalier de mes histoires, celui qui sauve les demoiselles, dompte les bêtes sauvages, charme les serpents…

— Es-tu devenu fou ?

Les yeux bleus d'Hernando semblaient sur le point de sortir de leurs orbites.

— Oui, seigneur, répondit Miguel, le visage congestionné. Ce que je vis depuis quelque temps est une véritable folie.

Ce soir-là, Miguel monta chercher Hernando dans la bibliothèque où, à la demande de ses complices de Grenade, il avait commencé à copier une nouvelle fois l'évangile de Barnabé. Puisque don Pedro et les autres insistaient pour envoyer au sultan l'exemplaire qu'il cachait dans sa bibliothèque, il devait nécessairement faire une transcription du texte. Il avait réussi à les convaincre que ce n'était pas encore le bon moment, mais peut-être serait-il moins persuasif la prochaine fois. Hernando ne pouvait s'empêcher de nourrir des doutes au sujet des Turcs. Le chef ottoman serait-il capable d'aider le peuple maure ? Quand l'heure serait venue, il n'aurait qu'à faire connaître l'évangile annoncé par le Livre muet. Il n'était pas question qu'il lance son armée contre les troupes du roi d'Espagne, il fallait juste qu'il devienne ce roi des rois prédit par la Vierge Marie, et qu'il dévoile les mensonges des papes. Mais même ainsi…

— Seigneur, dit le jeune garçon en le tirant de ses pensées, j'aimerais que vous rencontriez Rafaela.

— Miguel…

— S'il vous plaît, venez avec moi.

Le ton de sa voix était si implorant qu'Hernando ne put refuser. Au fond, il éprouvait une certaine curiosité.

Rafaela attendait à côté d'Estudiante. Elle avait enfoui les doigts d'une main dans son long crin touffu, et de l'autre caressait ses lèvres. La lumière était ténue : une seule lampe, à l'écart de la paille, éclairait faiblement les écuries. Hernando aperçut la jeune fille, qui l'accueillit avec pudeur, tête basse. Miguel demeura un peu en retrait, comme s'il prétendait se mettre à l'écart du couple. Hernando hésita. Pourquoi était-il nerveux ? Qu'avait pu raconter Miguel à Rafaela en plus d'avoir fait de lui le héros de ses histoires ? Il s'avança vers la jeune fille, dont le regard était toujours rivé à la paille du sol. Elle portait une tunique, relevée à la taille pour éviter qu'elle se salisse, une vieille basquine qui lui descendait jusqu'aux pieds et, sur une chemise, un justaucorps ouvert avec des manches. L'ensemble, d'une couleur brunâtre, tombait lourdement, comme si tous ces vêtements simples n'avaient aucune prise. Que lui avait promis Miguel ? Était-il allé jusqu'à lui affirmer qu'il l'épouserait pour la délivrer du couvent sans même le consulter ?

Soudain, Hernando regretta d'être venu aux écuries. Il

fit demi-tour et marcha vers la sortie, mais il tomba sur Miguel, dressé fermement sur ses béquilles.

— Seigneur, je vous en conjure, le supplia le garçon.

Hernando céda et se tourna de nouveau vers Rafaela. Elle le regardait avec des yeux noisette qui, même dans la pénombre, révélaient son chagrin.

— Je… commença-t-il pour justifier sa tentative de fuite.

— Je vous remercie de tout cœur de ce que vous êtes prêt à faire pour moi, l'interrompit Rafaela.

Hernando tressaillit. La douceur de la voix de la jeune fille le bouleversa. Cependant, qu'avait-elle dit ? Miguel ! Il avait osé ! La jeune fille reprit la parole :

— Je sais que je ne vaux pas grand-chose ; mes parents et mes frères ne cessent de me le répéter, mais je suis saine.

Elle sourit et, comme pour ponctuer cette assertion, exhiba ses dents, blanches et parfaitement alignées.

— Je n'ai jamais été malade, et dans ma famille nous sommes extrêmement fertiles.

Hernando se sentit accablé. La sincérité et la vulnérabilité de cette voix l'ébranlaient.

— Je suis une bonne et pieuse chrétienne, et je vous promets d'être la meilleure épouse que vous pourriez rencontrer dans tout Cordoue. Je vous dédommagerai largement de la dot que mon père n'accordera pas, ajouta-t-elle en guise de conclusion.

Le Maure se tint coi. Il gesticula et s'agita avec inquiétude. La candeur de la jeune fille réveillait sa tendresse ; ses tristes yeux noisette exprimaient une douleur étouffée que même Estudiante, étonnamment tranquille auprès d'elle, semblait palper. Seule la respiration nerveuse de Miguel, dans son dos, tranchait avec l'ambiance.

— Je suis nouveau-chrétien, dit finalement Hernando à court d'arguments.

— Je sais que votre cœur est pur et généreux, affirma Rafaela. Miguel me l'a raconté.

— Ton père ne permettra pas…, bredouilla Hernando.

— Miguel croit avoir la solution.

Cette fois il tourna la tête vers l'infirme. Il souriait de toutes ses dents brisées, si différentes de celles de Rafaela. Hernando les regarda l'un après l'autre. Leurs yeux anxieux paraissaient le traquer. Quelle pouvait bien être cette solution ?

— Ce ne sera pas contraire aux lois ? demanda-t-il à Miguel.

— Non.

— Ni à l'Église ?

— Non plus.

Comment don Martín Ulloa pourrait-il autoriser le mariage de sa fille avec un Maure, fils d'une condamnée de l'Inquisition ? s'interrogea-t-il alors. C'était inimaginable. Il n'avait même pas besoin de trouver de prétextes. Le propre père de Rafaela s'opposerait à la noce. Hernando pouvait feindre de suivre le plan proposé par Miguel. Ce ne serait pas lui qui décevrait les attentes de chacun.

— Je suis fatigué, s'excusa-t-il. Nous en reparlerons demain, Miguel. Bonne nuit, Rafaela.

— Attendez, seigneur, l'implora Miguel alors qu'Hernando passait à ses côtés.

— Que veux-tu encore, Miguel ? questionna-t-il d'une voix lasse.

— Il y a quelque chose que vous devez voir en personne. Ça ne vous prendra qu'un petit moment supplémentaire.

Hernando soupira, mais l'attitude de Miguel l'obligea à consentir une nouvelle fois.

— Venez, l'enjoignit le garçon. Il nous faut monter au premier étage.

Aussitôt dit, il tourna sur ses béquilles et s'apprêta à sortir des écuries.

— Et Rafaela ? protesta Hernando. Elle ne peut pas entrer chez nous. C'est une jeune fille célibataire.

Miguel n'eut aucune réaction. Pour lui, il semblait évident que Rafaela resterait là sans bouger.

— Rentre chez toi, jeune fille, dit alors Hernando.

— Impossible maintenant, répliqua Miguel en bondissant vers la porte. C'est dangereux.

— Que veux-tu dire ?

— Elle patientera ici, avec les chevaux.

Sa voix s'éteignit derrière lui. Sans attendre, il avait déjà sauté dans le patio.

Hernando se tourna vers Rafaela, qui lui répondit par un sourire, et il suivit Miguel. Pourquoi la jeune fille ne pouvait-elle pas rentrer chez elle ? Quel danger courait-elle ? Agrippé à la rampe, Miguel montait déjà l'escalier. Hernando le rattrapa sur les dernières marches.

— Que se passe-t-il, Miguel ?

— Silence, le pria celui-ci. On ne doit pas nous entendre. Vous allez voir.

Ils parcoururent la galerie supérieure jusqu'à l'endroit où le bâtiment donnait sur l'impasse conduisant à la sortie des écuries. Miguel se déplaçait lentement, s'efforçant de ne pas faire de bruit. Arrivé au bout, il se colla au mur, caché, dans le coin qui lui permettait de voir l'impasse. Hernando l'imita.

— Ils ne devraient pas tarder, seigneur, susurra-t-il alors qu'ils étaient l'un à côté de l'autre, épaule contre épaule, plaqués au mur. C'est l'heure habituelle.

Hernando se garda de poser de questions.

— Je vous félicite, seigneur, vous aurez la meilleure femme de tout Cordoue. Que dis-je ? De toute l'Espagne !

Hernando secoua la tête.

— Miguel…

— Les voici ! l'interrompit le jeune garçon. Maintenant silence…

Hernando tendit le cou et distingua dans l'obscurité

deux silhouettes qui s'arrêtèrent devant la petite porte par laquelle Rafaela avait coutume de s'échapper. Il comprit alors pourquoi la jeune fille ne pouvait quitter les écuries. Un moment plus tard, un homme avec une lanterne ouvrit la petite porte depuis le patio du magistrat. La lumière éclaira le visage des deux femmes qui s'approchèrent de lui. Hernando n'eut aucun mal à reconnaître don Martín Ulloa. Les femmes lui remirent quelque chose puis disparurent dans l'ombre de l'impasse. Don Martín referma la porte et le scintillement de sa lanterne s'éteignit peu à peu.

Hernando fit un geste interrogatif en direction de son ami.

— Eh bien ? Est-ce tout ce que je devais voir ?

— Il y a deux semaines environ, expliqua Miguel, pendant votre voyage à Grenade, nous avons failli tomber sur les deux femmes et le père de Rafaela. Depuis, tous les soirs, je viens vérifier qu'ils sont partis pour que Rafaela puisse rentrer chez elle.

— Que signifie tout cela, Miguel ? demanda Hernando en s'écartant du mur, dressé devant le garçon.

— Ces femmes, comme toutes les nombreuses autres qui viennent ici, sont des mendiantes. Un soir, j'ai reconnu l'une d'elles : on l'appelle la Angustias. Je suis retourné dans la rue et je me suis mélangé… aux miens. Je n'ai pas récolté une pièce, même fausse !

Il sourit dans l'obscurité.

— J'ai dû perdre l'habitude.

— Abrège, Miguel, le pressa Hernando. Il est tard.

— J'ai posé des questions ici et là. Les deux femmes que nous avons vues ce soir se nomment María et Lorenza. Lorenza, c'est la plus petite…

— Miguel !

— Elles louent des enfants pour mendier, lança Miguel d'une voix ferme.

Il y eut un instant de silence. Puis Hernando réagit.

— Au magistrat ? interrogea-t-il finalement, interloqué.

— Oui. C'est une bonne affaire. Le magistrat appartient à la confrérie qui s'occupe des enfants trouvés, chargée de décider à qui les confier. Les enfants sont adjugés à des femmes cordouanes, payées quelques ducats par an pour donner le sein aux petits s'ils sont encore en âge de téter ou pour les nourrir classiquement s'ils ne le sont plus. Ces femmes, à leur tour, les louent à celles que vous avez vues. Beaucoup d'entre eux trouvent la mort…

La voix de Miguel se brisa.

— Et qu'a à voir le magistrat là-dedans ?

— Tout, rétorqua le jeune garçon, que l'intérêt d'Hernando encourageait. Les statuts de la confrérie stipulent qu'un visiteur doit vérifier périodiquement que les enfants confiés se trouvent bien avec les personnes payées pour cela ; s'ils sont en vie et quel est leur état de santé. Don Martín et le visiteur sont de mèche. Le premier livre les enfants aux femmes qui l'intéressent et l'autre ferme les yeux. Chaque semaine, les mendiantes viennent payer la part attribuée au magistrat ; elles font de même avec le visiteur. Rafaela m'a raconté que son père a besoin de beaucoup d'argent pour son luxueux train de vie, afin d'être à la hauteur des Vingt-Quatre du conseil municipal. Je pourrais vous citer les noms des douze derniers enfants qui ont été livrés, ceux des femmes à qui ils ont été confiés, et ceux des mendiantes qui les traînent aujourd'hui dans la rue.

Hernando ferma à demi les yeux et hocha la tête.

— Tu dis que beaucoup d'entre eux meurent…

— Tout cela n'est qu'un commerce, seigneur. Malheureusement je le connais assez bien. Quelques enfants parviennent à arracher les larmes et la compassion des gens ; d'autres non. Ces derniers ne servent à rien. On ne peut pas demander l'aumône avec des enfants gros et bien nourris ; c'est la règle fondamentale. Ils sont tous rachitiques. Oui, seigneur, ils meurent de faim, mordus par les rats ou emportés par la moindre petite fièvre, et rien de tout cela n'est consigné dans les livres de la confrérie.

Hernando leva les yeux vers le ciel noir et couvert.

— Et tu voudrais que je menace le juge d'ébruiter cette histoire pour qu'il m'accorde la main de Rafaela, n'est-ce pas ? demanda-t-il.

— Absolument !

61.

Don Martín Ulloa, fabricant d'aiguilles et magistrat de Cordoue par héritage de son père, refusa de recevoir Hernando. Une esclave maure, grosse et vieille, dans une tenue usée de servante, lui transmit le message de son maître : la première fois indifférente, la deuxième impertinente et la troisième agacée.

— Dis à ton seigneur, rétorqua alors Hernando, élevant la voix car il savait qu'on l'écoutait derrière la porte, que c'est la Angustias et des amies à elle qui m'envoient. Tu as compris ? La Angustias ! répéta-t-il haut et fort. Et dis-lui aussi que je l'attendrai demain chez moi pour négocier en son intérêt. Je ne lui accorderai aucune autre opportunité. Sinon, j'irai chez le corregidor ou l'évêque. Je vis dans la maison d'à côté, au cas où il l'ignorerait, ironisa-t-il.

Seul dans sa bibliothèque, Hernando n'avait cessé d'y penser : voulait-il vraiment se marier avec Rafaela ?

— Vous êtes seul ! Vous avez besoin d'une femme à vos côtés, qui veille sur vous, qui vous aime et vous donne la chaleur d'une famille, lui avait crié Miguel au lendemain de la rencontre dans les écuries, quand Hernando lui avait déclaré qu'il était désolé mais qu'il fallait trouver une autre solution.

Il n'était pas prêt à se marier. Par contre, il avait l'intention de dénoncer à la justice l'affaire des enfants trouvés.

— Vous ne vous rendez pas compte ? avait continué l'infirme. Il y a des années que vous vivez reclus parmi

917

vos livres et vos écrits. Vous n'aimeriez pas avoir des enfants qui héritent de vos biens ? Fonder une nouvelle famille ? Quel âge avez-vous ? Quarante ? Quarante et un ? Vous vieillissez. Vous voulez vieillir seul ?

— Tu es là, toi.

— Non.

Il y avait eu entre eux un silence embarrassant.

— J'y ai beaucoup réfléchi. Si vous ne vous mariez pas avec Rafaela, si vous ne la délivrez pas du couvent, je retournerai dans la rue.

— C'est du chantage, avait répliqué Hernando en adoptant une attitude extrêmement sérieuse.

— Non, avait insisté Miguel, tandis qu'il secouait la tête en pinçant les lèvres, conscient de l'audace de ses paroles. Je vous ai dit que mon seul objectif était de sauver cette jeune fille. Dieu sait que si je pouvais le faire, si j'avais la moindre petite chance, je ne ferais pas appel à vous. Vous avez le droit de refuser de l'épouser, je le respecte. Mais je ne pourrai pas continuer à vivre ici si vous ne m'accordez pas l'aide que je vous ai demandée.

— Mais tu me demandes de me marier !

— Et alors ? Ceux que vous appelez vos frères de foi ne veulent plus entendre parler de vous. Avez-vous l'intention de chercher une autre chrétienne à épouser ? Quel est le problème avec Rafaela ? Vous aurez une bonne épouse qui vous servira, veillera sur vous et vous donnera des enfants. Vous êtes riche. Vous possédez une maison, des rentes, des terres et des chevaux. Pourquoi ne pas vous marier ?

— Je suis musulman, Miguel, avait protesté Hernando.

— Il y a beaucoup de mariages entre Maures et chrétiennes à Cordoue ! Éduquez vos enfants dans les deux religions que vous prétendez réunir. Sinon, à quoi bon tout votre travail ? Au profit de ceux qui vous rejettent et vous insultent ? Où allez-vous ? Quel est votre avenir ? Épousez Rafaela et soyez heureux !

« Soyez heureux ! » Ces deux mots simples le poursuivirent toute la journée avant qu'il se décide à frapper à la porte du magistrat. Avait-il un jour cherché le bonheur ? Fatima et les enfants le lui avaient donné.

Comme cette époque était lointaine ! Voilà quatorze ans qu'ils avaient tous été sauvagement assassinés. Et depuis ? Il était seul. La tristesse qui l'avait assailli au cours de son dernier voyage à Grenade, alors qu'Estudiante broutait l'herbe de la rive du Darro et qu'il contemplait la colline où était située la villa d'Isabel, lui revint en mémoire. Miguel avait raison. Pour qui accomplissait-il tout ce travail, tous ces efforts ? « Soyez heureux ! » Pourquoi pas ? Rafaela paraissait être une bonne personne. Miguel l'adorait. Et s'il partait ? Si son seul ami l'abandonnait lui aussi…

Qu'avait-il à perdre en se mariant ? Il imagina la maison avec des enfants courant partout, des cris et des rires égayant le travail quotidien dans la bibliothèque. Il se vit observant leurs jeux dans le patio, s'appuyant sur la balustrade de la galerie, comme il l'avait fait avec Francesco et Inés. Quatorze ans ! Il se surprit à ne pas se sentir coupable d'envisager cette possibilité. Rafaela était si différente de Fatima… Il n'était pas question d'amour ; peu de mariages se faisaient par amour. Ni de passion. Il s'agissait seulement de la possibilité d'échapper à cette solitude mélancolique qui si souvent, il devait l'avouer, lui pesait. Alors il imagina ces autres enfants, et une sensation infinie d'apaisement s'empara de lui.

— Que veux-tu, Maure répugnant ?

Don Martín Ulloa n'avait pas attendu le lendemain. Le soir même, il se présenta chez Hernando, qui le reçut dans la galerie, assis dans le patio. Le magistrat cracha sa question debout, penché au-dessus de lui, refusant le siège qu'il lui proposait. Hernando nota la présence de l'épée qui pendait à sa ceinture. Miguel écoutait derrière le portail des écuries.

— Asseyez-vous, offrit Hernando une nouvelle fois.

— Sur le siège d'un Maure ? Je ne m'assois pas avec les Maures.

— Dans ce cas, écartez-vous de quelques pas de ce Maure qui vous incommode tant.

Le magistrat recula. Hernando resta assis.

— Je veux la main de votre fille Rafaela.

Don Martín était un homme corpulent, déjà un peu âgé, au port hautain. Les mèches poivre et sel de ses rares cheveux et sa barbe grise fournie contrastèrent soudain avec son visage rouge de suffocation. Il brama une insulte inintelligible, puis éclata de rire avant de revenir aux injures.

Miguel, effrayé, passa la tête.

— La main de ma fille ! Comment oses-tu même prononcer son nom ? Tes lèvres sales souillent l'honneur…

— Votre honneur, le coupa Hernando, vous aurez à en répondre quand le conseil municipal apprendra vos manigances avec les enfants trouvés. Votre honneur, celui de votre épouse et de vos fils. De vos petits-enfants…

Don Martín porta la main à son arme.

— Vous me prenez pour un imbécile, magistrat ? À l'endroit même où vous vous trouvez, ces Maures que vous haïssez tant ont créé la plus splendide des cultures, et ce n'est pas par hasard.

Il parlait tranquillement, face à l'épée à moitié dégainée du magistrat.

— En ce moment, il y a une lettre cachetée entre les mains d'un écrivain public, mentit-il, qui relate en détail tout ce que vous trafiquez avec les enfants trouvés, y compris le nom des victimes et des personnes intervenues dans cette affaire. S'il m'arrivait quelque chose, cette lettre serait immédiatement remise aux autorités.

Hernando vit l'homme hésiter. Une partie de la lame de son épée brillait hors de son fourreau.

— Si vous me tuez, votre avenir ne vaudra plus rien. Vous souvenez-vous d'un bébé qui s'appelait Elvira ? continua-t-il pour lui prouver la véracité et le sérieux de ses menaces.

Le magistrat hocha négativement la tête.

— Vous avez confié ce nouveau-né à une nourrice du nom de Juana Chueca. Elle, en revanche, vous la connaissez, n'est-ce pas ? La petite Elvira a ensuite été donnée à la Angustias pour mendier. Elle est morte depuis six mois. Rien de cela n'apparaît dans les registres de la confrérie.

— C'est le problème du visiteur, argumenta don Martín.

— Et vous croyez que le visiteur endossera seul toute la responsabilité ? Que les femmes et les mendiantes ne diront rien au sujet de votre participation, de l'argent qu'elles apportent la nuit dans votre maison ?

Le visage du magistrat refléta l'indécision.

— Vous avez une fille dont vous prévoyez de vous débarrasser sans aucune dot en la livrant à un couvent. Vaut-il vraiment la peine de risquer pour elle votre honneur et celui de toute votre famille ?

— Comment connais-tu ma fille ? interrogea le magistrat avec un regard soupçonneux. Quand l'as-tu vue ?

— Je ne la connais pas, mais j'ai entendu parler d'elle. Nous sommes voisins, don Martín. Réfléchissez au marché que je vous propose : mon silence en échange de cette fille qui vous embarrasse… et votre parole d'honneur que vous mettrez fin à votre trafic d'enfants. Je vous jure que j'aurai l'œil là-dessus ! J'ai beau être nouveau-chrétien, je collabore avec l'archevêque de Grenade. Tenez.

Hernando lui tendit la cédule délivrée par l'archevêque. Don Martín rengaina son épée. Ne sachant pas lire, il se contenta de jeter un coup d'œil sur le sceau du conseil de la cathédrale.

— Vous ne perdrez pas la face devant vos semblables. Vous savez que j'ai été le protégé du duc de Monterreal…

— Et qu'on t'a jeté hors de son palais, marmonna don Martín avec méchanceté.

— Le duc n'aurait jamais fait cela, répliqua Hernando. Il me devait la vie. Réfléchissez, don Martín. J'attends votre réponse demain soir dernier délai. Sinon…

— Tu me menaces ?

Don Martín recula d'un pas ; le doute avait envahi son visage.

— C'est maintenant que vous vous en rendez compte ? Je n'ai pas arrêté de le faire depuis que vous êtes entré dans cette maison, répondit Hernando avec un sourire cynique.

— Et si ma fille ne consentait pas ? murmura le magistrat entre ses dents.

— Pour votre bien et celui de vos enfants, il ne vaudrait mieux pas.

Hernando mit fin à la conversation et raccompagna le magistrat à la porte, prudent, sans jamais lui tourner le dos. L'homme était pensif et sur le seuil même, où il trébucha, Hernando eut la conviction qu'il avait gagné la partie. Lorsqu'il revint dans le patio il trouva Miguel, immobile à la porte des écuries. Des larmes coulaient sur ses joues. Les jambes pendantes et les mains agrippées aux béquilles, il était impuissant à les essuyer, à les arrêter. Hernando ne le fit pas non plus. C'était la première fois, s'aperçut-il, qu'il le voyait pleurer.

Le mariage eut lieu à la fin du mois d'avril de cette même année. Hernando apprit par Miguel que Rafaela, avec intelligence, avait d'abord refusé la proposition de son père. « Je préfère entrer au couvent que d'épouser un Maure ! » avait-elle crié. Le magistrat don Martín craignait pour son honneur et sa position sociale à cause de l'affaire des enfants trouvés, mais la réaction négative de sa fille l'exaspéra davantage encore. À grands cris, il imposa sa volonté.

L'union fut célébrée sans fête et le plus discrètement possible, en l'absence des frères offensés de la mariée et sans dot aucune. Une fois la cérémonie terminée, alors qu'ils revenaient de l'église, Hernando prit conscience du pas qu'il venait d'accomplir. Rafaela pénétra dans sa nouvelle maison la tête baissée, sans oser dire un mot. Un silence tendu s'installa entre eux. Hernando l'observa : cette toute jeune fille tremblait... Qu'allait-il faire avec une épouse apeurée, de presque vingt-cinq ans sa cadette ? Avec surprise il se rendit compte qu'il éprouvait lui aussi une certaine angoisse. Depuis combien de temps ses rencontres amoureuses se réduisaient-elles aux filles du bordel ? Avec un soupir il l'accompagna dans une chambre à l'écart de la sienne. Rafaela entra, toute rouge, et murmura quelque chose à voix si basse qu'il ne put la comprendre. Hernando regarda les mains de son épouse : tant elle les avait frottées, la peau en était tout arrachée.

Il se réfugia dans la bibliothèque.

Le lendemain, Miguel vint lui parler. Le visage rouge, il lui annonça en bafouillant son intention de quitter Cordoue pour s'installer à la ferme, prétextant qu'il devait surveiller Toribio, la douzaine de juments qui s'y trouvaient alors et les poulains qui naissaient. Néanmoins, tous deux connaissaient les véritables raisons pour lesquelles l'invalide avait décidé de s'en aller : en s'écartant, il laissait le champ libre au nouveau couple. Son seigneur avait tenu parole et avait épousé la jeune fille. Miguel ne désirait pas que sa présence dans la maison puisse être une barrière entre eux.

Il n'y eut aucun moyen de le convaincre. Hernando et son épouse le regardèrent partir. Quand ils rentrèrent à la maison, Hernando se sentit étrangement seul. Il mangea avec Rafaela dans un silence seulement interrompu par des phrases de politesse puis retourna à la bibliothèque.

De là, il entendit Rafaela faire le ménage et se déplacer dans la maison ; parfois il avait l'impression de l'entendre fredonner une chanson, puis elle s'arrêtait aussitôt, comme si elle avait honte de faire du bruit.

Les semaines s'écoulèrent ainsi. Hernando s'habituait à la présence de Rafaela, et elle se sentait chaque jour plus à son aise dans son nouveau foyer. Elle se rendait au marché avec María, cuisinait pour lui, et ne le dérangeait jamais pendant les heures qu'il passait enfermé. Elle ne lui demandait pas ce qu'il faisait. L'été avait donné des couleurs à ses joues pâles, et ses petits fredonnements timides et étouffés avaient laissé place à des chansons qu'on entendait dans toute la maison.

— Pourquoi ce poulain-ci porte-t-il un mors différent des autres ? interrogea la jeune fille un jour où Hernando s'apprêtait à sortir à cheval.

Le Maure fut surpris. Auparavant Rafaela n'était jamais entrée dans les écuries alors qu'il se disposait à monter. Elle désigna la collection de harnais accrochés aux murs.

Habituellement Hernando se montrait avare de paroles. Mais cette fois, sans s'en rendre compte ni cesser de brider le poulain, il se retrouva à donner une leçon à son épouse.

— Cela dépend de leurs lèvres, répondit-il. Certains ont les lèvres noires, d'autres blanches et d'autres colorées. Les meilleurs sont ceux qui ont les lèvres noires, comme celui-ci.

Hernando fit un effort pour sangler l'animal.

— Ceux-là, il faut leur mettre un mors classique, doux, à la bride courte…

Il s'arrêta quelques instants, tournant le dos à Rafaela, puis il reprit la parole.

— Les mors de ce genre doivent avoir des barres épaisses et croisées…

Alors il fit face à son épouse.

— Et une gourmette grosse et ronde, termina-t-il d'expliquer en la regardant dans les yeux.

Rafaela lui adressa le plus doux des sourires.

— Et pourquoi t'intéresses-tu à tout cela ? demanda-t-il.

Ils restèrent un moment l'un en face de l'autre. Finalement Hernando s'avança. Il la prit par les épaules et l'embrassa sur la bouche, délicatement. Un frisson parcourut le corps de la jeune fille.

Ce soir-là, Hernando l'observa pendant qu'ils dînaient. Son épouse, animée, lui racontait une histoire amusante à propos d'un incident qui s'était produit sur le chemin du marché. Ses lèvres fines souriaient, découvrant ses dents blanches. Sa voix était douce, ingénue. Hernando se surprit à rire avec elle pour la première fois.

Après dîner, ils sortirent ensemble dans le patio. La nuit était étoilée, et les roses embaumaient l'air de leur enivrante fragrance. Ils contemplèrent tous deux l'éclat du ciel nocturne. Alors la jeune fille lui demanda tout bas :

— Peut-être ne veux-tu pas avoir d'enfants avec moi ?

Confondu, Hernando la regarda des pieds à la tête.

— Et toi, tu le voudrais ? interrogea-t-il à son tour.

Tout le courage de Rafaela semblait s'être évaporé avec sa première question.

— Oui, murmura-t-elle, la tête baissée.

Ils montèrent en silence dans la chambre : l'immense timidité de la jeune fille paraissait contagieuse. Hernando agit avec prudence, tâchant de ne pas lui faire mal. Il oublia le plaisir qu'il avait recherché avec Fatima et Isabel et ils s'étendirent sur le lit comme le faisaient les chrétiens, la jeune fille immobile dans sa longue chemise, dissimulant son corps, évitant le péché.

Un an et demi plus tard, leur union fut bénie par la naissance de leur premier enfant, un garçon, qu'ils appelèrent Juan.

62.

En 1600, don Pedro de Granada Venegas réclama la présence d'Hernando dans la ville de l'Alhambra. Le moment approchait où il faudrait envoyer au Turc l'évangile de Barnabé, car les plombs contenant les écrits d'Hernando et que les chrétiens avaient découverts dans les grottes de la colline de Valparaíso, à présent rebaptisée par le peuple le « Sacromonte », où don Pedro, Luna et Castillo les avaient cachés, avaient atteint leur premier objectif.

Cette année-là, l'archevêque don Pedro de Castro, ignorant les voix qui évoquaient la possibilité d'une imposture et les avertissements de Rome qui conseillaient la plus grande prudence devant ces découvertes, qualifia les os et les cendres trouvés au côté des plombs de reliques authentiques. Grenade possédait enfin les reliques de son patron, san Cecilio, et de tant d'autres martyrs qui avaient accompagné l'apôtre Jacques ! Grenade enfin se libérait du titre de ville maure et pouvait rivaliser avec n'importe quel siège de la chrétienté en Espagne ! Grenade était aussi chrétienne, peut-être plus encore que Saint-Jacques-de-Compostelle, Tolède, Tarragone ou Séville. Ici même, sur le Mont sacré, beaucoup d'hommes saints avaient souffert le martyre !

Mais si l'archevêque de Castro avait autorité et légitimité pour déclarer l'authenticité des reliques, il ne disposait pas du même pouvoir en ce qui concernait les plombs ni pour affirmer la véracité de la doctrine que contenaient les lames et les médaillons ; c'était du ressort exclusif de

Rome, qui exigeait qu'ils lui soient envoyés. Le prélat refusait, arguant de la complexité de leur traduction, dont étaient précisément chargés Luna et Castillo.

Telle fut la situation qu'Hernando trouva en arrivant à Grenade : les reliques avaient été déclarées authentiques, tandis que les plombs, qui attestaient précisément qu'il s'agissait des restes de tel ou tel apôtre, étaient toujours à l'étude. Mais ces problèmes formels de compétence ne semblaient pas affecter la ferveur du peuple grenadin, ni celle du nouveau roi Philippe III, couronné deux ans plus tôt après la lente et douloureuse agonie de son père, enthousiasmé par cette nouvelle Grenade passionnément chrétienne.

Hernando se rendit au Sacromonte en compagnie de don Pedro de Granada ; Castillo et Luna se dispensèrent de la visite. Les deux hommes, à cheval, suivis par des laquais, longèrent le cours du Darro, tournèrent à la porte de Guadix et entreprirent l'ascension du Mont sacré par un sentier qui partait des vieux remparts autour de l'Albaicín. Hernando ignorait ce chemin. Il n'était pas venu à Grenade depuis trois ans, depuis qu'il leur avait apporté, enfin, la transcription tant espérée de l'évangile de Barnabé, que Luna et Castillo avaient pu étudier à leur aise. Par ailleurs, comme la découverte des plombs avait refroidi l'intérêt du conseil de la cathédrale pour les martyrs des Alpujarras, il avait cessé de collaborer avec lui.

— Depuis que la première lame a été découverte, lui commenta don Pedro pendant leur ascension, miracles et apparitions se sont succédé. Une grande partie des Grenadins, et parmi eux toutes les religieuses d'un couvent, a témoigné devant l'archevêque avoir vu des lumières étranges sur la montagne, et même des processions éthérées, illuminées par des feux sacrés, qui se dirigeaient vers les grottes. Tu te rends compte ? Un couvent entier de religieuses !

Hernando secoua la tête, geste que don Pedro ne manqua pas de percevoir.

— Tu ne me crois pas ? lui demanda-t-il. Alors écoute ceci : une fillette paralysée a prié dans les grottes et elle a été guérie ; la fille d'un officier de la chancellerie, prostrée au lit depuis quatre ans, a été amenée jusqu'ici sur une litière et elle est revenue en marchant sur ses deux jambes ; des dizaines de personnes ont témoigné pour le dossier de qualification des reliques. Même l'évêque du Yucatán est venu des Indes pour demander aux martyrs la guérison d'un *herpes militaris* dont il souffrait ! Il a célébré la messe, puis il a ramassé dans les grottes de la terre mêlée d'eau bénite avant d'appliquer sur son herpès la pâte ainsi obtenue… Soigné aussitôt ! Un évêque ! Il a également témoigné. Bien d'autres guérisons et miracles se sont produits sur le Sacromonte.

— Don Pedro… voulut ironiser Hernando.

— Regarde, l'interrompit le noble.

Ils approchaient de l'endroit de la colline où se trouvaient les grottes. Hernando suivit la main de don Pedro, qui brassait l'air pour tenter de désigner tout ce qui s'étendait devant eux.

— Voici le résultat de ton travail.

Une forêt de plus de mille croix s'élevait devant la petite entrée de la mine, où les pèlerins s'étaient regroupés autour des minuscules chapelles et des demeures des prêtres. Les deux cavaliers stoppèrent leurs montures. Le cheval coloré que montait Hernando s'agitait, inquiet. Le Maure balaya l'endroit du regard, s'attardant sur les croix et les fidèles agenouillés. Certaines étaient de simples croix en bois. D'autres cependant étaient en pierre finement ciselée, immenses, installées sur de grands piédestaux. « Le résultat de mon travail », susurra-t-il. Lorsqu'il s'était rendu à Grenade pour remettre les premiers plombs, il doutait de la crédibilité de son œuvre. Mais la naïveté du peuple était sans limites.

— C'est impressionnant, siffla-t-il, admiratif, tordant le cou pour parvenir à voir l'extrémité de la croix qui s'élevait à côté de lui, très haut.

— Toutes les églises de la ville ont érigé des croix, expliqua don Pedro en regardant dans la même direction qu'Hernando. Les couvents ont fait de même, ainsi que le conseil de la cathédrale, les conseils d'administration, les écoles et les confréries : ciriers, forgerons, tisserands, charpentiers, la chancellerie et les notaires. Tout le monde. Ils montent ici en processions avec leurs croix, escortés par des gardes d'honneur au son des fifres et des timbales, en entonnant le *Te Deum*. Des pèlerinages sont organisés en permanence au Sacromonte.

Hernando secoua la tête.

— Je n'arrive pas à le croire.

— Toutefois, poursuivit don Pedro, je sais que Castillo est confronté à de véritables problèmes avec la traduction des plombs.

Hernando s'étonna. Quels problèmes pouvait bien rencontrer le traducteur ?

— L'archevêque contrôle personnellement son travail, expliqua don Pedro, et dès qu'une phrase ambiguë semble pencher du côté de la doctrine musulmane, il la corrige selon ses désirs. Cet homme s'emploie à faire de Grenade une ville plus sainte encore que Rome. Mais à la fin, le jour où le Turc fera connaître l'évangile, la vérité éclatera, et eux tous, dit-il avec un geste en direction des gens, devront reconnaître leurs erreurs.

« Le sultan ? » s'interrogea Hernando.

— Je ne crois pas que nous devons envoyer cet évangile au Turc, déclara-t-il aussitôt.

Don Pedro le regarda avec surprise.

— Vraiment, je ne le crois pas, insista-t-il. Les Turcs n'ont jamais rien fait pour nous…

— En ce qui concerne l'évangile, le coupa don Pedro,

il ne s'agit pas seulement de nous, mais de toute la communauté musulmane.

Hernando reprit son argumentation, comme s'il n'avait pas entendu les paroles du noble :

— Depuis des années, les Turcs n'ont jamais levé une seule armée pour attaquer les chrétiens en Méditerranée ; ils sont seulement préoccupés par leurs problèmes en Orient. On prétend même que cette politique de non-intervention va permettre au nouveau roi d'Espagne d'attaquer Alger, et qu'il s'y prépare déjà.

— C'est toi-même qui avais évoqué l'idée d'envoyer l'évangile au sultan !

— Oui, admit Hernando. Mais maintenant je pense que nous devons être plus avisés. Les livres de plomb n'ont pas encore été traduits, n'est-ce pas ce que tu viens de me dire ?

Don Pedro acquiesça.

— Dans les références au Livre muet il est dit que la découverte s'effectuera à travers « un roi des Arabes » ; à l'époque j'avais pensé au Turc, c'est vrai, mais il s'éloigne sans cesse de nous. Il existe d'autres rois des Arabes, aussi importants, voire plus, que le sultan ottoman : Abbas Ier règne en Perse et Akbar en Inde, qu'on surnomme le Grand. Là-bas, sur ces terres, il y a des jésuites et j'ai appris qu'Akbar, bien que musulman convaincu, est un roi conciliateur à l'égard des religions de ces royaumes. C'est peut-être lui, grâce à son caractère, qui devrait faire connaître la doctrine de l'évangile de Barnabé.

Don Pedro réfléchit aux paroles qu'il venait d'entendre.

— Nous pourrions attendre la traduction définitive de tous les plombs, concéda-t-il. Nous déciderons alors à qui l'envoyer, qu'en penses-tu ?

Hernando allait approuver quand un laquais indiqua à son seigneur qu'ils pouvaient à présent accéder aux grottes. Les gens cédèrent le passage au seigneur de Campotéjar et gouverneur du Generalife. Un prêtre les accompagna pendant la visite dans la mine tortueuse, éclairant avec une torche les galeries longues, étroites et basses, qui débouchaient dans des grottes de différentes dimensions. Ils prièrent avec une ardeur simulée devant les autels érigés à l'endroit où étaient apparus les restes d'un martyr, déposés désormais dans une urne en pierre. Le jeune prêtre, animé d'un mysticisme exacerbé, se mit à expliquer à Hernando le contenu des lames, tandis que don Pedro observait à la dérobée les réactions du Maure.

— Les livres et traités trouvés, beaucoup plus complexes que les lames qui annonçaient le martyre des saints, sont en cours de traduction, parut s'excuser le jeune religieux lorsqu'ils arrivèrent dans une petite grotte ronde. À propos, ajouta-t-il devant un homme qui, à ce moment-là, se relevait après avoir prié devant l'autel, je vous présente l'un de vos compatriotes également de passage, le médecin cordouan don Martín Fernández de Molina.

— Hernando Ruiz, annonça le Maure, acceptant la main que lui tendait le médecin.

Après avoir respectueusement salué le noble, don Martín se joignit au cortège. Ils effectuèrent tous ensemble le pèlerinage dans les grottes et rentrèrent à Grenade. Hernando chevauchait devant les deux autres, au pas, tranquillement, plongé dans ses pensées, envoûté par tout ce qui était né au cours des sept années de dur labeur consacrées à un seul objectif : que les chrétiens modifient leur perception de la communauté maure. Atteindraient-ils ce but ? Pour le moment, la chrétienté paraissait s'être emparée du lieu…

Plus loin, quand ils longèrent le cours du Darro, son regard se tourna vers l'endroit où s'élevait la villa d'Isabel. Don Pedro avait évité tout commentaire sur l'épouse du juge. Qu'avait-elle pu devenir ? Il fut surpris de constater que ses souvenirs étaient confus. En son for intérieur, il lui souhaita la meilleure des vies et reprit son chemin, comme la jeune femme l'avait fait en son temps. Lorsqu'il vit don Martín mettre pied à terre devant la maison de los Tiros, il comprit qu'il n'avait rien entendu de la conversation entre le médecin et don Pedro.

— Il dînera en notre compagnie, lui expliqua son ami noble tandis que les laquais se chargeaient des chevaux. Il a très envie de rencontrer Miguel de Luna et Alonso del Castillo. Je lui ai raconté qu'en plus d'être traducteurs, ils sont aussi médecins. Don Martín prétend qu'il y a une épidémie de peste à Grenade.

Pendant qu'ils dînaient dans la maison de los Tiros, don Martín leur avoua qu'il était envoyé par le conseil municipal de Cordoue pour enquêter sur les rumeurs de peste. Toutes les grandes villes espagnoles refusaient de reconnaître officiellement l'épidémie tant que les morts ne s'entassaient pas dans leurs rues. Déclarer la maladie entraînait l'immédiat isolement de la ville pestiférée et la paralysie de tout commerce. C'est pourquoi, au moindre soupçon, les conseils municipaux des autres villes envoyaient des médecins de confiance pour vérifier le bien-fondé des rumeurs.

— Le président de la chancellerie, expliqua don Martín pendant le repas, m'a autorisé à enquêter et soutenu qu'il ne se passait rien du tout à Grenade, que les gens étaient en bonne santé.

Luna et Castillo poussèrent un cri d'exclamation.

— La municipalité organise des fêtes et des bals le soir pour distraire les citoyens, admit le dernier, mais cela fait déjà un moment que des mesures contre la peste ont été prises.

— Je sais, mais ce sont des mesures préventives, non palliatives, précisa le docteur Martín Fernández. J'ai vu les chaises enveloppées de tissu dans lesquelles on fait sortir les pestiférés de la ville et des groupes de soldats qui contrôlent les quartiers. J'ai visité l'hôpital de pestiférés, et les médecins qui y travaillent ne parlent que de cela.

— Tôt ou tard ils devront reconnaître officiellement l'épidémie, intervint Miguel de Luna.

Hernando écoutait avec un intérêt non dénué de stupeur.

— Ne vaudrait-il pas mieux agir immédiatement ? demanda-t-il. Que gagne-t-on à nier la réalité ? C'est le peuple qui sort perdant, et la peste ne fait pas de différence entre seigneurs et vassaux. Qu'entendez-vous par « mesures palliatives » ? Existe-t-il d'autres moyens de prévenir la maladie ?

— Elles sont palliatives, lui répondit le médecin cordouan, car elles sont adoptées à l'égard des pestiférés. Traditionnellement on a toujours cru que la peste se transmettait dans l'air, bien qu'il y ait aujourd'hui de plus en plus de théories prétendant qu'elle se propage aussi à travers les vêtements et le contact personnel. Le plus important est de purifier l'air, mais aussi de favoriser l'hygiène et d'encourager les gens à rester chez eux plutôt que de promouvoir des fêtes et des rassemblements ; de mettre en quarantaine les maisons où s'est produit un cas et toute personne présentant un symptôme, même parmi les proches. Tant que ces mesures ne seront pas prises, la place restera libre pour la contagion et la véritable épidémie.

— Mais…, voulut intervenir Hernando.

— Et surtout, termina don Martín tandis que Luna et Castillo acquiesçaient, anticipant ce qu'il allait dire, il faut absolument fermer la ville pour empêcher l'épidémie de s'étendre ailleurs.

Grenade tomba peu après et la peste arriva à Cordoue l'année suivante, au printemps 1601. En dépit du rapport accablant que le docteur Martín Fernández avait présenté sur la négligence des autorités grenadines, le conseil de la ville des califes réagit exactement de la même manière et, tout en interdisant les ventes aux enchères et les marchés aux fripes, tout en brûlant extra-muros les lits des malades, les huit médecins municipaux souscrivirent une déclaration dans laquelle ils certifiaient qu'il n'y avait à Cordoue aucun cas de peste ni autre maladie contagieuse d'importance.

Hernando avait deux beaux enfants, Juan, quatre ans, et Rosa, deux ans, qu'il adorait et qui avaient changé sa vie. « Soyez heureux », se disait-il chaque soir en les regardant dormir. L'idée de perdre de nouveau sa famille le terrifiait et, dès son retour de Grenade, il emmagasina assez de provisions pour pouvoir tenir un siège dans sa maison, pendant des mois s'il le fallait. Quand il apprit que la peste dévastait la proche ville d'Ecija, il fit appeler Miguel, qui vivait à la ferme avec les chevaux. Dans un premier temps, prétextant son travail, l'invalide refusa l'invitation. Finalement, il fut contraint de céder lorsque Hernando vint le chercher en personne et, malgré ses protestations, le força à rentrer avec lui à Cordoue.

— Il y a beaucoup à faire ici, seigneur, avait-il insisté, désignant juments et poulains.

Hernando fit non de la tête. Miguel avait réalisé un bon travail : Volador était mort depuis des années et l'infirme s'était arrangé, avec la débrouillardise qui le caractérisait, pour dénicher des étalons de choix avec lesquels mêler le sang. Par ordre royal, l'élevage de chevaux était contrôlé par les corregidores des endroits où se trouvaient les juments. Aucun cheval andalou ne pouvait franchir le Tage ou être vendu sur les terres de Castille, et les montes des juments devaient être effectuées par de bons étalons dûment consignés devant les corregidores. Miguel avait obtenu que les produits des écuries d'Hernando soient fortement cotés sur le marché.

Hernando savait ce que redoutait son ami, et il décida de se montrer moins tendre avec Rafaela tant que Miguel vivrait avec eux. Pendant toutes ces années, la cohabitation entre les époux s'était déroulée très paisiblement ; ils avaient peu à peu appris à se connaître. Hernando avait trouvé en elle une compagne douce et discrète ; Rafaela, un homme attentif et gentil, qui ne la harcelait jamais, beaucoup plus cultivé que son père et ses frères. La naissance de leurs deux enfants lui avait procuré le bonheur le plus complet. Rafaela, à qui la maternité avait donné des formes plus généreuses, s'était révélée être ce que Miguel avait prédit : une bonne épouse et une excellente mère.

Ils se retrouvèrent donc enfermés dans la maison cordouane où un feu d'herbes aromatiques brûlait en permanence dans le patio. Ils sortaient seulement pour se rendre à la messe le dimanche. C'était à ces moments-là qu'Hernando, pestant tout bas que l'Église insistait pour réunir les gens dans des messes ou des processions, mesurait les conséquences de la maladie sur la ville : boutiques closes, arrêt total des activités économiques, feux d'herbes près des retables et des autels de rue, devant les églises et les couvents ; maisons marquées et fermées ; des rues entières, où s'étaient produits de nombreux cas de contagion, aux accès barrés ; des familles expulsées de la ville alors que leur parent, malade, était conduit à l'hôpital de San Lázaro et que tous leurs vêtements étaient brûlés, et des femmes encore en bonne santé, autrefois honnêtes et que leur fierté empêchait de mendier dans les rues, offrant publiquement leur corps pour gagner un peu d'argent afin de nourrir leur mari et leurs enfants.

— C'est absurde ! chuchota Hernando à Miguel un dimanche où ils croisèrent l'une d'elles. Elles préfèrent se prostituer plutôt que mendier. Comment leurs époux peuvent-ils accepter cet argent ?

— Leur honneur, lui répondit l'infirme. En ce moment, les confréries qui s'occupent habituellement des pauvres honteux ne fonctionnent pas.

— Dans la véritable religion, renchérit Hernando en baissant encore plus la voix, recevoir l'aumône n'est pas humiliant. La communauté musulmane est solidaire. « Fais la prière et la charité », dit le Coran.

Mais l'Église n'était pas la seule à défier la maladie avec ses rassemblements. Devant la tristesse du peuple, le conseil municipal, faisant fi des avertissements, organisa au pic de l'épidémie des courses de taureaux sur la place de la Corredera. Ni Hernando ni Miguel ne purent voir comment deux rejetons de Volador, qu'ils avaient alors vendus, esquivaient et honoraient les taureaux, déclenchant les ovations du public. Les spectateurs, oubliant momentanément la maladie, semblaient incapables de comprendre que la foule et le contact allaient justement contribuer à la propager.

Pendant ces mois de réclusion, Miguel se consacra aux deux enfants d'Hernando. Il évitait de regarder Rafaela qui, de son côté, agissait avec prudence et discrétion. Au cours des longues soirées d'ennui, l'infirme se réfugiait dans ses histoires, faisant sourire le petit Juan avec ses mimiques.

— Pourquoi ne m'apprends-tu pas à compter ? demanda un jour Miguel à Hernando, qui vivait pratiquement reclus dans sa bibliothèque.

Les années qu'Hernando avait consacrées à écrire les plombs avaient éveillé chez lui une soif insatiable d'apprendre, qu'il tentait d'étancher par des lectures sur différents thèmes, avec toujours le même objectif : trouver un lien pour étayer l'idée d'une cohabitation pacifique entre les deux cultures. Ses amis de Grenade lui faisaient parvenir, avec plaisir, tous les livres à leur disposition susceptibles de présenter pour lui un quelconque intérêt.

Il devina les raisons cachées derrière cette requête, à laquelle il répondit favorablement. C'est pourquoi, entre additions et soustractions, l'éclopé s'enferma à son tour dans la bibliothèque pendant la journée. De cette manière ils supportèrent la gêne occasionnée par cette réclusion forcée, tandis que l'épidémie décimait la population de Cordoue.

Le magistrat don Martín Ulloa fut l'une de ses victimes. Les édiles de chaque paroisse avaient l'obligation de contrôler les maisons afin de vérifier que nul pestiféré n'y soit présent. Si tel était le cas, ils devaient les envoyer à San Lorenzo et expulser leurs familles de la ville. Don Martín se présenta plusieurs fois chez Hernando et Rafaela, exigeant du médecin qui l'accompagnait des examens facultatifs, beaucoup plus poussés que ceux auxquels il soumettait les autres paroissiens ; il ne craignait plus le Maure. L'affaire des enfants trouvés datait désormais, qui s'en soucierait encore ? Don Martín ne cachait pas son désir de déceler le moindre symptôme de la maladie, même chez sa propre fille.

Hernando s'étonna le jour où ce fut doña Catalina, l'épouse du magistrat, qui frappa à sa porte, en compagnie du frère cadet de Rafaela.

— Laissez-nous entrer ! ordonna la femme.

Hernando l'examina des pieds à la tête. Doña Catalina, le visage tendu, tremblait et se tordait les mains.

— Non. J'ai l'obligation de laisser entrer votre époux. Pas vous.

— Je t'ordonne… !

— Je vais prévenir votre fille, dit Hernando fuyant, convaincu que seul un événement grave pouvait pousser cette femme à venir s'humilier à la porte de sa maison.

Du vestibule, Hernando et Miguel entendirent la conversation entre Rafaela et sa mère.

— Ils vont nous expulser de Cordoue, sanglotait doña Catalina, après avoir appris à sa fille que son père avait contracté la maladie. Qu'allons-nous devenir ? Où irons-nous ? La peste désole les environs. Laisse-nous nous réfugier dans ta maison. La nôtre va être fermée. Personne ne le saura. Ton frère aîné, Gil, va devenir le nouveau magistrat de la paroisse. Il fermera les yeux sur notre séjour ici.

Miguel et Hernando levèrent la tête et se regardèrent avec surprise. La voix de Rafaela rompit le silence.

— Tu n'es jamais venue nous voir depuis toutes ces années. Tu ne t'es même pas dérangée pour connaître tes petits-enfants, mère.

Doña Catalina ne dit mot. Rafaela continua de parler, d'une voix ferme et claire.

— Et aujourd'hui tu veux venir vivre avec nous. Je me demande pourquoi tu ne vas pas chez Gil. Je suis sûre que tu t'y sentirais beaucoup plus à ton aise…

— Par tous les saints ! insista la femme, brusque et furieuse. Est-ce le moment de parler de cela ? Je t'implore. Je suis ta mère ! Fais preuve de miséricorde.

— Mais peut-être es-tu déjà allée chez Gil ? poursuivit Rafaela, ignorant ses protestations.

Doña Catalina se tut.

— Bien sûr, mère. Je suis certaine que tu ne viendrais ici qu'en dernière extrémité. Dis-moi, mon frère a sans doute peur de la contagion ?

Doña Catalina bredouilla une réponse. La voix de Rafaela s'éleva alors, tranchante et sans appel.

— Crois-tu vraiment que je vais mettre en danger ma famille ?

— Ta famille ? grogna la femme avec mépris. Un Maure…

Alors, pour la première fois de sa vie, Rafaela coupa la parole à sa mère.

— Hors de cette maison !

Hernando soupira, satisfait. Miguel laissa échapper un sourire. Puis ils virent passer Rafaela devant eux, silencieuse, la tête droite, en direction du patio, tandis que les gémissements et les sanglots de sa mère leur parvenaient encore de la rue.

Le Maure et sa famille survécurent à la peste. Comme

beaucoup d'autres Cordouans, doña Catalina, épuisée et débordante de haine à l'encontre d'Hernando et de Rafaela, fut de retour dès qu'on déclara la ville débarrassée de l'épidémie et qu'on rouvrit ses treize portes.

Croisant la foule qui rentrait chez elle, Miguel, après des adieux rapides et balbutiants, s'empressa de retourner à la ferme.

Plus de six mille personnes étaient mortes pendant l'épidémie.

63.

Chemin de Toga, royaume de Valence, 1604

Pour ce voyage au petit village de Toga, au nord de Segorbe, enclavé dans une vallée derrière la sierra del Espadán, Hernando, qui devait d'abord passer par Jarafuel, avait choisi un magnifique quatre-ans alezan doré. Celui-ci, faisant honneur à sa robe de feu, trottait plus qu'il ne marchait, et il fallait constamment le freiner. Son cou large et fier de cheval espagnol était toujours dressé ; il s'ébrouait même devant les papillons et s'agitait, inquiet, dès que des insectes tournoyaient près de ses oreilles tendues, à tout moment aux aguets.

Neuf ans après sa dernière visite, Hernando trouva Munir, l'uléma, prématurément vieilli. La vie était très dure sur ces terres de la sierra de Valence, et extrême pour qui prétendait faire perdurer l'esprit de croyances chaque fois plus persécutées. Les deux hommes s'étreignirent et s'examinèrent l'un l'autre sans réserve. Au cours du dîner frugal que leur servit l'épouse de l'uléma de Jarafuel, assis par terre sur de simples nattes, ils évoquèrent la réunion qui allait être célébrée dans le petit village perdu de Toga, à plusieurs journées de là et majoritairement maure, comme presque tous ceux de la région. On devait y débattre de la plus sérieuse tentative de rébellion ourdie depuis le soulèvement des Alpujarras, dans laquelle étaient impliqués, racontait-on, le roi Henri IV de France et la reine Élizabeth d'Angleterre, qui venait juste de mourir.

L'insurrection se préparait depuis trois ans et don Pedro

de Granada Venegas, Castillo et Luna avaient prié Hernando de se rendre au côté de Munir à la réunion qui rassemblait tous les négociateurs. Tous trois estimaient que le succès des plombs était proche ; le processus d'authentification ne saurait guère tarder et une nouvelle révolte anéantirait tous leurs efforts.

L'uléma de Jarafuel comprit les arguments que lui exposa, en ce sens, Hernando.

— Cependant, allégua-t-il avec raison, cela va faire dix ans que les plombs sont apparus, et force est de reconnaître qu'ils n'ont jusqu'à présent servi à rien. Sans la reconnaissance de Rome, ils n'ont aucune valeur. C'est la réalité. Alors qu'à l'inverse, la situation de nos frères dans ces royaumes a empiré de manière significative. Frère Bleda continue d'exiger avec insistance notre destruction complète, par tous les moyens. La cruauté de ce dominicain est telle que même l'inquisiteur général lui a interdit de s'exprimer au sujet des nôtres. Mais le moine continue de se rendre à Rome, où le Pape l'écoute. Néanmoins, le plus grave c'est le changement d'opinion de l'archevêque de Valence, Juan de Ribera.

Munir fit une pause. Son visage, beaucoup trop ridé pour son âge, exprimait une franche préoccupation.

— Jusqu'à récemment encore, reprit l'uléma, Ribera était un ardent partisan de l'évangélisation de notre peuple, à un tel degré qu'il en était venu à payer de sa poche le salaire des curés qui devaient mener à bien cette tâche. Cela nous convenait : les prêtres qui viennent par ici ne sont rien d'autre qu'une bande de voleurs incultes qui ne se soucient pas le moins du monde de nous ; il suffit que nous venions manger l'hostie le dimanche pour qu'ils soient contents. La seule église de toute la vallée de Cofrentes, c'est celle-ci, celle de Jarafuel, et ce n'est même pas une église, c'est une ancienne mosquée ! Mais après s'être escrimé pendant des années et avoir dépensé beaucoup d'argent pour rien, Ribera a changé d'avis et a envoyé un rapport au roi dans lequel il propose que tous les Maures soient réduits en esclavage, envoyés aux galères ou condamnés au travail dans les mines des Indes. Il affirme que Dieu appréciera cette décision, que le roi pourrait donc prendre sans le moindre scrupule. Ce sont ses mots, littéralement.

Hernando hocha la tête. Munir prit un air dramatique.

— Ce n'est pas frère Bleda qui m'inquiète, il y en a beaucoup d'autres comme lui. C'est Ribera. Non seulement il est archevêque de Valence, mais il est aussi patriarche d'Antioche et, plus important encore, commandant général du royaume de Valence. Il s'agit d'un homme très influent dans l'entourage du roi et du duc de Lerma.

L'uléma marqua cette fois une longue pause, comme s'il méditait ses paroles avant de poursuivre :

— Hernando, tu sais que j'ai soutenu votre initiative avec les plombs, mais je comprends aussi le peuple. Il redoute le jour où le roi et son Conseil finiront par adopter une de ces mesures drastiques dont on parle tant, et face à cela il nous reste une seule possibilité : la guerre.

— Depuis les Alpujarras, rétorqua Hernando, j'ai entendu parler de nombreuses tentatives de soulèvement, certaines complètement folles. Toutes ont échoué.

Il n'était pas disposé à lâcher prise.

— Encore la guerre ? continua-t-il. Encore des morts ? N'y en a-t-il pas eu déjà assez ? En quoi cette tentative serait-elle différente ?

— En tout, répliqua l'uléma, catégorique. Nous avons promis…

Voyant Hernando hausser les sourcils, Munir précisa :

— Oui, je m'inclus là-dedans ; j'appuie cette révolte, je te l'ai dit. C'est une guerre sainte, affirma-t-il avec solennité. Nous avons promis que si les Français envahissaient ce royaume, nous les aiderions avec une armée de quatre-vingt mille musulmans et leur livrerions trois villes, dont Valence.

— Et les Français vous croient ?

— Ils nous croiront. Nous allons leur remettre cent vingt mille ducats de garantie.

— Cent vingt mille ducats ! s'exclama Hernando.

— Oui.

— C'est monstrueux. Comment... Qui a décidé de cette somme ?

Hernando se souvenait des terribles difficultés souffertes par la communauté maure pour supporter les impôts spéciaux auxquels la soumettaient les rois chrétiens, ceux-là mêmes qui prétendaient depuis les exterminer. Après la déroute de la Grande Armada, on les avait obligés à payer « gracieusement », disaient les documents, deux cent mille ducats ; on leur avait réclamé la même somme après le pillage de Cadix par les Anglais, en plus des multiples contributions spéciales dont les chrétiens les gratifiaient. Comment pourraient-ils à présent faire face à une dépense si importante ?

— Ce sont eux qui paient, se mit à rire l'uléma, devinant les pensées de son compagnon.

— Qui, eux ? interrogea Hernando, étonné. De qui parles-tu ?

— Des chrétiens. Le roi Philippe en personne.

Hernando lui fit signe, impérieusement, de s'expliquer.

— Malgré les richesses qui arrivent des Indes et les impôts des roturiers, le royaume est en banqueroute. Philippe II a suspendu plusieurs fois ses paiements et son fils, Philippe III, ne tardera pas à faire de même.

— Et alors, quel est le rapport ? Si le roi n'a pas d'argent, comment va-t-il payer cent vingt mille ducats ? En supposant que... C'est absurde !

— Attends, le pria l'uléma. Cette situation financière a conduit le roi Philippe II à diminuer la valeur du billon.

Hernando acquiesça. Comme toute la population d'Espagne, il avait lui aussi souffert de la décision du monarque.

— D'un billon riche, à quatre ou six grains d'argent par pièce, on est passé à un billon d'un seul grain.

— Les gens se plaignaient, se souvint Hernando, car ils étaient contraints d'échanger leurs pièces contenant plein d'argent contre d'autres qui n'en avaient pas, au pair ! Pour chaque billon, on a perdu trois grains ou plus d'argent.

— Exact. Les finances royales ont récupéré les anciennes pièces et tiré bon profit de cette manigance, mais les conseillers n'avaient pas prévu l'impact négatif que cela entraînerait sur la confiance du peuple à l'égard de sa monnaie, surtout de sa petite monnaie, qui est la plus employée. Ensuite, il y a deux ans, son fils, Philippe III, a décidé que le billon ne devait même plus être fabriqué avec ce grain d'argent et il a ordonné qu'il soit exclusivement en cuivre. Comme les pièces n'ont pas d'aloi, elles ne portent même pas la marque de l'essayeur de l'Hôtel de la monnaie qui les a frappées. Et nous sommes las de fabriquer des pièces ! sourit Munir. Binilit est mort, mais dans son atelier son ancien apprenti ne façonne plus de bijoux maures ; il se contente de falsifier de l'argent en permanence. Et il n'est pas le seul. Aujourd'hui il n'est plus nécessaire que les monnaies soient en cuivre, on accepte celles en plomb et même les simples têtes de clou grossièrement repoussées, sur chaque côté, avec un dessin représentant un château ou un lion. Toutes les quarante pièces fausses, les chrétiens nous paient jusqu'à dix réaux d'argent ! On calcule qu'il existe des centaines de milliers de ducats en fausse monnaie qui circuleraient dans le royaume de Valence.

— Pourquoi les chrétiens ne les falsifient pas eux-mêmes ? questionna Hernando, même s'il devinait la réponse.

— Par peur du châtiment, et parce qu'ils ne possèdent pas nos ateliers secrets, dit Munir en souriant. Mais principalement par simple paresse : il faut travailler, et cela, comme tu le sais, ce n'est pas le fort des artisans chrétiens.

— Cependant, les gens, les commerçants, pourquoi acceptent-ils cet argent, sachant pertinemment qu'il est faux ? renchérit Hernando avec intérêt.

Il revoyait la façon dont Rafaela contrôlait la petite monnaie et vérifiait son authenticité. Mais à Cordoue ces falsifications n'étaient pas aussi nombreuses que le prétendait l'uléma valencien.

— Pour eux, comme je te l'ai dit précédemment, ça revient au même. Depuis que Philippe II leur a volé trois grains d'argent par pièce, ils n'ont plus confiance. Avec l'apparition de la fausse monnaie, le roi, eux-mêmes, tout le monde croit y gagner. C'est un nouveau système de change. Le seul problème, c'est que les prix montent, mais nous en sommes moins affectés que les chrétiens ; nous n'achetons pas comme eux, nos besoins sont bien moindres.

— Et vous avez déjà obtenu les cent vingt mille ducats ? demanda Hernando avec une stupéfaction qu'il ne pouvait retenir.

— Une grande part grâce à eux, répondit l'uléma avec un sourire de satisfaction. Une autre part est arrivée des Barbaresques, de tous nos frères établis là-bas qui partagent notre espoir de récupérer les terres qui nous appartiennent.

Ils avaient terminé le maigre dîner que leur avait servi l'épouse de Munir. L'uléma se leva et invita Hernando à sortir dans le jardin, à l'arrière de la maison, où la lune et un ciel limpide étoilé sur la Muela de Cortes leur offrait un panorama spectaculaire.

— Mais, dit Munir, parle-moi de toi. À présent tu connais mes intentions : lutter et vaincre… ou mourir pour notre Dieu. J'ai bien conscience que tu ne les partages pas.

L'uléma s'appuya sur la barrière qui entourait le jardin,

en haut de la colline sur laquelle était située Jarafuel, avec la vallée à ses pieds et au loin la Muela de Cortes.

— Qu'as-tu fait depuis la dernière fois que nous nous sommes vus ? questionna-t-il dès qu'Hernando fut à ses côtés.

Le Maure regarda le ciel et sentit le froid de l'hiver sur son visage ; puis il commença à lui raconter les événements survenus depuis qu'il était rentré à Cordoue, après la livraison des premiers plombs à Grenade.

— Tu as épousé une chrétienne ? l'interrompit Munir lorsqu'il lui parla de Rafaela.

Sa question n'était pas un reproche. Tous deux regardaient le paysage devant eux ; deux silhouettes découpées dans la nuit, dressées sur une barrière, seules.

— Je suis heureux, Munir. J'ai de nouveau une famille, deux beaux enfants, répondit Hernando. Mes besoins sont largement couverts. Je monte à cheval, je dresse des poulains, très prisés sur le marché, énonça-t-il calmement. Je consacre le reste de la journée à la calligraphie et à l'étude de mes livres. La sérénité que m'a donnée cette nouvelle situation me permet, je crois, de m'unir à Dieu dès l'instant où je mouille ma plume dans l'encrier et que je la fais glisser sur le papier. Les lettres surgissent avec une fluidité et une perfection rarement atteintes auparavant. Je suis en train d'écrire ce qui sera, je l'espère, un bel exemplaire du Coran. Les caractères éclosent, bien proportionnés entre eux, et j'ai plaisir à colorier les points diacritiques. Je vais aussi prier dans la mezquita, devant le mihrab des califes. Et tu sais quoi ? Quand je me place là et que je murmure les prières, il m'arrive une chose semblable au spectacle que nous voyons ce soir : comme toutes ces étoiles, je vois briller les éclats de l'or et des marbres avec lesquels ce lieu sacré fut construit. Pourtant, j'ai épousé une chrétienne. Ma femme... Rafaela est douce, aimante et discrète. C'est une merveilleuse mère.

À ce moment-là, le regard d'Hernando se perdit dans

le ciel étoilé. L'image de Rafaela se présenta à son esprit. La jeune fille maigre et tremblante avait mûri, et elle était désormais une vraie femme : après la naissance des enfants, sa poitrine était devenue généreuse et ses hanches s'étaient élargies. Munir ne voulut pas interrompre des pensées qui semblaient se diriger vers cette femme, maîtresse du cœur de son compagnon.

— Et il y a aussi les enfants, ajouta Hernando avec un sourire. Ils sont toute ma vie, Munir. J'ai passé beaucoup d'années, plus de quatorze, sans entendre le rire d'un enfant, sans sentir le contact de cette petite main fragile qui cherche protection dans la mienne, sans observer dans ses yeux, innocents et sincères, tout ce qu'il n'ose ou ne sait pas dire. Leur seul visage est la plus belle des poésies. Nous avons eu si mal à la mort de notre troisième petit, qui ne marchait pas encore. J'avais déjà perdu deux enfants, mais celui-ci, j'ai vu sa vie s'éteindre entre mes mains sans n'avoir rien pu faire pour l'en empêcher. J'ai senti un vide immense : pourquoi Dieu emmenait-il cet innocent ? Pourquoi me châtiait-il une fois encore ? Ce n'était pas le premier enfant qu'il m'arrachait cruellement, mais Rafaela… Elle était détruite. J'ai dû me battre pour elle, Munir. Même si une partie de moi est morte aussi avec ce petit, j'ai dû montrer une grande force pour aider mon épouse à surmonter cette épreuve. Depuis, Rafaela n'a plus été enceinte. Mais à présent Allah nous a bénis : nous attendons un nouvel enfant !

Le regard d'Hernando se perdit de nouveau dans le ciel étoilé. Rafaela et lui avaient tant souffert pendant l'agonie de leur troisième enfant, chacun priant son dieu en silence. Ils avaient été à ses côtés jusqu'à son dernier souffle. Ils l'avaient pleuré ensemble, l'avaient enterré ensemble selon les rites chrétiens, plongés dans le désespoir ; ensemble ils étaient rentrés chez eux, l'un soutenant l'autre. Rafaela, ravagée par les larmes, s'était écroulée une fois qu'ils s'étaient retrouvés seuls. Il avait fallu du temps avant que son sourire revienne, que ses chansons envahissent encore la maison. Puis, peu à peu, les deux autres enfants et la présence d'Hernando avaient réussi à faire renaître la joie sur son visage. Hernando se rappelait ces tristes mois avec douleur, mais aussi avec un intime orgueil : ils avaient tous deux surmonté cette tragédie, et leur union, qui avait débuté sur une base étroite, s'en était vue renforcée. Seuls deux points n'avaient pas changé depuis ces débuts froids et lointains : Rafaela continuait de respecter la bibliothèque, où elle savait qu'il écrivait en arabe ; et Hernando, en dépit de leur décision de dormir ensemble, se pliait aux convictions de son épouse. Il n'essayait pas de lui faire oublier le péché lorsqu'ils avaient des relations sexuelles. À sa surprise, il avait découvert une autre forme de plaisir : l'amour particulier avec lequel elle l'accueillait la nuit, silencieuse, calme, sans passion, étrangère à la jouissance de la chair. Rien ni personne ne pouvait souiller la beauté de leur union.

— Et dis-moi, tes enfants, tu les éduques dans la foi véritable ? Ton épouse connaît-elle tes croyances ? questionna Munir.

— Oui, elle les connaît, répondit-il. C'est une longue histoire… Miguel, l'infirme qui a organisé ce mariage, lui avait tout raconté avant. Elle… parle peu, mais nous nous comprenons du regard, et quand je prie devant le mihrab, dans la mezquita, elle reste à côté de moi. Elle sait que je prie le Dieu unique. Quant aux enfants – l'aîné a seulement sept ans –, ils ne sont pas encore capables de feindre. Il serait dangereux qu'ils se démasquent en public. Un précepteur vient à la maison pour les instruire. Jusqu'à présent, je me suis contenté de leur raconter des légendes et des contes de notre peuple.

— Rafaela consentira-t-elle le moment venu ? demanda l'uléma.

Hernando soupira.

— Je crois… Il y a entre nous comme un accord tacite.

Elle prie avec eux, je leur raconte des histoires du Prophète. J'aimerais…

Il s'interrompit. Il ignorait si l'uléma pourrait comprendre quel était son rêve : éduquer ses enfants dans les deux cultures, le respect et la tolérance. Il préféra ne pas continuer.

— Je suis persuadé qu'elle consentira.

— C'est une femme bien, alors.

Ils continuèrent à parler un long moment sous les étoiles, profitant des brefs instants de silence dans leur conversation pour respirer la nuit splendide qui les entourait.

Trois jours avant Noël 1604, soixante-huit représentants des communautés maures des royaumes de Valence et d'Aragon se retrouvèrent dans la clairière d'une forêt au-dessus de la rivière Mijares, près du petit village isolé de Toga. Avec eux, une dizaine d'Arabes et un noble français nommé Panissault, envoyé par le duc de La Force, compagnon du roi Henri IV de France. Il faisait nuit quand, après avoir passé les gardiens qui contrôlaient les alentours, Hernando arriva à Toga, en compagnie de Munir, qui représentait les Maures de la vallée de Cofrentes. Hernando avait laissé son cheval à Jarafuel afin de ne pas éveiller de soupçons et, comme l'uléma, il avait effectué le trajet sur une mule. Ils avaient mis sept jours, au cours desquels ils avaient intensément discuté et renforcé leur amitié.

L'éclat de plusieurs foyers illuminait faiblement la clairière. La nervosité des hommes qui se déplaçaient entre les feux était palpable. Cependant, la décision flottait dans l'air : dès qu'il salua les autres chefs maures, Hernando perçut en eux la ferme détermination de mener jusqu'au bout leur projet d'insurrection.

À quoi servaient tous ses efforts avec les plombs ? se demandait-il en entendant les serments de guerre à mort, échauffés, sortir de la bouche des délégués maures. On ne comptait plus sur les Turcs, lui avait expliqué Munir sur la route ; on espérait une aide arabe provenant de l'autre côté du détroit. Les plombs finiraient bien par donner des résultats ! se disait Hernando en son for intérieur. Bientôt viendrait le moment de faire parvenir la copie de l'évangile de Barnabé à ce roi arabe destiné à le faire connaître. C'est ce que soutenaient don Pedro, Luna et Castillo. Mais tous ces gens n'avaient pas l'intention d'attendre plus long-temps. Hernando s'assit par terre, près de Munir, entre les délégués maures. Devant eux, debout, se tenaient le noble français Panissault, déguisé en commerçant, et Miguel Alamín, le Maure qui pendant deux ans avait mené à son terme la négociation avec les Français, pour aboutir à cette réunion. Quel était le véritable chemin ? Qui avait raison ? Tandis qu'Alamín présentait le Français, Hernando ne ces-sait d'y penser. D'un côté, un noble grenadin étroitement lié aux chrétiens, deux médecins traducteurs de l'arabe et lui, simple Maure cordouan ; de l'autre, les représentants de la plupart des aljamas des royaumes de Valence et d'Aragon, partisans de la guerre. La guerre ! Il se souvint de son enfance et du soulèvement des Alpujarras, l'aide extérieure qui n'était jamais parvenue et l'humiliante, dou-loureuse défaite. Qu'aurait pensé Hamid de ce nouveau projet violent ? Et Fatima ? Quelle aurait été la position de Fatima ? Alors que les chefs maures criaient à ses oreilles, dans une discussion déjà bien amorcée, Hernando plongea dans la mélancolie. Tant d'efforts et de privations pour une autre guerre ! Il ne pouvait donner tort à ceux qui défendaient avec passion la nécessité de prendre les armes. Mais au fond de lui il avait la certitude que ce n'était pas la bonne solution, il persistait à penser que la violence ne mènerait à rien. « Je me fais peut-être vieux, pensa Hernando. La vie paisible que je mène à présent m'a ramolli… »

— L'Inquisition nous saigne à blanc ! cria un Maure derrière lui.

C'était vrai. Munir le lui avait également expliqué au cours du long chemin jusqu'à Toga. À Cordoue ce n'était pas le cas, mais sur ces terres maures les péchés que commettaient en théorie les nouveaux-chrétiens étaient si nombreux que l'Inquisition les châtiait à l'avance : chaque communauté était tenue de payer une somme annuelle à la Suprême.

— Les seigneurs aussi ! cria quelqu'un d'autre.

— Ils ont l'intention de nous tuer, tous !

— De nous castrer !

— De faire de nous des esclaves !

Les cris se succédaient, de plus en plus forts, de plus en plus furieux.

Hernando balaya la terre du regard. N'était-ce pas exact ? Ils avaient raison ! Les gens n'arrivaient plus à vivre, et l'avenir… Quel avenir attendait leurs enfants ? Et face à cela, lui, Hernando Ruiz, de Juviles, se réfugiait dans sa bibliothèque, vivant dans l'aisance et le confort… Et il s'efforçait ingénument de miner les fondements de la religion chrétienne en cherchant une réponse dans les livres !

Il trembla en prenant connaissance du pacte que les chefs présents conclurent après des discussions ardues : la nuit du Jeudi saint de 1605, les Maures se soulèveraient à Valence et incendieraient les églises pour attirer l'attention des chrétiens. Au même moment, Henri IV enverrait une flotte dans le port del Grao. Partout les chefs maures et leurs hommes prendraient les armes. Et si le roi français ne tenait pas parole, comme ceux de l'Albaicín de Grenade lors du soulèvement des Alpujarras ? Les Maures se retrouveraient seuls une fois de plus, face à la colère des chrétiens devant leurs églises profanées. Cela s'était déjà produit des années plus tôt. Ils plaçaient tout leur avenir entre les mains d'un roi chrétien, ennemi de l'Espagne, certes, mais tout de même chrétien ! Combien, parmi ceux qui discutaient actuellement, avaient vécu la guerre des Alpujarras ? Hernando aurait voulu intervenir, mais les cris étaient assourdissants. Même Munir, le bras tendu vers le ciel, hurlait en réclamant la guerre sainte.

— *Allahu Akbar !*

Le cri, unanime, résonna dans la clairière.

On procéda alors à la nomination du roi des Maures : Luis Asquer, du village d'Alaquás, fut élu. Le nouveau monarque, paré d'une cape rouge, empoigna une épée et, conformément à la tradition, s'apprêta à prêter serment. Les hommes l'acclamèrent, se levèrent et l'entourèrent. Hernando s'écarta du groupe. La décision était déjà prise... La guerre était inévitable. Vaincre ou être exterminés ! Il s'éloigna des clameurs et de l'effervescence, se rappelant les nombreuses fois où il avait entendu ces mêmes cris dans les Alpujarras. Lui-même...

Soudain, il reçut un coup violent à la nuque. Hernando crut que sa tête allait exploser et commença à chanceler. Étourdi, il sentit toutefois que plusieurs hommes lui saisissaient les bras et le traînaient en dehors de la clairière et de ses feux, jusqu'aux arbres. Là, ils le jetèrent au sol. Entre les coups qu'il entendait dans sa tête et la vision trouble de ce qui l'entourait, il eut l'impression de voir trois... quatre hommes debout, immobiles devant lui, qui parlaient en arabe. Il essaya de se relever, mais la commotion l'en empêcha. Il ne parvenait pas à saisir ce qu'ils disaient ; les applaudissements et les ovations en l'honneur du nouveau roi résonnaient partout avec puissance.

— Que... voulez-vous ? réussit-il à balbutier en arabe. Qui... ?

L'un d'eux lui déversa le contenu d'une outre d'eau glacée sur le visage. Le froid le ranima. Il fit alors une nouvelle tentative pour se lever, mais cette fois une botte sur sa poitrine l'immobilisa. La silhouette des quatre hommes se dessinait dans l'éclat des foyers. Mais leurs visages restaient cachés dans l'ombre.

— Que voulez-vous ? répéta-t-il, recouvrant sa conscience.

— Tuer un chien renégat et un traître, répondit l'un d'eux.

La menace tonna dans la nuit. Hernando s'efforça de réfléchir rapidement, alors que la pointe d'une alfange se posait sur son cou. Pourquoi voulaient-ils le tuer ? Qui étaient-ils ? Des Cordouans qui le connaissaient ? Il n'avait reconnu personne de la ville pendant la réunion, mais… La pointe de l'alfange joua sur sa nuque.

— Je ne suis ni un renégat ni un traître, assura-t-il avec détermination. Celui qui vous a dit une telle chose…

— … te connaît bien.

Hernando ne pouvait presque pas parler. La lame appuyait de nouveau sur sa gorge.

— Demandez à Munir ! bafouilla-t-il. L'uléma de Jarafuel. Il vous dira…

— Si nous lui racontions tout ce que nous savons sur toi, c'est lui qui te tuerait, sans aucun doute, alors que c'est à nous de le faire. La vengeance…

— Vengeance ? s'empressa-t-il de demander. Quel mal ai-je pu vous faire pour que vous réclamiez vengeance ? Si je suis un renégat et un traître, que le roi me juge.

L'un des hommes s'accroupit à côté de lui, son visage tout près du sien, Hernando pouvait sentir son haleine chaude. Ses paroles étaient emplies de haine.

— Ibn Hamid, murmura-t-il.

En entendant ce nom, Hernando ne put s'empêcher de trembler. Étaient-ils des Alpujarras ? Que signifiait… ?

— Tu aimais bien qu'on t'appelle ainsi, n'est-ce pas ?

— C'est ainsi que je m'appelle.

— Le nom d'un traître !

— Je n'ai jamais trahi personne. Qui es-tu pour soutenir une telle infamie ?

L'homme fit signe à un autre, qui courut vers la clairière et revint avec une torche enflammée.

— Regarde-moi, Ibn Hamid. Je veux que tu saches qui va mettre fin à ta vie. Regarde-moi… père.

L'homme approcha la torche et Hernando vit alors d'immenses yeux bleus remplis de fureur rivés sur lui. Ces traits, ce visage…

— Mon Dieu, murmura-t-il, désemparé. Ce n'est pas possible !

Il était bouleversé. Des milliers de souvenirs se heurtèrent dans sa tête. Plus de vingt ans avaient passé…

— Francisco ?

— Il y a longtemps que je m'appelle Abdul, répondit durement son fils. Et lui, c'est Shamir, tu t'en souviens ?

Shamir ! Hernando essaya de l'identifier parmi les trois autres hommes, mais aucun d'eux ne s'avança dans l'ombre. La confusion s'empara de lui : Francisco était vivant… Shamir aussi. Ils avaient réussi à échapper à Ubaid ? Mais sa mère… Aisha lui avait certifié qu'ils étaient morts, qu'elle avait vu de ses propres yeux le muletier les tuer dans la montagne.

— On m'a juré que vous étiez morts ! s'écria-t-il. J'ai cherché… Je vous ai cherchés pendant des semaines, j'ai sillonné la montagne pour trouver vos corps. Celui d'Inés… et de Fatima.

— Lâche ! l'insulta Shamir.

— Ma mère a attendu…, nous avons tous attendu, pendant des années, que tu viennes nous délivrer, ajouta Abdul. Chien ! Tu n'as pas bougé le petit doigt pour ton épouse, ta fille, ton demi-frère. Pour moi !

Hernando se sentit au bord de l'asphyxie. Que venait de dire son fils ? Que sa mère avait attendu… Sa mère ! Fatima !

— Fatima est vivante ? demanda-t-il avec un filet de voix.

— Oui, *père*, cracha Abdul. Elle est vivante… Et ce

n'est pas grâce à toi. Nous avons tous survécu. Nous avons dû supporter la haine de Brahim, la sentir dans notre chair. Elle plus que nous encore ! Et pendant ce temps, tu oubliais ta famille et trahissais ton peuple. Ce chien de Brahim l'a payé de sa vie, je te le certifie. Maintenant c'est à toi de nous rendre des comptes !

Brahim ! Hernando ferma les yeux, laissant la vérité pénétrer en lui. Brahim avait pris sa revanche : il était revenu chercher Fatima et s'était également vengé de lui en lui prenant ses enfants, tous ceux qu'il aimait… Comment n'y avait-il jamais pensé ? Il était venu les chercher et les avait enlevés… Mais alors… Et le voile blanc de Fatima ? Il l'avait vu autour du cou du cadavre d'Ubaid ! Comment était-ce possible ? Ubaid et Brahim ensemble ? Une pensée horrible lui traversa l'esprit. Sa mère savait forcément ! Aisha lui avait dit qu'Ubaid les avait tous tués. Aisha avait juré, craché, qu'elle avait assisté à la mort de Fatima et des enfants… Aisha lui avait menti. Pourquoi ? Cette idée lui fut insupportable. Et malgré l'alfange, malgré Francisco et l'homme qui tenait la torche près de leurs visages, Hernando s'écroula sur le sol. Dans sa poitrine, son cœur battait la chamade, prêt à exploser. Dieu ! Fatima était vivante ! Il voulut pleurer, mais ses yeux refusaient de verser une seule larme. Il se recroquevilla davantage à cause des convulsions qui brusquement assaillirent son corps, comme si lui-même désirait être brisé en petits morceaux. Il avait passé toute sa vie persuadé que sa famille avait été assassinée par Ubaid !

— Fatima ! réussit-il à crier.

— Tu vas mourir, déclara Shamir.

— La mort est une longue espérance, répondit Hernando, sans réfléchir.

Abdul tira une dague de sa ceinture. Dans la clairière, les Maures assistaient dans un respectueux silence au couronnement de leur roi. « Je jure de mourir pour le Dieu unique », entendit-on dans la forêt au moment où l'homme

955

qui tenait la torche tira les cheveux d'Hernando pour dégager son cou. La lame de la dague brilla.

Fatima ! Le souvenir de sa femme envahit Hernando.

— Qui es-tu, toi, pour me donner la mort ? se rebella-t-il alors. Je ne mourrai pas avant d'avoir pu parler avec ta mère. Je ne te laisserai pas me tuer avant d'avoir obtenu son pardon ! Je vous ai crus morts, et Dieu seul sait combien j'ai souffert. Que Fatima décide de mon pardon ou de mon châtiment ; pas toi. Si je dois mourir, que ce soit elle qui l'ordonne.

Mû par un soudain accès de rage, Hernando poussa son fils qui, pris au dépourvu, tomba à terre. Hernando tenta de se lever, mais l'alfange de Shamir menaça sa poitrine. Hernando l'empoigna. La lame blessa la paume de sa main.

— Tu crois que je vais m'échapper ? cria-t-il en ouvrant les bras pour montrer qu'il ne portait pas d'arme. Me battre contre vous ? Je veux me livrer à Fatima. Je veux que ce soit elle qui plante cette lame, si elle croit réellement que j'aurais été capable de renoncer à elle, à vous, sachant que vous étiez vivants.

Pour la première fois il réussit à distinguer le visage de Shamir, et reconnut en lui les traits de Brahim. Shamir interrogea Abdul du regard et, après quelques instants d'hésitation, celui-ci hocha la tête : Fatima méritait de se venger en personne, comme elle l'avait fait avec Brahim.

À ce moment-là, dans la clairière, le couronnement s'acheva. Les applaudissements et les vivats des Maures éclatèrent.

La plupart des délégués et des chefs maures profitèrent de la nuit pour commencer à retourner vers leurs villages. Le Français Panissault repartit avec la promesse des cent vingt mille ducats qui lui seraient remis dans la ville de Pau, dans le Béarn français, province dont le duc de La Force était le gouverneur. Dans la bousculade des gens qui se disaient au revoir, Munir se s'était pas aperçu de l'absence d'Hernando, mais peu à peu il s'inquiéta et se mit à sa recherche. Ne le trouvant nulle part, il se dirigea à l'endroit où ils avaient laissé les mules : toutes deux étaient toujours là, attachées.

Où pouvait-il être ? Il ne serait pas parti sans lui dire au revoir, ni sans la mule ; son cheval était à Jarafuel. Il interrogea plusieurs Maures, en vain. Un des Arabes qui collaborait au projet de rébellion, chargé et pressé, passa à côté de lui.

— Hé, l'interpella-t-il, tu connais Hernando Ruiz, de Cordoue ? Tu l'as vu ?

L'homme, qui avait ralenti à l'appel de l'uléma, bafouilla une excuse et reprit rapidement son chemin dès qu'il entendit le nom prononcé.

Étrange attitude, s'étonna Munir en observant l'Arabe se diriger vers le bois. Plus loin, l'homme tourna la tête, mais lorsqu'il constata que l'uléma continuait à le regarder, il accéléra l'allure. Sans hésiter un seul instant, il lui emboîta le pas. Que cachait ce corsaire ? Que se passait-il avec Hernando ?

Il n'eut pas le temps de se poser davantage de questions. À peine était-il entré dans la forêt que plusieurs hommes s'élancèrent sur lui et l'arrêtèrent, tandis qu'un autre le menaçait avec une dague.

— Un seul cri et tu es un homme mort, l'avertit Abdul. Que veux-tu ?

— Je cherche Hernando Ruiz, répondit Munir en tâchant de garder son calme.

— Nous ne connaissons aucun Hernando Ruiz… commença à dire Abdul.

— Alors, l'interrompit l'uléma, quel homme cachez-vous là ?

Même dans la pénombre, les brodequins d'Hernando se détachaient entre les jambes du groupe des quatre Arabes qui s'efforçaient de le dissimuler. Tous portaient des tenues de marin. Abdul se tourna vers l'endroit que désignait Munir.

— Lui ? indiqua-t-il avec cynisme, comprenant qu'il était impossible de nier la présence d'un étranger parmi le groupe. C'est un renégat, un traître à notre foi.

Munir ne put retenir un éclat de rire.

— Un renégat ? Tu ne sais pas ce que tu dis.

Abdul fronça les sourcils. Ses yeux bleus trahissaient le doute.

— Il existe peu de gens en Espagne qui autant que lui ont lutté et luttent encore pour notre cause.

Abdul fléchit. Shamir, abandonnant le groupe qui entourait Hernando, s'approcha.

— Et qui es-tu pour affirmer cela ? demanda-t-il en se plantant devant lui.

L'uléma put alors apercevoir Hernando. Son ami paraissait abattu, tête basse, absent. Il ne s'intéressait même pas à la conversation qui se déroulait tout près de lui. Que lui arrivait-il ?

— Je m'appelle Munir, répondit-il. Je suis l'uléma de Jarafuel et de la vallée de Cofrentes.

— Nous savons, annonça alors Shamir, que cet homme collabore avec les chrétiens et qu'il a trahi les Maures. Il mérite de mourir.

Hernando ne réagissait toujours pas.

— Qu'en savez-vous, vous autres ? s'écria Munir. D'où venez-vous ? D'Alger ? De Tétouan ?

— Nous, de Tétouan, répondit Abdul avec le respect dû à un uléma ; les autres…

Munir profita de l'indécision de celui qui semblait commander les Arabes pour se dégager. Il lui coupa la parole :

— Vous vivez de l'autre côté du détroit, aux Barbaresques, où l'on peut pratiquer librement la foi véritable.

L'uléma ferma les yeux et hocha la tête.

— Moi-même je communie tous les dimanches. Je confesse mes péchés chrétiens pour obtenir la cédule qui me permet de me déplacer. Souvent je suis obligé de manger du porc et de boire du vin. Me considérez-vous aussi comme un renégat ? Tous les Maures que vous avez vus ce soir se plient aux ordres de l'Église ! Comment, sinon, pourrions-nous survivre et maintenir vivante notre religion ? Hernando a travaillé pour le Dieu unique autant ou plus qu'aucun d'entre nous. Croyez-moi, vous ne connaissez pas cet homme.

— Nous le connaissons bien. C'est mon père, révéla Abdul.

— Et mon demi-frère, ajouta Shamir.

Passé le choc de cette révélation, Munir tenta de convaincre les deux jeunes Arabes du travail souterrain d'Hernando en faveur de la communauté. Il leur parla de ses écrits, de ses années de travail, des plombs et de la Torre Turpiana, du Sacromonte et de don Pedro de Granada Venegas ; d'Alonso del Castillo et de Miguel de Luna, de l'évangile de Barnabé et de leurs intentions. Il leur expliqua qu'Hernando les avait tous crus assassinés par Ubaid.

— Sa mère n'a jamais rien su de ses activités, répliqua-t-il à Abdul quand celui-ci évoqua la réaction d'Aisha à la lettre de Fatima apportée à Cordoue par le juif Efraín. Hernando avait dû garder le secret… même devant sa mère. Pour elle, comme pour tous les autres, son fils était un renégat, un chrétien. Hernando était persuadé que vous étiez morts. Croyez-moi. Il n'a jamais su pour cette lettre.

Il leur raconta aussi qu'il avait beau être marié avec une chrétienne, il devait être le seul Maure à prier dans la mezquita de Cordoue.

— Il a juré à ta mère qu'il prierait devant le mihrab, continua-t-il en s'adressant à Abdul, conscient que mentionner l'épouse chrétienne d'Hernando pouvait attiser chez ces corsaires la soif de vengeance.

Pendant quelques instants, on entendit avec netteté l'agitation, les discussions et les adieux des Maures dans la clairière. Munir observa qu'Abdul et Shamir dirigeaient leur regard vers Hernando. Avait-il réussi à les convaincre ?

— Il a aidé des chrétiens lors de la guerre des Alpujarras, marmonna soudain Abdul.

Son expression était dure ; le bleu de ses yeux glacial.

— Il s'est juste libéré de l'esclavage, et il l'a fait avec un chrétien, en effet, mais… essaya de l'excuser l'uléma.

— Ensuite il a collaboré avec les chrétiens de Grenade, l'interrompit Abdul, en dénonçant les Maures qui s'étaient révoltés.

— Et les autres chrétiens à qui il a sauvé la vie ? renchérit Shamir.

Munir tressaillit. Il n'avait jamais entendu parler d'autres chrétiens. Le corsaire saisit cet instant de doute pour s'affranchir du respect avec lequel il avait écouté les explications de l'uléma.

— Il en a sauvé beaucoup d'autres. Tu ne le savais pas ? Il ne te l'avait pas raconté ? Ce n'est qu'un lâche. Lâche ! cria-t-il à Hernando.

— Traître ! ajouta Abdul.

— S'il croyait qu'Ubaid nous avait assassinés, pourquoi ne l'a-t-il pas poursuivi jusqu'en Enfer ? reprit Shamir, gesticulant violemment devant l'uléma. Qu'a-t-il fait pour venger la mort de sa famille ? Je vais te le dire : il s'est tranquillement réfugié dans le luxueux palais d'un duc chrétien.

— S'il avait insisté, s'il avait cherché la vengeance comme tout bon musulman qui se respecte, compléta Abdul en criant, il aurait sans doute découvert que le responsable de ses malheurs n'était pas Ubaid, mais Brahim.

À quelques mètres seulement, Hernando sentit ces paroles le lacérer. Il n'avait même plus la force de se défendre, de dire tout haut qu'il avait vu le cadavre d'Ubaid, que la vengeance qu'il désirait s'était éteinte à ce moment-là. Qu'il avait sillonné la montagne à la recherche de leurs corps pour leur offrir une sépulture… Quel sens avait tout cela maintenant ? Tandis qu'il entendait les accusations déversées par son fils, ses mots qui suintaient la rancœur, une seule question revenait cogner à son esprit : pourquoi Aisha lui avait-elle menti ? Pourquoi l'avait-elle laissé souffrir alors qu'elle savait la vérité ? Il se souvint de ses larmes, de son visage tordu de douleur quand elle lui avait assuré avoir vu Ubaid les tuer tous. « Pourquoi, mère ? »

Les paroles de son fils interrompirent ses pensées.

— Et marié à une chrétienne en plus ! Je te renie, chien galeux ! cria Abdul en crachant aux pieds de son père.

Munir suivit sans le vouloir la direction du crachat. Il observa Hernando. Il n'avait pas réagi à l'injure de son propre fils. Même dans l'obscurité, son corps paraissait enfoncé, détruit par la culpabilité, dépassé par tout ce qui se passait autour de lui.

— Mais les plombs… insista l'uléma, compatissant envers celui qu'il considérait comme son ami.

— Les plombs, coupa Shamir, que valent-ils ? À quoi ont-ils servi ? Ont-ils bénéficié à l'un des nôtres ?

Munir ne voulut pas lui répondre et se pinça les lèvres avec fermeté.

— Ces manœuvres ne sont utiles qu'aux riches, à tous ces nobles qui nous trahissent et qui veulent juste aujourd'hui sauver leur peau. Aucun de nos humbles frères, qui continuent à croire au Dieu unique, qui se cachent pour prier dans leurs maisons ou aux champs, ne tirera quelque chose de positif de tout cela ! Il doit mourir.

— Oui, approuva Abdul. Il doit mourir.

La sentence retentit dans la forêt, supplantant les bruits à présent parsemés de la clairière. Munir frissonna en reconnaissant chez ces deux hommes la cruauté des corsaires. Il comprit qu'ils étaient habitués à jouer avec la vie des gens.

— Du calme ! cria l'uléma, dans une tentative désespérée pour sauver la vie de son ami. Cet homme est venu à Toga sous ma responsabilité, sous ma protection.

— Il va mourir, répliqua Abdul.

— Vous ne comprenez pas qu'il est déjà mort ? s'écria Munir en désignant Hernando avec tristesse.

— Des chrétiens comme lui, il y en a des milliers entassés dans les geôles de Tétouan. Ta pitié ne nous touche pas. On l'emmène, déclara Shamir. En marche ! ordonna-t-il aux Arabes.

Munir puisa en lui toutes les forces qui lui restaient. Il respira profondément avant de prendre la parole d'une voix ferme et résolue, qui ne trahissait pas la peur le tenaillant à l'intérieur.

— Je vous l'interdis.

L'uléma demeura impassible face aux regards des deux corsaires. Abdul porta la main à son alfange, comme si on l'avait insulté. Jamais, de toute sa vie, il n'avait reçu un ordre pareil. S'efforçant de ne pas trembler, Munir reprit la parole.

— Je m'appelle Munir et je suis l'uléma de Jarafuel et de toute la vallée de Cofrentes. Des milliers de musulmans suivent mes décisions. Selon nos lois, j'occupe le deuxième rang parmi ceux qui régissent et gouvernent le monde, et je suis chargé de rendre la justice. Cet homme restera ici.

— Et si nous n'obéissons pas ? interrogea Shamir.

— À moins de me tuer aussi, vous n'arriverez jamais à embarquer sur vos vaisseaux. Je vous le certifie.

Tous, corsaires et Arabes, fixaient l'uléma. Seul Hernando restait prostré à terre, tête basse, plongé dans ses pensées.

— Brahim a payé pour ses forfaits, déclara alors Shamir. Et ce chien de traître n'échappera pas au châtiment.

— Vous devez respecter les sages et les anciens, insista Munir.

En entendant cette injonction, un des Arabes baissa la tête, juste au moment où Hernando paraissait s'éveiller. Qu'avait dit Shamir ? Abdul comprit ce qui se passait : ses hommes respecteraient les lois, et il ne tuerait pas un uléma. Il posa ses yeux bleus sur Hernando qui l'interrogeait à présent du regard. Brahim était mort... Le corsaire s'avança vers son père.

— Oui, cracha-t-il. Ma mère l'a tué : elle a plus de courage et de force dans une seule de ses mains que toi dans tout ton être. Lâche !

Alors, un des Arabes qui surveillaient Hernando le secoua violemment tandis qu'un autre, avec la crosse de son arquebuse, lui flanquait un terrible coup dans les reins. Hernando s'écroula sur le sol, où ils le rouèrent de coups de pied sans qu'il fît le moindre geste pour se défendre.

— Assez, par Dieu ! implora Munir.

— Par ce même Dieu que ton uléma invoque, par Allah, marmonna Abdul en ordonnant d'un signe de la main à ses hommes d'arrêter, je jure que si je croise de nouveau ton chemin, je te tuerai. N'oublie jamais ce serment, chien !

Brahim ! Fatima reconnut dans les cris et les menaces de Shamir l'ancien muletier des Alpujarras. Beaucoup plus puissant, beaucoup plus intelligent que son père... Fatima frémit en découvrant la même voix furieuse, les gestes identiques, la semblable expression de colère.

Dès leur retour de Toga, Abdul et Shamir s'étaient en effet rendus au palais et s'étaient présentés devant elle ; tous deux, graves et renfrognés, refusèrent de lui confier ce qui n'allait pas. Fatima connaissait leur mission à Toga, elle s'était chargée en personne de rassembler une grosse somme d'argent arabe pour ce nouveau soulèvement. Elle écouta leur récit avec intérêt, mais sur le visage de son fils, une ombre la troublait.

— Abdul, dit-elle finalement en posant la main sur son bras musclé. Qu'as-tu ?

Il secoua la tête et murmura des propos incohérents.

— Tu ne peux pas me mentir. Je suis ta mère et je te connais bien.

Les regards de Shamir et d'Abdul se croisèrent. Patiente, Fatima attendait.

— Nous avons vu le nazaréen, finit par lâcher Shamir. Ce chien de traître était à Toga.

Fatima resta bouche bée. Pendant un instant, elle ne respira plus.

— Ibn Hamid ?

En prononçant son nom, elle sentit sa poitrine se resserrer et laissa retomber sa main pleine de bijoux.

— Ne l'appelle pas comme ça ! s'exclama Abdul. Il ne le mérite pas. C'est un chrétien et un traître ! Mais il s'est traîné par terre comme le chien qu'il est...

Elle leva les yeux, consternée.

— Quoi... ? Que lui avez-vous fait ?

Elle voulut se lever du divan mais ses jambes flageolaient.

— Nous aurions dû le tuer ! s'écria Shamir. Et je jure que nous le ferons si nous le revoyons un jour !

— Non ! Je vous l'interdis !

La voix de Fatima avait retenti sous la forme d'un hurlement rauque. Abdul, surpris, regarda sa mère. Shamir fit un pas dans sa direction.

— Attendez... Que faisait-il à Toga ? Racontez-moi tout, exigea Fatima.

Ils obtempérèrent finalement, évoquant le nazaréen avec haine, décrivant en détail la scène vécue à Toga, rapportant les paroles de l'uléma qui avaient réussi à sauver la vie du chien de traître. Tout en les écoutant, attentive à chacun de leurs mots, Fatima ne cessait de réfléchir. Ibn Hamid était à Toga, avec ceux qui planifiaient la révolte... Il avait consacré des années de sa vie à ces textes... Cela signifiait qu'il n'avait pas renoncé à sa foi. Son visage s'anima à mesure qu'elle les entendait. Si c'était vrai… ! Si Ibn Hamid était toujours un croyant ! C'est alors que les paroles de Shamir éclatèrent dans la pièce comme un coup de tonnerre.

— Et tu dois savoir qu'il s'est marié… avec une chrétienne. Tu es libre, Fatima. Tu peux te remarier… Tu es encore belle.

— Pour qui te prends-tu pour me dire ce que je peux faire ou non ? Je ne me remarierai jamais ! lança-t-elle.

Lorsqu'il perçut le trouble que cachait cette réaction, Shamir s'avança vers elle, menaçant, comme si tous les démons de Brahim revivaient en lui.

— Tu ne le reverras jamais, Fatima. Si j'apprends qu'il existe le moindre contact entre vous, je le tuerai. Tu m'entends ? Je lui arracherai le cœur de mes propres mains.

Ses cris la poursuivirent un bon moment. Elle n'était qu'une femme ! Une femme qui devait obéir. Tout ici appartenait à Shamir : le palais, les esclaves, les meubles, la nourriture, même l'air qu'elle respirait. Comment lui permettraient-ils d'être en relation avec ce chien de lâche qui ne les avait pas défendus lorsqu'ils étaient enfants ? Ils perdraient le respect de leurs hommes et de toute la communauté. Tous connaissaient le serment qu'ils avaient prêté à Toga au sujet d'Hernando : les Arabes l'avaient répété à qui voulait l'entendre. De quelle autorité disposeraient-ils ensuite pour appliquer la justice entre leurs hommes s'ils consentaient à la moindre relation avec le nazaréen ? Avec quelle légitimité risqueraient-ils la vie de leurs hommes dans des incursions dangereuses si, derrière eux, dans leur maison, une simple femme s'autorisait à leur désobéir ? S'ils le revoyaient, ils tiendraient parole. Ils le tueraient comme un chien.

Fatima encaissa le choc, debout, droite, comme la nuit où elle avait annoncé à Brahim que plus jamais il ne la posséderait. Elle ne rechercha pas le soutien d'Abdul, ne le regarda même pas, désireuse de ne pas mêler son fils à cela, de ne pas l'obliger à affronter son compagnon qui, au bout du compte, était bel et bien le propriétaire de tous les alentours.

— N'oublie pas ce que je t'ai dit... Ne fais pas de bêtise, marmonna Shamir avant de faire demi-tour et sortir de la pièce.

Fatima se tourna vers son fils, essayant de trouver chez lui une lueur de compréhension, un appui, mais ses yeux étaient froids et ses traits, tannés par le soleil, aussi tendus que ceux de l'autre corsaire. Elle le vit quitter la pièce avec la même démarche décidée. Alors seulement elle laissa ses yeux se remplir de larmes.

64.

« À Valence de nombreux Maures ont été
emprisonnés, à cause de certaines lettres que
le roi d'Angleterre a envoyées, trouvées
parmi les papiers de la reine défunte, que lui
avaient écrites les Maures l'implorant de les
aider à se soulever, et lui certifiant qu'ils
donneraient des ordres pour qu'elle puisse
piller cette ville si elle venait avec son
armée. On a soumis beaucoup d'entre eux à
la torture pour savoir les conditions de toute
cette affaire, et on continue d'en châtier certains pour donner l'exemple aux autres. »

Luis Cabrera de Córdoba
*Relations des événements
survenus à la cour d'Espagne*

Après la mort d'Élisabeth d'Angleterre, à la fin du mois
de mars 1603, l'Espagne et l'Angleterre conclurent un
traité de paix. Le souverain espagnol, entre autres, s'enga-
geait à renoncer à mettre un roi catholique sur le trône
d'Angleterre. Pour cette raison peut-être, des mois plus
tard, une fois l'accord signé, Jacques Ier fit parvenir à
Philippe III en signe de gratitude une série de documents
trouvés dans les archives d'Élisabeth. Parmi ceux-ci, les
propositions de soulèvement des Maures espagnols contre
le roi catholique, avec l'aide des Anglais et des Français,
et leur projet de reconquête des royaumes d'Espagne pour
l'Islam.

Le vice-roi de Valence et l'Inquisition se mirent à

l'œuvre dès que le Conseil d'État rendit la conjuration publique. De très nombreux Maures furent arrêtés et soumis à la torture jusqu'à ce qu'ils avouent. Plusieurs furent exécutés selon les coutumes valenciennes. On demandait au prisonnier s'il voulait mourir dans la foi chrétienne ou musulmane. S'il choisissait la première réponse, il était pendu sur la place du marché ; s'il s'acharnait à garder sa foi, on l'emmenait en dehors de la ville, à la Rambla, et, conformément au châtiment divin prévu dans le Deutéronome pour les idolâtres, le peuple le lapidait et brûlait son cadavre.

À de rares exceptions près, les Maures optaient pour une fin rapide et dans la foi chrétienne, mais juste au moment où la corde se tendait, ils poussaient des cris en invoquant Allah. Le stratagème était si connu que les gens venaient assister aux exécutions avec des pierres pour lapider le pendu à l'instant où il clamait le nom du Prophète. Après, les familles maures ramassaient les pierres afin de les conserver en souvenir de l'exécution.

Trois mois après son retour à Cordoue, Hernando apprit que la tentative d'insurrection ourdie à Toga avait été déjouée. Au cours de ces trois mois de désespoir total, une seule chose l'avait réconforté : la lettre qu'il avait réussi à écrire à Fatima.

Munir et lui avaient effectué le chemin de retour de Toga en silence. La mule d'Hernando se trouvait en permanence derrière celle de l'uléma, comme s'il avait fallu le tirer pour qu'il rentre à Jarafuel. Sa mère lui avait menti. Fatima vivait et elle avait tué Brahim. Son fils aussi avait juré de le tuer si leurs chemins venaient encore à se croiser. Le tuer ! Son propre fils ! Ne l'avait-il pas déjà fait à Toga ? Il se souvenait des yeux bleus, innocents et expressifs de Francisco dans le patio de la maison cordouane. Et la petite Inés, qu'était-elle devenue ? Les révélations des dernières heures tournaient en tous sens dans la tête d'Hernando. Images et questions se heurtaient, tandis que le petit galop de l'animal qu'il montait lui causait des élancements de douleur.

Fatima ! Le visage de son épouse apparaissait et disparaissait dans ses souvenirs, comme s'il jouait avec sa souffrance. Qu'avait-elle dû penser de lui ? Combien de temps avait-elle attendu qu'il vienne la délivrer ? Combien d'années avait-elle compté sur son aide ? À peine pouvait-il respirer quand il l'imaginait soumise à Brahim, espérant son apparition. Sa Fatima ! Il l'avait trahie.

« Pourquoi, mère ? » Mille fois il avait levé les yeux au ciel. Pourquoi lui avait-elle caché ?

Il leur avait fallu seulement quatre jours de voyage pour rentrer, contre sept à l'aller. Munir, plongé dans un mutisme tenace, avait marqué les arrêts strictement nécessaires, et ils avaient continué la nuit, à la lumière de la lune. Hernando s'était borné à obéir aux ordres de son compagnon de voyage : reposons-nous ici ; donnons à boire aux mules ; cette nuit arrêtons-nous près de ce village… Pourquoi lui avait-il sauvé la vie ?

À Jarafuel, l'uléma le fit attendre à la porte de sa maison, sans l'inviter à entrer. Finalement, tenant son cheval par la bride, il se présenta lui-même.

— À part le duc, tenta alors expliquer Hernando, j'ai seulement sauvé une fillette. Le reste, ce sont des rumeurs…

— Ça ne m'intéresse pas, le coupa sèchement Munir.

Hernando le regarda ; l'uléma le fixait avec dureté, mais au bout de quelques instants il crut voir surgir dans ses yeux une lueur de compassion.

— Je t'ai sauvé la vie, Hernando, mais c'est Dieu qui te jugera.

Tout au long du trajet de retour à Cordoue, il évita la compagnie des moines, des marchands, des comédiens ou des pèlerins qui transitaient habituellement par les chemins principaux, et il fit seul le voyage, perdu dans ses pensées. La culpabilité pesait sur lui comme une chape de plomb, et il crut parfois qu'il ne supporterait pas davantage ce fardeau. À mesure qu'il s'approchait de la ville, une autre angoisse s'ajoutait à sa douleur : il ne désirait plus rentrer. Que dirait-il à Rafaela ? Que leur mariage n'était pas valable ? Que sa première épouse était vivante ?

Il retarda autant qu'il put son retour chez lui. Il avait peur d'affronter Rafaela. Il avait peur de s'affronter lui-même s'il devait avouer la vérité. Quand il franchit enfin la porte de sa maison, il n'osa même pas regarder son épouse.

Le sourire avec lequel Rafaela, de nouveau enceinte, vint l'accueillir s'effaça brusquement lorsqu'elle vit les bleus et les blessures qu'il avait sur la peau.

— Que t'est-il arrivé ? Qui... ?

Elle voulut avancer sa main vers le visage tuméfié de son mari.

— Personne, répondit celui-ci, en la repoussant inconsciemment. Je suis tombé de cheval.

— Mais, tu vas bien... ?

Hernando lui tourna le dos, sans écouter la fin de sa phrase. Il se rendit aux écuries où il débrida le cheval, puis il traversa le patio en direction de l'escalier.

— Je déjeunerai et dînerai dans la bibliothèque, lança-t-il sèchement en passant près de son épouse.

Il y dormit également.

Les jours s'écoulèrent ainsi. Hernando s'efforça d'écrire une lettre à Fatima. Il mit du temps à y parvenir, à coucher sur le papier tout ce qu'il ressentait. Au moment où il tentait de se concentrer sur l'écriture, son esprit se perdait dans la culpabilité et la douleur. Il déchira plusieurs feuilles. À la fin, il lui parla de Rafaela, de ses deux enfants et de celui à naître. « Je ne le savais pas ! Je ne savais pas que tu étais vivante ! » griffonna-t-il d'une main tremblante. Une fois qu'il eut écrit cette lettre, il décida de recourir à Munir pour la transmettre à Fatima, en dépit de la froideur avec laquelle ils s'étaient quittés. L'uléma était un saint homme ; il l'aiderait. Par ailleurs, c'était depuis Valence que de nombreux Maures partaient pour les Barbaresques. Il avait besoin de son aide ! Il écrivit une autre lettre à Munir pour l'implorer.

Un jour où il apprit que Miguel était à Cordoue, il le fit appeler. Il devait passer par l'infirme pour trouver un muletier maure de confiance ; Hernando était toujours un pestiféré au sein de la communauté cordouane, et il avait perdu tout contact avec le réseau de milliers d'hommes qui se déplaçaient sur les routes. Mais l'estropié, au contraire, achetait et vendait tout qu'il fallait pour les chevaux, utilisant avec assiduité les services des muletiers.

— Je dois faire parvenir une lettre à Jarafuel, l'informa-t-il avec une âpreté inutile, assis derrière son bureau.

Miguel était planté devant lui, tâchant de deviner ce qui arrivait à son seigneur. Auparavant il avait parlé avec Rafaela, qui lui avait confié son immense inquiétude.

— Qu'attends-tu ? lui reprocha Hernando.

— Je connais l'histoire d'un courrier porteur de mauvaises nouvelles, répondit l'éclopé. Veux-tu que je te la raconte ?

— Je n'ai pas le temps d'écouter des histoires, Miguel.

Le cliquetis des béquilles de l'infirme sur le parquet de la galerie résonna aux oreilles d'Hernando. Et maintenant ? Il feuilleta le beau coran sur lequel il travaillait ; il n'avait pas le courage de continuer. Alors il fredonna des sourates qu'il avait déjà écrites.

— Quoi qu'il ait pu faire, il l'a apparemment terminé, dit Miguel à Rafaela dès qu'il sortit de la bibliothèque, avec l'ordre de son seigneur de trouver un muletier pour porter une lettre à Jarafuel.

La jeune femme l'interrogea, les yeux rougis par les larmes.

— Va, l'encouragea l'invalide. Bats-toi pour lui, pour toi.

Rafaela n'avait pu voir Hernando pendant les jours entiers où il s'était reclus dans la bibliothèque. Elle avait pensé pouvoir le faire lorsqu'elle lui apporterait ses repas, mais il avait donné l'ordre qu'ils soient déposés devant sa porte. Hernando avait également demandé pour ses prières une cuvette avec de l'eau pure, qu'il laissait sur le seuil une fois qu'il l'avait utilisée. Rafaela était en permanence à l'écoute du bruit de la porte, et elle se hâtait d'aller changer l'eau cinq fois par jour.

Que lui était-il arrivé ? s'interrogea-t-elle pour la énième fois en montant l'escalier, essoufflée. Sa nouvelle grossesse lui était plus pénible que les précédentes. Elle hésita à s'approcher de la bibliothèque. Le murmure des sourates glissait par la porte, à présent ouverte, et parvenait jusqu'à elle. Et si Hernando se mettait en colère ? Elle s'arrêta et faillit faire marche arrière, mais le souvenir des moments qu'ils avaient vécus avant son voyage à Toga, la tendresse, les rires, la joie, le bonheur, l'amour qu'ils s'étaient donné la poussèrent à continuer.

Hernando était toujours assis à son bureau. D'un doigt il suivait les lettres du Coran tandis qu'il psalmodiait en arabe, indifférent à tout. Rafaela s'arrêta, n'osant rompre ce moment qui lui paraissait magique. Quand il s'aperçut de sa présence, il tourna la tête vers elle. Elle se tenait sur le seuil de la porte, les yeux pleins de larmes, tenant des deux mains son gros ventre.

— Je ne crois pas avoir fait quoi que ce soit pour que tu me traites ainsi. J'ai besoin de savoir ce qui t'arrive…, murmura-t-elle, la voix brisée.

Hernando acquiesça, froidement, sans lever la tête.

— Il y a plus de vingt ans…, commença-t-il à dire.

Mais pourquoi le lui raconter ? Il ne lui avait jamais parlé de Fatima ni des enfants. C'est par Miguel qu'elle connaissait l'histoire.

— Tu as raison, reconnut-il. Tu ne le mérites pas. Je suis désolé. Ce sont des choses du passé.

Le simple fait de prononcer cette phrase sembla libérer Hernando. La lettre adressée à Fatima devait probablement être entre les mains de Munir. Qui pouvait savoir quelles en seraient les conséquences ? Que lui répondrait Fatima, si elle le faisait ? Rafaela essuya ses larmes d'une main, tandis qu'elle continuait à soutenir son ventre de l'autre.

Alors Hernando comprit une chose : oui, il avait failli à Fatima, et c'était une culpabilité dont il ne pourrait jamais se libérer… mais il n'allait pas commettre deux fois la même erreur avec la personne qu'il aimait désormais. Sans dire un mot, il se leva, contourna le bureau et prit doucement son épouse dans ses bras.

Malgré ses efforts pour cacher à Rafaela ses inquiétudes, Hernando ne pouvait s'arrêter de penser aux révélations auxquelles son fils s'était livré. La jeune femme ne fit aucune allusion à ce qui s'était passé, comme si ces jours de réclusion n'avaient pas existé. Hernando chercha du réconfort auprès de ses enfants et dans la perspective du petit à naître. Un jour il se rendit au campo de la Merced et déambula dans le triste cimetière jusqu'à l'endroit où ils avaient enterré sa mère. Là, il s'adressa à Aisha en silence.

— Pourquoi, mère ? Pourquoi ?

En son for intérieur, il tenta de trouver la réponse. Pourquoi Aisha avait-elle agi ainsi ? s'interrogea-t-il longtemps, échafaudant mille hypothèses. Soudain une idée se détacha : « Ils étaient vivants. » Fatima était vivante. Francisco aussi, et Shamir, et probablement Inés. Aurait-il préféré qu'ils soient tous morts pour soulager son sentiment de culpabilité ? Il se sentit indigne. Jusqu'alors il avait seulement pensé à lui, à ses manquements, à sa lâcheté que Francisco lui avait tant reprochée. Le plus important était qu'ils soient vivants, même loin de lui. Cette vérité lui apporta une certaine consolation… Mais il avait besoin d'obtenir leur pardon. Il attendait avec anxiété des nouvelles de Munir. Et il fut atrocement déçu quand l'uléma lui renvoya la lettre adressée à Fatima, accompagnée de son refus de la transmettre à Tétouan.

Fatima n'arrivait pas à y croire : après la visite de Shamir et de son fils, trois imposants esclaves numides, armés, avaient aussitôt intégré le personnel attaché au palais.

— Pour votre sécurité, señora, l'informa un domestique afin de justifier sa présence. Les temps sont agités, et c'est votre fils qui l'a exigé.

Pour sa sécurité ? Deux d'entre eux la suivaient partout, à deux mètres de distance, dès qu'elle sortait dans Tétouan. Fatima eut l'occasion de le vérifier. Un matin, flanquée de deux esclaves qui portaient des sacs, elle se dirigea résolument vers la porte de Bab Mqabar, au nord des remparts de la ville.

Avant même qu'elle puisse la franchir, les deux Numides s'interposèrent sur son chemin.

— Vous ne pouvez pas sortir, señora, lui dit l'un d'eux.

— Je veux juste me rendre au cimetière, rétorqua Fatima.

— C'est dangereux, señora.

Une autre fois, à l'aube, elle sortit de sa chambre. À peine avait-elle parcouru la moitié du couloir qu'une immense silhouette noire surgit de l'ombre.

— Vous désirez quelque chose, señora ?

— De l'eau.

— Je vais demander qu'on vous en apporte, ne vous inquiétez pas. Reposez-vous.

Elle était prisonnière dans sa propre maison ! Elle n'avait pas pensé s'enfuir, ni faire quoi que ce soit ; elle n'avait pensé à rien. Elle savait juste qu'après avoir cru pendant des années à la trahison d'Hernando, la simple possibilité du contraire faisait renaître en elle des sentiments qu'elle s'était efforcée depuis longtemps d'étouffer. Depuis la mort de Brahim elle s'était consacrée aux affaires, s'était employée à amasser l'argent avec la même froideur qu'Abdul et Shamir lorsqu'ils attaquaient des bateaux chrétiens sur les côtes espagnoles. Elle avait même renoncé à sa condition de femme. Mais à présent quelque chose s'était réveillé en elle et, de temps en temps, la nuit, le regard perdu à l'horizon, où devaient s'élever les montagnes de Grenade, de légers frissons lui rappelaient qu'elle avait été capable d'aimer de tout son être.

Un après-midi, Efraín lui rendit visite pour discuter affaires. Depuis la mort de son père, le juif était devenu le plus intime collaborateur de la grande señora de Tétouan.

— Je veux te demander un service, Efraín, lui dit-elle tandis que l'autre parlait de chiffres et de marchandises.

— Vous devez savoir que votre fils est venu me voir, murmura l'intelligent juif.

Fatima fixa sur lui ses beaux yeux noirs.

— Mais ma loyauté vous est acquise, señora, ajouta Efraín après quelques instants de silence.

65.

Rafaela venait de raccompagner à la porte le précepteur qui venait chaque jour donner des leçons à Juan et à Rosa, quand elle vit un inconnu s'approcher de sa maison. Même si Hernando semblait avoir recouvré son état d'esprit habituel, tout imprévu inquiétait Rafaela, dont la grossesse arrivait à son terme. L'homme, qui devait avoir une quarantaine d'années et dont les vêtements, de style castillan, étaient sales après le long voyage qu'il avait effectué, demanda poliment si cette maison était bien celle d'Hernando Ruiz. Rafaela acquiesça et envoya Juan prévenir son père. Hernando descendit rapidement.

— La paix soit avec vous, dit-il à l'homme sur le seuil, croyant qu'il s'agissait d'un fermier intéressé par un cheval. Que voulez-vous ?

Efraín garda le silence un instant avant de parler. Par chance, cette fois, il n'avait eu aucun mal à trouver Hernando.

— La paix, répondit le juif en fixant son amphitryon dans les yeux.

— Que voulez-vous ? répéta Hernando.

— Pouvons-nous parler en privé ?

À ce moment, Hernando comprit que l'homme, à

976

l'accent étranger, n'était pas un négociant en chevaux. Sans qu'il sût pourquoi, il lui inspirait confiance.

— Suivez-moi.

Ils traversèrent le patio.

— Que personne ne me dérange, avisa-t-il Rafaela.

Ils montèrent dans la bibliothèque. Hernando remarqua l'admiration avec laquelle le juif embrassa du regard tous les livres qui constituaient son plus précieux trésor.

— Je vous félicite, dit Efraín, faisant allusion aux ouvrages.

Hernando eut un geste d'assentiment. Efraín prit place devant le bureau. Puis tous deux respectèrent un moment de pause.

— C'est Fatima qui m'envoie, votre épouse, avoua-t-il enfin.

Un terrible spasme parcourut le corps d'Hernando. Il fut incapable de dire un mot. Le juif s'en rendit compte.

— La señora Fatima a besoin d'avoir de vos nouvelles, continua Efraín. Nombreuses sont les rumeurs qui arrivent à Tétouan, et elle refuse de les croire tant que vous ne les aurez pas vous-même confirmées. Je dois vous avertir, avant toute chose, que je suis déjà venu ici, à Cordoue, il y a près de quinze ans, à votre recherche, également envoyé par la señora…

— Comment va-t-elle ? l'interrompit Hernando.

Ils causèrent toute la journée. Hernando raconta à Efraín sa vie sans rien dissimuler, sans lui cacher le moindre détail. Il lui avoua même ses amours avec Isabel ! C'était la première fois qu'il se confiait avec une telle sincérité à quelqu'un. Il justifia son apparence chrétienne, mais reconnut aussi l'erreur que cela avait constitué à certains moments où, porté par les événements, il avait joué à l'excès de cette ambiguïté. Pourquoi était-il allé jusqu'à porter une croix lors d'une procession ?

— Ma mère ne serait pas morte si j'avais évité cette démonstration, ajouta-t-il, la voix brisée.

Il s'étendit ensuite sur l'histoire des plombs.

— Shamir, se rappela-t-il, affirme qu'ils ne serviront jamais aux humbles… et il a probablement raison.

— Peut-être qu'un jour cet évangile dont vous parlez pourra être révélé publiquement.

— Peut-être, soupira Hernando, abattu. Mais j'ignore quelle sera alors notre situation. En vérité, nous ne sommes rien de plus, semble-t-il, que des pestiférés : les chrétiens nous haïssent mortellement et nul dirigeant musulman n'a fait quoi que ce soit pour nous aider. Nous sommes un peuple qui a toujours scruté l'horizon dans l'espoir d'apercevoir une armée, turque ou algérienne, mais celle-ci n'est jamais apparue.

Efraín fut tenté de discuter. Pestiférés ? Ses frères à lui l'avaient été, sans aucun doute, en Espagne et dans tous les royaumes européens. Inutile même de regarder à l'horizon : jamais personne ne viendrait en aide aux juifs. Mais il resta silencieux ; il n'était pas venu pour cela. Fatima lui avait donné des instructions : c'était à lui de juger les paroles et l'attitude d'Hernando. À lui de décider s'il transmettait son message ou s'il se retirait sans le confier à cet homme qui le regardait consterné. « J'ai pleinement confiance en toi », lui avait-elle dit avant son départ. Et le juif avait pris sa décision.

— La mort est une longue espérance, dit-il alors.

Efraín sentit que le Maure fixait ses yeux bleus sur lui, comme l'avait fait récemment son fils Abdul quand il était venu le voir pour le prévenir qu'il ne devait sous aucun prétexte aider Fatima pour tout ce qui était lié au « maudit traître ». Les mêmes yeux, mais quelle différence entre les deux messages ! Ceux du corsaire étaient emplis de haine et de rancœur ; ceux d'Hernando, en revanche, reflétaient une infinie tristesse.

Combien de fois Fatima avait-elle dû appeler la mort

pour trouver l'espérance ? pensa Hernando après avoir entendu cette phrase. Pourquoi une fois de plus maintenant ?

— Votre épouse est prisonnière dans sa propre maison, annonça Efraín comme s'il devinait ses pensées. Plusieurs guerriers numides la surveillent jour et nuit.

— À cause de moi ? demanda Hernando d'une voix assourdie.

— Oui. Si vous vous approchez de Fatima, ils vous tueront et elle…

— Francisco la tuerait ?

— Abdul ? Je ne crois pas qu'il en soit capable… mais je n'en suis pas complètement certain, rectifia le juif en se souvenant des menaces du corsaire. Néanmoins il ne faut pas oublier Shamir… En vérité j'ignore ce qu'il ferait. Dans tous les cas, le malheur s'abattrait sur la señora, c'est une certitude.

Efraín lui parla alors de Fatima, et Hernando sut enfin pourquoi sa mère avait agi comme elle l'avait fait : Fatima le lui avait demandé. Toutes deux avaient voulu le protéger d'une mort certaine. Il apprit l'assassinat de Brahim, ainsi que le premier voyage d'Efraín des années plus tôt, la lettre qu'il avait lue à Aisha quand il ne l'avait pas trouvé ; les paroles amères de celle-ci et les insultes proférées contre lui par Abbas et les autres Maures. Le regard du juif se perdit au moment où il fit l'éloge de Fatima, où il loua sa beauté, son courage et sa détermination. Hernando perçut chez Efraín des sentiments bien plus forts que la simple admiration, et il éprouva une pointe de jalousie à l'égard de cet homme qui vivait si près d'elle. Il lui parla aussi d'Abdul et de Shamir. Inés, qui s'appelait désormais Maryam, allait bien ; elle était mariée et avait plusieurs enfants. Il exalta l'intelligence de Fatima pour les affaires et insista encore sur l'admiration et le désir qu'elle suscitait dans tout Tétouan. Il s'étendit en descriptions et en explications devant Hernando qui laissait errer ses souvenirs, hochant la tête et souriant.

— La señora veut croire que vous honorez le serment qu'un jour vous lui avez fait : mettre les chrétiens à ses pieds, aux pieds du Dieu unique. Que vous continuez à travailler pour la cause de votre foi en Espagne, comme vous le faisiez lorsque vous étiez mariés, termina-t-il. Son bonheur en dépend. Dans cette communion d'idées seulement elle peut trouver le repos ; c'est tout ce qu'elle désire, tout ce à quoi elle aspire. Elle dit que Dieu vous réunira… après la mort.

— Et jusque-là ? murmura Hernando.

Efraín secoua la tête.

— Elle ne mettra jamais votre vie en péril.

Hernando voulut répliquer, mais le juif l'en empêcha d'un geste de la main.

— Ne mettez pas la sienne en danger.

Le silence se fit entre les deux hommes.

— J'ai écrit une lettre pour elle, dit finalement Hernando, que j'ai essayé de lui faire parvenir sans succès.

— Je suis désolé, refusa Efraín, mais je ne peux la prendre… ni votre épouse la recevoir. J'ai prétexté un voyage commercial. Si votre fils ou Shamir, ou encore les gardiens numides découvraient l'un de nous avec une lettre…

— Mais j'ai besoin de lui expliquer ! s'exclama Hernando, presque implorant. J'ai tant de choses à lui dire…

— Et il en sera ainsi… à travers moi. Vous connaissez la señora Fatima.

Le juif secoua la tête et se corrigea :

— Bien sûr que vous la connaissez. Mieux que moi. Elle avait des doutes et je vais lui apporter la joie qu'elle attend, je le sais ; ne croyez-vous pas qu'elle me fera répéter jusqu'au dernier mot tout ce que vous m'avez dit ?

Hernando ne put s'empêcher d'esquisser un triste sourire au souvenir du fort caractère de Fatima. Efraín s'en aperçut.

— Mille fois elle m'obligera à tout répéter !

— Et faites-le mille fois s'il le faut. Dites-lui… dis-lui que moi aussi je l'aime toujours, que je n'ai jamais cessé de l'aimer. Mais la vie… Le destin a été cruel pour nous deux. J'ai passé la moitié de ma vie à pleurer sa mort. Demandez-lui pardon pour moi.

— Pardon pour quoi ?

— Je me suis remarié… J'ai d'autres enfants.

Le juif acquiesça.

— Elle le sait et le comprend. La vie n'a été facile pour aucun de vous. Rappelez-vous : la mort est une longue espérance. C'est la première chose qu'elle m'a chargé de vous dire.

Efraín fut logé dans la maison d'Hernando, où il passa la nuit avant de repartir à Tétouan. Prévenu par son hôte que Rafaela ne devait à aucun moment savoir la raison qui l'avait amené là, le juif se montra d'une discrétion extrême et d'une grande politesse. Sa courtoisie n'était pas désintéressée : il devait pouvoir fournir à Fatima toutes les informations qu'elle exigerait de lui sur l'épouse chrétienne d'Hernando. Comment est-elle ? L'aime-t-il ?

Pendant la nuit, absorbé par le souvenir de Fatima, Hernando se montra terriblement froid et distant à l'égard de Rafaela. Peu de temps après, alors qu'Hernando se consacrait entièrement à écrire le Coran et à prier dans la mezquita, croyant trouver la communion dans la distance que Fatima lui avait demandée, Rafaela donna naissance à leur troisième enfant. Lazare, ainsi qu'ils baptisèrent le petit en présence de parrains chrétiens désignés par le curé, et qu'ils ne connaissaient pas, rompit avec la tradition et naquit avec d'immenses yeux bleu clair. Dans ce nouveau-né ressurgissait la marque du prêtre chrétien qui avait souillé une innocente fillette mauresque ! analysa aussitôt Hernando. Ce ne pouvait être qu'un signe divin.

— Son nom sera Muqla, en honneur du grand calligraphe, annonça-t-il le jour du baptême, devant Rafaela et Miguel, après avoir lavé à l'eau chaude les huiles ointes sur le corps du bébé. Dans cette maison, c'est ainsi qu'il faudra l'appeler.

Rafaela baissa les yeux et hocha la tête avec un murmure imperceptible.

— Ce ne sera pas dangereux ? s'inquiéta Miguel.

— Le seul danger, c'est de vivre en se détournant de Dieu.

Dès lors, Hernando décida que le moment était venu d'expliquer à ses enfants un peu plus que des légendes musulmanes. Il renvoya le précepteur et prit lui-même en charge l'éducation de Juan et Rosa, qu'il rebaptisa Amin et Laila. Le Coran, la Sunna, la poésie et la langue arabe, la calligraphie, l'histoire de son peuple et les mathématiques devinrent soudain les matières qu'il enseigna à ses enfants en présence de Muqla, en permanence à ses côtés, dans son berceau, qu'il endormait en lui chantant des sourates. Amin, âgé de huit ans, avait déjà acquis certaines connaissances, mais la fillette, qui n'en avait que six, eut plus de mal à s'habituer au changement.

— Peut-être devrais-tu attendre que Rosa grandisse un peu, lui donner plus de temps ? avança Rafaela.

— Elle se nomme Laila, rectifia Hernando. Rafaela, sur ces terres les femmes sont appelées à enseigner et à divulguer la foi véritable. Elle doit faire un effort. Ils ont beaucoup à apprendre. Et quand le feront-ils sinon ? C'est à cet âge qu'il faut apprendre nos lois. Je crois… que j'ai commis trop d'erreurs.

La réponse ne satisfit pas Rafaela.

— C'est une situation très compliquée, remarqua-t-elle. Tu mets en danger notre famille. Si quelqu'un venait à savoir… Je ne veux même pas y songer.

Hernando laissa passer quelques instants, regardant fixement son épouse.

— Tu le savais, n'est-ce pas ? dit-il finalement. Miguel t'avait prévenue avant notre mariage. Il t'a avoué que je pratiquais la foi véritable.

Rafaela acquiesça.

— Par conséquent, quand tu t'es mariée avec moi, tu as accepté que nos enfants soient élevés dans les deux cultures, les deux religions. Je ne te demande pas de partager ma religion, mais mes enfants…

— Ce sont aussi les miens, répliqua-t-elle.

Cependant, Rafaela n'insista pas davantage, et elle n'intervint pas non plus dans l'éducation des enfants. Le soir, toutefois, elle priait avec eux, comme elle l'avait toujours fait, et Hernando n'y voyait rien à redire. Tous les jours, après la fin des cours, il se lavait, se purifiait, et se rendait à la mezquita pour s'adresser à Dieu face au mihrab, parfois tranquille, immobile devant l'endroit où devaient se trouver ces graphismes sacrés ciselés dans du marbre, parfois caché, un peu plus loin, quand il estimait que sa présence pouvait entraîner des soupçons. « Je suis là, Fatima ! murmurait-il pour lui-même, quoi qu'il arrive. » La mezquita ne cessait de le lui rappeler : les chrétiens s'en étaient désormais emparés définitivement. La sacristie, le transept et le chœur venaient d'être achevés, et le ciborium se dressait au-dessus des contreforts pour montrer au monde entier la magnificence d'un temple si désiré. Même l'ancien verger où se retiraient les délinquants protégés par le droit d'asile sacré avait été rénové. Les san-benito des condamnés de l'Inquisition étaient toujours accrochés macabrement aux murs des galeries, mais le verger était à présent aménagé, avec des chemins pavés et des fontaines entre les orangers. Les gens l'appelaient dorénavant le Patio des orangers.

Religieux, nobles et humbles s'enorgueillissaient de leur nouvelle cathédrale et chaque expression d'émerveillement, chaque commentaire vaniteux qu'Hernando pouvait entendre de la part des fidèles devant l'immense œuvre le dérangeait et l'irritait. Cette cathédrale hérétique venue profaner le plus grand temple musulman d'Occident était l'exemple même de ce qui se passait dans toute la Péninsule : les chrétiens les écrasaient et Hernando devait continuer à se battre, au prix de sa vie et de celle de ses enfants.

Souvent il demeurait perdu dans ses pensées aux portes de la sacristie, devant la *Santa Cena* d'Arbasia. Alors il se rappelait les jours passés là, quand la bibliothèque existait encore, avec don Julián, travaillant pour ses frères dans la foi au nez et à la barbe des prêtres. Qu'était devenu le peintre italien ? Il regardait la silhouette féminine au côté de Jésus. Lui aussi avait mis en avant une femme, la Vierge, dans les plombs du Sacromonte. Mais pour l'heure, les informations qu'il recevait de Grenade n'allaient pas dans le sens des résultats souhaités.

Lorsqu'il ne priait pas ou n'instruisait pas ses enfants, Hernando montait à cheval. Miguel faisait un excellent travail et les poulains qui naissaient à la ferme étaient chaque fois plus cotés parmi les riches et la noblesse de toute l'Andalousie. Ils avaient même réussi à vendre quelques exemplaires à des courtisans madrilènes. Régulièrement, l'infirme envoyait à Cordoue des poulains déjà dressés par le personnel de la ferme. Il choisissait les meilleurs, ceux qu'il pensait susceptibles de mériter l'apprentissage de son seigneur. Pendant quelque temps, Hernando les montait et sortait à la campagne, où il perfectionnait la technique des bêtes. Il apprenait également à monter à Amin, qui l'accompagnait sur le dos d'Estudiante, vieux et docile désormais, et semblant comprendre qu'il ne devait pas bouger un seul muscle quand l'enfant était sur lui. En présence d'un Amin enthousiaste, criant et applaudissant à la vue de son père esquivant les cornes des taureaux, Hernando se remit à toréer dans les pâturages. La triste expérience d'Azirat appartenait au passé. Ensuite, quand il considérait que les poulains étaient suffisamment dressés, il les renvoyait à Miguel afin que ce dernier les mette en vente. Hernando vit avec orgueil certains d'entre eux affronter des taureaux à la Corredera lors de festivités, avec plus ou moins de réussite selon l'art des seigneurs cordouans qui les montaient, mais toujours avec de la noblesse et de belles manières.

Le soir il s'enfermait dans la bibliothèque, et après avoir calligraphié en couleurs une nouvelle sourate de son coran, avec des lettres surgies de son union avec Dieu, il copiait d'autres exemplaires d'une écriture rapide, interlignant sa traduction en aljamiado, ainsi qu'il l'avait fait en compagnie de don Julián à la bibliothèque. Il était revenu à cela. Puis il faisait parvenir gratuitement les livres à Munir. Ce dernier, en dépit de leur dernier contact et de son refus de transmettre la lettre à Fatima, les acceptait pour le bien de la communauté, comme le lui avait fait savoir Miguel par l'intermédiaire du muletier qui avait porté à l'uléma les premières copies. Il luttait ! Il continuait à lutter, murmurait Hernando à Fatima, à des centaines de lieues de distance. Il était en paix avec Dieu, avec lui-même et avec tous ceux qui l'entouraient. Et il imaginait Fatima, belle et altière, comme elle l'avait toujours été, stimulant sa religiosité et l'encourageant à poursuivre le combat.

66.

« On demandera au vice-roi de Catalogne d'ordonner que soient identifiés les Maures qui passeraient en France ; d'arrêter et de mettre en lieu sûr ceux qui parmi eux seraient riches et créanciers pour faire échouer leur dessein ; et de laisser passer sans rien dire les gens communs, car moins il en restera, mieux ce sera. »

Rapport du Conseil d'État, 24 juin 1608

Miguel avait un peu plus de trente ans, mais il en paraissait beaucoup plus. Il n'avait plus de dents, et ses jambes semblaient avoir refusé de suivre le développement du reste de son corps. Tout au long de sa vie, les os qu'on lui avait brisés lorsqu'il était nouveau-né s'étaient articulés à l'endroit où ils avaient été broyés, mais il n'avait pas les muscles pour les bouger, ce qui lui donnait des airs de grotesque pantin. Cependant, il continuait à raconter des contes et des histoires, pour faire rire les enfants ou éblouir Rafaela lors des rares moments de repos que celle-ci s'autorisait, comme si Dieu, quel qu'Il fût, avait remplacé sa capacité à marcher ou à courir par une inépuisable faculté d'imagination et de fantaisie.

Du fait qu'il était toujours informé de ce qui se passait entre gens fortunés (les seuls à pouvoir acheter les magnifiques chevaux élevés à la ferme), Miguel apprit à Hernando l'exode des riches Maures vers la France, et l'avertit par la même occasion des décisions que prenaient ses semblables.

En janvier de cette année-là, le Conseil d'État, dirigé par le duc de Lerma, décida à l'unanimité de proposer au roi l'expulsion de tous les nouveaux-chrétiens d'Espagne. La nouvelle se propagea rapidement, et les Maures fortunés se mirent à vendre leurs propriétés afin de devancer cette mesure drastique. Comme il était interdit d'embarquer pour les Barbaresques, tous se tournèrent vers le royaume voisin. La France était chrétienne, et il était permis de franchir cette frontière.

Un matin, Hernando réfléchit à cette éventualité, avant de la repousser.

— Ma place est ici, Miguel, affirma-t-il devant l'infirme, qui poussa un soupir de soulagement. Ce n'est pas la première fois qu'on parle d'expulsion, ajouta-t-il. On verra si l'ordre est exécuté. Au moins il ne s'agit pas de nous castrer, de nous décapiter, de nous réduire en esclavage ou de nous jeter à la mer. Les nobles perdraient beaucoup d'argent si nous étions expulsés. Qui cultiverait leurs terres ? Les chrétiens ne savent pas le faire, et ne sont pas disposés à apprendre.

Au cours de l'année 1608, le roi Philippe n'appliqua pas la proposition que lui avait recommandée son Conseil. À l'exception du patriarche Ribera et de quelques autres exaltés qui continuaient de plaider pour la mort ou l'esclavage des Maures, une grande partie du clergé était déchirée à l'idée de ces milliers d'âmes chrétiennes débarquant sur des terres maures où il leur faudrait renier la véritable religion. Indéniablement, les tentatives d'évangélisation échouaient les unes après les autres. Toutefois, n'était-il pas avéré, ainsi que le défendait le commandeur de León, que des religieux et des saints étaient envoyés en Chine pour porter le message du Christ à ces peuples lointains et incultes ? S'il en était ainsi, pourquoi ne pas persister dans le projet de convertir ceux des propres royaumes ?

Mais s'il était interdit de fuir en terre musulmane, sortir de l'or ou de l'argent d'Espagne l'était tout autant, même au bénéfice d'un autre royaume chrétien, et le Conseil d'État décréta également l'arrestation de tous les riches Maures aux frontières. Le flux d'immigrés fortunés vers la France s'arrêta. Les aljamas de l'ensemble des royaumes vivaient dans l'attente et dans l'inquiétude : les pauvres, les plus nombreux, ancrés à leurs terres ; et ceux qui avaient le choix étudiaient la façon dont ils pourraient contourner l'ordre royal au cas où il serait appliqué.

Hernando partageait les craintes de ses frères de foi. Après la naissance de Muqla, Rafaela avait donné naissance à un autre beau garçon, Musa, puis à une fille, Salma, dont les prénoms chrétiens étaient Luis et Ana. Aucun d'eux n'avait les yeux bleus. Il avait une grande famille et se montrait préoccupé de voir les riches Maures, qui avaient leurs entrées à la cour, fuir le pays. Pour toutes ces raisons, il prit ses dispositions dans le but de se rendre à Grenade, afin d'aller voir où en était l'affaire des plombs.

Il récupéra la cédule concédée en son temps par l'archevêque de Grenade et qu'il gardait jalousement. Plus personne ne s'intéressait aux martyrs des Alpujarras ; suffisamment de saints et de martyrs de l'Antiquité, disciples de l'apôtre Jacques, avaient été découverts au Sacromonte pour se préoccuper encore de quelques paysans torturés par les Maures quarante ans plus tôt. Néanmoins, aucun alguazil, gouverneur ou archer de la sainte Confrérie n'osa mettre en doute le document qu'Hernando exhiba avec autorité dès qu'on le lui demanda. Près de la cédule, dissimulés derrière un faux mur, se trouvait l'exemplaire du Coran, désormais achevé, la copie de l'évangile de Barnabé, remontant à l'époque du chef Almanzor, et la main de Fatima. Comme chaque fois qu'il ouvrait cette cachette, Hernando prit le bijou et l'embrassa en pensant à Fatima. L'or avait noirci.

De mauvaises nouvelles l'attendaient à Grenade. À l'instar des chrétiens cordouans qui s'étaient définitivement emparés de la mezquita, les Grenadins s'étaient appropriés le Sacromonte. Comme ils en avaient l'habitude, Hernando, don Pedro, Miguel de Luna et Alonso del Castilla se réunirent dans la Salle dorée de la maison de los Tiros.

— Il est inutile que nous fassions parvenir l'évangile de Barnabé au sultan…, dit don Pedro. Cela n'a aucun sens. Il faut que l'Église reconnaisse l'authenticité des livres de plomb ; surtout celui qui fait référence au Livre muet et annonce qu'un jour arrivera un grand roi avec un autre texte, lisible celui-là, qui fera connaître la révélation de la Vierge Marie contenue dans le livre indéchiffrable.

— Mais les reliques… l'interrompit Hernando.

— Sur ce point, nous avons gagné, intervint Alonso del Castillo, qui avait terriblement vieilli. Les reliques ont été déclarées authentiques et elles sont vénérées comme telles. L'archevêque Castro a décidé d'élever une grande collégiale sur le Sacromonte.

— Une collégiale, soupira doucement Hernando. Ce n'était pas le résultat escompté. La doctrine des livres est musulmane ! faillit-il crier. Comment les chrétiens peuvent-ils bâtir une église à l'endroit où l'on a découvert des plombs qui exaltent le Dieu unique ?

— L'archevêque, intercéda cette fois Luna, n'autorise personne à voir ces plombs. Bien qu'il ne sache pas l'arabe, il dirige personnellement leur traduction, et quand quelque chose ne lui plaît pas, il le change lui-même, en se passant du traducteur. J'en ai fait l'expérience. Le Saint-Siège et le roi réclament les livres, mais l'archevêque refuse de les envoyer. Il les garde par devers lui, comme s'ils lui appartenaient.

— Dans ce cas, allégua alors Hernando, la vérité ne sera jamais révélée.

Sa voix était celle de la défaite. Les reflets dorés des

peintures du plafond dansèrent dans le silence qui s'imposa soudain entre les quatre hommes.

— Nous n'aurons pas le temps, insista-t-il tristement. Ils nous expulseront ou nous anéantiront avant.

Personne ne répondit. Hernando perçut un malaise chez ses interlocuteurs, qui s'agitaient sur leurs sièges en évitant son regard. Il en comprit aussitôt la raison : ils avaient échoué, mais eux ne seraient pas expulsés. C'étaient des nobles, et ils travaillaient pour le roi.

— Nous pouvons faire en sorte que ta famille et toi ne soyez pas touchés par l'expulsion ou toute autre mesure adoptée contre les nôtres, si tel devait être le cas un jour, dit don Pedro à Hernando.

Ce dernier, considérant la conversation terminée, s'était levé et s'apprêtait à quitter la Salle dorée. Scrutant le noble, il s'était redressé, les bras posés sur son fauteuil.

— Et nos frères ? interrogea-t-il sans pouvoir dissimuler un certain ressentiment. Et les pauvres ? ajouta-t-il en se souvenant de la prédiction de Shamir.

— Nous avons fait tout notre possible, défendit Miguel de Luna avec calme. Tu ne crois pas ? Nous avons risqué nos vies, toi le premier.

Hernando se laissa retomber sur son siège. C'était vrai. Il avait mis sa vie en péril avec ce projet.

— Pour le moment, poursuivit le traducteur, Dieu ne nous a pas accordé le succès. Dans Son infinie sagesse, Il saura pourquoi. Peut-être un jour…

— Si l'expulsion a lieu, renchérit alors don Pedro, ou toute autre mesure drastique, nous devons vivre et demeurer en Espagne. Il faut continuer à semer nos graines ici, toujours, dans ces terres qui sont à nous, afin qu'elles continuent à croître, à se multiplier, et que l'islam un jour revienne en Al-Andalus.

Il réfléchit quelques instants. Toute une vie de sacrifices et de souffrances défila devant ses yeux. Pourquoi tant de malheurs ? Il avait cinquante-quatre ans et se sentit vieux, terriblement vieux. Cependant, ses enfants…

— Comment pourriez-vous m'éviter l'expulsion ? demanda-t-il faiblement.

— On n'expulse pas un hidalgo, répondit don Pedro.

Hernando ne put s'empêcher d'éclater d'un rire cynique.

— Hidalgo, moi ? Un Maure de Juviles ? Le fils d'une condamnée de l'Inquisition ?

— Nous avons beaucoup d'amis, Hernando, insista le noble. Aujourd'hui on peut tout acheter, même la qualité d'hidalgo. On falsifie les déclarations de villages entiers. Tu as d'excellents antécédents avec l'Église de Grenade. Tu as collaboré avec elle. Tu as sauvé des chrétiens dans la guerre des Alpujarras ! C'est de notoriété publique.

— N'es-tu pas le fils d'un prêtre ? intervint Castillo, sachant pertinemment que le sujet était délicat. La noblesse se transmet par le père, jamais par la mère.

Hernando soupira et secoua la tête. Il ne manquait plus que ce chien de prêtre qui avait violé sa mère soit à présent le sauveur de sa famille !

— La pureté du sang est souvent fallacieuse, tenta de le convaincre Luna. Tout le monde sait que le grand-père de Teresa de Jésus, la fondatrice des carmélites déchaussées, était juif. Et ils veulent la béatifier ! Il en existe des centaines comme elle, des milliers ! Des chrétiens de toute condition prétendent à la qualité d'hidalgo pour ne pas payer d'impôts, et beaucoup de Maures s'y mettent aussi pour éviter l'expulsion ; tant que les formalités sont en cours, on ne les ennuiera pas, et celles-ci peuvent prendre des années.

— Et si finalement ça ne marche pas ? questionna Hernando.

— On aura gagné du temps, répondit Castillo.

— Fais-nous confiance, insista don Pedro. Nous nous chargerons de tout.

Avant de quitter Grenade, Hernando octroya tout pouvoir à un procureur pour plaider sa cause dans la Salle des hidalgos.

Néanmoins, les événements se précipitèrent. Les Maures, désespérés par les rumeurs d'expulsion, demandèrent l'aide du roi du Maroc, Muley Zaidan. Une délégation de cinquante hommes se rendit aux Barbaresques pour proposer au souverain d'envahir l'Espagne avec l'appui des Hollandais, qui s'étaient déjà engagés à fournir suffisamment de bateaux pour tendre un pont sur le détroit. L'offre était la même pour tous : Muley Zaidan devait seulement s'emparer d'une ville côtière avec un port et apporter vingt mille soldats ; de leur côté, les Maures d'Espagne lèveraient deux cent mille partisans et feraient facilement plier des royaumes affaiblis.

Le monarque marocain, bien qu'ennemi acharné de l'Espagne, éclata de rire devant cette proposition et renvoya la délégation. Philippe III, en revanche, ne rit pas. Le roi catholique était las des conjurations et préoccupé à l'idée que certaines d'entre elles puissent finir par se concrétiser et que ses terres, avec la complicité des Maures, soient en effet envahies par une puissance étrangère. En avril 1609, il remit en personne un rapport au Conseil, dans lequel il assignait ses membres à adopter des mesures définitives à l'encontre de cette communauté, « sans reculer devant la rigueur de les égorger », avait écrit le souverain.

Cinq mois plus tard, dans la ville de Valence, l'arrêté d'expulsion des Maures de ce royaume était publié. Les thèses intransigeantes du patriarche Ribera et d'autres exaltés s'imposaient finalement ; l'unique opposition prévisible à l'expulsion, celle des nobles qui craignaient, avec la disparition d'une main-d'œuvre mauresque bon marché et qualifiée, l'appauvrissement de leurs terres, fut étouffée par la promesse qu'ils récupéreraient la propriété des terres appartenant aux Maures, et tous les biens que ces derniers n'emporteraient pas avec eux. Les Maures étaient juste autorisés à sortir d'Espagne ce qui pouvait être transporté à dos d'homme jusqu'aux ports d'embarquement qu'on leur avait désignés, où ils étaient tenus de se présenter dans un délai de trois jours ; le reste devait être abandonné au profit des seigneurs. Quiconque détruisait ou dissimulait un bien risquait la peine de mort.

Cinquante galères royales de quatre mille soldats, la cavalerie castillane, la milice du royaume de Valence et l'armée de l'Océan furent chargées de contrôler et d'exécuter l'expulsion des Maures valenciens.

Bien qu'attendu, l'ordre royal infligea un coup terrible à Hernando et à l'ensemble des Maures des différents royaumes d'Espagne. Valence était seulement le premier d'entre eux ; les autres viendraient ensuite. Tous les nouveaux-chrétiens devaient être expulsés et leurs biens réquisitionnés au profit des seigneurs, comme à Valence, ou en faveur de la Couronne.

Hernando n'avait pas encore réussi à intégrer l'ordre d'expulsion quand il aperçut deux soldats postés devant chez lui. D'abord, il ne leur accorda pas d'importance. Une coïncidence, pensa-t-il. Mais à force de les voir jour après jour, il parvint à la conclusion qu'ils surveillaient ses faits et gestes.

— Ce sont les ordres du magistrat don Gil Ulloa, lui répondit narquoisement l'un d'eux quand il se décida à les interroger.

« Gil Ulloa ! » marmonna-t-il en tournant le dos aux deux soldats moqueurs. C'était le frère de Rafaela, qui avait hérité de la magistrature de son père. Dangereux ennemi, se dit-il.

Les chrétiens de Cordoue célébrèrent avec enthousiasme la mesure royale et le conseil municipal, face au danger d'incursions, menaça quiconque maltraiterait les nouveaux-chrétiens de cent coups de fouet et de quatre ans de galère. Dans le même temps il menaça les Maures de la ville de deux cents coups de fouet et de six ans de galère s'ils formaient des rassemblements de plus de trois personnes.

Mais la décision qui affecta le plus les intérêts d'Hernando, et qui fut immédiatement adoptée, c'était l'interdiction faite aux Maures de vendre leurs maisons ou leurs terres.

— Les chevaux aussi, on ne peut plus les vendre, l'informa Miguel. J'avais plusieurs contrats en cours, mais les acheteurs ont fait marche arrière.

— Ils attendent que nous soyons contraints de les donner.

L'infirme acquiesça en silence.

— Les fermiers refusent de payer les rentes, ajouta-t-il péniblement.

Miguel savait que cet argent était indispensable à la famille. Lui-même, l'année précédente, avait fini par convaincre Hernando de faire des rénovations à la ferme. Ils avaient besoin de nouvelles écuries, d'un manège, d'un pailler ; tout était vieux. Hernando avait suivi son conseil et investi une grande partie de ses économies dans son élevage. Ce que Miguel ignorait, c'était qu'il avait dû destiner le reste à l'obtention de sa qualité d'hidalgo, aux honoraires du procureur et de l'avocat grenadin, et au paiement des nombreux rapports nécessaires pour plaider sa cause devant la Salle des hidalgos.

— Ils paieront, assura-t-il. Je ne serai pas expulsé. J'ai entrepris des démarches pour devenir hidalgo, expliqua-t-il au grand étonnement de Miguel. Dis-le aux fermiers. S'ils ne paient pas, ils perdront les terres ; c'est tout ce qu'ils obtiendront. Dis-le aussi aux acheteurs de chevaux.

Il avait parlé avec fermeté, mais soudain la fatigue envahit son visage et sa voix.

— J'ai besoin d'argent, Miguel, murmura-t-il.

Pendant ce temps, les nouvelles relatives au processus d'expulsion des Valenciens parvenaient à Cordoue. Les aljamas valenciennes se transformèrent en souks où débarquèrent des spéculateurs de tous les royaumes pour acheter à bas prix les biens des Maures. La haine entre les communautés, latente et réprimée par les seigneurs qui jusque-là avaient défendu leurs travailleurs, mais qui désormais, à de rares exceptions près, se désintéressaient d'eux, éclata violemment. Les menaces du roi à l'encontre de quiconque attaquait ou volait un Maure ne servirent à rien. Les chemins que les nouveaux-chrétiens empruntèrent en direction des ports d'embarquement se peuplèrent de cadavres. De longues files d'hommes et de femmes, d'enfants et de vieillards, malades parfois, tous chargés d'ustensiles et d'outils, tel un immense cortège de colporteurs vaincus, prirent la route de l'exil. Les chrétiens les obligeaient à payer quand ils s'asseyaient à l'ombre d'un arbre ou buvaient l'eau de rivières qui leur avaient appartenu pendant des siècles. La faim força certains à vendre leurs enfants pour pouvoir nourrir le reste de leur famille. Plus de cent mille Maures valenciens, étroitement surveillés, se retrouvèrent dans les ports de Grao, Denia, Vinaroz ou Moncófar.

Surpris, Hernando leva la tête. Il se passait probablement quelque chose de grave pour que Rafaela fasse irruption dans la bibliothèque, sans même frapper à la porte. Rares étaient les occasions où son épouse pénétrait dans son sanctuaire pendant qu'il travaillait à l'écriture d'un coran, et chaque fois, invariablement, c'était pour traiter d'un thème d'importance. Elle s'avança vers lui et resta debout devant son bureau. Hernando la contempla à la lumière des lampes : elle devait avoir un peu plus de trente ans. La toute jeune fille qu'il avait connue dans les écuries était devenue une vraie femme. Une femme qui, d'après son visage, était profondément effrayée.

— Tu sais ce qui arrive aux Valenciens ? interrogea Rafaela.

Hernando sentit les yeux de son épouse rivés sur lui. Il hésita avant de répondre.

— Oui… enfin…, bredouilla-t-il, comme tout le monde : on les a expulsés du royaume.

— Mais tu ignores les conditions concrètes ? poursuivit-elle, inflexible.

— Tu fais référence à l'argent ?

Rafaela eut un geste d'impatience.

— Non.

— Où veux-tu en venir, Rafaela ?

Il était rare de la voir aussi tendue.

— On m'a raconté au marché que le roi a décrété des conditions spéciales pour les mariages mixtes entre nouveaux et vieux-chrétiens.

Hernando s'agita sur sa chaise. Il ne connaissait pas ces détails. « Continue », l'encouragea-t-il d'un geste de la main.

— Les Mauresques mariées à de vieux-chrétiens sont autorisées à rester en Espagne, ainsi que leurs enfants. En revanche, les Maures qui ont épousé des chrétiennes doivent quitter le pays… et emmener leurs enfants de plus de six ans ; les plus petits restent ici, avec leur mère.

En prononçant ces deux dernières phrases, sa voix se mit à trembler. Hernando posa les coudes sur son bureau, croisa les doigts et laissa tomber sa tête. Si l'ordre royal les touchait, cela signifiait qu'Amin et Laila seraient également expulsés. Muqla et les deux autres petits resteraient avec Rafaela en Espagne pour vivre… de quoi ? Leurs terres et leur maison seraient confisquées, et leurs biens…

— Cela ne nous arrivera pas, affirma-t-il, catégorique.

Les larmes coulaient sur les joues de son épouse, et la jeune femme ne faisait rien pour les retenir. Tout en elle tremblait, ses yeux humides étaient fixés sur lui. Hernando sentit son ventre se nouer.

— Ne t'inquiète pas, ajouta-t-il tendrement en se levant. Tu sais que j'ai entrepris des démarches pour obtenir la qualité d'hidalgo, et j'ai déjà reçu les premiers documents de Grenade. Là-bas, j'ai des amis importants, proches du roi, qui plaideront ma cause. On ne nous expulsera pas.

Il s'avança vers elle et la prit dans ses bras. Rafaela se mit à sangloter.

— Aujourd'hui… Ce matin j'ai croisé mon frère Gil en rentrant à la maison…

Hernando fronça les sourcils.

— Il s'est moqué de moi. Plus je me hâtais pour m'éloigner de lui, plus il ricanait…

— Pourquoi riait-il ?

— « Hidalgo ? » a-t-il crié. Alors je me suis retournée et il a craché par terre.

Rafaela se remit à pleurer. Hernando la pressa de continuer.

— « Ton hérétique d'époux… n'obtiendra jamais la qualité d'hidalgo ! » a-t-il déclaré.

« Ils savaient », pensa Hernando. Il fallait s'y attendre. Miguel l'avait dit aux fermiers et aux nobles désireux d'acheter des chevaux, et la nouvelle s'était propagée.

— Écoute, de toute façon les formalités prendront des années. Ensuite… nous verrons bien. Les choses changeront.

Mais les pleurs de Rafaela étaient irrépressibles. Elle porta les mains à son visage et ses gémissements envahirent le silence de la nuit. Hernando, qui s'était écarté de son épouse, l'étreignit une fois de plus et caressa sa chevelure avec douceur, s'efforçant d'afficher une sérénité qu'il était très loin d'éprouver.

— Calme-toi, murmura-t-il. Il ne nous arrivera rien. Nous resterons tous ensemble.

— Miguel a un pressentiment…, hoqueta-t-elle entre deux sanglots.

— Les pressentiments de Miguel ne se réalisent pas toujours… Tout ira bien. Calme-toi. Il ne se passera rien…, insista-t-il. Reprends-toi, les enfants ne doivent pas te voir comme ça.

Rafaela acquiesça et respira profondément. Elle ne se décidait pas à quitter les bras de son époux. Elle ressentait une peur immense que seul le contact avec lui parvenait à tempérer.

Hernando la regarda sortir de la bibliothèque, ravalant ses larmes, et un puissant sentiment de tendresse s'empara de lui. Il avait appris à vivre entre Fatima et Rafaela. Il retrouvait la première dans ses prières, à la mezquita, dans la calligraphie ou lorsqu'il écoutait Muqla susurrer un mot en arabe, avec ses immenses yeux bleus fixés sur lui dans l'attente de son approbation. Et Rafaela partageait son quotidien, toutes ces situations où il avait besoin de douceur et d'amour. Elle l'enveloppait d'affection, et il le lui rendait bien. Fatima était devenue une sorte de phare qu'il suivait dans ses moments d'union avec Dieu et sa religion.

L'expulsion des Maures valenciens était menée à bien, non sans difficultés. Pour transporter plus de cent mille personnes, il fallait que les bateaux effectuent plusieurs fois le trajet entre la côte Est espagnole et les Barbaresques. Malgré les trois jours de délai exigés au départ, les mois passaient et ce retard avait permis d'obtenir des nouvelles quant à la situation des émigrés en Afrique, par l'intermédiaire des équipages des navires faisant l'aller-retour ou par les chrétiens qui, cruellement, prenaient un malin plaisir à les divulguer. Les plus chanceux, qui débarquaient à Alger, étaient immédiatement transférés dans des mosquées ; là, les hommes étaient alignés, leurs sexes examinés et circoncis à vif, les uns après les autres. Ils allaient ensuite grossir les rangs de la caste la plus basse de la ville corsaire régie par les janissaires, avant d'être employés au travail de la terre, dans des conditions inhumaines.

Les plus infortunés tombaient entre les mains de tribus nomades ou arabes qui assassinaient ces gens ; ils n'étaient à leurs yeux rien de plus que des chrétiens, des hommes et des femmes baptisés ayant renié le Prophète. On racontait que près des trois quarts des Maures valenciens, soit plus de cent mille personnes, avaient été assassinés par les Arabes. Même à Tétouan et à Ceuta, deux villes où vivait un grand nombre de Maures andalous, les nouveaux arrivants avaient été torturés et exécutés. Des communautés entières, clamant leur chrétienté, se pressaient contre les remparts des présides espagnols enclavés sur la côte africaine en quête de protection. Des centaines de Maures, terrorisés et déçus, se débrouillaient pour retourner en Espagne, où ils s'offraient comme esclaves au premier venu ; les esclaves étaient exemptés d'expulsion.

On racontait aussi que certains voyageurs étaient dépouillés et jetés à la mer. Sur les marchés chrétiens, on commençait à acheter les sardines sous le nom de « grenadines » à cause de leur couleur.

Les rumeurs de ces macabres massacres arabes et autres malheurs se propagèrent parmi les Maures valenciens qui attendaient d'être expulsés. Deux communautés prirent les armes. Munir souleva les hommes de la vallée de Cofrentes qui, sous le commandement d'un nouveau roi dénommé Turigi, prirent le maquis tout en haut de la Muela de Cortes. Des milliers d'autres, hommes et femmes de la Val de Aguar, aux ordres du roi Melleni, firent de même. Mais le chef Alfatimí, monté sur son cheval vert, n'accourut pas à leur aide, et les soldats expérimentés des régiments d'infanterie espagnols n'eurent aucun mal à écraser la révolte. Des milliers de Maures furent exécutés ; des milliers d'autres se retrouvèrent esclaves.

Avant la fin de cette même année l'arrêt d'expulsion

des Maures des deux Castilles et d'Estrémadure fut décrété. Les Andalous savaient qu'ils seraient les suivants.

Un matin de janvier froid et détrempé, Hernando se trouvait dans sa bibliothèque, corrigeant les lettres qu'Amin écrivait avec un petit bâton sur les feuilles dures et blanches de son carnet de notes. Il avait tenté de lui faire essayer une plume, mais l'enfant noircissait le papier d'encre. C'est pourquoi ce petit carnet était plus pratique : Amin pouvait effacer ce qu'il avait écrit et reproduire les lettres autant de fois qu'il le voulait. L'enfant avait réussi à dessiner un bel alif bien proportionné. Hernando prit le carnet et approuva son travail avec satisfaction tout en lui ébouriffant les cheveux. Muqla s'approcha d'eux et regarda son frère aîné avec envie.

— Si tu continues comme ça, tu pourras bientôt le faire avec une plume, en cherchant la courbe subtile de la pointe qui s'adapte le mieux aux mouvements de ta main.

Le garçonnet le regarda avec des yeux pleins d'illusion. Mais juste à l'instant où il allait dire quelque chose, de puissants coups frappés à la porte de la maison résonnèrent sur le seuil, envahissant le patio et grimpant jusqu'à la bibliothèque. Hernando se figea.

— Ouvrez au conseil de Cordoue ! entendit-on depuis la rue.

Après avoir ordonné d'un geste pressant à son fils aîné de tout cacher, Hernando se dirigea vers la galerie en tenant le petit Muqla par la main. Avant de quitter la pièce, il vérifia qu'Amin avait rangé le bureau, sur lequel il avait placé un livre de psaumes, comme ils s'y étaient plusieurs fois entraînés.

— Ouvrez !

Les coups retentirent de nouveau.

Hernando s'accrocha à la balustrade et jeta un coup d'œil dans le patio. Rafaela était debout, effrayée, l'interrogeant du regard.

— Va ouvrir, lui dit-il avant de descendre l'escalier en courant.

Il arriva alors que son épouse venait de déverrouiller la serrure intérieure. Dans la rue, un alguazil et plusieurs soldats entouraient un homme d'environ trente ans, luxueusement vêtu. Derrière lui pointait la tête de Gil Ulloa, tout sourires, et d'un tas de curieux. Hernando passa devant Rafaela, qui soutenait le regard de son frère. Qui était ce noble ? Ses traits…

— Ouvrez au conseil municipal ! cria une fois de plus l'alguazil alors qu'Hernando était dans la rue face à lui. Et à l'un de ses vingt-quatre membres, don Carlos de Córdoba, duc de Monterreal !

Le fils de don Alfonso ! Les traits de son père apparaissaient, mélangés à ceux de doña Lucía. La duchesse ! Au seul souvenir de cette femme, de la haine qu'elle lui vouait, Hernando sentit ses jambes flageoler. Cette visite ne pouvait rien augurer de bon.

— Es-tu Hernando Ruiz, nouveau-chrétien de Juviles ? demanda don Carlos de cette voix sûre d'elle et autoritaire avec laquelle les nobles s'adressaient à leur entourage.

— Oui, c'est moi. Votre Excellence le sait parfaitement, dit Hernando avec un triste sourire.

Don Carlos ignora cette remarque.

— Par ordre de la Royale Chancellerie de Grenade, je te remets le résultat de la demande de qualité d'hidalgo à laquelle tu as si audacieusement postulé.

Un scribe s'avança et lui tendit un document.

— Tu sais lire ? interrogea le duc.

Le papier brûlait entre les mains d'Hernando. Pourquoi le duc en personne s'était-il dérangé pour venir jusqu'à sa maison alors qu'il aurait pu être convoqué au conseil ? La curiosité des gens, toujours plus nombreux, lui offrit la réponse : il voulait que l'acte soit public. Du coin de l'œil, il perçut que Rafaela chancelait. Il lui avait certifié que ces démarches pourraient prendre des années !

— Si tu ne sais pas, insista don Carlos, le scribe va procéder à la lecture publique...

— J'ai lu des livres chrétiens au père de Votre Excellence, mentit Hernando en élevant la voix, tandis qu'il agonisait prisonnier dans la tente d'un corsaire, avant de risquer ma vie pour le libérer.

Un murmure surgit du groupe de curieux. Don Carlos de Córdoba, cependant, ne cilla pas.

— Garde ton orgueil pour les Barbaresques, répliqua le duc.

Hernando réussit à rattraper Rafaela au moment où, sous l'effet des paroles du noble, elle s'évanouissait. Les documents se froissèrent au contact du corps de son épouse.

Ainsi l'ordonne don Ponce de Hervas, juge de la Royale Chancellerie de Grenade, gouverneur de la Salle des hidalgos. Hernando installa Rafaela dans un fauteuil de la galerie, tamponna d'eau son visage et l'obligea à boire, mais il ne put attendre qu'elle recouvre totalement ses esprits pour lire le document. Don Ponce ! L'époux d'Isabel ! Le magistrat rejetait sa demande *ad limine*, sans même l'étudier, sans lui accorder la moindre chance. *Nouveau-chrétien public et notoire*, disait-il dans sa conclusion, *ainsi qu'il s'est lui-même déclaré à plusieurs reprises dans des écrits devant l'archevêque de cette ville de Grenade. Sa défense sournoise des massacres de pieux chrétiens, martyrs des Alpujarras, dans le village de Juviles, accrédite la thèse de son adhésion à la secte de Mahomet.* Il se souvint de ce premier écrit qu'il avait fait parvenir à l'archevêque de Grenade et dans lequel il tentait en effet d'excuser les carnages commis par les monfíes et les Maures des Alpujarras. Pourquoi fallait-il qu'apparaissent juste à présent tous ceux qu'il pouvait considérer comme ses ennemis. Don Ponce, Gil Ulloa et l'héritier du duc de Monterreal, élevé par une femme qui le haïssait. Qui d'autre encore ? *La relation des faits et circonstances sur lesquels le demandeur prétend baser sa qualité d'hidalgo devant cette salle n'est rien qu'une grossière et maladroite falsification de la réalité qui ne mérite pas la moindre attention de la part de ce tribunal.* La promesse de don Pedro, Luna et Castillo revint à sa mémoire. « Tout peut se falsifier ! » lui avaient-ils dit. À quoi bon ? Don Ponce de Hervas avait obtenu sa vengeance ! Il déchira le document.

— Cocu de fils de pute ! s'exclama-t-il.

Puis il s'enfonça dans son fauteuil, abattu. Les années semblèrent soudain tomber sur lui. À ses côtés, Rafaela étendit le bras et posa une main sur sa jambe. Le contact l'affecta. Il regarda les doigts de son épouse, longs et maigres, sa peau abîmée par des années de travail domestique. Il se tourna vers elle. Elle était pâle. Il demeura immobile, paralysé. Rafaela s'agenouilla à ses pieds et posa sa tête sur ses genoux. Ils restèrent ainsi un moment : figés, les yeux fermés, comme s'ils refusaient d'accepter cette réalité qui les affligeait.

L'ombre de l'expulsion se mit à planer sur la maison. À partir de ce jour, Hernando fut attentif aux pas de Rafaela, aux conversations qu'elle avait avec les enfants ; il l'entendait pleurer quand elle était seule. Une nuit, lorsqu'il voulut la prendre dans ses bras, elle le repoussa.

— Laisse-moi, je t'en supplie, lui demanda-t-elle dès qu'il la caressa.

— Nous devons être plus unis que jamais, Rafaela.

— Non, par Dieu ! sanglota-t-elle.

— Mais…

— Et si je tombe enceinte ? Tu n'y as pas pensé ? Pourquoi vouloir un autre enfant ? murmura-t-elle avec amertume. Pour que tu sois expulsé dans quelques mois et que tu m'abandonnes ?

Peu après, le visage accablé et vieilli, Hernando décida

de jouer sa dernière carte : il irait à Grenade, parler avec don Pedro et les autres. Et même avec l'archevêque s'il le fallait.

Le lendemain matin, il informa de son projet Miguel, qui s'était installé dans la maison de Cordoue dès qu'il avait su que la chancellerie rejetait la demande d'Hernando. Toutefois il ne racontait plus d'histoires, pas même aux enfants qui, devinant qu'un malheur approchait, se montraient tristes et silencieux. L'infirme ouvrit à son maître, monté sur un poulain rapide et résistant, les portes des écuries. Hernando était prêt à galoper jusqu'à Grenade, à faire exploser son cheval si nécessaire. Mais il ne franchit pas même l'impasse.

— Et où penses-tu aller ? l'arrêta un des soldats de Gil.

— À Grenade, répondit-il du haut de son poulain et retenant celui-ci. Voir l'archevêque.

— Avec quelle autorisation ?

Hernando lui tendit la cédule. L'homme la feuilleta avec nonchalance. « Tu ne sais pas lire ! » faillit-il crier. Mais il s'efforça de lui expliquer de quoi il s'agissait.

— C'est une autorisation de l'archevêque de…

— C'est inutile, l'interrompit le soldat en déchirant la cédule en deux.

— Que fais-tu ?

C'était sa dernière chance ! Hernando sentit son sang bouillir.

— Chien !

Instinctivement, il éperonna le poulain sur le soldat et sauta à terre pour ramasser les bouts de papier, mais l'autre soldat le menaça de son épée.

— En garde ! le défia-t-il.

Hernando hésita. Le premier s'était déjà rétabli et avait rejoint l'autre, l'épée dégainée. Le poulain tirait sur ses rênes, excité. Hernando comprit qu'il n'avait aucune chance.

— Je… voulais juste… ramasser les morceaux…

— Je t'ai dit que ça ne servait à rien. Tu ne peux pas quitter Cordoue.

Le soldat foula aux pieds les bouts de papier.

— Retourne chez toi, lui ordonna son compagnon en faisant demi-tour.

Hernando rentra chez lui à pied, tirant son cheval par la bride. Aux portes des écuries, toujours ouvertes, l'attendait Miguel, qui avait assisté à toute la scène.

Il tenta en vain de communiquer par lettre avec Grenade. Les muletiers, du moins la plupart d'entre eux, valenciens, avaient été expulsés, comme ceux de Castille, de la Manche et d'Estrémadure. Ceux des autres royaumes n'avaient pas le droit d'emprunter ces routes.

— Ils me fouillent dès que je sors de la maison, lui avoua Miguel, indigné et contrit. Et ils suivent Rafaela de près à tout moment. C'est impossible…

— Pourquoi n'essaient-ils pas, eux, de prendre contact avec moi ? se plaignit Hernando à voix haute, sur un ton désespéré. Ils doivent bien savoir que ma demande a été rejetée.

— Personne ne peut approcher de cette maison sans être au préalable contrôlé par les hommes du magistrat, lui répondit Miguel, s'efforçant de le calmer. Ils ont peut-être essayé, mais ils ont échoué.

D'un autre côté, Hernando était conscient que ni don Pedro ni aucun des traducteurs ne se risquerait à venir en personne. L'année précédente un livre avait été publié, *Antiquité et excellences de Grenade*, qui exaltait la lignée des Granada Venegas, affirmant que ses membres trouvaient leurs racines chrétiennes chez les Goths. Une des plus importantes familles de la noblesse musulmane ! Quelle ironie ! Le livre, qui avait réussi à passer la censure royale, certifiait qu'après la prise de Grenade par les Rois Catholiques, Jésus-Christ lui-même était apparu au prédécesseur de don Pedro, Cidiyaya, sous la forme d'une croix miraculeuse dans l'air, qui l'avait appelé à embrasser la religion de ses ancêtres goths. Les Granada Venegas avaient alors renié le « Lagaleblila », *wa la galib ilallah*, nasride, « Il n'y a d'autre vainqueur que Dieu », qui avait constitué jusque-là leur devise nobiliaire, et l'avaient troqué contre le très chrétien *Servire Deo regnare est.* Qui mettrait en doute la pureté du sang d'une famille qui, comme saint Paul, avait été désignée par la main divine ?

— Eux, ils sont sauvés, murmura-t-il. Que leur importe un simple Maure comme moi ?

Les jours passèrent et bientôt il n'y eut plus d'argent, ni de provisions dans la réserve : les fermiers ne leur apportaient plus rien et Rafaela avait des problèmes pour acheter de la nourriture. Personne ne lui faisait confiance : ni les chrétiens ni les maures. Mais les difficultés quotidiennes, ses enfants à nourrir, semblaient lui avoir donné la force qui déclinait chez son époux.

— Vends les chevaux ! À n'importe quel prix ! ordonna Hernando un jour à Miguel, après avoir entendu Muqla pleurer parce qu'il avait faim.

— J'ai essayé, lui répondit l'infirme à sa surprise. Personne ne veut les acheter. Un marchand de confiance m'a assuré que je n'arriverais pas à les vendre, même pour une misérable poignée de maravédis. Le duc de Monterreal l'a interdit. Et personne ne souhaite avoir de problèmes avec un membre des Vingt-Quatre, grand d'Espagne de surcroît.

Hernando secoua la tête.

— Ils reprendront peut-être leur valeur une fois que tout sera terminé, tenta-t-il de le consoler. Et Rafaela pourra les vendre à bon prix.

— Je ne crois pas, s'opposa l'éclopé.

Hernando fit un geste d'impuissance. Quelles autres disgrâces pourraient encore survenir ?

— Seigneur, reprit Miguel, nous ne payons plus la paille, ni l'orge, ni le maréchal-ferrant, ni le sellier, ni les salaires journaliers des valets d'écurie ou des écuyers depuis des jours. Les créanciers vont finir par se jeter sur nous, et une femme seule… Vous l'ignoriez ?

Hernando ne répondit pas. Que pouvait-il faire ? Comment allaient-ils s'en sortir ?

Miguel baissa les yeux. Il s'était terriblement endetté. Comment Hernando croyait-il qu'il maintenait la ferme et les bêtes ? C'était lui qui avait ordonné que les chevaux des écuries de sa maison soient transférés là-bas, car il n'avait plus de quoi les nourrir.

Ils tentèrent de vendre à bas prix les meubles de la maison et les livres d'Hernando dans Cordoue transformée en immense souk. Des milliers de familles maures bradaient leurs biens dans les rues de la ville, entourées de vieux-chrétiens qui s'amusaient à marchander au plus bas, se moquant de ces hommes et de ces femmes qui attendaient, la rage au cœur, que quelqu'un dans la foule veuille bien acquérir un meuble qu'ils avaient réussi à acheter des années plus tôt, avec beaucoup d'espoirs et de sacrifices ; ou encore les lits dans lesquels ils avaient dormi et rêvé d'une vie meilleure. Les artisans et commerçants, cordonniers, vendeurs de beignets, boulangers, suppliaient leurs collègues chrétiens d'acheter leurs outils ou leurs machines. Mais aucun chrétien ne s'approcha des livres et des meubles qu'Hernando sortit de chez lui et que Rafaela et les enfants surveillaient afin d'éviter qu'on ne les leur vole.

Un soir, en proie au désespoir, Hernando partit à la recherche de Pablo Coca. Peut-être pourrait-il gagner un peu d'argent avec le jeu ? Mais Palomero était mort. Alors, bien que sans autorisation pour le faire, Miguel retourna quémander dans les rues. Les soldats qui surveillaient les alentours riaient et le raillaient en le voyant revenir à la nuit tombée, sautant sur ses béquilles, avec une botte de légumes pourris dans un sac sur son dos. Pendant ce temps, la journée, Hernando tâchait d'obtenir une audience avec l'évêque, le doyen ou n'importe quel prébendier du conseil de la cathédrale de Cordoue. L'évêque pouvait le sauver s'il certifiait sa chrétienté. N'avait-il pas travaillé pour la cathédrale ?

Il attendit des journées entières, debout, dans le patio d'accès au grand édifice, en compagnie de beaucoup d'autres Maures qui, entassés, briguaient la même chose.

— Personne ne vous recevra, leur criaient les vigiles jour après jour.

Hernando savait qu'ils disaient vrai, aucun prêtre ne leur prêterait attention, comme c'était déjà le cas lorsqu'ils passaient à côté d'eux. Certains les regardaient, d'autres traversaient le patio à la hâte, s'efforçant de les éviter. Mais que pouvait-il faire à part espérer un peu de cette miséricorde tant prêchée par les chrétiens ? Il n'avait pas d'autre solution. Il n'y en avait pas ! Les rumeurs sur la date d'expulsion des Maures andalous enflaient chaque jour et, à défaut d'obtenir un certificat de l'Église, Hernando serait condamné à quitter l'Espagne avec Amin et Laila.

Que deviendrait le reste de sa famille ? se demandait-il chaque soir, quand il revenait tête basse chez lui et rentrait dans la maison, avec l'aide de Rafaela, les meubles et les livres qu'ils avaient sortis le matin.

Les enfants l'attendaient, comme si sa seule présence pouvait régler tous les problèmes vécus au cours d'une longue, pénible et infructueuse journée. Hernando se forçait à leur sourire et les laissait sauter dans ses bras, tâchant de réprimer ses envies de pleurer et de prononcer des paroles d'encouragement, de tendresse, d'écouter leurs conversations pressantes, innocentes et hachées. Les aînés devaient savoir, pensait-il dans le brouhaha des petits ; les aînés ne pouvaient ignorer la tension et la nervosité que vivait la ville entière, mais ils étaient incapables d'imaginer les conséquences de cette expulsion pour une famille comme la leur. Ils attendaient les misères que rapporterait Miguel pour dîner. Ensuite, une fois les enfants endormis et l'infirme discrètement retiré, Hernando et Rafaela se parlaient en silence. Aucun des deux n'osait évoquer la réalité.

— Demain, j'y arriverai, assurait Hernando.

— Je suis sûre que oui, lui répondait Rafaela en cherchant le contact de sa main.

Au petit matin, ils ressortaient meubles et livres dans la rue. Les enfants, regroupés autour de leur mère, regardaient Miguel et Hernando partir. Miguel pour mendier ; Hernando au palais de l'évêque.

— Par les clous de Jésus-Christ, aidez-moi !

Hernando se détacha du groupe des Maures dans le patio de la cathédrale et se jeta à genoux au passage du doyen. Le prébendier s'arrêta et le regarda. Les habits d'Hernando révélaient qui il était ; ses problèmes avec le conseil municipal le précédaient.

— N'es-tu pas celui qui a excusé les massacres des martyrs des Alpujarras, par ailleurs fils d'une hérétique ? vociféra le doyen.

Hernando voulut s'avancer sur les genoux, les bras tendus. L'ecclésiastique recula. Les gardiens accoururent.

— Je… parvint-il à bredouiller avant que les vigiles s'emparent de lui et le rejettent dans le groupe.

— Pourquoi ne demandes-tu pas de l'aide à ton faux prophète ? entendit-il crier le doyen derrière lui. Et vous tous ? beugla-t-il aux autres Maures. Hérétiques !

67.

Le dimanche 17 janvier 1610, fête de San Antón, l'arrêté d'expulsion des Maures de Murcia, Grenade, Jaén, d'Andalousie et de la ville d'Hornachos fut affiché et annoncé publiquement. Le roi interdit aux nouveaux-chrétiens de sortir de leurs royaumes tout type de la monnaie, or, argent, bijoux ou lettres de change, à l'exception de la somme nécessaire pour le voyage jusqu'au port de Séville – dans le cas des Cordouans – et le prix de la traversée, qu'ils devaient régler eux-mêmes, les riches comme les pauvres. Après avoir bradé leurs biens et leurs outils de travail, les Maures se mirent à acheter, cette fois bien au-dessus des prix du marché, des marchandises légères à transporter : linge, soie ou épices.

Dans la salle à manger, avec ses enfants réunis autour de quignons de pain azyme dont Rafaela avait retiré les parties moisies, Hernando s'apprêtait à leur expliquer ce que signifiait pour eux le décret dont ils avaient tous eu connaissance.

— Mes enfants…

Sa voix se brisa. Il les regarda tour à tour : Amin, Laila, Muqla, Musa et Salma. Il essaya de parler, mais la tension accumulée ces derniers mois fut plus forte et, portant les mains à son visage, il éclata en sanglots. Pendant quelques instants, personne ne bougea. Les petits, effrayés, ne quittaient pas leur père des yeux. Laila et la petite Salma se mirent également à pleurer. Alors Miguel se leva maladroitement et fit mine d'emmener les deux plus jeunes.

— Non, s'opposa Rafaela, dont le visage trahissait une

immense fatigue, mais dont la voix avait conservé tout son calme. Restez tous assis. Vous devez savoir, reprit-elle une fois Miguel de nouveau à sa place, que dans très peu de temps votre père, Amin et Laila, partiront de Cordoue. Les autres resteront ici, avec moi.

Rafaela puisa des forces en elle pour esquisser un triste sourire. Salma, incapable de comprendre ce qui se passait, sourit également.

— Ils reviendront quand ? demanda le petit Musa.

Hernando releva le visage et croisa le regard de Rafaela.

— Ce sera un très long voyage, répondit cette dernière. Ils iront dans un pays très, très loin…

— Mère.

La voix de l'aîné rompit le silence qui suivit les paroles de Rafaela. Il avait, lui, écouté attentivement le décret et savait qu'ils étaient expulsés d'Espagne, qu'il ne s'agissait pas d'un simple voyage. « Sous peine de condamnation immédiate à mort et à la confiscation de tous leurs biens, sans autre forme de procès ni déclaration, avait crié l'annonceur public, en cas de désobéissance et passé le délai déterminé, si on les trouve encore dans les royaumes et seigneuries, de quelque manière que ce soit. » On les tuerait s'ils revenaient ! Il l'avait parfaitement compris : n'importe quel chrétien pourrait exécuter la sentence, sans jugement, sans même avoir à fournir d'explication.

— Pourquoi ne pouvez-vous pas venir avec nous, vous, mère, l'oncle Miguel et les autres ?

— Oui, partons tous ! décida Musa.

Rafaela soupira. L'innocence de ses enfants l'attendrissait. Comment allait-elle leur expliquer ? Elle chercha le soutien de son mari, mais Hernando gardait le silence, le regard perdu, absent.

— Dieu l'a voulu ainsi, répondit-elle à Amin.

— Le roi ! objecta Laila.

— Non, dit alors Hernando, vers qui tous se tournèrent. Dieu, comme l'a bien dit votre mère.

Rafaela le regarda, reconnaissante.

— Mes enfants, continua-t-il, recouvrant sa fermeté. Dieu veut que nous nous séparions. Vous, les plus petits, vous resterez ici, à Cordoue, avec votre mère et l'oncle Miguel. Amin et Laila, vous viendrez avec moi aux Barbaresques. Prions tous.

Hernando posa alors les yeux sur Rafaela.

— Prions le Dieu d'Abraham, le Dieu qui nous unit, pour qu'un jour, dans sa bonté et sa miséricorde, il nous permette de nous retrouver. Priez aussi la Vierge Marie ; recommandez-vous toujours à elle dans vos prières.

Lorsqu'il eut terminé de parler, il rencontra les yeux bleus de Muqla rivés sur lui. Il n'avait que cinq ans, mais il paraissait comprendre.

À la nuit tombée, Hernando s'assit à côté de Rafaela, au centre du patio, près de la fontaine, sous un ciel étoilé et froid. Il appela ses deux aînés pour leur expliquer les raisons de la séparation.

— Les chrétiens n'autorisent pas les mères, chrétiennes de souche, ou les petits enfants qui ont été baptisés, à partir aux Barbaresques. Ils considèrent les plus âgés irrécupérables pour le christianisme et, pour cette raison, les expulsent avec leurs pères.

— Fuyons tous ! insista Amin, les larmes aux yeux. Venez avec nous, mère, supplia-t-il.

— Le frère de ta mère, le magistrat, ne nous le permettra jamais, soupira Hernando.

— Pourquoi ?

— Mon fils, il y a des choses que tu ne peux pas comprendre.

Amin n'ajouta rien. Il tenta de retenir ses larmes et, bien qu'il fût l'aîné, il s'avança vers sa mère et rechercha ses bras. Laila s'était assise aux pieds de Rafaela. Hernando les regarda. Rafaela prit la main de son fils aîné tout en caressant les cheveux de Laila. Ce moment ne se répéterait plus. Combien en avait-il perdus, de semblables, au fil des années, toujours enfermé dans la bibliothèque, à étudier, écrire, lutter pour cette cohabitation religieuse si désirée ? Alors il se souvint d'une berceuse que fredonnait sa mère les rares fois où elle pouvait lui témoigner son amour, et il en entonna les premières notes. Amin et Laila se tournèrent vers lui avec surprise. Rafaela fit son possible pour contrôler le tremblement de ses lèvres. Hernando sourit à ses enfants, leva les yeux au ciel et chanta les berceuses de ses Alpujarras natales, avec en fond sonore le bruit constant de l'eau qui coulait de la fontaine.

Une fois qu'ils eurent réussi à coucher les enfants, ils demeurèrent tous deux immobiles, chacun tâchant d'écouter la respiration de l'autre.

— Je te ferai parvenir suffisamment d'argent, promit Hernando après un long moment de silence.

Rafaela voulut dire quelque chose mais, d'un geste, il l'en empêcha.

— Les terres et cette maison reviendront au Trésor public royal, tu as entendu les paroles de l'annonceur. Les chevaux seront saisis pour solder les dettes. Nous n'avons rien de plus, et tu vas rester ici avec trois petits à nourrir.

L'énoncer à voix haute rendit la vérité plus réelle, plus tangible, plus terrible.

Rafaela soupira. Il ne fallait pas qu'Hernando s'écroule dans un moment pareil.

— Je me débrouillerai, chuchota-t-elle en se serrant contre lui. Comment pourrais-tu m'envoyer de l'argent ? Tu auras déjà à t'occuper des deux grands. Que vas-tu faire ? Dresser des chevaux ? À ton âge ?

— Tu doutes que je puisse encore le faire ? demanda Hernando en bandant ses muscles, s'efforçant de donner une certaine légèreté à ses paroles.

Rafaela lui répondit avec un sourire forcé.

— Non. Je ne crois pas que je me consacrerai aux chevaux. Ces petits pur-sang arabes... sont peut-être excellents pour le désert, mais n'ont rien à voir avec les chevaux espagnols. Je connais l'arabe savant et je sais écrire, Rafaela. Je crois que je le fais très bien. Et si la vie de mes enfants… et la tienne… en dépend… Dieu guidera ma plume, j'en suis sûr. Le travail de scribe est très prisé chez les musulmans.

Rafaela ne put se contenir davantage. Elle avait passé la journée à feindre devant ses enfants, à étouffer ses peurs. Alors, dans la pénombre du patio, elle laissa exploser son désespoir.

— Ils tuent presque tous ceux qui arrivent aux Barbaresques ! Et les autres sont exploités dans les champs. Comment peux-tu croire… ?

Hernando la supplia de nouveau de se taire.

— Dans les villes corsaires ou sur les terres arabes. Je sais qu'au Maroc les Maures sont bien accueillis. C'est un royaume inculte et son monarque a compris qu'il peut tirer profit des connaissances des Andalous. Je trouverai du travail à la cour, et peut-être qu'un jour tu…

Rafaela s'agita, inquiète. Il comprit ce à quoi elle pensait : ils avaient rarement évoqué leurs croyances, leurs religions différentes. Mais l'éventualité de devoir vivre en territoire musulman terrifiait son épouse.

— Ne continue pas, l'interrompit Rafaela. Hernando, je ne suis jamais intervenue dans tes croyances, même quand tu les as transmises à nos enfants. Ne me demande pas de renoncer aux miennes. Tu sais qu'après ton départ, tes enfants seront éduqués dans la foi chrétienne.

— Tout ce que je te demande, reprit Hernando, c'est que le jour où Muqla sera assez grand, tu lui remettes le coran que j'ai écrit. D'ici là, je le cacherai en lieu sûr.

— D'ici là, il sera chrétien, Hernando, murmura Rafaela.

— Il sera Muqla, l'enfant aux yeux bleus. Il saura ce qu'il doit faire. Promets-le-moi.

Rafaela resta pensive.

— Promets-le-moi, insista Hernando.

Elle consentit d'un baiser.

La situation était irréversible et ils ne pouvaient rien faire pour la modifier : depuis que les deux époux avaient accepté cette réalité, les jours se succédaient dans une inquiétante harmonie. Hernando continuait à se rendre à la mezquita pour prier en secret, comme toujours. Cependant, quelque chose avait changé : il ne s'agissait plus pour lui de rechercher cette étrange symbiose avec Fatima ; ses prières invoquaient la protection de Dieu pour Rafaela et ses enfants qui allaient rester à Cordoue. Il avait pensé débarquer à Tétouan avec Amin et Laila, retrouver Fatima et solliciter son aide. Il faillit même envoyer un message à Efraín, mais les paroles du juif résonnaient encore à ses oreilles : « Ils te tueront. » Et s'ils tuaient aussi ses enfants ? Tétouan n'avait pas bien accueilli les Maures. Shamir et Francisco devaient surveiller l'arrivée massive des Andalous. Son ventre se noua à la pensée de ses petits aux mains des corsaires.

Il déambula dans la mezquita. C'est ici même, dans la forêt magique de colonnes de ce temple, où l'écho des prières des véritables croyants ne disparaîtrait jamais, qu'il décida de cacher son précieux coran. Un jour, le petit Muqla le récupérerait. C'était le meilleur endroit, et il était sûr que Muqla y parviendrait. Il en serait ainsi !

Mais où ?

— Vous êtes devenu fou ? s'exclama Miguel.

— Ce n'est pas de la folie, rétorqua Hernando avec une telle détermination que l'infirme n'eut plus le moindre doute sur le sérieux de son plan. Ce sera la meilleure histoire que tu raconteras jamais. J'ai besoin de toi... et d'Amin.

— Mais mêler le petit...

— C'est son devoir.

— Êtes-vous conscient que si nous sommes découverts, l'Inquisition nous brûlera vifs ? murmura Miguel.

Hernando hocha la tête.

Le matin même, ils se rendirent tous trois à la mezquita. Hernando cachait sous ses vêtements un gros pied-de-biche en fer et un maillet ; Amin tenait les feuilles encore non reliées de l'exemplaire du Coran serrées contre sa poitrine. Miguel les suivait en bondissant sur ses béquilles. Père et fils se placèrent avec révérence devant la chapelle de San Pedro, le mihrab profané, et feignirent de prier tandis que l'éclopé faisait de même un peu plus loin, derrière eux, entre la Chapelle royale et celle de Villaviciosa. Le temps passa. Le regard fixé sur cette chapelle devant laquelle il avait tant prié, Hernando sentit transpirer la main qui soutenait les outils. L'autel se dressait entre un mur de maçonnerie et les pierres de taille de l'espace existant entre les entrecolonnements de la mezquita ; au bout du mur, juste face au mihrab, la chapelle était fermée par deux grilles qui montaient jusqu'aux chapiteaux. Derrière le mur et la grille se trouvait le sarcophage de don Alfonso Fernández de Montemayor, gouverneur principal de la frontière. Il s'agissait d'un grand mais simple sépulcre en marbre blanc, sans inscriptions, dessins ou décorations ajoutées, avec juste une bande en forme de plante qui traversait tout le couvercle. Une moitié du sarcophage était visible derrière la grille ; l'autre moitié était cachée à la vue derrière le mur. À plusieurs reprises, Hernando se tourna vers Amin. Le garçon ne montrait aucune nervosité ; il demeurait tranquille à ses côtés, droit, sobre et fier, murmurant des Notre Père et des Ave Maria. Une foule de paroissiens et de prêtres déambulaient autour d'eux. N'était-ce tout de même pas une folie ? pensa-t-il alors. Tous ces gens…

Il ne se posa pas davantage la question. Comme c'était l'usage, le bénéficier de la chapelle de San Pedro vint ouvrir le verrou des grilles pour préparer la messe. Hernando hésita. Il regarda derrière lui et vit Miguel qui l'encouragcait d'un sourire. Amin lui donna un léger coup sur l'épaule pour lui indiquer que le prêtre venait d'ouvrir la grille. Alors il fit un geste d'assentiment en direction de l'infirme.

— Dieu ! entendit-on résonner dans la mezquita.

Tous les regards convergèrent vers l'invalide qui dansait, excité, sur ses béquilles.

— Il était là ! Je l'ai vu !

Certains fidèles s'agglutinèrent autour de Miguel qui continuait de crier. Hernando surveillait à la fois l'estropié et la grille de San Pedro ; le prêtre était sorti, intrigué, et il observait la scène, immobile devant les grilles.

— Son visage bienveillant se trouvait derrière une blanche colombe… ! glapissait Miguel.

Hernando ne put s'empêcher de sourire. La crédulité des gens le surprendrait toujours. Une vieille femme tomba à genoux en se signant.

— Oui ! Je le vois ! Moi aussi je le vois !

Beaucoup d'autres se mirent alors à crier, couvrant la voix de Miguel. Les gens s'agenouillaient et pointaient du doigt la coupole du maître-autel, derrière la chapelle de San Pedro, à l'endroit où l'infirme affirmait avoir vu une blanche colombe. Le prêtre courut vers le groupe, de même qu'un grand nombre de religieux, avec leurs aubes virevoltantes.

— Maintenant, indiqua Hernando à son fils.

Ils bondirent à l'intérieur de la chapelle. Hernando se dirigea à la tête du sarcophage du gouverneur, dissimulé aux regards par le mur. Le sarcophage n'était pas scellé, comme il l'avait cru la veille. Il sortit alors son pied-de-biche, mais il lui parut impossible de s'en servir comme levier afin de soulever le couvercle. Il enveloppa l'extrémité de l'outil dans ses vêtements pour amortir le bruit, puis il frappa avec le maillet. Le marbre s'écailla et il réussit finalement à introduire suffisamment la pointe de l'outil. C'était trop lourd. Il n'y parviendrait pas. Dans la cathédrale, le tapage continuait et Hernando prit soudain conscience de son âge : cinquante-six ans ! C'était un vieil homme, et il prétendait soulever l'énorme et lourd couvercle d'un sarcophage ! Amin attendait à ses côtés, immobile, les documents à la main. Il n'y arriverait jamais, se dit Hernando.

— Allah est grand, murmura-t-il.

Il y mit toute sa force, mais le couvercle ne bougea pas d'un millimètre. Amin l'observait.

— Allah est grand, chuchota-t-il également.

À son tour le garçonnet pesa sur l'outil.

— Toi qui octroies tout pouvoir, invoqua Hernando, le Fort et le Ferme, aide-nous !

Le couvercle se souleva de quelques millimètres.

— Vas-y ! ordonna-t-il à son fils, les dents serrées, le visage congestionné. Mets les feuilles !

Accroché au pied-de-biche, Amin commença à introduire les feuilles par petits paquets ; l'ensemble n'entrant pas d'un bloc par l'étroite ouverture.

— Continue ! l'encouragea Hernando. Vite !

Il ne restait plus beaucoup de feuilles et seuls les cris de Miguel, qui déployait des trésors d'imagination, résonnaient à présent.

— Mon père ! entendit-on soudain près des grilles.

Hernando faillit lâcher le pied-de-biche. Amin se figea, tenant encore quelques pages à la main. C'était la voix de Rafaela !

— Mon père ! entendirent-ils une fois de plus presque à l'entrée de la chapelle.

Rafaela se jeta à genoux devant le prêtre qui entrait et agrippa le bas de sa soutane pour le retenir.

— Sauvez mon époux et mes enfants de la déportation ! cria-t-elle.

Hernando pressa Amin. Il restait seulement quelques feuilles. Les mains du garçonnet tremblaient tant qu'il n'arrivait pas à les introduire.

— Ce sont dc bons chrétiens ! suppliait Rafaela.

— De quoi me parles-tu, femme ?

Le religieux voulut reprendre son chemin, mais Rafaela se mit à embrasser ses pieds.

— Au nom de Dieu ! sanglota-t-elle. Sauvez-les !

La jeune femme résista tant qu'elle put au prêtre, qui finit par se dégager violemment et pénétra dans la chapelle. Rafaela bondit aussitôt derrière lui. À peine eut-elle franchi les grilles qu'elle ferma les paupières.

— Que faites-vous ici ?

Le ventre noué, Rafaela rouvrit les yeux : Hernando et Amin étaient agenouillés, priant devant l'autel, le retable posé dessus, à la tête du sarcophage. De dos au prêtre, Hernando serrait les outils sous ses vêtements, tandis qu'il s'efforçait, avec son autre main, de cacher sous le sarcophage les petits éclats de marbre tombés sur le sol. Amin s'en aperçut et l'imita.

— Que signifie ceci ? interrogea le curé.

— Ce sont de bons chrétiens, répéta Rafaela derrière lui.

Hernando se leva.

— Père, commença-t-il en repoussant les derniers éclats du bout du pied, nous étions en train de prier pour l'intercession du Seigneur. Nous ne méritons pas l'expulsion. Mon fils et moi…

— Ce n'est pas mon problème, répondit sèchement le prêtre tout en vérifiant qu'il ne manquait rien sur l'autel. Hors d'ici ! leur ordonna-t-il.

Tous trois sortirent. À quelques mètres de la chapelle, Hernando se rendit compte qu'il tremblait. Il ferma fortement les yeux, respira profondément et tâcha de se contrôler. Quand il rouvrit les yeux il rencontra ceux de son épouse.

— Merci, murmura-t-il. Comment as-tu su… ?

— Miguel pensait que son aide ne suffirait pas. Il m'a conseillé de rester dans les parages.

Dans la chapelle de San Pedro, le prêtre piétina la poussière demeurée par terre, maudissant ces sales Maures. À l'extérieur, entouré d'écclésiastiques et d'un groupe de plus en plus important de paroissiens, dont certains s'étaient agenouillés tandis que d'autres se signaient sans relâche, Miguel répétait son interminable histoire, gesticulant avec la tête, à défaut de mains, pour signaler l'endroit où il avait vu l'imposante épée de feu avec laquelle le Christ célébrait l'expulsion des hérétiques des terres chrétiennes. Dès que l'infirme aperçut Hernando, Rafaela et Amin, il se laissa tomber sur le sol comme s'il avait eu un malaise. Par terre, roulé en boule, il continua sa pantomime et fit mine d'être pris de violentes convulsions.

Ils traversèrent la mezquita en direction du patio des Orangers. Les chrétiens réussiraient peut-être à les expulser d'Espagne, des terres qui avaient été les leurs pendant plus de huit siècles, mais dans la mezquita de Cordoue, face à son mihrab, la Parole révélée en l'honneur du Dieu unique serait toujours présente.

Une fois qu'ils eurent franchi la porte du Pardon, parmi la foule, Rafaela s'arrêta et voulut s'adresser à son époux.

— Tu sais désormais où il est caché, la devança-t-il.

— Comment Muqla pourra-t-il le sortir de là ?

— Dieu décidera, répondit Hernando avant de lui prendre tendrement le bras et de se diriger vers leur maison. À présent, la Parole se trouve là où elle doit demeurer jusqu'au moment où notre fils poursuivra mon travail.

Miguel réapparut dans l'après-midi.

— Quand je suis revenu à moi dans la sacristie, expliqua-t-il avec une moue rieuse, je leur ai dit que je ne me souvenais de rien.

— Et... ? interrogea Hernando.

— Ils sont devenus fous. Ils m'ont répété tout ce que j'avais dit. Quelle piètre imagination ont ces prêtres ! Ils ont beau avoir écouté l'histoire, ils sont incapables de la répéter ! Une épée en or ! affirmaient-ils. J'ai failli les corriger, leur dire que c'était une épée de feu, mais je me serais découvert. Ils ne pensent qu'à l'or ! Ils m'ont donné du bon vin pour me réanimer et voir si je me rappelais quelque chose.

— Merci, Miguel.

Hernando faillit lui dire de ne rien raconter à Rafaela la prochaine fois, mais il s'arrêta aussitôt. Quelle prochaine fois ? se lamenta-t-il en son for intérieur.

— Merci, répéta-t-il.

Comme si Dieu avait voulu récompenser cette œuvre, un soir Miguel revint à la maison avec un demi-chevreau, des légumes frais, de l'huile, des pincées d'épices, des herbes, du sel, du poivre et du pain blanc.

— Que... ? D'où sors-tu tout cela ? demanda Hernando, fouillant dans le sac que l'éclopé portait sur son dos.

— Il semblerait que le sort qui nous est si contraire a décidé de nous sourire un peu, répondit Miguel.

Les déportés avaient besoin, pour ce qui se présentait comme un long voyage, de moyens de transport pour les marchandises qu'ils ne pouvaient porter ainsi que pour leurs femmes, leurs enfants, ou les personnes âgées de leur famille. Peu nombreux étaient les muletiers encore présents sur les quatre mille qui sillonnaient les routes d'Espagne ; la plupart d'entre eux avaient été expulsés, et les autres restaient enfermés chez eux dans l'attente de l'être à leur tour. Souvent ils avaient vendu leurs mules ou leurs ânes, qu'ils ne pourraient pas emmener.

— On paie des sommes monstrueuses pour louer une simple mule, expliqua Miguel, le regard posé sur Rafaela et les enfants, qui couraient déjà avec les provisions en direction de la cuisine.

Pendant qu'il mendiait, l'infirme avait vu des hommes se battre pour payer les services d'un pauvre âne. Ils disposaient, eux, de seize bons chevaux ! pensa-t-il alors.

C'étaient des animaux grands et forts, capables de transporter un poids bien plus important qu'un âne ou une mule.

— Ils n'ont jamais servi de bêtes de somme, hésita Hernando.

— Ils se soumettront. Grâce à Dieu !

— Ils se cabreront, objecta Hernando.

— Je ne leur donnerai pas à manger. Je les laisserai seulement quelques jours à l'eau, et s'ils se cabrent…

— Je ne sais pas.

Hernando imagina ses magnifiques animaux chargés de fardeaux, avec deux ou trois personnes sur le dos, parmi une foule de gens beaucoup plus nombreuse que celle venue de Grenade après la guerre des Alpujarras.

— Je ne sais pas, répéta-t-il.

— Eh bien moi, je sais. J'ai déjà conclu plusieurs affaires. Un homme est prêt à payer jusqu'à soixante réaux pour chaque journée de voyage à l'aller. Et même au retour. Nous obtiendrons beaucoup de ducats.

Hernando, l'air grave, fixait l'infirme.

— J'ai réglé la dette que nous avions avec les fournisseurs et embauché du personnel pour les trajets. Quand ils reviendront de Séville, les chevaux seront exemptés de dettes et Rafaela pourra les vendre… si le duc le permet. Pendant tout ce temps elle disposera d'argent, et vous aurez de quoi voyager et sortir d'Espagne.

Hernando réfléchit aux paroles de Miguel, approuva son initiative et lui tapota le dos.

— Je te dois beaucoup.

— Vous souvenez-vous quand vous m'avez trouvé aux pieds de Volador, à l'auberge del Potro ?

Hernando acquiesça.

— Depuis ce jour vous ne me devez rien… mais j'aime vous entendre le dire ! ajouta-t-il devant le visage ému de son seigneur et ami.

68.

Moins d'un mois après l'arrêté d'expulsion des Maures andalous, les Cordouans furent contraints de quitter l'ancienne ville des califes. Dans ce court laps de temps, peu de démarches avaient pu être effectuées auprès du roi pour adoucir cette mesure. Par ailleurs, le conseil municipal avait décidé de ne pas recourir à Sa Majesté pour les requêtes d'indulgence en faveur des nouveaux-chrétiens : l'ordre devait être exécuté sans faiblesse.

La force de caractère qui avait accompagné Rafaela pendant cette période disparut la veille du jour désigné par les autorités. Alors la jeune femme laissa éclater ses larmes et son désespoir. Les enfants, desquels elle n'essayait plus de se cacher, partagèrent sa douleur. À l'inverse de ce qu'il avait fait quelque temps plus tôt, Hernando mentit aux petits : ils reviendraient, les assura-t-il, il s'agissait seulement d'un court voyage. Il dissimula les larmes qui remplissaient ses yeux comme ceux de son épouse. Entre jeux forcés et histoires racontées par Miguel, Hernando confia au petit Muqla le carnet de notes relié pour qu'il y écrive. Du haut de ses cinq ans, l'enfant traça avec le bâtonnet un délicat alif, ainsi qu'il avait vu procéder son frère. Pourquoi, mon Dieu ? demanda Hernando avant de l'effacer tristement.

Enfin, tandis qu'il préparait un baluchon avec les affaires qu'on leur permettait d'emporter, Hernando sortit de sa cachette dans le faux mur la main de Fatima et l'exemplaire de l'évangile de Barnabé qu'il avait trouvé dans le vieux minaret du palais du duc. Il rangea l'évangile dans le sac, pensant l'enfouir sous la selle d'un des chevaux, comme les documents qui arrivaient de Xàtiva. Il allait faire de même avec le bijou interdit, non sans l'avoir auparavant porté à ses lèvres et embrassé. Il avait maintes fois esquissé ce geste, mais ce jour-là il serra fortement le collier entre ses mains, comme s'il avait du mal à le lâcher.

Pendant la nuit, tous deux allongés sur le lit, les yeux désormais secs, Hernando et Rafaela comptèrent les heures en silence, désireux de s'abreuver jusqu'à saturation des souvenirs, des odeurs, des craquements nocturnes du bois, de l'écoulement de l'eau, en bas, dans le patio, des cris sporadiques qui, de la rue, venaient briser la quiétude de la nuit cordouane ou de la respiration apaisée de leurs enfants qu'ils croyaient tous deux entendre dans le lointain.

Rafaela se serra contre le corps d'Hernando. Elle ne voulait pas penser que c'était la dernière nuit qu'ils partageraient ce lit, qu'elle dormirait seule désormais. Les mots surgirent de ses lèvres, presque malgré elle.

— Prends-moi, implora-t-elle soudain.

— Mais… bredouilla Hernando en lui caressant les cheveux.

— Une dernière fois, murmura-t-elle.

Hernando regarda son épouse, qui s'était redressée. À son grand étonnement, Rafaela retira sa chemise de nuit, lui offrant sa poitrine. Puis elle s'allongea, nue, sans la moindre timidité.

— Aucun homme ne me verra jamais comme tu me vois maintenant.

Hernando baisa ses lèvres, d'abord avec douceur, puis emporté par une passion qu'il n'avait pas éprouvée depuis longtemps. Rafaela l'attira vers elle, comme si elle voulait le retenir pour toujours.

Après avoir fait l'amour, ils demeurèrent dans les bras

l'un de l'autre jusqu'au matin. Aucun d'eux ne réussit à dormir.

Les cris dans la rue et les coups à leur porte les figèrent. Ils venaient de prendre leur petit déjeuner, et ils étaient tous rassemblés dans la cuisine. Les sacs de ceux qui partaient étaient entassés dans un coin. Hernando avait pris bien peu de choses pour un si long voyage, pensa une fois de plus Rafaela en jetant un coup d'œil à la petite malle et aux baluchons. Elle ne voulait plus pleurer. Mais avant qu'elle ait eu le temps de se retourner, Amin et Laila s'élancèrent vers elle et l'étreignirent, s'accrochant à sa taille. Personne ne les séparerait.

Leurs mots, entrecoupés, se mélangèrent aux sanglots. Les coups à la porte retentirent de nouveau.

— Ouvrez au roi !

Seul Muqla gardait une étrange sérénité, ses yeux bleus posés sur ceux de son père. Les deux plus petits se mirent également à pleurer. Rafaela elle aussi n'y put résister, et sanglota en serrant ses enfants.

— Nous devons partir, dit Hernando après s'être raclé la gorge, incapable de soutenir le regard intense de Muqla.

Personne ne tint compte de ses paroles.

— Allons-y, insista-t-il, tâchant de séparer les deux aînés de leur mère.

Il y parvint seulement quand Rafaela se joignit à lui. Hernando plaça la malle et un des baluchons sur son dos. Amin et Laila prirent le reste. L'étroite ruelle sur laquelle donnait leur maison présentait un spectacle désolant : les milices cordouanes s'étaient réparties par paroisses, sous le commandement de leurs propres magistrats, et elles parcouraient les rues d'habitation en habitation à la recherche des Maures recensés. Derrière Gil Ulloa et les soldats qui attendaient devant la porte, se bousculait une longue file de déportés chargés de leurs affaires. Tous attendaient qu'Hernando et ses enfants rejoignent la colonne avant de se rendre à la maison qui suivait sur la liste.

— Hernando Ruiz, nouveau-chrétien de Juviles, et ses enfants de plus de six ans, Juan et Rosa.

La phrase sortit de la bouche d'un scribe qui, pourvu du recensement de la paroisse, accompagnait Gil et ses soldats. À ses côtés se trouvait le curé de Santa María.

Hernando hocha la tête tout en s'assurant que ses enfants ne se jetaient pas une fois de plus sur leur mère, immobile sur le seuil de la porte. Mais Amin et Laila ne pouvaient détourner le regard de la rangée de déportés silencieux, soumis et humiliés, derrière les soldats.

— Rejoignez les autres Maures ! ordonna Gil.

Hernando se tourna vers Rafaela. Ils s'étaient tout dit au cours de cette dernière nuit. Il serra dans ses bras les trois petits qui restaient avec elle. « Mes enfants ! » pensa-t-il le cœur ravagé, tandis qu'il les couvrait de baisers.

— Allez ! insista le magistrat.

Les yeux rouges, Hernando se pinça les lèvres. Il n'existait pas de mots pour dire adieu à sa famille. Il allait obéir à l'ordre lorsque Rafaela bondit derrière lui, jeta ses bras autour de son cou et l'embrassa sur la bouche. La malle et le baluchon qu'il portait sur son dos tombèrent par terre. Ce fut un baiser passionné qui rendit son frère Gil fou de rage. Les soldats observaient la scène. Certains secouèrent la tête, plaignant leur capitaine : sa sœur, chrétienne de souche, embrassant avidement un Maure. Et en public !

Gil Ulloa s'avança vers le couple et tenta violemment, sans succès, de les séparer. Aussitôt, plusieurs soldats se précipitèrent pour aider leur capitaine et se mirent à frapper Hernando. Bien que celui-ci entreprît de se rendre, les coups s'abattirent sur lui avec plus de force. Rafaela s'écroula dans un gémissement. Amin accourut pour défendre son père et décocha un coup de pied à un soldat.

Vaincu, le nez en sang, Hernando fut immobilisé par

les hommes de Gil Ulloa. Amin aussi saignait à la lèvre. Le magistrat donna alors le dernier coup à son beau-frère.

— Chien maure ! marmonna-t-il en le cognant furieusement au visage.

Rafaela, qui s'était relevée, s'approcha pour défendre son époux, mais Gil la repoussa.

— Réquisitionnez cette maison, au nom du roi !

Étourdi, Hernando voulut protester, mais les soldats le frappèrent de nouveau et le traînèrent vers le groupe de Maures qui avaient assisté à la rixe. Amin et Laila furent poussés à la suite de leur père. Gil donna l'ordre de continuer et les déportés se mirent en marche. Hernando et ses enfants ramassèrent leurs affaires tandis que la colonne de Maures, encadrée de soldats, passait devant leur maison.

— Dieu ! Non ! cria Rafaela au passage de son époux. Je t'aime, Hernando !

Noyé au milieu de ses frères de foi, Hernando essaya de lui répondre, mais ceux qui le suivaient le poussèrent et l'en empêchèrent. Il ne put même pas se retourner. Le père et ses deux enfants furent entraînés par la foule.

À la fin de la matinée, près de dix mille Maures cordouans avaient été réunis à l'extérieur de la ville, sur le campo de la Verdad, de l'autre côté du pont romain, encadrés par les milices cordouanes qui les surveillaient. Miguel aussi était là, avec sa mule et les chevaux chargés de sacs, pour contrôler le marché qu'il avait conclu avec les Maures : c'est lui qui reviendrait de Séville avec les animaux et l'argent.

« Pourquoi pas ? » se demandait Fatima à voix haute, seule dans son salon. « Pourquoi pas ? » répéta-t-elle en éprouvant un doux frisson. Efraín avait quitté le palais depuis un moment déjà, après lui avoir communiqué les dernières informations en provenance de Cordoue. C'était elle-même qui lui avait ordonné de se renseigner au sujet d'Ibn Hamid, quand les premiers Maures valenciens avaient commencé à débarquer aux Barbaresques. Et le juif avait agi rapidement, avec efficacité, au sein des réseaux commerciaux, qui faisaient fi des religions.

Il avait obtenu les nouvelles suivantes : l'ordre d'expulsion avait été décrété et Hernando ne tarderait pas à être déporté du port de Séville. Il ne pourrait rien faire pour l'éviter. D'après ce qu'avait appris le juif, Hernando Ruiz s'était gagné de nombreux ennemis parmi les dirigeants de Cordoue et même de Grenade, où sa prétention à la qualité d'hidalgo avait été rejetée. Son épouse chrétienne, en revanche, resterait en Espagne avec leurs enfants de moins de six ans.

Dès qu'Efraín quitta la salle, l'idée surgit à l'esprit de Fatima. Elle parcourut du regard la vaste pièce. Meubles de marqueterie, coussins et poufs, colonnes, sol de marbre et tapis, lampes... tout prenait un sens nouveau, qui l'invitait à adopter une décision. Depuis longtemps elle étouffait dans tout ce luxe : Abdul et Shamir avaient été capturés par la flotte espagnole qui leur avait tendu un piège alors qu'ils tentaient d'aborder un navire marchand servant en réalité d'appât. Comment avaient-ils pu être si naïfs ? À cause d'un excès de confiance peut-être... Les marins d'une embarcation ayant réussi à s'échapper avaient rapporté des informations confuses et contradictoires : certains disaient qu'ils étaient morts, d'autres qu'ils avaient été capturés. Un homme avait même prétendu les avoir vus se jeter à la mer. Plus tard on raconta qu'ils avaient été condamnés aux galères, mais personne ne put le vérifier. Fatima pleura le sort de son fils, même si dans son for intérieur elle était consciente que leurs relations n'avaient plus été les mêmes après ce qui s'était passé à Toga entre les corsaires et Ibn Hamid.

Immédiatement, la veuve et les enfants de Shamir s'étaient jetés sur le grand patrimoine que ce dernier laissait et les juges, sans hésiter, leur avaient donné raison.

Les rapports entre Fatima et la famille de Shamir

demeuraient très distants : il était seulement son beau-fils par alliance. Les parents de sa veuve lui accordèrent néanmoins un délai pour quitter le palais. Que deviendrait-elle désormais ? Vivrait-elle de la charité de l'épouse d'Abdul ou d'une de ses filles ?

Il existait une autre solution. Elle en avait parlé avec Efraín ; le juif lui-même la lui avait suggérée dès qu'il avait été informé de sa situation. Sans Efraín, il était impossible que la famille de Shamir apprenne les placements qui, dans l'intérêt du corsaire, étaient maintenus partout en Méditerranée, ce dont Fatima pouvait tirer profit. Le juif ne désirait pas perdre la direction et les bénéfices de tous ces marchés que, très certainement, la famille de Shamir ne lui confierait plus. Fatima continuerait à être riche, mais pas à Tétouan, où elle ne pourrait jamais justifier la provenance de cet argent.

Elle déambula dans le salon en effleurant distraitement les meubles du bout des doigts. Sans Abdul et Shamir elle se retrouvait seule, mais elle était enfin totalement libre. Plus rien ne la retenait à Tétouan. Pourquoi ne pas partir d'ici pour toujours ? Juste au moment où Ibn Hamid allait être expulsé d'Espagne tandis que son insipide épouse chrétienne était forcée de rester là-bas. Qui, sinon Dieu, pouvait lui envoyer un message aussi clair ?

Elle sortit dans le patio et contempla l'eau qui coulait de la fontaine. Bientôt, pensa-t-elle, elle ne la verrait plus. Constantinople ! Elle pourrait vivre là-bas. Fatima s'autorisa à penser à Ibn Hamid, ce qu'elle avait tâché d'éviter ces dernières années : il devait avoir cinquante-six ans, un an de plus qu'elle. Comment était-il ? Comment avait-il résisté au passage du temps ? Ses doutes se dissipèrent brusquement. Oui ! Elle devait le revoir ! Le destin, qui les avait cruellement séparés, leur offrait à présent l'opportunité de se retrouver. Et elle, Fatima, qui avait souffert et tué, aimé et haï, n'avait pas l'intention de la laisser filer.

— Rappelez Efraín ! décida-t-elle finalement, en s'adressant à ses esclaves.

Le juif lui avait dit qu'ils seraient expulsés du port de Séville. Il fallait qu'elle se rende là-bas avant qu'ils ne soient débarqués dans un lieu où ils pourraient tomber aux mains des Arabes. Fatima n'ignorait pas les massacres de déportés du royaume de Valence ; à Tétouan non plus ceux qui étaient parvenus jusqu'à la ville corsaire n'avaient pas été bien accueillis ; beaucoup les considéraient comme des chrétiens qui arrivaient aux Barbaresques parce qu'ils n'avaient pas le choix, et ils les tuaient. Elle devait atteindre Séville avant qu'ils n'embarquent ! Il lui fallait ensuite trouver un navire capable d'aller à Constantinople. Elle avait besoin de cédules afin de pouvoir se déplacer dans la ville espagnole pour retrouver Hernando. Mais auparavant elle devait régler ses affaires, acheter de nombreuses personnes. Efraín se chargerait de tout. Il le faisait toujours, et obtenait toujours tout ce qu'elle désirait… quel qu'en soit le prix.

— Où est donc Efraín ? hurla-t-elle.

Rafaela fut autorisée à rester dans sa maison jusqu'au retour de Séville du magistrat Gil Ulloa, qui en disposerait alors. Pendant toute la journée, elle avait assisté à l'inventaire détaillé de ses objets et de ses biens, auquel un scribe et un alguazil avaient procédé.

— Le décret… bredouilla Rafaela au moment où le scribe fouillait dans le coffre où elle rangeait ses vêtements. Le décret établit que seuls les biens-fonds seront saisis par le pouvoir royal. Les autres biens sont à moi.

— Le décret, lui répondit âprement l'homme, tandis que l'alguazil, lascivement, soulevait à contre-jour un jupon blanc brodé, octroyait aux Maures la possibilité d'emporter leurs affaires. Si ton époux ne l'a pas fait…

— Ces vêtements sont à moi ! protesta-t-elle.

— Je crois savoir que tu t'es mariée sans dot, n'est-ce

pas ? répliqua le scribe sans même se tourner vers Rafaela, notant le jupon sur ses documents tandis que l'alguazil, après l'avoir jeté sur le lit, s'apprêtait à prendre le vêtement suivant. Rien n'est à toi, ajouta-t-il. Le conseil ou un juge décidera de la propriété de tout cela.

— C'est à moi, insista Rafaela d'une voix de plus en plus faible.

Elle se sentait épuisée, débordée par tout ce qui lui arrivait.

À ce moment-là, l'alguazil saisit entre ses mains un délicat corsage sans manches, qu'il tendit dans la direction de Rafaela comme si, de loin, il l'essayait directement sur sa poitrine.

La jeune femme sortit en courant de la chambre. Les rires de l'alguazil la poursuivirent jusqu'au bas de l'escalier, dans le patio où se tenaient ses enfants.

Comment Notre-Seigneur pouvait-il permettre cela ? pensa Rafaela pendant la nuit, allongée, les yeux ouverts fixés tour à tour sur le plafond et les trois enfants qui dormaient pelotonnés contre elle. Aucun d'eux n'avait voulu dormir dans son lit, et Rafaela ne souhaitait pas non plus être seule. Les heures passèrent, tandis qu'elle caressait leurs dos et leurs têtes, enfouissant ses doigts dans leurs cheveux. Au cours de l'après-midi elle avait entendu un soldat dire à l'alguazil que la colonne de déportés était en route pour Séville, et qu'elle avait quitté Cordoue sous les insultes et les cris de ses habitants. Elle imagina Hernando, Amin et Laila parmi eux, à pied, chargés. Ses enfants pourraient peut-être faire le trajet sur la mule, avec Miguel ; tous les autres chevaux avaient été loués à des Maures. Ses enfants ! Son mari ! Qu'allaient-ils devenir ? Elle sentait encore sur ses lèvres la passion du dernier baiser qu'elle avait échangé avec Hernando. Indifférente à son frère, aux soldats et aux dizaines de Maures qui les observaient, Rafaela avait frissonné comme une jeune fille, tout en elle avait tremblé d'un amour douloureux avant que Gil n'intervienne pour les séparer. Quelle était donc cette miséricorde que les prêtres et les pieux chrétiens avaient sans cesse à la bouche ? Où étaient le pardon et la compassion qu'ils prêchaient à toute heure ?

Étendue en travers de ses pieds, la petite Salma s'agita en rêvant et faillit tomber par terre. Délicatement, Rafaela se redressa, ramena sa fille jusqu'à son ventre et l'installa entre ses frères.

Quel avenir attendait cette pauvre petite ? pensa Rafaela. Le couvent, qu'elle-même avait évité ? Servante dans une famille aisée ? La maison close ? Et Muqla, et Musa ? Elle se souvint du regard lascif de l'alguazil qui tripotait ses vêtements ; tel était le traitement qu'elle pouvait attendre des gens. Elle n'était rien d'autre que l'épouse abandonnée d'un Maure, et ses enfants, les enfants d'un hérétique. Tout Cordoue le savait !

Rafaela Ulloa avait décidé de rester sur les terres chrétiennes, avec sa foi et ses croyances. Cependant, il ne s'était pas passé vingt-quatre heures que son monde s'était écroulé. Où était le reste de sa famille ? On lui prendrait ses chevaux comme ses meubles et ses habits. De quoi vivrait-elle alors ? Il n'était pas question qu'elle compte sur l'aide de ses frères. Elle avait entaché l'honneur de la famille. Sur qui pouvait-elle s'appuyer ?

Elle se mit à sangloter et serra fortement ses petits. Muqla ouvrit ses yeux bleus et, somnolent, regarda sa mère avec tendresse.

— Dors, mon fils, murmura-t-elle en relâchant son étreinte pour bercer l'enfant doucement.

Le garçon replongea dans le sommeil et Rafaela, comme elle en avait l'habitude, s'efforça de se réfugier dans la prière, en vain. « Priez la Vierge », se souvint-elle. Hernando croyait en Marie. Elle l'avait entendu parler de la Vierge aux enfants et leur raconter avec enthousiasme que Marie était le point d'union entre ces deux religions mortellement opposées. Sa conception demeurait immaculée depuis des siècles, tant pour les chrétiens que pour les musulmans.

— Marie, susurra Rafaela dans la nuit. Je vous salue…

Alors, tandis qu'elle murmurait la prière, son cœur lui indiqua le chemin : ce fut une décision soudaine, mais irrévocable. Et, pour la première fois depuis des jours, ses lèvres esquissèrent un sourire et ses yeux cédèrent à la pression du sommeil.

Le lendemain, à l'aube, Rafaela, Salma dans les bras, Musa et Muqla à ses côtés, franchit le pont romain parmi les gens qui partaient travailler aux champs : elle n'avait pour tout équipage qu'un panier de nourriture et l'argent donné par Miguel, qu'elle avait réussi à dissimuler à l'avaricieux scribe.

— Mère, où va-t-on ? demanda Muqla au bout d'un bon moment.

— Retrouver votre père, répondit-elle, les yeux fixés sur l'horizon, et sur la longue route qui s'étendait devant eux.

Marie réunirait sa famille, comme les deux religions, décida Rafaela, ainsi que le prétendait Hernando.

L'Arenal de Séville était un grand terrain situé entre le Guadalquivir et les magnifiques remparts qui entouraient la ville jusqu'à la Torre del Oro, sur la rive. Dans ce quartier étaient réalisés tous les travaux nécessaires à la maintenance de l'important port fluvial sévillan, destination obligée des flottes des Indes, qui transportaient au royaume de Castille les richesses obtenues par les conquistadors. Calfats, charpentiers de marine, arrimeurs, bateliers, soldats… des centaines d'hommes travaillaient là, veillant au trafic portuaire, à la réparation et à l'entretien des navires. Mais, en février 1610, l'Arenal de Séville, alors que les portes d'accès à la ville étaient truffées de soldats, se transforma en prison pour des milliers de familles maures chargées de leurs affaires, qui attendaient d'être déportées aux Barbaresques. Certaines étaient riches, puisqu'il n'y avait eu à Cordoue et à Séville aucune exception dans l'application du décret royal, habillées luxueusement, et elles cherchaient un endroit à l'écart des autres milliers de Maures pauvres. Des centaines d'enfants de moins de six ans avaient été abandonnés aux mains d'une Église obstinée jusqu'à l'aveuglement à réussir avec eux ce qu'elle n'avait pas réussi avec leurs parents : l'évangélisation. Dans cette foule déguenillée et soumise, livrée à son sort, alguazils et soldats cherchaient l'or et l'argent que, racontait-on, cachaient les déportés. Ils inspectaient hommes, femmes et enfants, vieillards et malades, examinaient leurs habits, fouillaient dans leurs affaires, allant même jusqu'à dénouer leurs paquetages au cas où ils auraient dissimulé dans les cordes des colliers, des bijoux.

Galères, caravelles, galions, caraques et tout type de bateau de plus petite calaison demeuraient amarrés sur le fleuve pour embarquer les quelque vingt mille Maures qui devaient partir de Séville. Certains faisaient partie de l'armée royale, mais la plupart d'entre eux étaient expressément affrétés pour ce voyage sans retour. À la différence de ce qui s'était passé avec les Maures valenciens, les Andalous devaient payer le prix de la traversée, et les armateurs avaient senti le funeste profit qu'ils pouvaient en tirer, exigeant le double du prix habituel.

À bord d'une ronde caravelle catalane, amarrée à une certaine distance de la rive du fleuve, Fatima, appuyée sur le bastingage, observait la foule rassemblée dans l'Arenal. Comment trouver Hernando parmi tous ces gens ? Elle savait que les Cordouans étaient arrivés et s'étaient mélangés aux Sévillans ; la nuit précédente, elle avait vu l'interminable colonne contourner les remparts pour atteindre l'Arenal. Depuis l'aube, de petites embarcations transportaient des gens, des marchandises et des bagages de la rive aux bateaux. Fatima scrutait les visages altérés des Maures ; certains étaient en larmes. Des femmes à qui l'on avait pris leurs enfants ; des hommes qui laissaient derrière eux leurs illusions et des années d'efforts pour faire vivre leurs foyers, leurs familles ; des vieillards malades qu'il fallait aider à monter dans l'embarcation puis à grimper sur le bateau. Néanmoins, d'autres avaient l'air heureux, comme s'ils avaient obtenu leur libération. Fatima ne reconnut son époux sur aucune des chaloupes. Mais il était encore trop tôt, de toute façon, pour que les Cordouans embarquent. Pendant le voyage, elle avait laissé libre cours à ses rêves les plus fous. Elle avait imaginé Ibn Hamid courant dans ses bras, déclarant qu'il ne l'avait jamais oubliée, lui jurant un amour éternel. Puis elle s'était ressaisie. Plus de trente ans avaient passé… Elle n'était plus jeune, même si elle se savait encore belle. N'avait-elle pas droit au bonheur ? Fatima s'était laissé bercer par une image qui la remplissait d'espoir : elle et Ibn Hamid, ensemble, à Constantinople, jusqu'à la fin de leurs jours… Était-ce de la folie ? Peut-être, mais jamais folie ne lui avait paru si merveilleuse. À présent qu'elle était rendue à destination, la nervosité s'était emparée d'elle. Elle devait le retrouver parmi cette multitude de désespérés, de femmes et d'hommes perdus qui affrontaient un avenir incertain.

— Dis au capitaine de préparer une chaloupe pour me conduire à terre, ordonna Fatima à l'un des trois Numides qu'elle avait décidé d'acheter par l'intermédiaire d'Efraín.

Si les précédents, embauchés par Shamir pour la surveiller, avaient bien rempli leur mission, ceux-là, sous ses ordres, la protégeaient parfaitement.

— Va ! cria-t-elle à l'esclave hésitant. Vous viendrez avec moi. Non, se corrigea-t-elle en pensant à la curiosité que provoqueraient les trois grands Noirs. Dis au capitaine de mettre à ma disposition quatre marins armés pour m'accompagner.

Il fallait qu'elle débarque. C'est seulement en cherchant

elle-même parmi les gens qu'elle retrouverait Hernando. Elle possédait les cédules et les autorisations nécessaires. Efraín avait tout obtenu, comme toujours, sourit-elle. La señora de Tétouan figurait comme armateur de la caravelle, avec licence de voyager à destination des Barbaresques. Personne ne lui causerait de problèmes dans l'Arenal, se dit Fatima, et si c'était le cas… Elle palpa la bourse pleine de pièces d'or qu'elle cachait sous ses vêtements. Elle pouvait suborner tous les soldats chrétiens de l'endroit.

Elle descendit agilement dans la chaloupe et s'assit sur un banc, à côté d'une servante et de quatre marins catalans que le capitaine avait placés sous ses ordres.

Au milieu des marins qui lui frayaient un passage parmi la foule, Fatima entreprit de parcourir l'Arenal, posant ses grands yeux noirs sur tous ceux qui la regardaient avec curiosité. Quel aspect aurait son époux ?

Rafaela se laissa tomber, épuisée, découragée, sur un tronc d'arbre au bord du chemin. Elle posa Salma et Musa, en pleurs, qui avaient parcouru la dernière partie du chemin dans les bras de leur mère. Seul Muqla, du haut de ses cinq ans, avait résisté en silence, marchant à ses côtés, comme s'il avait pris véritablement conscience de l'importance du voyage. Mais la jeune femme ne pouvait plus continuer. Ils cheminaient depuis plusieurs jours derrière les déportés cordouans qui les devançaient seulement d'une demi-journée, sans arriver à les rattraper. Une demi-journée ! Les deux petits n'étaient plus capables d'avancer, ne serait-ce que d'un quart de lieue, et leur rythme si lent exaspérait Rafaela, même si elle devinait que la marche des Cordouans ne pouvait guère être plus rapide que la leur. Elle avait jeté le panier avec la nourriture, porté les deux enfants, un dans chaque bras, et pressé le pas. Mais à présent elle n'en pouvait plus. Elle avait mal aux jambes et aux bras, les pieds en feu, et les muscles de son dos, lacérés d'élancements aigus et constants, semblaient sur le point d'exploser. Et les petits qui continuaient de pleurnicher !

Rafaela laissa passer quelques minutes, entre le silence des champs déserts et les sanglots de ses enfants. Elle fixa l'horizon, dans la direction où devait être Séville.

— Allons-y, mère ! Levez-vous, dit Muqla dès qu'il la vit prendre son visage dans ses mains.

Le visage enfoui, elle hocha négativement la tête. Elle ne pouvait plus !

— Levez-vous, insista le petit en tirant sur son bras.

Rafaela essaya, mais dès qu'elle se leva, ses jambes flageolèrent et elle dut s'asseoir de nouveau.

— Reposons-nous un instant, mon fils, voulut-elle le rassurer. Nous continuerons bientôt.

Alors elle l'observa : seuls ses yeux bleus étincelaient, clairs, brillants ; tout le reste, ses cheveux, ses vêtements, ses chaussures trouées, présentaient un aspect aussi misérable que celui de n'importe quel petit mendiant des rues de Cordoue. Mais ses yeux… La confiance qu'Hernando lui portait était-elle fondée ?

— Nous nous sommes déjà reposés plusieurs fois, protesta Muqla.

— Je sais, dit Rafaela en ouvrant les bras pour accueillir son fils. Je sais, mon amour, sanglota-t-elle à son oreille quand elle le sentit contre elle.

Mais elle eut beau se reposer, elle ne parvint pas à récupérer. Le froid de l'hiver avait pénétré son corps, et ses muscles, au lieu de se détendre, se contractèrent en douloureux élancements avant de se raidir. Les deux petits jouaient dans les herbes du champ. Muqla veillait sur eux, guettant du coin de l'œil le dos de sa mère, prêt à reprendre la route dès qu'il la verrait se lever de la souche où elle était toujours assise.

Ils n'y arriveraient pas, sanglotait Rafaela. Seules les larmes glissant librement sur ses joues paraissaient en mesure de briser la paralysie de son corps. Hernando et les enfants embarqueraient sur un navire à destination des Barbaresques et elle les perdrait pour toujours.

L'angoisse fut supérieure à la douleur physique, et ses sanglots laissèrent place à des convulsions. Elle commençait à éprouver une terrible nausée quand elle entendit au loin un bruit sourd. Muqla apparut à côté d'elle, comme surgi du néant, le regard fixé sur le chemin.

— Ils nous aideront, mère, l'encouragea l'enfant en cherchant le contact de sa main.

Une longue file de personnes et d'attelages arrivait au loin. Il s'agissait de Maures de Castro del Río, Villafranca, Canete et d'autres villages encore, qui se rendaient également à Séville. Rafaela ravala ses larmes, surmonta la douleur de son corps et se leva. Elle se cacha avec ses enfants à quelques mètres du chemin et, quand la colonne passa devant eux, constatant qu'aucun soldat ne les observait, elle attrapa ses petits et se joignit aux gens. Certains Maures les regardèrent avec étonnement, mais nul ne leur accorda d'importance. Ils étaient tous en partance pour l'exil. Quelqu'un de plus ou de moins, qu'est-ce que cela changeait ? Rafaela n'hésita pas longtemps : elle tira sa bourse et paya généreusement un muletier pour qu'il permette à Salma et à Musa de grimper sur un tas de sacs que transportait une mule. Ils pouvaient atteindre Séville à temps ! Cette seule idée lui redonna la force de bouger ses jambes. Muqla sourit en marchant à côté d'elle, sa petite main dans celle de sa mère.

Fatima dut supporter la puanteur de milliers de personnes rassemblées dans les pires conditions, les cris, la fumée des foyers, les fritures. Elle pataugeait dans la boue, les enfants couraient et lui passaient entre les jambes, les uns en pleurs, les autres excités. Malgré la protection des marins, elle reçut des coups et déambula d'un côté à l'autre, repassant souvent au même endroit. Elle finit par être convaincue que ce n'était pas la bonne méthode. Depuis le temps qu'elle vivait recluse dans son luxueux palais, isolée entre ses murs dorés... Elle sentit qu'elle commençait à transpirer. Alors elle s'efforça de contrôler ses nerfs : après tant d'années, elle ne voulait pas se présenter devant Ibn Hamid sale et dépenaillée.

Elle interrogea des soldats qui la regardèrent comme si elle était idiote avant d'éclater de rire.

— Hernando ? Ils n'ont pas de nom. Tous ces chiens sont pareils ! vociféra l'un d'eux.

Près des remparts, elle trouva un banc de pierre et s'assit.

— Vous, ordonna-t-elle à trois des marins qui l'accompagnaient, cherchez un homme qui s'appelle Hernando Ruiz, de Juviles, dans les Alpujarras. Il est arrivé avec les gens de Cordoue. Il a cinquante-six ans et les yeux bleus – « de merveilleux yeux bleus », songea-t-elle. – Il est avec deux enfants : un garçon et une fille. Je vous attendrai ici. Si vous le trouvez, je vous récompenserai généreusement. Tous, ajouta-t-elle pour rassurer celui qu'elle obligeait à rester avec elle.

Rapidement, les hommes disparurent dans toutes les directions.

Pendant que dans le port de Séville les marins catalans se mélangeaient aux Maures, scrutaient autour d'eux et interrogeaient la foule en criant, secouant ceux qui ne leur prêtaient pas attention, sur la route Rafaela tâchait de régler son pas sur le rythme lent de la colonne des déportés. Les douleurs avaient cédé devant l'espoir, mais elle était la seule qui semblait pressée. Les gens avançaient lentement, tête basse, en silence. « Courage ! » aurait-elle voulu crier. « Courez ! » Le petit Muqla, qui lui tenait la main, leva le visage vers elle, comme s'il lisait dans ses pensées. Rafaela serra d'une main celle de son fils tout en caressant de l'autre ses deux autres enfants qui sommeillaient, accrochés aux sacs que transportait la mule.

— L'homme que vous cherchez est là-bas, señora, annonça l'un des marins en indiquant la direction de la Torre del Oro, près d'un groupe de chevaux.

Fatima se leva du banc où elle était restée assise.

— Tu es sûr ?

— Certain. J'ai parlé avec lui. Hernando Ruiz, de Juviles. Il m'a dit qu'il s'appelait comme ça.

Elle sentit un frisson parcourir son corps.

— Lui as-tu dit… ? demanda-t-elle d'une voix tremblante. Lui as-tu dit que quelqu'un le cherchait ?

Le marin hésita. Un Cordouan lui avait montré un homme avec des chevaux, de dos, et le marin s'était contenté d'attraper le Maure par les épaules et de l'obliger à se retourner brusquement. Il lui avait alors demandé son nom et, quand il avait entendu sa réponse, il était immédiatement revenu vers sa maîtresse pour la récompense promise.

— Non, répondit-il.

— Amène-moi jusqu'à lui, ordonna Fatima.

Le marin lui obéit et bientôt il lui désigna un homme : c'était ce Maure, là-bas, de dos, qui parlait avec un infirme appuyé sur des béquilles. Entre eux ne cessaient d'aller et venir des tas de gens chargés de sacs et de malles. Fatima, tremblante, s'arrêta un instant.

Elle attendit qu'il se retourne : elle n'osait faire un pas de plus. Le marin se tenait immobile à ses côtés. Qu'arrivait-il à la señora ? Il se mit à gesticuler et désigna de nouveau le Maure. Miguel, qui était face à eux, l'aperçut et reconnut l'homme qui venait de parler avec Hernando. Il fit un mouvement de tête dans sa direction.

— On dirait que quelqu'un vous cherche, seigneur.

Hernando se retourna, lentement, comme s'il pressentait quelque chose. Parmi la foule il distingua le marin, debout, à quelques mètres. Une femme était avec lui... Il ne réussit pas à distinguer son visage car des personnes s'interposèrent entre eux à ce moment-là. Puis il vit deux yeux noirs rivés sur lui. Le souffle lui manqua... Fatima ! Leurs regards se croisèrent et se fixèrent l'un sur l'autre. Un incontrôlable tourbillon de sensations assaillit Hernando et le paralysa. Fatima !

Le petit Muqla dut tirer sur la main de sa mère pour l'obliger à ralentir quand cette dernière accéléra le pas à la vue des remparts de Séville. Les Maures avaient encore réduit leur allure déjà si lente ! On entendait des soupirs de part et d'autre. L'effrayante complainte d'une mère s'éleva au-dessus du bruit des sabots des montures et des milliers de pieds qui se traînaient. Un vieillard qui marchait à côté d'eux hocha la tête et fit claquer sa langue, juste une fois, comme s'il était incapable d'exprimer autrement sa douleur.

— Avancez ! cria un soldat.

— Plus vite ! ordonna un autre.

— Hue, sales bêtes ! lança un troisième pour les humilier.

Les soldats éclatèrent de rire. Rafaela regarda son fils. « Continuons avec eux ! » sembla lui conseiller ce dernier en silence, « ne nous découvrons pas maintenant. Nous allons y arriver ! » lui prédit-il avec un sourire vite effacé. Rafaela ne voulait pas se laisser envahir par le désespoir qui suintait des rangées de Maures. Elle lâcha la main de Muqla et secoua tendrement Musa.

— Allez, mon amour, réveille-toi, dit-elle avant de s'apercevoir du regard surpris que lui adressait le muletier.

Rafaela hésita, puis fit de même avec Salma.

— Nous sommes arrivés ! susurra-t-elle à l'oreille de la petite fille, cachant son impatience au muletier.

L'enfant bredouilla quelques mots, ouvrit les yeux mais les referma aussitôt, vaincue par la fatigue. Rafaela la souleva de la mule, la prit dans ses bras et la serra contre elle.

— Ton père nous attend ! murmura-t-elle, dissimulant cette fois ses lèvres dans les cheveux emmêlés de la fillette.

Fatima fut la première à rompre l'enchantement. Elle ferma les yeux et se pinça les lèvres. « Enfin ! » sembla-t-elle dire à Hernando par cette attitude. Puis elle marcha vers lui, très lentement, ses yeux noirs pleins de larmes.

Hernando ne pouvait la quitter du regard. Trente ans n'avaient pas réussi à flétrir sa beauté. Les souvenirs ressurgirent par milliers et le firent trembler comme une feuille juste au moment où elle arriva à sa hauteur.

— Fatima ! murmura-t-il.

Elle le regarda pendant quelques instants, caressant du regard son visage, si différent de celui dont elle se souvenait. Les années avaient passé, mais le bleu de ses yeux restait celui dont elle était tombée amoureuse dans les Alpujarras.

Elle n'osait le toucher. Elle dut retenir ses mains pour ne pas se jeter à son cou et couvrir son visage de baisers. Quelqu'un qui passait la poussa involontairement et Hernando la rattrapa pour l'empêcher de tomber. Elle sentit sa main sur sa peau et frissonna.

— Le temps a passé, chuchota-t-elle finalement. Beaucoup de temps.

Il lui tenait toujours la main, cette main qui tant de nuits l'avait caressée.

Avec un soupir, Fatima fit un pas en avant et ils tombèrent dans les bras l'un de l'autre. Pendant quelques instants, au cœur du tumulte qui les entourait, tous deux restèrent immobiles, à l'écoute de leur respiration, envahis par d'innombrables souvenirs. Il respira le parfum de ses cheveux, la serra fortement, comme s'il voulait la retenir pour toujours.

— Combien j'ai rêvé... ! commença-t-il à lui dire à l'oreille.

Mais Fatima ne lui permit pas de continuer. Elle jeta la tête en arrière et l'embrassa sur la bouche, d'un baiser ardent et triste, auquel il répondit en glissant ses mains jusqu'à sa nuque.

Miguel et les enfants, sortis d'entre les chevaux, observaient la scène avec stupéfaction.

La colonne de déportés de Castro del Río contourna les remparts de la ville et dépassa le corps de garde qui surveillait les accès à l'Arenal de Séville. Les Maures se dispersèrent parmi la foule et Rafaela s'arrêta pour se faire une idée du lieu. Elle savait ce qu'elle devait chercher. Seize chevaux ensemble se repéraient facilement, même au milieu de tant de gens ! Hernando et les enfants seraient avec eux.

— Garde l'œil sur ton frère et ta sœur et restez à côté de moi. N'allez pas vous égarer, dit-elle à Muqla en se dirigeant vers une charrette à quelques mètres de là.

Et, sans demander l'autorisation, elle grimpa sur le siège du cocher.

— Hé ! cria un homme qui voulut la retenir.

Mais Rafaela, qui avait prévu cette éventualité, se débarrassa de lui avec détermination.

— Qu'est-ce que vous faites ? insista le charretier en tirant sur sa robe.

C'était juste une question de secondes. Elle résista au charretier, se mit sur la pointe des pieds et parcourut l'endroit du regard. Seize chevaux. « Cela ne doit pas être bien difficile », murmura Rafaela. L'homme décida de monter à son tour, mais Muqla réagit et s'accrocha à ses jambes. Des curieux commencèrent à se regrouper devant la scène : un charretier qui essayait de se libérer d'un petit morveux à coups de pied. « Seize chevaux ! » se répétait

Rafaela. Elle entendait les cris de l'homme et les efforts que déployait son petit garçon pour l'arrêter.

— Là ! se surprit-elle soudain à crier.

Les chevaux apparaissaient nettement au pied d'une tour resplendissante qui se dressait sur la rive du fleuve, à l'extrême opposé de l'endroit où ils étaient.

Elle sauta du siège comme une jeune fille. Elle ne sentit même pas la douleur de ses pieds lorsqu'ils heurtèrent le sol.

— Merci, brave homme, dit-elle au charretier. Laisse tranquille ce monsieur, Muqla.

Le garçon lâcha prise et, anticipant un autre coup de pied, partit en courant.

— Allons-y, les enfants !

Elle se fraya un passage parmi les curieux et avança avec élégance en direction de la tour, un sourire aux lèvres, esquivant hommes et femmes ou les écartant rudement quand il le fallait.

— Nous avons réussi, mes enfants, répétait-elle.

Elle avait repris les petits dans ses bras. Muqla s'efforçait de suivre ses pas.

— Je ne veux plus être séparée de toi, s'exclama Fatima après ce long baiser.

Ils étaient toujours collés l'un à l'autre, se dévorant du regard, posant les yeux sur chaque ride de leurs visages, essayant de les effacer. Pendant quelques instants ils furent de nouveau le jeune muletier des Alpujarras et la jeune fille qui l'attendait. Le temps jadis semblait s'être évanoui. Ils étaient là, tous deux, ensemble ; le passé se dissipait, emporté par l'émotion des retrouvailles.

— Accompagne-moi à Constantinople, dit Fatima. Avec tes enfants. Nous ne manquerons de rien. J'ai de l'argent, Ibn Hamid, beaucoup d'argent. Plus rien, plus personne ne peut désormais m'empêcher d'être à toi. Nous ne courons plus aucun danger. Nous recommencerons.

L'ombre d'un doute apparut sur le visage d'Hernando.

— Nous ferons parvenir de l'argent au reste de ta famille, s'empressa-t-elle d'ajouter. Efraín s'en chargera. Ils ne manqueront de rien, eux non plus, je te le jure.

Continuant à parler précipitamment, avec passion, Fatima ne lui laissa pas le temps de réfléchir. Amin et Laila étaient restés bouche bée, cherchant inconsciemment le contact de Miguel, tandis qu'ils regardaient cette inconnue qui avait embrassé leur père.

— J'ai un bateau. J'ai les autorisations nécessaires pour transporter nos frères jusqu'aux Barbaresques. Ensuite, nous continuerons notre route vers l'Orient. En peu de temps nous serons installés dans une grande maison… Non ! Dans un palais ! Nous le méritons ! Nous aurons tout ce que nous désirons. Et nous pourrons être heureux, comme avant, comme si rien ne s'était passé pendant toutes ces années. Nous nous retrouverons jour après jour…

Une multitude de sensations et de sentiments contradictoires agitait Hernando. Fatima ! Les souvenirs se bousculaient impétueusement à son esprit. La communion à distance qu'il avait entretenue avec Fatima ces derniers temps, comme un phare éthéré éclairant son chemin, avait cédé la place à une réalité tangible et merveilleuse à la fois. Son corps et son esprit s'étaient réveillés, laissant affleurer certains sentiments que, de façon consciente et volontaire, il avait réprimés. Ils s'étaient tant aimés ! Et Fatima était là, devant lui, lui parlant sans relâche, pleine d'espoir, de passion. Comment avait-il été capable de croire que tant d'amour pouvait disparaître ?

— Personne ne pourra jamais plus nous séparer, répétait-elle.

Hernando tourna les yeux vers ses enfants. Et eux ? Et Rafaela ? Et les petits restés à Cordoue ? Une onde de rejet, à peine perceptible, vint troubler le charme de l'instant. Était-il en train de les trahir ? Amin et Laila avaient toujours les yeux fixés sur lui, lui adressant mille questions silencieuses et autant de reproches. Hernando sentit leur réprobation, telles de fines aiguilles qui se plantaient dans sa peau. Quelle est cette femme qui t'embrasse et que tu as accueillie avec tant de passion ? semblait lui demander sa fille. Quelle est cette vie que tu dois recommencer loin de ma mère ? l'interrogeait Amin. Miguel, quant à lui, avait baissé la tête, ses jambes plus recroquevillées que jamais, comme si toute sa vie, tous ses efforts et ses renoncements se concentraient dans la boue où s'enfonçaient ses béquilles.

Fatima s'était tue. Le vacarme alentour, les gémissements de milliers de Maures rassemblés dans l'Arenal se firent de nouveau entendre. La réalité s'imposait. Les chrétiens les avaient chassés de Cordoue. Tout ce qui les attendait, les enfants et lui, c'était l'exil, un avenir incertain. Dieu avait peut-être placé Fatima sur sa route ! Qui, sinon Lui, avait amené jusqu'ici sa première épouse !

Il allait dire quelque chose quand la voix de Laila le devança.

— Mère ! s'exclama tout à coup sa fille.

Et elle partit en courant.

— Lai... ! commença à dire Hernando.

Mère ? Elle avait dit mère ? Il vit alors Amin s'élancer derrière sa sœur.

Il resta pétrifié. À quelques mètres de l'endroit où ils se trouvaient, Rafaela étreignait Amin et Laila, embrassant leurs visages, leurs cheveux. Autour se tenaient les trois petits, immobiles, qui les regardaient avec interrogation.

Avec tendresse, Rafaela écarta les enfants et se redressa devant son époux. Alors elle lui sourit, les lèvres pincées en une moue décidée, triomphale. « J'ai réussi ! Tu es là ! » disait-elle. Mais Hernando ne réagissait pas. Rafaela s'en étonna et examina inconsciemment ses vêtements. De quoi avait-elle l'air ? Elle se trouva sale et misérable. Honteuse, elle tenta de lisser sa robe avec ses mains.

— Ton épouse chrétienne ?

La voix de Fatima résonna aux oreilles d'Hernando sur un ton à la fois interrogateur et accusateur. Plaintif aussi.

Il hocha la tête, sans la regarder.

Alors Rafaela remarqua la présence de la femme, belle et luxueusement vêtue, qui se tenait à côté de son époux, et elle avança vers eux, le regard rivé sur l'inconnue.

— Qui est cette femme ? interrogea Rafaela.

— Tu ne lui as pas parlé de moi, Hamid ibn Hamid ? demanda Fatima, dont les yeux étaient posés sur la silhouette loqueteuse et malpropre qui s'approchait d'eux.

Rafaela répondit avant lui, avec la même résolution qui lui avait permis, un jour, au moment de la peste à Cordoue, de chasser sa mère de sa maison.

— Je suis sa femme. De quel droit osez-vous vous adresser ainsi à nous ?

— Celui que m'octroie le fait d'être sa première et unique épouse, déclara Fatima avec un geste du menton en direction d'Hernando.

Le trouble apparut sur le visage de Rafaela. La première épouse d'Hernando était morte. Elle se souvenait encore du triste récit de Miguel. Elle hocha la tête, ferma les yeux, comme si elle voulait repousser cette affirmation.

— Comment ? souffla-t-elle dans un filet de voix. Hernando, dis-moi que ce n'est pas vrai.

— Oui, dis-le, Ibn Hamid.

La voix de Fatima retentit, provocante.

— Quand je me suis marié avec toi, je croyais qu'elle était morte, réussit à dire Hernando.

Rafaela secoua violemment la tête.

— Quand tu t'es marié avec moi ! s'écria-t-elle. Et ensuite ? Tu as appris qu'elle était vivante ? Sainte Vierge !

Elle avait tout laissé pour Hernando. Elle avait parcouru des dizaines de lieues à pied pour le retrouver. Elle était en haillons, sale, les chaussures détruites, les pieds en sang ! D'où sortait cette femme ? Que voulait-elle d'Hernando ? Autour d'eux il y avait des milliers de Maures malheureux, tous livrés à leur misérable sort. Que faisait-elle ici ? Rafaela sentit ses jambes fléchir, et la détermination avec laquelle elle s'était lancée dans cette entreprise disparut au milieu des pleurs et des plaintes des gens.

— Nous avons marché… c'était interminable, sanglota-t-elle comme si elle renonçait. Les enfants… n'arrêtaient pas de pleurer, à part Muqla. J'ai cru que nous n'arriverions pas à temps… Et pour quoi finalement ?

À cet instant, elle écarta légèrement de son corps l'un de ses bras. Comme répondant à un appel, Laila se précipita vers elle.

— Ils nous ont tout pris, la maison, les meubles, mes vêtements…

Hernando s'avança vers elle, les mains ouvertes, légèrement tendues, comme s'il avait voulu se justifier. Son regard, toutefois, était fuyant.

— Rafaela, je… commença-t-il à dire.

— Je pourrais tout arranger pour qu'elle puisse venir aussi, coupa alors Fatima, élevant la voix.

Que faisait ici la chrétienne ? Elle n'avait pas l'intention de renoncer à ses rêves, même si cela signifiait… Elle trouverait une solution.

Hernando se tourna vers Fatima, et Rafaela sentit l'hésitation de son mari. Pourquoi oscillait-il ? De quoi parlait cette femme ? Aller où ? Avec elle ?

— Quelle est cette folie ? demanda-t-elle alors.

— Si tu le souhaites, répondit Fatima, toi et tes enfants pourriez venir avec nous à Constantinople.

— Hernando, dit Rafaela en s'adressant à son époux avec dureté, je t'ai donné ma vie. Je suis… je suis prête à renoncer aux dogmes de mon Église et à partager avec toi la foi en Marie et le destin qui t'attend, mais jamais, tu m'entends, jamais je ne te partagerai avec une autre femme, conclut-elle en pointant du doigt Fatima.

— Et crois-tu avoir le choix, chrétienne ? répliqua cette dernière. Crois-tu qu'on te laissera embarquer avec lui aux Barbaresques ? On ne te le permettra pas. Et on te prendra tes enfants ! Vous le savez tous les deux. Je les ai vus faire pendant que j'attendais : ils les arrachent sans aucune compassion des bras de leurs mères…

Fatima suspendit ses paroles et plissa les yeux lorsqu'elle vit le visage de Rafaela se décomposer à l'idée de perdre ses petits. Elle la comprenait, elle ressentait sa douleur, elle avait perdu un fils, mort à cause des chrétiens. Mais ce souvenir, précisément, la remplit de rage. C'était une chrétienne, elle ne méritait pas sa pitié.

— Je les ai vus ! insista Fatima avec entêtement. Dès qu'ils s'apercevront qu'elle n'a pas de papiers maures, qu'elle est chrétienne, ils l'arrêteront, l'accuseront d'apostasie et prendront les enfants.

Rafaela porta ses mains à son visage.

— Il y a des soldats partout, reprit Fatima.

Rafaela se mit à sangloter. Le monde semblait s'écrouler autour d'elle. L'épuisement, l'émotion, la terrible vérité. Tout parut se liguer contre elle à cet instant. Elle sentit que ses jambes ne la portaient plus, qu'elle ne respirait plus. Elle n'entendait plus que les paroles de cette femme, de plus en plus confuses, de plus en plus lointaines…

— Vous n'avez aucun moyen de vous échapper. De sortir de l'Arenal. Je suis la seule à pouvoir vous aider…

Alors Rafaela, étouffant un gémissement, perdit connaissance.

Les enfants se précipitèrent à ses côtés, mais Hernando fut plus rapide. Il les écarta et s'agenouilla près d'elle.

— Rafaela ! dit-il en lui tapotant les joues. Rafaela !

Désespéré, il regarda autour de lui. Ses yeux croisèrent ceux de Fatima. L'espace d'un instant seulement, mais il suffit pour qu'ils comprennent tous deux, elle avant lui, qu'ils s'étaient perdus.

— Ne m'abandonne pas, suppliait Rafaela, à moitié consciente. Ne me quitte pas, Hernando.

Miguel, les enfants et Fatima observaient le couple un peu à l'écart, près de la rive du Guadalquivir où Hernando avait porté son épouse. Le visage de Rafaela était toujours aussi pâle, sa voix tremblait encore ; elle n'osait plus le regarder.

Hernando sentait encore le parfum de Fatima sur sa peau. Quelques minutes plus tôt il avait plongé dans ses bras, l'avait désirée ; il avait même rêvé brièvement, une poignée de secondes, au bonheur qu'elle lui proposait. Mais à présent… Il observa Rafaela : les larmes coulaient sur ses joues, se mélangeant à la poussière du chemin collée à sa peau. Il vit trembler son menton. Elle se forçait à réprimer ses sanglots, comme si elle voulait se présenter devant lui telle une femme dure, déterminée. Hernando se pinça les lèvres. Elle n'était pas cette femme-là : elle était la jeune fille qu'il avait libérée du couvent et qui, peu à peu, par sa douceur, avait su gagner son cœur. Elle était son épouse.

— Je ne te quitterai jamais, s'entendit-il lui dire.

Il lui prit les mains, doucement, et l'embrassa. Puis il la serra dans ses bras.

— Comment va-t-on sortir de là ? lui demanda-t-elle.

— Ne t'inquiète pas, murmura-t-il, s'efforçant de paraître convaincant.

Bientôt, les enfants et Miguel les entourèrent.

— Pour le moment, j'ai une dernière chose à faire… dit alors Hernando.

Hernando s'avança vers Fatima.

— Je suis venue te chercher, Hamid ibn Hamid, dit cette dernière avec gravité. Je croyais que Dieu…

— Dieu décidera.

— Ne t'y trompe pas. Dieu a déjà décidé, rétorqua-t-elle en désignant la foule entassée dans l'Arenal.

— Ma place est auprès de Rafaela et de mes enfants, déclara-t-il d'un ton ferme, qui n'admettait aucune objection.

Fatima trembla. Son visage s'était mué en un masque beau et dur. Elle voulut partir mais, avant de faire un pas, elle posa une fois encore ses yeux sur lui.

— Je sais que tu m'aimes encore.

Puis elle fit demi-tour et commença à s'éloigner.

— Attends, lui demanda Hernando.

Il courut à l'endroit où se tenaient les chevaux et revint aussitôt, un paquet dans les mains. Il fouilla à l'intérieur.

— Ceci t'appartient, dit-il en rendant à Fatima son vieux collier en or.

Elle le prit d'une main tremblante.

— Et cela, continua Hernando en lui tendant la copie arabe de l'évangile de Barnabé, de l'époque d'Almanzor… Ce sont des écrits très précieux, très anciens, qui appartiennent à notre peuple. Je devais essayer de les faire parvenir au sultan.

Fatima resta immobile.

— Je sais que tu te sens trahie, reconnut Hernando. Comme tu l'as dit avant, j'aurai du mal à m'échapper d'ici, mais je vais essayer, et si j'y parviens, je continuerai à lutter en Espagne pour le Dieu unique et pour la paix entre nos peuples. Comprends-moi, je peux risquer ma vie, je peux risquer la vie de mon épouse et même celle de mes enfants, je peux même renoncer à toi… mais je ne peux pas sacrifier l'héritage de notre peuple. Je ne peux plus garder cela en ma possession, Fatima. Les chrétiens ne doivent pas s'en emparer. Prends-le en hommage à notre combat pour conserver les lois musulmanes et fais ce qui te semblera le plus opportun. Prends-le, pour Allah, pour le Prophète, pour tous nos frères.

Elle tendit la main vers le manuscrit.

— N'oublie pas que je t'ai aimée, ajouta alors Hernando, et que je t'aimerai jusqu'à…

Il se racla la gorge et se tut un instant.

— La mort est une longue espérance, murmura-t-il.

Mais avant même qu'il termine sa phrase, Fatima était déjà partie.

Une fois seulement que Fatima eut disparu parmi la foule, Hernando réalisa combien les paroles qu'elle avait prononcées étaient justes. Il balaya l'Arenal du regard et son ventre se noua. Des milliers de Maures étaient prisonniers ; les soldats et les scribes donnaient des ordres sans relâche ; les gens étaient embarqués de force ; marchands et camelots cherchaient à profiter jusqu'au bout de toutes ces familles ruinées ; des prêtres veillaient à ce que personne n'emmène d'enfants en bas âge.

— Qu'allons-nous faire, Hernando ? demanda Rafaela, soulagée de voir s'éloigner cette femme.

Ils étaient de nouveau réunis, ils étaient une famille. Les enfants les entouraient et attendaient, impatients, collés à lui.

— Je ne sais pas.

Il ne parvenait pas à détacher son regard de Rafaela et des enfants. Il avait failli les perdre…

— Même si, d'une façon ou d'une autre, tu réussissais à embarquer comme Mauresque, ils ne laisseraient jamais passer les enfants. Ils nous les prendraient. Il faut d'ici. Il n'y a pas d'autre solution.

Sous la splendeur que le coucher de soleil arrachait aux azulejos de la Torre del Oro, Hernando examina les remparts de la ville. Rafaela fit de même, ainsi que Miguel. Derrière eux, point de sortie : les remparts et l'alcázar fermaient le passage. Un peu plus loin se trouvait la porte de Jerez, qui donnait accès à la ville mais, à l'instar de celles de l'Arsenal et de Triana, elle était gardée par une troupe de soldats. Il restait le Guadalquivir. Rafaela et

Miguel virent Hernando secouer la tête. C'était impossible ! En aucun cas ils ne parviendraient à s'approcher des bateaux, avec les scribes et les prêtres qui surveillaient la rive. La seule issue était l'endroit par lequel ils avaient rejoint l'Arenal, à l'autre extrémité, extra-muros, en dépit des nombreux soldats qui y étaient postés. Mais comment faire ?

— Attendez-moi ici, ordonna-t-il.

Il traversa l'Arenal. Un corps de garde était installé à l'entrée, en armes, dans de petites baraques construites de manière précaire pour accueillir les colonnes de Maures. Hernando remarqua toutefois que les soldats tuaient le temps en bavardant ou en jouant aux cartes. Plus personne n'entrait et aucun Maure ne tentait de sortir. Les chrétiens quittaient l'Arenal par les portes d'accès à la ville. Ils étaient cernés par les remparts. Cependant… ils devaient sortir de là !

Il revint à la Torre del Oro à la tombée de la nuit ; l'heure de la prière. Hernando regarda le ciel et implora l'aide divine. Puis il se réunit avec Rafaela et Miguel, Amin et Laila. C'était risqué, très risqué.

— Où sont les hommes que tu as emmenés avec les chevaux ? demanda-t-il à Miguel.

— En ville. Il en reste un, de garde.

— Dis-lui de rejoindre ses compagnons. Dis-lui… que j'aimerais passer ma dernière nuit ici seul avec mes chevaux. Il le croira ?

— Cela ne lui fera ni chaud ni froid. Il ira s'amuser. Je les ai payés. Ils ont de l'argent et la ville bouillonne.

Miguel fut bientôt de retour.

— C'est fait.

— Bien. Toi, en tant que chrétien, tu peux sortir d'ici…

Miguel voulut protester, mais Hernando l'en empêcha.

— Fais ce que je te dis, Miguel. Nous n'aurons qu'une seule chance. Quitte l'Arenal par n'importe quelle porte, traverse la ville et sors par une autre porte. Attends-nous après les remparts.

— Et elle ? interrogea l'infirme en montrant Rafaela. Elle est chrétienne, elle aussi, elle pourrait sortir avec moi...

— Avec les enfants ? Ils ne passeront pas le corps de garde. Ils croiront qu'elle les a volés et nous les perdrons. Quelle excuse pourrait donner une femme chrétienne pour justifier qu'elle se trouve dans l'Arenal avec ses enfants ? Elle serait arrêtée. C'est certain.

— Mais...

— Va, Miguel.

Hernando étreignit son ami et l'aida à se hisser sur sa mule. C'était peut-être la dernière fois qu'il le voyait.

— La paix, Miguel, lui dit-il lorsqu'il partit.

L'invalide bredouilla un au revoir.

— Ne pleure pas, Rafaela, ajouta-t-il en se tournant vers son épouse dont les yeux étaient remplis de larmes. Nous réussirons... avec l'aide de Dieu. Les enfants, nous avons beaucoup de travail et peu de temps, pressa-t-il Amin et Laila.

Il s'approcha des chevaux, qui se reposaient, épuisés par le voyage. Miguel, comme il l'en avait averti, avait diminué leur nourriture afin qu'ils perdent des forces et acceptent de porter avec soumission bagages, femmes et vieillards. Presque tous présentaient des éraflures et des plaies à cause du poids qu'ils avaient transporté. Hernando prit des licous et des cordes.

— Attachez-les tous entre eux, par la tête, bien fort, expliqua-t-il à ses enfants en leur tendant plusieurs licous, et gardant pour lui les longues cordes. Non, dit-il finalement, après avoir soupesé la difficulté de contrôler seize chevaux attachés. Attachez-en seulement dix. Toi, tu vas aller avec les trois petits à l'autre extrémité de l'Arenal, ordonna-t-il ensuite à Rafaela. Il te faudra plus de temps qu'à nous. Une fois là-bas, approche-toi le plus près possible du corps de garde, mais sans que les soldats te voient ou devinent ta présence. Je vais lancer les chevaux contre eux...

Rafaela sursauta.

— Je n'ai pas d'autre idée, mon amour. À ce moment-là, franchis rapidement la porte avec les enfants et cachez-vous dans les herbes de la rive. Là-bas, il n'y a pas de bateaux. Mais ne restez pas là, partez, éloignez-vous le plus possible. Suivez la rive en contournant les remparts jusqu'à ce que la ville soit loin derrière vous. Miguel vous attendra.

— Et vous ? demanda-t-elle, consternée.

— Nous vous rejoindrons. Fais-moi confiance, affirma Hernando, même si le tremblement de sa voix contredisait cette assurance.

Hernando l'embrassa puis la poussa à traverser l'Arenal. Rafaela hésita.

— Nous y arriverons. Tous, insista Hernando. Aie confiance en Dieu. Va. Cours.

Le petit Muqla tira sa mère par la main. Hernando regarda pendant quelques instants sa femme et trois de ses enfants se perdre parmi la foule. Puis il se tourna avec résolution pour aider Amin et Laila.

— Avez-vous entendu ce que j'ai dit à votre mère ? demanda-t-il à ses deux aînés, qui acquiescèrent. Donc c'est entendu. Chacun de vous se tiendra d'un côté du groupe. Je dirigerai les chevaux. Nous aurons du mal à passer entre tous ces gens, mais nous devons y arriver. Par chance, la plupart des soldats sont partis faire la fête en ville et ne déambulent plus parmi nous. Ils ne nous arrêteront pas.

Il parlait avec vigueur tandis qu'il attachait les animaux, sans laisser à ses enfants la possibilité de poser des questions.

— Stimulez-les par-derrière et sur les côtés pour les faire avancer, reprit-il. Faites-le avec énergie, sans vous soucier de ce qu'on pourra vous dire. Notre objectif est de traverser cette étendue, coûte que coûte. Vous m'avez compris ?

Une fois encore, les deux enfants hochèrent la tête.

— Lorsque nous serons près de la sortie, restez derrière eux, puis fuyez en courant comme votre mère. D'accord ?

Il n'attendit pas leur réponse. Les dix chevaux étaient attachés. Hernando saisit alors les longues cordes et, par-dessus les garrots, les noua aux pattes avant des deux chevaux de tête. Ensuite, il saisit par le licou un troisième animal qu'il avait laissé libre.

— D'accord ? répéta-t-il.

Amin et Laila firent oui de la tête. Leur père les encouragea d'un sourire.

— Votre mère nous attend. Nous ne pouvons pas les laisser seuls ! Allez, en avant ! ordonna-t-il sans s'accorder de pause.

Amin avait seulement onze ans. Sa sœur, dix. Y arriveraient-ils ?

Hernando tira les trois chevaux de tête. Derrière, attachés entre eux, se tenaient les sept autres, regroupés, en biais.

— Hue ! En marche, mes jolis !

Il peina à les faire bouger. Ils n'étaient pas habitués à se déplacer attachés les uns aux autres. Ceux de derrière ruèrent, se cabrèrent et se mordirent, refusant d'avancer. Et lui ? s'interrogea-t-il soudain. Y parviendrait-il, à son âge ? Il donna un coup de pied dans la panse d'un cheval.

— Allez !

— Hue ! entendit-il derrière lui.

Entre les animaux il vit qu'Amin avait pris une corde et asticotait les croupes des derniers chevaux. Aussitôt, la voix de Laila, d'abord hésitante puis résolue, se joignit à celle de son frère.

Ils y arriveront ! sourit-il en entendant ses enfants crier.

Comme une armée imparable, les chevaux se mirent en

mouvement. Hernando crut qu'il ne pourrait pas les contrôler, mais à l'arrière ses enfants allaient et venaient d'un côté à l'autre pour les stimuler et les maintenir groupés.

— Attention ! Écartez-vous ! criait-il sans répit.

Les enfants faisaient comme lui. Les gens se plaignaient et les insultaient. Sur leur passage, les Maures s'écartaient en bondissant. Ils piétinèrent des affaires et emportèrent des tentes. Lorsqu'ils passèrent au-dessus d'un petit feu, Hernando comprit que les animaux avançaient à l'aveuglette parmi la foule : dans d'autres conditions, ils n'auraient jamais agi ainsi.

— Attention !

Il fut contraint de tirer violemment les chevaux de tête pour les empêcher d'écraser une vieille femme. Plus d'un Maure fut bousculé par les bêtes qui avançaient de travers.

L'Arenal avait beau être étendu, le temps avait passé et Hernando distingua devant lui le corps de garde, les soldats intrigués par le tapage.

— Maintenant, les enfants ! Fuyez ! Au galop ! criat-il.

Il n'eut pas besoin de les forcer. L'espace libre qui s'ouvrait devant eux, où se tenaient les derniers Maures et la garde, les poussa à s'élancer dans un galop frénétique. Hernando courut à côté du cheval libre au galop et s'accrocha à son crin afin de monter dessus en profitant de la panique. Il eut du mal à le faire ; devant l'effort, ses muscles lui faisaient défaut. Sa première tentative échoua et sa jambe droite resta à mi-croupe, mais dès qu'il retoucha le sol, sans même faire un pas de plus, il réussit à se hisser avec force. Les autres bêtes, sans Amin et Laila pour les asticoter, partirent dans tous les sens. Atterrés, les soldats virent arriver sur eux onze chevaux au galop : un troupeau d'animaux déchaînés, fous.

— *Allahu Akbar !*

Il n'avait pas fini d'invoquer son Dieu quand il tira sur

1057

les deux longues cordes qu'il avait attachées aux pattes avant des deux autres chevaux de tête. Les animaux trébuchèrent, s'étalèrent de tout leur long et firent un tonneau. À la lumière des torches, Hernando parvint à distinguer la panique sur le visage des soldats lorsque tous les animaux s'affalèrent et roulèrent sur les hommes et les petites baraques. Lui, sur le cheval libre, galopa à l'extérieur de l'Arenal, laissant sur place un corps de garde détruit.

Il sauta à terre de la même manière qu'il était monté et courut vers les herbes de la rive. Les hennissements et les cris au loin résonnaient dans la nuit.

— Rafaela ? Amin ?

D'interminables secondes passèrent avant que quelqu'un lui réponde.

— Ici.

Dans le noir total, il reconnut la voix de son fils aîné.

— Et ta mère ?

— Ici, répondit Rafaela un peu plus loin.

Il tressaillit en entendant sa voix. Ils avaient réussi !

69.

Ils prirent la direction de Grenade, sachant qu'en cas d'arrestation ils risquaient la mort ou l'esclavage. Les chefs des milices cordouanes connaissaient forcément l'identité d'Hernando : il était le propriétaire des chevaux. Et son nom, ainsi que celui de ses enfants, n'apparaissait pas sur les listes d'embarquement.

— Aux Alpujarras ! décida-t-il.

Là-bas, certains villages étaient abandonnés. Avec sa mule, Miguel n'avait eu aucun problème pour sortir de l'Arenal, et il les avait retrouvés derrière les remparts de la ville. Ils avaient perdu leurs magnifiques chevaux, mais peu importait désormais.

Au terme d'un long voyage de Séville aux Alpujarras, au cours duquel ils évitèrent les chemins, se cachèrent des gens, volèrent le peu de nourriture qu'ils purent dénicher dans la campagne en hiver, et attendirent à l'extérieur des villages, dissimulés, que Miguel obtienne quelque aumône, ils trouvèrent refuge près de Juviles, à Viñas, un endroit désert depuis l'expulsion de ses habitants après la rébellion.

Le froid était encore intense et les sommets de la Sierra Nevada recouverts de neige. Hernando les contempla puis posa les yeux sur ses enfants ; c'était là qu'il avait passé sa prime enfance. Il interdit de faire du feu, excepté la nuit. Ils s'installèrent dans une maison branlante que Rafaela et les enfants s'employèrent à nettoyer sans moyens et avec peu de succès. Hernando et Miguel les observaient : on aurait dit des mendiants.

Les deux hommes sortirent de la maison et s'éloignèrent dans une ruelle sinueuse bordée de maisons en ruine. Rafaela, qui s'en aperçut, ordonna aux enfants de continuer et les suivit.

Et maintenant ? les interrogea-t-elle du regard dès qu'elle fut auprès d'eux. Allaient-ils vivre là, cachés, toute leur vie ?

— Je dois te demander un nouveau service, Miguel, s'empressa de dire Hernando en soutenant le regard de son épouse.

Il tendit la main à Rafaela.

— Dites-moi. Que voulez-vous ?

Hernando accompagna Miguel le plus près possible de Grenade, puis il retourna dans les Alpujarras avec la mule ; un mendiant ne pouvait posséder un animal comme celui-ci. L'éclopé franchit la porte du Rastro après avoir bataillé avec les gardes qui finirent par céder, vaincus par son inépuisable logorrhée. De là, il se rendit directement à la maison de los Tiros.

Pendant l'absence de Miguel, Hernando s'occupa de ses enfants et tenta de leur apprendre à chasser de petits oiseaux. Il trouva un bout de corde séchée, désunit les fils et, sous leur regard attentif, il se mit à confectionner divers types de laçages qu'ils placèrent ensuite sur les branches des arbres. Ils n'en attrapèrent aucun, mais les petits s'amusèrent beaucoup. Et ils ne manquèrent pas de nourriture. Hernando connaissait bien la région et, à part de la viande, il trouva tout ce qu'il fallait pour survivre. Une semaine passa. Personne ne s'était aventuré jusqu'au village. Alors Hernando annonça à Rafaela qu'il partait quelques jours avec Amin et Muqla.

— Où allez-vous ?

— Je dois leur montrer quelque chose.

La terreur envahit le visage de Rafaela.

— Ne t'inquiète pas, la rassura-t-il. Personne ne viendra par ici. Sois attentive et, si tu vois quelque chose d'étrange, réfugie-toi avec les enfants dans les grottes près de l'endroit où nous avons essayé de chasser des oiseaux. Laila sait où elles sont.

Aussi imposant que dans les souvenirs d'Hernando, le château de Lanjarón se dressait sur les hauteurs. Ils attendirent que la nuit tombe au pied de la colline avant d'entreprendre l'ascension. Hernando s'était arrangé pour que le voyage ait lieu au moment de la pleine lune, qui brillait intensément dans un ciel étoilé et sans nuages. Suivi par ses fils, il se dirigea vers le bastion, au sud de la forteresse.

— Il n'y a pas d'autre Dieu que Dieu et Mahomet est l'envoyé de Dieu, murmura-t-il dans la nuit.

Puis il se mit à genoux et commença à creuser. Alors l'épée du Prophète apparut. Hernando la sortit avec soin et la présenta à ses enfants, la libérant solennellement des tissus dans lesquels il l'avait enveloppée un jour.

— Voici l'une des épées qui a appartenu à Mahomet, leur dit-il.

Il aurait aimé que le fourreau en or et ses pierres brillent sous la lumière de la lune comme jadis, lorsqu'il les avait contemplés pour la première fois dans la chaumine d'Hamid. En revanche, il trouva l'éclat désiré dans les yeux immensément ouverts de ses fils. Il dégaina l'alfange. La lame grinça en sortant et Hernando frémit : malgré la rouille on voyait encore les taches de sang séché du cou de Barrax. Le corsaire ! Il se perdit dans ses souvenirs et, une fois de plus, en dépit de tout ce qui s'était passé, le regard noir de Fatima surgit, étincelant dans la nuit.

Une petite toux le ramena à la réalité. Il regarda Amin, puis les yeux de Muqla le captivèrent ; même à la lumière de la lune, ils étincelaient.

— Pendant des années, déclara-t-il alors avec véhémence, cette épée a été protégée par les musulmans. D'abord, lorsque nous régnions sur ces terres, elle fut exhibée avec fierté et utilisée avec courage ; puis, quand notre peuple fut soumis, on la cacha dans l'attente d'une nouvelle victoire qui viendra un jour. Ne doutez jamais de cela. Aujourd'hui, nous sommes plus vaincus que jamais ; nos frères ont été expulsés d'Espagne. Si ce que j'ai prévu se réalise, nous allons être obligés de continuer à nous comporter comme des chrétiens, d'autant plus qu'il restera peu de musulmans en Espagne ; nous devrons parler comme eux, manger comme eux et prier comme eux, mais ne désespérez pas, mes enfants. Je n'en serai probablement pas le témoin, vous non plus sans doute, pourtant un jour un croyant reviendra ici pour prendre cette épée et…

Un instant, il hésita au souvenir des paroles d'Hamid. Tant d'années s'étaient écoulées. Qu'allait-il leur dire ? Que l'épée se lèverait pour venger l'injustice ? Bien qu'il ressentît de la rage, il ne voulait pas que ses fils grandissent habités par la haine.

— … il la ressortira à la lumière, et ce sera le signe que notre peuple aura recouvré sa liberté. Souvenez-vous toujours de l'endroit où elle nous attend et, si cela ne se produit pas au cours de votre vie, transmettez ce message à vos enfants pour qu'ils le transmettent aux leurs. Ne renoncez jamais au combat pour le Dieu unique. Jurez-le par Allah !

— Je le jure, répondit Amin avec sérieux.

— Je le jure, l'imita Muqla.

Sur le chemin de retour à Viñas, Hernando pensa à ce qu'il venait de faire jurer à ses fils. Il avait œuvré pour rapprocher les deux religions, pour obtenir des chrétiens qu'ils acceptent leur présence, leur permettent de parler en arabe… et cependant il avait monté ses enfants contre eux, en quête… de quoi ? Il était troublé. Il revoyait les milliers de Maures soumis, entassés et traités comme des animaux dans l'Arenal de Séville, et il se rappela le jour où Hamid lui avait confié l'alfange. Ils luttaient alors pour leur survie, ils étaient prêts à donner leur vie pour leurs lois et leurs coutumes. Quelle différence avec cette expulsion humiliante d'Espagne ! Il ne restait plus qu'eux et probablement quelques Maures cachés dans les champs et les villes. Qu'en était-il de l'entente à laquelle il avait cru ? Dans la nuit, cheminant vers les montagnes, il passa les bras autour des épaules de ses fils et les attira vers lui. Ils maintiendraient la flamme de l'espérance d'un peuple maltraité ; faible flamme, certes, mais les grands incendies ne naissaient-ils pas d'une minuscule étincelle ?

Miguel revint dans les Alpujarras au bout d'une vingtaine de jours, juché sur une nouvelle mule et en compagnie de don Pedro de Granada Venegas, à cheval, seul, sans domestique. Ils pouvaient se réfugier, leur proposa le noble, sur les terres qui lui appartenaient à Campotéjar, à la frontière des provinces de Grenade et de Jaén, mais ils devaient le faire comme des chrétiens arrivant de la capitale grenadine. Don Pedro leur procura de faux documents qui les certifiaient citoyens de Grenade, supposément vieux-chrétiens. Hernando s'appellerait désormais Santiago Pastor ; Rafaela, Consolación Almenar. Personne ne s'étonnerait de leur arrivée. L'expulsion des Maures avait vidé les champs, sans plus personne pour travailler, principalement ceux du royaume de Valence, mais aussi d'autres lieux, et la seigneurie des Granada Venegas n'était pas une exception. Il leur remit également deux lettres : l'une adressée au domestique qui gérait les affaires de sa seigneurie, et l'autre d'introduction pour le curé de Campotéjar, un ami à lui, dans laquelle il confirmait la foi de ceux qu'il présentait comme ses plus fidèles serviteurs, des personnes dévouées à Dieu. Miguel apparaissait sur les documents comme un membre supplémentaire de la famille. S'ils ne commettaient pas d'erreurs, personne ne les ennuierait, affirma don Pedro.

— Qu'en est-il des plombs ? s'enquit Hernando en aparté, avant que le noble ne remonte sur son cheval pour repartir en ville.

— L'archevêque continue de retenir les livres et d'intervenir personnellement dans leur traduction. Il n'autorise pas la moindre référence aux doctrines musulmanes. Il fait construire une collégiale sur le Sacromonte, où sont vénérées les reliques, et un collège pour dispenser des études de religion et de droit. Nous avons échoué.

— Peut-être un jour…, dit Hernando, la voix pleine d'espoir.

Don Pedro le regarda et hocha négativement la tête.

— Quand bien même nous réussissions, quand bien même le sultan ou tout autre roi arabe faisait connaître l'évangile de Barnabé, il ne reste plus de musulmans en Espagne. Cela n'a plus d'importance.

Hernando faillit répliquer, mais il se retint. Don Pedro était-il devenu indifférent au fait que la vérité éclate au grand jour, indépendamment des Maures d'Espagne ? Les nobles convertis avaient réussi à échapper à l'expulsion. Don Pedro s'était trouvé des racines chrétiennes grâce à l'apparition de Jésus-Christ que quelqu'un, pour son plus grand honneur, avait racontée dans un livre. Il les aidait, en effet, mais croyait-il encore au Dieu unique ?

— Je vous souhaite une longue vie, ajouta le noble en mettant un pied à l'étrier de sa monture. Si vous avez le moindre problème, faites-le-moi savoir.

Et il partit au galop.

ÉPILOGUE

« Il en est resté beaucoup, particulièrement où il y a des édits qui les favorisent... »

Le comte de Salazar
au duc de Lerma, septembre 1612

Campotéjar, 1612

Près de deux années s'étaient écoulées depuis cette conversation et, en effet, ils n'avaient eu aucun problème pour s'installer dans une ferme à l'écart sur la seigneurie des Granada Venegas, en tant qu'anciens domestiques de don Pedro et sous sa protection. Leur mode de vie changea. Hernando ne possédait plus de livres dans lesquels se réfugier, ni même de papier ou d'encre pour écrire. Il n'avait plus de chevaux. Le peu d'argent dont ils disposaient ne pouvait être affecté à de telles activités. De toute façon, il n'aurait pu se consacrer à la calligraphie ; la cohabitation entre les familles qui vivaient en ce lieu perdu dans les champs était si intime, si étroite, que leurs voisins s'en seraient rendu compte, auraient nourri des soupçons. Les portes des maisons étaient ouvertes en permanence et les femmes égrenaient leur rosaire en un constant murmure qui avait fini par devenir une cantilène propre à l'endroit. Parfois, cependant, lorsqu'ils étaient seuls dans les champs, Hernando, presque inconsciemment, traçait à l'aide d'une petite branche des lettres arabes sur la terre, que Rafaela ou les enfants effaçaient rapidement avec les pieds. Muqla, qui s'appelait désormais Lazare, âgé de sept ans, fixait de ses yeux bleus ces graphismes, comme pour essayer de les retenir. C'était le seul de ses enfants à qui

Hernando continuait d'apprendre la doctrine musulmane, gardant toujours en mémoire le coran qu'il avait caché dans le mihrab de la mezquita de Cordoue et que son fils récupérerait un jour.

À part avec Muqla, Hernando évitait de parler de religion. De peur d'être découvert, il n'enseignait même plus à ses autres enfants. Les gens étaient agités ; il y avait en permanence des dénonciations à l'encontre des Maures qui avaient réussi à échapper à l'expulsion et se cachaient. Mort, esclavage, galères ou travail dans les mines d'Almadén : telles étaient les peines imposées aux Maures capturés. Il ne pouvait pas risquer la vie de ses enfants ! Mais Muqla était différent. Il avait les yeux de la même couleur que lui, héritage du chrétien qui avait violé sa mère, symbole de cette injustice qui avait poussé les habitants des Alpujarras à prendre les armes.

Hernando soupira, appuya son long bâton sur le sol et s'arrêta. Il s'interdit de se tenir les reins qui lui faisaient si mal, car il s'aperçut à temps que Rafaela l'observait.

— Repose-toi un peu, lui conseilla pour la énième fois son épouse, qui se penchait à terre pour ramasser les olives avant de les mettre dans un grand panier.

Hernando se pinça les lèvres et hocha la tête. Pendant quelques instants il se permit d'observer ses enfants : Amin – Juan au village – sautait d'une branche d'olivier à une autre. Il grimpait le long des troncs tordus pour atteindre les olives rebelles, résistantes au bâton, comme Hernando le faisait enfant à Juviles avec le vieil olivier d'une terrasse. Les quatre autres aidaient leur mère à ramasser les olives mûres sur le sol, ou celles qui tombaient sous les coups. Son fils aîné, qui avait déjà quinze ans, maniait le long bâton avec habileté. Amin avait pris sa place. Que lui restait-il à lui ? À presque soixante ans, il ne pouvait grimper à l'arbre.

Il souleva de nouveau son bâton pour frapper les branches de l'olivier. Rafaela le vit et secoua la tête.

— Têtu ! cria-t-elle.

Hernando sourit pour lui-même et donna un autre coup. Il était têtu, en effet. Mais il fallait qu'ils ramassent les olives. Comme de nombreuses familles sur ces terres, ils devaient s'occuper de dizaines d'arbres alignés sur une étendue interminable, et plus tôt les olives étaient portées au moulin, meilleure était l'huile obtenue. Et plus élevé le salaire journalier qu'ils recevraient.

À la tombée du jour, épuisés, ils se dirigèrent vers leur foyer, un minuscule bâtiment à deux étages en ruine qui, avec cinq autres aussi délabrés, composait la petite ferme construite à l'écart du village de Campotéjar.

Ils vivaient là depuis leur arrivée et travaillaient les champs pour de misérables salaires journaliers leur permettant juste de nourrir péniblement leurs cinq enfants. Souvent ils avaient faim, comme tous ceux qui se consacraient à la terre, mais ils étaient ensemble, et cela leur donnait des forces.

Les dimanches et fêtes d'obligation ils se rendaient à la messe à Campotéjar, où ils se montraient plus pieux que n'importe quel habitant. Depuis 1610, l'archevêque de Castro, farouche défenseur des plombs du Sacromonte, avait laissé son siège de Grenade pour celui de Séville. De là-bas, grâce à son énorme patrimoine personnel, il poursuivait son travail de traduction des lames et des plombs, ainsi que la construction de la collégiale sur les grottes, mais il était aussi devenu le plus chaud partisan du conceptionnisme, faisant de la pureté de la Vierge Marie la bannière de son épiscopat. Les doctrines autour de l'Immaculée Conception s'étaient transmises dans toute l'Espagne, parvenant même jusqu'aux recoins les plus reculés des plus petites paroisses, comme celle de Campotéjar. Hernando et Rafaela écoutaient les homélies passionnées sur Marie, cette Maryam que le Prophète avait désignée comme la femme la plus importante au Ciel et à qui le Coran et la Sunna reconnaissaient les mêmes vertus célébrées à présent dans les églises chrétiennes. Hernando et Rafaela, chacun depuis sa propre foi, s'unissaient autour d'elle, lui avec respect, elle avec dévotion.

Souvent, à ces moments-là, ils se cherchaient du regard, car les hommes et les femmes étaient séparés à l'intérieur de l'église. Lorsqu'ils réussissaient à se retrouver, ils se parlaient en silence. La Vierge Marie s'élevait comme le point d'union entre leurs croyances respectives, ainsi que le suggéraient ces plombs qui avaient donné si peu de résultats. Comment, sans son intercession, en était venue à lui commenter Rafaela dans l'intimité de leurs nuits, un Maure et une chrétienne auraient-ils pu s'échapper de Séville ? Comment, sans l'intercession de Marie devant Dieu, aurait-Il autorisé un mariage heureux entre un partisan du Prophète et une dévote chrétienne ?

Lors de ces journées de congé dans le village, dès qu'Hernando voyait un cheval, si navrant qu'il pût être, Rafaela frissonnait en le voyant plisser les yeux avec nostalgie. Alors elle se demandait si elle avait pris la bonne décision en fuyant avec lui, si elle ne l'avait pas condamné à une vie simple et stérile, loin de ses études et de ses projets, ennuyeuse et misérable.

Cependant, pendant ces fêtes d'obligation, son époux lui démontrait indéniablement qu'elle ne s'était pas trompée. Il jouait avec les petits Muqla et Salma, les prenait dans ses bras et les embrassait avec douceur. En cachette, dans les champs, il essayait de leur apprendre les chiffres, l'arithmétique, et tout ce qu'il pouvait sans papier ni écriteau. Mais ils se lassaient vite de ces leçons qui ne leur servaient à rien et lui demandaient l'autorisation de s'asseoir pour écouter une histoire racontée par Miguel. Plus tard, le soir, chez eux, les deux époux parlaient de leurs enfants, de l'avenir d'Amin et de Laila, déjà presque adultes, des champs, de la vie et de mille autres choses, avant d'entrer dans la petite chambre qu'ils partageaient où, tendrement, ils faisaient l'amour.

Un jour de dur labeur, ils se levèrent à l'aube afin de continuer la cueillette des olives. Hernando dut secouer ses enfants, qui dormaient tous ensemble recroquevillés sur le même matelas, pour les réveiller. Après un petit déjeuner frugal, ils partirent aux champs, dans la brume. Dès que la chaleur l'eut dissipée, ils travaillèrent en silence. Rafaela était soucieuse : son corps lui indiquait qu'elle était de nouveau enceinte. Comment allait-elle donner naissance à un autre enfant dans ce monde de pauvreté et de souffrance ?

En milieu de matinée ils firent une pause pour manger. C'est alors que Roman, un vieillard impotent qui restait toujours à la ferme, apparut au loin, marchant lentement en s'appuyant sur sa canne grossière. Avec celle-ci, il signala Hernando et sa famille aux deux cavaliers qui le suivaient.

— Don Pedro, annonça Miguel, surpris, le regard posé sur les deux hommes à cheval.

— Qui l'accompagne ? demanda Rafaela avec inquiétude.

— Ne t'en fais pas, don Pedro ne nous jouerait pas un mauvais tour, dit Hernando.

Mais sa voix tremblait.

Les deux cavaliers se dirigeaient vers eux au trot.

Hernando se leva et s'avança pour les accueillir. Le sourire qu'il aperçut sur les lèvres du noble le rassura ; il fit signe à Rafaela de s'avancer à son tour.

— Bonjour, dit don Pedro en sautant de son cheval.

— La paix, répondit Hernando en observant le compagnon du noble.

C'était un homme entre deux âges, bien habillé mais pas à l'espagnole, avec une barbe curieusement taillée et un regard pénétrant.

— Viens-tu pour jeter un coup d'œil sur tes terres ? demanda Hernando avec un sourire, tendant la main vers don Pedro.

— Non, répondit celui-ci en la serrant fortement.

Son sourire s'élargit. Rafaela s'accrocha à son époux tandis que Miguel s'efforçait de maintenir les enfants à l'écart.

— J'apporte de bonnes nouvelles.

Don Pedro fouilla dans ses vêtements et en sortit un document qu'il lui remit avec solennité.

— Tu ne l'ouvres pas ? interrogea-t-il quand il vit qu'Hernando restait immobile, la lettre entre les mains.

Le Maure regarda le document cacheté. Il en examina le sceau. Les armes royales ! Il hésita. Trembla. De quoi s'agissait-il ?

— Ouvre ! le pressa Rafaela.

Même Miguel ne put résister à la curiosité, et se déplaça vers lui avec difficulté ; ses béquilles s'enfonçaient dans la terre. Les enfants le suivirent.

— Ouvrez, père.

Hernando se tourna vers son fils aîné, hocha la tête et décacheta la lettre. Puis il se mit à la lire à haute voix.

— *Don Philippe, par la grâce de Dieu roi de Castille, León, Aragon, Sicile, Jérusalem, Portugal, Navarre, Tolède, Valence, Galice, Majorque...*

Inconsciemment, plus il énumérait les titres de Philippe II, plus sa voix baissait. À la fin, ce ne fut plus qu'un murmure.

— *... archiduc d'Autriche... duc de Bourgogne...*

Il poursuivit sa lecture en silence.

Nul n'osa l'interrompre. Rafaela, serrant fortement ses mains, tentait de deviner le contenu de la lettre à travers les mouvements imperceptibles des lèvres de son époux.

— Le roi..., annonça-t-il en mettant fin à sa lecture. Le roi, en personne, nous exclut de l'arrêt d'expulsion, nous, Hernando Ruiz de Juviles et ses enfants. Il nous reconnaît comme vieux-chrétiens et nous restitue l'ensemble de nos biens.

Rafaela se mit à sangloter, riant et pleurant à la fois de manière irrépressible.

— Et Gil ? Et le duc ? parvint-elle à dire.

Hernando reprit sa lecture, cette fois à haute voix, avec énergie :

— *Ainsi l'ordonne le roi notre seigneur aux grands d'Espagne, prélats, nobles, barons, chevaliers, magistrats, membres des conseils municipaux des villes, villages et autres lieux, baillis, gouverneurs et à tous les ministres de Sa Majesté, citoyens et simples habitants de nos royaumes.*

Il lui montra la lettre. Rafaela ne pouvait plus retenir ses larmes. Hernando ouvrit ses bras, entre lesquels son épouse courut se blottir.

— Ton prochain enfant naîtra à Cordoue, murmura-t-elle alors à son oreille.

— Comment as-tu obtenu cela ? demanda Hernando à don Pedro.

Le noble le prit à part et lui présenta son compagnon : André de Ronsard, membre de l'ambassade de France à la cour d'Espagne. Les trois hommes déambulèrent sous les oliviers.

— Le chevalier de Ronsard t'apporte une autre lettre.

Ils s'arrêtèrent à l'ombre d'un vieil olivier aux branches tordues. Le Français lui tendit un second document.

— C'est une lettre d'Ahmed Ier, sultan de Constantinople, annonça-t-il.

Hernando l'interrogea du regard. Le Français continua :

— Comme vous devez déjà le savoir, à la suite de l'expulsion de votre peuple, beaucoup de musulmans sont venus en France. Malheureusement, ils ont été volés, maltraités. Certains ont même été tués. Tous ces excès sont arrivés aux oreilles du sultan Ahmed, qui a immédiatement dépêché un ambassadeur spécial à la cour de France pour intercéder auprès du roi en faveur des déportés. Cet ambassadeur, qui s'appelle Agi Ibrahim, a atteint son objectif, mais alors qu'il se trouvait dans notre pays, il a été chargé d'une autre mission qu'il nous a fait parvenir à l'ambassade de France en Espagne : obtenir votre pardon et celui de votre famille... quel qu'en soit le prix. Et le prix a été élevé, je puis vous l'assurer.

Hernando attendit d'autres explications.

— Je n'en sais pas davantage, s'excusa Ronsard. On m'a simplement ordonné, une fois le pardon obtenu, de chercher don Pedro de Granada Venegas, qui saurait probablement vous trouver à cause de l'affaire des plombs. On m'a chargé de l'accompagner pour vous remettre la lettre du sultan.

Hernando l'ouvrit. La calligraphie arabe, soignée, colorée et stylisée, écrite par une main experte, le fit frissonner. Il commença à lire en silence. Fatima s'était rendue à Constantinople, comme elle s'y était engagée, et avait remis l'évangile au sultan en personne. Ahmed Ier le félicitait pour son action au service de la défense de l'islam et le remerciait de lui avoir envoyé l'évangile de Barnabé, mais il lui exprimait surtout toute sa gratitude pour avoir continué à entretenir l'esprit de l'islam dans la mezquita de Cordoue, en priant face à son mihrab. Qui, dans toute l'étendue du monde musulman, n'avait entendu parler d'elle ?

Le sultan, disait encore la lettre, construisait à Constantinople la plus grande des mosquées en l'honneur d'Allah et de son Prophète. Elle comprendrait six hauts minarets, une immense coupole et serait recouverte d'une mosaïque composée de milliers de pièces bleues et vertes. Mais même ainsi, reconnaissait-il, si belle serait-elle, elle n'égalerait jamais en splendeur la mezquita de Cordoue, symbole de la victoire sur les royaumes chrétiens d'Occident.

Mon désir, et celui de tous les musulmans est que tu continues à louer et à vénérer le « Créateur sans pareil », entre les murs de celle qui fut la plus importante mosquée d'Occident ; que, même en murmurant, on continue d'entendre de ta bouche les prières au Dieu unique. Et lorsque tu ne seras plus, que tes enfants et les enfants de tes enfants poursuivent cette mission. Que vos prières se confondent avec l'écho des murmures de nos frères qui, par milliers, ont prié là pendant des siècles, afin que le jour où Dieu le voudra, à travers toi et ta famille, soient réunis le passé et ce présent qui, avec l'aide du Tout-Puissant, adviendra sans nul doute.

Les docteurs en religion considèrent indispensable de retrouver l'original de l'évangile que le copiste prétend avoir caché à l'époque d'al-Mansûr. Si seulement nous réussissions ! Nous donnerions n'importe quoi pour cela, car les chrétiens ne reconnaîtront jamais une copie.

Ton épouse te félicite et t'encourage à continuer le combat que vous aviez commencé ensemble. Nous veillerons sur elle jusqu'à ce que la mort vous réunisse.

Fatima ! Elle lui avait pardonné !

Les rires de ses enfants, un peu plus loin, l'obligèrent à lever les yeux. Il les regarda : ils couraient et jouaient entre les oliviers, excités par les cris de Miguel, sous l'œil amusé de son épouse. Ma famille est ma plus grande réussite… soupira Hernando. Pourquoi cette cohabitation entre les deux peuples n'avait-elle pas été possible ? Alors il vit Muqla, resté à l'écart ; immobile, sérieux, attentif à lui. Ils étaient ses enfants, mais celui-ci était l'héritier de l'esprit forgé sur ces terres au cours de huit siècles d'histoire musulmane. Celui-ci continuerait son œuvre.

Soudain, Rafaela se rendit compte de la complicité entre le père et le fils et, comme si elle devinait les pensées de son époux, elle s'approcha de Muqla, se plaça derrière lui et posa ses mains sur ses épaules. L'enfant chercha le contact de sa mère et entrelaça ses doigts aux siens.

Hernando contempla tendrement sa famille, puis il leva les yeux au-dessus de la cime des oliviers. Le soleil était haut. Et, l'espace d'un instant, dans le ciel clair, les nuages dessinèrent pour lui une main de Fatima, blanche et immense, qui semblait les protéger tous.

NOTES DE L'AUTEUR

L'histoire de la communauté maure, depuis la prise de Grenade par les Rois Catholiques jusqu'à leur expulsion définitive, dont le quatre-centième anniversaire a été commémoré en 2009, constitue l'un des nombreux épisodes xénophobes de l'histoire de l'Espagne, au même titre que les attaques d'Almanzor contre les Hébreux et les chrétiens, ou que l'expulsion bien connue des juifs espagnols par les Rois Catholiques. Les capitulations pour la reddition de Grenade établissaient des conditions très généreuses pour les musulmans, qui pouvaient conserver leur langue, leur religion, leurs coutumes, leurs biens et leurs qualités ; mais huit ans plus tard, le cardinal Cisneros imposa la christianisation forcée des Maures, ainsi que l'élimination de leur culture, l'établissement de nouveaux impôts élevés et la suppression de leur autonomie administrative. Les dénommés nouveaux-chrétiens devinrent à la fois des personnes exploitées et haïes, et leurs anciens droits furent restreints de manière drastique.

Le soulèvement maure des Alpujarras, terre d'orographie brisée et de grande beauté, fut la conséquence de la détérioration irréversible de la situation de ce peuple. Il est connu grâce aux récits détaillés des chroniqueurs Luis de Mármol Carvajal (*Historia del rebelión y castigo de los moriscos del reino de Granada*) et Diego Hurtado de Mendoza (*Guerra de Granada hecha por el Rey de España Don Felipe II contra los moriscos de aquel reino, sus rebeldes : historia escrita en cuatro libros*). Ce fut une guerre menée des deux côtés avec une extrême cruauté, même si l'on connaît mieux les excès commis par les Maures à cause de la partialité des chroniqueurs chrétiens. Malgré cela, une des rares voix qui s'éleva, non pour justifier, mais pour expliquer ces abus fut celle de l'ambassadeur espagnol à Paris qui, dans la lettre adressée au roi citée à la page 19, raconta que tout un peuple se plaignait que ses femmes étaient violées par les curés et que leurs enfants naissaient avec les yeux bleus, comme c'est le cas pour le héros de ce roman. Cependant, des atrocités furent également commises dans le camp chrétien. Les massacres, comme celui du village de Galera, la réduction en esclavage des vaincus et le pillage furent monnaie courante. C'est pourquoi il fallait accorder du crédit à ces événements, comme la mort de plus de mille femmes et enfants sur la place de Juviles et la vente de tant d'autres aux enchères à Grenade, qui sont rapportés dans ces chroniques.

Ces boucheries furent perpétrées par des troupes composées de soldats et de groupes qui ne faisaient pas partie des troupes régulières, et dont l'unique objectif semblait être l'enrichissement personnel. Dans les chroniques apparaissent constamment des épisodes où dominent le butin et sa répartition, l'ambition comme seule stratégie ou la désertion d'hommes satisfaits par ce qu'ils ont déjà obtenu.

À côté de cela, j'ai aussi essayé de donner dans mon roman une image des conflits et des conditions de vie du camp insurgé jusqu'au moment où les Maures, abandonnés à leur sort par les Algériens et les Turcs – ainsi qu'ils le seraient toujours –, furent vaincus par les régiments d'infanterie espagnols. La consommation de haschisch pour échauffer l'esprit guerrier, l'utilisation de l'aconit pour empoisonner les flèches, la disgrâce d'Abén Humeya à cause de son amour des femmes, l'attitude hautaine du corps de janissaires envoyés par Alger, les corsaires et le penchant de certains envers les jeunes garçons… apparaissent dans les récits des chroniqueurs de l'époque. L'œuvre *Mahoma* de Juan Vernet précise aussi que, suivant l'usage arabe, certaines épées du Prophète arrivèrent jusqu'à Al-Andalus, comme le reprend mon roman.

Le soulèvement des Alpujarras mit fin à la déportation des Maures grenadins dans les autres royaumes d'Espagne. Parmi ceux qui furent conduits à Cordoue, tels les personnages du roman, près d'un sixième des effectifs mourut, comme le révèle le travail *Los moriscos en tierras de Córdoba*, de Juan Aranda Doncel.

La défaite, la dispersion des Maures, les lois discriminatoires, qui rendaient vaines d'un autre côté les tentatives d'assimilation, ne purent résoudre le problème. Les rapports et les édits de l'époque qui en rendent compte et proposent des « solutions finales » véritablement effroyables, sont nombreux. Par conséquent il y eut également un grand nombre de conspirations, qui échouèrent toutes. Celle de Toga, que raconte le roman et qui n'aboutit pas à cause des documents remis par le roi d'Angleterre à son homologue espagnol après la mort d'Elizabeth Ire et le traité d'amitié anglo-espagnol, fut particulièrement grave. L'historien Henry Charles Lea, dans son œuvre *Los moriscos españoles, su conversión y expulsión*, affirme que les cent vingt mille ducats qu'à cette occasion s'était engagée à verser la communauté maure pour s'assurer le soutien du roi de France furent effectivement payés à Pau. Alors que Domínguez Ortiz et Bernard Vincent, dans leur *Historia de los moriscos ; vida y tragedia de una minoría*, soutiennent le contraire. De toute façon, qu'elle ait été ou non réalisée, l'intention paraît certaine. Pour des raisons dramatiques, j'ai choisi la première hypothèse, fondant celle-ci, de manière fictive, sur le profit obtenu par la falsification d'argent, véritable fléau économique qui affecta surtout le royaume de Valence, dont l'indice municipal s'écroula en 1613. Il fallut procéder au retrait de la circulation de centaines de milliers de ducats en fausse monnaie. Les Maures furent directement accusés de cette falsification. Plusieurs Arabes étaient présents à Toga, pourtant l'aide ne devait pas venir d'Alger ou de la Sublime Porte, mais des chrétiens eux-mêmes.

Les souffrances endurées par les enfants, et je fais référence à présent aux Maures, innocentes victimes de la tragédie de leur peuple, mériteraient une étude de fond. Sur ce sujet les écrits ne manquent pas. D'abord il y eut l'esclavage, auquel furent soumis les petits de moins de onze ans en dépit des dispositions royales prises pendant la guerre des Alpujarras (même si de notre point de vue actuel, il est difficile de considérer comme des adultes tous les enfants de plus de onze ans). Une fois la guerre terminée, on enleva aux Maures leurs enfants pour les donner à des familles chrétiennes ; des documents attestent de certaines démarches judiciaires effectuées par ces mêmes enfants, lorsqu'ils atteignirent l'âge nécessaire, pour tenter de recouvrer leur liberté. Enfin, on réduisit de nouveau les enfants en esclavage après les rébellions des sierras de Valence (Val de Aguar et Muela de Cortes). En outre, il existe aussi des documents sur les petits de six ans qui furent retenus en Espagne au moment de l'expulsion définitive. On raconte que, lorsque cette mesure drastique fut adoptée, certaines familles réussirent à faire passer leurs enfants en France (l'interdiction ne touchait que les Barbaresques), et que d'autres contournèrent l'ordre royal en embarquant sur des navires à destination de pays chrétiens qui se dirigèrent en réalité vers les côtes africaines. Dans le roman il est dit que des centaines d'enfants furent retenus à Séville. À Valence, près d'un millier se retrouva à la charge de l'Église, et la propre épouse du vice-roi, par l'intermédiaire de ses domestiques, enleva un nombre indéterminé d'enfants, qu'elle éleva afin d'empêcher qu'ils tombent aux mains de Satan, comme tel aurait été le cas si on les avait emmenés « en terre mauresque ».

Après l'expulsion, les Maures du village d'Hornachos, une communauté belligérante et fermée, s'établirent et réussirent à dominer la ville corsaire de Salé, à côté de Rabat. En 1631 ils négocièrent avec le roi d'Espagne la reddition de cet endroit, sous plusieurs conditions dont celle de retrouver les enfants qu'on leur avait volés. Royaume par royaume, village par village, il existe de nombreux exemples de communautés auxquelles de petits enfants ont été arrachés.

Quant au nombre de Maures expulsés d'Espagne, les chiffres sont si contradictoires selon les auteurs qu'il serait inutile de les citer. Le plus vraisemblable est peut-être celui donné par Domínguez et Vincent : trois cent mille personnes environ. Par ailleurs, la plupart des auteurs qui ont étudié le sujet maure (Janer, Lea, Domínguez et Vincent, Caro Baroja…) prennent en compte les massacres perpétrés à l'arrivée des déportés aux Barbaresques. L'un d'entre eux affirme que près d'un tiers des déportés valenciens furent assassinés dès leur arrivée sur ces terres, suivant en cela le chroniqueur de Philippe II, Luis Cabrera de Córdoba, dans ses *Relaciones de las cosas sucedidas en la corte de España de 1599 à 1614* : « … [les Maures] étaient si scandalisés par les mauvais traitements et les torts qu'avaient subis les Valenciens aux Barbaresques, dont un tiers avait péri, que très peu d'entre eux voulaient encore aller là-bas ». Pendant ce temps, le roi Philippe se réjouissait de l'opération et offrait cent mille ducats de biens maures au duc de Lerma à l'occasion du mariage du favori avec la comtesse de Valence.

Après la première expulsion, les édits se succédèrent, insistant sur la déportation de ceux qui avaient pu rester ou revenir en Espagne, ou autorisant et encourageant le meurtre, voire l'esclavage, de ces malheureux. Il faut savoir que les arrêts d'expulsion étaient différents dans chaque royaume d'Espagne, bien que peu de chose les ait distingués sur le fond. Dans le cadre du roman, je me suis appuyé sur le premier édit promu : celui du royaume de Valence.

Parmi les exceptions, on peut souligner celle, curieuse, de la ville de Cordoue qui, moyennant l'accord de son conseil municipal du 29 janvier 1610, supplia le roi d'accorder la permission à deux vieux Maures fabricants de mors, sans enfants, de rester en ville « pour le bien de la municipalité et au profit de la cavalerie ». À part ces deux vieux Maures qui devaient continuer à s'occuper des chevaux, il n'y eut, que je sache, aucune autre demande d'exception. Je n'ai pas connaissance non plus de la réponse de Sa Majesté à cette requête.

Après la mort de l'archevêque don Pedro de Castro, le pape Innocent XI s'empara des plombs et déclara en 1682 que les Livres de plomb du Sacromonte et le parchemin de la Torre Turpiana étaient des faux. Cependant, le Vatican ne se prononça pas au sujet des reliques, qualifiées d'authentiques par l'Église grenadine en 1600, et vénérées encore aujourd'hui. Situation similaire à celle vécue par le héros de ce roman : les documents – bien qu'en plomb – qui certifiaient que tel os ou telle cendre correspondait à un martyr déterminé furent décrétés faux par le Vatican ; mais on a continué à considérer authentiques, suivant l'Église grenadine, les reliques dont la crédibilité se fondait précisément sur ces documents. Comment pouvait-on attribuer à san Cecilio ou à san Tesifón des cendres trouvées dans une mine abandonnée sur une colline ?

Aujourd'hui, la plupart des chercheurs soutiennent que les Livres de plomb et le parchemin de la Torre Turpiana furent falsifiés par des Maures espagnols, dans une tentative désespérée de syncrétisme entre les deux religions pour trouver des liens communs qui, effectivement, auraient pu changer la perception des chrétiens à l'égard des musulmans, sans qu'ils renoncent aux dogmes de leur foi.

Il existe aussi une quasi-unanimité au sujet des médecins et traducteurs officiels de l'arabe, considérés comme les initiateurs de la fabulation : Alonso del Castillo et Miguel de Luna. Ce dernier écrivit une *Verdadera historia del rey Rodrigo*, dans laquelle il proposait une vision favorable de l'invasion arabe de la Péninsule et de la cohabitation entre chrétiens et musulmans. L'intervention d'Hernando Ruiz est complètement inventée ; en revanche don Pedro de Granada Venegas, cité dans plusieurs études, et qui finit par remplacer son emblème nobiliaire, ce victorieux « Lagaleblila » – *wa la galib ilallah* – nasride par le chrétien « *Servire Deo, regnare est* » a réellement existé. En 1608, un peu avant l'expulsion, parut le livre écrit par le licencié Pedraza, *Antigüedad y excelencias de Granada*, dans lequel était louée la conversion du prince musulman et ancêtre de don Pedro, Cidiyaya, après qu'une croix dans le ciel lui eut été miraculeusement apparue. Nombreux furent les musulmans qui, à l'instar des Venegas et d'une façon ou d'une autre, réussirent à s'intégrer dans la société chrétienne.

La connexion entre les Livres de plomb et l'évangile de Barnabé, thèse soutenue par Luis F. Bernabé Pons dans *Los mecanismos de una resistencia : los Libros plumbeos del Sacromonte y el Evangelio de Bernabé*, et dans *El Evangelio de san Bernabé. Un evangelio islámico español*, trouve son origine dans la découverte en 1976 d'une transcription partielle effectuée au XVIIIe siècle de l'original supposé, en espagnol, dont on possédait déjà certaines références écrites, surtout tunisiennes ; la copie est conservée à l'université de Sydney. Cette théorie moderne, néanmoins, pourrait remettre en question l'objectif exclusif de syncrétisme entre les religions chrétienne et musulmane imputé aux Livres de plomb. Il semble logique de penser que les auteurs du Livre muet de la Vierge, dont le contenu, selon son prologue et un autre des livres, lisible celui-là, serait révélé par un roi des Arabes, annonçaient l'apparition d'un nouvel écrit. Mais il n'existe pas de preuves qu'elle se fût produite. Ce nouvel écrit était-il ou non l'évangile de Barnabé, dont les similitudes avec les plombs sont notables ? C'est une hypothèse toujours en vigueur. En revanche, le lien entre l'évangile et cet exemplaire fictif qui aurait échappé à l'autodafé de la magnifique bibliothèque califale de Cordoue ordonné par le chef Almanzor est le fruit exclusif de l'imagination de l'auteur. L'autodafé, par contre, a réellement eu lieu, comme tant d'autres barbaries de triste mémoire dans l'histoire de l'humanité, quand le savoir devient l'objet de la colère des fanatiques.

Il est également vrai que des études sur les martyrs chrétiens des Alpujarras ont été réalisées, mais à une date postérieure à celle du roman : la première référence que nous possédons, grâce aux informations données par l'archevêque Pedro de Castro, date de l'année 1600. Dans les actes d'Ugíjar (1668), qui recensent la plupart des massacres de chrétiens commis dans les Alpujarras, est cité un enfant nommé Gonzálico, qui aurait qualifié de « doux » son sacrifice pour Dieu avant d'être martyrisé. L'extraction du cœur par l'épée, décrite dans le roman, est fréquemment citée par Mármol dans ses chroniques comme preuve de la cruauté des Maures envers leurs victimes chrétiennes.

Cordoue est une ville merveilleuse, et c'est pourquoi elle possède la plus importante étendue urbaine d'Europe déclarée Patrimoine historique de l'Humanité par l'Unesco. Dans certains endroits l'imagination s'envole sans peine pour revivre la splendide époque du califat musulman. L'un d'eux, sans nul doute, est la mezquita cathédrale. On ne peut assurer avec certitude que l'empereur Charles Quint ait réellement prononcé ces paroles

qu'on lui attribue généralement lorsqu'il découvrit les travaux qu'il avait lui-même autorisés à l'intérieur :
« J'ignorais qu'il s'agissait de cela, sinon je n'aurais pas
permis qu'on touche au monument ancien, car vous faites
ce qu'on trouve partout à la place de ce qu'on ne voyait
nulle part. » Toutefois la cathédrale, telle qu'elle fut
conçue à travers les différents projets, emprisonnée dans
la forêt de colonnes de l'ancienne mosquée, est une œuvre
d'art. Certes on a étouffé la lumière du temple musulman,
brisé sa linéarité et rogné son esprit mais, malgré tout, une
bonne partie de l'œuvre califale est encore là. Pourquoi
ne l'a-t-on pas rasé, comme tant d'autres mosquées, afin
d'élever à sa place une cathédrale chrétienne ? Peut-être,
sans oublier les éventuels intérêts des membres des Vingt-
Quatre et de la noblesse, faut-il rappeler la peine de mort
que dicta le conseil municipal contre ceux qui auraient osé
œuvrer aux nouveaux travaux de la cathédrale ?

Dans l'alcázar des Rois Catholiques, autour du patio
central, on peut toujours voir les ruines et les marques au
sol des anciennes cellules de l'Inquisition. À côté se trouve
un autre bâtiment qui peut faire voyager le visiteur
d'aujourd'hui dans cette époque : les écuries royales, où
Philippe II décida de créer, avec succès, une nouvelle race
de chevaux de cour, race qui aujourd'hui caractérise avec
fierté l'élevage équestre de ce pays.

La main de Fatima (*al-hamsa*) est une amulette en
forme de main à cinq doigts qui, selon certaines théories,
représentent les cinq piliers de la foi : la déclaration de foi
(*shahada*) ; la prière cinq fois par jour (*salat*) ; l'aumône
légale (*zakat*) ; le jeûne (*ramadan*) et le pèlerinage à La
Mecque au moins une fois dans sa vie (*hach*). Cependant
cette amulette apparaît également dans la tradition juive.
Il n'est pas question ici de discuter des véritables origines
de celle-ci ni de débattre de l'utilité des amulettes en
général. Les études insistent de manière répétée sur le fait

que non seulement les Maures, mais aussi la société de l'époque, employaient des amulettes et croyaient à tout type de sorcellerie et sortilège. En 1526, le conseil de la Chapelle royale de Grenade fit référence aux « mains de Fatima », interdisant aux orfèvres de les confectionner et aux Maures de les utiliser ; des préceptes similaires furent établis par le synode de Guadix en 1554. Il y a de nombreux exemples de « mains de Fatima » dans l'architecture musulmane, mais le plus représentatif est peut-être, dans le cadre de ce roman, la main aux cinq doigts écartés, ciselée dans la pierre de voûte du premier arc de la porte de la Justice qui donne accès à l'Alhambra de Grenade et date de 1348. Ainsi, le premier symbole que rencontre le visiteur de ce merveilleux monument grenadin est une main de Fatima.

Je ne saurais terminer ces lignes sans exprimer ma reconnaissance à tous ceux qui, d'une façon ou d'une autre, m'ont aidé et conseillé tout au long de l'écriture de ce roman, en particulier mon éditrice Ana Liarás, dont l'implication personnelle, les conseils et le travail sont d'une valeur inestimable, et je remercie également tout le personnel de Random House Mondadori. Ma gratitude, évidemment, je l'exprime à ma première lectrice, mon épouse, infatigable compagne, et à mes quatre fils qui s'emploient à me rappeler avec acharnement qu'il existe beaucoup d'autres choses que le travail. En hommage à tous ces enfants qui ont souffert et souffrent toujours, hélas, des problèmes d'un monde que nous sommes incapables de résoudre, ce livre leur est dédié.

Barcelone, décembre 2008

Mise en pages PCA
44400 Rezé

Achevé d'imprimer

en octobre 2012

par Black Print CPI Iberica

à Barcelone (Espagne)

POCKET - 12, avenue d'Italie - 75627 Paris Cedex 13

Dépôt légal : juin 2012
. S22143/02